Literatura española contemporánea

THE SCRIBNER SPANISH SERIES

General Editor, Juan R.-Castellano
  Duke University

Literatura española contemporánea

ANTOLOGÍA, INTRODUCCIÓN, Y NOTAS

Ricardo Gullón and George D. Schade

UNIVERSITY OF TEXAS

CHARLES SCRIBNER'S SONS, NEW YORK

Preface

WHEN A COMPILER, or compilers, send off an anthology to the publisher, they are rarely satisfied. It is like issuing a book that by its very nature we know to be unfinished and incomplete, for when is an anthology concluded? When do we deem the selection to be definitive, entirely satisfactory? In the early morning hours we are awakened by a voice reciting the forgotten poem, the omitted verse, the short story or essay taking revenge for being passed over, claiming to be indispensable, unique, in short, the very best. Rejected phantoms obstinately stalk us and demand justice. Who can be sure he has not sinned by including too many authors or too few, by being overly generous or overly severe? We can not, and we openly admit it.

In this case the difficulties were compounded, for our selections were limited by the public to whom this work is principally directed: third-year or fourth-semester college students. However, we have compiled a book that may also be used in more advanced twentieth century Spanish literature or genre courses—poetry, essay, drama, prose fiction. If we did not automatically exclude the difficult pages, neither did we overlook the problem. Other factors being equal, we chose the easier selection rather than the more difficult, reserving the right to make as many exceptions to this rule as our main criterion allowed: publishing the best of each author.

At the same time we wanted to be objective without betraying our criterion of quality. Commercial and popular reputations were not enough to entice us. In addition, we thought it best to omit those writers, like Vicente Blasco Ibáñez, who either mentally or stylistically belong to an earlier period.

Though proposing in our anthology to give a full and faithful image of Spain's best literature in this century, we have given somewhat greater emphasis to the writers in the first part of the volume. Since their work is completed and the period in which it was produced is over, we are able to see them in clear perspective. The second group of writers we have included are now mature, though they still show signs of undergoing renovation and change, as can be observed in recent books by Jorge Guillén and Francisco Ayala. Nevertheless, their general lines stand out clearly.

In the most recent period, still very close to us, the risks and the difficulties for the anthologist are multiplied. The writers belonging to this third group are young and have a future. They have accomplished excellent things in the last fifteen years, amply demonstrated in these pages. Some of these selections will surely appear in any future anthology of twentieth century Spanish literature; some have already been printed in other anthologies.

In a few cases we have not hesitated to use pieces that have already been anthologized, because we felt obliged to give the best of each author. *Camino de perfección; La malquerida; San Manuel Bueno, mártir; La casa de Bernarda Alba* . . . are their authors' most representative works. Never before, however, have all the works included here been collected in a single volume which would allow the reader to judge fully the quality and richness of modern Spanish literature.

The texts are published here in unabridged form. We believe it is impossible to give an idea of a novelist or dramatist without inserting at least one of his complete works. Our presentation may be partial (this is one of the fatalities inherent in any anthology) insofar as it neither embraces the diversity of the work achieved by a writer nor reflects all the nuances and changes of his style. But to include only fragments of works seemed to us even more partial and distorting.

Publishing complete novels, plays, and essays reduced the available space, obliging us to omit some writers and to devote to others less space than they deserve and than we would have wished to allot them. Thus, the number of pages dedicated to an author is not necessarily the index of his worth.

We are indebted to the following people and publishers for permission to use the material reproduced:

Fernando de Unamuno; Dr. Carlos del Valle-Inclán; Doña Rosario Benavente; José María Arniches Moltó; Julio Caro Baroja; Azorín (José Martínez Ruiz); Hermana Eulalia, vda. de Manuel Machado; Sra. Matea Monedero, vda. de Antonio Machado (for poems from *Soledades, Campos de Castilla, Nuevas canciones*), and University of California Press (for other Antonio Machado material); Doña Olympia Miró de Luengo; Sra. Mabel Rick, vda. de Ramón Pérez de Ayala; Francisco Hernández-Pinzón

Jiménez; Victor d'Ors; José Ortega Spottorno; Ramón Gómez de la Serna; Sra. Soledad Salinas de Marichal; Jaime Salinas; Jorge Guillén; Gerardo Diego; New Directions Publishing Corporation (for all Federico García Lorca material); Dámaso Alonso; Vicente Aleixandre; Miguel Prados; Guillermo de Torre; Rafael Alberti; Luis Cernuda; Francisco Ayala; Luis Felipe Vivanco; Luis Rosales; Leopoldo Panero; Sra. Josefina Manresa, vda. de Miguel Hernández; Ildefonso-Manuel Gil; Camilo José Cela; Jorge Campos; Blas de Otero; José Hierro; Ignacio Aldecoa; Ana María Matute.

We are equally indebted and grateful to colleagues and friends who aided us, especially to Professor Ramón Martínez-López, who gave generously and unstintingly of his time and erudition; to Mrs. Shelley Opiela and Miss Aida Barrera, who with great patience and skill helped us prepare the manuscript; and to Miss Agnes Moncy, who aided us enormously in the preparation of the anthology and in reading the proofs.

R.G.
G.D.S.

Contents

El Modernismo

[1]The brackets enclose first lines of poems bearing no specific title.

GABRIEL MIRÓ   328

RAMÓN PÉREZ DE AYALA   343

JUAN RAMÓN JIMÉNEZ   365

JOSÉ ORTEGA Y GASSET   416

El Pasado Inmediato

CONTENTS

Introducción

LA LITERATURA ESPAÑOLA moderna empieza—y no es redundancia—
con el modernismo. Sus antecedentes pueden encontrarse en delicados poemas del romanticismo tardío y en prodigiosas adivinaciones
de Galdós. La frontera con el pasado no debe imaginarse como muro
sin portillos ni brechas, pues la modernidad es zona flúida, indecisa:
en ella podrían alojarse como en su casa Bécquer y Rosalía de Castro,
mas no habría sitio para Armando Palacio Valdés.[1] Ni es posible
atenerse a la cronología como criterio diferenciador, ni es lícito
ignorarla como enojoso obstáculo artificial, olvidando diferencias
establecidas por el transcurso del tiempo.

Iniciamos nuestra selección con Rubén Darío, pues en su obra se
reconoció primero el empuje liberador del modernismo. No olvidamos, ni él lo olvidó, su deuda con los precursores, Bécquer o
Martí,[2] por ejemplo; pero no son ellos, sino el mágico nicaragüense,
quien impulsó decisivamente la renovación literaria. Desde la última
década del siglo XIX la mejor juventud española estuvo a su lado;

[1] Gustavo Adolfo Bécquer (1836–1870) and Rosalía de Castro (1837–1885) were
Romantic poets; Palacio Valdés (1853–1938), a popular regional novelist.
[2] José Martí (1853–1895), Cuban poet and patriot.

al mismo tiempo, un extravagante genial, Miguel de Unamuno, inició transformación paralela, distinta en carácter y más personal, pero coincidente en el deseo de romper las convenciones literarias establecidas.

Rubén y Unamuno, tan diferentes en vida y creación, tuvieron en común el sentido de la protesta contra la chabacanería y la rutina. Destacan sobre el horizonte conformista predominante en el fin de siglo: los dos, cada cual según su estilo de vida y de escritura, expresaron antipatía y desdén por lo establecido. De día en día puede verse con mejor perspectiva que el conjunto de tendencias llamado modernismo constituye, como Juan Ramón Jiménez pensaba, una época o el comienzo de una época. Las tentativas de caracterizar al modernismo aislando alguna de esas tendencias están condenadas al fracaso: la complejidad de los fenómenos y la variedad de las direcciones son notas distintivas que es preciso señalar, y junto a ellas, no en contraste con ellas, sino explicándolas y justificándolas, la voluntad de creación adecuada para expresar la nueva sensibilidad, es decir, el modo peculiar de enfrentarse con una problemática distinta de la planteada a generaciones anteriores.

Ligado al modernismo europeo e hispanoamericano, al modernismo general, se produjo en España la obra de los krausistas[1] (no del Krausismo, sistema filosófico apenas conocido), grupo reducidísimo de profesores resueltos a renovar España siguiendo el lento camino de la educación. Guía de este grupo fué don Francisco Giner de los Ríos, fundador de la Institución Libre de Enseñanza, donde pretendió forjar hombres dispuestos a derramarse por el país, como propagadores de un evangelio de amor y sacrificio. Unamuno, Ortega, los hermanos Machado, Juan Ramón Jiménez, fueron institucionistas, partidarios del trabajo rigoroso, de la claridad mental, de la verdad desnuda. Lo fueron luego Salinas, Guillén, García Lorca.

En la Residencia de Estudiantes,[2] de acusado espíritu gineriano,[3] convivieron profesores y alumnos; en vez de la tradicional distancia entre maestro y discípulos, un ambiente de relación cordial. Residentes fueron, a temporadas, Unamuno y Juan Ramón, García Lorca y Jorge Guillén, artistas como Salvador Dalí. Los institucionistas no tanto querían aleccionar con la palabra como con el ejemplo.

---

[1] *los krausistas* a group of professors and intellectuals in Spain influenced by the philosophy of the German Christian Krause (1781–1832).

[2] A university college opened in Madrid in 1910, a self-governing corporation and university students' residence.

[3] *espíritu gineriano* with the spirit of Giner de los Ríos.

Su moral fué exigente, su conducta ejemplar, su trabajo cotidiano. Predicaron el retorno a lo popular; la comunicación con el pueblo y con la naturaleza. A ellos se debe el «descubrimiento» de la Sierra, la valoración del paisaje castellano, el interés por la pintura del Greco, la justa apreciación de las artes populares, desde la danza al bordado.

No es posible reseñar en esta introducción la historia política y social de España en los últimos sesenta años. Y es lástima, pues conocerla ayudaría a comprender las actitudes y la obra de los escritores antologizados. Durante esa época, iniciada por la derrota en la guerra contra Estados Unidos (1898), padeció el país incesante pugna entre liberales y reaccionarios, secuela de las guerras carlistas del siglo XIX. Episodios de esa pugna fueron la huelga revolucionaria de 1917, la dictadura militar del general Primo de Rivera (1923–1929), la caída de la Monarquía (1931) y la cruel guerra civil (1936–1939), prolongada en una dictadura que todavía se mantiene en el poder. En medio de esas luchas, y beligerantes con frecuencia, los intelectuales hallaron ocasión de escribir páginas memorables, convirtiendo el período en uno de los más interesantes de la literatura española.

En el presente siglo, España vivió un auténtico renacimiento literario. Pedro Laín[1] fué el primero en hablar de un nuevo medio siglo de oro. Mucho de lo escrito desde 1900 por poetas, novelistas y ensayistas está a la altura de la mejor tradición. La calidad y la cantidad son notables y testimonian el esfuerzo de recuperación realizado por los escritores de las últimas generaciones. Las obras siguen siendo casi siempre vida, reveladoras del apasionado modo hispánico de vivir.

En la literatura española se reflejan corrientes de fuera, pero alteradas y ajustadas al talante nacional. Y en este siglo, el existencialismo de Unamuno,[2] el racio-vitalismo[3] de Ortega, el surrealismo[4] de Alberti y Lorca, oreados por vientos extranjeros, son netamente castizos y personales. En España el escritor vive arraigado; ser español no es un accidente, sino un destino. De ahí cierto mesianismo y profetismo que en voces como las de Unamuno y Ortega sonó

[1] Pedro Laín (1908), Spanish essayist and critic.
[2] *existencialismo de Unamuno* Unamuno was influenced—long before Sartre made existentialism fashionable in the western world after World War II—by the Danish theologian Soren Kierkegaard (1813–1855), who made anguish and the preoccupation of his search for God the basis of human existence.
[3] *racio-vitalismo* a philosophical attitude constantly affected by the vital and historical circumstances of life, as opposed to the pure reason of idealism.
[4] *surrealismo* a movement in literature and art influenced by Freudianism which tries to express the subconscious activities of the mind by presenting images haphazardly, as in a dream.

patéticamente. La identificación entre escritor y pueblo persiste, y hoy vemos cómo los jóvenes intelectuales se reconocen en el hombre oscuro y olvidado, y aspiran a ser portavoz de sus dolores, y a redimirlo.

El movimiento pendular de la vida española, oscilante de un extremo a otro, se opone a la creación literaria moderada. O Cesar, o nada. El escritor no se conforma con ser un técnico diestro, un profesional estimable, como el francés; es un aspirante a genio que en rigor sólo se contenta con la gloria. Y cada uno de esos genios en potencia lleva en el bolsillo una fórmula personal infalible para resolver el «problema» de España. La realidad de este «problema» es insoslayable y patética. Hace siglos viene preocupando a las mentes lúcidas de la península. Y entiéndase bien: la preocupación no es por los problemas particulares planteados al país, sino por el de su misma «problemática» existencia. La imposibilidad de llegar a un acuerdo respecto a lo que patria es y debe ser se advierte en la increíble incapacidad de los españoles para decidir quiénes fueron los héroes de su historia, y por qué.

Si para mayor claridad de la exposición, sin atribuirla valor «científico» y menos manejarla como clave con que aclararlo todo, intentamos una clasificación provisional de los escritores del siglo XX en tres generaciones, divisibles en grupos u oleadas, notaremos que los momentos en que aquéllas surgen se caracterizan por acontecimientos políticos trascendentes. Los comienzos del modernismo coinciden con la revulsión provocada por la derrota en la guerra con Estados Unidos y la pérdida de las provincias ultramarinas—Cuba, Puerto Rico y Filipinas—; las vanguardias poéticas—ultraísmo,[1] creacionismo,[2] surrealismo—aparecen en los años de la primera dictadura; las promociones siguientes salen de la guerra civil y de la insegura postguerra. Con frecuencia se alude a los escritores del período con denominaciones de signo político, y se dice «generación del 98», por generación «modernista»; «generación de la Dictadura», en lugar de «vanguardias poéticas»; «generación de la guerra» a la surgida hacia 1936.

---

[1] An avant-garde literary movement of the 1920's in Spain which sought to restore genuine lyricism to poetry by stressing images and metaphors and suppressing other elements, such as the anecdotal, narrative, erotic, etc.

[2] A literary movement initiated by the Chilean poet Vicente Huidobro (1893–1948) in France, which also had influence in Spain. Huidobro's poetic formula: "Crear un poema tomando de la vida sus motivos y transformándolos para darles una nueva vida e independiente. Nada de anecdótico ni descriptivo. La emoción debe nacer de la sola virtud creatriz. Hacer un poema como la naturaleza hace un árbol".

Tales denominaciones no son caprichosas; responden a una realidad: mucho de lo escrito por los hombres a quienes se refieren es respuesta a interrogantes surgidas de los acontecimientos registrados en el título, y si el modernismo apareció en muchos lugares por el deseo de reformar la estructura social, en España el estímulo creció y se vigorizó a causa de la catástrofe militar y política noventayochista[1] que incitó al examen de conciencia y a revisar la ideología, el régimen y las actitudes causantes del desastre.

Al observador lejano podrán parecerle anacrónicas algunas obras «modernas» de la literatura española. No lo son. Situadas en su contexto, en la corriente histórica de donde brotaron, tienen actualidad y sentido. Para algunos de nuestros atormentados escritores, ser español fué una profesión, ejercitarse ininterrumpidamente en el ingrato oficio de proclamar verdades olvidadas en el conformismo, la pereza mental y el sueño de dormir contra el que ya alzó su lanza don Quijote, siglos atrás, intentando infundir en el presente ideales del ayer recreado, si no inventado, por la imaginación.

En la literatura española el idealismo no ha muerto; se mantiene vivo, probablemente por la creencia mítica en las virtudes del «pueblo». Muchos la comparten, sintiendo inconscientemente su necesidad. La de creer en la salvación lleva a pensar que podrá lograrse por el pueblo y en el pueblo, cuando éste sea redimido de sus opresores. El intelectual sueña con un destino de liberador, aunque, como el protagonista de *Camino de perfección*, la novela barojiana, a veces se refugie en el ensueño y aplace la esperanza para mañana. La literatura moderna ha surgido contra corriente. Las obras más notables las escribieron discrepantes, disidentes de la España oficial, con la esperanza de estimular el despertar colectivo y establecer un régimen de libertad. Bajo la chaqueta del profesor— Unamuno, Ortega, Salinas—no es difícil ver la sotana del misionero.

Es un lugar común crítico señalar el realismo como la obvia nota distintiva del arte español: realistas Velázquez y Cervantes, Goya y Lope, Unamuno y el escultor del Cristo palentino[2] . . . Bien, realistas, pero ¿de qué realismo? Si realista es quien refleja la realidad y en ella la verdad, apenas encontraremos escritor que no declare su

---

[1] *noventayochista* of 1898.

[2] *escultor . . . palentino* sculptor of the Christ of Palencia. This famous sculpture by an anonymous artist is in the convent of Santa Clara in the town of Palencia, Spain. Unamuno describes it in his book *Andanzas y visiones españolas*: "el Cristo yacente de Santa Clara es una momia, pero parece ser más bien un maniquí de madera, articulado, recubierto de piel y pintado, con pelo natural y grumos de almazarrón en el que fingen cuajarones de sangre".

pretensión de serlo. Mas la verdad es elusiva y diferente; la vida no se deja captar con facilidad, y el sentido de cada situación varía según la perspectiva y el temperamento de quien la contempla. Sería mejor reservar el nombre de realismo para una técnica basada en la reproducción de la realidad según la vemos, sin deformarla caricaturesca o románticamente.

En la novela española se dejó sentir el proceso de interiorización de la acción[1] iniciado en Inglaterra por George Eliot.[2] En Unamuno, especialmente, tal proceso se extrema y el personaje da vueltas y vueltas, enjaulado en su cerebro, buscando respuesta a cuestiones que le atormentan. Los sucesos exteriores apenas afectan, ni pueden afectar, sino como pretextos, a esa corriente de inquietudes forjadas por la mente. Baroja, Valle-Inclán, Ayala, Cela y los más jóvenes se apartaron de esta tendencia, que en Estados Unidos tuvo a Henry James como representante más ilustre, adscribiéndose a la dirección predominante en el siglo anterior, según la cual los mundos novelescos se constituirían preferentemente por acumulación de detalles exactos, observados y utilizados dentro de un orden personal que les da sentido y autonomía.

En comparación con la de otros países, la literatura española sólo moderadamente se dejó influir por el simbolismo,[3] y la resistencia a las formas simbólicas, justamente con el apego a la expresión directa, sigue haciéndola parecer realista. Esa literatura es hija del *Poema del Cid*, de *La Celestina*, de *Don Quijote de la Mancha*, y no de las fábulas y mitos de donde arrancó la creación artística de otros pueblos. Los héroes de la épica castellana fueron personajes cuya biografía y carácter es posible establecer con exactitud; los del resto de Europa son figuras ficticias o mitologizadas para expresar anhelos oscuros de las comunidades que las forjaron: Rolando y Sigfrido[4] pertenecen al ámbito del sueño colectivo; el Cid Rodrigo cabalgó, «polvo, sudor y hierro», por los caminos de España, y combatió para ganarse el pan.

Los españoles no parecen interesados en lo nebuloso. Se preocupan por la vida según es y por los hombres según los ven. Desconfían de

---

[1] *interiorización de la acción* action revealing inner experiences and motivations of characters.

[2] George Eliot (1819–1880), English woman novelist.

[3] *simbolismo* a literary movement initiated in France in the latter part of the nineteenth century which has had a profound influence on twentieth century European literature. The symbolist poets reacted against realism; instead of calling things by their names, they tried to evoke by suggestion or symbols, and placed great stress on the musicality of their verse.

[4] *Rolando* famous medieval knight immortalized in the French epic poem of *Le Chanson de Roland; Sigfrido* legendary German medieval hero.

abstracciones y generalizaciones. No es el *Persiles*[1] sino el *Quijote* la obra de Cervantes en donde los compatriotas del autor se reconocieron. Si cabe considerar a don Quijote de la Mancha como símbolo del anacrónico idealismo «gótico» en conflicto con el «materialismo» del mundo preburgués,[2] el interés de la novela no se debe a la función simbólica desempeñada por el caballero, sino a la densidad del mundo reflejado en ella, a la continuada sensación de presencia producida por los personajes y a la vitalidad y humanidad de éstos. Tales virtudes siguen contando, en diverso grado, en el haber de los novelistas actuales.

En la poesía española, a partir de Bécquer, se registra un retorno a la confidencia, a la canción íntima; lirismo pasa a ser sinónimo de poesía, desestimándose como retórica huera cuanto no responda a la expresión de los movimientos del alma. La poesía domina el panorama literario en la primera mitad del siglo. Unamuno, los Machado, Juan Ramón Jiménez, Jorge Guillén, García Lorca, Rosales, Hierro, Blas de Otero . . . escribieron libros o poemas de impresionante belleza. No parece exagerado afirmar que ningún país tuvo, en los últimos sesenta años, pléyade comparable a la integrada por esos poetas y sus coetáneos. Por la variedad, gracia, profundidad de intuición, sentimiento y misterio, sus obras son testimonio de uno de los grandes momentos creativos de la *gens* hispánica.

Estos poetas, como Rubén le dijo a Juan Ramón: «van por dentro». Su poesía es interior: «secretas galerías del alma» y «mágicos lagos», de Antonio Machado; «paisajes del alma», de Unamuno; «animal de fondo»,[3] de Jiménez . . . Y como siempre en la lírica, los temas esenciales pueden reducirse a tres: el amor, la muerte y Dios. El sentimiento del tiempo: la vida como pasar entre lo que queda; la existencia como luminoso (o sombrío) paréntesis entre la nada y la nada, o entre la nada y la eternidad. Sí; ese sentimiento traspasa las creaciones más hermosas y lúcidas de los poetas hispánicos. Escribieron tal vez en la agonía de saberse destinados a la muerte, y para escapar de ella salvándose en la poesía, eternizándose en el poema. Perdida la fe en la inmortalidad, se refugiaron en la idea de sobrevivir en la obra, pensando que el hombre se redime de su destino de

[1] *Persiles = Los trabajos de Persiles y Sigismunda* (1617), a posthumously published, fantastic novel, much of which is as far removed from reality as the romances of chivalry Cervantes satirized in *Don Quijote.*

[2] *mundo preburgués* pre-bourgeois world, before the rise of the middle class in Europe, which took place especially during the Industrial Revolution of the nineteenth century.

[3] "Animal of Depth," the title of a collection of Jiménez's poems (1949).

muerte y se salva en la acción y en la creación, en una exaltación de lo mejor suyo, gracias a la cual trasciende sus límites. Le fe en Dios cedió el paso a la fe en el hombre, en la capacidad de éste para salvarse por sí, gracias a la nobleza y el riesgo del esfuerzo.

Y en tal sentido, puede hablarse del humanismo de estos poetas, creyentes en la posibilidad de eternizar la humanidad, y sintiéndose parte de ella, eslabón en la cadena, gota de agua en la corriente; confiaron en la supervivencia de algo suyo en los demás. Por su humanismo, y en él, se manifiestan contra las fuerzas destructoras del mundo moderno y constituyen el último baluarte contra la tendencia desintegradora de la ciencia actual, tan justamente llamada «conspiratoria». Afirman su fe en la vida (y el libro *Cántico*, de Jorge Guillén, es el brillante y sensible alegato de la defensa, canto a la hermosura natural del mundo y la capacidad del hombre para sentirla), y niegan la legitimidad de las barreras alzadas para estancarla e impedir su desarrollo. Espejo de la época, no faltan en esta poesía reflejos del mal del siglo: protesta vigorosa, angustia existencial, desesperación. Pero compensados por el consuelo de la creación, dinamismo salvador y heroico de la invención poética.

La poesía española del medio siglo se halla impregnada de popularismo y por ahí entronca con una de las grandes corrientes de la tradición nacional; lo sentencioso tanto como lo misterioso proceden del pueblo—refranes, leyendas, romances, cancioncillas—. Y junto al popularismo, el aristocratismo complementario. El enemigo no está en el otro extremo, sino en la zona templada del buen sentido, en el término medio, en la academia.[1] El popular y el minoritario no se contradicen; se complementan. Dámaso Alonso describió con maestría el movimiento pendular de la lírica española, del Escila popularista al Caribdis[2] culterano. Ahora, los poetas más jóvenes entre los aquí representados declaran su pasión española con acusado sentido social, quizá para identificarse mejor con el pueblo-víctima, el pueblo sin voz ni voto, cuyo forzado silencio han de romper en su nombre. Blas de Otero, uno de los rebeldes, pide «la paz y la palabra» en representación de los callados, de los que no pueden hablar ni tal vez sabrían hacerlo si pudieran.

---

[1] Academy: learned society often referred to pejoratively because of its status quo, stuffy tendencies.

[2] *Escila*, *Caribdis* in classical mythology, a treacherous spot in the Strait of Messina between Italy and Sicily where the sea spouted and roared. Scylla was a sheer rock and Charybdis a whirlpool. If sailors managed to avoid one, they generally were shipwrecked on the other.

En los ensayistas, según Pedro Salinas señaló hace lustros, aparece el mismo predominio del lirismo que inunda la poesía, signo según el ilustre crítico, de la literatura española moderna. Veinte años después nuestro juicio en cuanto al ensayo habrá de matizarse un poco. Definirlo es tarea complicada y para hacerlo será preferible esbozar una serie de negaciones. El ensayo no es poesía, no reportaje, ni autobiografía o biografía, ni novela . . . No es nada de esto, y puede tener algo de todo. Salinas pedía al ensayista una actitud «estrictamente intelectual», pero si el ensayo es suma de opiniones en donde se refleja la actitud del hombre frente a una cuestión, no habrá inconveniente en admitir junto a las ideas (o al pensamiento dinámico que las forja) sentimientos y emociones.

En el periódico diario estuvo bien representado el ensayismo literario: las glosas de Eugenio d'Ors; bastantes obras de Ortega, entre ellas los folletones luego reunidos en *La rebelión de las masas*; textos capitales de Unamuno, Machado y Juan Ramón aparecieron como «artículos», aunque su calidad ensayística no ofrece dudas. El ensayismo invadió zonas acotadas por otros géneros o subgéneros: ensayísticos son algunos dramas de Unamuno, y muchas de sus narraciones; ensayística ha pasado a ser la crítica literaria que aspira a ser leída fuera de los círculos académicos, y no faltan estudios científicos o de divulgación científica, escritos con tal audacia imaginativa y gracia formal que sería injusto no situarlos en el territorio colonizado por el ensayo.

El fenómeno es comprensible: la ductilidad del ensayo le convirtió en instrumento ideal para reflejar con adecuada diversidad los intereses del hombre contemporáneo, atraído por incitaciones múltiples, ansioso por entender cuánto siente o presiente que puede afectar su destino, y por otra parte, acuciado por la prisa y sin tiempo para lecturas extensas. La proliferación del ensayo responde a la demanda creciente, a las nada desdeñables consideraciones de mercado, y sobre todo al deseo del escritor de ponerse en claro consigo mismo, realizando el esfuerzo preciso para hacer inteligible su pensamiento, que es la mejor manera de poder comprenderse y comprender el mundo, dando forma a lo hasta entonces informe y tal vez nebuloso.

Las novelas de Galdós, combinando realidad e imaginación en dosis variables, parecen de día en día más actuales. Pero nada tan ocioso como repetir lo ya hecho, y bien hecho. Los sucesores no podían ser continuadores, y menos, imitadores. Cada cual probó fortuna según su temperamento y de ahí la diversidad de estilos observable en la novela contemporánea: del Unamuno interiorizante al Valle-Inclán barroco, del Baroja anárquico y sentimental al Azorín ensimismado ¡cuánta distancia! Sí; y ¡cuánta semejanza! Pues coinciden en la sensación de casi alucinante verdad con que viven sus personajes y palpitan sus mundos. Algo en ellos habla del parentesco oscuro que les une.

Tendencias contradictorias. Y las contradicciones siguen: novelización objetiva junto a testimonio personal, o extraña simbiosis de lo uno y lo otro (como en *La colmena* de Camilo José Cela). La preocupación contemporánea por las técnicas narrativas se reflejó en las moderadas introspecciones y los pulcros análisis intentados por Azorín y luego por Benjamín Jarnés. Nadie caló tan hondo en las almas como Unamuno (quizá porque ninguno se interesó tanto en ellas), ni se integró más cabalmente en un orden de preocupaciones intemporales obsesionantes; nadie anticipó con más fuerza la novela angustiada, obsesiva, del hombre que es nuestro hermano eterno.

Los jóvenes sienten la fuerza de la situación y la debilidad del carácter. El carácter no existe; la situación es lo decisivo, lo que impone decisiones insoslayables. Poderes oscuros presionan, acosan, se imponen. Las palabras-clave de nuestro tiempo son: angustia, desesperación, violencia. Y los sentimientos correspondientes encarnan una y otra vez en las figuras novelescas. El hombre actual rara vez dejó de experimentar algún trauma psicológico que le forma —o le deforma—; si es novelista, puede dar expresión simbólica a ese trauma y transferir sus efectos al personaje ficticio. En cuanto a la violencia observable en la novela española, tiene dos facetas: la de raíz individual, acaso lindante con lo teratológico, y la de raíz colectiva o epocal en que se refleja la torva crueldad de nuestro tiempo.

Es difícil explicar brevemente lo acontecido al teatro español en los últimos sesenta años. Galdós y Unamuno, Valle-Inclán más tarde, se esforzaron por luchar contra la degradante comercialización de los escenarios. Y en esa lucha se salvaron ellos, pero no el teatro. El drama de Galdós, la problemática unamuniana, la comedia esperpéntica de Valle-Inclán, precursor genial del absurdamente llamado teatro del absurdo, hoy en plena vigencia, quedaron al margen de la corriente general de la época. El primero pudo quizá rectificarla, o al menos esforzarse por desviar su curso, pero o no se decidió, o creyó tardía la oportunidad; Unamuno y Valle-Inclán, principales víctimas de la ordalía, se vieron una y otra vez preteridos, ignorados por los usufructuarios del negocio.

Pues de negocio y no de arte se trataba. Una mesocracia estúpida pedía entretenimientos a la medida y encontraba en empresarios y autores la respuesta deseada. No ideas—siempre potencialmente explosivas—: anécdotas intrascendentes, mocita pinturera, caradura simpático, andalucismo, de Madrid al cielo, pobres pero honrados, tercios de Flandes [1] . . . Los escritores se ponían a tono con el público y eliminaban de sus obras cuanto pudiera parecer incitación a pensar; el sentimentalismo ramplón y el chiste mecánico sustituyeron al sentimiento y a la gracia. Hasta los inteligentes procuraron disimular su talento, para no hacerse sospechosos.

Pocos se salvaron del naufragio, y ninguno totalmente. Nunca la oposición entre calidad y éxito se manifestó de manera tan ofensiva. Fueron necesarios años y años para rectificar la situación, pero al fin se logró; un público nuevo aplaudió *Divinas palabras*, de Valle-Inclán, *El hermano Juan*, de Unamuno, y las obras de Federico García Lorca. *Doña Rosita la soltera* y sobre todo *La casa de Bernarda Alba*, que el autor no llegó a ver representada, señalaron la plenitud de un dramaturgo que, después de adormecer a los tradicionalistas con familiares retóricas románticas, les asestó de improviso el golpe mortal de la poesía desnuda.

Si la empresa de situar los géneros en compartimientos estancos, incomunicables, es siempre aventurada, intentarla cuando se trata de literatura española, donde la libertad es regla incorruptible, sería temerario. Literatura radicalmente antiacadémica, con novelas en verso, como el *Libro de buen amor* (del Arcipreste de Hita) y *Teresa* (de Unamuno) o dialogadas, como *La Celestina* (que otros, con perfecto derecho preferirán llamar drama o tragicomedia, siguiendo al autor) y algunas de las más hermosas de Galdós; poemas épicos que son a la vez biografía y reportaje y lección moral; novelas-ensayos como llamó Montesinos [2] a las de Valera, y pudo llamar a las de Azorín y Jarnés. ¿Qué clase de novela es *Doña Inés* de Azorín? ¿Qué son las narraciones, o las biografías de Ramón Gómez de la Serna? ¿Son ensayo, crítica o poesía los retratos esbozados por Juan Ramón Jiménez en *Españoles de tres mundos*? ¿En dónde encuadrar las

---

[1] Spanish troops stationed in Flanders. In the sixteenth century the Low Countries belonged to Spain.

[2] José Fernández Montesinos (1897), Spanish critic and professor.

prosas de Juan de Mairena o las de Camilo José Cela en sus libros de andanzas y peregrinaciones ? Y con preguntas análogas se podrían llenar páginas.

No pretendemos negar la realidad y la respetabilidad de los géneros literarios, pero deseamos prevenir al lector contra los riesgos derivados de una rigidez excesiva, contra inmoderados afanes clasificatorios. Cuidado con quienes se afanan por poner una etiqueta sobre cada producto (y tal vez un precio, sujeto a rebaja, como en el supermercado) pensando que así aclaran todos los problemas. No. El artista ignora los muros laboriosamente alzados para separar los géneros, y pasa de uno a otro con desembarazo, sin darse cuenta siquiera, adoptando en cada caso la forma conveniente: un proteísmo esencial que según el lector y la circunstancia hará que un libro como *Platero y yo*, de Juan Ramón Jiménez, sea considerado como colección de estampas líricas, narración novelesca, elegía andaluza, autobiografía . . .

La clasificación aquí intentada sólo aspira a orientar al lector. Agrupamos a los escritores en tres secciones, siguiendo el orden cronológico, sin intentar una imposible ordenación por géneros. Creímos preferible juntar lo hecho por cada autor, cualesquiera que fuese la forma utilizada para expresarse, pues consideramos que la personalidad y el espíritu tienen más importancia que el medio utilizado para recoger su dictado.

El Modernismo

El modernismo

LA PALABRA MODERNISMO puede entenderse de dos maneras: o referida al movimiento literario iniciado en Hispanoamérica en la penúltima década del siglo XIX (del cual serían Gutiérrez Nájera, José Asunción Silva, José Martí y Rubén Darío los más conspicuos representantes), o con relación a una época que comienza entonces y se prolonga durante más de medio siglo. Hasta hace veinticinco o treinta años predominaba la tendencia a utilizar los términos modernismo y modernista de modo restringido, limitando su alcance y significación en idéntica forma a cómo se reducía el simbolismo a lo realizado en Francia por media docena de poetas, durante tres o cuatro lustros. Hoy, con la perspectiva que proporciona el tiempo, podemos ver las raíces, el tronco y las ramas, y comprobar cuánta razón asiste a quienes, como Juan Ramón Jiménez, declararon hace ya tiempo que nuestro siglo es un siglo modernista y modernismo la denominación más adecuada para un tiempo caracterizado por la voluntad de revisar y actualizar lo pasado, en todos los ámbitos de la cultura, desde la teología a la poesía lírica.

El modernismo opera en Occidente, desde Rusia hasta la Pampa, e incluye movimientos que siendo autónomos aparecen curiosamente vinculados en un juego de afinidades y diferencias cuyos remotos precedentes se encuentran en el romanticismo alemán, las tormentas políticas del 48 en Europa, la rebeldía de Kierkegaard, el descenso a los infiernos de Blake, Rimbaud y Dostoyevski.[1] Parnasianos[2] y simbolistas, exotistas e indigenistas,[3] hijos de la noche y torres de Dios,[4] mesiánicos y sonámbulos, todos, en su jugosa variedad contribuyen a que «el siglo modernista» sea como es, tiempo de aventura y protesta, de reformas y regresión, de esperanza y angustia.

Y considerando el modernismo como época, no tiene sentido separar a un grupo de escritores españoles del resto de sus coetáneos y distinguirlos sobre todo por su actitud de rebeldía política. La llamada «generación del 98», invención tardía de Azorín, está supuestamente integrada por escritores tan disímiles como Valle-Inclán y Unamuno, Benavente y Antonio Machado, todos los cuales participaron en el impulso renovador modernista y ayudaron a darle el perfil que en definitiva tuvo.

La división del modernismo en períodos pudo parecer útil en otros momentos, pero desde nuestro punto de vista es innecesaria. Con tal división se marca la obvia evolución y transformación de lo vivo, y al insistir en acotar y definir los momentos del cambio se corre peligro de exagerar y estancar las variaciones naturales suscitadas por el curso del tiempo. Cada escritor es un mundo, y si es conveniente situarlo en su momento y entre sus afines, para entenderlo es preciso partir de este supuesto: la obra es creación de una personalidad que toma del ambiente cuanto de él necesita, pero lo decisivo no es lo que recibe sino el modo cómo lo utiliza y la forma con que lo presenta.

[1] William Blake (1757–1827), English poet and artist; Arthur Rimbaud (1854–1891), French poet; Feodor Dostoyevski (1821–1881), Russian novelist.

[2] *Parnasianos* a group of French poets of the middle of the nineteenth century who reacted against the Romantics and placed great emphasis on form, color, and plasticity. Among the best were Théophile Gautier (1811–1872) and Leconte de Lisle (1818–1894).

[3] *exotistas* poets who sought inspiration in exotic lands and places; *indigenistas* those who turned for inspiration to indigenous themes.

[4] *hijos de la noche y torres de Dios* images of the romantic *yo*, referring to the fact that these poets felt themselves capable of penetrating mysteries of the soul, the secret, nocturnal side of life, of divine nature. Thus Darío calls poets in one of his poems "torres de Dios".

RUBÉN DARÍO
1867–1916

*Nacido en Metapa, Nicaragua, mestizo de indio y español, fué y se
considéró hispánico universal, viviendo a temporadas en El Salvador,
Chile, Argentina, España, París. . . . Forjó su propio mito y sería difícil
e innecesario liberarle de la leyenda. Partiendo de Bécquer publicó sus
primeros libros:* Abrojos (*1887*) *y* Rimas (*1888*), *sin pretensiones
innovadoras. Pero en las prosas y versos de* Azul (*1888 y 1890*) *su manera
se afrancesó y cambió.* Prosas profanas (*1896*) *es testimonio de una
transformación en la sensibilidad y en las formas, no surgida, claro está, de la
nada, sino por asimilación e integración de diversos elementos: simbolismo
y parnasianismo, poesía medieval española, exotismo general e indigenismo,
mitologías y paganismo, innovaciones de los llamados precursores.*

*Cantó luego la vida y la esperanza, y fué otro en ese alto cántico. En el
segundo viaje a España, 1898, entró en contacto con escritores jóvenes
que allí se esforzaban por realizar una revolución análoga a la
desencadenada por él, y esa vinculación duró hasta el final.*

*La imagen de Darío casi ha sido tan falseada por sus adversarios como
por sus admiradores. Para muchos sigue siendo poeta de exterioridades
y preciosismos; a puro insistir en innovaciones métricas, musicalidad,
manierismos, giros elegantes, se llegó a creer que esto era lo sustancial de su
aporte. No: sin desdeñar cuanto hizo por flexibilizar la lengua poética
española, lo mejor suyo está en lo «misterioso y silencioso»—como él dijo
de Antonio Machado—, en el Rubén sombrío que pasó de la novedad
galicista a la originalidad intemporal, a la revelación de intuiciones tenebrosas
con claros acentos; en el Rubén que abrió las puertas de la noche oscura del
alma y se preguntó—a veces desesperadamente—sobre el sentido de la vida.
El hombre de las iluminaciones, sencillo e indomable, es superior al del
Versalles galante y las divagaciones mitológicas, pero no le entenderá
quien se niegue a ver que su ser se caracteriza por la dualidad. El cisne
de su blasón, imagen de la belleza ideal, y Francisca Sánchez, mujer de
carne y hueso, están en su poesía como estuvieron en su vida, sueño-
realidad y realidad-invención a la vez.*

*Vencido por el alcohol cayó Rubén en manos de gentes sin escrúpulos que
le utilizaron como señuelo para negocios turbios; en los últimos años de
su vida le llevaron de un lado a otro, le exhibieron, le exprimieron, le
degradaron, y, para final de tanta ignominia, una mujer con quien casara
tiempo atrás, bajo amenazas de muerte, le regresó enfermo a Nicaragua,
donde no tardó en morir. Cansado, sin voluntad, cautivo, había seguido
escribiendo; si el hombre claudicó y cedió a las fuerzas que le destruyeron,
el poeta se mantuvo fiel a su grandeza.*

*Innovó también en la prosa, pero ni narraciones ni artículos alcanzan
la calidad del verso. Sus cuentos testimonian inclinación hacia lo raro y*

extraño, hacia los fenómenos reveladores de un mundo inaccesible a los
sentidos, que él sentía próximo, cercano a sus obsesionantes presentimientos.

   1888, fecha de Azul, *es la inicial de esta colección: Unamuno,*
Valle-Inclán, Benavente y Arniches nacieron antes, pero tardaron más en
ser conocidos. Por eso la Antología comienza con textos del maravilloso
visionario de las islas perdidas y los mares oscuros.

« *Thanathopia* »[1]

—MI PADRE FUÉ el célebre doctor John Leen,
miembro de la Real Sociedad de Investigaciones
Psíquicas, de Londres, y muy conocido en el
mundo científico por sus estudios sobre el hip-
5 notismo y su célebre *Memoria sobre el Old.* Ha
muerto no hace mucho tiempo. Dios lo tenga en
gloria.

(James Leen vació en su estómago gran parte
de su cerveza y continuó):

10 —Os habéis reído de mí y de lo que llamáis
mis preocupaciones y ridiculeces. Os perdono,
porque, francamente, no sospecháis ninguna de
las cosas que no comprende nuestra filosofía en
el cielo y en la tierra, como dice nuestro mara-
15 villoso William.[2]

No sabéis que he sufrido mucho, que sufro
mucho, aun las más amargas torturas, a causa de
vuestras risas... Sí, os repito: no puedo dormir
sin luz, no puedo soportar la soledad de una
20 casa abandonada; tiemblo al ruido misterioso
que en horas crepusculares brota de los boscajes
en un camino; no me agrada ver revolar un
mochuelo o un murciélago; no visito, en ninguna
ciudad adonde llego, los cementerios; me marti-
25 rizan las conversaciones sobre asuntos macabros,
y cuando las tengo, mis ojos aguardan para
cerrarse, al amor del sueño, que la luz aparezca.

Tengo el horror de la que ¡oh Dios! tendré
que nombrar: de la muerte. Jamás me haríais
30 permanecer en una casa donde hubiese un cadáver, así fuese el de mi más amado amigo. Mirad:
esa palabra es la más fatídica de las que existen
en cualquier idioma: *cadáver*... Os habéis
reído, os reís de mí: sea. Pero permitidme que
35 os diga la verdad de mi secreto. Yo he llegado a

la República Argentina, *prófugo, después de haber*
estado cinco años preso, secuestrado miserable-
mente por el doctor Leen, mi padre; el cual, si era
un gran sabio, sospecho que era un gran bandido. Por orden suya fuí llevado a la casa de 40
salud; por orden suya, pues, temía quizás que
algún día revelase lo que él pretendía tener
oculto... Lo que vais a saber, porque ya me
es imposible resistir el silencio por más tiempo.

Os advierto que no estoy borracho. No he sido 45
loco. Él ordenó mi secuestro, porque... Poned
atención.

(Delgado, rubio, nervioso, agitado por un
frecuente estremecimiento, levantaba su busto
James Leen, en la mesa de la cervecería en que, 50
rodeado de amigos, nos decía esos conceptos.
¿Quién no le conoce en Buenos Aires? No es un
excéntrico en su vida cuotidiana. De cuando en
cuando suele tener esos raros arranques. Como
profesor, es uno de los más estimables en uno 55
de nuestros principales colegios, y, como
hombre de mundo, aunque un tanto silencioso,
es uno de los mejores elementos jóvenes de los
famosos *cinderellas dance.* Así prosiguió esa noche
su extraña narración, que no nos atrevimos a cali- 60
ficar de *fumisterie*,[3] dado el carácter de nuestro
amigo. Dejamos al lector la apreciación de los
hechos.)

—Desde muy joven perdí a mi madre, y fuí
enviado por orden paternal a un colegio de Ox- 65
ford. Mi padre, que nunca se manifestó cariñoso
para conmigo, me iba a visitar de Londres una
vez al año al establecimiento de educación en
donde yo crecía, solitario en mi espíritu, sin
afectos, sin halagos.   70

---

[1] Referring to *Thanatos*, Greek word for death.
[2] Shakespeare, *Hamlet*, Act I, scene v.

[3] Mystification.

Allí aprendí a ser triste. Físicamente era el retrato de mi madre, según me han dicho, y *supongo que por esto el doctor procuraba mirarme lo menos que podía.* No os diré más sobre esto. Son ideas que me vienen. Excusad la manera de mi narración.

Cuando he tocado ese tópico me he sentido conmovido por una reconocida fuerza. *Procurad comprenderme.* Digo, pues, que vivía yo solitario en mi espíritu, aprendiendo tristeza en aquel colegio de muros negros, que veo aún en mi imaginación en noches de luna . . . ¡Oh, cómo aprendí entonces a ser triste! Veo aún, por una ventana de mi cuarto, bañados de una pálida y maleficiosa luz lunar, los álamos, los cipreses . . . ¿por qué había cipreses en el colegio? . . . , y a lo largo del parque, viejos Términos[1] carcomidos, leprosos de tiempo, en donde solían posar las lechuzas que criaba el abominable septuagenario y encorvado rector . . . *¿para qué criaba lechuzas el rector?* . . . Y oigo, en lo más silencioso de la noche, el vuelo de los animales nocturnos y los crujidos de las mesas y una media noche, os lo juro, una voz: «James». ¡Oh voz!

Al cumplir los veinte años se me anunció un día la visita de mi padre. *Alegréme, a pesar de que instintivamente sentía repulsión por él*; alegréme, porque necesitaba en aquellos momentos desahogarme con alguien, *aunque fuese con él.*

Llegó más amable que otras veces; y aunque no me miraba frente a frente, su voz sonaba grave, con cierta amabilidad para conmigo. Yo le manifesté que deseaba, por fin, volver a Londres, que había concluído mis estudios; que si permanecía más tiempo en aquella casa, me moriría de tristeza . . . Su voz resonó grave, con cierta amabilidad para conmigo:

—He pensado, cabalmente, James, llevarte hoy mismo. El rector me ha comunicado que no estás bien de salud, que padeces de insomnios, que comes poco. El exceso de estudios es malo, como todos los excesos. Además—quería decirte—, tengo otro motivo para llevarte a Londres. Mi edad necesitaba un apoyo y lo he buscado. Tienes una madrastra, a quien he de

[1] Roman god, protector of boundaries.

presentarte y que desea ardientemente conocerte. Hoy mismo vendrás, pues, conmigo.

¡Una madrastra! Y de pronto se me vino a la memoria mi dulce y blanca y rubia madrecita, que de niño me amó tanto, me mimó tanto, abandonada casi por mi padre, que se pasaba noches y días en su horrible laboratorio, mientras aquella pobre y delicada flor se consumía . . . ¡Una madrastra! Iría yo, pues, a soportar la tiranía de la nueva esposa del doctor Leen, quizá una espantable *blue-stocking*, o una cruel sabionda, o una bruja . . . Perdonad las palabras. A veces no sé ciertamente lo que digo, o quizá lo sé demasiado . . .

No contesté una sola palabra a mi padre, y, conforme con su disposición, tomamos el tren que nos condujo a nuestra mansión de Londres.

Desde que llegamos, desde que penetré por la gran puerta antigua, a la que seguía una escalera obscura que daba al piso principal, me sorprendí desagradablemente: no había en casa uno solo de los antiguos sirvientes.

Cuatro o cinco viejos enclenques, con grandes libreas flojas y negras, se inclinaban a nuestro paso, con genuflexiones tardas, mudos. Penetramos al gran salón. Todo estaba cambiado: los muebles de antes estaban substituídos por otros de un gusto seco y frío. Tan solamente quedaba en el fondo del salón un gran retrato de mi madre, obra de Dante Gabriel Rossetti,[2] cubierto de un largo velo de crespón.

Mi padre me condujo a mis habitaciones, que no quedaban lejos de su laboratorio. Me dió las buenas tardes. Por una inexplicable cortesía, preguntéle por mi madrastra. Me contestó despaciosamente, recalcando las sílabas con una voz entre cariñosa y temerosa que *entonces yo no comprendía*:

—La verás luego . . . Que la has de ver es seguro . . . James, mi hijito James, adiós. Te digo que la verás luego . . .

Ángeles del Señor, ¿por qué no me llevasteis con vosotros? Y tú, madre, madrecita mía, *my sweet Lily*, ¿por qué no me llevaste contigo en aquellos instantes? Hubiera preferido ser

[2] English painter and poet of the Pre-Raphaelite school (1828–1882).

tragado por un abismo o pulverizado por una roca, o reducido a ceniza por la llama de un relámpago . . .

Fué esa misma noche, sí. Con una extraña
5 fatiga de cuerpo y de espíritu, me había echado en el lecho, vestido con el mismo traje de viaje. Como en un ensueño, recuerdo haber oído acercarse a mi cuarto a uno de los viejos de la servidumbre, mascullando no sé qué palabras y
10 mirándome vagamente con un par de ojillos estrábicos que me hacían el efecto de un mal sueño. Luego vi que prendió un candelabro con tres velas de cera. Cuando desperté a eso de las nueve, las velas ardían en la habitación.

15 Lavéme. Mudéme. Luego sentí pasos: apareció mi padre. Por primera vez, *¡ por primera vez!*, vi sus ojos clavados en los míos. Unos indescriptibles ojos, os lo aseguro; unos ojos como no habéis visto jamás, ni veréis jamás:
20 unos ojos con una retina casi roja, como ojos de conejo; unos ojos que os harían temblar por la manera especial con que miraban.

—Vamos, hijo mío, te espera tu madrastra. Está allá, en el salón. Vamos.
25 Allá, en un sillón de alto respaldo, como una silla de coro, estaba sentada una mujer.

Ella . . .

Y mi padre:

—¡Acércate, mi pequeño James, acércate!
30 Me acerqué maquinalmente. La mujer me tendía la mano . . . Oí entonces, como si viniese del gran retrato, del gran retrato envuelto en crespón, aquella voz del colegio de Oxford, pero muy triste, mucho más triste: «¡ James!»
35 Tendí mi mano. El contacto de aquella mano me heló, me horrorizó. Sentí hielo en mis huesos. Aquella mano rígida, fría, fría . . . Y la

mujer no me miraba. Balbucié un saludo, un cumplimiento.

Y mi padre:
40 —Esposa mía, aquí tienes a tu hijastro, a nuestro muy amado James. Mírale; aquí le tienes; ya es tu hijo también.

Y mi madrastra me miró. Mis mandíbulas se
45 afianzaron una contra otra. Me poseyó el espanto: *aquellos ojos no tenían brillo alguno.* Una idea comenzó, enloquecedora, horrible, horrible, a aparecer clara en mi cerebro. De pronto, un olor, olor . . . *ese olor*, ¡madre mía! ¡Dios mío! Ese olor . . . no os lo quiero decir . . . porque ya
50 lo sabéis, y os protesto: lo discuto aún; me eriza los cabellos.

Y luego brotó de aquellos labios blancos, de aquella mujer pálida, pálida, pálida, una voz, *una voz como si saliese de un cántaro gemebundo o*
55 *de un subterráneo:*

—James, nuestro querido James, hijito mío, acércate; quiero darte un beso en la frente, otro beso en los ojos, otro beso en la boca . . .

No pude más. Grité:
60 —¡Madre, socorro! ¡Ángeles de Dios, socorro! ¡Potestades celestes, todas, socorro! ¡Quiero partir de aquí pronto, pronto; que me saquen de aquí!

Oí la voz de mi padre:
65 —¡Cálmate, James! ¡Cálmate, hijo mío! Silencio, hijo mío.

—No—grité más alto, ya en lucha con los viejos de la servidumbre—. Yo saldré de aquí
70 y diré a todo el mundo que el doctor Leen es un cruel asesino; que su mujer es un vampiro; ¡que está casado mi padre con una muerta!

Buenos Aires, 1893

«El caso de la señorita Amelia»

QUE EL DOCTOR Z es ilustre, elocuente, conquis
75 tador; que su voz es profunda y vibrante al mismo tiempo, y su gesto avasallador y misterioso, sobre todo después de la publicación de su obra sobre *La plástica de ensueño*, quizás podríais negármelo o aceptármelo con restricción; pero que su calva es única, insigne,
80 hermosa, solemne, lírica si gustáis, ¡oh, eso nunca, estoy seguro! ¿Cómo negaríais la luz del sol, el aroma de las rosas y las propiedades narcóticas de ciertos versos? Pues bien; esta noche pasada, poco después que saludamos el
85

toque de las doce con una salva de doce tapo-
nazos del más legítimo Roederer,[1] en el precioso
comedor rococó de ese sibarita de judío que se
llama Lowensteinger, la calva del doctor alzaba,
5 aureolada de orgullo, su bruñido orbe de marfil,
sobre el cual, por un capricho de la luz, se veían
sobre el cristal de un espejo las llamas de dos
bujías que formaban, no sé cómo, algo así como
los cuernos luminosos de Moisés.[2] El doctor
10 enderezaba hacia mí sus grandes gestos y sus
sabias palabras. Yo había soltado de mis labios,
casi siempre silenciosos, una frase banal cualquiera. Por ejemplo, ésta:

—¡Oh, si el tiempo pudiera detenerse!

15 La mirada que el doctor me dirigió y la clase
de sonrisa que decoró su boca después de oír mi
exclamación, confieso que hubiera turbado a
cualquiera.

—Caballero—me dijo saboreando el cham-
20 paña—; si yo no estuviese completamente des-
ilusionado de la juventud; si no supiese que
todos los que hoy empezáis a vivir estáis ya
muertos, es decir, muertos del alma, sin fe, sin
entusiasmo, sin ideales, canosos por dentro; que
25 no sois sino máscaras de vida, nada más . . . sí,
si no supiese eso, si viese en vos algo más que un
hombre de fin de siglo, os diría que esa frase
que acabáis de pronunciar: «¡Oh, si el tiempo
pudiera detenerse!», tiene en mí la respuesta
30 más satisfactoria.

—¡Doctor!

—Sí, os repito que vuestro escepticismo me
impide hablar, como hubiera hecho en otra
ocasión.

35 —Creo—contesté con voz firme y serena—en
Dios y su Iglesia. Creo en los milagros. Creo en
lo sobrenatural.

—En ese caso, voy a contaros algo que os hará
sonreír. Mi narración espero que os hará pensar.

40 En el comedor habíamos quedado cuatro
convidados, a más de Minna, la hija del dueño
de casa; el periodista Riquet, el abate Pureau,
recién enviado por Hirch, el doctor y yo. A lo
lejos oíamos en la alegría de los salones la pala-
45 brería usual de la hora primera del año nuevo:

[1] A fine brand of champagne.
[2] Moses.

Happy New Year! Happy New Year! ¡Feliz
año nuevo!

El doctor continuó:

—¿Quién es el sabio que se atreve a decir
esto es así? Nada se sabe. *Ignoramus et ignora-* 50
bimus.[3] ¿Quién conoce a punto fijo la noción del
tiempo? ¿Quién sabe con seguridad lo que es el
espacio? Va la ciencia a tanteo, caminando como
una ciega, y juzga a veces que ha vencido cuando
logra advertir un vago reflejo de la luz verdadera. 55
Nadie ha podido desprender de su círculo uniforme la culebra simbólica. Desde el tres veces
más grande, el Hermes,[4] hasta nuestros días, la
mano humana ha podido apenas alzar una línea
del manto que cubre a la eterna Isis.[5] Nada ha 60
logrado saberse con absoluta seguridad en las
tres grandes expresiones de la Naturaleza:
hechos, leyes, principios. Yo que he intentado
profundizar en el inmenso campo del misterio,
he perdido casi todas mis ilusiones.   65

Yo que he sido llamado sabio en Academias
ilustres y libros voluminosos; yo que he consagrado toda mi vida al estudio de la humanidad,
sus orígenes y sus fines; yo que he penetrado en
la cábala, en el ocultismo y en la teosofía, que 70
he pasado del plano material del *sabio* al plano
astral del *mágico* y al plano espiritual del *mago*,
que sé cómo obraba Apolonio el Thianense[6] y
Paracelso,[7] y que he ayudado en su laboratorio,
en nuestros días, al inglés Crookes;[8] yo que 75
ahondé en el Karma[9] búdhico y en el misticismo
cristiano, y sé al mismo tiempo la ciencia
desconocida de los fakires,[10] la teología de los
sacerdotes romanos, yo os digo que *no hemos visto
los isabios ni un solo rayo de la luz suprema*, y que 80
la inmensidad y la eternidad del *misterio* forman
la única y pavorosa verdad.

Y dirigiéndose a mí:

[3] (*Lat.*) We know nothing now, nor will we.
[4] Greek god, herald and messenger of the gods.
[5] Egyptian goddess of fecundity.
[6] Greek philosopher and author of miracles (d. 97).
[7] Swiss alchemist and physician (1493–1541).
[8] Sir William Crookes (1832–1919), English physicist
and chemist.
[9] In Buddhism, the effect of a person's acts on his lot
in the future existence.
[10] Mohammedan ascetics; also, wonder-workers of
other religions in India.

—¿Sabéis cuáles son los principios del hombre? Grupa, jiba, linga, sharira, kama, rupa, manas, buddhi, atma,[1] es decir: el cuerpo, la fuerza vital, el cuerpo astral, el alma animal, el alma humana, la fuerza espiritual y la esencia espiritual...

Viendo a Minna poner una cara un tanto desolada, me atreví a interrumpir al doctor:

—Me parece que ibais a demostrarnos que el tiempo...

—Y bien—dijo—, puesto que no os placen las disertaciones por prólogo, vamos al cuento que debo contaros, y es el siguiente:

Hace veintitrés años, conocí en Buenos Aires a la familia Revall, cuyo fundador, un excelente caballero francés, ejerció un cargo consular en tiempo de Rosas. Nuestras casas eran vecinas, era yo joven y entusiasta, y las tres señoritas Revall hubieran podido hacer competencia a las tres Gracias. De más está decir que muy pocas chispas fueron necesarias para encender una hoguera de amor...

Amooor, pronunciaba el sabio obeso, con el pulgar de la diestra metido en la bolsa del chaleco, y tamborileando sobre su potente abdomen con los dedos ágiles y regordetes, y continuó:

—Puedo confesar francamente que no tenía predilección por ninguna, y que Luz, Josefina y Amelia ocupaban en mi corazón el mismo lugar. El mismo, tal vez no; pues los dulces al par que ardientes ojos de Amelia, su alegre y roja risa, su picardía infantil... diré que era ella mi preferida. Era la menor; tenía doce años apenas, y yo ya había pasado de los treinta. Por tal motivo, y por ser la chicuela de carácter travieso y jovial, tratábala yo como niña que era, y entre las otras dos repartía mis miradas incendiarias, mis suspiros, mis apretones de manos y hasta mis serias promesas de matrimonio, en una, os lo confieso, atroz y culpable bigamia de pasión. ¡Pero la chiquilla Amelia!... Sucedía que, cuando yo llegaba a la casa, era ella quien primero corría a recibirme, llena de sonrisas y zalamerías: «¿Y mis bombones?» He aquí la pregunta sacra-

mental. Yo me sentaba regocijado, después de mis correctos saludos, y colmaba las manos de la niña de ricos caramelos de rosas y de deliciosas grajeas de chocolate, los cuales, ella, a plena boca, saboreaba con una sonora música palatinal, lingual y dental. El porqué de mi apego a aquella muchachita de vestido a media pierna y de ojos lindos, no os lo podré explicar; pero es el caso que, cuando por causa de mis estudios tuve que dejar Buenos Aires, fingí alguna emoción al despedirme de Luz, que me miraba con anchos ojos doloridos y sentimentales; di un falso apretón de manos a Josefina, que tenía entre los dientes, por no llorar, un pañuelo de batista, y en la frente de Amelia incrusté un beso, el más puro y el más encendido, el más casto y el más ardiente ¡qué sé yo! de todos lo que he dado en mi vida. Y salí en un barco para Calcuta, ni más ni menos que como vuestro querido y admirado general Mansilla cuando fué a Oriente, lleno de juventud y de sonoras y flamantes esterlinas de oro. Iba yo, sediento ya de las ciencias ocultas, a estudiar entre los mahatmas de la India lo que la pobre ciencia occidental no puede enseñarnos todavía. La amistad epistolar que mantenía con madama Blavatsky,[2] habíame abierto ancho campo en el país de los fakires, y más de un gurú,[3] que conocía mi sed de saber, se encontraba dispuesto a conducirme por buen camino a la fuente sagrada de la verdad, y si es cierto que mis labios creyeron saciarse en sus frescas aguas diamantinas, mi sed no se pudo aplacar. Busqué, busqué con tesón lo que mis ojos ansiaban contemplar, el Keherpas de Zoroastro,[4] el Kalep persa, el Kovei-Khan de la filosofía india, el archoeno de Paracelso, el limbuz de Swedenborg;[5] oí la palabra de los monjes budhistas en medio de las florestas del Thibet; estudié los

---

[1] *grupa ... atma* words of Oriental origin widely used by spiritualists.

[2] Elena Petrovna Blavatsky (1831–1891), Russian traveler and theosophist.

[3] A religious teacher of India.

[4] Zoroaster, founder of ancient Persian religion, also called Zarathustra.

[5] Emanuel Swedenborg (1688–1772), Swedish philosopher and mystic religious writer. For him the end of creation and existence is to bring man into conjunction with the higher spirit of the universe, that he may become the image of his creator.

diez sephiroth de la Kabala,[1] desde el que
simboliza el espacio sin límites hasta el que,
llamado Malkuth,[2] encierra el principio de la
vida. Estudié el espíritu, el aire, el agua, el fuego,
5   la altura, la profundidad, el Oriente, el Occidente, el Norte y el Mediodía; y llegué casi a
comprender y aun a conocer íntimamente a
Satán, Lucifer, Astharot, Beelzebutt, Asmodeo,
Belphegor, Mabema, Lilith,[3] Adrameleh y
10 Baal.[4] En mis ansias de comprensión; en mi
insaciable deseo de sabiduría, cuando juzgaba
haber llegado al logro de mis ambiciones, encontraba los signos de mi debilidad y las manifestaciones de mi pobreza, y estas ideas, Dios, el
15 espacio, el tiempo, formaban la más impenetrable bruma delante de mis pupilas . . . Viajé
por Asia, África, Europa y América. Ayudé al
coronel Olcot a fundar la rama teosófica de
Nueva York. Y a todo esto—recalcó de súbito el
20 doctor, mirando fijamente a la rubia Minna—
¿sabéis lo que es la ciencia y la inmortalidad de
todo? ¡Un par de ojos azules . . . o negros!

—¿Y el fin del cuento? —gimió dulcemente
la señorita.
25 El doctor, más serio que nunca, dijo:
—Juro, señores, que lo que estoy refiriendo
es de una absoluta verdad. ¿El fin del cuento?
Hace apenas una semana he vuelto a la Argentina, después de veintitrés años de ausencia. He
30 vuelto gordo, bastante gordo, y calvo como una
rodilla; pero en mi corazón he mantenido

[1] *sephiroth de la Kabala* one of the ten persons, intel-
ligences or attributes of God, in the cabalistic system, in
which Jewish rabbis and certain Christian sects of the
Middle Ages gave a mystic interpretation of the
Scriptures.
[2] Malkuth, one of the ten sephira, called the Queen,
Matrona, the Inferior Mother.
[3] Satán . . . Lilith—demoniacal figures: Beelzebub—
prince of demons; Asmodeus—in Hebrew mythology,
king of the demons; Belphegor—an archdemon in
medieval legend, who, chosen to test the infelicity of the
married state of men, fled in a panic from the earth;
Lilith—in Jewish legends, a nocturnal spectre who
assumed the form of a beautiful woman in order to
beguile and destroy.
[4] Adramelech—(*Bib.*) Assyrian parricide (2 *Kings* 19:
37); also a God of Sepharvaim (2 *Kings* 17: 31). Baal—
the Sun-God, the supreme male divinity of the ancient
Syro-Phoenician nations.

ardiente el fuego del amor, la vestal de los sol-
terones. Y, por tanto, lo primero que hice fué
indagar el paradero de la familia Revall. «¡Las
Revall—me dijeron—, las del caso de Amelia 35
Revall!» y estas palabras acompañadas con una
especial sonrisa. Llegué a sospechar que la
pobre Amelia, la pobre chiquilla . . . Y buscando,
buscando, di con la casa. Al entrar, fuí recibido
por un criado negro y viejo, que llevó mi tarjeta, 40
y me hizo pasar a una sala donde todo tenía un
vago tinte de tristeza. En las paredes, los espejos
estaban cubiertos con velos de luto, y dos
grandes retratos, en los cuales reconocía a las dos
hermanas mayores, se miraban melancólicos y 45
oscuros sobre el piano. A poco, Luz y Josefina:
—¡Oh amigo mío, oh amigo mío!
Nada más. Luego, una conversación llena de
reticencias y de timideces, de palabras entre-
cortadas y de sonrisas de inteligencia tristes, 50
muy tristes. Por todo lo que logré entender, vine
a quedar en que ambas no se habían casado. En
cuanto a Amelia, no me atreví a preguntar nada.
. . . Quizá mi pregunta llegaría a aquellos pobres
seres, como una amarga ironía, a recordar tal vez 55
una irremediable desgracia y una deshonra . . .
En esto vi llegar saltando a una niñita, cuyo
cuerpo y rostro eran iguales en todo a los de mi
pobre Amelia. Se dirigió a mí, y con su misma
voz exclamó: 60
—¿Y mis bombones?
Yo no hallé qué decir.
Las dos hermanas se miraban pálidas, pálidas,
y movían la cabeza desoladamente . . .
Mascullando una despedida y haciendo una 65
zurda genuflexión, salí a la calle, como perseguido por algún soplo extraño. Luego lo he
sabido todo. La niña que yo creía fruto de un
amor culpable es Amelia, la misma que yo dejé
hace veintitrés años, la cual se ha quedado en la 70
infancia, ha contenido su carrera vital. Se ha
detenido para ella el reloj del Tiempo, en una
hora señalada ¡quién sabe con qué designio del
desconocido Dios!

El doctor Z era en este momento todo calvo . . . 75

Buenos Aires, 1894

«*La extraña muerte de Fray Pedro*»

VISITANDO EL CONVENTO de una ciudad española, no ha mucho tiempo, el amable religioso que nos servía de cicerone, al pasar por el cementerio, me señaló una lápida en que leí, únicamente:
5 *Hic iacet frater Petrus.*[1]
—Éste—me dijo—fué uno de los vencidos por el diablo.
—Por el viejo diablo que ya chochea—le dije.
—No—me contestó—. Por el demonio
10 moderno que se escuda con la Ciencia.
Y me narró el sucedido.

Fray Pedro de la Pasión era un espíritu perturbado por el maligno espíritu que infunde el ansia de saber. Flaco, anguloso, nervioso,
15 pálido, dividía sus horas conventuales entre la oración, las disciplinas y el laboratorio, que le era permitido por los bienes que atraía a la comunidad. Había estudiado, desde muy joven, las ciencias ocultas. Nombraba, con cierto énfasis,
20 en las horas de conversación, a Paracelsus, a Alberto el Grande,[2] y admiraba profundamente a ese otro fraile Schwartz,[3] que nos hizo el diabólico favor de mezclar el salitre con el azufre.
25 Por la ciencia había llegado hasta penetrar en ciertas iniciaciones astrológicas y quirománticas; ella le desviaba de la contemplación y del espíritu de la Escritura. En su alma se había anidado el mal de la curiosidad, que perdió a
30 nuestros primeros padres. La oración misma era olvidada con frecuencia, cuando algún experimento le mantenía cauteloso y febril. Como toda lectura le era concedida, y tenía a su disposición la rica biblioteca del convento, sus autores no
35 fueron siempre los menos equívocos. Así llegó hasta pretender probar sus facultades de zahorí, y a poner a prueba los efectos de la magia blanca. No había duda de que estaba en gran peligro su

alma, a causa de su sed de saber y de su olvido de que la ciencia constituye, en el principio, el 40 arma de la Serpiente, que ha de ser la esencial potencia del Anticristo, y que, para el verdadero varón de fe, *initium sapientiae est timor Domini.*[4]

¡Oh ignorancia feliz, santa ignorancia! ¡Fray Pedro de la Pasión no comprendía tu celeste 45 virtud, que ha hecho a los ciertos Celestinos![5] Huysmans[6] se ha extendido sobre todo ello. Virtud que pone un especial nimbo a algunos mínimos de Dios queridos, entre los esplendores místicos y milagrosos de las hagiografías.   50
Los doctores explican y comentan altamente cómo, ante los ojos del Espíritu Santo, las almas de amor son de mayor manera glorificadas que las almas de entendimiento. Ernest Hello[7] ha pintado, en los sublimes *vitraux*[8] de sus *Fiso-* 55 *nomías de santos*, a esos beneméritos de la caridad, a esos favorecidos de la humildad, a esos seres columbinos, simples y blancos como los lirios, limpios de corazón, pobres de espíritu, bienaventurados hermanos de los pajaritos del 60 Señor, mirados con ojos cariñosos y sororales por las puras estrellas del firmamento. Joris-Karl,[9] el merecido beato, quizá más tarde consagrado, a pesar de la literatura, en el maravilloso libro en que Durtal[10] se convierte, viste de 65 resplandores paradisíacos al lego guardapuercos que hace bajar a la pocilga la admiración de los coros arcangélicos y el aplauso de las potestades de los cielos. Y fray Pedro de la Pasión no comprendía eso . . .   70
Él, desde luego, creía, creía con la fe de un indiscutible creyente. Mas el ansia de saber le azuzaba el espíritu, le lanzaba a la averiguación de

---

[1] (*Lat.*) Here lies Brother Peter.
[2] Bavarian theologian, philosopher, and alchemist (1193–1280).
[3] The invention of gunpowder was attributed to this Benedictine (1318 ?–1384 ?).

[4] (*Lat.*) the beginning of wisdom is fear of the Lord.
[5] This alliterative play on words may possibly refer to Celestine V, Pope for five months in 1294, who abdicated and was not an example of decisiveness. (See Dante, *Inferno* III: 5.)
[6] Joris-Karl Huysmans (1848–1907), French novelist.
[7] Ernest Hello (1828–1885), French mystic writer.
[8] (*Fr.*) stained glass windows.
[9] See note 6 above.
[10] Character in Huysman's novel, *À rebours.*

secretos de la naturaleza y de la vida, a tal punto
que no se daba cuenta de cómo esa sed de saber,
ese deseo indominable de penetrar en lo vedado
y en lo arcano del universo, era obra del pecado,
y añagaza del Bajísimo, para impedirle de esa
manera su consagración absoluta a la adoración
del Eterno Padre. Y la última tentación sería
fatal.

Acaeció el caso no hace muchos años. Llegó
a manos de fray Pedro un periódico en que se
hablaba detalladamente de todos los progresos
realizados en radiografía, gracias al descubrimiento del alemán Roentgen,[1] quien lograra
encontrar el modo de fotografiar a través de los
cuerpos opacos. Supo lo que se comprendía en
el tubo Crookes, de la luz catódica, del rayo X.
Vió el facsímil de una mano cuya anatomía se
transparentaba claramente, y la patente figura de
objetos retratados entre cajas y bultos bien
cerrados.

No pudo desde ese instante estar tranquilo,
pues algo que era un ansia de su querer de
creyente, aunque no viese lo sacrílego que en
ello se contenía, punzaba sus anhelos . . .¿Cómo
podría él encontrar un aparato como los aparatos
de aquellos sabios, y que le permitiera llevar a
cabo un oculto pensamiento, en que se mez-
claban su teología y sus ciencias físicas ? . . .
¿Cómo podría realizar en su convento las mil
cosas que se amontonaban en su encendida
imaginación ?

En las horas litúrgicas, de los rezos y de los
cánticos, notábanlo todos los otros miembros de
la comunidad, ya meditabundo, ya agitado como
por súbitos sobresaltos, ya con la faz encendida
por repentina llama de sangre, ya con la mirada
como extática, fija en lo alto, o clavada en la
tierra. Y era la obra de la culpa que se afianzaba
en el fondo de aquel combatido pecho, el pecado
bíblico de la curiosidad, el pecado omnitrascendente de Adán, junto al árbol de la ciencia
del Bien y del Mal. Y era mucho más que una
tempestad bajo un cráneo . . . Múltiples y raras
ideas se agolpaban en la mente del religioso, que

[1] Wilhelm Konrad Roentgen (1845–1923), German
physicist.

no encontraba la manera de adquirir los preciosos aparatos. ¡Cuánto de su vida no daría él,
por ver los peregrinos instrumentos de los
sabios nuevos en su pobre laboratorio de fraile
aficionado, y poder sacar *las anheladas pruebas*,
hacer los mágicos ensayos que abrirían una
nueva era en la sabiduría y en la convicción
humanas! . . . Él ofrecería más de lo que se
ofreció a Santo Tomás . . . Si se fotografiaba ya
lo interior de nuestro cuerpo, bien podría pronto
el hombre llegar a descubrir visiblemente la
naturaleza y origen del alma; y, aplicando la
ciencia a las cosas divinas, como debía permi-
tirlo el Espíritu Santo, ¿por qué no aprisionar en
las visiones de los éxtasis, y en las manifestaciones de los espíritus celestiales, sus formas
exactas y verdaderas ?

¡Si en Lourdes hubiese habido un kodak,
durante el tiempo de las visiones de Bernar-
detta![2] ¡Si en los momentos en que Jesús, o su
Santa Madre, favorecen con su presencia corporal a señalados fieles, se aplicase convenientemente la cámara obscura! . . . ¡Oh, cómo se
convencerían los impíos, cómo triunfaría la
religión!

Así cavilaba, así se estrujaba el cerebro el
pobre fraile, tentado por uno de los más encarnizados príncipes de las tinieblas.

Y avino que, en uno de esos momentos, en
uno de los instantes en que su deseo era más
vivo, en hora en que debía estar entregado a la
disciplina y a la oración, en su celda, se presentó
a su vista uno de los hermanos de la comunidad,
llevándole un envoltorio bajo el hábito.

—Hermano—le dijo—, os he oído decir que
deseabais una de esas máquinas, como ésas con
que los sabios están maravillando al mundo.
Os la he podido conseguir. Aquí la tenéis.

Y, depositando el envoltorio en manos del
asombrado fray Pedro, desapareció, sin que éste
tuviese tiempo de advertir que debajo del hábito
se habían mostrado, en el momento de la
desaparición, dos patas de chivo.

[2] Bernadette Soubiron, the young girl to whom the
Virgin appeared in Lourdes, France. She has been
made a saint.

Fray Pedro, desde el día del misterioso regalo, consagróse a sus experimentos. Faltaba a maitines, no asistía a la misa, excusándose como enfermo. El padre provincial solía amonestarle; 5 y todos le veían pasar, extraño y misterioso, y temían por la salud de su cuerpo y por la de su alma.

Él perseguía su idea dominante. Probó la máquina en sí mismo, en frutos, llaves dentro de 10 libros, y demás cosas usuales. Hasta que un día . . .

O más bien, una noche, el desventurado se atrevió, *por fin*, a realizar *su pensamiento*. Dirigióse al templo, receloso, a pasos callados. 15 Penetró en la nave principal y se dirigió al altar en que, en el tabernáculo, se hallaba expuesto el

Santísimo Sacramento. Sacó el copón. Tomó una sagrada forma. Salió veloz para su celda.

Al día siguiente, en la celda de fray Pedro, se 20 hallaba el señor arzobispo delante del padre provincial.

—Ilustrísimo señor—decía éste—, a fray Pedro le hemos encontrado muerto. No andaba muy bien de la cabeza. Esos sus estudios creo que le causaron daño. 25

—¿Ha visto su reverencia esto?—dijo su señoría ilustrísima, mostrándole una revelada placa fotográfica que recogió del suelo, y en la cual se hallaba, con los brazos desclavados y una dulce mirada en los divinos ojos, la imagen de 30 Nuestro Señor Jesucristo.

París, 1913

Azul (1888 y 1890)

WALT WHITMAN

En su país de hierro vive el gran viejo,
35 bello como un patriarca, sereno y santo.
Tiene en la arruga olímpica de su entrecejo
algo que impera y vence con noble encanto.

Su alma, del infinito parece espejo;
son sus cansados hombros dignos del manto;
40 y con arpa labrada de un roble añejo,
como un profeta nuevo canta su canto.

Sacerdote que alienta soplo divino,
anuncia, en el futuro, tiempo mejor.
Dice al águila: «¡Vuela!»; «¡Boga!», al marino,

45 y «¡Trabaja!», al robusto trabajador.
¡Así va ese poeta por su camino,
con su soberbio rostro de emperador!

Prosas profanas (1896)

BLASÓN

Para la Condesa de Peralta

50 El olímpico cisne de nieve,
con el ágata rosa del pico,
lustra el ala eucarística y breve
que abre al sol como un casto abanico.

En la forma de un brazo de lira
y del asa de un ánfora griega 55
es su cándido cuello, que inspira,
como prora ideal que navega.

Es el cisne, de estirpe sagrada,
cuyo beso, por campos de seda,
ascendió hasta la cima rosada 60
de las dulces colinas de Leda.[1]

Blanco rey de la fuente Castalia,[2]
su victoria ilumina el Danubio;[3]
Vinci[4] fué su barón en Italia;
Lohengrín[5] es su príncipe rubio. 65

Su blancura es hermana del lino,
del botón de los blancos rosales
y del albo toisón diamantino
de los tiernos corderos pascuales.

[1] Leda, the mythological woman beloved by Jupiter, who changed himself into a swan to attract her.
[2] The fountain of the mythological Mount Parnassus, named for the nymph Castalia who drowned in it when she was fleeing Apollo.
[3] Danube, the great European river that crosses Germany, Austria, Hungary, Yugoslavia, Rumania.
[4] Leonardo da Vinci (1452–1519), painter, sculptor, architect, engineer, and writer.
[5] The Knight of the Swan, a character in the legend of the Holy Grail.

Rimador de ideal florilegio,
es de armiño su lírico manto,
y es el mágico pájaro regio
que al morir rima el alma en un canto.

5   El alado aristócrata muestra
lises albos en campo de azur,
y ha sentido en sus plumas la diestra
de la amable y gentil Pompadour.[1]

Boga y boga en el lago sonoro
10 donde el sueño a los tristes espera,
donde aguarda una góndola de oro
a la novia de Luis de Baviera.[2]

Dad, Condesa, a los cisnes cariño;
dioses son de un país halagüeño,
15 y hechos son de perfume, de armiño,
de luz alba, de seda y de sueño.

Cantos de vida y esperanza (1905)

PREFACIO

PODRÍA REPETIR aquí más de un concepto de las
palabras liminares de *Prosas profanas.* Mi res-
20 peto por la aristocracia del pensamiento, por la
nobleza del Arte, siempre es el mismo. Mi
antiguo aborrecimiento a la mediocridad, a la
mulatez intelectual, a la chatura estética, apenas
si se aminora hoy con una razonada indiferencia.
25 El movimiento de libertad que me tocó iniciar
en América se propagó hasta España, y tanto
aquí como allá el triunfo está logrado. Aunque
respecto a técnica tuviese demasiado que decir
en el país en donde la expresión poética está
30 anquilosada, a punto de que la momificación del
ritmo ha llegado a ser un artículo de fe, no haré
sino una corta advertencia. En todos los países

cultos de Europa se ha usado del hexámetro[3]
absolutamente clásico, sin que la mayoría letrada
y, sobre todo, la minoría leída, se asustasen de 35
semejante manera de cantar. En Italia ha mucho
tiempo, sin citar antiguos, que Carducci[4] ha
autorizado los hexámetros; en inglés, no me
atrevería casi a indicar, por respeto a la cultura
de mis lectores, que la *Evangelina,* de Long- 40
fellow, está en los mismos versos en que Horacio
dijo sus mejores pensares. En cuanto al verso
libre moderno . . . , ¿no es verdaderamente singular que en esta tierra de Quevedos y Góngoras
los únicos innovadores del instrumento lírico, 45
los únicos libertadores del ritmo, hayan sido los
poetas del *Madrid Cómico*[5] y los libretistas del
género chico ?

Hago esta advertencia porque la forma es lo que
primeramente toca a las muchedumbres. Yo no 50
soy un poeta para las muchedumbres. Pero sé
que indefectiblemente tengo que ir a ellas.

Cuando dije que mi poesía era *mía, en mí,*[6]
sostuve la primera condición de mi existir, sin
pretensión ninguna de causar sectarismo en 55
mente o voluntad ajena, y en un intenso amor
a lo absoluto de la belleza.

Al seguir la vida que Dios me ha concedido
tener, he buscado expresarme lo más noble y
altamente en mi comprensión: voy diciendo mi 60
verso con una modestia tan orgullosa, que solamente las espigas comprenden, y cultivo, entre
otras flores, una rosa rosada, concreción de alba,
capullo de porvenir, entre el bullicio de la
literatura. 65

Si en estos cantos hay política, es porque
aparece universal. Y si encontráis versos a un
presidente, es porque son un clamor continental.
Mañana podremos ser yanquis (y es lo más
probable); de todas maneras, mi protesta queda 70
escrita sobre las alas de los inmaculados cisnes,
tan ilustres como Júpiter.[7]

---

[1] Antoinette Poisson (1721–1764), Marquise of Pompadour, French King Louis XV's favorite.
[2] King of Bavaria (1845–1886), protector of Wagner.

[3] Hexameter: six-syllable lines of verses composed of
dactyls and spondees.
[4] Giosué Carducci (1836–1907), Italian poet.
[5] Anti-modernist literary journal.
[6] In *Palabras liminares* a *Prosas profanas.*
[7] Father and ruler of the gods in Roman mythology.

[YO SOY AQUEL QUE AYER . . .]

Yo soy aquel que ayer no más decía
el verso azul y la canción profana,[1]
en cuya noche un ruiseñor había
5 que era alondra de luz por la mañana.

El dueño fuí de mi jardín de sueño,
lleno de rosas y de cisnes vagos;
el dueño de las tórtolas, el dueño
de góndolas y liras en los lagos;

10 y muy siglo diez y ocho, y muy antiguo
y muy moderno; audaz, cosmopolita;
con Hugo[2] fuerte y con Verlaine[3] ambiguo,
y una sed de ilusiones infinita.

Yo supe de dolor desde mi infancia;
15 mi juventud . . . , ¿fué juventud la mía?,
sus rosas aún me dejan su fragancia,
una fragancia de melancolía . . .

Potro sin freno se lanzó mi instinto,
mi juventud montó potro sin freno;
20 iba embriagada y con puñal al cinto;
si no cayó, fué porque Dios es bueno.

En mi jardín se vió una estatua bella;
se juzgó mármol y era carne viva;
un alma joven habitaba en ella,
25 sentimental, sensible, sensitiva.

Y tímida ante el mundo, de manera
que, encerrada, en silencio, no salía
sino cuando en la dulce primavera
era la hora de la melodía . . .

30 Hora de ocaso y de discreto beso;
hora crepuscular y de retiro;
hora de madrigal[4] y de embeleso,
de «te adoro», de «¡ay!», y de suspiro.

Y entonces era en la dulzaina un juego
de misteriosas gamas cristalinas, 35
un renovar de notas del Pan[5] griego
y un desgranar de músicas latinas,

con aire tal y con ardor tan vivo,
que a la estatua nacían de repente
en el muslo viril patas de chivo 40
y dos cuernos de sátiro en la frente.

Como la Galatea gongorina[6]
me encantó la marquesa verleniana,[7]
y así juntaba a la pasión divina
una sensual hiperestesia humana; 45

todo ansia, todo ardor, sensación pura
y vigor natural; y sin falsía,
y sin comedia y sin literatura . . . :
si hay un alma sincera, ésa es la mía.

La torre de marfil tentó mi anhelo; 50
quise encerrarme dentro de mí mismo,
y tuve hambre de espacio y sed de cielo
desde las sombras de mi propio abismo.

Como la esponja que la sal satura
en el jugo del mar, fué el dulce y tierno 55
corazón mío, henchido de amargura
por el mundo, la carne y el infierno.

Mas, por gracia de Dios, en mi conciencia
el Bien supo elegir la mejor parte;
y si hubo áspera hiel en mi existencia, 60
melificó toda acritud el Arte.

Mi intelecto libré de pensar bajo,
bañó el agua castalia el alma mía,
peregrinó mi corazón y trajo
de la sagrada selva la armonía. 65

---

[1] Reference to his collections *Azul* and *Prosas profanas*.
[2] Victor Hugo (1802–1885), French poet.
[3] Paul Verlaine (1844–1896), French poet.
[4] *hora de madrigal = hora de amor*.

[5] Mythical figure, son of Hermes and the nymph Dryope, he led the dances of the nymphs with his pastoral flute.
[6] A character in *Polifemo*, a poem by Góngora.
[7] Verlaine's marquise represents here the worldly, human woman who enchanted Darío, just as Galatea represents the divine woman who fascinated him.

¡Oh, la selva sagrada! ¡Oh, la profunda
emanación del corazón divino
de la sagrada selva! ¡Oh, la fecunda
fuente cuya virtud vence al destino!

5 Bosque ideal que lo real complica,
allí el cuerpo arde y vive y Psiquis[1] vuela;
mientras abajo el sátiro fornica,
ebria de azul deslíe Filomela.[2]

Perla de ensueño y música amorosa
10 en la cúpula en flor del laurel verde,
Hipsipila[3] sutil liba en la rosa,
y la boca del fauno el pezón muerde.

Allí va el dios en celo tras la hembra
y la caña de Pan se alza del lodo:
15 la eterna vida sus semillas siembra,
y brota la armonía del gran Todo.

El alma que entra allí debe ir desnuda,
temblando de deseo y fiebre santa,
sobre cardo heridor y espina aguda:
20 así sueña, así vibra y así canta.

Vida, luz y verdad, tal triple llama
produce la interior llama infinita;
el Arte puro como Cristo exclama:
Ego sum lux et veritas et vita![4]

25 Y la vida es misterio; la luz ciega
y la verdad inaccesible asombra;
la adusta perfección jamás se entrega,
y el secreto ideal duerme en la sombra.

Por eso ser sincero es ser potente:
30 de desnuda que está, brilla la estrella;
el agua dice el alma de la fuente
en la voz de cristal que fluye de ella.

---

[1] Mythological maiden personifying the soul, loved by Cupid.
[2] Mythological figure who was transformed into a nightingale.
[3] Butterfly.
[4] (*Lat.*) I am the light, the truth, and the life.

Tal fué mi intento, hacer del alma pura
mía, una estrella, una fuente sonora,
con el horror de la literatura   35
y loco de crepúsculo y de aurora.

Del crepúsculo azul que da la pauta
que los celestes éxtasis inspira;
bruma y tono menor—¡toda la flauta!,
y Aurora, hija del Sol—¡toda la lira!   40

Pasó una piedra que lanzó una honda;
pasó una flecha que aguzó un violento.
La piedra de la honda fué a la onda,
y la flecha del odio fuése al viento.

La virtud está en ser tranquilo y fuerte;   45
con el fuego interior todo se abrasa;
se triunfa del rencor y de la muerte,
y hacia Belén . . . , ¡la caravana pasa!

[¡TORRES DE DIOS! . . .]

¡Torres de Dios! ¡Poetas!   50
¡Pararrayos celestes
que resistís las duras tempestades,
como crestas escuetas,
como picos agrestes,
rompeolas de las eternidades!   55

La mágica esperanza anuncia un día
en que sobre la roca de armonía
expiará la pérfida sirena.
¡Esperad, esperemos todavía!

Esperad todavía.   60
El bestial elemento se solaza
en el odio a la sacra poesía
y se arroja baldón de raza a raza.
La insurrección de abajo
tiende a los Excelentes.   65
El caníbal codicia su tasajo
con roja encía y afilados dientes.

Torres, poned al pabellón sonrisa.
Poned, ante ese mal y ese recelo,
una soberbia insinuación de brisa   70
y una tranquilidad de mar y cielo . . .

"SPES"[1]

Jesús, incomparable perdonador de injurias,
óyeme; Sembrador de trigo, dame el tierno
pan de tus hostias; dame, contra el sañudo
5   infierno
una gracia lustral de iras y lujurias.

Dime que este espantoso horror de la agonía
que me obsede, es no más de mi culpa nefanda;
que al morir hallaré la luz de un nuevo día
10 y que entonces oiré mi «¡Levántate y anda!»

LOS CISNES

A Juan R. Jiménez

¿Qué signo haces, oh Cisne, con tu encorvado
      cuello
15 al paso de los tristes y errantes soñadores?
¿Por qué tan silencioso de ser blanco y ser bello,
tiránico a las aguas e impasible a las flores?

Yo te saludo ahora como en versos latinos
te saludara antaño Publio Ovidio Nasón.[2]
20 Los mismos ruiseñores cantan los mismos trinos,
y en diferentes lenguas es la misma canción.

A vosotros mi lengua no debe ser extraña.
A Garcilaso visteis, acaso, alguna vez...
Soy un hijo de América, soy un nieto de
25   España...
Quevedo pudo hablaros en verso en Aranjuez.[3]

Cisnes, los abanicos de vuestras alas frescas
den a las frentes pálidas sus caricias más puras,
y alejen vuestras blancas figuras pintorescas
30 de nuestras mentes tristes las ideas obscuras.

Brumas septentrionales nos llenan de tris-
      tezas,
se mueren nuestras rosas, se agostan nuestras
      palmas,

casi no hay ilusiones para nuestras cabezas,   35
y somos los mendigos de nuestras pobres almas.

Nos predican la guerra con águilas feroces,
gerifaltes de antaño revienen a los puños,
mas no brillan las glorias de las antiguas hoces,
ni hay Rodrigos[4] ni Jaimes,[4] ni hay Alfonsos[4] 40
      ni Nuños.[4]

Faltos de los alientos que dan las grandes
      cosas,
¿qué haremos los poetas sino buscar tus lagos?
A falta de laureles son muy dulces las rosas,   45
y a falta de victorias busquemos los halagos.

La América española como la España entera
fija está en el Oriente de su fatal destino;
yo interrogo a la Esfinge que el porvenir espera
con la interrogación de tu cuello divino.   50

¿Seremos entregados a los bárbaros fieros?
¿Tantos millones de hombres hablaremos
      inglés?
¿Ya no hay nobles hidalgos ni bravos caballeros?
¿Callaremos ahora para llorar después?   55

He lanzado mi grito, Cisnes, entre vosotros,
que habéis sido los fieles en la desilusión,
mientras siento una fuga de americanos potros
y el estertor postrero de un caduco león...

...Y un Cisne negro dijo: «La noche anuncia 60
      el día».
Y uno blanco: «¡La aurora es inmortal, la aurora
es inmortal!» ¡Oh tierras de sol y de armonía,
aún guarda la Esperanza la caja de Pandora![5]

---

[1] (*Lat.*) "Hope."
[2] Latin poet (43 B.C.–16 A.D.), author of the *Meta-*
morphoses.
[3] Town where the Spanish Royal Gardens are, near
Madrid.

[4] Names of Spanish heroes.
[5] According to Greek mythology, Pandora was the
first woman created by Vulcan, the god of fire. Jupiter
gave her a box which contained all evils. When Epi-
metheus opened the box, all the evils escaped to the earth
and in the bottom of the box there remained only hope.

CANCIÓN DE OTOÑO EN PRIMAVERA

A G. Martínez Sierra

Juventud, divino tesoro,
¡ya te vas para no volver!
5 Cuando quiero llorar, no lloro . . .
y a veces lloro sin querer.

Plural ha sido la celeste
historia de mi corazón.
Era una dulce niña, en este
10 mundo de duelo y aflicción.

Miraba como el alba pura;
sonreía como una flor.
Era su cabellera obscura
hecha de noche y de dolor.

15 Yo era tímido como un niño.
Ella, naturalmente, fué,
para mi amor hecho de armiño,
Herodías y Salomé[1] . . .

Juventud, divino tesoro,
20 ¡ya te vas para no volver . . .!
Cuando quiero llorar, no lloro,
y a veces lloro sin querer . . .

La otra fué más sensitiva,
y más consoladora y más
25 halagadora y expresiva,
cual no pensé encontrar jamás.

Pues a su continua ternura
una pasión violenta unía.
En un peplo[2] de gasa pura
30 una bacante[3] se envolvía . . .

En sus brazos tomó mi ensueño
y lo arrulló como a un bebé . . .
Y le mató, triste y pequeño,
falto de luz, falto de fe . . .

[1] Herodias, wife of Herod, who had her daughter Salome ask for the head of John the Baptist.
[2] *Peplum*, a sleeveless loose garment falling from shoulders to waist, worn by Greek women.
[3] *Bacchante*, a priestess of Bacchus, god of wine.

Juventud, divino tesoro,   35
¡te fuiste para no volver!
Cuando quiero llorar, no lloro,
y a veces lloro sin querer . . .

Otra juzgó que era mi boca
el estuche de su pasión   40
y que me roería, loca,
con sus dientes el corazón,

poniendo en un amor de exceso
la mira de su voluntad,
mientras eran abrazo y beso   45
síntesis de la eternidad:

y de nuestra carne ligera
imaginar siempre un Edén,
sin pensar que la Primavera
y la carne acaban también . . .   50

Juventud, divino tesoro,
¡ya te vas para no volver!
Cuando quiero llorar, no lloro,
¡y a veces lloro sin querer!

¡Y las demás!, en tantos climas,   55
en tantas tierras, siempre son,
si no pretexto de mis rimas,
fantasmas de mi corazón.

En vano busqué a la princesa
que estaba triste de esperar.   60
La vida es dura. Amarga y pesa.
¡Ya no hay princesa que cantar!

Mas a pesar del tiempo terco,
mi sed de amor no tiene fin;
con el cabello gris me acerco   65
a los rosales del jardín . . .

Juventud, divino tesoro,
¡ya te vas para no volver! . . .
Cuando quiero llorar, no lloro,
y a veces lloro sin querer . . .   70

¡Mas es mía el Alba de oro!

LEDA

El cisne en la sombra parece de nieve;
su pico es de ámbar, del alba al trasluz;
el suave crepúsculo que pasa tan breve
5 las cándidas alas sonrosa de luz.

Y luego, en las ondas del lago azulado,
después que la aurora perdió su arrebol,
las alas tendidas y el cuello enarcado,
el cisne es de plata, bañado de sol.

10 Tal es, cuando esponja las plumas de seda,
olímpico pájaro herido de amor,
y viola en las linfas sonoras a Leda,
buscando su pico los labios en flor.

Suspira la bella desnuda y vencida,
15 y en tanto que al aire sus quejas se van
del fondo verdoso de fronda tupida
chispean turbados los ojos de Pan.

LO FATAL

A René Pérez

20 Dichoso el árbol que es apenas sensitivo,
y más la piedra dura, porque ésta ya no siente,
pues no hay dolor más grande que el dolor de
         ser vivo,
ni mayor pesadumbre que la vida consciente.

25 Ser, y no saber nada, y ser sin rumbo cierto,
y el temor de haber sido y un futuro terror . . .
Y el espanto seguro de estar mañana muerto,
y sufrir por la vida y por la sombra y por

lo que no conocemos y apenas sospechamos,
30 y la carne que tienta con sus frescos racimos,
y la tumba que aguarda con sus fúnebres ramos,
¡y no saber adónde vamos,
ni de dónde venimos . . . !

El canto errante (1907)

"EHEU" [1]

Aquí, junto al mar latino,   35
digo la verdad:
Siento en roca, aceite y vino,
yo mi antigüedad.

¡Oh, qué anciano soy, Dios santo;
oh, que anciano soy! . . .   40
¿De dónde viene mi canto?
Y yo, ¿adónde voy?

El conocerme a mí mismo,
ya me va costando
muchos momentos de abismo   45
y el cómo y el cuándo . . .

Y esta claridad latina,
¿de qué me sirvió
a la entrada de la mina
del yo y el no yo . . . ?   50

Nefelibata [2] contento,
creo interpretar
las confidencias del viento,
la tierra y el mar . . .

Unas vagas confidencias   55
del ser y el no ser,
y fragmentos de conciencias
de ahora y ayer.

Como en medio de un desierto
me puse a clamar;   60
y miré al sol como muerto
y me eché a llorar.

---

[1] (*Lat.*) "Alas!", the first word in Horace's famous
Ode: "Eheu, fugaces . . ." (*Book* II: XIV).
[2] From "*nephele*", Greek for "cloud." A man who
walks among the clouds, i.e., a dreamer.

MIGUEL DE UNAMUNO
1864-1936

*Nacido en Bilbao, la ciudad liberal del país vasco, católico por tradición
y familia, heterodoxo por vocación y carácter, fué el escritor más
arraigadamente religioso de su tiempo. Pasó la vida luchando con todos
y especialmente consigo mismo. Estudió en Madrid la carrera de
Filosofía y Letras y desde 1891 sirvió como profesor de Lengua y
Literatura griega en la Universidad de Salamanca. Desde 1900 a 1916,
en que lo destituyeron por razones políticas, fué Rector de ese prestigioso
centro de enseñanza. Durante la guerra europea (1914-1918) combatió
duramente contra los partidarios de Alemania, el más destacado de los
cuales era el propio rey Alfonso XIII, y esa pugna le ocasionó
persecuciones, procesos judiciales y condenas. Cuando en 1923 el general
Primo de Rivera asaltó el poder e impuso su dictadura al pueblo español,
Unamuno se situó en oposición activa contra él, siendo confinado en
Fuerteventura, isla situada frente a la costa occidental de Africa. Exilado
ulteriormente, vivió primero en París y luego en Hendaya, regresando a
España al caer el dictador. Participó activamente en la instauración de la
República, que le devolvió al rectorado de la Universidad salmantina, y
falleció de repente, el último día de 1936, cuando la guerra civil encendía
sus fuegos más devastadores.*

*Hombre de pasión y de contradicción, se forjó en la agonía, es decir,
en el incesante combate entre los diversos aspectos de su compleja
personalidad, levantándose unas veces en el escenario de la Historia a
desempeñar el papel que le correspondía y sumergiéndose otras en la
contemplación o en la entraña de la vida cotidiana. Heterodoxo de todas
las ortodoxias (salvo de la familia, su baluarte sagrado), lo fué también de
la heterodoxia, negándose al conformismo del anticonformista profesional.
Alguna vez declaró que si llegara a formarse un partido para seguirle,
sería él quien primero levantaría la bandera de la oposición, proclamándose
anti-unamuniano.*

*Y si se reconocía contradictorio en esencia, tejido de contradicciones,
¿cómo reprocharle que su método se base en la explotación sistemática de
la dualidad? Sólo sorprenderá a los observadores ligeros, al incapaz de
entender que lo uno y lo otro, luz y sombra, fe y duda, realidad y ensueño
se dan de alta a la vez en su obra. Donquijotesco, como lo llamó Antonio
Machado, corrió los caminos de España luchando por el ideal, golpeando y
siendo golpeado, escribiendo cada día según la preocupación del instante,
haciendo cuanto estaba en su pluma por eternizar lo momentáneo, elevando
la anécdota a categoría y buscando en la obra una inmortalidad en que su
razón se negaba a creer.*

En 1895 publicó En torno al casticismo, *ensayos sobre el ser y la
tradición de España; de 1897 es su primera novela,* Paz en la guerra, *y de*

1902 la segunda, Amor y pedagogía, *con la que inicia una técnica
novelesca personal, eliminando lo descriptivo para concentrarse sin
digresiones en el desarrollo del tema. Hasta fecha relativamente tardía
(1907) no publicó el primer volumen de poesías, aunque venía escribiéndolas
desde mucho antes, y la poesía—en prosa o verso—fué desde entonces el
vehículo natural de sus efusiones.* Niebla (1914) *es la más conocida de sus
novelas, acaso porque al calificarla de* nivola *intrigó a lectores y críticos,
y* San Manuel Bueno, mártir (1933) *la historia que mejor refleja su
angustia personal. Esta novelita es una apasionada y honda autobiografía
espiritual centrada en torno al tema de la inmortalidad. Unamuno expuso
su caso a través del protagonista de la novela, sacerdote incrédulo que
oculta su falta de fe para estimular la de sus feligreses: es preciso
—piensa—creer en otra vida para poder vivir ésta y encontrarle
finalidad y sentido.*

*Escribió gran número de cuentos, varias novelas cortas, ensayos y
fabuloso número de artículos periodísticos, recopilando parte de ellos en
libros—*Contra esto y aquello (1912), Andanzas y visiones españolas
(1922). *Cultivó el teatro, pero no logró ver estrenadas sino algunas de las
obras que escribió:* Sombras de sueño (1930), El otro (1932), El hermano
Juan (1932). *Ninguno de sus libros supera en dramatismo al espléndido*
Del sentimiento trágico de la vida en los hombres y en los pueblos
(1913), *pues en él es donde sus ideas aparecen articuladas con más grandeza,
hermosura y rigor. En los últimos años de su vida escribía cotidianamente
poemas que después de su muerte han sido coleccionados en el extenso*
Cancionero (1953), *testimonio admirable del constante y hondo
monodiálogo con que tan de verdad logró matar el tiempo.*

La locura del doctor Montarco (1904)

CONOCÍ AL DR. MONTARCO no bien hubo llegado
a la ciudad; un secreto tiro me llevó a él. Atraían,
desde luego, su facha y su cara, por lo abiertas y
sencillas que eran. Era un hombre alto, rubio,
5 fornido, de movimientos rápidos. A la hora de
tratar a uno hacíale su amigo, porque si no
habría de hacérselo no dejaba que el trato
llegase a la hora. Era difícil averiguar lo que en
él había de ingénito y lo que había de estudiado:
10 de tal manera había sabido confundir naturaleza
y arte. De aquí que mientras unos le tachaban
de ser afectado y afectada su sencillez, creíamos
otros que en él era todo espontáneo. Es lo que me
dijo y repitió muchas veces: «Hay cosas que,
15 siendo en nosotros naturales y espontáneas,

tanto nos las celebran, que acabamos por hacerlas de estudio y afectación; mientras hay otras
que, empezando a adquirirlas con esfuerzo y
contra nuestra naturaleza tal vez, acaban por
sernos naturalísimas y muy propias.»   20

Por esta sentencia se verá que no fué el
doctor Montarco, mientras estuvo sano de
cabeza, el extravagante que mucha gente decía,
ni mucho menos; sino más bien un hombre que
en su conversación vertía juicios atinados y   25
discretos. Sólo a las veces, y ello no más que
con personas de toda su confianza, como llegué
yo a serlo, rompía el freno de cierta contención
y se desbordaba en vehementes invectivás contra
las gentes que le rodeaban y de las que tenía   30

que vivir. En esto denunciaba el abismo en que fué al cabo a caer su espíritu.

En su vida era uno de los hombres más regulares y más sencillos que he conocido; ni coleccionaba nada—ni siquiera libros—ni le conocí nunca monomanía alguna. Su clientela, su hogar y sus trabajos literarios: tales eran sus únicas ocupaciones. Tenía mujer y dos hijas, de ocho y de diez años, cuando llegó a la ciudad. Vino precedido de un muy buen crédito como médico; pero también se decía que eran sus rarezas lo que le obligó a dejar su ciudad natal y venir a aquélla en que le conocí. Su rareza mayor consistía, según los médicos sus colegas, en que siendo un excelente profesional, muy versado en ciencias médicas y en biología, y escribiendo mucho, jamás le dió por escribir de medicina. A lo que él me decía una vez, con su especial estilo violento: «¿Por qué querrán esos imbéciles que escriba yo de cosas del oficio? He estudiado medicina para curar enfermos y ganarme la vida curándolos. ¿Los curo? ¿Sí? Pues entonces que me dejen en paz con sus majaderías y no se metan donde no los llaman. Yo me gano la vida con la mejor conciencia posible, y una vez ganada, hago con ella lo que se me antoja, y no lo que se les antoja a esos majagranzas. No puede usted figurarse bien qué insondable fondo de miseria moral hay en ese empeño que ponen no pocas gentes en enjaular a cada uno en su especialidad. Yo, por el contrario, hallo grandísimas ventajas en que se viva de una actividad y para otra. Usted recordará las justas invectivas de Schopenhauer[1] contra los filósofos de oficio.»

A poco de llegar a la ciudad, y cuando ya empezaba a hacerse una más que regular clientela y a adquirir renombre de médico serio, cuidadoso, solícito y afortunado, publicó en un semanario de la localidad su primer cuento, un cuento entre fantástico y humorístico, sin descripciones y sin moraleja. A los dos días le encontré muy contrariado, y al preguntarle lo que le pasaba estalló y me dijo: —¿Pero usted cree que voy a poder resistir mucho tiempo la presión abrumadora de la tontería ambiente? ¡Lo mismo que en mi pueblo, lo mismito! Y lo mismo que allí, acabaré por cobrar fama de raro y loco, yo que soy un portento de cordura, y me irán dejando mis clientes, y perderé la parroquia, y vendrán los días de miseria, desesperación, asco y cólera, y tendré que emigrar de aquí como tuve que emigrar de mi propio pueblo.

—¿Pero qué le ha pasado?—le pregunté.

—¿Qué me ha pasado? Que son ya cinco las personas que se me han acercado a preguntarme qué es lo que me proponía al escribir el cuento ese, y qué quiero decir en él y cuál es su alcance. ¡Estúpidos, estúpidos y más que estúpidos! Son peores que los chiquillos que rompen los muñecos para ver qué tienen dentro. Este pueblo no tiene redención, amigo; está irremisiblemente condenado a seriedad y tontería, que son hermanas mellizas. Aquí todos tienen alma de dómine; no comprenden que se escriba sino para probar algo o defender o atacar alguna tesis, o con segunda intención. A uno de esos memos que me preguntó por el alcance de mi cuento le repliqué: «¿Le divirtió a usted?» y como me dijera: «hombre, como divertirme, sí me divirtió; la cosa no deja de tener gracia; pero...» Al llegar al pero le dejé con él en la boca, dándole las espaldas. Para ese mamarracho no basta tener gracia. ¡Almas de dómines! ¡Almas de dómines!

—Pero...—me atreví a empezar.

—Hombre, no me venga usted también con peros—me atajó—; déjese de eso. La roña infecciosa de nuestra literatura española es el didactismo; por dondequiera el sermón, y el sermón malo; todo cristo se mete aquí a dar consejos y los da con cara de corcho.[2] Una vez cojí la *Epístola moral a Fabio*[3] y no pude pasar de los tres primeros versos: se me atragantó. Esta casta carece de imaginación, y por eso sus locuras todas acaban en tontería. Es una casta ostruna, no le dé usted vueltas, ostruna, ostras, ostras y nada más que ostras. Todo sabe aquí

---

[1] Schopenhauer (1788–1860), German philosopher.

[2] *cara de corcho* pretending that they know what they are talking about.

[3] Anonymous sixteenth century Spanish poem about the falseness and vanity of worldly things.

a tierra. Vivo entre tubérculos humanos; no salen de tierra.

No escarmentó, sin embargo, y volvió a publicar otro cuento más fantástico y más
5 humorístico que el primero. Y recuerdo que me habló de él Fernández Gómez, cliente del doctor.

—Pues, señor—me decía el bueno de Fernández Gómez—, no sé qué hacer después de estos dos escritos de mi doctor.

10 —¿Y por qué?

—Porque me parece peligroso ponerme en manos de un hombre que escribe cosas semejantes.

—¿Pero a usted le cura bien?

15 —¡Oh, eso sí, no tengo la menor queja! Desde que me puse en sus manos, voy a su consulta y sigo sus prescripciones, me va mucho mejor y noto de día en día que voy mejorando; pero ... esos escritos ... ese hombre no debe
20 de andar bien de la cabeza ... eso es una olla de grillos ...

—No haga usted caso, D. Servando; yo le trato mucho, como usted sabe, y nada he observado en él. Es un hombre muy razonable.

25 —El caso es que sí, cuando se le habla responde acorde y todo lo que dice es muy sensato; pero ...

—Mire usted, yo prefiero que me opere bien, con ojo y pulso seguros, un hombre que diga
30 locuras (y éste no las dice), a no que un señor muy sesudo, soltando sensateces como puños de Pero Grullo,[1] me descoyunte y destroce el cuerpo.

—Así será ... así será ... pero ...

Al día siguiente le pregunté al Dr. Montarco
35 por Fernández Gómez, y me contestó secamente: ¡Tonto constitucional!

—¿Y qué es eso?

—Tonto por constitución fisiológica, *a nativitate*,[2] irremediable.

40 —Yo le llamaría a eso tonto absoluto.

—Tal vez ... porque aquí lo constitucional y lo absoluto se confunden; no es como en política ...

—Dice que la cabeza de usted debe de ser
45 una olla de grillos ...

---

[1] *Pero Grullo* man who always spouts commonplaces and clichés. (*Pero Grullo = a la mano cerrada le llama puño.*)
[2] (*Lat.*) from birth.

—Y la suya y la de sus congéneres, ollas de cucarachas, que son grillos mudos. Al fin los míos cantan, o chirrían, o lo que sea.

Algún tiempo después publicó el doctor su tercer relato, éste ya agresivo y lleno de ironías, 50 burlas e invectivas mal veladas.

—Yo no sé si le conviene a usted publicar esas cosas—le dije.

—¡Oh!, sí, necesito echarlas fuera; si no escribiera esas atrocidades acabaría por hacerlas. 55 Yo sé lo que me hago.

—Hay quien dice que no sientan bien en un hombre de su edad, de su posición, de su profesión ... —le dije por tentarle.

Y, en efecto, saltó y exclamó: 60

—Lo dicho, lo dicho, se lo tengo a usted dicho mil veces: tendré que marcharme de aquí, o me moriré de hambre, o me volverán loco, o todo junto. Sí, todo junto: tendré que irme, loco, a morirme de hambre. ¡Mi posición! ¿A 65 qué llamarán posición esos porros? Créame: no saldremos en España de unos marroquíes empastados,[3] y mal empastados, pues estaríamos mejor en rústica; no saldremos de eso mientras no entremos porque el Presidente del Consejo 70 de Ministros escriba y publique un tomo de epigramas o de cuentos para los niños, o un sainete mientras es Presidente. Arriesga con eso su prestigio, dicen. Y con lo otro arriesgamos nuestro progreso. ¡Qué estúpidamente graves 75 somos!

Y así, arrastrado por un fatal instinto, se puso el Dr. Montarco a luchar con el espíritu público de la ciudad en que vivía y trabajaba. Esforzábase cada vez más por ser concienzudo y exacto 80 en el cumplimiento de sus deberes profesionales, cívicos y domésticos; ponía un exquisito cuidado en atender a sus clientes estudiándoles las dolencias; recibía afablemente a todo el mundo; con nadie era grosero; hablaba a cada cual de lo 85 que podía interesarle, procurando darle gusto, y en su vida privada continuaba siendo el marido y el padre ejemplar. Pero cada vez eran sus cuentos, relatos y fantasías más extravagantes, según se decía, y más fuera de lo co- 90 rriente y vulgar. Y la clientela se le iba retirando y se iba haciendo el vacío en su derredor. Con

---

[3] *marroquíes empastados* leather-jacketed Moroccans.

esto su irritación mal contenida iba en aumento.

Y no fué esto lo peor, sino que empezó a tomar cuerpo e ir hinchándose y redundando un rumor maligno, y fué la acusación de soberbia. Sin motivo alguno que lo justificara, empezó a susurrarse que el Dr. Montarco era un espíritu soberbio, un hombre lleno de sí mismo, que se tenía por un genio y a los demás tenía por pobres diablos incapaces de comprenderle por entero. Se lo dije, y en vez de estallar en una de aquellas sus acostumbradas diatribas, como yo esperaba, me contestó con calma:

—¿Soberbio yo? Sólo los tontos son de veras soberbios, y francamente, no me tengo por tonto; no llega mi tontería a tanto. ¿Soberbio? ¡Si pudiésemos asomarnos los unos al brocal de la conciencia de los otros y verles el fondo! Sí, sé que me tienen por desdeñoso de los demás, pero se equivocan. Es que no los tengo por aquello en que se tienen ellos mismos. Y además, si entrara en descubrirle más por dentro mi corazón, ¿qué es eso de soberbia y empeño de prepotencia y otros estribillos así? ¡No, amigo mío, no! el hombre que trata de sobreponerse a los demás es que busca salvarse; el que procura hundir en el olvido los nombres ajenos es que quiere se conserve el suyo en la memoria de las gentes, porque sabe que la posteridad tiene un cedazo muy cerrado. ¿Usted se ha fijado en un mosquero alguna vez?

—¿Qué es eso?—le pregunté.

—Una de esas botellas con agua dispuestas para cazar moscas. Las pobres tratan de salvarse, y como para ello no hay más remedio que encaramarse sobre otras y así navegar sobre un cadáver en aquellas estancadas aguas de muerte, es una lucha feroz a cuál se sobrepone a las demás. Lo que menos piensan es en hundir a la otra, sino en sobrenadar ellas. Y así es la lucha por la fama mil veces más terrible que la lucha por el pan.

—Y así es—añadí—la lucha por la vida. Darwin . . .[1]

—¿Darwin?—me atajó—. ¿Conoce usted el libro *Problemas biológicos*, de Rolph?[2]

—No.

—Pues léalo usted. Léalo y verá que no es el crecimiento y la multiplicación de los seres lo que les pide más alimento y les lleva, para conseguirlo, a luchar así; sino que es una tendencia a más alimento cada vez, a excederse, a sobrepasar de lo necesario, lo que les hace crecer y multiplicarse. No es instinto de conservación lo que nos mueve a obras, sino instinto de invasión; no tiramos a mantenernos, sino a ser más, a serlo todo. Es, sirviéndome de una fuerte expresión del Padre Alonso Rodríguez,[3] el gran clásico, «apetito de divinidad». Sí, apetito de divinidad. «¡Seréis como dioses!»; así tentó, dicen, el demonio a nuestros primeros padres. El que no sienta ansias de ser más, llegará a no ser nada. ¡O todo o nada! Hay un profundo sentido en esto. Díganos lo que nos dijere la razón, esa gran mentirosa que ha inventado, para consuelo de los fracasados, lo del justo medio, la *aurea mediocritas*,[4] el «ni envidiado ni envidioso» y otras simplezas por el estilo; diga lo que dijere la razón, la gran alcahueta, nuestras entrañas espirituales, eso que llaman ahora el Inconciente (con letra mayúscula) nos dice que para no llegar, más tarde o más temprano, a ser nada, el camino más derecho es esforzarse por serlo todo.

La lucha por la vida, por la sobre-vida más bien, es ofensiva y no defensiva; en esto acierta Rolph. Yo, amigo, no me defiendo, no me defiendo jamás; ataco. No quiero escudo, que me embaraza y estorba; no quiero más que espada. Prefiero dar cincuenta golpes y recibir diez, a no dar más que diez y no recibir ninguno. Atacar, atacar, y nada de defenderse. Que digan de mí lo que quieran; no lo oiré, no me entero de ello, cierro los oídos, y si a éstos, a pesar de mis precauciones para no oirlo, me llega lo que dicen, no lo contesto. Si nos dieran siglos por delante, antes les convencería yo a ellos mismos de que son tontos, y vea si es esto difícil, que ellos a mí de que estoy loco o de que soy soberbio.

—Pero ese sistema puramente ofensivo, amigo Montarco . . . —empecé.

[1] English naturalist (1809–1882), famous for his theory of evolution.
[2] John Rolph (1793–1870), Canadian doctor and politician.
[3] Ascetic Jesuit writer of Madrid (1538–1616).
[4] (*Lat.*) the golden mean.

—Sí—me atajó, tiene sus quiebras, y sobre todo un gran peligro, y es que el día en que me flaquee el brazo, o la espada me quede mellada, aquel día me pisotean, me arrastran y me hacen polvo. Pero antes se saldrán con la suya: me volverán loco.

Y así fué. Yo empecé a sospecharlo desde que le oía hablar tan a menudo de ello y tronar contra la razón. Acabaron por volverle loco.

Entercóse en proseguir con sus relatos, relatos tan fuera de lo de aquí, en España, corriente, y a la vez en no salir del género tan razonable de vida que llevaba. La clientela se le fué alejando; llegó la penuria a llamar a las puertas de su casa, y, para colmo de males, ni encontraba revistas o diarios que admitieran sus trabajos, ni su nombre ganaba terreno en la república de las letras. Y todo ello concluyó en que unos cuantos amigos suyos tuvimos que hacernos cargo de su mujer y sus hijas y llevarle a él a una casa de salud, porque su agresividad de palabra iba en aumento.

Recuerdo como si fuera ayer, la primera vez que le visité en la casa de salud en que fué recluído. El director, el Dr. Atienza, había sido condiscípulo del Dr. Montarco y le profesaba gran cariño.

—Ahí está—me dijo—, estos días más tranquilo y encalmado que al principio. Lee algo, muy poco, porque estimo contraproducente el privarle en absoluto de lectura. Lo que más lee es el *Quijote*, y si usted coje su ejemplar y lo abre al acaso, es casi seguro que se abrirá por el capítulo XXXII de la parte II, en que se trata de la respuesta que dió Don Quijote a su reprensor, aquel grave eclesiástico que en la mesa de los Duques reprendió duramente al caballero andante. Vamos a verle, si usted quiere.

Y fuimos.

—Me alegro que venga usted a verme—exclamó así que me hubo visto, y levantando la vista del *Quijote*—; me alegro. Estaba pensando si, a pesar de lo que nos dice Cristo, según el versillo 22 del capítulo V de San Mateo, estamos o no autorizados a emplear el arma prohibida.

—¿Y cuál es el arma prohibida?—le pregunté.

—«Quien llamare tonto a su hermano, es reo del fuego eterno.» ¡Vean, vean qué sentencia tan terrible! No dice quien le llame asesino, o ladrón, o bandido, o estafador, o cobarde, o hijo de mala madre, o cabrón, o liberal, no; sino dice quien le llame «tonto». Esa, esa es el arma prohibida. Todo se puede poner en duda menos el ingenio, la agudeza o el buen juicio ajenos. ¿Y cuándo le da al hombre por presumir de algo? Papas ha habido que se tenían por latinistas y que se hubieran ofendido menos de que se les tuviera por herejes que de haberles acusado de incurrir en solecismos al escribir latín, y hay graves cardenales que más puntillo ponen en pasar por castizos que en ser tenidos por buenos cristianos, y para quienes la ortodoxia no es más que una mera consecuencia de la casticidad. ¡El arma prohibida! ¡El arma prohibida! Vean la comedia política; se acusan los actores de las cosas más feas, se inculpan embozadamente de graves faltas; pero cuidan de llamarse elocuentes, hábiles, intencionados, talentudos . . . «Quien llamare tonto a su hermano, es reo del fuego eterno.» Y, sin embargo, ¿saben por qué no avanza más el progreso?

—Porque tiene que llevar a cuestas a la tradición—me aventuré a decirle.

—No, no, sino porque es imposible convencerles a los tontos de que lo son. El día en que los tontos, que son todos los hombres, se conviciesen de la verdad de que lo son, el progreso tocaría a su término. El hombre nace tonto . . . Pero quien llame tonto a su hermano es reo del fuego eterno. Y reo de él se hizo aquel grave eclesiástico «destos que gobiernan las casas de los príncipes; destos que como no nacen príncipes no aciertan a enseñar cómo lo han de ser los que lo son; destos que quieren que la grandeza de los grandes se mida con la estrechez de sus ánimos; destos que, queriendo mostrar a los que ellos gobiernan a ser limitados, les hacen ser miserables . . .»[1]

—¿Lo ve usted? —me dijo por lo bajo el doctor Atienza—; se sabe de memoria los capítulos XXXI y XXXII de la parte segunda de nuestro libro.

[1] From *Don Quijote* II: xxxi.

—Reo del infierno se hizo, digo—continuó el pobre loco—, aquel grave religioso que con los Duques salió a recibir a Don Quijote y con él se sentó a la mesa, frontero a él, a hacer por la vida;
5 y luego, lleno de saña, de envidia, de estupidez, de todas las bajas pasiones cubiertas con capa de sensatez y buen juicio, amenazó al Duque con que tenía que dar cuenta a nuestro Señor de lo que hacía aquel buen hombre . . . Llamó *buen*
10 *hombre* a Don Quijote, el muy majadero y grave eclesiástico, y luego le llamó Don Tonto. ¡Don Tonto! ¡Don Tonto! ¡Don Tonto al más grande loco que vieron los siglos! ¡Reo del fuego eterno! Y en el infierno está.
15 —Acaso no sea más que en el purgatorio, porque la misericordia de Dios es infinita—me atreví a decir.
—Pero la falta del grave eclesiástico, que es España y nada más que España, es enorme,
20 enormísima. Aquel grave señor, genuina encarnación de la parte de nuestro pueblo que se cree culta; aquel insoportable dómine, después de levantarse mohíno de la mesa y llamarle sandio a su señor, al que le daba de comer, creo
25 que por no hacer nada de provecho, y de decir aquello de «mirad si no han de ser ellos locos, pues los cuerdos canonizan sus locuras; quédese vuestra excelencia con ellos, que en tanto que estuvieren en casa me estaré yo en la mía y me
30 excusaré de reprender lo que no puedo remediar»; después de decir esto, y «sin decir más ni comer, se fué».[1] Se fué, pero no del todo, sino que anda por ahí dando y quitando patentes de sensatez y cordura . . . ¡Es terrible! ¡Es terrible!
35 En público le llaman a Don Quijote «loco sublime» y otra porción de cosas así que han oído; pero en el retiro de su corazón, y a solas, le llaman Don Tonto. Ya ve usted: Don Quijote, que por irse tras un imperio, el imperio de su
40 fama, dejó a Sancho Panza el gobierno de la Insula. ¡Don Quijote! ¿Y qué fué ese pobre Don Tonto? ¡Ni siquiera ministro! Y después de todo, ¿para qué crió Dios el mundo? Para su gloria, dicen; para manifestar su gloria. ¿Y
45 hemos de ser nosotros menos? . . . ¡Soberbia! ¡Soberbia! ¡Satánica soberbia!, claman los im-

[1] From *Don Quijote* II: xxxi.

potentes. Vengan, vengan acá, vengan todos esos graves señores infestados de sentido común . . .
—Vámonos—me dijo por lo bajo el Dr. 50 Atienza—, porque se exalta.
Con una excusa cortamos la entrevista y me despedí de mi pobre amigo.
—Le han vuelto loco—me dijo el Dr. Atienza, así que nos vimos solos—; han vuelto loco a uno 55 de los hombres más cuerdos y cabales que he conocido.
—¿Cómo así?—le pregunté.
La mayor diferencia entre los locos y los cuerdos—me contestó—es que éstos, aunque 60 piensan locuras, a no ser que sean tontos de remate, porque entonces no las piensan; aunque las piensan, digo, ni las dicen ni menos las hacen; mientras que aquéllos, los que llamamos locos, carecen del poder de inhibición, no son 65 capaces de contenerse. ¿A quién, como no llegue su falta de imaginación a punto de imbecilidad, no se le ha ocurrido alguna vez alguna locura? Ha sabido contenerse. Y si no lo sabe, o da en loco o en genio, mayor o menor, según la 70 locura sea. Es muy cómodo hablar de ilusiones; pero créame usted que una ilusión que resulte práctica, que nos lleve a un acto que tienda a conservar o acrecentar o intensificar la vida, es una impresión tan verdadera como la que puedan 75 comprobar más escrupulosamente todos los aparatos científicos que se inventen. Ese necesario repuesto de locura, llamémosla así, indispensable para que haya progreso; ese desequilibrio sin el cual llegaría pronto el mundo espiri- 80 tual a absoluto reposo, es decir, a muerte, eso hay que emplearlo de un modo o de otro. Este pobre Dr. Montarco lo empleaba en sus fantásticos relatos, en sus cuentos y fantasías, y así se libraba de ello y podía llevar la vida tan 85 ordenada y tan sensata que llevaba. Y realmente aquellos relatos . . .
—¡Ah!—le atajé—. Son profundamente sugestivos; están llenos de sorprendentes puntos de vista. Yo los leo y releo, porque nada abo- 90 rrezco más que el que me vengan diciendo lo mismo que yo pienso. Leo de continuo aquellos cuentos sin descripciones ni moraleja. Me

propongo escribir un estudio sobre ellos, y abrigo la esperanza de que una vez que se le ponga al público sobre la pista, acabará por ver en ellos lo que hoy no ve. El público ni es tan torpe ni tan
5 desdeñoso como creemos; lo que hay es que quiere que se le den las cosas mascadas, ensalivadas y hechas bolo deglutible para no tener más que tragar; cada cual harto tiene con ganarse la vida, y no puede distraer su tiempo en rumiar
10 un pasto que le sabe áspero cuando se lo mete a la boca. Pero los comentaristas sacan a flote a escritores así, como el Dr. Montarco, en quien sólo se leía la letra y no el espíritu.

—Pues usted sabe—reanudó el doctor—que
15 caían en el vacío. Su extrañeza misma, que en otro país les hubiera atraído lectores, espantábalos aquí de ellos. A cada paso y ante la cosa en el fondo más sencilla, se decían estas gentes ahitas de bazofia didáctica: «y aquí, ¿qué
20 quiere decir este hombre?» Usted sabe lo que ocurrió: la clientela le fué dejando, a pesar de que curaba bien; las gentes dieron en llamarle loco, a pesar de la cordura de su vida; se le acusó de pasiones de que en el fondo, y a pesar
25 de las apariencias, estaba libre; se rechazaron sus escritos; la miseria llamó a su puerta, y le obligaron a decir y hacer las locuras que antes pensaba y vertía en sus escritos.

—¿Locuras?—le interrumpí.
30 —No, no eran locuras, tiene usted razón, no lo eran; pero han conseguido que acaben por serlo. Yo, que le leo ahora, desde que le tengo aquí, comprendo que el error estuvo en empeñarse en ver un escritor de ideas en uno que,
35 como este desgraciado, no lo era. Sus ideas eran una excusa, una primera materia, y tanta importancia tienen en sus escritos como las tierras de que se valiera Velázquez[1] para hacer las drogas con que pintaba o el género de piedra en que
40 talló Miguel Ángel[2] su Moisés. ¿Qué diríamos del que para juzgar a la Venus de Milo[3] hiciese, microscopio y reactivos en mano, un detenido análisis del mármol en que está esculpida? Las

ideas no son más que materia prima para obras de filosofía, de arte o de polémica.
45
—Siempre he creído lo mismo—le dije—, pero veo que es una de las doctrinas que más resistencia encuentra en nuestro pueblo. Una vez, viendo jugar a unos ajedrecistas, asistí al más intenso drama de que he sido espectador. 50 Aquello era terrible. No hacían sino mover las figurillas, dentro de los cánones del juego y sin salirse del casillero, y, sin embargo, no puede usted figurarse ¡qué intensa pasión, qué tensión de espíritu, qué derroche de energía vital! Los 55 que seguían sólo las peripecias del juego creían asistir a una vulgar partida, pues lo cierto es que jugaban los dos medianamente; pero yo atendía al modo de cojer las piezas y ponerlas, al silencio solemne, al ceño de los jugadores. Hubo una 60 jugada, de las peores y más vulgares por cierto, un jaque que no remató en mate, que fué extraordinaria. Usted hubiera visto cómo empuñó, con la mano toda, su caballo y lo puso dando un golpe sobre el tablero, y cómo exclamó: ¡jaque! 65 ¡Y aquellos dos hombres pasaban por dos jugadores vulgares! ¿Vulgares? De seguro que Morphi o Filidor[4] lo eran mucho más. ¡Pobre Montarco!

—Sí, ¡pobre Montarco! Y hoy no le ha oído 70 usted sino cosas razonables . . . Rara, muy rara vez desbarra por completo, y cuando le da por desbarrar se finge un personaje grotesco, al que llama el consejero privado Herr Schmarotzender,[5] se pone una peluca, se sube en una silla 75 y declama unos discursos llenos de espíritu, unos discursos en que palpitan las ansias eternas de la humanidad, y al concluirlos y bajarse de la silla me dice: «¿No es cierto, amigo Atienza, que hay mucho de verdad en el fondo de estas 80 locuras del pobre consejero privado Herr Schmarotzender?» Y la verdad es que muchas veces he pensado en lo que hay de justo en ese sentimiento de veneración y respeto con que se rodea a los locos en algunos países.
85

[1] Spanish painter (1599–1660).
[2] Michelangelo (1475–1564), Italian sculptor, painter, architect, and poet.
[3] Famous ancient statue of the goddess Venus noted for its majesty and beauty.

[4] Champion chess players: Paul Morphy (1837–1884), an American, and François André Danican-Philider (1726–1795), a Frenchman, also noted as a fine musician, who wrote a famous book on chess, *Analyze des Echecs* (1749).
[5] Fictitious character of German romanticism.

—Hombre, me parece que debe usted abandonar la dirección de esta casa.

—No tenga usted cuidado, amigo. No es que yo crea que a estos desgraciados se les rasgue el
5 velo de un mundo superior que nos está vedado; es que creo que dicen cosas que pensamos todos y por pudor o vergüenza no nos atrevemos a expresar. La razón, que es una potencia conservadora y que la hemos adquirido en la lucha
10 por la vida, no ve sino lo que para conservar y afirmar esta vida nos sirve. Nosotros no conocemos sino lo que nos hace falta conocer para poder vivir. Pero ¿quién le dice a usted que esa inextinguible ansia de sobrevivir no es revelación
15 de otro mundo que envuelve y sostiene al nuestro, y que, rotas las cadenas de la razón, no son estos delirios los desesperados saltos del espíritu por llegar a ese otro mundo?

—Me parece, y usted me dispense lo rudo de
20 lo que voy a decirle, me parece que en vez de estar usted asistiendo al Dr. Montarco, es el doctor Montarco el que le asiste a usted. Le están haciendo mella los discursos del señor consejero privado.

25 —¡Qué sé yo! Lo único que le aseguro es que cada día me confino más en esta casa de salud, pues prefiero cuidar locos a tener que sufrir tontos. Aunque lo peor es que hay muchos locos

que son a la vez tontos. Ahora me dedico muy en especial al Dr. Montarco. ¡Pobre Montarco! 30

—¡Pobre España!—le dije, le di la mano, y nos separamos.

★ ★ ★

Duró poco en la casa de salud el Dr. Montarco. Le invadió una tristeza enorme, un abrumador aplanamiento y acabó por sumirse en 35 una tozuda mudez, de la cual no salía más que para suspirar: «o todo o nada . . . o todo o nada . . . o todo o nada . . .» Su mal fué agravándose y acabó en muerte.

Luego que hubo muerto, registraron el cajón 40 de su mesa, hallando en él un voluminoso manuscrito que tenía escritas al frente estas palabras:

O TODO O NADA

Ruego que, así que yo muera, se queme este 45 manuscrito sin leerlo.

No sé si el Dr. Atienza resistiría o no la tentación de leerlo, ni sé si, cumpliendo la última voluntad del loco, lo quemó.

¡Pobre Dr. Montarco! ¡Descanse en paz, que 50 bien mereció paz y descanso!

Febrero de 1904

Poesías (1907)

CASTILLA

Tú me levantas, tierra de Castilla,
55 en la rugosa palma de tu mano,
al cielo que te enciende y te refresca,
al cielo, tu amo.

Tierra nervuda, enjuta, despejada,
madre de corazones y de brazos,
60 toma el presente en ti viejos colores
del noble antaño.

Con la pradera cóncava del cielo
lindan en torno tus desnudos campos,
tiene en ti cuna el sol y en ti sepulcro
65   y en ti santuario.

Es todo cima tu extensión redonda
y en ti me siento al cielo levantado;
aire de cumbre es el que se respira
aquí en tus páramos.

Ara gigante, tierra castellana,   70
a ese tu aire soltaré mis cantos,
si te son dignos bajarán al mundo
desde lo alto!

LIBÉRTATE, SEÑOR

Dime tú lo que quiero   75
que no lo sé . . .
Despoja a mis ansiones de su velo . . .

Descúbreme mi mar,
Mar de lo eterno . . .
Dime quién soy . . . dime quién soy . . . que
          vivo . . .
5 Revélame el misterio . . .
Descúbreme mi mar . . .
Ábreme mi tesoro,
mi tesoro, Señor!
Ciérrame los oídos,
10 ciérramelos con tu palabra inmensa,
que no oiga los quejidos
de los pobres esclavos de la tierra . . . !
Que al llegar sus murmullos a mi pecho,
al entrar en mi selva,
15 me rompen la quietud!

Tu palabra no muere, nunca muere . . .
porque no vive . . .
No muere tu palabra omnipotente,
porque es la vida misma,
20 y la vida no vive . . .
no vive . . . vivifica . . .
Tu palabra no muere . . . , nunca muere . . .
nunca puede morir!
Follaje de la vida,
25 raíces de la muerte . . .
eso son sus palabras nada más!
Me llegan sus canciones al oído . . .
estribillos de moda . . .
cantan la libertad!
30 No canta libertad más que el esclavo;
el pobre esclavo,
el libre canta amor,
te canta a ti, Señor!
Que en mí cante tu selva,
35 selva de inmensidad!
Que en mí cante tu selva,
la virgen selva libre en que colgaste
al aire libre
mi nido del follaje . . .
40 Que en mí cante tu selva,
selva de inmensidad!
Allí en sus jaulas de oro
fuera de nido,
la cantinela en moda
45 repiten los esclavos . . . ¡pobrecillos!
Liberta-los!

Liberta-los, Señor!
Mira, Señor, que mi alma
jamás ha de ser libre
mientras quede algo esclavo   50
en el mundo que hiciste,
y mira que si al alma no libertas,
al alma en que Tú vives,
serás en ella esclavo,
Tú, Tú mismo, Señor!   55
Liberta-te!
Liberta-te, Señor!
Liberta-les,
átales con tu amor!
Liberta-te.   60
Liberta-te en tu amor!
Liberta-me.
Liberta-me, Señor!

No me muestres sendero,
no me muestres camino;   65
no me lo muestres,
que no lo sigo . . .
Déjame descansar en tu reposo,
en el reposo vivo,
y en su dulce regazo,   70
en tu seno dormido,
guarda-me, Señor!
Guárdame tranquilo,
guárdame en tu mar,
mar del olvido . . .   75
mar de lo eterno . . .
guarda-me, Señor!
No me muestres camino,
no me muestres sendero,
que no lo sigo . . .   80
No puedo andar!
A las demás renuncio
si sigo una vereda . . .
Quiero perderme,
perderme sin senderos en la selva,   85
selva de vida;
quiero tenerla abierta . . .
las sendas me la cierran . . .
guarda-me,
guarda-me, Señor!   90

Callaron los esclavos . . .
Están durmiendo . . .

Callaron los esclavos . . .
En silencio te rezan sin saberlo . . .
Mientras duermen te rezan,
es oración su sueño . . .
5 No los despiertes . . .
Liberta-los,
liberta-los-Señor!
Áta-les con el sueño . . .
Liberta-los,
10 liberta-los, Señor!
Mientras quede algo esclavo
no será mi alma libre,
ni Tú, Señor,
ni Tú, que en ella vives . . .
15 Serás Tú mismo esclavo . . .
Liberta-me,
liberta-me, Señor!
Liberta-te,
Liberta-te, Señor!
20 Liberta-te!

MUERTE

> To die, to sleep . . . to sleep . . . perchance
> to dream.
>
> *Hamlet*, ACTO III, ESCENA II

25 Eres sueño de un dios; cuando despierte
al seno tornarás de que surgiste?
Serás al cabo lo que un día fuiste?
Parto de desnacer[1] será tu muerte?

El sueño yace en la vigilia inerte?
30 Por dicha aquí el misterio nos asiste;
para remedio de la vida triste,
secreto inquebrantable es nuestra suerte.

Deja en la niebla hundido tu futuro
y ve tranquilo a dar tu último paso,
35 que cuanto menos luz, vas más seguro.

Aurora de otro mundo es nuestro ocaso?
Sueña, alma mía, en tu sendero oscuro:
«Morir . . . dormir . . . dormir . . . soñar acaso!»

[1] *parto de desnacer* play of words on *parto* from *partir*
and *parir*.

Rosario de sonetos líricos (1911)

NI MÁRTIR NI VERDUGO

Busco guerra en la paz, paz en la guerra,   40
el sosiego en la acción y en el sosiego
la acción que labra el soterraño fuego
que en sus entrañas bajo nieve encierra

nuestro pecho. Rodando por la tierra
al azar claro del destino ciego   45
vida en el juego y en la vida juego
buscando voy. Pues nada más me aterra

que tener que ser águila o tortuga,
condenado a volar o bajo el yugo
del broquel[2] propio a que no cabe fuga,   50

y pues a Dios entre una y otra plugo
dar a escoger a quien sudor enjuga
ni mártir quiero ser ni ser verdugo.

DULCE SILENCIOSO PENSAMIENTO

Sweet silent thought   55
SHAKESPEARE *Sonnet* XXX

En el fondo las risas de mis hijos;
yo sentado al amor de la camilla;
Heródoto[3] me ofrece rica cilla
del eterno saber y entre acertijos   60

de la Pitia[4] venal, cuentos prolijos
realce de la eterna maravilla
de nuestro sino. Frente a mí en su silla
ella cose y teniendo un rato fijos

mis ojos de sus ojos en la gloria   65
digiero los secretos de la historia
y en la paz santa que mi casa cierra

al tranquilo compás de un quieto aliento
ara en mí, como un manso buey la tierra,
el dulce silencioso pensamiento.   70

[2] *broquel* shield, here referring to the tortoise's shell.
[3] Noted Greek historian (fifth century B.C.) called the
"Father of History."
[4] Priestess of Delphi in Greece who uttered prophetic
words.

Rimas de dentro (1923)

INCIDENTE DOMÉSTICO

Traza la niña toscos garrapatos,
de escritura remedo,
me los presenta y dice
5 con un mohín de inteligente gesto:
«¿Qué dice aquí, papá?»
Miro unas líneas que parecen versos.
«¿Aquí?» «Sí, aquí; lo he escrito yo; ¿qué dice?
porque yo no sé leerlo...»
10 «¡Aquí no dice nada!»,
le contesté al momento.
«¿Nada?», y se queda un rato pensativa
—o así me lo parece, por lo menos,
pues ¿está en los demás o está en nosotros
15 eso a que damos en llamar talento?—.

Luego, reflexionando, me decía:
¿Hice bien revelándole el secreto?
—no el suyo ni el de aquellas toscas líneas,
el mío, por supuesto—.
20 ¿Sé yo si alguna musa misteriosa,
un subterráneo genio,
un espíritu errante que a la espera
para encarnar está de humano cuerpo,
no le dictó esas líneas
25 de enigmáticos versos?
¿Sé yo si son la gráfica envoltura
de un idioma de siglos venideros?
¿Sé yo si dicen algo?
¿He vivido yo acaso de ellas dentro?
30 No dicen más los árboles, las nubes,
los pájaros, los ríos, los luceros...
¡No dicen más y nos lo dicen todo!
¿Quién sabe de secretos?

Teresa (1924)

RIMA 7

35 ¿Por qué esos lirios que los hielos matan?
¿Por qué esas rosas a que agosta el sol?
¿Por qué esos pajarillos que sin vuelo
se mueren en plumón?

¿Por qué derrocha el cielo tantas vidas
que no son de otras nuevas eslabón?   40
¿Por qué fué dique de tu sangre pura
tu pobre corazón?

¿Por qué no se mezclaron nuestras sangres
del amor en la santa comunión?
¿Por qué tú y yo, Teresa de mi alma,   45
no dimos granazón?

¿Por qué, Teresa, y para qué nacimos?
¿Por qué y para qué fuimos los dos?
¿Por qué y para qué es todo nada?
¿Por qué nos hizo Dios?   50

RIMA 49

Cuando duerme una madre junto al niño
duerme el niño dos veces;
cuando duermo soñando en tu cariño
mi eterno ensueño meces.   55

Tu eterna imagen llevo de conducho
para el viaje postrero;
desde que en ti nací, una voz escucho
que afirma lo que espero.

Quien así quiso y así fué querido   60
nació para la vida;
sólo pierde la vida su sentido
cuando el amor se olvida.

Yo sé que me recuerdas en la tierra
pues que yo te recuerdo,   65
y cuando vuelva a la que tu alma encierra
si te pierdo, me pierdo.

Hasta que me venciste, mi batalla
fué buscar la verdad;
tú eres la única prueba que no falla   70
de mi inmortalidad.

De Fuerteventura a París (1925)

XCII

A un hijo de españoles arropamos
hoy en tierra francesa; el inocente
se apagó—¡feliz él!—sin que su mente
5 se abriese al mundo en que muriendo vamos.

A la pobre cajita sendos ramos
echamos de azucenas—el relente
llora sobre su huesa—, y al presente
de nuestra patria el pecho retornamos.

10 «Ante la vida cruel que le acechaba,
mejor que se me muera»—nos decía
su pobre padre, y con la voz temblaba;

era de otoño y bruma el triste día
y creí que enterramos—¡Dios callaba!—
15 tu porvenir sin luz, ¡España mía!

Romancero del destierro (1928)

VENDRÁ DE NOCHE

Vendrá de noche cuando todo duerma,
vendrá de noche cuando el alma enferma
    se emboce en vida,
20 vendrá de noche con su paso quedo,
vendrá de noche y posará su dedo
    sobre la herida.
Vendrá de noche y su fugaz vislumbre
volverá lumbre la fatal quejumbre;
25   vendrá de noche
con su rosario, soltará las perlas
del negro sol que da ceguera verlas,
    ¡todo un derroche!
Vendrá de noche, noche nuestra madre,
30 cuando a lo lejos el recuerdo ladre
    perdido agüero;
vendrá de noche; apagará su paso
mortal ladrido y dejará al ocaso
    largo agujero . . .
35 ¿Vendrá una noche recogida y vasta?
¿Vendrá una noche maternal y casta
    de luna llena?

Vendrá viniendo con venir eterno;
vendrá una noche del postrer invierno . . .
    noche serena . . .   40
Vendrá como se fué, como se ha ido
—suena a lo lejos el fatal ladrido—,
    vendrá a la cita;
será de noche mas que sea aurora,
vendrá a su hora, cuando el aire llora,   45
    llora y medita . . .
Vendrá de noche, en una noche clara,
noche de luna que al dolor ampara,
    noche desnuda,
vendrá . . . venir es porvenir . . . pasado   50
que pasa y queda y que se queda al lado
    y nunca muda . . .
Vendrá de noche, cuando el tiempo aguarda,
cuando la tarde en las tinieblas tarda
    y espera al día,   55
vendrá de noche, en una noche pura,
cuando del sol la sangre se depura,
    del mediodía.
Noche ha de hacerse en cuanto venga y llegue,
y el corazón rendido se le entregue,   60
    noche serena,
de noche ha de venir . . .¿él, ella o ello?
De noche ha de sellar su negro sello,
    noche sin pena.
Vendrá la noche, la que da la vida,   65
y en que la noche al fin el alma olvida,
    traerá la cura;
vendrá la noche que lo cubre todo
y espeja al cielo en el luciente lodo
    que lo depura.   70
Vendrá de noche, sí, vendrá de noche,
su negro sello servirá de broche
    que cierra el alma;
vendrá de noche sin hacer ruido,
se apagará a lo lejos el ladrido,   75
    vendrá la calma . . .
    vendrá la noche . . .

[¿QUÉ ES TU VIDA . . .]

¿Qué es tu vida, alma mía?, ¿cuál tu pago?,
¡lluvia en el lago!   80
¿Qué es tu vida, alma mía, tu costumbre?
¡viento en la cumbre!

¿Cómo tu vida, mi alma, se renueva?,
¡sombra en la cueva!,
¡lluvia en el lago!,
¡viento en la cumbre!,
5 ¡sombra en la cueva!
Lágrimas es la lluvia desde el cielo,
y es el viento sollozo sin partida,
pesar, la sombra sin ningún consuelo,
y lluvia y viento y sombra hacen la vida.

10   [¡HABLA, QUE LO QUIERE . . .]¹

¡Habla, que lo quiere el niño!
                    ¡Ya está hablando!
El Hijo del Hombre, el Verbo
                    encarnado
15 se hizo Dios en una cuna
                    con el canto
de la niñez campesina,
                    canto alado . . .
¡Habla, que lo quiere el niño!
20 ¡Hable tu papel, mi pájaro!
Háblale al niño que sabe
                    voz del alto,
la voz que se hace silencio
                    sobre el fango . . .
25 Háblale al niño que vive
en su pecho a Dios criando . . .
Tú eres la paloma mística,
                    tú el Santo
Espíritu que hizo el hombre
30   con sus manos . . .
Habla a los niños, que el reino
                    tan soñado
de los cielos es del niño
                    soberano,
35 del niño, rey de los sueños,
¡corazón de lo creado!
¡Habla, que lo quiere el niño!
                    ¡Ya está hablando!

Cancionero (1953 [PÓSTUMO])

POEMA 1176

40 Blas, el bobo de la aldea,
vive en no quebrado arrobo;

¹ This poem is directed to a paper bird Unamuno
made as a toy for a child.

la aldea es de Blas el bobo,
pues toda a Blas le recrea.
Blas, que se crió desde niño
sin padres, con madre moza,   45
en una perdida choza,
libre de carnal cariño;
Blas, tradición la más pura,
sabe todo el calendario,
reza a la tarde el rosario   50
y le ayuda a misa al cura.
Gracias a Blas el bendito
no descarga Dios su vara
sobre la aldea, la ampara
Blas, botón del infinito.   55
                              1–VII–29

POEMA 1405

Y qué es eso del Infierno?
me dirás.
Es el revés de lo eterno,   60
nada más.
Que yacer en el olvido
del Señor
es el infierno temido
del Amor.   65
                              24–XII–29

POEMA 1755

«Au fait, se disait-il à lui même,
il parait que mon destin est de
mourir en rêvant.»—STENDHAL,   70
Le Rouge et le Noir, LXX.

Morir soñando, sí, mas si se sueña
morir, la muerte es sueño; una ventana
hacia el vacío; no soñar; nirvana;
del tiempo al fin la eternidad se adueña.   75
Vivir el día de hoy bajo la enseña
del ayer deshaciéndose en mañana;
vivir encadenado a la desgana
es acaso vivir? Y esto qué enseña?
Soñar la muerte no es matar el sueño?   80
Vivir el sueño no es matar la vida?
A qué el poner en ello tanto empeño
aprender lo que al punto al fin se olvida
escudriñando el implacable ceño
—cielo desierto—del eterno Dueño?   85
                    28–día de inocentes–XII–36

Artículos: Paisaje

RECUERDO DE LA GRANJA DE MORERUELA

NO LEJOS DE BENAVENTE, en la Granja de Moreruela, provincia de Zamora, resisten acabar de
caer las espléndidas ruinas del primer monas-
5 terio de Cistercienses[1] en España. Allá me fuí
el último Domingo de Resurrección, y allí
recordé una vez más el virgiliano *etiam ruinae
periere*:[2] ¡hasta las ruinas perecieron! ¡Qué
majestad la de aquella columnata de la girola que
10 se abre hoy al sol, al viento y a las lluvias! ¡Qué
encanto el de aquel ábside! ¡Y qué intensa
melancolía la de aquella nave tupida hoy de
escombros sobre que brota la verde maleza! Y
todo ello se alza, añorando siglos que fueron, y
15 quién sabe si siglos por venir, en un valle de
sosiego y de olvido del mundo.

Al ir allá, en auto, desde Benavente, bordeába-
mos tranquilas charcas cubiertas de la blanca
floración de las hierbas acuáticas, y al llamar yo
20 la atención sobre ello a mis amigos, exclamó uno
de éstos: «¡Hasta el agua estancada cría flores!»
A lo que pensé calladamente: No; sólo el agua
estancada florece, y no la que en el caz de un
molino hace andar la rueda que nos da la harina.
25 La industria pide agua corriente, pero a la
poesía le basta la que está quieta.

Y añorando yo, como las ruinas del monasterio de Cistercienses de la Granja de Moreruela, tiempos que se cumplieron, me dije por
30 dentro:

En una celda solo, como en arca
de paz, libre de menester y cargo,
el poema escribir largo, muy largo,
que el cielo y muerte, tierra y vida abarca.
35 Después, en el verdor de la comarca
la vista apacentar; sin el amargo
pasto del mundo, a la hora del letargo
ver cómo visten la dormida charca
en flor las ovas. Lejos del torrente

raudo del caz que hace rodar la rueda 40
que muele el trigo, soñar lentamente
vida eternal en la que el alma pueda
ser pura flor. ¡Oh, reposo viviente;
florece sólo el agua que está queda!

¡Soñar así, lentamente, a la hora de la siesta, 45
descansando la mirada en las charcas floridas!
Y escribir un libro muy largo, muy largo. Un
poema, y si no una historia. Una historia como
aquella dulcísima y apacible *Historia de la
Orden de San Jerónimo*, que en el Real Monas- 50
terio de San Lorenzo del Escorial escribió el
padre jerónimo fray José de Sigüenza,[3] y es una
maravilla de lengua y, a trechos, de poesía.
(Bien haya[4] la «Nueva Biblioteca de Autores
Españoles»[5] por habérnosla vuelto a dar.) ¿Hay 55
en castellano acaso pasaje de más honda y
poética hermosura que el de la muerte de fray
Bernardino de Aguilar, profeso del convento de
la Murta, de Barcelona, que murió tañendo en
el manicordio[6] y cantando el salmo *Super* 60
flumina Babilonis?[7] «No parecía voz humana,
porque penetrava las entrañas con el sentimiento que dava a la letra; llegó assí con sus
versos hasta el que dize: *Quomodo cantabimus
canticum Domini in terra aliena.*[8] Díxolo[9] una 65
vez, tornolo a repetir la segunda, y a la tercera
alçó los ojos al cielo, y dando un suspiro de lo
profundo del pecho, puestas las manos en la
tecla, pasó de esta vida a la eterna, porque
cantasse el cantar del Señor en la tierra de los 70
vivientes.» (Libro IV, cap. XXVII.)

¿Encierro el del monasterio? Sí; «encerra-
vase cada uno en su celdilla o covachuela—nos
dice el padre Sigüenza—y desde aquel lugar tan
estrecho passeava con el alma la anchura de las 75

---

[1] Cistercians, monks of a branch of the Benedictine
order.

[2] This quotation is not from Virgil, but from Lucan,
Civil War, Book IX, line 969, and should read *etiam
periere ruinae*.

[3] Spanish historian and poet (1544?–1606).

[4] *Bien haya* good for.

[5] "*Nueva . . . Españoles*" collection of Spanish classics.

[6] Manichord, a stringed instrument similar to the
spinet.

[7] (*Lat.*) On the River Babylon.

[8] (*Lat.*) Thus shall we sing the song of the Lord in a
foreign land.

[9] *lo dijo.*

moradas del cielo». Y yo me digo del que otra
vida lleva:

    Alza al correr tan grande polvareda
    que le ciega los ojos, ni le cabe
5 pararse en firme hasta que al cabo acabe
    donde nunca pensara, pues la rueda
      de la fortuna es la que le envereda
    no a ella él; desque[1] perdió la llave
    del gobierno de sí mismo, no sabe
10 a dónde corre a ir a dar de queda.
    ¡Cuánto mejor desde abrigado encierro
    libre de polvo y sin temor de yerro
      irreparable pasear la cumbre
    de la alta serranía de los astros
15 a busca en ella de divinos rastros
    de la increada y creadora lumbre!

Allí es la quietud del lago del alma, y sin esa
quietud no florece el lago. Oigamos de nuevo
a nuestro padre Sigüenza, cuando nos dice que
20 «andan estas almas senzillas (digámoslo ansí)
como çabullidas[2] en Dios y en sí mismas,
puestas en una quietud soberana, donde no llega
turbación de malicia». Esto, a propósito del siervo
de Dios fray Juan de Carrión,[3] llamado el Simple.
25 Y me digo:

    Déjame que en tu seno me zambulla
    donde no hay tempestades; como esponja
    habrá en Ti de empaparse mi alma, monja
    que en el cuerpo, su celda, se encapulla.[4]
30 Mientras Satán sobre esta mar aúlla
    al husmo de almas con que henchir su lonja,
    más dulce aquí que jugo de toronja
    me es tu agua, Señor. Ni me aturulla
      el vaivén de su mundo, ya que dentro
35 vivo de mí viviendo en tu bautismo;
    sólo perdido en Ti es como me encuentro;
      no me poseo sino aquí, en tu abismo,
    que, envolviéndome todo, eres mi centro,
    pues eres Tú más yo que soy yo mismo.

40 Sí. Dios es mi yo infinito y eterno, y en Él y
por Él soy, vivo y me muero. Mejor que

[1] *desde que.*
[2] *zabullidas = zambullidas* immersing.
[3] Another *fray* appearing in Sigüenza's *History*.
[4] *se encapulla* enclosed (*like a flower in the bud*).

buscarse a sí es buscar a Dios en sí mismo. Y
cuando andamos dentro nuestro a la busca de
Dios, ¿no es acaso que nos anda Dios buscando?
Pues que le buscas, alma, es que Él te busca y 45
le encontraste.

    «Si me buscas es porque me encontraste
    —mi Dios me dice—. Yo soy tu vacío;
    mientras no llegue al mar no para el río
    ni hay otra muerte que a su afán le baste.   50
    Aunque esa busca tu razón desgaste,
    ni un punto la abandones, hijo mío,
    pues que soy Yo, quien con mi mano guío
    tus pasos en el coso por que entraste.
    Detrás de ti te llevo a darme cara,   55
    y eres tú quien te tapas para verme;
    pero sigue, que el río al cabo para;
      cuando te vuelvas, ya de vida inerme,
    hacia lo que antes de ser tú pasara,
    descubrirás lo que en tu vela hoy duerme.»   60

Sí; caminamos de espalda al sol, es nuestro
cuerpo mismo el que nos impide verlo, y apenas
sabemos de él sino por nuestra propia sombra,
que donde hay sombra hay luz. Detrás nuestro
va nuestro Dios empujándonos, y al morir, 65
volviéndonos al pasado, hemos de verle la cara,
que nos alumbra desde más allá de nuestro
nacimiento. Esta nuestra eternidad duerme en
nuestra vigilia.

¡Qué bien en una celda como las que en un 70
tiempo formaron la colmena mística de la
Granja de Moreruela, meditando o fantaseando
estos consuelos de esperanza allá, en aquel siglo
XIII, oliente a San Francisco![5] ¡Pero en aquel
siglo XIII, en aquella poética Edad Media, 75
mocedad del cristianismo!

Hoy la Granja son ruinas. Lo único que permanece igual es el verde florido valle, el convento de las resignadas encinas que abrigan a los
pajarillos, que sin cesar cantan la gloria del 80
Señor, y cantándole le buscan y le encuentran.

Salamanca, junio 1911

[5] Saint Francis of Assisi (1182–1226), founder of the
Franciscan order.

EL SILENCIO DE LA CIMA

UNOS DÍAS en la cumbre silenciosa, en el Santuario de Nuestra Señora de la Peña de Francia, teniendo a un lado, al Norte, la llanada de
5 Salamanca,[1] como un mar de cálidos matices sembrado de islas de verdura, los manchones de los encinares, y de otro lado, al Sur, las abruptas sierras de las Hurdes,[2] y detrás la sabana de Extremadura.[3] Y al pie los pueblecillos de la
10 sierra de Francia, agazapados entre castañares, enviando al cielo limpio el humo de sus hogares, viviendo su vida recojida. Y allí arriba, en la soledad de la cumbre, entre los enhiestos y duros peñascos, un silencio divino, un silencio re-
15 creador. Silencio sobre todo.

He vivido unos días de silencio, de augusto silencio. Ni chirriar de cigarras, ni gorjear de pájaros, ni balar de ovejas, y, sobre todo, nada del rumor enloqueciente de las atareadas o
20 alborotadas muchedumbres humanas. A ratos el canto dulce del armonio que en el coro del Santuario tocaba algún dominico de los que allí arriba, en aquel verdadero sanatorio, se reponen del rudo invierno de Salamanca.

25 Subí y permanecí allí con dos amigos franceses enamorados de esta nuestra inalterable y casi desconocida España: ésta, la de los rincones adonde aún no llegan ni el tren ni el automóvil; ésta, que conserva en el alma toda la recia
30 primitividad del granito sobre que descansa y sueña. ¡Qué sabrosas conversaciones con ellos, allí arriba, en el seno del silencio, tendidos sobre la cumbre! ¿Creéis acaso que dos hombres puedan de veras entenderse, no digo ya com-
35 prenderse, cuando se hablan entre el rumor, que de todas partes les llega, de la muchedumbre, entre el zumbido del enjambre humano atareado o alborotado? ¿Creéis que pueden acaso llegar a comunión dos almas cuando las rodea el eco del
40 mar humano? En la ciudad cabe hablar de negocios, de política candente, de sociología, de modas; pero ¿de las cosas eternas? (Ahora, en este momento, mientras escribo esto, me llega

[1] City in western Spain. Unamuno was chancellor of the University of Salamanca.
[2] Mountain range in the province of Salamanca.
[3] Region in southwestern Spain.

al oído el grito de un vendedor ambulante que pregona su mercancía, y no es posible que este 45 grito no se cuele, de un modo o de otro, en lo que voy escribiendo.)

¡Vivir unos días en el silencio y del silencio nosotros, los que de ordinario vivimos en el barullo y del barullo! Parecía que oíamos todo 50 lo que la tierra calla, mientras nosotros, sus hijos, damos voces para aturdirnos con ellas y no oír la voz del silencio divino. Porque los hombres gritan para no oírse, para no oírse cada uno a sí mismo; para no oírse los unos a los otros.   55

Y el silencio casaba con la majestad de la montaña, una montaña desnuda, un levantamiento de las desnudas entrañas de la tierra, despojadas de su verdor, que dejaron al pie como se deja un vestido, para alzarse hacia el sol desnudo. 60 La verdura al pie, en el llano, como la vestidura de que se despoja un mártir para mejor gozar de su martirio. Y el sol desnudo y silencioso besando con sus rayos a la roca desnuda y silenciosa.   65

Allí, a solas con la montaña, volvía mi vista espiritual de las cumbres de aquélla a las cumbres de mi alma, y de las llanuras que a nuestros pies se tendían a las llanuras de mi espíritu. Y era forzosamente un examen de conciencia. El 70 sol de la cumbre nos ilumina los más escondidos repliegues del corazón. Había subido, además, con una recojida angustia, con una punzante preocupación de origen familiar; sobre mis esperanzas de padre se cernía una nubecilla que 75 mi aprensión convirtiera en nubarrón.

¿Por qué no había yo de callar una temporada, una larga temporada? ¿Por qué no había de interrumpir mi comunicación con el público hasta que un largo, un muy largo silencio me 80 retemplara la fibra y me hiciera acaso descubrir simpatías que hoy se me escapan? ¿Por qué este hablar—o escribir, que es lo mismo—continuo y precipitado, al correr de la pluma, sin filtrar mis palabras, dejando que salgan todas, así las más 85 limpias como las más turbias? ¿Por qué este pensar escribiendo y, lo que es peor, este pensar para escribir?

Y no es, no, Dios me libre, no es temor a los puntos flacos que puede uno así mostrar a los 90 despechados o doloridos, a los que buscan por dónde zaherir a quien alguna vez les hirió con sus juicios. He aprendido a llevar como trofeos, más aún que las simpatías que en algunos haya podido despertar, las antipatías que en otros he provocado. Encuentro justo que haya quienes finjan desdén hacia quien tanto ha desdeñado y desdeña. No olvido—y tampoco pido perdón por la arrogancia—lo que el iracundo florentino Filippo Argenti[1] dijo al Dante cuando le encontró en el infierno, y fué que, ciñéndole con los brazos, le besó en la cara y le dijo:

«Alma sdegnosa, benedetta colei che in te s'incinse»; alma desdeñosa, bendita la que de ti quedó encinta. Y acaso un día, cuando visite yo a mi vez el infierno, me encuentre allí con más de un Filippo Argenti que me bendiga por el desdén.

Recogerse una temporada, sí, y callar, callar, envolviéndose como en mortaja de resurrección en el silencio, pero no por mezquinos móviles de defensa y de ataque, no, sino a busca de alguno de nuestros otros «yos», de alguno de aquellos que he ido dejando en las encrucijadas del camino de la vida. Pues a cada cruce de caminos que en la vida se nos presenta, cuando tenemos que escojer entre una u otra resolución que ha de afectar a nuestro porvenir todo, renunciamos a uno para ser otro. Llevamos cada uno varios hombres posibles, una multiplicidad de destinos, y según realizamos algo, perdemos posibilidades. Y luego suspiramos exclamando: «¡Oh, si entonces hubiera hecho otra cosa!»

Allí, en la cima, envuelto en el silencio, soñaba en todo lo que habiendo podido ser no he sido para poder ser el que soy; soñaba en todas las posibilidades que he dejado perder, desde aquella infantil atracción al claustro y luego, antes de llegar a los veinte, aquella propuesta de ser llevado lejos, muy lejos de la patria, allende el mar, a trabajar en luengas tierras. Empieza el silencio rodeándole a uno de remordimientos que de él brotan, pero acaba corroborándole en el inevitable destino. Y da fuerzas, da fuerzas como una sumersión en la fuente de la vida.

Está aquello como estaba hace un siglo, hace dos, hace cuatro, hace veinte. Es la imagen viva de lo inalterable. A lo sumo se ve un momento allá, a lo lejos, sobre el vasto piélago de tierra, el penacho de humo de la locomotora, y se piensa un instante, quieto sobre la cima, en los que van y vienen por los valles de agitación y de ruido. Y todo ello, ¿para qué?

Porque la radical vanidad de los paraqués humanos, en ningún sitio se siente con más íntima fuerza que en estas cimas del silencio. Es como contemplar los vuelos de una mosca dentro de una botella.

En el interior del convento y en el del santuario de la Peña de Francia están los muros ya cerca del techo, y los techos llenos de manchas negras, unas más espesas, otras más claras. Son apelmazadas muchedumbres de mosquitos—no cínifes, sino pequeñitas moscas—por cientos, por miles, y en conjunto por millones, que se están allí quietos, inmóviles, sin buscar alimento, haciendo . . . ¿qué? Se diría que, desengañados de la vanidad del mundo, se reúnen a dormir su vida en vez de suicidarse. Y aunque no se les ve alimentarse ni cabe tomen alimento de los pelados muros, crían sangre, según los novicios nos dijeron. ¿Qué hacen, pues, allí? ¿Cuál es la utilidad de esos pequeños insectos ociosos? He aquí algo en que no nos habríamos fijado en el valle, entre el barullo, y sobre que disertamos allí arriba, en la cima, entre el silencio.

Y luego, tendidos en la cumbre, bajo el sol, que en tales alturas acaricia sin herir, a contemplar los pueblecillos, a hacer geografía. Este de aquí, de la derecha, este *testudo*[2] de rojos tejados, como la *testudo* que uniendo sus escudos sobre sus cabezas formaban los legionarios romanos; esa masa roja, coronada por la torre de la iglesia y que humea entre el verdor de los castaños, es La Alberca. Ahí abajo, entre el cascajo de las laderas, corre el río Francia. Más allá, aquellas ruinas de un antiguo castillo y aquella torre que parecen apacentar otro grupo de rojos tejados, es San Martín del Castañar.

---

[1] Florentine character in Dante's *Divine Comedy* (Inferno, canto viii).

[2] Covering. (Comes from the Latin word meaning tortoise, since it formed that shape.)

Más a la derecha, sobre aquella loma verde, se hunde entre el verdor Sequeros. Más lejos, a la derecha, sobre otra loma, pero más escueto y descampado, se levanta Miranda. Y allá, en el fondo, al pie del macizo contrafuerte de la vasta montaña, con velas de nieve en su cima, que nos cierra el horizonte, blanquea a ratos la ciudad de Béjar, mi vieja conocida. Y aún se alcanza a ver, asomando sobre esta montaña, los picos de Gredos, en donde no ha muchos días soñé en la España inmortal. Y más acá, al pie mismo de nosotros, como bajo la protección de la Peña, la Nava, Cereceda, El Cabaco, otros pueblecillos. Y aquí mismo, casi a nuestra mano, este pequeñito poblado del Casarito, cuatro o cinco casas escondidas entre robles y castaños que dan la sensación de una paz perpetua.

Es un acontecimiento cuanto rompe la solemne monotonía de la quietud y del silencio. Uno que sube por el pedregoso y empinado sendero. Y es el cabrero que viene a traer leche, o uno que viene en busca de la nieve aquí durante el invierno almacenada para que refresquen sus bebidas los hijos del llano, o es el que trae el correo; acaso uno que viene de promesa o en busca de unos días de paz y de salud. Si acaso se tocó la misa en el santuario, se aguarda al que sube. Y el que sube trae ecos del mundo; trae acaso noticias de los afanes y los fracasos, de las venturas y desventuras de los de abajo. Y se le aguarda viéndole subir.

Otras veces es otra aparición, pero aérea y silenciosa. La de algún buitre o algún águila que con sus vastas alas extendidas parece bogar, sin esfuerzo alguno, por los azules espacios. ¡Qué diferencia de este solemne vuelo a los turbulentos afanes de nuestros aviadores humanos! Mis amigos los franceses recitaban aquella imponente poesía de Leconte de Lisle[1] al cóndor, y yo me acordaba de mi *Obermann*,[2] de mi íntimo *Obermann*, de este libro formidable, casi único en la literatura francesa, que fué el alimento de las profundas nostalgias de mi juventud y aun de mi edad madura; de este *Obermann*, de aquel desdichado y oscuro Senan-

[1] French poet (1818–1894).
[2] Novel by Senancour, French writer (1770–1846).

cour, de que he hecho casi un breviario. En este libro sin par se nos revela toda la tragedia de la montaña. Y recorría con la memoria sus pasajes más trágicos, aquél en que en la paz de la noche y en la cima interrogaba a su destino incierto, a su corazón agitado y a esta naturaleza inconcebible que, conteniéndolo todo, parece no contener, sin embargo, lo que nuestros deseos buscan. «¿Qué soy, pues?—se preguntaba Obermann, y se decía—: ¡Qué triste mezcla de afecto universal y de indiferencia hacia todos los objetos de la vida positiva!»

Contemplando al buitre recordé cuando Obermann vió aparecer un punto negro en los abismos, a sus pies, que se elevó rápidamente. «Vino derecho a mí—nos dice—; era la poderosa águila de los Alpes; sus alas estaban húmedas y feroces sus ojos; buscaba una presa, pero a la vista de un hombre echó a huir; con un grito siniestro desapareció precisamente en las nubes. Repitióse veinte veces el grito, pero en sonidos secos, sin prolongamiento alguno, semejantes a otros tantos gritos aislados en el silencio universal. Después volvió a entrar todo en una calma absoluta, como si hubiese dejado de existir el sonido mismo y se hubiera borrado del universo la propiedad de los cuerpos sonoros.» Y agrega en seguida Obermann aquellas palabras insustituibles donde dice: «Jamás ha sido conocido el silencio en los valles tumultuosos; no es sino en las cimas frías donde reina esta inmovilidad, esta solemne permanencia que no expresará lengua alguna, que la imaginación no ha de alcanzar. Sin los recuerdos traídos de las llanuras, no podría creer el hombre que hubiese fuera de él movimiento alguno en la Naturaleza; seríale inexplicable el curso de los astros, y todo, hasta las variaciones de los vapores, pareceríale subsistir en el cambio mismo. Pareciéndole continuo cada momento presente, tendría la seguridad, sin tener el sentimiento, de la sucesión de las cosas, y las perpetuas mudanzas del universo serían para su pensamiento un misterio impenetrable.»

Lo he sentido, lo he sentido así en la cima de la Peña de Francia, en el reino del silencio; he sentido la inmovilidad en medio de las mudanzas, la eternidad debajo del tiempo; he tocado el fondo del mar de la vida.

Pero ¿lo veis? ¿Cómo hasta en la cima, en el sacro imperio del silencio santo; no he olvidado
5 los libros, que me persiguen adondequiera que vaya? Porque el *Obermann* no es sino un libro, aunque, a mi sentir, uno de los más grandes que se hayan jamás escrito. Aunque no, no, no. El *Obermann* no es un libro, es un alma: un alma
10 vasta y eterna como la de la montaña. El *Obermann* se puede leer en la cima del silencio, donde no hay tratado alguno de sociología que resista la lectura.

Se lleva a las alturas el corazón y la cabeza
15 hechos en los valles y llanos, y allí arriba, en la cumbre, hablamos de nuestras preocupaciones, de literatura, de filosofía, de poesía, de religión, del inmortal anhelo de inmortalidad sobre todo, pero no de sociología.

20 Hablamos también de esa América y de la suerte singular que en ella corre la literatura francesa, siendo admirados ciertos escritores que apenas cuentan en su propia patria y pasan inadvertidos no pocos de más hondo valer. Y
25 aquí, en España, ocurre con la literatura francesa algo parecido.

Pero no es de esto de lo que debo ahora tratar. Se despega de la cima.

Salamanca, agosto de 1911

30 PAISAJES DEL ALMA

LA NIEVE HABÍA cubierto todas las cumbres rocosas del alma, las que, ceñidas de cielo, se miran en éste como en un espejo y se ven, a las veces, reflejadas en forma de nubes pasajeras.
35 La nieve, que había caído en tempestad de copos, cubría las cumbres, todas rocosas, del alma. Estaba ésta, el alma, envuelta en un manto de inmaculada blancura, de acabada pureza, pero debajo de él tiritaba arrecida de frío.
40 ¡Porque es fría, muy fría, la pureza!

La soledad era absoluta en aquellas rocosas cumbres del alma, embozadas, como en un sudario, en el inmaculado manto de la nieve. Tan sólo, de tiempo en tiempo, algún águila

hambrienta avizoraba desde el cielo la blancura, 45 por si lograba descubrir en ella rastro de presa.

Los que miraban desde el valle la cumbre blanca y solitaria, el alma que se erguía cara al cielo, no sospechaban siquiera el frío que allí arriba pesaba. Los que miraban desde el valle la 50 cumbre blanca y solitaria eran los espíritus, las almas de los árboles, de los arroyos, de las colinas; almas flúidas y rumorosas las unas, que discurrían entre márgenes de verdura, y almas cubiertas de verdura, otras. Allí arriba era todo 55 silencio.

Pero dentro de aquellas cumbres rocosas, embozadas en la arreciente pureza de la blancura de la nieve y escoltadas de cielo, bullían aún las pavesas de lo que en la juventud de las rocas 60 fué un volcán.

Los arroyos que desde el valle contemplaban las cumbres estaban hechos con aguas que del derretimiento de las encumbradas nieves descendían; su alma era del alma excelsa que se 65 arrecía de frío. Y la verdura se alimentaba de aquellas mismas aguas de las nieves. La tierra misma sobre que discurrían los arroyos, la tierra de que con sus raíces chupaban vida los árboles, era el polvo a que las rocas de las cumbres se 70 iban reduciendo.

Y si los arroyos y los árboles contemplaban a las rocosas cumbres, también éstas, también las cumbres de roca contemplaban a los arroyos y a los árboles. Acaso éstos envidiaban la excelsitud 75 y hasta la soledad de las cumbres. Hastiados del bosque, hubiera querido cada uno de ellos, de los árboles, poder trepar a las cumbres y convertirse allí en tormo; pero las raíces les ataban al suelo en que nacieron. ¿Y qué arroyo, por su 80 parte, no ha querido alguna vez remontar a su fuente? Cuando el arroyo que discurre entre vegas de verdor ve levantarse la bruma de su propio lecho flúido y remontar, empujada por la brisa, hacia las alturas de que baja, sigue con 85 ansia esa ascensión vaporosa.

Mas lo seguro es que las cumbres anhelaban bajar al valle, deshacerse en polvo para hacerse tierra mollar. Las cumbres, presas en la soledad de la altura, miraban con envidia la vega; su 90 blancura se derretía de deseos del verdor del valle. ¿Hay nada más dulce que una nevada silenciosa sobre la verdura de la yerba? Las montañas que ven volar sobre ellas, a ras de cielo, a las águilas, y sienten las sombras de éstas recorriendo su blancura, ansían ser estepa que sienta sobre sí las pisadas de los leones. Y mirándose las montañas y las estepas, y cambiando sus pensamientos, aguileños los de aquéllas y leoninos los de éstas, sueñan en el águila-león, en el querubín, en la esfinge. Y lo ven en las nubes que, acariciando la estepa, como una mano que pasa sobre la cabellera de un niño gigante, van a abrazar a las montañas.

También en la estepa, en el páramo, lejos de la montaña, cae la blanca soledad de la nevada silenciosa, y el páramo, como la montaña, se envuelve en arreciente manto de nieve. Pero es que el páramo suele ser también montaña, todo él vasta cima ceñido en redondo por el cielo. Cuando el cielo del alma-páramo de la vasta alma esteparia se cubre de aborrascadas nubes, de una sola enorme nube, que es como otro páramo que cuelga del cielo, es como si fuesen las dos palmas de las manos de Dios. Y entre ellas, tiritando de terror, el corazón del alma teme ser aplastado.

Terrible como Dios silencioso es la soledad de la cumbre, pero es más terrible la soledad del páramo. Porque el páramo no puede contemplar a sus pies arroyos y árboles y colinas. El páramo no puede, como puede la cumbre, mirar a sus pies; el páramo no puede mirar más que al cielo. Y la más trágica crucifixión del alma es cuando, tendida, horizontal, yacente, queda clavada al suelo y no puede apacentar sus ojos más que en el implacable azul del cielo desnudo o en el gris tormentoso de las nubes. Al Cristo, al crucificarlo en el árbol de la redención, lo irguieron derecho, de pie, sobre el suelo, y pudo con su mirada aguileña y leonina a la vez abarcar el cielo y la tierra, ver el azul supremo, la blancura de las cumbres y el verdor de los valles. ¡Pero el alma clavada a tierra...! Y ninguna otra, sin embargo, ve más cielo. Sujeta a la palma de la mano izquierda de Dios, contempla la mano de su diestra, y en ella, grabada a fuego de rayo, la señal del misterio, la cifra de la esfinge, del querubín, del león-águila.

Y cuando empieza a nevar en el páramo, sobre el alma crucificada a su suelo, la nieve sepulta a la pobre alma arrecida, y en el blanco manto se descubren las ondulaciones del alma sepultada. Sobre ella pasan las fieras hambrientas, y acaso escarban con sus garras en la blancura al husmear vida dentro.

* * * * *

Todos estos paisajes se ven o se sueñan en esas horas abismáticas en que, al separarse uno de la dulcísima ilusión de la sociedad de sus hermanos, de sus semejantes, de sus compañeros, cae de nuevo en la realidad de sí mismo. Todos estos paisajes he soñado y he visto después de una nevada sobre Madrid, sobre Madrid estepario, y mientras del Madrid administrativo—no hay otro modo de decirlo—, de la arreciente capital administrativa de España, nevaba en densos copos sobre mi corazón. Y mirando a lo largo de la sábana de nieve vi que se levantaba en sierra contra el cielo. Y un momento desesperé. Un momento que se prolonga como la misma nieve sobre el suelo.

El Sol, Madrid
6 de enero de 1918

Artículos: Confidencia

ESCRITOR OVÍPARO

CONTINUANDO LA CHARLA de mi artículo «De vuelta», tócame hoy ¡oh lector amigo! explicarte por qué te decía que soy un escritor ovíparo.

Entre las infinitas divisiones que de los escritores, como de cualquier otro artículo de comercio, pueden hacerse según el punto de vista desde que se les considere, una de las más ingeniosas es, sin duda, la de dividirlos en escritores vivíparos y escritores ovíparos.

Escritores hay, en efecto, que producen un óvulo de idea, un germen y una vez que de un modo u otro se les fecunda, empiezan a darle vueltas y más vueltas en la mente, a desarrollarlo, ampliarlo, diversificarlo y añadirle toda clase de desenvolvimientos. Es la gestación. Ocúrresele a uno el tema capital de una novela o de un suceso o carácter cualquiera novelable y se pasa un mes o dos o seis o un año o más revolviendo y desenvolviendo en su fantasía la futura novela. Y cuando ya lo tiene todo bien imaginado y compuesto se sienta, coge una cuartilla, la numera y empieza a escribir su novela empezando por la primera línea y así sigue hasta que la suelta toda entera. Este es un escritor vivíparo, que gestó su obra en su mente y la pare viva, es decir, entera y verdadera y en su forma casi definitiva.

Es una manera de producción que me sorprende tratándose de obras de alguna extensión y alcance, manera de producción de que me siento incapaz, pero de que son capaces otros. A uno de los novelistas españoles más leídos y celebrados le he oído decir que ha escrito así sus novelas, sin tomar apuntes, ni notas, sin trabajo *exterior* previo.

Otros procedemos de otra manera muy distinta. Hace ya años, estando en Madrid, se me ocurrió la idea de hacer un cuento con el suceso de la muerte en el campo carlista[1] de un sujeto de quien me dieron noticia. Lo apunté en una cuartilla de papel y allí anoté, en estilo telegráfico, unos cuantos rasgos del carácter del sujeto en cuestión.

De cuando en cuando añadía detalles, peculiaridades y observaciones que se me iban ocurriendo.

Sobre esta base compuse un cuento y lo compuse tachando, añadiendo, sustituyendo y alterando detalles y noticias. Una vez escrito el cuento, se me ocurrió hacer una novela corta, aumentar los personajes, ampliar su acción y desarrollar el ambiente histórico, en que el argumento narrado se desenvolvía.

Dediqué una carpeta a cada personaje y empecé a estudiarlos y a atribuirles dichos y hechos, a la vez me puse a estudiar la última guerra civil carlista en mi país vasco, y sobre todo el bombardeo de Bilbao[2] de que fuí testigo. Y fuí llenando cuartillas y acumulando datos, ya psicológicos ya históricos, e hinchiendo con ellos el primitivo cuento.

Cuando los materiales acumulados en torno al cuento fueron muchos, y por ser tantos me estorbaban para la labor, los fuí organizando y el cuento creció, asimilándole parte del material y segregando otra parte.

De la misma manera crece un embrión con materiales que la sangre le trae de fuera. Sobre ese cuento así acrecentado continuó la labor de acumulación y vino otra de asimilación, y así, mediante una serie de acumulaciones y asimilaciones de material, con la excreción consiguiente, llegué a hacer mi novela *Paz en la guerra*. Tal es el procedimiento ovíparo.

El oviparismo tiene sus grados, porque aun el escritor que más se sirva de papeletas y apuntes, que incube más su obra al exterior, no puede eximirse de la labor interna. Depende también esto de la índole del trabajo; una obra de erudición tiene que ser obra de oviparismo. Y aun en obras literarias muchas tienen que serlo mucho.

La novela mía a que me he referido antes fué de labor de incubación fuera de mí, sobre papeletas, en gran parte, puesto que tanto como una novela quise escribir una historia interna de parte principal del último levantamiento carlista. No hay modo de escribir por el procedimiento vivíparo el relato del bombardeo a Bilbao o de las jornadas de Somorrostro,[3] relatos que llenan buena parte de mi libro.

Mas así como se concibe el escritor completamente vivíparo, que gesta sus obras por completo interiormente y que así que se pone a redactarlas lo hace de un tirón y salen como Minerva de Júpiter,[4] acabadas y perfectas, apenas se concibe el escritor completamente vivíparo, que incuba sus papeletas y cuartillas de

---

[1] Carlist, partisan of the Infante Don Carlos in his fight against Queen Isabel II, who was supported by the Liberals during the first half of the nineteenth century.

[2] This bombardment by the Carlists took place in 1874.

[3] Place near Bilbao where there were battles during the Carlist wars.

[4] A reference to the goddess Minerva's birth. She sprang full-grown from her father Jupiter's forehead.

apuntes y que ninguna labor lleva a cabo en su interior. Y, sin embargo, tal tipo de escritor existe.

Hay, en efecto, publicistas que se quedan sin una sola idea si se les quita sus cuadernos, cuartillas o papeletas de apuntes, a quienes nada se les ocurre si no tienen la pluma en la mano y aun teniéndola no se les ocurre más que trascribir este párrafo del libro A, combinarlo con el del B, citar lo del libro C, etc., etc. No ponen de sí propios en su trabajo más que la empollación: el estarse sobre sus huevos, quiero decir sobre sus papeletas, prestándoles calor animal. Uno conozco y conocerán de seguro los más de mis lectores, que es sin disputa el primer publicista empollón que tenemos en España.

Yo creo que sería un gran progreso el que tales escritores empollones se evitaran la molestia de incubar sus papeletas y las notas y citas que sacan; sería mejor que hicieran lo que los animales, que dejan al sol que incube sus huevos. Publiquen sus notas, citas y apuntes tal y como los toman y dejen que el sol los empolle. Es preferible una serie de citas a las obras de tales sujetos.

(19–IV–1902)

EL DOLOR DE PENSAR

YO, SEÑOR MÍO, escribo con la sangre de mi corazón, no con tinta neutra, mis pensamientos, muchas veces contradictorios entre sí, mis dudas, mis anhelos, mis sedes y hambres del espíritu; no redacto conclusiones, como cualquier secretario de cualquier comisión.

Yo, señor mío, como no hago oposiciones a ministro de la Corona, no tengo por qué medir mis palabras para no comprometer mi porvenir, que jamás hipoteco, ni necesito decir frases prometedoras de actos porque mis frases son ellas de por sí actos, y actos de hoy, del momento, de ahora y de siempre, aparte de sus consecuencias.

Porque el que escribe con la sangre de su corazón escribe para siempre. «Para siempre», que dijo Tucídides,[1] gracias al cual vive todavía Pericles.[2] Y no olvido la otra frase del poeta Keats, de «que una cosa de belleza es un goce para siempre».[3]

A thing of beauty is a joy for ever,

y sé que todo pensamiento escrito con sangre del corazón es una cosa de belleza, digan lo que quieran los artistas de la forma.

¿Y qué es la forma, señor mío? ¿Sabría usted decirme lo que es la forma? Yo creo que no me lo sabría usted decir.

Aristóteles—y sigo pedante a Dios gracias—, dijo que el alma es la forma sustancial del cuerpo, su entelequia.[4] Y, en efecto, la forma sustancial de algo, de un pensamiento, es su alma, no su vestido. Y yo, señor mío, quiero encarnar pensamientos y no vestirlos. Cuanto más desnudos me salgan, mejor. Porque sé que esos supuestos pensamientos vestidos de hopalandas[5] y túnicas retóricas no son más que esqueletos de pensamiento, cosas muertas, sin carne palpitante y dolorosa. Y pensamiento que no nos duele, no es más que un pensamiento muerto, un esqueleto de tal. No hay vida sino donde hay dolor.

Y a mí, señor mío, me duelen las ideas y por eso se me retuercen y se me encrespan en las contorsiones del conceptismo.

«Si quieres hacerme llorar, es menester que te haya dolido antes.»

. . . si vis me flere, dolendum est primum
ipsi tibi.

Así dijo Horacio.[6] Y es cita tan asendereada y sobada, que no resulta ya ni siquiera pedantería el citarla. Y Vischer,[7] comentándola, añadía:

---

[1] Thucydides (471 ?–400 ? B.C.), Greek historian.
[2] Pericles (d. 429 B.C.), Athenian statesman.
[3] *"que . . . siempre"* from *Endymion* by John Keats (1795–1821), English Romantic poet.
[4] *entelequia* in Aristotelian philosophy, what is for each person the attainment of his perfection.
[5] Long gowns worn by university students.
[6] Horace (65–8 B.C.), Roman poet and satirist, (*Ars Poetica*, 102).
[7] Friedrich Theodor von Vischer (1807–1887), German professor and writer on aesthetics.

«*Primum*, antes; antes de ponerte a hacerme
llorar; no es la mano del calenturiento la más
a propósito para describir la fiebre.» ¿Que no?
Y si a uno le está doliendo siempre, siempre, si
su conciencia consiste en el sordo dolor de un
trágico pensamiento inquieto, ¿a cuándo ha de
aguardar para desahogarse y cumplir así su
sino, haciendo llorar a sus hermanos, aunque
sólo sea por dentro?

Ya le he dicho, señor mío, que no redacto
conclusiones, como cualquier secretario de cualquier comisión. Ni redacto conclusiones, ni
defiendo pleitos, porque tampoco soy abogado
de nada, ni de nadie. Ni aun de mí mismo.

Aunque no, eso no es verdad. Soy abogado, sí,
pero abogado del hombre, del yo. No de mí
mismo; no de mi yo exclusivamente, sino de
todo yo, del de usted, señor mío, del de cada
uno de mis lectores, del de todos los demás. Yo
defiendo al hombre, a cada hombre. Y por eso,
para defenderle y tenerle a la defensiva, le ataco.
Yo te defiendo a ti, lector, de ti mismo. Porque
tengo cuidado de que no te me entregues, de no
adormecerte en la ramplona rutina de las ideas
de todos y de nadie. Si pudiera, mi mayor placer
sería imbuirte la duda de tu propia existencia
real y sustancial. Porque sé que sólo empezarás
a vivir de veras una vida que merezca la pena de
ser vivida—la pena de ser vivida ¡fíjate!—,
cuando empieces a dudar de que vives y aun de
que existes.

Tú vas, lector, por el mundo como los vencejos por el aire; volando con la boca abierta a la
caza de los mosquitos que te salgan al paso. Y
las ideas que así cazas, papanáticamente, se te
indigestan. Y entonces te duelen. Pero no es ese
el dolor que salva, el dolor que hace vivir.

Sí, ya sé, señor mío, que hay quien habla del
placer de pensar, de la alegría de pensar. Pero,
aparte de que las cuerdas del placer y del dolor
están tan juntas en el fondo del alma, que no
cabe herir la una sin que la otra suene, como
decía mi amigo Kierkegaard,[1] lo placentero, lo
gozoso es engendrar pensamientos, pero no
criarlos. Y no los crío, no me limito a engendrar-

los. Engendrar un hijo de carne, simplemente
engendrarlo, es placentero sin duda, pero no lo
propio de un padre. Lo propio de un padre es
criarlo, y criar un hijo es algo doloroso. Y lo
mismo cabe gozar engendrando, casi inconscientemente, una idea, más bien una frase, para
echarla luego al Hospicio o al arroyo. Hay
engendradores de ideas hospicianas, que se
llaman a sí mismos artistas, y que nada tienen de
padres, de poetas. Son los que engendran las
frases, los dichos, los lugares comunes, que
luego repite la muchedumbre, el vulgo; son los
que engendran las tonadas hospicianas, que
luego repiten los organillos de manubrio y des-
gañitan las maritornes[2] al fregar los pasillos.
Eso sí que fué engendrado en gozo. Música
ligera y callejera; literatura ligera y callejera.

¿Pero, sabe usted, señor mío, lo que decía
Guillermo James[3]—¡y sigue de pedantería!—de
aquel patético libro de Jacobo Thomson,[4] «La
ciudad de la noche terrible» (*The City of the
Dreadful Night*)? Pues decía de él que «es menos
conocido de lo que debería serlo por su belleza
literaria, simplemente porque los hombres
tienen miedo de citar sus palabras—tan sombrías son y, al mismo tiempo, tan sinceras»—.
Como que Thomson las escribió con sangre de
su corazón.

Por lo demás, señor mío, eso de divertir y
atraer a los buenos burgueses haciendo como
que se les asusta—ellos están en el secreto—,
está al alcance de cualquier técnico de la *brutalidad* literaria. El tener un estilo brutal y salir
cada día con un desplante y aparecer con estridencias aparentemente—y no más que aparentemente—pasionales, es cosa fácil, muy fácil. El
engendrar brutalidades literarias, violencias de
dicción, es placentero y muy fácil. Lo difícil es
criarlas, hacerlas viables.

No, señor mío, no; le han engañado a usted.
Yo no me he propuesto nunca ser original y

---

[1] Soren Kierkegaard (1813–1855), Danish philosopher
and theologian.

[2] Servant girls. Maritornes appears at an inn as a
character in *Don Quijote*: I, xvi.

[3] William James (1842–1910), American psychologist
and philosopher.

[4] Jacob Thomson (1834–1882), English poet. *The City
of the Dreadful Night,* his chief poem, a powerful and
sincere expression of an atheistic and despairing creed.

adquirir fama de originalidad. Le digo a usted que le han engañado. Si no me propusiese más que llamar la atención y que me tengan por original, a cualquier precio, no sabe usted bien la de atrocidades estridentes y abracadabrantes que habría escrito. Les habría dado tres y raya[1] a todos los que alardean de escritores brutales y que no se casan con nadie. Pero yo me he casado con la sinceridad. Y si alguna vez me contradigo, me contradigo muy sinceramente.

¡No, señor mío, no!; no he tenido nunca prisa de eso que llaman llegar, y me he pasado años y más años repitiendo unos pocos temas fundamentales y dejando que los mentecatos motejen de paradojas a los pensamientos dolorosos, que no sólo he engendrado, sino he parido, entre penas de agonía espiritual, y he criado. Y no me importa que algunos desgraciados que trepan, a eso que llaman llegar, me digan que estoy de vuelta, rodando por las cuestas abajo del Olimpo. Sé que quien piensa con el corazón, dolorosamente, crea pensamientos para siempre, aunque no lleven luego su nombre, sino el de cualquier otro que los robe y los bautice y les vista de arlequines para la fiesta.

Vivo, señor mío, gracias a Dios, lejos de los cotarros de la feria[2] de las vanidades y no tengo ni que hacer cosquillas a los buenos burgueses para que se rían, ni que hacer como que les asusto, rugiendo con una careta de bárbaro, para que se rían también. Yo no te hablo más que a ti, lector, a tí sólo, y cuando más sólo estés, cuando estés no más que contigo mismo. Yo no quiero ser, lector, sino el espejo en que te veas tú a ti mismo. ¿Que el espejo es cóncavo o convexo y de tal especie de concavidad o convexidad que no te reconoces y te duele verte así? Pues conviene que te veas de todos los modos posibles. Es la única manera de que llegues a conocerte de veras. Si nunca te has visto sino en reflexión normal, tal como te retratas en la lisa sobrehaz de una charca tranquila, donde ni la más leve brisa riza las aguas, entonces no

sabes quién eres. No sabrás quién eres hasta que, al verte un día de tal modo deformado por el espejo, te preguntes: «¿Pero éste soy yo?», y empieces a dudar de que tú seas tú, empieces a dudar de tu existencia real y sustancial. Aquel día empezarás a vivir de veras. Y si eso me lo debieras, podría yo decir, lector, que te había criado. Lo que es mucho más que haberte engendrado. ¿Me entiendes?

(7–VIII–1915)

San Manuel Bueno, mártir (1930)

> Si sólo en esta vida esperamos en Cristo, somos los más miserables de los hombres todos.
>
> SAN PABLO. I. *Corintios*. XV, 19

AHORA QUE EL OBISPO de la diócesis de Renada, a la que pertenece esta mi querida aldea de Valverde de Lucerna, anda, a lo que se dice, promoviendo el proceso para la beatificación de nuestro Don Manuel, o mejor San Manuel Bueno, que fué en ésta párroco, quiero dejar aquí consignado, a modo de confesión y sólo Dios sabe, que no yo, con qué destino, todo lo que sé y recuerdo de aquel varón matriarcal que llenó toda la más entrañada vida de mi alma, que fué mi verdadero padre espiritual, el padre de mi espíritu, del mío, el de Ángela Carballino.

Al otro, a mi padre carnal y temporal, apenas si le conocí, pues se me murió siendo yo muy niña. Sé que había llegado de forastero a nuestra Valverde de Lucerna, que aquí arraigó al casarse aquí con mi madre. Trajo consigo unos cuantos libros, el *Quijote*, obras de teatro clásico, algunas novelas, historias, el *Bertoldo*:[3] todo revuelto, y de esos libros, los únicos casi que había en toda la aldea, devoré yo ensueños siendo niña. Mi buena madre apenas si me contaba hechos o dichos de mi padre. Los de Don Manuel, a quien, como todo el pueblo, adoraba, de quien estaba enamorada—claro que castísimamente— le habían borrado el recuerdo

---

[1] *dado . . . raya* exceeded.

[2] *cotarros de la feria* places where people gather to talk and put on airs.

[3] *Bertoldo* a comic poem composed by various eighteenth century writers.

de los de su marido. A quien encomendaba a Dios, y fervorosamente, cada día al rezar el rosario.

De nuestro Don Manuel me acuerdo como si fuese de cosa de ayer, siendo yo niña, a mis diez años, antes de que me llevaran al Colegio de Religiosas de la ciudad catedralicia de Renada. Tendría él, nuestro santo, entonces unos treinta y siete años. Era alto, delgado, erguido, llevaba la cabeza como nuestra Peña del Buitre lleva su cresta, y había en sus ojos toda la hondura azul de nuestro lago. Se llevaba las miradas de todos y tras ellas, los corazones, y él al mirarnos parecía, traspasando la carne como un cristal, mirarnos al corazón. Todos le queríamos, pero sobre todo los niños. ¡Qué cosas nos decía! Eran cosas, no palabras. Empezaba el pueblo a olerle la santidad; se sentía lleno y embriagado de su aroma.

Entonces fué cuando mi hermano Lázaro, que estaba en América, de donde nos mandaba regularmente dinero con que vivíamos en decorosa holgura, hizo que mi madre me mandase al Colegio de Religiosas, a que se completara fuera de la aldea mi educación, y esto aunque a él, a Lázaro, no le hiciesen mucha gracia las monjas. «Pero como ahí—nos escribía—no hay hasta ahora, que yo sepa, colegios laicos y progresivos, y menos para señoritas, hay que atenerse a lo que haya. Lo importante es que Angelita se pula y que no siga entre zafias aldeanas.» Y entré en el Colegio, pensando en un principio hacerme en él maestra, pero luego se me atragantó la pedagogía.

En el Colegio conocí a niñas de la ciudad e intimé con algunas de ellas. Pero seguía atenta a las cosas y a las gentes de nuestra aldea, de la que recibía frecuentes noticias y tal vez alguna visita. Y hasta al Colegio llegaba la fama de nuestro párroco, de quien empezaba a hablarse en la ciudad episcopal. Las monjas no hacían sino interrogarme respecto a él.

Desde muy niña alimenté, no sé bien cómo, curiosidades, preocupaciones e inquietudes debidas, en parte al menos, a aquel revoltijo de libros de mi padre, y todo ello se me medró en el Colegio, en el trato, sobre todo, con una compañera que se me aficionó desmedidamente y que unas veces me proponía que entrásemos juntas a la vez en un mismo convento, jurándonos, y hasta firmando el juramento con nuestra sangre, hermandad perpetua, y otras veces me hablaba, con los ojos semicerrados, de novios y de aventuras matrimoniales. Por cierto que no he vuelto a saber de ella ni de su suerte. Y eso que[1] cuando se hablaba de nuestro Don Manuel, o cuando mi madre me decía algo de él en sus cartas—y era en casi todas—, que yo leía a mi amiga, ésta exclamaba como en arrobo: «¡Qué suerte, chica, la de poder vivir cerca de un santo así, de un santo vivo, de carne y hueso, y poder besarle la mano! Cuando vuelvas a tu pueblo escríbeme mucho, mucho y cuéntame de él.»

Pasé en el colegio unos cinco años, que ahora se me pierden como un sueño de madrugada en la lejanía del recuerdo, y a los quince volví a mi Valverde de Lucerna. Ya toda ella era Don Manuel; Don Manuel con el lago y con la montaña. Llegué ansiosa de conocerle, de ponerme bajo su protección, de que él me marcara el sendero de mi vida.

Decíase que había entrado en el Seminario para hacerse cura, con el fin de atender a los hijos de una su hermana recién viuda, de servirles de padre; que en el Seminario se había distinguido por su agudeza mental y su talento y que había rechazado ofertas de brillante carrera eclesiástica porque él no quería ser sino de su Valverde de Lucerna, de su aldea perdida como un broche entre el lago y la montaña que se mira en él.

¡Y cómo quería a los suyos! Su vida era arreglar matrimonios desavenidos, reducir a sus padres hijos indómitos o reducir los padres a sus hijos, y sobre todo consolar a los amargados y atediados y ayudar a todos a bien morir.

Me acuerdo, entre otras cosas, de que al volver de la ciudad la desgraciada hija de la tía Rabona, que se había perdido y volvió, soltera y desahuciada, trayendo un hijito consigo, Don

---

[1] *Y eso que* and not withstanding the fact that.

Manuel no paró hasta que hizo que se casase con ella un antiguo novio Perote y reconociese como suya a la criaturita, diciéndole:

—Mira, da padre a este pobre crío que no le tiene más que en el cielo.

—¡Pero, Don Manuel, si no es mía la culpa . . . !

—¡Quién lo sabe, hijo, quién lo sabe . . . !, y sobre todo, no se trata de culpa.

Y hoy el pobre Perote, inválido, paralítico, tiene como báculo y consuelo de su vida al hijo aquel que, contagiado de la santidad de Don Manuel, reconoció por suyo no siéndolo.

En la noche de San Juan,[1] la más breve del año, solían y suelen acudir a nuestro lago todas las pobres mujerucas, y no pocos hombrecillos, que se creen poseídos, endemoniados, y que parece no son sino histéricos y a las veces epilépticos, y Don Manuel emprendió la tarea de hacer él de lago, de piscina probática,[2] y tratar de aliviarles y si era posible de curarles. Y era tal la acción de su presencia, de sus miradas, y tal sobre todo la dulcísima autoridad de sus palabras y sobre todo de su voz—¡qué milagro de voz!—, que consiguió curaciones sorprendentes. Con lo que creció su fama, que atraía a nuestro lago y a él a todos los enfermos del contorno. Y alguna vez llegó una madre pidiéndole que hiciese un milagro en su hijo, a lo que contestó sonriendo tristemente:

—No tengo licencia del señor obispo para hacer milagros.

Le preocupaba, sobre todo, que anduviesen todos limpios. Si alguno llevaba un roto en su vestidura, le decía: «Anda a ver al sacristán, y que te remiende eso.» El sacristán era sastre. Y cuando el día primero de año iban a felicitarle por ser el de su santo—su santo patrono era el mismo Jesús Nuestro Señor—, quería Don Manuel que todos se le presentasen con camisa nueva, y al que no la tenía se la regalaba él mismo.

Por todos mostraba el mismo afecto, y si a algunos distinguía más con él era a los más desgraciados y a los que aparecían como más díscolos. Y como hubiera en el pueblo un pobre idiota de nacimiento, Blasillo el bobo, a éste es a quien más acariciaba y hasta llegó a enseñarle cosas que parecía milagro que las hubiese podido aprender. Y es que el pequeño rescoldo de inteligencia que aún quedaba en el bobo se le encendía en imitar, como un pobre mono, a su Don Manuel.

Su maravilla era la voz, una voz divina, que hacía llorar. Cuando al oficiar en misa mayor o solemne entonaba el prefacio, estremecíase la iglesia y todos los que le oían sentíanse conmovidos en sus entrañas. Su canto, saliendo del templo, iba a quedarse dormido sobre el lago y al pie de la montaña. Y cuando en el sermón de Viernes Santo clamaba aquello de: «¡Dios mío, Dios mío!, ¿por qué me has abandonado?», pasaba por el pueblo todo un temblor hondo como por sobre las aguas del lago en días de cierzo de hostigo. Y era como si oyesen a Nuestro Señor Jesucristo mismo, como si la voz brotara de aquel viejo crucifijo a cuyos pies tantas generaciones de madres habían depositado sus congojas. Como que una vez, al oírlo su madre, la de Don Manuel, no pudo contenerse, y desde el suelo del templo, en que se sentaba, gritó: «¡Hijo mío!» Y fué un chaparrón de lágrimas entre todos. Creeríase que el grito maternal había brotado de la boca entreabierta de aquella Dolorosa—el corazón traspasado por siete espadas—que había en una de las capillas del templo. Luego Blasillo el tonto iba repitiendo en tono patético por las callejas, y como en eco, el «¡Dios mío, Dios mío!, ¿por que me has abandonado?»;[3] y de tal manera que al oírselo se les saltaban a todos las lágrimas, con gran regocijo del bobo por su triunfo imitativo.

Su acción sobre las gentes era tal que nadie se atrevía a mentir ante él, y todos, sin tener que ir al confesonario, se le confesaban. A tal punto que como hubiese una vez ocurrido un repugnante crimen en una aldea próxima, el juez, un in-

---

[1] *San Juan* the feast of St. John the Baptist, June 24th.
[2] *piscina probática* a fountain in which the sick were healed by divine aid (*John* 5: 3–4).

[3] *¿por qué me has abandonado?* Christ's last words on the cross, according to St. Matthew (*Matthew* 27: 46).

sensato que conocía mal a Don Manuel, le llamó y le dijo:

—A ver si usted, Don Manuel, consigue que este bandido declare la verdad.

5 —¿Para que luego pueda castigársele?—replicó el santo varón—. No, señor juez, no; yo no saco a nadie una verdad que le lleve acaso a la muerte. Allá entre él y Dios . . . La justicia humana no me concierne. «No juzguéis para no
10 ser juzgados»,[1] dijo Nuestro Señor.

—Pero es que yo, señor cura . . .

—Comprendido; dé usted, señor juez, al César lo que es del César, que yo daré a Dios lo que es de Dios.

15 Y al salir, mirando fijamente al presunto reo, le dijo:

—Mira bien si Dios te ha perdonado, que es lo único que importa.

En el pueblo todos acudían a misa, aunque
20 sólo fuese por oírle y por verle en el altar, donde parecía transfigurarse, encendiéndosele el rostro. Había un santo ejercicio que introdujo en el culto popular y es que, reuniendo en el templo a todo el pueblo, hombres y mujeres, viejos y
25 niños, unas mil personas, recitábamos al unísono, en una sola voz, el Credo: «Creo en Dios Padre Todopoderoso Criador del Cielo y de la Tierra . . .» y lo que sigue. Y no era un coro, sino una sola voz, una voz simple y unida, fundidas
30 todas en una y haciendo como una montaña, cuya cumbre, perdida a las veces en nubes, era Don Manuel. Y al llegar a lo de «creo en la resurrección de la carne y la vida perdurable» la voz de Don Manuel se zambullía, como en un
35 lago, en la del pueblo todo, y era que él se callaba. Y yo oía las campanadas de la villa que se dice aquí que está sumergida en el lecho del lago—campanadas que se dice también se oyen la noche de San Juan—y eran las de la villa
40 sumergida en el lago espiritual de nuestro pueblo; oía la voz de nuestros muertos que en nosotros resucitaban en la comunión de los santos. Después, al llegar a conocer el secreto de nuestro santo, he comprendido que era como
45 si una caravana en marcha por el desierto, desfallecido el caudillo al acercarse al término de su

carrera, le tomaran en hombros los suyos para meter su cuerpo sin vida en la tierra de promisión.

50 Los más no querían morirse sino cojidos de su mano como de un ancla.

Jamás en sus sermones se ponía a declamar contra impíos, masones, liberales o herejes. ¿Para qué, si no los había en la aldea? Ni menos
55 contra la mala prensa. En cambio, uno de los más frecuentes temas de sus sermones era contra la mala lengua. Porque él lo disculpaba todo y a todos disculpaba. No quería creer en la mala intención de nadie.

60 —La envidia—gustaba repetir—la mantienen los que se empeñan en creerse envidiados, y las más de las persecuciones son efecto más de la manía persecutoria que no de la perseguidora.[2]

—Pero fíjese, Don Manuel, en lo que me ha
65 querido decir . . .

Y él:

—No debe importarnos tanto lo que uno quiera decir como lo que diga sin querer . . .

Su vida era activa y no contemplativa,
70 huyendo cuanto podía de no tener nada que hacer. Cuando oía eso de que la ociosidad es la madre de todos los vicios, contestaba: «Y del peor de todos, que es el pensar ocioso.» Y como yo le preguntara una vez qué es lo que con eso
75 quería decir, me contestó: «Pensar ocioso es pensar para no hacer nada o pensar demasiado en lo que se ha hecho y no en lo que hay que hacer. A lo hecho pecho,[3] y a otra cosa, que no hay peor que remordimiento sin enmienda.»
80 ¡Hacer!, ¡hacer! Bien comprendí yo ya desde entonces que Don Manuel huía de pensar ocioso y a solas, que algún pensamiento le perseguía.

Así es que estaba siempre ocupado, y no pocas veces en inventar ocupaciones. Escribía muy
85 poco para sí, de tal modo que apenas nos ha dejado escritos o notas; mas, en cambio, hacía de memorialista para los demás, y a las madres, sobre todo, les redactaba las cartas para sus hijos ausentes.

---

[1] *"No . . . juzgados"* from *Matthew* 7: 1.

[2] *la manía . . . perseguidora* the persecution mania than really being persecuted.

[3] *a lo hecho pecho* what's done is done; don't cry over spilt milk.

Trabajaba también manualmente, ayudando con sus brazos a ciertas labores del pueblo. En la temporada de trilla íbase a la era a trillar y aventar, y en tanto les aleccionaba o les distraía. Sustituía a las veces a algún enfermo en su tarea. Un día del más crudo invierno se encontró con un niño, muertito de frío, a quien su padre le enviaba a recoger una res a larga distancia, en el monte.

—Mira—le dijo al niño—, vuélvete a casa, a calentarte, y dile a tu padre que yo voy a hacer el encargo.

Y al volver con la res se encontró con el padre, todo confuso, que iba a su encuentro. En invierno partía leña para los pobres. Cuando se secó aquel magnífico nogal—«Un nogal matriarcal» le llamaba—, a cuya sombra había jugado de niño y con cuyas nueces se había durante tantos años regalado, pidió el tronco, se lo llevó a su casa y después de labrar en él seis tablas, que guardaba al pie de su lecho, hizo del resto leña para calentar a los pobres. Solía hacer también las pelotas para que jugaran los mozos y no pocos juguetes para los niños.

Solía acompañar al médico en su visita, y recalcaba las prescripciones de éste. Se interesaba sobre todo en los embarazos y en la crianza de los niños, y estimaba como una de las mayores blasfemias aquello de: «¡teta y gloria!»[1] y lo otro de: «angelitos al cielo».[1] Le conmovía profundamente la muerte de los niños.

—Un niño que nace muerto o que se muere recién nacido y un suicidio—me dijo una vez—son para mí de los más terribles misterios: ¡un niño en cruz!

Y como una vez, por haberse quitado uno la vida, le preguntara el padre del suicida, un forastero, si le daría tierra sagrada, le contestó:

—Seguramente, pues en el último momento, en el segundo de la agonía, se arrepintió sin duda alguna.

Iba también a menudo a la escuela a ayudar al maestro, a enseñar con él, y no sólo el cate-

---

[1] Popular sayings to console parents at the death of an infant child, who, innocent of sin, will go straight to heaven.

---

cismo. Y es que huía de la ociosidad y de la soledad. De tal modo que por estar con el pueblo, y sobre todo con el mocerío y la chiquillería, solía ir al baile. Y más de una vez se puso en él a tocar el tamboril para que los mozos y las mozas bailasen, y esto, que en otro hubiera parecido grotesca profanación del sacerdocio, en él tomaba un sagrado carácter y como de rito religioso. Sonaba el *Ángelus*, dejaba el tamboril y el palillo, se descubría y todos con él, y rezaba: «El ángel del Señor anunció a María: Ave María . . .» Y luego:—Y ahora, a descansar para mañana.

—Lo primero—decía—es que el pueblo esté contento, que estén todos contentos de vivir. El contentamiento de vivir es lo primero de todo. Nadie debe querer morirse hasta que Dios quiera.

—Pues yo sí—le dijo una vez una recién viuda—, yo quiero seguir a mi marido . . .

—¿Y para qué?—le respondió—. Quédate aquí para encomendar su alma a Dios.

En una boda dijo una vez: «¡Ay, si pudiese cambiar el agua toda de nuestro lago en vino, en un vinillo que por mucho que de él se bebiera alegrara siempre sin emborrachar nunca . . . o por lo menos con una borrachera alegre!»

Una vez pasó por el pueblo una banda de pobres titiriteros. El jefe de ella, que llegó con la mujer gravemente enferma y embarazada, y con tres hijos que le ayudaban, hacía de payaso. Mientras él estaba, en la plaza del pueblo, haciendo reír a los niños y aun a los grandes, ella, sintiéndose de pronto gravemente indispuesta, se tuvo que retirar y se retiró escoltada por una mirada de congoja del payaso y una risotada de los niños. Y escoltada por Don Manuel, que luego, en un rincón de la cuadra de la posada, le ayudó a bien morir. Y cuando, acabada la fiesta, supo el pueblo y supo el payaso la tragedia, fuéronse todos a la posada y el pobre hombre, diciendo con llanto en la voz: «Bien se dice, señor cura, que es usted todo un santo», se acercó a éste queriendo tomarle la mano para besársela, pero Don Manuel se adelantó y tomándosela al payaso pronunció ante todos:

—El santo eres tú, honrado payaso; te vi trabajar y comprendí que no sólo lo haces para dar pan a tus hijos, sino también para dar alegría a los de los otros, y yo te digo que tu
5　mujer, la madre de tus hijos, a quien he despedido a Dios mientras trabajabas y alegrabas, descansa en el Señor, y que tú irás a juntarte con ella y a que te paguen riendo los ángeles a los que haces reír en el cielo de contento.
10　Y todos, niños y grandes, lloraban y lloraban tanto de pena como de un misterioso contento en que la pena se ahogaba. Y más tarde, recordando aquel solemne rato, he comprendido que la alegría imperturbable de Don Manuel era la
15　forma temporal y terrena de una infinita y eterna tristeza que con heroica santidad recataba a los ojos y los oídos de los demás.

Con aquella su constante actividad, con aquel mezclarse en las tareas y las diversiones de todos,
20　parecía querer huir de sí mismo, querer huir de su soledad. «Le temo a la soledad», repetía. Mas, aun así, de vez en cuando se iba solo, orilla del lago, a las ruinas de aquella vieja abadía donde aun parecen reposar las almas de los piadosos
25　cistercienses a quienes ha sepultado en el olvido la Historia. Allí está la celda del llamado Padre Capitán, y en sus paredes se dice que aun quedan señales de las gotas de sangre con que las salpicó al mortificarse. ¿Qué pensaría allí
30　nuestro Don Manuel? Lo que sí recuerdo es que como una vez, hablando de la abadía, le preguntase yo cómo era que no se le había ocurrido ir al claustro, me contestó:

—No es sobre todo porque tenga, como tengo,
35　mi hermana viuda y mis sobrinos a quienes sostener, que Dios ayuda a sus pobres, sino porque yo no nací para ermitaño, para anacoreta; la soledad me mataría el alma, y en cuanto a un monasterio, mi monasterio es
40　Valverde de Lucerna. Yo no debo vivir solo; yo no debo morir solo. Debo vivir para mi pueblo, morir para mi pueblo. ¿Cómo voy a salvar mi alma si no salvo la de mi pueblo?

—Pero es que ha habido santos ermitaños,
45　solitarios... —le dije.

—Sí, a ellos les dió el Señor la gracia de soledad

que a mí me ha negado, y tengo que resignarme. Yo no puedo perder a mi pueblo para ganarme el alma. Así me ha hecho Dios. Yo no podría soportar las tentaciones del desierto. Yo no
50　podría llevar solo la cruz del nacimiento.

He querido con estos recuerdos, de los que vive mi fe, retratar a nuestro Don Manuel tal como era cuando yo, mocita de cerca de dieciséis años, volví del Colegio de Religiosas de Renada
55　a nuestro monasterio de Valverde de Lucerna. Y volví a ponerme a los pies de su abad.

—¡Hola, la hija de la Simona—me dijo en cuanto me vió—, y hecha ya toda una moza, y sabiendo francés, y bordar y tocar el piano y qué
60　sé yo qué más! Ahora a prepararte para darnos otra familia. Y tu hermano Lázaro, ¿cuándo vuelve? Sigue en el Nuevo Mundo, ¿no es así?

—Sí, señor, sigue en América...

—¡El Nuevo Mundo! Y nosotros en el Viejo.
65　Pues bueno, cuando le escribas, dile de mi parte, de parte del cura, que estoy deseando saber cuándo vuelve del Nuevo Mundo a este viejo, trayéndonos las novedades de por allá. Y dile que encontrará al lago y a la montaña como
70　los dejó.

Cuando me fuí a confesar con él, mi turbación era tanta que no acertaba a articular palabra. Recé el «yo pecadora» balbuciendo, casi sollozando. Y él, que lo observó, me dijo:
75

—Pero ¿qué te pasa, corderilla? ¿De qué o de quién tienes miedo? Porque tú no tiemblas ahora al peso de tus pecados ni por temor de Dios, no; tú tiemblas de mí, ¿no es eso?

Me eché a llorar.
80

—Pero ¿qué es lo que te han dicho de mí? ¿Qué leyendas son ésas? ¿Acaso tu madre? Vamos, vamos, cálmate y haz cuenta que estás hablando con tu hermano...

Me animé y empecé a confiarle mis inquie-
85　tudes, mis dudas, mis tristezas.

—¡Bah, bah, bah! ¿Y dónde has leído eso, marisabidilla? Todo eso es literatura. No te des demasiado a ella, ni siquiera a Santa Teresa.[1] Y si quieres distraerte, lee el *Bertoldo*, que leía
90　tu padre.

[1] Spanish mystic (1515–1582).

Salí de aquella mi primera confesión con el santo hombre profundamente consolada. Y aquel mi temor primero, aquel más que respeto miedo, con que me acerqué a él, trocóse en una
5 lástima profunda. Era yo entonces una mocita, una niña casi; pero empezaba a ser mujer, sentía en mis entrañas el jugo de la maternidad, y al encontrarme en el confesonario junto al santo varón, sentí como una callada confesión suya
10 en el susurro sumiso de su voz y recordé cómo cuando, al clamar él en la iglesia las palabras de Jesucristo: «¡Dios mío, Dios mío!, ¿por qué me has abandonado?» su madre, la de Don Manuel, respondió desde el suelo: «¡Hijo mío!»,
15 y oí este grito que desgarraba la quietud del templo. Y volví a confesarme con él para consolarle.

Una vez que en el confesonario le expuse una de aquellas dudas, me contestó:
20 —A eso, ya sabes, lo del Catecismo: «eso no me lo preguntéis a mí, que soy ignorante; doctores tiene la Santa Madre Iglesia que os sabrán responder».

—¡Pero si el doctor aquí es usted, Don
25 Manuel...!

—¿Yo, yo doctor?, ¿doctor yo? ¡Ni por pienso! Yo, doctorcilla, no soy más que un pobre cura de aldea. Y esas preguntas, ¿sabes quién te las insinúa, quién te las dirige? Pues...¡el
30 Demonio!

Y entonces, envalentonándome, le espeté a boca de jarro:[1]

—¿Y si se las dirigiese a usted, Don Manuel?

—¿A quién?, ¿a mí? ¿Y el Demonio? No nos
35 conocemos, hija, no nos conocemos.

—¿Y si se las dirigiera?

—No le haría caso. Y basta, ¿eh?, despachemos, que me están esperando unos enfermos de verdad.
40 Me retiré, pensando, no sé por qué, que nuestro Don Manuel, tan afamado curandero de endemoniadas, no creía en el Demonio. Y al irme hacia mi casa topé con Blasillo el bobo, que acaso rondaba el templo, y que al verme, para
45 agasajarme con sus habilidades, repitió—¡y de

qué modo!—lo de «¡Dios mío, Dios mío!, ¿por qué me has abandonado?» Llegué a casa acongojadísima y me encerré en mi cuarto para llorar, hasta que llegó mi madre.

—Me parece, Angelita, con tantas confesiones, 50 que tú te me vas a ir monja.

—No lo tema, madre—le contesté—, pues tengo harto que hacer aquí, en el pueblo, que es mi convento.

—Hasta que te cases. 55

—No pienso en ello—le repliqué.

Y otra vez que me encontré con Don Manuel, le pregunté, mirándole derechamente a los ojos:

—¿Es que hay Infierno, Don Manuel?

Y él, sin inmutarse: 60

—¿Para ti, hija? No.

—¿Para los otros, lo hay?[2]

—¿Y a ti que te importa, si no has de ir a él?

—Me importa por los otros. ¿Lo hay?

—Cree en el cielo, en el cielo que vemos. 65 Míralo—y me lo mostraba sobre la montaña y abajo, reflejado en el lago.

—Pero hay que creer en el Infierno, como en el cielo—le repliqué.

—Sí, hay que creer todo lo que cree y enseña 70 a creer la Santa Madre Iglesia Católica Apostólica Romana. ¡Y basta!

Leí no sé qué honda tristeza en sus ojos, azules como las aguas del lago.

Aquellos años pasaron como un sueño. La 75 imagen de Don Manuel iba creciendo en mí sin que yo de ello me diese cuenta, pues era un varón tan cotidiano, tan de cada día como el pan que a diario pedimos en el padrenuestro. Yo le ayudaba cuando podía en sus menesteres, 80 visitaba a sus enfermos, a nuestros enfermos, a las niñas de la escuela, arreglaba el ropero de la iglesia, le hacía, como me llamaba él, de diaconisa.[3] Fuí unos días invitada por una compañera de colegio, a la ciudad, y tuve que volverme, 85 pues en la ciudad me ahogaba, me faltaba algo, sentía sed de la vista de las aguas del lago, hambre de la vista de las peñas de la montaña; sentía, sobre todo, la falta de mi Don Manuel y

---

[1] *le espeté . . . jarro* I fired at (or sprang on) him point-blank.

[2] *lo hay?* is there one for them?

[3] *diaconisa* woman who devotes herself to the church.

como si su ausencia me llamara, como si corriese un peligro lejos de mí, como si me necesitara. Empezaba yo a sentir una especie de afecto maternal hacia mi padre espiritual; quería ali-
5 viarle del peso de su cruz del nacimiento.

Así fuí llegando a mis veinticuatro años, que es cuando volvió de América, con un caudalillo ahorrado, mi hermano Lázaro. Llegó acá, a Valverde de Lucerna, con el propósito de llevar-
10 nos a mí y a nuestra madre a vivir a la ciudad, acaso a Madrid.

—En la aldea—decía—se entontece, se embrutece y se empobrece uno.

Y añadía:
15 —Civilización es lo contrario de ruralización; ¡aldeanerías, no!, que no hice que fueras al Colegio para que te pudras luego aquí, entre estos zafios patanes.

Yo callaba, aun dispuesta a resistir la emigra-
20 ción; pero nuestra madre, que pasaba ya de la sesentena, se opuso desde un principio. «¡A mi edad, cambiar de aguas!», dijo primero; mas luego dió a conocer claramente que ella no podría vivir fuera de la vista de su lago, de su
25 montaña, y sobre todo de su Don Manuel.

—¡Sois como las gatas, que os apegáis a la casa!—repetía mi hermano.

Cuando se percató de todo el imperio que sobre el pueblo todo y en especial sobre noso-
30 tras, sobre mi madre y sobre mí, ejercía el santo varón evangélico, se irritó contra éste. Le pareció un ejemplo de la oscura teocracia en que él suponía hundida a España. Y empezó a borbotar sin descanso todos los viejos lugares comunes
35 anticlericales y hasta antirreligiosos y progresistas que había traído renovados del Nuevo Mundo.

—En esta España de calzonazos—decía—los curas manejan a las mujeres y las mujeres a los
40 hombres . . . ¡y luego el campo!, ¡el campo!, este campo feudal . . .

Para él feudal era un término pavoroso; feudal y medieval eran los dos calificativos que prodigaba cuando quería condenar algo.
45 Le desconcertaba el ningún efecto que sobre nosotras hacían sus diatribas y el casi ningún

efecto que hacían en el pueblo, donde se le oía con respetuosa indiferencia. «A estos patanes no hay quien les conmueva.» Pero como era bueno por ser inteligente, pronto se dió cuenta de la 50 clase de imperio que Don Manuel ejercía sobre el pueblo, pronto se enteró de la obra del cura de su aldea.

—¡No, no es como los otros—decía—, es un santo! 55

—¿Pero tú sabes cómo son los otros curas?— le decía yo, y él:

—Me lo figuro.

Mas aun así ni entraba en la iglesia ni dejaba de hacer alarde en todas partes de su increduli- 60 dad, aunque procurando siempre dejar a salvo a Don Manuel. Y ya en el pueblo se fué formando, no sé cómo, una expectativa, la de una especie de duelo entre mi hermano Lázaro y Don Manuel, o más bien se esperaba la con- 65 versión de aquél por éste. Nadie dudaba de que al cabo el párroco le llevaría a su parroquia. Lázaro, por su parte, ardía en deseos—me lo dijo luego—de ir a oír a Don Manuel, de verle y oírle en la iglesia, de acercarse a él y con él 70 conversar, de conocer el secreto de aquel su imperio espiritual sobre las almas. Y se hacía de rogar para ello, hasta que al fin, por curiosidad —decía—fué a oírle.

—Sí, esto es otra cosa—me dijo luego de 75 haberle oído—; no es como los otros, pero a mí no me la da;[1] es demasiado inteligente para creer todo lo que tiene que enseñar.

—¿Pero es que le crees un hipócrita?—le dije. 80

—¡Hipócrita . . . no!, pero es el oficio del que tiene que vivir.

En cuanto a mí, mi hermano se empeñaba en que yo leyese de libros que él trajo y de otros que me incitaba a comprar. 85

—Conque, ¿tu hermano Lázaro—me decía Don Manuel—se empeña en que leas? Pues lee, hija mía, lee y dale así gusto. Sé que no has de leer sino cosa buena; lee aunque sea novelas. No son mejores las historias que llaman verdaderas. 90 Vale más que leas que no el que te alimentes de chismes y comadrerías del pueblo. Pero lee sobre

[1] *a mí no me la da* he can't fool me.

todo libros de piedad que te den contento de vivir, un contento apacible y silencioso.

¿Lo tenía él?

Por entonces enfermó de muerte y se nos murió nuestra madre, y en sus últimos días todo su hipo era que Don Manuel convirtiese a Lázaro, a quien esperaba volver a ver un día en el cielo, en un rincón de las estrellas desde donde se viese el lago y la montaña de Valverde de Lucerna. Ella se iba ya, a ver a Dios.

—Usted no se va—le decía Don Manuel—, usted se queda. Su cuerpo aquí, en esta tierra, y su alma también aquí en esta casa, viendo y oyendo a sus hijos aunque éstos ni le vean ni le oigan.

—Pero yo, padre—dijo—, voy a Dios.

—Dios, hija mía, está aquí como en todas partes, y le verá usted desde aquí, desde aquí. Y a todos nosotros en Él, y a Él en nosotros.

—Dios se lo pague—le dije.

—El contento con que tu madre se muera —me dijo—será su eterna vida.

Y volviéndose a mi hermano Lázaro:

—Su cielo es seguir viéndote, y ahora es cuando hay que salvarla. Dile que rezarás por ella.

—Pero . . .

—¿Pero . . . ? Dile que rezarás por ella, a quien debes la vida, y sé que una vez que se lo prometas rezarás y sé que luego que reces . . .

Mi hermano, acercándose, arrasados sus ojos en lágrimas, a nuestra madre agonizante, le prometió solemnemente rezar por ella.

—Y yo en el cielo por ti, por vosotros— respondió mi madre, y besando el crucifijo y puestos sus ojos en los de Don Manuel, entregó su alma a Dios.

—«¡En tus manos encomiendo mi espíritu!»— rezó el santo varón.

Quedamos mi hermano y yo solos en la casa. Lo que pasó en la muerte de nuestra madre puso a Lázaro en relación con Don Manuel, que pareció descuidar algo a sus demás pacientes, a sus demás menesterosos, para atender a mi hermano. Íbanse por las tardes de paseo, orilla del lago, o hacia las ruinas, vestidas de hiedra, de la vieja abadía de cistercienses.

—Es un hombre maravilloso—me decía Lázaro—. Ya sabes que dicen que en el fondo de este lago hay una villa sumergida y que en la noche de San Juan, a las doce, se oyen las campanadas de su iglesia.

—Sí—le contestaba yo—, una villa feudal y medieval . . .

—Y creo—añadía él—que en el fondo del alma de nuestro Don Manuel hay también sumergida, ahogada, una villa y que alguna vez se oyen sus campanadas.

—Sí—le dije—, esa villa sumergida en el alma de Don Manuel, ¿y por qué no también en la tuya?, es el cementerio de las almas de nuestros abuelos, los de esta nuestra Valverde de Lucerna . . . ¡feudal y medieval!

Acabó mi hermano por ir a misa siempre, a oír a Don Manuel, y cuando se dijo que cumpliría con la parroquia, que comulgaría cuando los demás comulgasen, recorrió un íntimo regocijo al pueblo todo, que creyó haberle recobrado. Pero fué un regocijo tal, tan limpio, que Lázaro no se sintió ni vencido ni disminuído.

Y llegó el día de su comunión, ante el pueblo todo, con el pueblo todo. Cuando llegó la vez a mi hermano pude ver que Don Manuel, tan blanco como la nieve de enero en la montaña y temblando como tiembla el lago cuando le hostiga el cierzo, se le acercó con la sagrada forma en la mano, y de tal modo le temblaba ésta al arrimarla a la boca de Lázaro, que se le cayó la forma a tiempo que le daba un vahído. Y fué mi hermano mismo quien recogió la hostia y se la llevó a la boca. Y el pueblo al ver llorar a Don Manuel, lloró diciéndose: «¡Cómo le quiere!» Y entonces, pues era la madrugada, cantó un gallo.

Al volver a casa y encerrarme en ella con mi hermano, le eché los brazos al cuello y besándole le dije:

—Ay, Lázaro, Lázaro, qué alegría nos has dado a todos, a todos, a todo el pueblo, a todo, a los vivos y a los muertos y sobre todo a mamá, a nuestra madre. ¿Viste? El pobre Don Manuel lloraba de alegría. ¡Qué alegría nos has dado a todos!

—Por eso lo he hecho—me contestó.

—¿Por eso? ¿Por darnos alegría? Lo habrás hecho ante todo por ti mismo, por conversión.

Y entonces Lázaro, mi hermano, tan pálido y tan tembloroso como Don Manuel cuando le dió la comunión, me hizo sentarme, en el sillón mismo donde solía sentarse nuestra madre, tomó huelgo, y luego, como en íntima confesión doméstica y familiar, me dijo:

—Mira, Angelita, ha llegado la hora de decirte la verdad, toda la verdad, y te la voy a decir, porque debo decírtela, porque a ti no puedo, no debo callártela y porque además habrías de adivinarla y a medias, que es lo peor, más tarde o más temprano.

Y entonces, serena y tranquilamente, a media voz, me contó una historia que me sumergió en un lago de tristeza. Cómo Don Manuel le había venido trabajando, sobre todo en aquellos paseos a las ruinas de la vieja abadía cisterciense, para que no escandalizase, para que diese buen ejemplo, para que se incorporase a la vida religiosa del pueblo, para que fingiese creer si no creía, para que ocultase sus ideas al respecto, mas sin intentar siquiera catequizarle, convertirle de otra manera.

—¿Pero es eso posible?—exclamé, consternada.

—¡Y tan posible, hermana, y tan posible! Y cuando yo le decía: «¿Pero es usted, usted, el sacerdote, el que me aconseja que finja?», él, balbuciente: «¿Fingir?, ¡fingir no!, ¡eso no es fingir! Toma agua bendita, que dijo alguien, y acabarás creyendo». Y como yo, mirándole a los ojos, le dijese: «¿Y usted celebrando misa ha acabado por creer?», él bajó la mirada al lago y se le llenaron los ojos de lágrimas. Y así es cómo le arranqué su secreto.

—¡Lázaro!—gemí.

Y en aquel momento pasó por la calle Blasillo el bobo, clamando su: «¡Dios mío, Dios mío!, ¿por qué me has abandonado?» Y Lázaro se estremeció creyendo oír la voz de Don Manuel, acaso la de Nuestro Señor Jesucristo.

—Entonces—prosiguió mi hermano—, comprendí sus móviles y con esto comprendí su santidad; porque es un santo, hermana, todo un santo. No trataba al emprender ganarme para su santa causa—porque es una causa santa, santísima—, arrogarse un triunfo, sino que lo hacía por la paz, por la felicidad, por la ilusión si quieres, de los que le están encomendados; comprendí que si les engaña así—si es que esto es engaño— no es por medrar. Me rendí a sus razones, y he aquí mi conversión. Y no me olvidaré jamás del día en que diciéndole yo: «Pero, Don Manuel, la verdad, la verdad ante todo», él, temblando, me susurró al oído—y eso que estábamos solos en medio del campo—: «¿La verdad? La verdad, Lázaro, es acaso algo terrible, algo intolerable, algo mortal; la gente sencilla no podría vivir con ella.»—«¿Y por qué me la deja entrever ahora aquí, como en confesión?», le dije. Y él: «Porque si no, me atormentaría tanto, tanto, que acabaría gritándola en medio de la plaza, y eso jamás, jamás, jamás. Yo estoy para hacer vivir a las almas de mis feligreses, para hacerles felices, para hacerles que se sueñen inmortales y no para matarles. Lo que aquí hace falta es que vivan sanamente, que vivan en unanimidad de sentido, y con la verdad, con mi verdad, no vivirían. Que vivan. Y esto hace la Iglesia, hacerles vivir. ¿Religión verdadera? Todas las religiones son verdaderas en cuanto hacen vivir espiritualmente a los pueblos que las profesan, en cuanto les consuelan de haber tenido que nacer para morir, y para cada pueblo la religión más verdadera es la suya, la que le ha hecho. ¿Y la mía? La mía es consolarme en consolar a los demás, aunque el consuelo que les doy no sea el mío.» Jamás olvidaré estas sus palabras.

—¡Pero esa comunión tuya ha sido un sacrilegio!—me atreví a insinuar, arrepintiéndome al punto de haberlo insinuado.

—¿Sacrilegio? ¿Y el que me la dio? ¿Y sus misas?

—¡Qué martirio!—exclamé.

—Y ahora—añadió mi hermano—hay otro más para consolar al pueblo.

—¿Para engañarle?—dije.

—Para engañarle no—me replicó—, sino para corroborarle en su fe.

—Y él, el pueblo—dije—, ¿cree de veras?

—¡Qué sé yo . . .! Cree sin querer, por hábito, por tradición. Y lo que hace falta es no despertarle. Y que viva en su pobreza de sentimientos para que no adquiera torturas de lujo. ¡Bienaventurados los pobres de espíritu!

—Eso, hermano, lo has aprendido de Don Manuel. Y ahora, dime, ¿has cumplido aquello que le prometiste a nuestra madre cuando ella se nos iba a morir, aquello de que rezarías por ella?

—¡Pues no se lo había de cumplir! Pero, ¿por quién me has tomado, hermana? ¿Me crees capaz de faltar a mi palabra, a una promesa solemne, y a una promesa hecha, y en el lecho de muerte, a una madre?

—¡Qué sé yo . . .! Pudiste querer engañarla para que muriese consolada.

—Es que si yo no hubiese cumplido la promesa viviría sin consuelo.

—¿Entonces?

—Cumplí la promesa y no he dejado de rezar ni un solo día por ella.

—¿Sólo por ella?

—Pues, ¿por quién más?

—¡Por ti mismo! Y de ahora en adelante, por Don Manuel.

Nos separamos para irnos cada uno a su cuarto, yo a llorar toda la noche, a pedir por la conversión de mi hermano y de Don Manuel, y él, Lázaro, no sé bien a qué.

Después de aquel día temblaba yo de encontrarme a solas con Don Manuel, a quien seguía asistiendo en sus piadosos menesteres. Y él pareció percatarse de mi estado íntimo y adivinar su causa. Y cuando al fin me acerqué a él en el tribunal de la penitencia—¿quién era el juez y quién el reo?—, los dos, él y yo, doblamos en silencio la cabeza y nos pusimos a llorar. Y fué él, Don Manuel, quien rompió el tremendo silencio para decirme con voz que parecía salir de una huesa:

—Pero tú, Angelina, tú crees como a los diez años, ¿no es así? ¿Tú crees?

—Sí creo, padre.

—Pues sigue creyendo. Y si se te ocurren dudas, cállatelas a ti misma. Hay que vivir . . .

Me atreví, y toda temblorosa le dije:

—Pero usted, padre, ¿cree usted?

Vaciló un momento y reponiéndose me dijo:

—¡Creo!

—¿Pero en qué, padre, en qué? ¿Cree usted en la otra vida?, ¿cree usted que al morir no nos morimos del todo?, ¿cree que volveremos a vernos, a querernos en otro mundo venidero?, ¿cree en la otra vida?

El pobre santo sollozaba.

—¡Mira, hija, dejemos eso!

Y ahora, al escribir esta memoria, me digo: ¿Por qué no me engañó?, ¿por qué no me engañó entonces como engañaba a los demás? ¿Por qué se acongojó?, ¿porque no podía engañarse a sí mismo, o porque no podía engañarme? Y quiero creer que se acongojaba porque no podía engañarse para engañarme.

—Y ahora—añadió—, reza por mí, por tu hermano, por ti misma, por todos. Hay que vivir. Y hay que dar vida.

Y después de una pausa:

—¿Y por qué no te casas, Angelina?

—Ya sabe usted, padre mío, por qué.

—Pero no, no; tienes que casarte. Entre Lázaro y yo te buscaremos un novio. Porque a ti te conviene casarte para que se te curen esas preocupaciones.

—¿Preocupaciones, Don Manuel?

—Yo sé bien lo que me digo. Y no te acongojes demasiado por los demás, que harto tiene cada cual con tener que responder de sí mismo.

—¡Y que sea usted, Don Manuel, el que me diga eso!, ¡que sea usted el que me aconseje que me case para responder de mí y no acuitarme por los demás!, ¡que sea usted!

—Tienes razón, Angelina, no sé ya lo que me digo; no sé ya lo que me digo desde que estoy confesándome contigo. Y sí, sí, hay que vivir, hay que vivir.

Y cuando yo iba a levantarme para salir del templo, me dijo:

—Y ahora, Angelina, en nombre del pueblo, ¿me absuelves?

Me sentí como penetrada de un misterioso sacerdocio y le dije:

—En nombre de Dios Padre, Hijo y Espíritu
Santo, le absuelvo, padre.

Y salimos de la iglesia, y al salir se me
estremecían las entrañas maternales.

5   Mi hermano, puesto ya del todo al servicio de
la obra de Don Manuel, era su más asiduo
colaborador y compañero. Les anudaba, además,
el común secreto. Le acompañaba en sus visitas
a los enfermos, a las escuelas, y ponía su dinero
10   a disposición del santo varón. Y poco faltó para
que no aprendiera a ayudarle a misa. E iba
entrando cada vez más en el alma insondable de
Don Manuel.

—¡Qué hombre!—me decía—. Mira, ayer,
15   paseando a orillas del lago, me dijo: «He aquí
mi tentación mayor.» Y como yo le interrogase
con la mirada, añadió: «Mi pobre padre, que
murió de cerca de noventa años, se pasó la vida,
según me lo confesó él mismo, torturado por la
20   tentación del suicidio que le venía no recordaba
desde cuándo, *de nación*,[1] decía, y defendiéndose
de ella. Y esa defensa fué su vida. Para no
sucumbir a tal tentación extremaba los cuidados
por conservar la vida. Me contó escenas terribles.
25   Me parecía como una locura. Y yo la he heredado. ¡Y cómo me llama esa agua que con su
aparente quietud—la corriente va por dentro—
espeja al cielo! ¡Mi vida, Lázaro, es una especie
de suicidio continuo, un combate contra el
30   suicidio, que es igual; pero que vivan ellos,
que vivan los nuestros!» Y luego añadió: «Aquí
se remansa el río en lago, para luego, bajando
a la meseta, precipitarse en cascadas, saltos
y torrenteras por las hoces y encañadas, junto
35   a la ciudad, y así se remansa la vida, aquí, en la
aldea. Pero la tentación del suicidio es mayor
aquí, junto al remanso que espeja de noche las
estrellas, que no junto a las cascadas que dan
miedo. Mira, Lázaro, he asistido a bien morir a
40   pobres aldeanos, ignorantes, analfabetos que
apenas si habían salido de la aldea, y he podido
saber de sus labios, y cuando no adivinarlo,
la verdadera causa de su enfermedad de muerte,
y he podido mirar, allí, a la cabecera de su
45   lecho de muerte, toda la negrura de la sima del

[1] *de nacimiento.*

tedio de vivir. ¡Mil veces peor que el hambre!
Sigamos, pues, Lázaro, suicidándonos en nuestra obra y en nuestro pueblo, y que sueñe éste su
vida como el lago sueña el cielo.»

—Otra vez—me decía también mi hermano—,   50
cuando volvíamos acá, vimos a una zagala, una
cabrera, que enhiesta sobre un picacho de la
falda de la montaña, a la vista del lago, estaba
cantando con una voz más fresca que las aguas
de éste. Don Manuel me detuvo, y señalándo-   55
mela, dijo: «Mira, parece como si se hubiera
acabado el tiempo, como si esa zagala hubiese
estado ahí siempre, y como está, y cantando
como está, y como si hubiera de seguir estando
así siempre, como estuvo cuando no empezó mi   60
conciencia, como estará cuando se me acabe.
Esa zagala forma parte, con las rocas, las nubes,
los árboles, las aguas, de la naturaleza y no de la
historia.» ¡Cómo siente, cómo anima Don
Manuel a la naturaleza! Nunca olvidaré el día de   65
la nevada en que me dijo: «¿Has visto, Lázaro,
misterio mayor que el de la nieve cayendo en el
lago y muriendo en él mientras cubre con su
toca a la montaña?»

Don Manuel tenía que contener a mi hermano   70
en su celo y en su inexperiencia de neófito. Y
como supiese que éste andaba predicando contra
ciertas supersticiones populares, hubo de decirle:

—¡Déjalos! ¡Es tan difícil hacerles compren-   75
der dónde acaba la creencia ortodoxa y dónde
empieza la superstición! Y más para nosotros.
Déjalos, pues, mientras se consuelen. Vale más
que lo crean todo, aun cosas contradictorias
entre sí, a no que no crean nada. Eso de que el   80
que cree demasiado acaba por no creer nada, es
cosa de protestantes. No protestemos. La protesta mata el contento.

Una noche de plenilunio—me contaba tam-
bién mi hermano—volvían a la aldea por la orilla   85
del lago, a cuya sobrehaz rizaba entonces la brisa
montañesa y en el rizo cabrilleaban las razas de
la luna llena, y Don Manuel le dijo a Lázaro:

—¡Mira, el agua está rezando la letanía y
ahora dice: *ianua caeli, ora pro nobis*, puerta del   90
cielo, ruega por nosotros!

Y cayeron temblando de sus pestañas a la yerba del suelo dos huideras lágrimas en que también, como en rocío, se bañó temblorosa la lumbre de la luna llena.

E iba corriendo el tiempo y observábamos mi hermano y yo que las fuerzas de Don Manuel empezaban a decaer, que ya no lograba contener del todo la insondable tristeza que le consumía, que acaso una enfermedad traidora le iba minando el cuerpo y el alma. Y Lázaro, acaso para distraerle más, le propuso si no estaría bien que fundasen en la iglesia algo así como un sindicato católico agrario.

—¿Sindicato?—respondió tristemente Don Manuel—. ¿Sindicato? ¿Y qué es eso? Yo no conozco más sindicato que la Iglesia, y ya sabes aquello de «mi reino no es de este mundo».[1] Nuestro reino, Lázaro, no es de este mundo...

—¿Y del otro?

Don Manuel bajó la cabeza:

—El otro, Lázaro, está aquí también, porque hay dos reinos en este mundo. O mejor, el otro mundo... vamos, que no sé lo que me digo. Y en cuanto a eso del sindicato, es en ti un resabio de tu época de progresismo. No, Lázaro, no; la religión no es para resolver los conflictos económicos o políticos de este mundo que Dios entregó a las disputas de los hombres. Piensen los hombres y obren los hombres como pensaren y como obraren, que se consuelen de haber nacido, que vivan lo más contentos que puedan en la ilusión de que todo esto tiene una finalidad. Yo no he venido a someter los pobres a los ricos, ni a predicar a éstos que se sometan a aquéllos. Resignación y caridad en todos y para todos. Porque también el rico tiene que resignarse a su riqueza, y a la vida, y también el pobre tiene que tener caridad para con el rico. ¿Cuestión social? Deja eso, eso no nos concierne. Que traen una nueva sociedad, en que no haya ya ricos ni pobres, en que esté justamente repartida la riqueza, en que todo sea de todos, ¿y qué? ¿Y no crees que del bienestar general surgirá más fuerte el tedio a la vida? Sí, ya sé que uno de esos caudillos de la que llaman la revolución so-

cial ha dicho que la religión es el opio del pueblo. Opio... Opio... Opio, sí. Démosle opio, y que duerma y que sueñe. Yo mismo con esta mi loca actividad me estoy administrando opio. Y no logro dormir bien y menos soñar bien... ¡Esta terrible pesadilla! Y yo también puedo decir con el Divino Maestro: «Mi alma está triste hasta la muerte.» No, Lázaro, no; nada de sindicatos por nuestra parte. Si lo forman ellos me parecerá bien, pues que así se distraen. Que jueguen al sindicato, si eso les contenta.

El pueblo todo observó que a Don Manuel le menguaban las fuerzas, que se fatigaba. Su voz misma, aquella voz que era un milagro, adquirió un cierto temblor íntimo. Se le asomaban las lágrimas con cualquier motivo. Y sobre todo cuando hablaba al pueblo del otro mundo, de la otra vida, tenía que detenerse a ratos cerrando los ojos. «Es que lo está viendo», decían. Y en aquellos momentos era Blasillo el bobo el que con más cuajo lloraba.[2] Porque ya Blasillo lloraba más que reía, y hasta sus risas sonaban a lloros.

Al llegar la última Semana de Pasión que con nosotros, en nuestro mundo, en nuestra aldea celebró Don Manuel, el pueblo todo presintió el fin de la tragedia. ¡Y cómo sonó entonces aquel: «Dios mío, Dios mío, ¿por qué me has abandonado?», el último que en público sollozó Don Manuel! Y cuando dijo lo del Divino Maestro al buen bandolero—«todos los bandoleros son buenos», solía decir nuestro Don Manuel—, aquello de: «mañana estarás conmigo en el paraíso». ¡Y la última comunión general que repartió nuestro santo! Cuando llegó a dársela a mi hermano, esta vez con mano segura, después del litúrgico: «... *in vitam aeternam*»[3] se le inclinó al oído y le dijo: «No hay más vida eterna que ésta... que la sueñen eterna... eterna de unos pocos años...» Y cuando me la dió a mí me dijo: «Reza, hija mía, reza por nosotros.» Y luego, algo tan extraordinario que lo llevo en el corazón como el más grande misterio, y fué que me dijo con voz que

[1] "*mi ... mundo*" words spoken by Christ (*John* 18 : 36).

[2] *con ... lloraba* sobbed most uncontrollably.

[3] (*Lat.*) "in eternal life".

parecía de otro mundo: «. . . y reza también por Nuestro Señor Jesucristo . . .»

Me levanté sin fuerzas y como sonámbula. Y todo en torno me pareció un sueño. Y pensé: «Habré de rezar también por el lago y por la montaña.» Y luego: «¿Es que estaré endemoniada?» Y en casa ya, cojí el crucifijo con el cual en las manos había entregado a Dios su alma mi madre, y mirándolo a través de mis lágrimas y recordando el: «¡Dios mío, Dios mío!, ¿por qué me has abandonado?» de nuestros dos Cristos, el de esta tierra y el de esta aldea, recé: «hágase tu voluntad así en la tierra como en el cielo», primero, y después: «y no nos dejes caer en la tentación, amén». Luego me volví a aquella imagen de la Dolorosa, con su corazón traspasado por siete espadas, que había sido el más doloroso consuelo de mi pobre madre, y recé: «Santa María, madre de Dios, ruega por nosotros, pecadores, ahora y en la hora de nuestra muerte, amén.» Y apenas lo había rezado cuando me dije: «¿pecadores?, ¿nosotros pecadores?, ¿y cuál es nuestro pecado, cuál?» Y anduve todo el día acongojada por esta pregunta.

Al día siguiente acudí a Don Manuel, que iba adquiriendo una solemnidad de religioso ocaso, y le dije:

—¿Recuerda, padre mío, cuando hace ya años, al dirigirle yo una pregunta me contestó: «Eso no me lo preguntéis a mí, que soy ignorante; doctores tiene la Santa Madre Iglesia que os sabrán responder»?

—¡Que si me acuerdo! . . . y me acuerdo que te dije que ésas eran preguntas que te dictaba el Demonio.

—Pues bien, padre, hoy vuelvo yo, la endemoniada, a dirigirle otra pregunta que me dicta mi demonio de la guarda.

—Pregunta.

—Ayer, al darme de comulgar, me pidió que rezara por todos nosotros y hasta por . . .

—Bien, cállalo y sigue.

—Llegué a casa y me puse a rezar, y al llegar a aquello de «ruega por nosotros pecadores, ahora y en la hora de nuestra muerte», una voz íntima me dijo: «¿pecadores?, ¿pecadores nosotros?, ¿y cuál es nuestro pecado?» ¿Cuál es nuestro pecado, padre?

—¿Cuál?—me respondió—. Ya lo dijo un gran doctor de la Iglesia Católica Apostólica Española, ya lo dijo el gran doctor de *La vida es sueño*,[1] ya dijo que «el delito mayor del hombre es haber nacido».[2] Ése es, hija, nuestro pecado: el de haber nacido.

—¿Y se cura, padre?

—¡Vete y vuelve a rezar! Vuelve a rezar por nosotros, pecadores, ahora y en la hora de nuestra muerte . . . Sí, al fin se cura el sueño . . . al fin se cura la vida . . . al fin se acaba la cruz del nacimiento . . . Y como dijo Calderón, el hacer bien, y el engañar bien, ni aun en sueños se pierde . . .

Y la hora de su muerte llegó por fin. Todo el pueblo la veía llegar. Y fué su más grande lección. No quiso morirse ni solo ni ocioso. Se murió predicando al pueblo, en el templo. Primero, antes de mandar que le llevasen a él, pues no podía ya moverse por la perlesía, nos llamó a su casa a Lázaro y a mí. Y allí, los tres a solas, nos dijo:

—Oíd: cuidad de estas pobres ovejas, que se consuelen de vivir, que crean lo que yo no he podido creer. Y tú, Lázaro, cuando hayas de morir, muere como yo, como morirá nuestra Ángela, en el seno de la Santa Madre Católica Apostólica Romana, de la Santa Madre Iglesia de Valverde de Lucerna, bien entendido. Y hasta nunca más ver, pues se acaba este sueño de la vida . . .

—¡Padre, padre!—gemí yo.

—No te aflijas, Ángela, y sigue rezando por todos los pecadores, por todos los nacidos. Y que sueñen, que sueñen. ¡Qué ganas tengo de dormir, dormir sin fin, dormir por toda una eternidad y sin soñar!, ¡olvidando el sueño! Cuando me entierren, que sea en una caja hecha con aquellas seis tablas que tallé del viejo nogal, ¡pobrecito!, a cuya sombra jugué de niño, cuando empezaba a soñar . . . ¡Y entonces sí que creía en la vida perdurable! Es decir, me figuro ahora que creía entonces. Para un niño creer no es más que soñar. Y para un pueblo. Esas seis

---

[1] Famous play by Calderón.
[2] Words spoken by Segismundo, protagonist of *La vida es sueño*.

tablas que tallé con mis propias manos, las encontraréis al pie de mi cama.

Le dió un ahogo[1] y, repuesto de él, prosiguió:

—Recordaréis que cuando rezábamos todos en uno, en unanimidad de sentido, hechos pueblo, el Credo, al llegar al final yo me callaba. Cuando los israelitas iban llegando al fin de su peregrinación por el desierto, el Señor les dijo a Aarón y a Moisés que por no haberle creído no meterían a su pueblo en la tierra prometida, y les hizo subir al monte de Hor, donde Moisés hizo desnudar a Aarón, que allí murió, y luego subió Moisés desde las llanuras de Moab al monte Nebo, a la cumbre del Fasga, enfrente de Jericó, y el Señor le mostró toda la tierra prometida a su pueblo, pero diciéndole a él: «¡No pasarás allá!» y allí murió Moisés y nadie supo su sepultura. Y dejó por caudillo a Josué. Sé, tú, Lázaro, mi Josué, y si puedes detener al sol, detenle y no te importe del progreso. Como Moisés, he conocido al Señor, nuestro supremo ensueño, cara a cara, y ya sabes que dice la Escritura que el que le ve la cara a Dios, que el que le ve al sueño los ojos de la cara con que nos mira, se muere sin remedio y para siempre. Que no le vea, pues, la cara a Dios este nuestro pueblo mientras viva, que después de muerto ya no hay cuidado, pues no verá nada . . .

—¡Padre, padre, padre!—volví a gemir.

Y él:

—Tú, Ángela, reza siempre, sigue rezando para que los pecadores todos sueñen hasta morir la resurrección de la carne y la vida perdurable . . .

Yo esperaba un «¿y quién sabe . . . ?», cuando le dió otro ahogo a Don Manuel.

—Y ahora—añadió—, ahora, en la hora de mi muerte, es hora de que hagáis que se me lleve, en este mismo sillón, a la iglesia, para despedirme allí de mi pueblo, que me espera.

Se le llevó a la iglesia y se le puso, en el sillón, en el presbiterio, al pie del altar. Tenía entre sus manos un crucifijo. Mi hermano y yo nos pusimos junto a él, pero fué Blasillo el bobo quien más se arrimó. Quería cojer de la mano a Don Manuel, besársela. Y como algunos trataran de impedírselo, Don Manuel les reprendió diciéndoles:

—Dejadle que se me acerque. Ven, Blasillo, dame la mano.

El bobo lloraba de alegría. Y luego Don Manuel dijo:

—Muy pocas palabras, hijos míos, pues apenas me siento con fuerzas sino para morir. Y nada nuevo tengo que deciros. Ya os lo dije todo. Vivid en paz y contentos y esperando que todos nos veamos un día, en la Valverde de Lucerna que hay allí, entre las estrellas de la noche que se reflejan en el lago, sobre la montaña. Y rezad, rezad a María Santísima, rezad a Nuestro Señor. Sed buenos, que esto basta. Perdonadme el mal que haya podido haceros sin quererlo y sin saberlo. Y ahora, después de que os dé mi bendición, rezad todos a una[2] el Padrenuestro, el Ave María, la Salve, y por último el Credo.

Luego, con el crucifijo que tenía en la mano dió la bendición al pueblo, llorando las mujeres y los niños y no pocos hombres, y en seguida empezaron las oraciones, que Don Manuel oía en silencio y cogido de la mano por Blasillo, que al son del ruego se iba durmiendo. Primero el Padrenuestro con su «hágase tu voluntad así en la tierra como en el cielo», luego el Santa María con su «ruega por nosotros, pecadores, ahora y en la hora de nuestra muerte», a seguida la Salve con su «gimiendo y llorando en este valle de lágrimas», y por último el Credo. Y al llegar a la «resurrección de la carne y la vida perdurable», todo el pueblo sintió que su santo había entregado su alma a Dios. Y no hubo que cerrarle los ojos, porque se murió con ellos cerrados. Y al ir a despertar a Blasillo nos encontramos con que se había dormido en el Señor para siempre. Así que hubo luego que enterrar dos cuerpos.

El pueblo todo se fué en seguida a la casa del santo a recoger reliquias, a repartirse retazos de sus vestiduras, a llevarse lo que pudieran como reliquia y recuerdo del bendito mártir. Mi hermano guardó su breviario, entre cuyas hojas encontró, desecada y como en un herbario, una clavellina pegada a un papel y en éste una cruz con una fecha.

---

[1] *Le dió un ahogo* He had a choking spell.

[2] *todos a una* together.

Nadie en el pueblo quiso creer en la muerte de Don Manuel; todos esperaban verle a diario, y acaso le veían, pasar a lo largo del lago y espejado en él o teniendo por fondo la montaña; todos seguían oyendo su voz, y todos acudían a su sepultura, en torno a la cual surgió todo un culto. Las endemoniadas venían ahora a tocar la cruz de nogal, hecha también por sus manos y sacada del mismo árbol de donde sacó las seis tablas en que fué enterrado. Y los que menos queríamos creer que se hubiese muerto éramos mi hermano y yo.

Él, Lázaro, continuaba la tradición del santo y empezó a redactar lo que le había oído, notas de que me he servido para esta mi memoria.

—Él me hizo un hombre nuevo, un verdadero Lázaro, un resucitado—me decía—. Él me dió fe.

—¿Fe?—le interrumpía yo.

—Sí, fe, fe en el consuelo de la vida, fe en el contento de la vida. Él me curó de mi progresismo. Porque hay, Ángela, dos clases de hombres peligrosos y nocivos: los que convencidos de la vida de ultratumba, de la resurrección de la carne, atormentan, como inquisidores que son, a los demás para que, despreciando esta vida como transitoria, se ganen la otra, y los que no creyendo más que en este . . .

—Como acaso tú . . . —le decía yo.

—Y sí, y como Don Manuel. Pero no creyendo más que en este mundo esperan no sé qué sociedad futura, y se esfuerzan en negarle al pueblo el consuelo de creer en otro . . .

—De modo que . . .

—De modo que hay que hacer que vivan de la ilusión.

El pobre cura que llegó a sustituir a Don Manuel en el curato entró en Valverde de Lucerna abrumado por el recuerdo del santo y se entregó a mi hermano y a mí para que le guiásemos. No quería sino seguir las huellas del santo. Y mi hermano le decía: «Poca teología, ¿eh?, poca teología; religión, religión.» Y yo al oírselo me sonreía pensando si es que no era también teología lo nuestro.

Yo empecé entonces a temer por mi pobre hermano. Desde que se nos murió Don Manuel no cabía decir que viviese. Visitaba a diario su tumba y se pasaba horas muertas contemplando el lago. Sentía morriña de la paz verdadera.

—No mires tanto al lago—le decía yo.

—No, hermana, no temas. Es otro el lago que me llama; es otra la montaña. No puedo vivir sin él.

—¿Y el contento de vivir, Lázaro, el contento de vivir?

—Eso para otros pecadores, no para nosotros, que le hemos visto la cara a Dios, a quienes nos ha mirado con sus ojos el sueño de la vida.

—¿Qué, te preparas a ir a ver a Don Manuel?

—No, hermana, no; ahora y aquí en casa, entre nosotros solos, toda la verdad por amarga que sea, amarga como el mar a que van a parar las aguas de este dulce lago, toda la verdad para ti, que estás abroquelada contra ella . . .

—¡No, no, Lázaro; ésa no es la verdad!

—La mía, sí.

—La tuya, ¿pero y la de . . . ?

—También la de él.

—¡Ahora, no, Lázaro; ahora no! Ahora cree otra cosa, ahora cree . . .

—Mira, Ángela, una de las veces en que al decirme Don Manuel que hay cosas que aunque se las diga uno a sí mismo debe callárselas a los demás, le repliqué que me decía eso por decírselas a él, esas mismas, a sí mismo, y acabó confesándome que creía que más de uno de los más grandes santos, acaso el mayor, había muerto sin creer en la otra vida.

—¿Es posible?

—¡Y tan posible! Y ahora, hermana, cuida que no sospechen siquiera aquí, en el pueblo, nuestro secreto . . .

—¿Sospecharlo?—le dije—. Si intentase, por locura, explicárselo, no lo entenderían. El pueblo no entiende de palabras; el pueblo no ha entendido más que vuestras obras. Querer exponerles eso sería como leer a unos niños de ocho años unas páginas de Santo Tomás de Aquino[1] . . . en latín.

---

[1] Famous medieval Italian philosopher and scholar (1225?–1274?).

—Bueno, pues cuando yo me vaya, reza por mí y por él y por todos.

Y por fin le llegó también su hora. Una enfermedad que iba minando su robusta naturaleza pareció exacerbársele con la muerte de Don Manuel.

—No siento tanto tener que morir—me decía en sus últimos días—, como que conmigo se muere otro pedazo del alma de Don Manuel. Pero lo demás de él vivirá contigo. Hasta que un día hasta los muertos nos moriremos del todo.

Cuando se hallaba agonizando entraron, como se acostumbra en nuestras aldeas, los del pueblo a verle agonizar, y encomendaban su alma a Don Manuel, a San Manuel Bueno, el mártir. Mi hermano no les dijo nada, no tenía ya nada que decirles; les dejaba dicho todo, todo lo que queda dicho. Era otra laña más entre las dos Valverdes de Lucerna, la del fondo del lago y la que en su sobrehaz se mira; era ya uno de nuestros muertos de vida, uno también, a su modo, de nuestros santos.

Quedé más que desolada, pero en mi pueblo y con mi pueblo. Y ahora, al haber perdido a mi San Manuel, al padre de mi alma, y a mi Lázaro, mi hermano aun más que carnal, espiritual, ahora es cuando me doy cuenta de que he envejecido y de cómo he envejecido. Pero ¿es que los he perdido?, ¿es que he envejecido?, ¿es que me acerco a mi muerte?

¡Hay que vivir! Y él me enseñó a vivir, él nos enseñó a vivir, a sentir la vida, a sentir el sentido de la vida, a sumergirnos en el alma de la montaña, en el alma del lago, en el alma del pueblo de la aldea, a perdernos en ellas para quedar en ellas. Él me enseñó con su vida a perderme en la vida del pueblo de mi aldea, y no sentía yo más pasar las horas, y los días y los años, que no sentía pasar el agua del lago. Me parecía como si mi vida hubiese de ser siempre igual. No me sentía envejecer. No vivía yo ya en mí, sino que vivía en mi pueblo y mi pueblo vivía en mí. Yo quería decir lo que ellos, los míos, decían sin querer. Salía a la calle, que era la carretera, y como conocía a todos, vivía en ellos y me olvidaba de mí, mientras que en Madrid, donde estuve alguna vez con mi hermano, como a nadie conocía, sentíame en terrible soledad y torturada por tantos desconocidos.

Y ahora, al escribir esta memoria, esta confesión íntima de mi experiencia de la santidad ajena, creo que Don Manuel Bueno, que mi San Manuel y que mi hermano Lázaro se murieron creyendo no creer lo que más nos interesa, pero sin creer creerlo, creyéndolo en una desolación activa y resignada.

Pero ¿por qué—me he preguntado muchas veces—no trató Don Manuel de convertir a mi hermano también con un engaño, con una mentira, fingiéndose creyente sin serlo? Y he comprendido que fué porque comprendió que no le engañaría, que para con él no le serviría el engaño, que sólo con la verdad, con su verdad, le convertiría; que no habría conseguido nada si hubiese pretendido representar para con él una comedia—tragedia más bien—, la que representaba para salvar al pueblo. Y así le ganó, en efecto, para su piadoso fraude; así le ganó con la verdad de muerte a la razón de vida. Y así me ganó a mí, que nunca dejé trasparentar a los otros su divino, su santísimo juego. Y es que creía y creo que Dios nuestro Señor, por no sé qué sagrados y no escudriñaderos designios, les hizo creerse incrédulos. Y que acaso en el acabamiento de su tránsito se les cayó la venda. ¿Y yo, creo?

Y al escribir esto ahora, aquí, en mi vieja casa materna, a mis más que cincuenta años, cuando empiezan a blanquear con mi cabeza mis recuerdos, está nevando, nevando sobre el lago, nevando sobre la montaña, nevando sobre las memorias de mi padre, el forastero; de mi madre, de mi hermano Lázaro, de mi pueblo, de mi San Manuel, y también sobre la memoria del pobre Blasillo, de mi San Blasillo, y que él me ampare desde el cielo. Y esta nieve borra esquinas y borra sombras, pues hasta de noche la nieve alumbra. Y yo no sé lo que es verdad y lo que es mentira, ni lo que vi y lo que sólo soñé —o mejor lo que soñé y lo que sólo vi—, ni lo que supe ni lo que creí. No sé si estoy traspasando a este papel, tan blanco como la nieve, mi conciencia que en él se ha de quedar, quedándome yo sin ella. ¿Para qué tenerla ya . . . ?

¿Es que sé algo ?, ¿es que creo algo ? ¿Es que esto que estoy aquí contando ha pasado y ha pasado tal y como lo cuento ? ¿Es que pueden pasar estas cosas ? ¿Es que todo esto es más que un sueño soñado dentro de otro sueño ? ¿Seré yo, Ángela Carballino, hoy cincuentona, la única persona que en esta aldea se ve acometida de estos pensamientos extraños para los demás ? ¿Y éstos, los otros, los que me rodean, creen ? ¿Qué es eso de creer ? Por lo menos, viven. Y ahora creen en San Manuel Bueno, mártir, que sin esperar inmortalidad les mantuvo en la esperanza de ella.

Parece que el ilustrísimo señor obispo, el que ha promovido el proceso de beatificación de nuestro santo de Valverde de Lucerna, se propone escribir su vida, una especie de manual del perfecto párroco, y recoge para ello toda clase de noticias. A mí me las ha pedido con insistencia, ha tenido entrevistas conmigo, le he dado toda clase de datos, pero me he callado siempre el secreto trágico de Don Manuel y de mi hermano. Y es curioso que él no lo haya sospechado. Y confío en que no llegue a su conocimiento todo lo que en esta memoria dejo consignado. Les temo a las autoridades de la tierra, a las autoridades temporales, aunque sean las de la Iglesia.

Pero aquí queda esto, y sea de su suerte lo que fuere.

¿Cómo vino a parar a mis manos este documento, esta memoria de Ángela Carballino ? He aquí algo, lector, algo que debo guardar en secreto. Te la doy tal y como a mí ha llegado, sin más que corregir pocas, muy pocas particularidades de redacción. ¿Que se parece mucho a otras cosas que yo he escrito ? Esto nada prueba contra su objetividad, su originalidad. ¿Y sé yo, además, si no he creado fuera de mí seres reales y efectivos, de *alma inmortalidad* ? ¿Sé yo si aquel Augusto Pérez,[1] el de mi novela *Niebla*, no tenía razón al pretender ser más real, más objetivo que yo mismo, que creía haberle inventado ? De la realidad de este San Manuel Bueno, mártir, tal como me le ha revelado su discípula e hija espiritual Ángela Carballino, de esta realidad no se me ocurre dudar. Creo en ella más que creía el mismo santo ; creo en ella más que creo en mi propia realidad.

Y ahora, antes de cerrar este epílogo, quiero recordarte, lector paciente, el versillo noveno de la Epístola del olvidado apóstol San Judas—¡lo que hace un nombre!—, donde se nos dice cómo mi celestial patrono, San Miguel Arcángel —Miguel quiere decir «¿Quién como Dios ?», y arcángel, archimensajero—, disputó con el Diablo—Diablo quiere decir acusador, fiscal— por el cuerpo de Moisés y no toleró que se lo llevase en juicio de maldición, sino que le dijo al Diablo : «El Señor te reprenda.» Y el que quiera entender que entienda.

Quiero también, ya que Ángela Carballino mezcló a su relato sus propios sentimientos, ni sé que otra cosa quepa, comentar yo aquí lo que ella dejó dicho de que si Don Manuel y su discípulo Lázaro hubiesen confesado al pueblo su estado de creencia, éste, el pueblo, no les habría entendido. Ni les habría creído, añado yo. Habrían creído a sus obras y no a sus palabras, porque las palabras no sirven para apoyar las obras, sino que las obras se bastan. Y para un pueblo como el de Valverde de Lucerna no hay más confesión que la conducta. Ni sabe el pueblo qué cosa es fe, ni acaso le importa mucho.

Bien sé que en lo que se cuenta en este relato, si se quiere novelesco—y la novela es la más íntima historia, la más verdadera, por lo que no me explico que haya quien se indigne de que se llame novela al Evangelio, lo que es elevarle, en realidad, sobre un cronicón cualquiera—, bien sé que en lo que se cuenta en este relato no pasa nada ; mas espero que sea porque en ello todo se queda, como se quedan los lagos y las montañas y las santas almas sencillas asentadas más allá de la fe y de la desesperación, que en ellos, en los lagos y las montañas, fuera de la historia, en divina novela, se cobijaron.

---

[1] *Augusto Pérez* character in Unamuno's novel *Niebla* (1914).

Salamanca, noviembre de 1930

RAMÓN DEL VALLE-INCLÁN

1866–1936

Novelador fabuloso, comenzó por novelar su vida (por hacer de la vida una novela), y creerse según se había inventado. Alteró su nombre, y hasta el lugar y circunstancias de su nacimiento, para acomodarlos a la fantástica imagen razonablemente forjada por la imaginación. La máscara se convirtió en rostro y don Ramón, gallego de origen, madrileño por residencia, se ofreció en espectáculo a la papanatería cortesana durante casi medio siglo. Anécdotas y frases, a menudo apócrifas, dieron forma a su leyenda.

Comenzó en la Universidad de Santiago la carrera de Leyes, pero al morir su padre, en 1890, abandonó los estudios y marchó a Madrid, donde escribió artículos y cuentos para el diario liberal El Globo y otras publicaciones. En abril de 1892 viajó a Méjico, y allí permaneció algo menos de un año. Méjico le dió, entre otras cosas, un sentido ecuménico del lenguaje, incitándole a ampliar los horizontes del español.

Escribió cuentos, novelas cortas, novelas, poesía y teatro. En sus obras de la primera época se han señalado influencias de escritores extranjeros entonces en boga; no faltaron quienes le acusaran de plagiario por la libertad con que dispuso del bien ajeno. Pero, aun en tales casos, lo importante es cómo supo asimilar esos materiales que incorporados y vividos se integraron en creaciones personalísimas. El Marqués de Bradomín, protagonista de los cuatro volúmenes de Sonatas *(1902–1905), es «un don Juan feo, católico y sentimental», más decadente que apasionado, más conversador que activo. La trilogía narrativa titulada* Los cruzados de la causa *(1908–1909) trata de la guerra carlista, y en ella aparece el legendario personaje don Juan Manuel de Montenegro, protagonista de las tres novelas dialogadas tituladas* Águila de blasón *(1907),* Romance de lobos *(1908) y* Cara de plata *(1922): su autor las llamó «comedias bárbaras», y bárbara grandeza tienen el drama, los actores y el escenario. Galicia, con su misterio, rudeza y poesía, aparece recreada en la imaginación como un país de leyenda; la acción intensa y alucinante está expuesta con vigor y sencillez de epopeya.*

En Romance de lobos, *última parte de la trilogía (pero escrita antes que la primera) culmina la tragedia, bárbara por la crueldad de los personajes, lo primitivo del ambiente y la fiereza de la anécdota, tejida en torno al cadáver de una madre por sus cinco hijos-lobos y constituida por la codiciosa disputa entre ellos y el padre, pugnantes todos por repartirse los despojos de la difunta.*

Del realismo apasionado y violento de esta época pasó Valle-Inclán al super-realismo sarcástico y cruel del «esperpento», visión deformante del mundo a través de la cual el héroe pierde grandeza y aparece como

caricatura, como anti-héroe. Farsa y licencia de la Reina castiza (*1922*),
Los cuernos de don Friolera (*1925*) y El terno del difunto (*1926*) *son*
estilizaciones burlescas de una realidad estúpida y sórdida. El hombre
esperpéntico es por esencia grotesco, como lo son las situaciones en que
participa. El amor y la muerte, temas inagotables de la poesía en prosa
y verso, muestran aquí su envés carnavalesco. El esperpento es una farsa
entre marionetas, juego entre títeres que desempeñan su papel sin darse
cuenta de quien los mueve.

Tirano Banderas (*1926*), *primera novela esperpéntica, pone en la picota,*
con el tirano, a sus adversarios. El estilo dinámico y seco es adecuado para
presentar una situación cuyo anecdotario permite localizarla en cualquier
parte, pues en todas son los hombres según Valle-Inclán los vió: cobardes,
abyectos y falsos. Las novelas siguientes: La corte de los milagros (*1927*)
y ¡Viva mi dueño! (*1928*), *son la crónica de un alucinante período de la*
historia española: el reinado de Isabel II, con su corte de aristócratas
ridículos, generalitos guapetones, estrafalarios fantoches, religiosos milagreros
y mangantes de diversa laya.

Romance de lobos (1908)

JORNADA PRIMERA

ESCENA PRIMERA

Un camino. A lo lejos, el verde y oloroso cementerio de
una aldea. Es de noche, y la luna naciente brilla entre
5 *los cipreses.* DON JUAN MANUEL MONTENEGRO, *que*
vuelve borracho de la feria, cruza por el camino, jinete
en un potro que se muestra inquieto y no acostumbrado
a la silla. El hidalgo, que se tambalea de borrén a
borrén, le gobierna sin cordura, y tan pronto le castiga
10 *con la espuela como le recoge las riendas. Cuando el*
caballo se encabrita luce una gran destreza y reniega
como un condenado.

EL CABALLERO. ¡Maldecido animal!...¡Tiene
todos los demonios en el cuerpo!...¡Un rayo
15 me parta y me confunda!
UNA VOZ. ¡No maldigas, pecador!
OTRA VOZ. ¡Tu alma es negra como un tizón del
infierno, pecador!
OTRA VOZ. ¡Piensa en la hora de la muerte, peca-
20 dor!
OTRA VOZ. ¡Siete diablos hierven aceite en una
gran caldera para achicharrar tu cuerpo mortal, pecador!

EL CABALLERO. ¿Quién me habla? ¿Sois voces
del otro mundo? ¿Sois almas en pena, o sois 25
hijos de puta?

Retiembla un gran trueno en el aire y el potro se
encabrita, con amenaza de desarzonar al jinete.
Entre los maizales brillan las luces de la Santa
Compaña.[1] EL CABALLERO *siente erizarse los cabe-* 30
llos en su frente y disipados los vapores del mosto.
Se oyen gemidos de agonía y herrumbroso son de
cadenas que arrastran en la noche oscura las áni-
mas en pena que vienen al mundo para cumplir
penitencia. La blanca procesión pasa como una 35
niebla sobre los maizales.

UNA VOZ. ¡Sigue con nosotros, pecador!
OTRA VOZ. ¡Toma un cirio encendido, pecador!
OTRA VOZ. ¡Alumbra el camino del camposanto,
pecador!   40

EL CABALLERO *siente el escalofrío de la muerte*
viendo en su mano oscilar la llama de un cirio. La
procesión de las ánimas le rodea, y un aire frío,

[1] Group of dead spirits.

aliento de sepultura, le arrastra en el giro de los blancos fantasmas que marchan al son de cadenas y salmodian en latín.

UNA VOZ. ¡Reza con los muertos por los que van a morir! ¡Reza, pecador!

OTRA VOZ. ¡Sigue con las ánimas hasta que cante el gallo negro![1]

OTRA VOZ. ¡Eres nuestro hermano, y todos somos hijos de Satanás!

OTRA VOZ. ¡El pecado es sangre y hace hermanos a los hombres como la sangre de los padres!

OTRA VOZ. ¡A todos nos dió la leche de sus tetas peludas la Madre Diablesa!

MUCHAS VOCES. . . . ¡La madre coja, coja y bisoja, que rompe los pucheros! ¡La madre morueca, que hila en su rueca los cordones de los frailes putañeros y la cuerda del ajusticiado que nació de un bandullo embrujado! ¡La madre bisoja, bisoja corneja, que se espioja con los dientes de una vieja! ¡La madre tiñosa, tiñosa raposa, que se mea en la hoguera y guarda el cuerno del carnero en la faltriquera, y del cuerno hizo un alfiletero! ¡Madre bruja, que con la aguja que lleva en el cuerno, cose los virgos en el infierno y los calzones de los maridos cabrones![2]

EL CABALLERO *siente que una ráfaga le arrebata de la silla y ve desaparecer a su caballo en una carrera infernal. Mira temblar la luz del cirio sobre su puño cerrado, y advierte con espanto que sólo oprime un hueso de muerto. Cierra los ojos y la tierra le falta bajo el pie y se siente llevado por los aires. Cuando de nuevo se atreve a mirar, la procesión se detiene a la orilla de un río, donde las brujas departen sentadas en rueda. Por la otra orilla va un entierro. Canta un gallo.*

LAS BRUJAS. ¡Cantó el gallo blanco, pico al canto![3]

Los fantasmas han desaparecido en una niebla, las brujas comienzan a levantar un puente y parecen murciélagos revoloteando sobre el río, ancho como un mar. En la orilla opuesta está detenido el entierro. Canta otro gallo.

LAS BRUJAS. ¡Canta el gallo pinto, ande el pico![4]

A través de una humareda espesa los arcos del puente comienzan a surgir en la noche. Las aguas, negras y siniestras, espuman bajo ellos con el hervor de las calderas del infierno. Ya sólo falta colocar una piedra y las brujas se apresuran porque se acerca el día. Inmóvil, en la orilla opuesta, el entierro espera el puente para pasar. Canta otro gallo.

LAS BRUJAS. ¡Canta el gallo negro, pico quedo![5]

El corro de las brujas deja caer en el fondo de la corriente la piedra que todas en un remolino llevaban por el aire, y huyen convertidas en murciélagos. El entierro se vuelve hacia la aldea y desaparece en una niebla. EL CABALLERO, *como si despertase de un sueño, se halla tendido en medio de la vereda. La luna ha trasmontado los cipreses del cementerio y los nimba de oro. El caballo pace la yerba lozana y olorosa que crece en el rocío de la tapia.* EL CABALLERO *vuelve a montar y emprende el camino de su casa.*

ESCENA II

DON JUAN MANUEL MONTENEGRO *llama con grandes voces ante el portón de su casa. Ladran los perros atados en el huerto, bajo la parra. Una ventana se abre en lo alto de la torre, sobre la cabeza del hidalgo, y asoma la figura grotesca de una vieja en camisa con un candil en la mano.*

EL CABALLERO. Apaga esa luz . . .

LA ROJA. Agora[6] bajo a franquealle[7] la puerta.

EL CABALLERO. Apaga esa luz . . .

EL CABALLERO *se ha cubierto los ojos con la mano, y de esta suerte espera a que la vieja se retire de la ventana. El caballo piafa ante el portón, y* DON

---

[1] *gallo negro* = *gallo del demonio.*

[2] *¡La madre coja . . . cabrones!* This whole passage is a conjuration of condemned, evil spirits, employing strong, coarse language. This diabolic chorus of voices presses in on Don Juan Manuel, making him feel the imminence of his own condemnation, caught in an infernal bewitchment.

[3] *pico al canto* when it was his time to.

[4] *ande el pico* now it's his turn. The different colored cocks (black, white, speckled) announce the battle between the forces of darkness and light.

[5] *pico quedo* that is usually silent.

[6] *agora* = *ahora.*

[7] *franquealle* = *franquearle.*

JUAN MANUEL *no descabalga hasta que siente rechinar el cerrojo. La vieja criada aparece con el candil.*

EL CABALLERO. ¡Sopla esa luz, grandísima bruja!
5 LA ROJA. ¡Ave María! ¡Qué fieros! ¡Ni que le hubiera salido un lobo al camino![1]
EL CABALLERO. ¡He visto La Hueste!
LA ROJA. ¡Brujas, fuera! ¡Arreniégote,[2] Demonio!

10 *Sopla la vieja el candil y se santigua medrosa. Cierra el portón y corre a tientas por juntarse con su amo, que ya comienza a subir la escalera.*

EL CABALLERO. Después de haber visto las luces de la muerte no quiero ver otras luces, si debo
15 ser de Ella . . .
LA ROJA. Hace como cristiano.
EL CABALLERO. Y si he de vivir quiero estar ciego hasta que nazca la luz del sol.
LA ROJA. ¡Amén!
20 EL CABALLERO. Mi corazón me anuncia algo, y no sé lo que me anuncia . . . Siento que un murciélago revolotea sobre mi cabeza y el eco de mis pasos, en esta escalera oscura, me infunde miedo, Roja.
25 LA ROJA. ¡Arreniégote, Demonio! ¡Arreniégote, Demonio!

Al oír un largo relincho acompañado de golpes en el portón, DON JUAN MANUEL *se detiene en lo alto de la escalera.*

30 EL CABALLERO. ¿Has oído, Roja?
LA ROJA. Sí, mi amo.
EL CABALLERO. ¿Qué rayos será?[3]
LA ROJA. No jure, mi amo.
EL CABALLERO. ¡El demonio me lleve! . . . ¡Se ha
35 quedado la bestia fuera!
LA ROJA. ¡La bestia del trasgo! . . .
EL CABALLERO. ¡La bestia que yo montaba! Despierta a don Galán para que la meta en la cuadra.

LA ROJA. Denantes,[4] llamándole estuve porque 40 bajare[5] a abrir, y no hubo modo de despertarlo. ¡Con perdón de mi amo, hasta le dí con el zueco!
EL CABALLERO *se sienta en un sillón de la antesala y la vieja se acurruca en el quicio de la* 45 *puerta. Se oye de tiempo en tiempo el largo relincho y el golpear del casco en el portón.*

EL CABALLERO. Prueba otra vez a despertarle.
LA ROJA. Tiene el sueño de una piedra.
EL CABALLERO. Vuelve a darle con el zueco.   50
LA ROJA. Ni que le dé en la croca.[6]
EL CABALLERO. Pues le arrimas el candil a las pajas del jergón.
LA ROJA. ¡Ave María!

Sale la vieja andando a tientas. Canta un gallo 55 *y el hidalgo, hundido en su sillón de la antesala, espera con la mano sobre los ojos. De pronto se estremece. Ha creído oír un grito, uno de esos gritos de la noche, inarticulados y por demás medrosos. En actitud de incorporarse, escucha. El viento se* 60 *retuerce en el hueco de las ventanas, la lluvia azota los cristales, las puertas cerradas tiemblan en sus goznes. ¡Toc-toc! . . . ¡Toc-toc! . . . Aquellas puertas de vieja tracería[7] y floreado cerrojo sienten en la oscuridad manos invisibles que las* 65 *empujan. ¡Toc-toc! . . . ¡Toc-toc! De pronto pasa una ráfaga de silencio y la casa es como un sepulcro. Después, pisadas y rosmar de voces en el corredor: llegan rifando la vieja criada y* DON GALÁN.

LA ROJA. Ya dejamos el caballo en su cuadra. 70 ¡Qué noche, Madre Santísima!
DON GALÁN. Truena y lostrega que pone miedo.[8]
LA ROJA. ¡Y no poder encender un anaco de cirio bendito! . . .
DON GALÁN. ¿No lo tienes?   75
LA ROJA. Sí que lo tengo, mas no puede ser encendido en esta noche tan fiera. Tengo dos

---

[1] *¡Ni . . . camino!* From the way he is acting, he might have met a wolf on the road.
[2] Be gone!
[3] *¿Qué rayos será?* Who in the devil can it be?
[4] *Denantes = antes.*
[5] *bajare = bajara.* Valle-Inclán often deliberately uses archaic forms.
[6] *Ni que . . . croca.* Even if I hit him on the head, he wouldn't wake up.
[7] Tracery, an architectural decoration formed by combinations of geometrical figures.
[8] *Truena . . . miedo.* This thunder and lightning is frightening.

medias velas que alumbraron en el velatorio de mi curmana la Celana.

EL CABALLERO. ¿Habéis oído?

LA ROJA. ¿Qué, mi amo?

EL CABALLERO. Una voz . . .

DON GALÁN. Son las risadas del trasgo del viento . . .

Suenan en la puerta grandes aldabonazos que despiertan un eco en la oscuridad de la casona. EL CABALLERO *se pone en pie.*

EL CABALLERO. Dame la escopeta, don Galán. ¡Voy a dejar cojo al trasgo!

DON GALÁN. Oiga su risada.

LA ROJA. Lo verá que se hace humo o que se hace aire . . .

Abre la ventana DON JUAN MANUEL, *y el viento entra en la estancia con un aleteo tempestuoso que todo lo toca y lo estremece. Los relámpagos alumbran la plaza desierta, los cipreses que cabecean desesperados y la figura de un marinero con sudeste[1] y traje de aguas que alza el aldabón de la puerta. La lluvia moja el rostro de* DON JUAN MANUEL MONTENEGRO.

EL CABALLERO. ¿Quién es?

EL MARINERO. Un marinero de la barca de Abelardo.

EL CABALLERO. ¿Ocurre algo?

EL MARINERO. Una carta del señor Capellán. Cayó muy enferma Dama María.

EL CABALLERO. ¡Ha muerto! . . . ¡Ha muerto! . . . ¡Pobre rusa!

Retírase de la ventana que el viento bate locamente con un fracaso de cristales, y entenebrecido recorre la antesala de uno a otro testero. La vieja y el bufón, hablando quedo y suspirantes, bajan a franquear la puerta al marinero. En la antesala, el viento se retuerce ululante y soturno. Las vidrieras, tan pronto se cierran estrelladas sobre el alféizar como se abren de golpe, trágicas y violentas. EL MARINERO *llega acompañado de los criados y se detiene en la puerta sin aventurarse a dar un paso por la estancia oscura.* DON JUAN MANUEL *le interroga, y de tiempo en tiempo un relámpago les alumbra y se ven las caras lívidas.*

EL CABALLERO. ¿Traes una carta?

EL MARINERO. Sí, señor.

EL CABALLERO. Ahora no puedo leerla . . . Dime tú qué desgracia es ésa . . . ¿Ha muerto?

EL MARINERO. No, señor.

EL CABALLERO. ¿Hace muchos días que está enferma?

EL MARINERO. Lo de agora fué un repente[2] . . . Mas dicen que todo este tiempo ya venía muy acabada.

EL CABALLERO. ¡Ha muerto! ¡Esta noche he visto su entierro, y lo que juzgué un río era el mar que nos separaba!

DON JUAN MANUEL *calla entenebrecido. Nadie osa responder a sus palabras, y sólo se oye el murmullo apagado de un rezo.* EL CABALLERO *distingue en la oscuridad una sombra arrodillada a su lado y se estremece.*

EL CABALLERO. ¿Eres tú, Roja?

LA ROJA. Yo soy, mi amo.

EL CABALLERO. Dale a ese hombre algo con que se conforte para poder salir inmediatamente. ¡Ay, muerte negra!

ESCENA III

Noche de tormenta en una playa. Algunas mujerucas apenadas, inmóviles sobre las rocas y cubiertas con negros manteos, esperan el retorno de las barcas pescadoras. El mar ululante y negro, al estrellarse en las restingas, moja aquellos pies descalzos y mendigos. Las gaviotas revolotean en la playa, y su incesante graznar y el lloro de algún niño, que la madre cobija bajo el manto, son voces de susto que agrandan la voz extraordinaria del viento y del mar. Entre las tinieblas brilla la luz de un farol. DON JUAN MANUEL *y* EL MARINERO *bajan hacia la playa.*

EL MARINERO. ¡Ya alcanza mi amo cómo no está la sazón para hacerse a la mar!

EL CABALLERO. ¿Dónde tenéis atracada la barca?

EL MARINERO. A sotavento del Castelo.

EL CABALLERO. Como habéis venido, podemos ir . . .

EL MARINERO. Era día claro, y tampoco reinaba este viento, cuando largamos de Flavia-Longa.

---

[1] *sudeste* oilcloth hat worn in stormy weather.

[2] *repente* sudden attack.

Vea cómo lostrega por la banda de sudeste.
¡Hay mucha cerrazón!

EL CABALLERO. ¡Hay otra cosa!... ¡Miedo!

EL MARINERO. El mar es muy diferente de la
5 tierra, y de otro respeto, señor don Juan
Manuel.

EL CABALLERO. ¡No sois marineros sino mujeres!

EL MARINERO. Somos marineros, y por eso miramos los peligros que apareja la travesía. Al
10 mar, cuanto más se le conoce más se le teme.
No le temen los que no le conocen.

EL CABALLERO. Yo le conozco y no le temo.

EL MARINERO. No le teme porque usted no teme
ninguna cosa si no es a Dios.

15 EL CABALLERO. ¿Cuántos marineros sois?

EL MARINERO. Cinco y el rapaz, que no merece
ser contado. Hemos venido con los cuatro
rizos y aínda hubimos de arriar la vela al pasar
La Bensa.

20 EL CABALLERO. ¡Qué noche fiera!

EL MARINERO. No se ve ni una estrella.

EL CABALLERO. ¡Ni hace falta! Si fueseis gente
de mar os gustaría este tiempo bravo.

EL MARINERO. ¡Es mucho tiempo![1]

25 EL CABALLERO. Siempre preferible a la calma.

*Han llegado al atracadero donde se abriga la
barca—grandes peñascales coronados por las ruinas
de un castillo—. EL MARINERO se adelanta, y con el
farol explora el camino para bajar a la orilla. Es*
30 *peligroso el paso de aquellas rocas cubiertas de limo,
donde los pies resbalan. En el abrigo se adivina la
forma de la barca. Un farol cuelga del palo y lo
demás es una mancha oscura.* EL MARINERO *da una
gran voz.*

35 EL MARINERO. ¡Abelardo!

EL CABALLERO. ¿Es el patrón?

EL MARINERO. Sí, señor.

EL CABALLERO. ¿Abelardo, el hijo de Peregrino
el Rau?

40 EL MARINERO. Sí, señor.

EL CABALLERO. Su padre era un lobo para la mar.

EL MARINERO. Pues el hijo le gana... ¡Abelardo!

UNA VOZ EN LAS TINIEBLAS. ¿Quién va?

[1] *¡Es... tiempo!* But this weather is too stormy!

EL MARINERO. Sube para darle una mano al 45
señor don Juan Manuel... Yo mal puedo con
el farol.

EL CABALLERO. ¡No te muevas, Abelardo! Me
basto solo.

Bajan a la orilla del mar. Se oye el vuelo de las 50
*gaviotas, convocadas por el viento y la noche. Una
sombra se acerca: sus pasos fosforecen en la arena
mojada. Los relámpagos tiemblan con brevedad
quimérica sobre el mar montañoso y se distingue la
barca negra cabeceando atracada al socaire de los* 55
roquedos.

EL CABALLERO. ¿Eres tú, Abelardo?

EL PATRÓN. Para servirle, señor don Juan Manuel.

EL CABALLERO. A ti no te conozco... A tu padre 60
lo conocí mucho... Me acuerdo de una
apuesta que ganó: Era ir nadando hasta la
Isla.

EL PATRÓN. ¡De poco le ha servido al pobre
aquella destreza!   65

EL CABALLERO. ¿Murió ahogado?

EL PATRÓN. Murió, sí, señor.

EL CABALLERO. ¿Cuándo embarcamos?

EL PATRÓN. Cuando el tiempo lo permita.

EL CABALLERO. ¡Tú no morirás como tu padre! 70
Tú tienes que pedir permiso al tiempo para
hacerte a la mar. Cuando lleguemos estará fría
aquella santa. ¡La muerte no tiene tu espera,
hijo de Peregrino el Rau!

A la luz de los relámpagos se columbra al viejo 75
*linajudo erguido sobre las piedras, con la barba
revuelta y tendida sobre el hombro. Su voz de dolor
y desdén vuela deshecha en las ráfagas del viento.
El hijo de Peregrino el Rau hace bocina con las
manos.*   80

EL PATRÓN. Muchachos, vamos a largar.

UN MARINERO. El viento es contrario y no llegaremos en toda la noche. Si no ocurre avería
mayor.

OTRO MARINERO. Más valía esperar.   85

OTRO MARINERO. Al nacer el día acaso salte el
viento.

EL CABALLERO. ¿En qué año nacisteis? ¡Un rayo

me parta si no habéis nacido en el año del
miedo!

EL PATRÓN. ¡A embarcar, rediós![1] Meter a bordo el rizón.

A la voz del patrón, los cuatro hombres que
tripulan la barca, uno tras otro, van saltando a
bordo con un rosmar de protesta. EL PATRÓN
manda aparejar la vela y se inclina sobre la borda
de popa para armar la caña del timón. Después se
santigua. La barca se columpia en la cresta espu-
mosa de una ola. Comienza la travesía.

ESCENA IV

Sala desmantelada en una casa hidalga, a la entrada
de Flavia-Longa. Llegan hasta allí, desde otra estan-
cia, las voces de los criados que rinden el planto a la
señora, que acaba de morir. Los hijos han hecho cam-
paña en la sala y rifan al son que se reparten lo que
afanaron al saquear la casa. Allí están DON PEDRITO,
DON ROSENDO, DON GONZALITO, DON MAURO *y* DON
FARRUQUIÑO. *Los cinco hermanos se parecen: Altos,*
cenceños, apuestos, con los ojos duros y el corvar de
la nariz soberbio. DON FARRUQUIÑO *se distingue de los*
otros en que lleva tonsura y alzacuello.

DON ROSENDO. ¡Creéis que en casa de mi madre
se comía con cucharas de madera!

DON FARRUQUIÑO. Eso parece.

DON ROSENDO. Yo no paso por ello.[2] ¿Quién es
el ladrón de la plata que siempre hubo aquí?

DON FARRUQUIÑO. Ahora no la hay, y fuerza es
conformarse.

DON ROSENDO. Pues la había.

DON PEDRITO. Sílbale, a ver si acude.

DON FARRUQUIÑO. El Capellán se la llevó macha-
cada cuando estuvo en la facción.[3] Creo recordar eso.

DON ROSENDO. ¡Mentira! Yo la he visto mucho
después, y comí con ella. ¡Y no hace mucho!

DON MAURO. Yo también.

DON GONZALITO. Toda la plata ha desaparecido
hoy mismo, y el ladrón no es el Capellán.

DON ROSENDO. ¿Quién de vosotros llegó el primero?

[1] *rediós* a strong oath.
[2] *Yo no . . . ello.* I refuse to admit that.
[3] *facción* Carlist forces.

DON PEDRITO. Yo llegué el primero. ¿Qué hay?

DON ROSENDO. Pues tú eres el ladrón.

DON PEDRITO. ¡Y tú un hijo de puta!

DON PEDRITO y DON ROSENDO se abalanzan y se
agarran. Los otros hermanos se interponen con gran
vocerío. EL CAPELLÁN *asoma en la puerta: Es un*
viejo seco, membrudo de cuerpo y velludo de manos,
vestido con una sotana verdeante que se le enreda
en los calcañares.

EL CAPELLÁN. ¡Aún está caliente el cuerpo de
vuestra madre y ya peleáis como Caínes!
¡Respetad el sueño de la muerte, sacrílegos!
Esperad a que llegue vuestro padre, y él dará
a cada uno lo que en herencia le corresponda.
No seáis como los cuervos que caen en ban-
dada sobre los muertos para comérselos.
¡Cuervos! ¡Caínes!

Los cinco hermanos, revueltos en un tropel,
siguen gritando en el centro de la estancia, y los
brazos se levantan sobre las cabezas, amenazadores
y coléricos.

DON FARRUQUIÑO. Don Manuelito, esto no se
arregla con sermones.

EL CAPELLÁN. ¡También has manchado en este
saqueo tus manos que consagran a Dios!
Esperad a que llegue vuestro padre y él dará a
cada uno lo suyo. ¡Los lobos en el monte
tienen más hermandad que vosotros! ¡Nacidos sois de un mismo vientre y peleáis como
fieras que por acaso se hallan en un camino!

DON FARRUQUIÑO. ¿Quién avisó a don Juan
Manuel?

EL CAPELLÁN. Yo le avisé. Esta tarde salió con
una carta mía la barca de Abelardo.

DON PEDRITO. ¡Ésa es una conspiración!

DON MAURO. ¡Qué se pretende con avisar a mi
padre!

DON GONZALITO. Debió respetarse la voluntad
de mi madre, que no le llamó cuando estaba
moribunda.

EL CAPELLÁN. Porque vosotros lo habéis estor-
bado. Pero harto sabéis que su último suspiro
fué para él. ¡Cuervos! ¡Lobos!

DON PEDRITO. ¡Basta de insultos, que la paciencia se me acaba!

EL CAPELLÁN. ¡Y tú el mayor cuervo! ¡Y tú el mayor lobo!

DON FARRUQUIÑO. ¡Qué valor da el vino!

DON MAURO. ¡Un rayo te parta, don Manuelito!

5 EL CAPELLÁN. Guardad esos fieros para las mujeres y para los rapaces, que a mí no se me asusta con ellos. ¡Sacrílegos! Vendrá don Juan Manuel y os arrojará de esta casa que estáis profanando con vuestras concupiscencias.

10 DON PEDRITO. ¡Un rayo me parta! ¡Me da el corazón que hoy ceno lengua de clérigo!¹

DON FARRUQUIÑO. ¡Adobada en vino!

EL CAPELLÁN. ¡Sacrílegos! ¡Seríais capaces de poner las manos sobre esta corona!

15 DON FARRUQUIÑO. ¡No lo consentiría yo!

EL CAPELLÁN. ¡Tú eres el peor de todos! ... Ya tendréis el castigo, si no en esta vida, en la otra ... Os dejo, os dejo entregados a ese latrocinio impío ... ¿Oís esa campana? Llama

20 por mí y llama también por vosotros ... Voy a decir la primera misa por el descanso de nuestra madre, mi protectora, mi madre ... Vosotros, Caínes, bien hacéis en no oírla. ¡Sería un escarnio! Sois como los perros, que

25 no pueden entrar en la casa de Dios.

EL CAPELLÁN sale, y el doble de la campana, que resuena en la sala desmantelada, detiene por un momento aquel expolio a que se entregan desde el comienzo de la noche los cinco bigardos.

30 ESCENA V

La alcoba donde murió doña María. Es el amanecer, uno de esos amaneceres adustos e invernales en que aúlla el viento como un lobo y se arremolina la llovizna. En la alcoba la luz del día naciente batalla con la luz

35 de los cirios que arden a la cabecera de la muerta, y pasa por las paredes de la estancia como la sombra de un pájaro.² La lluvia azota los cristales de la ventana y se ahila en un lloro terco y frío, de una tristeza monótona, que parece exprimir toda la tristeza del invierno

40 y de la vida. La ventana se abre sobre el mar, un vasto mar verdoso y temeroso. Es aquélla una de esas angostas ventanas de montante, labradas como confesiona-

_____

¹ *¡Me da ... clérigo!* I have a hunch that (if you keep on talking) I'm going to yank out your tongue and have it for supper!

² *sombra ... pájaro* alludes to the soul of the deceased one.

rios en lo hondo de un muro y flanqueadas por poyos de piedra donde duerme el gato y suele la abuela hilar su copo. Dos mujeres velan el cadáver: La una, alta y 45 seca, con los cabellos en mechones blancos y los ojos en llamas negras, es sobrina de la muerta y se llama DOÑA MONCHA. La otra, menuda, compungida y melosa, con gracia³ especial para cortar mortajas, es blanca, con una blancura rancia de viejo marfil, que destaca con cierta 50 expresión devota sobre un hábito nazareno: Se llama BENITA LA COSTURERA.

BENITA LA COSTURERA. ¿Quiere que amortajemos a la señora?

DOÑA MONCHA. ¿Terminaste el hábito? 55

BENITA LA COSTURERA. Mírelo aquí ... No le rematé los hilos de las costuras porque, mi verdad, una mortaja tampoco requiere aquel cuidado que una falda para ir al baile. ¡Doña Monchiña de mi vida, mire qué guapa le va 60 esta esterilla dorada!

DOÑA MONCHA *aprueba con un gesto.* BENITA LA COSTURERA *dobla la mortaja y espabila los cirios con las tijeras que lleva pendientes de la cintura y se balancean al extremo de una cinta azul que 65 llaman hospiciana.*

DOÑA MONCHA. ¡Pobre tía, parece que se ha dormido!

BENITA LA COSTURERA. Quedóse como un pájaro ... ¡Ni agonía tuvo! 70

DOÑA MONCHA. Dios nos libre de tenerla igual ... ¡Su agonía duró treinta años!

BENITA LA COSTURERA. Me parece que aún la estoy viendo el día que se casó, con su mantilla de casco ... Fué el mismo año y el mismo 75 día que vino la reina ... ¡Qué cosas tiene el mundo! ... ¡Ayudé a coserle el vestido de novia y agora tócame hilvanarle la mortaja!

DOÑA MONCHA. Dos veces le has cosido la mortaja ... Todo lo que tú coses son mortajas ... 80

BENITA LA COSTURERA. ¡Doña Moncha de mi alma, no diga eso! ¡Santísima Virgen de la Pastoriza, hay mucha gente mala, y si la oyen y dan en repetirlo! ¡Doña Moncha de mi vida, no me eche esa fama! 85

DOÑA MONCHA. Yo no me pondría una hilacha

_____

³ *gracia* aptitude.

que hubiesen cosido tus manos . . . ¡Tienen la sal![1]

BENITA LA COSTURERA. ¡Ay! . . . ¡No diga eso, doña Monchiña! . . . Contésteme agora: ¿Le parece que antes de vestirle el hábito lavemos y peinemos a la muerta?

DOÑA MONCHA. A mí esa costumbre me parece un sacrilegio.

BENITA LA COSTURERA. ¿Por qué? ¿No va a comparecer en la presencia de Dios Nuestro Señor? Pues natural es que acuda a ella como a una fiesta, bien lavada y aromada. Nunca debimos haber dejado que el cuerpo se enfriase, doña Monchiña. Ya verá cómo agora cuesta más trabajo aviarle . . . Y conforme pase tiempo, más y más . . . Voy por agua templada, doña Monchiña.

LA COSTURERA *sale con un andar leve, como si temiese que la muerta se despertase.* DOÑA MONCHA *reza en voz baja todo el tiempo que permanece sola, y la estancia oscura se llena de misterio con aquel vago murmullo de rezo que se junta al chisporroteo con que los cirios se derraman sobre los candeleros de bronce. Un gato empuja la puerta y llega sigiloso hasta la cama de la muerta, donde comienza a maullar tristemente, con largos intervalos. Tras el gato entra* BENITA LA COSTURERA.

BENITA LA COSTURERA. ¡Doña Monchiña, ni agua caliente había! Tuve que encender unas pajas . . . Parece talmente que entraron aquí los facciosos. Como cinco lobos, los cinco hijos se están repartiendo cuanto hay en la casona, y los criados, a escondidas, también apañan lo que pueden. Dios me perdone el mal pensamiento, pero mismo parece[2] que deseaban la muerte de la pobre santiña.

DOÑA MONCHA. Aún no había cerrado los ojos y estaban ya descerrajando roperos y alacenas. Cayeron aquí como cuervos que ventean la muerte.

BENITA LA COSTURERA. ¡Mire que es de judíos[3] lo que hicieron con doña Sabelita! ¡De la misma cabecera de la difunta la echaron a la calle arrastrándola por los cabellos! ¡Y con qué palabras, Madre de Dios! ¡Ni siquiera la dejaron abrir el arca de su ropa para ponerse una pañoleta de luto! ¡Como no se halló nada en la casona sospechaban que la ahijada tuviese escondido dinero y alhajas! . . .

DOÑA MONCHA. No se halló nada porque ellos ya se lo habían repartido todo antes de morir su madre.

BENITA LA COSTURERA. ¡Y sin venir el señor don Juan Manuel! Dicen que los hijos juraban contra el Capellán porque hubo de mandarle un aviso. ¿Verdad que parece mentira, doña Monchiña?

DOÑA MONCHA. A mí, cuanto se diga de esos malvados, me parece verdad.

BENITA LA COSTURERA. ¡Jesús, qué Caínes!

BENITA LA COSTURERA *moja una toalla en la jofaina que trajo llena de agua caliente y comienza a lavar el rostro de la muerta. Entre los labios azulencos renace siempre una saliva ensangrentada bajo la toalla con que los refriegan aquellas manos irreverentes, picoteadas de la aguja, y la cabeza lívida rueda en el hoyo de la almohada.*

BENITA LA COSTURERA. Ya empieza a hincharse . . . ¿Doña Moncha, no tiene un pañuelo que le atemos a la cara para sujetarle la barbeta, que mire cómo se le cae desencajada? ¡Jesús, si parece que nos hace una mueca!

DOÑA MONCHA. ¡Pobre tía!

BENITA LA COSTURERA. Luego que le hayamos vestido el hábito le pondremos un salero sobre la barriguiña.

DOÑA MONCHA. ¿Para qué eso?

BENITA LA COSTURERA. Siempre contiene esta hidropesía de la muerte. Mire cómo tiene las piernas, doña Monchiña.

DOÑA MONCHA. No la laves más.

BENITA LA COSTURERA. ¡Si se ha ciscado toda! ¿Quiere que vaya así a la presencia de Dios? ¡Y qué cuerpo blanco! ¡Cuántas mozas quisieran este pecho de paloma!

DOÑA MONCHA. Déjala . . . Yo le vestiré el hábito.

DOÑA MONCHA, *seria y brusca, coge la mortaja extendida sobre una silla y se acerca, apartando a*

---

[1] They are cursed!

[2] *mismo parece* one would say that.

[3] *es de judíos* allusion to the Jews' treatment of Christ.

BENITA LA COSTURERA. *Con un brazo quiere incor-*
porar a la muerta, y aquellas manos frías, cruzadas
sobre el pecho, se desenredan torpes y caen flojas a
lo largo del cuerpo, en tanto que la cabeza ya
5 *rueda sobre los hombros, ya se hunde en el pecho.*
BENITA LA COSTURERA *acude.*

BENITA LA COSTURERA. Yo le ayudaré, doña Monchiña.

DOÑA MONCHA. Corta la mortaja por detrás. Es
10   lo mejor.

BENITA LA COSTURERA. No será preciso . . . Déjeme a mí. Apártese.

DOÑA MONCHA. ¡Acabemos, que ya no puedo
más! ¡Córtala!

15 BENITA LA COSTURERA. ¡Y no es un dolor, Doña
Monchiña!

DOÑA MONCHA. Córtala, te digo. ¿Dónde tienes
las tijeras ?

BENITA LA COSTURERA. A su gusto. ¡Lástima de
20   tiempo y de puntadas!

BENITA LA COSTURERA *obedece con un gesto com-*
pungido, y después, graves y silenciosas, las dos
mujeres amortajan el cuerpo de doña María.

ESCENA VI

25 *Una playa de pinares: En aquella vastedad desierta el*
viento y el mar juntan sus voces en un son oscuro y
terrible. La barca, con el velamen roto, ha dado de
través en los arrecifes de la orilla, y un marinero
salta a reconocer la tierra. El patrón habla desde a
30 *bordo.*

EL PATRÓN. Este arenal paréceme que debe ser
el arenal de Las Inas.   Busca a ver si descu-
bres el Con del Frade.

EL MARINERO. Ni aun las manos alcanzo a verme.
35   Los pinares se me figuran los Pinares del
Rey.

EL CABALLERO. Entonces nos hallamos entre
Campelos y Ricoy.

EL MARINERO. Es una playa de arena gorda.

40 EL PATRÓN. Hasta que amanezca no señalaremos
adónde arribamos.

EL MARINERO. Con tal noche, era sabido. Suerte
que no naufragamos.

EL CABALLERO. Suerte para nosotros, que no
dirán lo mismo los delfines.[1]   45

Se oye a lo lejos una campana, una de esas cam-
panas de aldea, familiares como la voz de las
abuelas. Tañe con el toque del nublado.[2]

EL CABALLERO. Debemos hallarnos cerca de San
Lorenzo de András. Conozco la campana.   50

EL PATRÓN. ¡Pues no hicimos poca deriva!
¡Hasta que amanezca no podemos navegar, y
aun así veremos . . . Habrá que ir achicando
agua toda la travesía.

EL CABALLERO. Os iréis solos porque a mí se me 55
acaba la paciencia y no espero.

EL PATRÓN. Pues no hay más vivo remedio,
señor don Juan Manuel.

EL CABALLERO. Para vosotros, que yo me voy a
pie desde aquí a Flavia-Longa.   60

EL PATRÓN. ¿Con esta noche ?

EL CABALLERO. ¡Qué me importa la noche!

EL PATRÓN. Son tres leguas, cerca de cuatro . . .

EL CABALLERO. Tres horas de camino.

EL PATRÓN. Tres horas, si fuera día claro, pero 65
con tanta escuridad[3] . . .

EL CABALLERO. Yo veo de noche como los lobos,
y con tal que la avenida no se haya llevado
ninguna puente . . .

Salta a tierra EL CABALLERO. *En las ráfagas del* 70
viento llega la voz de la campana, informe y des-
hecha por la distancia. DON JUAN MANUEL *procura*
orientarse y, guiado por aquel son, se aleja hacia
los pinares donde se queja el viento con un largo
ulular.   75

EL CABALLERO. Dios me ordena que me arrepienta de mis pecados . . . ¡Toda una vida!
¡Toda una vida! . . . ¡Qué lejos suena la campana, apenas se la distingue! He sido siempre
un hereje. ¡El mejor amigo del Demonio! . . . 80
Me habré equivocado y no será la campana de
András. A estas horas habrá muerto aquella
santa . . . En el cielo la pobre abogará por mí
. . . ¡Por mí, que fuí su verdugo! . . . Sin embargo, la quería, y si vuelvo los ojos al pasado 85

[1] An allusion to the supposed voracity of the dolphins,
who might devour them if they were shipwrecked.
[2] *toque del nublado* melancholy peal.
[3] *escuridad = oscuridad.*

no encuentro en mi vida otro pecado que haber hecho una mártir de mi pobre mujer ... Debí haberla ocultado que tenía otras mujeres, pero yo no sé engañar, yo no sé mentir ... 5 ¡Cuántos pecados! ¡Mi alma está negra de ellos! ... La religión es seca como una vieja ... ¡Como las canillas de una vieja! ... Tiene cara de beata y cuerpo de galga ... Como el hombre necesita muchas mujeres y le dan una 10 sola, tiene que buscarlas fuera. Si a mí me hubieran dado diez mujeres habría sido como un patriarca ... Las habría querido a todas, y a los hijos de ellas y a los hijos de mis hijos ... Sin eso, mi vida aparece como un gran pecado 15 ... ¡Tengo hijos en todas estas aldeas a quienes no he podido dar mi nombre! ... ¡Yo mismo no puedo contarlos! ... Y los otros bandidos, temerosos de verse sin herencia por mi amor a los bastardos, han tratado 20 de robarme, de matarme ... Pero yo tengo siete vidas. ¡Todo lo pagó con sus lágrimas aquella santa! ... ¿Dónde estaré? ¡Ya no se oye la campana! ...

El fragor del viento entre los pinos apaga todos 25 *los demás ruidos de la noche: Es una marejada sorda y fiera, un son ronco y oscuro, de cuyo seno parecen salir los relámpagos.* DON JUAN MANUEL, *de tiempo en tiempo, se detiene desorientado e intenta aprovechar aquel resplandor que, inesperado* 30 *y convulso, se abre en la negrura de la noche, para descubrir el camino. De pronto, ve surgir unas canteras que semejan las ruinas de un castillo. El eco de los truenos rueda encantado entre ellas. Al acercarse, oye ladrar un perro y otro relámpago le* 35 *descubre una hueste de mendigos que han buscado cobija en tal paraje. Tienen la vaguedad de un sueño aquellas figuras entrevistas a la luz del relámpago: Patriarcas haraposos, mujeres escuálidas, mozos lisiados. Hablan en las tinieblas y sus voces,* 40 *contrahechas por el viento, son de una oscuridad embrujada y grotesca, saliendo de aquel roquedo que finge ruinas de quimera, donde hubiese por carcelero un alado dragón.*

UNA VOZ. ¿A quién ladras, Carmelo?
45 OTRA VOZ. Alguien ronda ...
OTRA VOZ. Será un caminante extraviado.

OTRA VOZ. Será algún can sin dueño.
EL CABALLERO. ¿Este pinar, es el Pinar del Rey?
UNA VOZ. Así le dicen ... Mas agora es de nosotros, los que aquí nos procuramos guarida en 50 una noche tan fiera.
EL CABALLERO. ¿Habrá sitio para mí?
UNA VOZ. ¡Y holgado!
EL CABALLERO. ¿La campana que tocaba poco hace era la de András? 55
UNA VOZ. La campana choca de András.

EL CABALLERO *se guarece con aquellos mendigos que van en caravana a una romería. Racimo de gusanos que se arrastra por el polvo de los caminos y se desgrana en los mercados y feriales de las* 60 *villas, salmodiando cuitas y padrenuestros. En todos los casales los conocen, y ellos conocen todas las puertas de caridad: Son siempre los mismos:* EL MANCO DE GONDAR; EL TULLIDO DE CÉLTIGOS; PAULA LA REINA, *que da de mamar a un niño;* 65 ANDREÍÑA LA SORDA; DOMINGA DE GÓMEZ; EL MANCO LEONÉS; EL SEÑOR CIDRÁN EL MORCEGO, *y* LA MUJER DEL MORCEGO. *Se oye muy lejos otra campana.*

EL CABALLERO. Parece la Monja de Belvis. 70
EL MORCEGO. ¡Cómo la ha conocido!
LA MUJER DEL MORCEGO. Muy fácil que sea de allí. Dispense la pregunta: ¿Ustede[1] es de allí?
EL CABALLERO. ¿No me conocéis? Soy don Juan Manuel Montenegro. 75
EL MORCEGO. Por muchos años.
EL TULLIDO DE CÉLTIGOS. Estábamelo pareciendo.
DOMINGA DE GÓMEZ. Yo, dende[2] que habló le conocí.
EL CABALLERO. ¿A qué distancia estamos de 80 Flavia-Longa?
EL MORCEGO. Cosa de una legua.
LA MUJER DEL MORCEGO. Di también tres, Morcego.
EL CABALLERO. La noche es tan oscura que no 85 reconozco el camino.
EL MANCO DE GONDAR. Ya cantó el cuco dos veces, y pronto amanecerá Dios.
EL MANCO LEONÉS. Noble Caballero, aquí tiene acomodo, donde estará más resguardado del 90 viento y de la lluvia.

[1] *ustede = usted.*   [2] *dende = desde.*

LA MUJER DEL MORCEGO. Apártate, Andreíña, y deja sitio al señor don Juan Manuel.

ANDREÍÑA LA SORDA. ¿Quién dices?

LA MUJER DEL MORCEGO. El señor de la casa
5 grande de Flavia-Longa.

ANDREÍÑA LA SORDA. Ayer, por el camino de Bealo, iban diciendo que la señora entregara el alma a Dios.

LA MUJER DEL MORCEGO. ¡Ave María!... Si aquí
10 está presente el señor.

EL CABALLERO. Voy a su entierro... Con la esperanza de verla aún con vida, acabo de desembarcar en esa playa.

LA MUJER DEL MORCEGO. Y con vida la encon-
15 trará, señor. ¡Muy bien puede salir engaño cuanto cuenta Andreíña!

EL MORCEGO. Como es sorda nunca está al cabo de lo que pasa por el mundo.

DOMINGA DE GÓMEZ. ¡Y hay mucha gente diver-
20 tida que le dice engaños porque luego ella los vaya pregonando!

ANDREÍÑA LA SORDA. El Ciego de Gondar díjome que tenía pensado llegarse a Flavia-Longa.

EL MORCEGO. Si es cuento del Ciego de Gondar,
25 será mentira.

ANDREÍÑA LA SORDA. Habrá reparto de limosna en la casa grande, y más atrapará un pobre allí que en Santa Baya. Yo también hago pensa- miento de llegarme por aquellas puertas, que
30 siempre fueron de mucha caridad.

EL CABALLERO. Y seguirán siéndolo. Habrá li- mosna para todos los que lleguen a ellas.

ANDREÍÑA LA SORDA. Lo ha dejado en una man- da la difunta señora, porque sus culpas le sean
35 perdonadas.

EL CABALLERO. ¡No son sus culpas las que nece- sitan perdón, son las mías! Todo el maíz que haya en la troje se repartirá entre vosotros. Es una restitución que os hago, ya que sois tan
40 miserables que no sabéis recobrar lo que debía ser vuestro. Tenéis marcada el alma con el hierro de los esclavos y sois mendigos porque debéis serlo. El día en que los pobres se junta- sen para quemar las siembras, para envenenar
45 las fuentes, sería el día de la gran justicia... Ese día llegará, y el sol, sol de incendio y de sangre, tendrá la faz de Dios. Las casas en llamas, serán hornos mejores para vuestra hambre que hornos de pan. ¡Y las mujeres y los niños y los viejos y los enfermos gritarán 50 entre el fuego, y vosotros cantaréis y yo tam- bién, porque seré yo quien os guíe! Nacisteis pobres y no podréis rebelaros nunca contra vuestro destino. La redención de los humildes hemos de hacerla los que nacimos con ímpetu 55 de señores cuando se haga la luz en nuestras conciencias. ¡En la mía se hace esa luz de tempestad! Ahora, entre vosotros, me figuro que soy vuestro hermano y que debo ir por el mundo con la mano extendida, y como nací 60 señor, me encuentro con más ánimo de bando- lero que de mendigo. ¡Pobres miserables, al- mas resignadas, hijos de esclavos, los señores os salvaremos cuando nos hagamos cristianos!

La hueste de mendigos se conmueve con un largo 65 *murmullo, semejante al murmullo del rezo con que pide limosna por las puertas. Cuando el rumor se aquieta, alza su voz un mendigo gigantesco que tiene los ojos llagados por la lepra, y en aquella voz gangosa y oscura se arrastra como una larva la* 70 *tristeza milenaria de su alma de siervo.*

EL POBRE DE SAN LÁZARO. Dios Nuestro Señor nos dará en el cielo su recompensa a todos los que aquí pasamos trabajos. Es su ley que unos sean pobres y otros ricos. Dios Nuestro Señor 75 a los pobres nos manda tener paciencia para pedir la limosna, y a los ricos les manda tener caridad, y el rico que parte su pan trigo con el pobre, tiene el cielo más ganado que el pobre que lo recibe y no lo agradece. ¡Es la ley de 80 Nuestro Señor!

EL CABALLERO *se estremece. Hasta su rostro llega el aliento podre de aquella voz gangosa, y apenas puede dominar el impulso de apartarse. A la lívida claridad del amanecer, la figura gigantesca del* 85 *mendigo leproso se destaca en la oquedad de las canteras.* EL CABALLERO *siente una emoción cris- tiana.*

EL CABALLERO. ¿Eres el pobre de San Lázaro?

EL POBRE DE SAN LÁZARO. Sí, señor.   90

EL CABALLERO. ¿Y tus hijos?

EL POBRE DE SAN LÁZARO. Los cinco están recogidos en el hospital.

EL CABALLERO. ¿Tienen tu mismo mal?

EL POBRE DE SAN LÁZARO. Sí, señor . . . Yo, como nací labrador, no puedo estar preso en el hospital . . . Si no veo los campos y los caminos muérome de tristeza. El hospital es como una cárcel, y allí encerrado moríame de pena . . . No me mata este mal tan triste y matábame el no ver las eras y los viñedos y los castañares.

EL CABALLERO. ¡Ya amanece! . . . Job, si puedes andar, ven conmigo . . .

EL POBRE DE SAN LÁZARO. ¡Vamos, Carmelo! Hoy encontraste ya un hueso que roer.

CARMELO, *un perro viejo y feo que dormita a los pies del leproso, se endereza y sacude.* DON JUAN MANUEL *sale al camino, y la hueste de mendigos se mueve tras él con un clamor de planto.*

LOS MENDIGOS. ¡Era doña María la madre de los pobres! ¡Nunca hubo puerta de más caridad! ¡Dios Nuestro Señor la llamó para sí y la tiene en el cielo, al lado de la Virgen Santísima! ¡Era la madre de los pobres!

EL CABALLERO. ¿Por qué no camináis en silencio? ¡Era mi madre también, era todo cuanto tenía en el mundo, y no lloro!

La voz del viejo linajudo, desmintiendo sus palabras, se rompe en un sollozo. La hueste de mendigos comienza a rezar un Padrenuestro, que guía EL POBRE DE SAN LÁZARO.

JORNADA SEGUNDA

ESCENA PRIMERA

Una sala con tribuna sobre la capilla, en la casona de Flavia-Longa. Están cerradas todas la ventanas, el sol mañanero ilumina los resquicios y las rayolas del polvo tiemblan en impalpables escalas. El olor de la cera y del incienso ha quedado flotando en la estancia. La capilla yace desierta y oscura después del funeral de doña María. Dos de sus hijos han entrado en la sala.

DON FARRUQUIÑO. Cierra la puerta.

DON PEDRITO. ¿De qué se trata?

DON FARRUQUIÑO. Ahora lo sabrás.

DON PEDRITO. ¡Cuánto misterio!

DON FARRUQUIÑO. ¡Pues si los otros llegan a enterarse! . . . Han olvidado las alhajas de la capilla, y antes de que acuerden, nos las vamos a repartir tú y yo.

DON PEDRITO. Había pensado en ello, pero tiene las llaves el Capellán.

DON FARRUQUIÑO. Por eso vamos a descolgarnos por la tribuna.

DON PEDRITO. ¿Y ésos no sospecharán? . . . El Demonio me lleve si los engañamos en lo otro . . . La verdad es que, por mi parte, tampoco lo pretendí. Yo me alegro de que lo sepan . . .

DON FARRUQUIÑO. Esa plata que nos hemos repartido es una miseria . . . ¿Pero y el trigo y el maíz y el centeno? Las trojes hoy están vacías y no hace una semana estaban llenas, porque mi madre había cobrado los forales de András y de Corón. ¿Quién la ha robado? ¡Ellos y sólo ellos!

DON PEDRITO. ¿Los tres?

DON FARRUQUIÑO. O uno solo . . . ¿Qué más da?

DON PEDRITO. Si fuese uno solo le obligaríamos a que lo devolviese.

DON FARRUQUIÑO. ¡Creo que han sido los tres!

DON PEDRITO. ¡Bandidos! . . . ¿Y habrá llegado mi padre?

DON FARRUQUIÑO. No sé.

DON PEDRITO. Hace poco he oído rumor de voces . . .

DON FARRUQUIÑO. Yo nada oí . . .

DON PEDRITO. Temo el momento de verme frente a frente.

DON FARRUQUIÑO. Yo también.

DON PEDRITO. ¿Habrá llegado?

DON FARRUQUIÑO. Sospecho que no, porque hay demasiado silencio en la casa . . . Don Juan Manuel no vendrá tan sin ruido como la muerte.

DON PEDRITO. ¡Pobre madre! . . . Entre todos la hemos enterrado.

DON FARRUQUIÑO. Buenos sepultureros estamos . . . ¿Oye, me romperé una pierna si me dejo caer desde la tribuna al otro lado?

DON PEDRITO. Creo que no.

Cabalga sobre el barandal DON FARRUQUIÑO *y se descuelga hacia el oscuro presbiterio de la capilla, donde aún flota el humo de la cera y del incienso. Se balancea un momento y se deja caer.*

5 DON PEDRITO. Ahora voy yo.

DON FARRUQUIÑO. Tú me esperas arriba. Tienes que darme los brazos para que suba. Si saltas, nos quedamos sin poder salir, porque están todas las puertas cerradas.

10 *Sube las gradas del presbiterio* DON FARRUQUI-ÑO, *y luego de hacer una genuflexión ante el altar, abre el sagrario, de donde saca el copón[1] y la patena,[2] que tienen en sus manos el áureo brillo de un tesoro. Con religioso respeto los contempla,* 15 *colocándose bajo la lámpara.*

DON FARRUQUIÑO. Por fortuna, no tiene ninguna sagrada forma el copón. ¡Dios ha hecho que los otros bandidos perdiesen la memoria, por-que hubieran entrado aquí y todo lo hubieran 20 profanado para venderlo! ... Pedro, tú te llevarás la lámpara, que es de plata, y yo con-servaré los vasos sagrados para dedicarlos al culto. Hay que salvar el sacrilegio.

DON PEDRITO. Ya arreglaremos eso ... Ahora lo 25 que cumple[3] es esconderlo todo en el cuarto de la criada vieja.

DON FARRUQUIÑO. Lo enterraremos en la bode-ga.

DON PEDRITO. De enterrarlo[4] sería mejor debajo 30 del altar. Ahí estaba seguro ... Cuando el Capellán ocultó el alijo de armas para la facción, nadie dió con él.

DON FARRUQUIÑO. ¿Y luego cómo lo sacába-mos?[5] Porque estas puertas se cierran para 35 nosotros apenas asome don Juan Manuel.

DON PEDRITO. Lo mejor es el arca de la criada, y nadie sospechará ...

Mientras habla el primogénito, el tonsurado vuelve a subir las gradas del presbiterio y apaga la

lámpara, *que por fundación debe arder noche y día.* 40 *Helado y sobrecogido, oye en la oscuridad la voz de su hermano que le habla con el cuerpo fuera de la tribuna y los ojos lucientes de fiebre, como un poseído.*

DON PEDRITO. No pises sobre la sepultura de mi 45 madre ... ¡Ladrón!

DON FARRUQUIÑO. ¿Qué estás diciendo?

DON PEDRITO. No pises sobre la sepultura. Está enterrada delante del altar. No pises sobre ella ... ¡Puede levantarse! ...   50

DON FARRUQUIÑO. ¡Tú estás borracho, ladrón!

EL PRIMOGÉNITO *recoge el cuerpo, doblado sobre el barandal de la tribuna, y sonríe desvanecido, pasándose una mano por los ojos.*

DON PEDRITO. Es verdad, estoy borracho sin 55 haber bebido ... ¡Ojalá estuviese borracho! ... No olvides que las despabiladeras tam-bién son de plata.

DON FARRUQUIÑO. Si dejo algo serán las cam-panas, ladrón.   60

DON PEDRITO. ¡Alabado seas!

DON FARRUQUIÑO *se encarama en el retablo y despoja de su espada de plata al tutelar de la ca-pilla. Los ojos del tiñoso Satanás ríen encarnizados bajo las plantas del Arcángel.*   65

DON FARRUQUIÑO. ¡Dispensa, pero para eso estás encima, glorioso San Miguel!

DON PEDRITO. Ya lo tienes estrujado como la uva, y no necesitas de la espada, Santiño Bien-aventurado.   70

El otro bigardo posa familiarmente una mano sobre aquella cabeza de moro negro, que saca la lengua de sierpe al ser aplastada por las angélicas plantas, y sonríe, con la malicia del tonsurado que sabe cómo todas las astucias del rebelde son juegos 75 *ante el poder de los exorcismos. Siempre con la misma sonrisa, le arranca un cuerno.*

DON FARRUQUIÑO. Te quedas a media asta,[6] Lucifer.

DON PEDRITO. ¿También son de plata?   80

DON FARRUQUIÑO. En la duda ...

---

[1] *copón* pyx, the receptacle in which the Host is reserved.

[2] *patena* paten, the plate used for the bread in the Eucharist.

[3] *cumple* is necessary.

[4] *De enterrarlo* If we're going to bury it.

[5] *lo sacábamos=podríamos sacarlo.*

[6] *Te ... asta* You've only one horn left.

DON PEDRITO. Arráncale el otro cuerno.

DON FARRUQUIÑO. ¡No grites, ladrón! El otro se lo dejo para que se defienda, ya que cayó debajo.

5 DON FARRUQUIÑO, *desde la mesa del altar salta al presbiterio, y otra vez su hermano se alza despavorido, y otra vez grita echando el cuerpo fuera de la tribuna, con los ojos ardidos y visionarios.*

DON PEDRITO. ¡No pises sobre la sepultura! . . .
10 ¡Que se levanta! . . . ¡Que se levanta! . . .

DON FARRUQUIÑO. ¡Tú quieres asustarme, gran ladrón!

DON PEDRITO. Le has puesto el pie sobre el pecho. Yo la vi levantarse en la caja, con las
15 dos manos apretadas sobre el corazón, y lo tiene lleno de espadas como la Virgen de los Dolores. También son de plata, Farruquiño. ¡No las dejes! ¡No las dejes! ¡No las dejes!

DON FARRUQUIÑO. ¡Ladrón, calla, que me estás
20 asustando! ¡Si se me han puesto los pelos de punta! ¡Callarás, ladrón!

DON PEDRITO. ¿Qué fué? . . . ¿Por qué has apagado la lámpara si en la oscuridad los ojos están llenos de luces?

25 DON FARRUQUIÑO. Ciérralos y no hables, que son desvaríos del vino.

DON PEDRITO. ¡Apenas lo caté! . . .

DON FARRUQUIÑO. Entonces son burlas del amigo a quien hemos dejado sin un cuerno.

30 DON PEDRITO. Devuélveselo, Farruquiño.

DON FARRUQUIÑO. ¡Una higa! Bastará con que reces un Credo.

DON PEDRITO. Me pareció ver la sombra de mi madre y hasta entender su voz. ¡No pises sobre
35 la sepultura, porque se levanta, Farruquiño!

DON FARRUQUIÑO. ¡Estás loco!

DON PEDRITO. ¿Qué le dolerá más, sentirlas clavadas en el corazón o el arrancárselas? ¡Son siete, y no cabe mentir! . . . ¡Son siete, como
40 las espadas de la Virgen! . . . Siete de espadas te jugaré, Farruquiño, y también el as, la espadona de San Miguel . . . Todo lo guardas en la sepultura . . . Es mejor que el arca de Andreíña.

45 DON FARRUQUIÑO. ¡Tú quieres asustarme, y voy a abrirte la cabeza, ladrón!

Se vuelve buscando en la sombra del retablo algo que arrojar a su hermano para ahuyentarle de la tribuna, y alcanza el perro, clavado en las andas de San Roque.[1] DON PEDRITO, *recibe el golpe en* 50 *mitad de la frente, y con el rostro atravesado por un hilo de sangre se pone en pie, pálido y sereno.*

DON PEDRITO. ¡Hermano, yo nada quiero de toda esa plata! Llega y te daré los brazos para que subas. Pero vuelve a encender la lámpara 55 y déjalo todo como estaba. A San Miguel dale la espada, y su cuerno a Satanás.

DON FARRUQUIÑO. ¡Un rayo te parta!

DON PEDRITO. Hermano, sal de ese pozo negro. Llega, y te daré los brazos. Pero no pises sobre 60 la sepultura. ¡Que se levanta! . . . ¡Que se levanta! . . . ¡Que se levanta! . . .

Sale de la estancia andando hacia atrás. Despavorido bajó a la cuadra, donde tiene su caballo, le puso la silla y se lanzó al camino, aquel camino 65 *aldeano de verdes orillas, que cruza por delante de la casona hidalga. Uno de esos caminos humildes, que guían a todas partes.*

ESCENA II

Un poco más adelante, siguiendo por aquel camino hu- 70 *milde de verdes orillas, un paraje de álamos y de agua. El primogénito encuentra a su padre, que viene a pie entre la hueste de mendigos, y refrena el caballo haciéndose a un lado para dejar paso a todos.* DON JUAN MANUEL *no le reconoce hasta cruzar por su lado. En-* 75 *tonces le mira con altivez, pero sin cólera, desengañado, desdeñoso, triste.*

EL CABALLERO. ¡Ah! . . . Eres tú, bandido.

DON PEDRITO. ¡Yo soy!

EL CABALLERO. Al fin nos encontramos. ¿Te han 80 dicho que tienes mi maldición?

DON PEDRITO. Sí, señor.

EL CABALLERO. ¿Y no te importa?

DON PEDRITO. No, señor.

EL CABALLERO. La verdad es que una maldición 85 no mata ni espanta.

EL CABALLERO *se coge la barba estremecida por la risa, una risa extraña, de viejo loco, desengañado y burlón.* DON PEDRITO *requiere las riendas.*

[1] This saint is always accompanied by his dog.

DON PEDRITO. ¡Déjeme pasar, padre!

EL CABALLERO. Antes dirás por qué no te importa mi maldición. ¿Te hace reír?

DON PEDRITO. No me hace reír . . .

5 EL CABALLERO. Pues a mí me hace llorar de risa verme lanzando excomuniones como el Papa.

DON PEDRITO. ¡Deje paso, señor!

EL CABALLERO. A un hijo tan bandido como tú no se le maldice, se le abre la cabeza.

10 DON PEDRITO. Yo no soy su hijo, don Juan Manuel.

EL CABALLERO *aferra con una mano las riendas mientras con la otra enarbola el bastón. El primogénito, doblándose sobre el borrén y corriendo* 15 *espuelas, encabrita el caballo, y el padre, sin soltar el rendaje, le apalea.*

EL CABALLERO. A un hijo tan bandido se le abre la cabeza. ¡Se le mata! ¡Se le entierra!

DON PEDRITO. ¡No me encienda la sangre, que si 20 me vuelvo lobo, lo como!

EL CABALLERO. Apéate del caballo y verás quién tiene más fieros dientes.

DON PEDRITO. ¡No me tiente, señor!

EL CABALLERO. ¡Apéate, para que sepas quién es 25 el lobo!

Trémulo, con los ojos ardientes, salta a tierra el primogénito y va contra su padre, que le espera en medio del camino con el bastón enarbolado. Detrás se extiende la hueste de mendigos, que tiemblan de 30 *miedo y de frío bajo sus harapos, al intentar interponerse.*

EL POBRE DE SAN LÁZARO. Señor don Pedrito, considere que es su padre, y que le ha dado la vida y que puede quitársela. ¡El padre es como 35 el Dios del Cielo!

EL MANCO LEONÉS. Muestre su noble sangre volviéndose atrás por el camino que traía, joven caballero.

DOMINGA DE GÓMEZ. Con un padre no hay que 40 tener valentía.

EL POBRE DE SAN LÁZARO. Un padre nos da disciplinazos, y cuando corra la sangre, hemos de besarle las manos.

DOMINGA DE GÓMEZ. Quisiera yo, cuitada de mí, 45 ver alzarse a mi padre de la cueva, aunque

fuera para arrastrarme de los cabellos, que no tengo.

DON PEDRITO *queda un momento suspenso en medio del camino, y siempre trémulo, mira cómo su caballo se huye al galope por una siembra, pisán-* 50 *dose las bridas.*

EL CABALLERO. ¿Por qué te detienes, mal hijo?

DON PEDRITO. Por ver si entre tanto misionero había alguno que fuese para alcanzarme el caballo.   55

EL CABALLERO. ¡Y tú te llamas lobo!

DON PEDRITO. Lobo seré si mi padre vuelve a levantar su brazo sobre mi cabeza.

EL CABALLERO *siente la amenaza y adelanta hacia su primogénito.* DON PEDRITO, *ceja, se recoge,* 60 *y con un salto impensado, arranca su bordón al leproso. Armado y apercibido, hace con él un círculo en el aire que tiene un terrible zumbar. Cuando el padre y el hijo van a encontrarse, se interpone entre ellos la figura gigante y trágica del* 65 POBRE DE SAN LÁZARO.

EL POBRE DE SAN LÁZARO. El palo que a mí me sostiene por los caminos no ha de alzarlo contra su padre. Diómelo como una cruz Nuestro Señor Jesucristo.   70

DON PEDRITO. Apártate, leproso.

EL POBRE DE SAN LÁZARO. Antes vuélvame el palo con que voy por el mundo, que si no me lo vuelve, yo lo tomaré.

DON PEDRITO. ¡Ay de ti si me tocan tus manos 75 podridas!

Con lento andar, de una humildad fuerte y solemne, avanza EL POBRE DE SAN LÁZARO. *El capote de soldado que le cubre parece aumentar la expresión trágica de aquella figura gigante y men-* 80 *diga.* DON PEDRITO *retrocede estremecido y arroja el bordón lejos de sí. Detrás del pobre está la sombra de doña María.*

DON PEDRITO. ¡Ten tu cruz, hermano!

EL POBRE DE SAN LÁZARO. Gracias, noble señor. 85

DON PEDRITO. ¿Tú no sabes dónde hallaré yo la mía?

EL POBRE DE SAN LÁZARO. No sé . . . Eso nadie lo sabe hasta que una vez en la noche, durmiendo en un pajar o caminando solo por un camino, se aparece el ángel que nos habla en nombre de Nuestro Señor.

EL CABALLERO. ¡Job, no digas tonterías!... Si te parece cambiaremos nuestras cruces...

Ofrece su bastón al leproso el viejo linajudo, y recoge del sendero el palo del mendigo. El primogénito se aleja hablando solo, y atraviesa la siembra por cobrar el caballo que pace allá en el fondo arrastrando el rendaje. Monta y, al galope, desaparece. EL CABALLERO, ceñudo y sombrío, sigue su peregrinación entre la hueste mendicante, que renueva las voces de su planto cuando ve las torres de Flavia-Longa.

LOS MENDIGOS. ¡Era la madre de los pobres! ¡Nunca hubo puerta de más caridad! ¡Dios Nuestro Señor la llamó para sí y la tiene en el cielo al lado de la Virgen Santísima! ¡Era la madre de los pobres!...

ESCENA III

La cocina, en la casona de Flavia-Longa. DON ROSENDO, DON MAURO y DON GONZALITO se desayunan con migas y buen vino al amor de la lumbre. ANDREÍÑA, la criada vieja y encubridora, trae la nueva de que está llegando DON JUAN MANUEL.

ANDREÍÑA. Distínguesele por el alto de Las Tres Cruces.

DON GONZALITO. Nos da tiempo para acabar las migas.

DON ROSENDO. Mi plato que lo rebañen los galgos.[1]

DON GONZALITO. Yo tengo mi caballo ensillado y llenas las alforjas.

DON MAURO. Yo también, no hay más que montar y poner espuelas.

DON ROSENDO. ¿Dónde están las mías, Andreíña?

ANDREÍÑA. Mírelas colgadas de aquel clavo.

DON MAURO. ¿Qué habrá sido de mis hermanos don Pedro y don Francisco?

ANDREÍÑA. ¡Fuéronse cuánto hace!

DON ROSENDO. ¿Tú los has visto caminarse?

ANDREÍÑA. Así muerta, me entierren.[2]

DON GONZALITO. ¿No estarán escondidos?

ANDREÍÑA. ¿Dónde quiere que se escondan, mi rey?

DON GONZALITO. Pues a fe que no hay sitios: En el pajar, en la torre, en la capilla... ¡Un rayo me parta! Nos hemos olvidado de las alhajas de la capilla.

DON ROSENDO. ¡Maldita suerte!

DON MAURO. ¿No habrá tiempo todavía?

ANDREÍÑA. Mismo[3] está llegando el señor mi amo.

DON MAURO apura un vaso que, al terminar de beber, estrella en las losas de la cocina, y volviéndose a la vieja criada, con una mano la suspende del cuello y con la otra desnuda un puñal. ANDREÍÑA clama despavorida.

DON MAURO. He de segarte la lengua si dices una sola palabra a mis hermanos. Como lleguen a desaparecer las alhajas de la capilla, ya puedes confesarte. Te desuello y clavo en la puerta de mi casa tu piel de bruja.

ANDREÍÑA. ¡En los días de mi vida[4] hice a nadie una mala traición!

DON MAURO. Tú fuiste quien les entregó la plata, y es inútil que lo niegues.

Se oye el confuso clamor de los mendigos en la portada de la casona, y la voz autoritaria y conmovida del viejo linajudo que sube la escalera.

EL CABALLERO. ¡Ya dieron tierra a tu cuerpo! ¡Rusa, por qué me dejas tan solo? ¡Que al pie de tu sepultura cave la mía!... ¡Rusa! ¡Rusa! ¡Rusa!

LOS MENDIGOS. ¡Era la madre de los pobres! ¡Fruto de buen árbol! ¡Tierra de carabeles![5]

Atropelladamente los tres bigardos salen de la cocina rosmando amenazas, y por el portón del huerto huyen a caballo. La vieja, con la basquiña echada por la cabeza a guisa de capuz, se acurruca

---

[1] *Mi plato ... galgos.* Let the greyhounds lap up the rest of my plate, i.e., we must not lose any time.
[2] *Así ... entierren.* And strike me dead, if I'm lying.
[3] *Ahora mismo.*
[4] *En ... vida* Never in my life.
[5] *carabeles (Gal.)* = *claveles.*

*al pie del hogar y comienza a gemir haciendo coro
a la querella de los mendigos. Entra otra criada,
una moza negra y casi enana, con busto de giganta.
Tiene la fealdad de un ídolo y parece que anda*
5 *sobre las rodillas. Le dicen, por mal nombre,* LA
REBOLA.[1]

LA REBOLA. ¡Qué susto grande! . . . Escuché una
    voz que salía de lo más fondo de la capilla, al
    pasar por la sala de la tribuna.
10 ANDREÍÑA. ¡Calla, condenada! . . . Cúbrete la
    cabeza con el manteo y llora conmigo.
LA REBOLA. ¡Señora, mi ama! ¡Señora, mi ama!
ANDREÍÑA. ¡Qué poca gracia tienes, condenada!
    Adeprende[2] cómo se hace un planto. ¡Rosa
15   de Jericó! ¡Rosa sin espinas! ¡Mi reina de
    las manos blancas, que hilaban para los po-
    bres! . . .
LA REBOLA. ¡Paloma sin hiel! ¡Paloma de la
    Candelaria![3]
20 ANDREÍÑA. ¡Árbol que a todos dabas tu sombra!
LA REBOLA. ¡Peral de ricas peras!

*En la largura del corredor las voces y los pasos
de los mendigos resuenan, y en la puerta de la cocina está la prócer figura del* CABALLERO. *Las dos*
25 *mujeres, arrodilladas al pie del hogar y cubiertas
las cabezas, ponen más altos sus ayes.[4]*

EL CABALLERO. Alzaos del suelo y atended a mis
    huéspedes. Dadles a todos de comer y beber.
    Vosotros entrad y calentaos al amor de la
30   lumbre.
ANDREÍÑA. Poco hay en la casa para tanto ham-
    briento.
EL CABALLERO. ¡Calla, vieja sierpe!
DOMINGA DE GÓMEZ. Dejaime[5] que llegue al ho-
35   gar, pues vengo aterida.
EL MANCO LEONÉS. ¡Dios se lo premie al noble
    señor!
EL MORCEGO. ¡Qué gran cocina!
LA MUJER DEL MORCEGO. Parece la de un con-
40   vento, Morcego.

[1] *la Rebola* Fatty.
[2] *adeprende = aprende.*
[3] *la Candelaria* the Virgin.
[4] *ponen . . . ayes* lament in louder tones.
[5] *dejaime = dejadme.*

EL MANCO DE GONDAR. Como corresponde a la
    grandeza de la casa.
EL POBRE DE SAN LÁZARO. Veinte criados caben a
    la redonda del hogar, y otro tiempo se junta-
    ban. Yo también me senté con ellos, que aún 45
    no tenía este mal tan triste.
EL CABALLERO. Ahora te sentarás conmigo, para
    que yo pueda sentarme algún día al lado de
    mi muerta. Bruja, abre el horno y repártenos
    el pan. 50
ANDREÍÑA. ¡Ay, señor mi amo, está vacío el
    horno!
EL CABALLERO. Enciéndele y amasa la harina
    más blanca, de la flor del trigo.
ANDREÍÑA. ¡Ay, señor mi amo, no hay harina, ni 55
    grano que llevar al molino!
EL CABALLERO. ¿Qué ha sido del trigo y el cen-
    teno que llenaba mis arcaces?
ANDREÍÑA. ¡Ay, señor mi amo, comiéronle las
    ratas! 60
EL CABALLERO. Enciende el horno . . . Si no hay
    harina que cocer, te quemaremos a ti por
    bruja.
ANDREÍÑA. ¡Murióse aquella santa, que si ella
    no se muriese no recibiera yo este trato! 65
    ¡Bruja! Nadie en el mundo me dijo ese texto,
    que vengo de muy buenos padres, y no habrá
    cristiano que me haya visto escupir en la puer-
    ta de la iglesia, ni hacer los cuernos[6] en la misa
    mayor. ¡Ay, muerte negra, que te llevas a los 70
    mejores y dejas a los más ruines!

EL CABALLERO *se sienta solo en un banco que hay
frontero al hogar y permanece abatido y sombrío,
con los ojos en la hoguera de sarmientos que levanta
sus lenguas de oro hacia el fondo negro y brujo de la* 75
*chimenea, donde resuenan las risas del viento. Los
mendigos se agrupan al otro lado, y hablan en voz
baja.*

EL CABALLERO. Calentaos, ya que sólo puedo
    ofreceros el techo y la lumbre. Don Juan 80
    Manuel Montenegro hoy es tan pobre como
    vosotros.
DOMINGA DE GÓMEZ. Es rico de caridad.

[6] *hacer los cuernos* making a gesture imitating the devil's
horns (an act of witchcraft).

EL POBRE DE SAN LÁZARO. En donde está el fuego
está Dios Nuestro Señor. El fuego es más que
el pan y que el agua y que la sal. Todo en el
mundo, para ser, requiere una chispa de lum-
5 bre. Lo mismo el vino que la sangre y los ojos
si han de tener luz y la tierra si ha de dar fruto.
Yo llevo este mal tan triste porque un gran
frío me recorre el cuerpo, y me toca el fuego
y no lo siento calentar mi carne muerta. En la
10 noche no se ve nada y se ve una hoguera, y
del cielo ninguna cosa baja a la tierra si no es
el agua y el fuego, que tienen una hermandad . . .

En la cocina resuenan los lloros del niño que
15 *mama en el pecho de* PAULA LA REINA. *La mendiga*
trata de acallarle con el susurro de un canto y, toda
atenta, sigue las palabras del leproso mientras saca
por encima del justillo el otro pezón para ofrecér-
selo al niño que llora de hambre.

20 PAULA LA REINA. *¡Eh, meniño, eh! . . .*
Pra Santo Tomé . . .
¿Teu pai quen foy?
¿Tua nai quen e? . . .
¡Eh, meniño, eh! . . .[1]

25 EL CABALLERO. ¿Por qué no le retuerces el cuello
a esa criatura, Paula? ¿No ves cómo llora?

PAULA LA REINA. ¡Hijo de mis entrañas!

EL CABALLERO. ¿Qué derecho tienes para darle
tu miseria? Guarda tus pechos y déjalo morir.
30 ¿Ves cómo llora de hambre? Pues así habrá
de llorar toda la vida. ¿No te da lástima,
mujer? ¡Retuércele el cuello para que deje de
sufrir, y da libertad a su alma de ángel! . . .
¡Ojalá nos retorciesen el cuello a todos cuando
35 nacemos! ¡Ojalá yo se lo hubiese retorcido a
mis hijos! . . . ¿Han estado aquí esos sepultureros, Andreíña?

ANDREÍÑA. Cuando entraba el señor mi amo,
ellos salían fugitivos.

40 EL CABALLERO. ¿Han cavado bien honda la sepultura de su madre?

[1] *¡Eh, muchacho, eh!*
Para Santo Tomás . . .
¿Tu padre quién fué?
¿Tu madre quién es?
¡Eh, muchacho, eh!

ANDREÍÑA. Ellos no la cavaron.

EL CABALLERO. ¿Bien honda, bien honda, que
haya sitio para mí?

ANDREÍÑA. ¡Asús,[2] parecen palabras de fie- 45
bre! . . .

DOMINGA DE GÓMEZ. La pena que le cubre el
corazón hácele decir esos textos.

EL CABALLERO *guarda silencio. Los mendigos se*
agrupan en torno del fuego, y con los brazos apre- 50
tados sobre sus harapos, se estremecen, con ese
estremecimiento feliz de los vagabundos que saben
gozar del albergue y del fuego. Entra EL CAPELLÁN.

EL CAPELLÁN. ¡Un resucitado! . . . ¡Le veo y no
me parece don Juan Manuel! ¡Vengo de la 55
playa, de esperar la barca de ese infeliz
Abelardo!

EL CABALLERO. ¿No habrá llegado?

EL CAPELLÁN. ¡Ni llegará! . . . Naufragaron . . .

EL CABALLERO. ¿Y han perecido todos? 60

EL CAPELLÁN. ¡Todos! . . . El cuerpo del patrón
dicen que ha salido en la playa de Rajoy . . .
Yo le hacía embarcado con ellos al señor don
Juan Manuel.[3] ¡Es providencial!

EL CABALLERO. ¡Dios quiere darme tiempo para 65
que me arrepienta de mis pecados!

EL CAPELLÁN. ¡No lo olvide, señor don Juan
Manuel!

EL CABALLERO. ¡Les forcé para que se hiciesen
a la mar, y con ellos estuve embarcado toda la 70
noche! . . . La muerte estaba en acecho, y la
sentí pasar por mi lado. Estaba en aquella
barca de pescadores y en esta casa mía . . .
Por donde voy descubro las huellas de su paso.
¡He visto sus luces! 75

EL CAPELLÁN. La muerte va con nosotros desde
que nacemos.

EL CABALLERO. Yo siento sus pasos en esta casa
vacía . . . Esta casa que parece también estar
muerta, toda silenciosa, toda fría, toda oscura, 80
huérfana de la pobre alma . . . ¡Yo no cerré
sus ojos, ni besé sus manos de cera! ¿Por qué
al menos no me esperasteis para dar tierra a
su cuerpo?

EL CAPELLÁN. Se corrompía todo, señor. 85

[2] *Asús = Jesús.*
[3] *Yo . . . Manuel.* I supposed don Juan Manuel had
embarked with them.

EL CABALLERO. ¡Miseria de la carne!

EL CAPELLÁN. Los gusanos le corrían. Formaban nido en la cabeza y bajo los brazos.

EL CABALLERO. ¡Miseria de la vida!

5 EL CAPELLÁN. Dijeron que se le había abierto la madre de los gusanos, la gusanera, como cuentan de un rey de las Españas.[1]

EL CABALLERO. ¿Dónde ha muerto? Quiero ver su alcoba. Allí estará su sombra esperándome

10 ... Mis brazos de carne no podrán estrecharla ... Pero las almas se abrazan, porque también son de sombra, y los vivos oyen a los muertos.

El viejo linajudo sale seguido del CAPELLÁN.
15 *Después de un instante, en torno del fuego, bajo la chimenea donde resuenan las risas del viento, comienzan a despertarse las voces de los mendigos, apagadas y llenas de misterio.*

DOMINGA DE GÓMEZ. ¡En una casa tan rica no
20 haber pan en el horno! ... ¿Vísteislo vosotros jamás de los jamases?[2]

ANDREÍÑA. Comiólo quien tenía dientes.

EL MORCEGO. Entonces no fuiste tú.

ANDREÍÑA. Fué quien sabía agradecello.[3]

25 LA MUJER DEL MORCEGO. No te enciendas, criatura.

DOMINGA DE GÓMEZ. ¡Ni harina ni grano en una casa tan rica!

EL MANCO LEONÉS. No parece que haya pasado
30 la muerte, sino un turbión.

EL POBRE DE SAN LÁZARO. Las casas más grandes se consumen como los cirios del velorio cuando los hijos se alzan contra los padres y pelean por las herencias.

35 EL MORCEGO. ¡Yo que esperaba comer compango!

LA MUJER DEL MORCEGO. No la acertamos, Morcego.

DOMINGA DE GÓMEZ. La gloriosa Santa Baya
40 mándanos tal castigo porque dejamos su romería.

EL MANCO LEONÉS. El señor amo no olvidará la promesa que nos hizo.

EL MANCO DE GONDAR. Siempre fué muy liberal.

EL MORCEGO. ¿No habrá nada que arrebañar por 45 las alacenas, Andreíña? ¿Algo habrán dejado los abades que cantaron el entierro?

ANDREÍÑA. Comiéronlo las ratas.

Asoman en la puerta de la cocina EL CIEGO DE GONDAR *y el rapaz que le sirve de lazarillo. El* 50 *ciego es un viejo de perfil monástico, con una capa tabacosa que le llega a los zuecos. La zampoña que lleva a la espalda le hace el bulto de una joroba bajo la luenga capa. El lazarillo va cargado con las alforjas: es un niño aldeano, vestido de esta-* 55 *meña, con la guedeja trasquilada sobre la frente con tonsura casi medioeval.*

EL CIEGO DE GONDAR. ¿Hay licencia?[4]

ANDREÍÑA. No la has menester.[5]

EL CIEGO DE GONDAR. ¿Y un sitio al amor de la 60 lumbre?

ANDREÍÑA. Si no es más que eso ...

EL CIEGO DE GONDAR. Y una fabla que he de tener contigo, Andreíña.

ANDREÍÑA. ¿Una fabla?   65

EL CIEGO DE GONDAR. Y muy secreta.

EL MORCEGO. Así muerto me entierren si no viene por pedirte promesa de casamiento. Darásnos los aguinaldos.

ANDREÍÑA. Vos daré asados los cuernos de una 70 cabra.[6]

La vieja criada llega adonde el ciego y aparta con su diestra de bruja al lazarillo, empujándole hacia el hogar donde se agrupa la hueste mendicante. EL CIEGO DE GONDAR *y la vieja se enredan* 75 *en una plática que comienza en alta voz y acaba en susurro de secreto.*

EL CIEGO DE GONDAR. Bien de mi corazón, allega si quieres, y si non non,[7] que por el mundo sobran mujeres.   80

ANDREÍÑA. ¡Valiente prosero![8]

---

[1] Probably an allusion to Philip II (1527–1598).
[2] *jamás de los jamases* = *nunca jamás.*
[3] *agradecello* = *agradecerlo.*

[4] *¿Hay licencia?* May we come in?
[5] *No la has menester.* Of course. (You don't need to ask.)
[6] *Vos ... cabra.* You aren't going to get anything out of me.
[7] *non* = *no.*
[8] *prosero* smooth talker.

EL CIEGO DE GONDAR. Allega tu pico, paloma real, allega tu pico, que no soy gavilán.[1]

ANDREÍÑA. Acaba de una vez, que se me va la lumbre.

EL CIEGO DE GONDAR. Hermana Rebola, sopla en el lar. Nos, tras de la puerta, hemos de amasar, meter y sacar y dar de barriga.[2] No riades,[3] rapaces, que no hay picardía.

Celebran los mendigos aquellas clásicas burlas, y en tanto las glosan, la criada y el ciego hablan bajando la voz.

ANDREÍÑA. ¿Qué hay?

EL CIEGO DE GONDAR. Agora verás. Topábame[4] sentado al abrigo de la capilla, en la misma puerta, y oigo golpes por la banda de dentro, respondo batiendo con el zueco, y escucho la voz de don Farruquiño.

ANDREÍÑA. ¿Tú dices verdad?

EL CIEGO DE GONDAR. Está allí como prisionero, y mandóme que llegase secretamente a decírtelo para que vieses manera de hablarle por la sala de la tribuna.

ANDREÍÑA. Toda estoy temblando. Los otros hermanos son capaces de matarme.

EL CIEGO DE GONDAR. Yo cumplo con darte el aviso.

ANDREÍÑA. Agora mismo voy ver[5] ...

ANDREÍÑA *sale de la cocina y el ciego, tentando con el palo, se acerca al hogar, guiado por las voces de los mendigos, que ahora comentan el naufragio de la barca de* ABELARDO.

EL CIEGO DE GONDAR. ¿Habláis de esos cinco mozos ahogados?

PAULA LA REINA. ¡Es una compasión de Dios!

DOMINGA DE GÓMEZ. Inda[6] no se sabe si han perecido los cinco.

EL CIEGO DE GONDAR. En toda la largura de la playa, solamente se oyen las voces de las mujeres y de las criaturas.

PAULA LA REINA. ¡Pobres almas, qué triste suerte les espera!

DOMINGA DE GÓMEZ. La misma que a todos nosotros. ¡Pedir una limosna por las puertas!

EL CIEGO DE GONDAR. Por agora, la mar sólo ha echado el cuerpo del patrón y el del rapaz.

LA MUJER DEL MORCEGO. ¿De quién era el rapaz?

EL CIEGO DE GONDAR. No sé decírvoslo.[7]

LA REBOLA. Era el hijo más nuevo de la Garula.

EL MORCEGO. ¡Valiente borrachona está la madre!

EL MANCO LEONÉS. Hace bien. En el mucho beber no hay engaño, y el mejor amigo es el jarro.

EL CIEGO DE GONDAR. Donde están todos los males es en el agua. ¡Mira si no el hijo! Lo que la madre no cató en toda la vida lo achicó en una noche el cuitado.

PAULA LA REINA. ¡Ay, muerte negra!

EL POBRE DE SAN LÁZARO. ¡Mejor está que nos!

DOMINGA DE GÓMEZ. El mundo solamente es para los ricos.

EL POBRE DE SAN LÁZARO. El mundo no es para nadie. ¿Qué hace un rico si arrastra la cadena de una cativa enfermedad? El mundo es una cárcel escura, por donde van las almas hasta que se hacen luz. El señor Mayorazgo, cuando poco hace te decía que torcieses el cuello a tu hijo, sin duda pensaba en todas las tribulaciones de su vida.

DOMINGA DE GÓMEZ. ¡Miray[8] que fué suerte la suya al desembarcar en aquella playa!

LA MUJER DEL MORCEGO. ¡Naufragar todos y salvarse él solo!

EL CIEGO DE GONDAR. Al señor Mayorazgo no lo quieren ni los arroases de la mar ni los Demonios del Infierno.

EL POBRE DE SAN LÁZARO. ¡Será para Dios Nuestro Señor!

Se oyen pasos en el corredor, y los mendigos callan. LA REBOLA *echa en el fuego un haz de sarmientos que ahuman y chascan bajo las lenguas de la llama, y una gran hoguera irrumpe de pronto. La hueste mendicante, con estremecimientos humildes, con un gesto sórdido, se agrupa en torno*

---

[1] *Allega ... gavilán.* = *Acerca tu boca, porque no soy gavilán,* i.e., because I won't bite you, but kiss you.

[2] *meter ... barriga* to have sexual relations with.

[3] *riades* = *riáis.*

[4] *Topábame* I was.

[5] *voy ver* (colloq.) = *voy a ver.*

[6] *Inda* = *Aún.*

[7] *decírvoslo* = *decíroslo.*

[8] *Miray* = *Mirad.*

del hogar. BENITA LA COSTURERA *asoma en la puerta y murmura la rancia salutación.*

BENITA LA COSTURERA. ¡Alabado sea Dios!

MUCHAS VOCES. ¡Por siempre bendito y alabado!

5 BENITA LA COSTURERA. ¿No está Andreíña?

LA REBOLA. Agora vuelve.

BENITA LA COSTURERA. ¿Dónde anda?

LA REBOLA. Salió a un enredo.

BENITA LA COSTURERA. Lo mismo tiene[1] que seas
10 tú. En un vuelo vas al horno de la Curuja . . .
Es mandato del señor don Juan Manuel. Te
llegas, y dices que toda la hornada la traiga a
la casona, que es para repartir entre los pobres
. . . A luego, subiráse vino de la bodega y
15 mataránse doce palomas en el palomar.

BENITA LA COSTURERA *se limpia los ojos enfermos con un trapo de hilo que trasciende a estoraque, y sale de la cocina. La hueste mendicante tiene un murmullo de gracias, en unas bocas triste y en otras*
20 *bocas jocundo. Como un rezo en la boca llagada del leproso.*

ESCENA IV

*La capilla.—*DON FARRUQUIÑO *aparece en el presbiterio, sentado en un escaño con espaldar de viejo y noble*
25 *velludo, orlado por grandes clavos de bronce. Enfrente se abre el arco de la tribuna, donde se sume la figura negra y bruja de* ANDREÍÑA.

ANDREÍÑA. ¡Toda estoy temblando, mi rey!

DON FARRUQUIÑO. ¿Te dijo el ciego lo que ha-
30 bías de hacer?

ANDREÍÑA. Algo me dijo . . . ¡Mas los otros juraron segarme el cuello!

DON FARRUQUIÑO. Busca la llave y me la echas . . .

35 ANDREÍÑA. No sé cómo lograrlo, pues la tiene el señor Capellán.

DON FARRUQUIÑO. Se la robas.

ANDREÍÑA. ¿Mas con qué engaño?

DON FARRUQUIÑO. Cuando duerma. ¿Él se acues-
40 ta contigo o con la Rebola?

ANDREÍÑA. ¡Asús! ¡Qué picardías habla! . . .
¡Ciego había de estar para condenarse con la

---

[1] *Lo mismo tiene* It's all the same.

Rebola! ¡Y lo que es[2] conmigo! . . . ¡Asús! . . .
Llevo muchos años a cuestas, cuatro onzas y
un doblón,[3] para que me tienten los Diaños[4] 45
. . . No diga esas picardías, mi rey, que un día
le sale una avispa en la lengua . . . Yo le serviré con toda voluntad en aquello que pueda,
y cuantas llaves hay en la casona veré de
traérselas, por si alguna abre. 50

DON FARRUQUIÑO. Si no, tendré que salir poniendo fuego a la puerta.

ANDREÍÑA. Yo veré de servirle . . . Mas luego no
olvide la promesa que me hizo de tener a una
de mis rapazas como su ama. 55

DON FARRUQUIÑO. Ya te dije que si alcanzo un
curato me llevo a las dos.

ANDREÍÑA. Tanto no pido. ¡Asús! . . .

*Se santigua la vieja encubridora, y el tonsurado
segundón se pone en pie y avizora hacia la puerta* 60
*que comunica con la casona, una puerta pequeña
en la sombra húmeda del muro de piedra que
rezuma. Se oye el rechinar de la llave.* DON FARRUQUIÑO *se esconde en el rincón más oscuro y espera.
La puerta se abre, y una sombra se aparta para* 65
dejar paso al CABALLERO. *Otra sombra negra y
bruja huye de la tribuna.*

EL CABALLERO. ¡Señor Capellán, por qué no está
encendida la lámpara?

EL CAPELLÁN. Se habrá bebido el aceite alguna 70
lechuza.

EL CABALLERO. Siento el volar de unas alas en
esta oscuridad.

EL CAPELLÁN. Aquel ventanal tiene rotos los
cristales, y como entra el viento pudo entrar 75
la lechuza.

EL CABALLERO. Las alas que yo siento se abren
dentro de mí.

*Avanzan las dos sombras hacia el presbiterio.
Sus pasos huecos, en la soledad de la capilla,* 80
*tienen una vaga resonancia, y las palabras un
misterio de sombra.*

EL CABALLERO. ¿Dónde está enterrada?

---

[2] *lo que es* as for.

[3] *cuatro onzas y un doblón* 68 years (each *onza* = 16 and
the *doblón* = 4).

[4] *Diaños* = *Diablos.*

EL CAPELLÁN. Esta losa la cubre, señor.

EL CABALLERO. Es preciso que la levantemos, don Manuelito. ¡Quiero verla!

EL CAPELLÁN. Nuestras fuerzas no bastan, señor.

5 EL CABALLERO. ¡Piedra, piedra, levántate!

DON JUAN MANUEL *se arrodilla ante la sepultura, y entenebrecido y suspirante, reza en voz baja.* EL CAPELLÁN, *en tanto, escudriña en la sombra con recelosa previsión. De pronto da una gran* 10 *voz.*

EL CAPELLÁN. ¡Falta la lámpara!

EL CABALLERO. ¡Trágame, tierra!

EL CAPELLÁN. ¡No han sido lechuzas las que entraron aquí, fueron lobos!

15 EL CABALLERO. ¡Ni una luz que alumbre tu sepultura, pobre Rusa! ¡Nada han dejado! ¡Rusa, pide por mí y por esos ladrones que bebieron la leche de tus pechos! ¡Son nuestros hijos, María Soledad!

20 EL CAPELLÁN. ¡Y no han temido la cólera divina!

EL CABALLERO. ¡Y tampoco temen la mía, don Manuelito!

EL CAPELLÁN. ¡El Señor pudo enviar sobre sus cabezas un rayo que los aniquilase!

25 EL CABALLERO. Yo pude enviarles un tiro.

EL CAPELLÁN. ¡Son como fieras!

EL CABALLERO. Son lobeznos, hijos de lobo.

EL CAPELLÁN. El señor don Juan Manuel nunca ha sido como ellos.

30 EL CABALLERO. ¡Yo he sido siempre el peor hombre del mundo! Ahora siento que voy a dejarlo, y quiero arrepentirme. La luz que ellos apagaron se enciende en las tinieblas donde el alma vivía, y para que mi linaje, donde hubo 35 santos y grandes capitanes, no lo cubran mis hijos de oprobio, acabando en la horca por ladrones, les repartiré mis bienes y quedaré pobre, pobre de pedir por las puertas . . . Ahora probemos entre los dos a levantar la 40 sepultura . . . ¡Quiero ver a mi muerta! . . . ¡Acaso me hable!

EL CAPELLÁN. Ésos son delirios, señor don Juan Manuel.

EL CABALLERO. ¡Piedra, levántate! . . .

45 EL CAPELLÁN. ¡Don Juan Manuel, somos viejos! Somos viejos, y la vejez no tiene fuerzas. En otro tiempo no digo que no la hubiésemos levantado . . .

EL CABALLERO. Y ahora también.

EL CAPELLÁN. Somos viejos. 50

EL CABALLERO. Mayor peso llevo sobre los hombros.

EL CAPELLÁN. Y el que nunca se dobló, se dobla.

EL CABALLERO. Sí, me doblo, y sólo anhelo dejar la vida, don Manuelito. 55

EL CAPELLÁN. Ya tuvo el consuelo de rezar sobre la sepultura . . . Vámonos de aquí . . . ¿Mas, qué ruido fué ese? . . .

EL CABALLERO. Conseguí mover la losa.

EL CAPELLÁN. ¡Tiene los brazos de hierro! 60

EL CABALLERO. ¡Me sangran las manos!

EL CAPELLÁN. Yo le ayudaré, señor. ¿Dónde hallaríamos algo con qué apalancar?

EL CABALLERO. En esta oscuridad, apenas se ve.

Recorre EL CAPELLÁN *el presbiterio y la capilla.* 65 *En el fondo oscuro, sus ojos sagaces descubren de pronto un bulto inmóvil, sin contornò ni faz, que simula la vieja escultura de algún santo. Se acerca más. Alarga una mano en las tinieblas, y antes de haber palpado, ya siente como un fulgor de adivina-* 70 *ción. Es* DON FARRUQUIÑO.

EL CAPELLÁN. ¡Ah! . . . Sacrílego, te había reconocido.

DON FARRUQUIÑO. Silencio.

EL CAPELLÁN. ¡No bastaba el saqueo de la casa! 75

DON FARRUQUIÑO. Silencio . . . Hablaremos donde no esté mi padre.

EL CAPELLÁN. ¿Cómo osaste tan impío latrocinio? ¿Cómo has entrado en este sacro recinto? ¡Habla! 80

DON FARRUQUIÑO. Quise dar paz a mi conciencia.

EL CAPELLÁN. ¡Con un sacrilegio!

DON FARRUQUIÑO. Impidiendo que otros lo cometiesen. Sabía de cuánto mis hermanos son 85 capaces, y entré aquí para impedirlo . . .

EL CAPELLÁN. ¿Dónde están las alhajas de la capilla?

DON FARRUQUIÑO. Ya habían sido robadas . . .

EL CAPELLÁN. ¡No mientas, perverso! 90

EL CABALLERO *desciende las gradas del presbiterio y avanza algunos pasos en la oscuridad de la capilla. La prócer figura, que tiene la vaguedad de un fantasma, parece crecer bajo la nave, y su voz resuena impregnada de grave tristeza, una tristeza de patriarca y de guerrero. Los dos clérigos callan.*

5   EL CABALLERO. ¿Por qué te escondes, mal hijo?

DON FARRUQUIÑO. No me escondo, señor.

EL CABALLERO. ¿Temes mi justicia?

DON FARRUQUIÑO. Quien está sin culpa nada teme.

10   EL CABALLERO. ¡Has apagado la única luz que ardía sobre la sepultura de tu madre!

DON FARRUQUIÑO. Si mi padre lo dice, será verdad.

EL CABALLERO. Eres solapado en las palabras

15   como en las obras. ¡Defiéndete al menos!

DON FARRUQUIÑO. Dios Nuestro Señor ha elegido cabeza inocente para que sobre ella caigan las culpas de otros.

EL CABALLERO. A mí no puedes engañarme...

20   Llega y ayúdame a levantar la sepultura... No tardaré en morir, y si tardase, os faltaría paciencia para esperar... Porque no acabéis en la horca, he pensado repartiros mis bienes. Me heredaréis en vida... Llega y ayúdame

25   ... Si tienes hijos, ellos me vengarán... Los votos no te impedirán tenerlos. Llega para que podamos levantar la losa.

EL CAPELLÁN. Vamos, alma de Faraón.[1]

DON FARRUQUIÑO. No reconozco a don Juan

30   Manuel.

EL CAPELLÁN. Tiene razón, cuando dice que va a morir.

Se llegan al presbiterio, se mueven vagorosos alrededor de la sepultura, tantean, se encorvan,

35   *y en silencio, con una rodilla en tierra, en un tácito acuerdo, comienzan a levantar la losa. Se les oye jadear. Cuando aparece el hueco negro, pestilente, húmedo, el viejo linajudo se inclina sobre él y solloza con un sollozo sofocado y terrible de león*

40   *viejo. El hijo, con los ojos nublados de miedo, se aparta.*

DON FARRUQUIÑO. ¡No puedo más!

EL CAPELLÁN. Temo que a tu padre le dé un arrebato de sangre.

[1] Egyptian ruler, meaning pagan here.

EL CABALLERO. ¡María Soledad, aquí estoy! 45 ¡Háblame!

EL CAPELLÁN. Basta ya, señor...

EL CABALLERO. ¡Quiero ver su rostro por última vez!

EL CABALLERO levanta la tapa del féretro y, en 50 *la oscuridad de la cueva, albean las tocas del sudario y destella la cruz colocada sobre el pecho, entre las manos yertas.* EL CABALLERO *se inclina, y un aire de húmeda pestilencia, que le hace sentir todo el horror de la muerte, pone frío en su rostro.* 55

EL CABALLERO. ¡María Soledad, espérame!... Tienes los ojos abiertos y siento que me miras ... Ahora me voy, pero vendré pronto y para siempre a tu lado... ¡Dios!... ¡Dios!... ¡Cativo Dios, por qué me llevaste a la 60 Rusa!...

EL CAPELLÁN acude, y levanta el desfallecido cuerpo del CABALLERO. *El hijo, más tardo por miedo o desamor, se acerca también y le ayuda. Casi en brazos le sacan de la capilla.* DON JUAN MANUEL, 65 *en la puerta los hace detener y se arrodilla.*

EL CABALLERO. ¡Abierta queda mi sepultura!... ¡Maldito quien intente poner la losa antes de haber bajado yo a la cueva! ¡María Soledad, espérame! 70

ESCENA V

La alcoba donde murió doña María. En el fondo, bajo los cortinajes de damasco carmesí, que tienen algo de litúrgico, abandonada y fría aparece la cama antigua, de nogal tallado y lustroso. DON JUAN MANUEL *está en* 75 *el umbral de la puerta. Su hijo y* EL CAPELLÁN *le sostienen. El rostro pálido y la barba de plata se sumen en el pecho.*

EL CABALLERO. Quiero morir aquí, en la misma cama donde murió aquella santa... He vivido 80 siempre como un hereje, sin pensar que hay otra vida, y ahora siento una luz dentro de mí...

EL CAPELLÁN. Es la luz de la Gracia.

EL CABALLERO. Señor Capellán, necesito la ab- 85 solución de mis pecados, para reunirme con mi mujer en el cielo.

EL CAPELLÁN. Es menester que haga confesión de ellos.

EL CABALLERO. No tengo más que uno ... ¡Uno solo que llena toda mi vida! ... Haré con
5 fesión pública ... Llamad a los criados ... Que acudan todos ... ¡Criados de mi casa! ... ¡Hermanos que llegasteis aquí conmigo! ... ¿Dónde estáis? ¡Quiere hacer confesión ante vosotros don Juan Manuel Montenegro!
10 ¿Dónde estáis? ¡Venid todos!

El hijo y EL CAPELLÁN *se interrogan con una mirada. En sus ojos asoma el mismo pensamiento, y se dicen si no ha pasado sobre ellos, en aquellas palabras, una ráfaga de locura. Los criados y los*
15 *mendigos van llegando de la cocina con un rumor lento, ojos de susto, gesto de misterio, y se detienen sobre el umbral de la puerta.*

ALGUNAS VOCES. ¡Ave María Purísima!

EL CABALLERO. ¡Cavada tengo la sepultura! He
20 visto en mi camino a la muerte y están marcadas mis horas ... Cuando echéis el cuerpo a la tierra volved a poner la losa que han alzado mis manos, pero antes no. ¡Maldito sea quien lo intente! ... Tú, mal hijo, no finjas dolor
25 ... Lleva a los otros la noticia, y celebradla juntos en la cueva de los ladrones, en el cubil de un lobo, donde nadie os vea. Cuanto era mío, mañana será vuestro, y el cuerpo que será de los gusanos, tendrá más noble destino
30 ... No lloréis vosotros, criados y hermanos míos, que estas puertas las hallaréis siempre francas y, aunque fría, siempre sentiréis mi mano tendida hacia vosotros. ¡No dejo otra manda para que mis crímenes me sean per
35 donados, y he de alzarme de la sepultura si no fuese cumplida! No lloréis, y haced silencio, que quiero confesar mis pecados al señor Capellán de mi casa. No tengo más que un pecado ... ¡Uno solo que llena toda mi vida!
40 ... He sido el verdugo de aquella santa, con la impiedad, con la crueldad de un centurión romano en los tiempos del emperador Nerón[1] ... Un pecado de todos los días, de todas las horas, de todos los momentos ... No tengo
45 otro pecado que confesar ... La afición a las

[1] Nero, Roman Emperor from 54–68.

mujeres y al vino y al juego, eso nace con el hombre ... Pecado grande es haber sido verdugo de un alma y haber puesto en ella garfios encendidos en las hogueras del Infierno. ¡Los garfios que en las carnes de los con
50 denados clava Satanás! ... Y ahora me arrodillo para recibir la absolución ... Señor Capellán, la absolución, y la tuya también, mal hijo, ya que tienen esa gracia tus manos impuras. Absolvedme y después clavad esa
55 ventana, clavad esa puerta, dejadme aquí como en un pozo, solo, para morir.

EL CAPELLÁN *traza una cruz con su diestra sobre la cabeza del viejo linajudo, y el murmullo de los rostros aldeanos y mendigos, resplandeciente de fe,*
60 *se eleva en una grave onda.*

ESCENA VI

Sobre la encrucijada de dos caminos aldeanos, un campo de yerba humilde salpicada de manzanilla, donde hay un retablo de ánimas entre cuatro cipreses. Es
65 *paraje en que hacen huelgo los caminantes y rezan las viejas anochecido.* DON ROSENDO, DON MAURO *y* DON GONZALITO *descansan al pie de los cipreses, con los caballos del diestro. Más lejos, un mozo aldeano deja pacer la yunta de sus vacas, y a lo largo de los caminos,*
70 *que se pierden entre verdes y sonoros maizales, trotan cabalgadas de chalanes que van de feria, y cruzan graves y procesionales, viejos vestidos de estameña, con sus grandes bueyes de cobre luciente, hermosos como ídolos, con verdes ramos de roble en las testas.*
75

DON MAURO. ¿Dónde se habrá metido el clérigo?

DON ROSENDO. En casa de alguna moza.

DON MAURO. A Pedro, son muchos los que le han visto pasar solo. ¿Cómo se habrán separado?
80

DON GONZALITO. Reñirían al repartirse lo que nos robaron.

DON ROSENDO. ¡Lástima que no se matasen!

DON MAURO. Hay que volver por allá ...

DON GONZALITO. Si ellos no nos ganan la mano.
85

DON MAURO. ¡Haber olvidado la capilla!

DON ROSENDO. Cuando se tiene una pena no se está para recordar ...

DON GONZALITO. ¡Pobre madre! Ella acudía a todos, y teníamos un amparo ... Pero ahora,
90

¿qué será de nosotros? . . . Hemos amargado sus últimos momentos con nuestras disputas. ¡Somos como fieras!

DON MAURO. Lo hicimos de obligados. Si no lo
5 hacemos, los otros bandidos nos dejan sin una hilacha.

DON GONZALITO. Pero es triste.

DON MAURO. Sí, lo es.

Los tres hermanos quedan un momento silen-
10 *ciosos. Una tropa de chalanes llega y descabalga para descansar a la sombra de los cipreses, dejando libres los jacos en el verde y oloroso campo, que cruzan aquellos caminos aldeanos por donde se pierden huestes de mujerucas, viejas y mozas, que*
15 *van al molino con maíz y con centeno. Los chalanes son siete:* MANUEL TOVÍO, MANUEL FONSECA, PEDRO ABUÍN, SEBASTIÁN DE XOGAS *y* RAMIRO DE BEALO *con sus dos hijos.* OLIVEROS, *el mayor, tiene el noble y varonil tipo suevo[1] de un hidalgo mon-*
20 *tañés. La barba de cobre, los ojos de esmeralda y el corvar de la nariz soberbio, algo que evoca, con un vago recuerdo, la juventud putañera de* DON JUAN MANUEL MONTENEGRO. *Allá, en su aldea, la madre y el hijo suelen enorgullecerse de aquella*
25 *honrosa semejanza con* EL SEÑOR MAYORAZGO. *Y* RAMIRO DE BEALO *ha conseguido por ello que el viejo linajudo le diese en parcería[2] cuatro yuntas y en aforo[3] las tierras de Lantañón.*

LOS CHALANES. ¡Santos y buenos días!
30 LOS SEGUNDONES. ¡Santos y buenos!

RAMIRO DE BEALO. ¿El señor don Mauro camina para su casa de Bealo?

DON MAURO. Para allá se camina.

RAMIRO DE BEALO. ¿Tornan del entierro de la
35 señora mi ama, que goce de gloria? . . . ¡Dios les otorgue su santa conformidade![4] . . . ¿Por allá verían a la parienta?[5] Cuando salimos para la feria, díjonos que tenía determinado acudir. ¡Por allá la verían! Nos[6] hubiéramos cumplido

[1] Swabian, a Germanic tribe that invaded northern Spain.
[2] *parcería*, from *aparcería*, contract by which a person receives cattle or land on the condition that he will care for or cultivate it and return to the owner a specified amount of the produce.
[3] *aforo* contract for tenant farming.
[4] *conformidad.*
[5] *la parienta*, my wife.   [6] *Nos=Nosotros.*

como ella de no hallarnos con un buey escor- 40
dado,[7] sin yunta para labrar la tierra . . . Si Dios nos mantiene con vida y salud, el domingo bajaremos a la villa para oír una misa y saludar al señor don Juan Manuel.

DON MAURO. Pues yo os digo que en la casa de 45
mi padre hacéis vosotros la misma falta que los canes en la de Dios. Eso os digo.

DON GONZALITO. ¡Harto habéis ordeñado esa vaca[8] y no penséis que por ser muerta mi madre! . . . 50

OLIVEROS. Pues allá iremos, sin contar con su venia.

RAMIRO DE BEALO. ¡Calla, rapaz! No muevas pleitos.

OLIVEROS. Hablo aquello que bien me parece, 55
mi padre.

DON ROSENDO. ¡Lo malo será que te arranquen la lengua!

OLIVEROS. La defienden los dientes.

RAMIRO DE BEALO. Ten miramiento, rapaz. 60

DON ROSENDO. Defensa de mujer.

OLIVEROS. Y de lobo.

DON MAURO. ¡No te los haga yo dejar clavados en la tierra!

OLIVEROS. ¡Mucho hablar es! . . . 65

DON GONZALITO. Si los quieres bien, no los saques al aire.

OLIVEROS. ¡Mírenlos!

OLIVEROS *muestra los dientes albos, jóvenes, fuertes, con un gesto lleno de violencia, que recoge* 70
los labios y los estremece con sanguinaria y primitiva fiereza.

DON MAURO. ¡Dientes de hambre, no asustan!

OLIVEROS. ¡Hambre de morder!

DON GONZALITO. Un mendrugo. 75

DON ROSENDO. ¡Cadelo sarnoso!

OLIVEROS. De tu sangre, me vendrá la sarna.

RAMIRO DE BEALO. Rapaz, ten miramiento, que son más que tú.

OLIVEROS. A usted tócale callar, mi padre. 80

RAMIRO DE BEALO. Que ellos son caballeros, rapaz.

[7] *escordado* (*Gal.*) sprained tendon; broken or dislocated bone.
[8] *¡Harto . . . vaca* You've gotten enough out of that house.

OLIVEROS. De la nobleza que vengan, vengo yo.

DON ROSENDO. Por detrás de la iglesia no hay
nobleza, sino hijos de puta.

DON MAURO. Tú siempre serás el hijo de un
5 cuerno de Ramiro de Bealo.

OLIVEROS. Ni de puta ni de cabrón soy nacido,
ni nunca dos veces me lo dijeron.

*El mozo chalán, adelanta hacia los segundones
blandiendo la luenga pica con que acucia y guía su*
10 *vacada por llanos y veredas. Los otros chalanes,
en bandería, se ponen a su lado, y la tropa de
villanos cerca a los segundones.*

DON MAURO. ¡Para mí, tres!

SEBASTIÁN DE XOGAS. ¡Allá va uno, con quien
15 será bastante!

DON ROSENDO. ¡No cejes, Gonzalo!

OLIVEROS. ¡Miren estos dientes! . . .

RAMIRO DE BEALO. ¡Rapaz, que me matan! . . .
¡Acude aquí! . . .

20 DON MAURO. ¡Para mí, tres!

*El segundón lanza su grito en medio del campo,
como un gigante antiguo, desnudo y vencedor. A
sus pies, con la cabeza abierta, muerden la yerba*
SEBASTIÁN DE XOGAS *y* PEDRO ABUÍN. *Los otros*
25 *segundones, casi sucumben bajo la acometida de
todos los chalanes unidos.*

DON GONZALITO. ¡Siete contra tres! . . . ¡Miserables!

DON ROSENDO. ¡Como si fuesen setenta!

30 OLIVEROS. ¡Yo para uno solo!

El mozo, siempre blandiendo su pica, va sobre
DON MAURO. *El bastardo y el segundón se miran
frente a frente:* OLIVEROS, *pálido por el ansia de la
pelea, estremecido con el deseo del vencimiento, y el*
35 *segundón, fuerte, soberbio, con la cabeza desnuda y
las manos rojas de sangre, como el héroe de un combate primitivo en un viejo romance de Castilla.*

OLIVEROS. ¡Ahora verás si son buenos los hijos
de puta!

40 DON MAURO. ¡Para mis galgos ha de ser tu
lengua!¹

---

¹ *¡Para . . . lengua!* Your tongue will be thrown to
my hounds! i.e., I shall conquer you!

*Se acometen los dos. El chalán blande su pica,
y el segundón, con arrogante brío, sigue clavándole
los ojos, puestas en alto las manos ensangrentadas,
para guarnecer su cabeza desnuda. Restalla el* 45
*golpe. Entre las manos del segundón queda la pica
que vuela por los aires, luego, partida en dos. La
lucha continúa brava, bella, rugiente. Los caballos,
asustados, huyen arrastrando las riendas, y allá
lejos, en medio de los caminos, relinchan.* MANUEL 50
TOVÍO, MANUEL FONSECA, RAMIRO DE BEALO, *y el
menor de sus hijos, acosan en cerco a* DON GONZALO
y DON ROSENDO. *De pronto, entre el restallar de
las picas sobre los cráneos y el cóncavo tundir de
los puños contra los pechos, se levanta, como el* 55
claro canto de un gallo, el grito de DON MAURO.

DON MAURO. ¡Para mí, tres!

DON ROSENDO. ¡Ánimo, hermanos!

DON GONZALITO. ¡Ánimo!

Como una ráfaga, la hueste de chalanes siente el 60
*triunfo de los segundones. En un tácito acuerdo
comienza a cejar, sin vergüenza de ser vencidos
por aquellos tres hidalgos.—¡Que para eso son hidalgos y señores de torre!—*OLIVEROS, *en tierra,
de cara contra la yerba, ruge, sofocado por las* 65
*manos del hercúleo segundón. El grito de don
Mauro es un claro clarín.*

DON MAURO. ¡Para mí, tres!

JORNADA TERCERA

ESCENA PRIMERA   70

*Un rincón en la iglesia de Flavia-Longa. Llega, como
mosconeo, la voz desentonada y gangosa del abad, un
exclaustrado sordo, que guía las Cruces en la capilla de
Jesús Nazareno. Una mujeruca del pueblo, que lleva el
manteo a modo de capuz, suspira al terminar sus rezos* 75
*y besa la tierra con la lengua. Es muy vieja, toda
arrugada, con ese color oscuro y clásico que tienen las
nueces de los nogales centenarios. Atraviesa la nave, y
el lento arrastrar de sus madreñas cuenta sus años.
Aquella mujeruca sirve desde niña en la casa de don* 80
Juan Manuel Montenegro: Es MICAELA LA ROJA, *que
conoció a los difuntos señores cuando entró de rapaza de
las vacas, por el yantar y el vestido. Ahora camina
apoyada en un palo. Renqueando entra en una capilla
con puerta de hierro, toda tristeza y herrumbre, y se* 85

acerca a una mujer que reza. Es SABELITA, *que fué
otro tiempo barragana del Caballero. Con las cabezas
juntas, hablan quedo en aquella sombra húmeda que
parece destilar oraciones, y dos velas se consumen en el
altar, dos velas rizadas y pintadas como dos madamas.*

LA ROJA. ¡Dábame mi alma que aquí la toparía![1]

SABELITA. No te ha engañado.

LA ROJA. Cuando remate sus devociones, tiene
de venirse conmigo.

SABELITA. ¿Adónde?

LA ROJA. A la casona.

SABELITA. Roja, no quiero verlos más, ni al
padre ni a los hijos . . .

LA ROJA. A los rapaces no digo . . . Mas al señor
mi amo fuerza es que le vea. Cordera, por ese
mor vengo procurándola. Está el cuitado como adolecido desde que tuvo el primer anun-
cio, que fueron las luces de la Santa Compaña.

SABELITA. ¿Vió a la Santa Compaña?

LA ROJA. Sí la vió . . . Era una hueste muy
luenga de ánimas en pena, todas vestidas de
blanco. Pareciósele de noche, en el Campo de
la Iglesia.

SABELITA. ¡Allá, en Viana!

LA ROJA. ¡Y en la misma hora que dejaba el
mundo Dama María! . . . El marinero con la
carta llegó después . . . Don Galán bajó conmigo a franquealle la puerta.

SABELITA. ¿Vosotros vinisteis con don Juan
Manuel?

LA ROJA. Nosotros vinimos por tierra. ¡Ay, cuidé
de no llegar! El señor mi amo, embarcó solo
en la barca, que luego fué náufraga.

SABELITA. ¡Qué desgracia tan grande! Recemos
una Salve por el descanso de esos pobres
marineros ahogados.

LA ROJA. Estaba de Dios que ellos pereciesen, y
que el amo se salvase.

*Las dos rezan a media voz, con un bisbiseo
devoto y confuso, que se junta en las sombras de la
capilla al chisporroteo de las velas. Las dos inclinan las cabezas y ponen en blanco los ojos para
poder alzarlos al altar, desde donde responde a su
mirada la mirada extática de una Dolorosa. El*

---

[1] *¡Dábame . . . toparía!* I had a hunch I would come
across you here!

*parpadeo de las luces da una apariencia de vida al
cerco amoratado de aquellos ojos, a la boca dolorida, a las mejillas con dos lágrimas de cristal.*
SABELITA *y la vieja se santiguan al terminar su
rezo.*

LA ROJA. Pronto cerrarán la iglesia. ¡Vámonos!

SABELITA. Yo, no . . .

LA ROJA. Es una obra de caridad que acuda a
llevarle un consuelo.

SABELITA. Tú sabes que no puede ser . . .

LA ROJA. Agora es solamente un pecador arrepentido.

SABELITA. ¿Qué dice?

LA ROJA. Con nadie habla y a nadie quiere ver.
Encerrado en la alcoba donde murió la santa,
se oyen sus pasos, que vienen y van . . . Cuando alguien se acerca requiere la escopeta y
amenaza con matarle.

SABELITA. ¿Tú no le has visto?

LA ROJA. No, cordera. Su pensamiento es dejarse
morir de hambre.

SABELITA. ¿Y qué puedo hacer?

LA ROJA. Venir a suplicarle.

SABELITA. No oirá mi voz.

LA ROJA. Es la sola que oirá . . . ¡No puede ser
que le deje morir solo, como un can!

SABELITA. ¡Yo no sé qué hacer!

LA ROJA. ¿Qué le dice su corazón?

SABELITA. ¡Me dice tantas cosas encontradas!

LA ROJA. ¿Y ninguna grita más fuerte?

SABELITA. ¡Ah, sí!

LA ROJA. ¿Y por qué no obedece a esa voz?

SABELITA. ¡Temo el pecado! . . .

*SABELITA se santigua, y la rosa marchita de su
boca se estremece con el murmullo de un rezo. Sus
ojos se clavan en el altar, y las dos velas, que lloran
sin consuelo sobre las arandelas de cristal, al alma
llena de supersticiones milenarias le fingen dos
mujeres desnudas que se consumen en llamas, no
sabe si las del pecado, si las del infierno. Un viejo
de guedejas blancas cruza la iglesia agitando algunas llaves en manojo.*

LA ROJA. Vámonos, cordera, que ya San Pedro
anda tocando los fierros.

SABELITA. Vámonos . . .

LA ROJA. ¿No le acordó una resolución la Santísima Virgen?

SABELITA. No.

LA ROJA. ¿Sigue batallando con sus dudas?

5 SABELITA. ¡Ay, Jesús!

*Salen de la iglesia. En el cancel esperan las
viudas de los náufragos para tratar del entierro
con el señor abad. Es un grupo de mujeres que
huelen a marinada, con los ojos encendidos y las*
10 *greñas flojas, con los vestidos húmedos, pardos, de
una tristeza salobre, restos de otros lutos.*

LA ROJA. El señor don Juan Manuel dispuso que
se diese a cada viuda una carga de maíz. ¡Fué
la sola cosa que habló!

15 SABELITA. ¡Vamos allá!

LA ROJA. ¡Dios te lo premiará, mi hija!

ESCENA II

Una antesala en la casona. ANDREÍÑA *hila, y otros
criados desgranan maíz, a la redonda de una cesta*
20 *colmada de mazorcas. Hablan en voz baja, atentos a
los pasos que vienen y van en la alcoba donde murió la
señora ama. La puerta está cerrada, y de tiempo en
tiempo alguno de los criados se acerca sin ruido y escucha. Los otros callan contemplándole, y cuando se les
25 junta, otra vez comienza el cálido susurro de la conversación. Y el rumor de los pasos que vienen y van,
parece marcar todos los gestos y todas las actitudes de
aquellos criados que desgranan mazorcas en la antesala
oscura.*

30 ANDREÍÑA. ¡Tal como agora veis, de día y de
noche!...

EL RAPAZ DE LAS VACAS. ¡Por la noche se oían
sus lamentos!...

LA RECOGIDA. ¡Una voz de desespero que llenaba
35 toda la casa!

ANDREÍÑA. ¡La voz del enemigo que tenía el
cuerpo, y turraba por salir!...

LA REBOLA. ¡Ave María!

DON GALÁN. ¡Ahí lo tenéis arrepentido como un
40 fraile, por lo mucho que hizo sufrir a la
señora ama!

LA REBOLA. ¿Y dejaráse morir de hambre?

DON GALÁN. Antes rabiará.

LA REBOLA. ¡Ni que fuera can!

EL RAPAZ DE LAS VACAS. ¡Tengo dolidas las ma- 45
nos! ¿Desgrana bien ese carozo, Rebola?

LA REBOLA. Hace él solo la labor.

EL RAPAZ DE LAS VACAS. Yo no atopo uno bueno.

LA REBOLA. Éste lo tuve en el lar, por mor que[1]
endureciese.   50

DON GALÁN. Si me lo regalas, te doy palabra de
casamiento.

ANDREÍÑA. ¿Y ha de ser ella quien te dé el
carozo?

EL RAPAZ DE LAS VACAS. ¡Nunca tal vi, ser la mu- 55
jer quien lleve el carozo![2]

DON GALÁN. Así juntábamos dos. ¡No tenéis
oído que cuanto más, más gracia de Dios!

ANDREÍÑA. ¡Gran maricallo!

DOÑA MONCHA *entra en la antesala, y los* 60
*criados al verla, callan, aparecen graves, con algo
de sombras en la vastedad de aquella antesala
oscura. No se distinguen los rostros, son los ademanes de una rara lentitud y las figuras parecen
vestir túnicas de niebla.*   65

DOÑA MONCHA. ¿Se oyen sus pasos?

ANDREÍÑA. Sí, señora.

DOÑA MONCHA. ¡No descansa!...

DON GALÁN. ¡Tiene un verme que le roe y no
le deja!   70

ANDREÍÑA. ¡Como si estuviese ya difunto, róele
un verme!

Se acerca DOÑA MONCHA *a la puerta y escucha.
Los pasos se alejan. Espera. Los pasos retornan ya.*
DOÑA MONCHA *pulsa tímidamente en la puerta.* 75
Todos callan y esperan.

DOÑA MONCHA. ¡Tío!... ¡Tío!... ¡Que se
está matando!... ¡Tío!... ¡Tío!... ¡Que
es un pecado lo que hace! ¡Tío!... ¡Tío!...

ANDREÍÑA. ¡No contestará!   80

EL RAPAZ DE LAS VACAS. ¡Hállase firme en dejarse morir de hambre!

DON GALÁN. ¡Está adolecido!... ¡Tiene el alma
ausente!...

Sin ruido, lentamente, DOÑA MONCHA *se aparta* 85
de la puerta y se sienta entre los criados a desgranar

[1] *por mor que* hoping that.

[2] *carozo* has a double meaning here: corncob and
phallus.

espigas. Se oye alguna voz apagada, y el alarido del viento y las pisadas que vienen y van. Desgranada una cesta de mazorcas, traen otra. En la antesala vaga ahora una sombra negra, la sombra 5 *del* CAPELLÁN.

EL CAPELLÁN. ¡Los pasos no dejan de oírse ni de día ni de noche!

DOÑA MONCHA. ¡Ni de día ni de noche!

EL CAPELLÁN. ¡Concluirá por enloquecer!

10 DOÑA MONCHA. ¡Enloquecido está ya!

EL CAPELLÁN. ¡No debíamos dejarle!

DOÑA MONCHA. ¡Pobres de nosotros, qué podremos hacer! . . . Yo tiemblo cuando me acerco a esa puerta.

15 DON GALÁN. ¡Tiene un verme que le roe!

ANDREÍÑA. ¡Como si estuviera ya difunto, cómele, cómele! . . .

EL CAPELLÁN *se acerca a la puerta y pulsa con los artejos. Espera un momento, y como ninguna* 20 *voz responde, vuelve a pulsar. Los pasos vienen y van.*

EL CAPELLÁN. ¡Señor don Juan Manuel! . . . ¡Señor don Juan Manuel! . . . ¡Dios nos manda tener valor! Debemos conservar la exis25tencia como un don precioso, y amarla a pesar de sus espinas . . .

ANDREÍÑA. ¡No responderá!

LA RECOGIDA. ¡Es como un rey, y a nadie escucha!

30 *La sombra del clérigo vuelve a vagar por la antesala. Los criados comentan en voz baja, graves, lentos, reunidos a la redonda de la cesta llena de mazorcas, y sus voces supersticiosas, parece que van en la oscuridad, de un misterio hacia otro* 35 *misterio, y los pasos vienen y van.*

ANDREÍÑA. ¡Y así día y noche!

LA RECOGIDA. ¡No descansa!

DON GALÁN. ¡Ya tendrá su descanso, y qué luengo será!

40 LA RECOGIDA. ¡Para siempre!

EL RAPAZ DE LAS VACAS. ¡No escucha ninguna voz!

ANDREÍÑA. ¡Ya escuchará la de Nuestro Señor!

LA RECOGIDA. ¡Esa todos los nacidos la escucha45mos!

ANDREÍÑA. ¡Es más fuerte que el huracán!

EL RAPAZ DE LAS VACAS. ¡Y más que los truenos!

DON GALÁN. ¡Y más que el broar de la mar!

LA RECOGIDA. Esta noche no dejó de oírse la mar de Corrubedo. 50

LA REBOLA. ¡Dicen que se oye en la redondez de quince leguas!

ANDREÍÑA. ¡En toda la redondez del mundo óyese la voz de Nuestro Señor!

De pronto cesa la glosa de los criados, que hacen 55 *rueda desgranando mazorcas.* ARTEMISA LA DEL CASAL, *moza blanca y rubia, briosa y rozagante, con manteo cercado de velludo y capotillo mariñán, acaba de aparecer en el umbral de la antesala. Se la tiene por hija bastarda del Caballero. Trae de la* 60 *mano a un niño de ojos picarescos, que se tambalea sobre los zuecos blancos, que muestran no haber pisado la tierra. Un tirante amarillo cruza el pecho del rapaz con la prosapia de una banda, y sujeta el calzón de pana, que no llega a los zuecos. En una* 65 *mano sostiene el gorro catalán, que aun tocaba su cabeza al aparecer en la antesala, y en la otra estruja una rana viva.*

ARTEMISA. ¡Santas y buenas noches! Saluda, Floriano. 70

EL NIÑO. ¡Bendito y alabado sea el Santísimo Sacramento! . . .

ARTEMISA. Besa la mano al señor capellán. Besa también la mano a doña Moncha.

DOÑA MONCHA. ¿Qué os trae? 75

ARTEMISA. Saber si ha tenido mudanza el señor.

EL CAPELLÁN. Parece resuelto a dejarse morir.

ARTEMISA. ¡La Santísima Virgen de Gundarín no lo permitirá!

ANDREÍÑA. ¿Y si lo quiere así la Santísima Vir80gen?

DON GALÁN. ¡Tópanse con ganas de pleitos en el cielo!

ARTEMISA. Todo el día estuve con cuidado, y el pequeño, como sentíame suspirar, habían de 85 ver qué consuelos me daba. ¿Y sigue de la misma conformidad el señor?

DOÑA MONCHA. De la misma.

ARTEMISA. ¿Por qué le dejan así? Acabará por subírsele toda la sangre a la cabeza. 90

DOÑA MONCHA. Háblale tú a ver si te responde. ¡Yo tiemblo de acercarme a esa puerta!

ARTEMISA LA DEL CASAL, *se acerca a la puerta, con el niño de la mano. En la alcoba los pasos vienen y van obstinados y extraños, como el pensamiento de los locos.* ARTEMISA *atiende algunos momentos.*

ARTEMISA. ¡Pasea en la escuridad!

EL CAPELLÁN. Al entrar en la alcoba mandó clavar las ventanas.

ARTEMISA. ¡Señor!... ¡Señor!... ¿Ya no me conoce? ¡Soy Artemisa!... ¡Señor, franquee la puerta!, ¡por el alma de aquella santa! ¡Señor, que soy Artemisa!

Las pisadas que vienen y van, dejan de oírse y la puerta se abre con estrépito. En el umbral, sobre el fondo oscuro de la alcoba, aparece la figura de DON JUAN MANUEL MONTENEGRO. *Tiene un fulgor de cólera en las pupilas, en las manos de marfil añoso la escopeta, y su barba se derrama por el pecho, trémula y blanca.*

EL CABALLERO. ¡Será preciso que mate a uno! ¡No me dejaréis morir en paz!... ¡Malditos todos, que llegáis a esta puerta y no respetáis mi dolor! ¡Yo también seré maldito, porque vosotros no me dejáis morir arrepentido! ¡Mis horas están contadas!... ¡Tengo ya la sepultura abierta! ¡Dejadme! ¡Toda la noche han aullado los perros! ¡Cierro los ojos para morir, y vuestras voces me despiertan!... ¡Sois como las hienas, que desentierran a los cadáveres!... ¡Tendré que mataros!... ¡Dejadme, hienas y lobos y escorpiones!... ¡Dejadme que muera y que la tierra caiga a puñados sobre mis ojos!...

El viejo linajudo atraviesa la antesala y huye por el largo corredor lleno de resonancias. Todos se miran en silencio, con ojos de susto, y se acercan, uno a uno, al umbral de la alcoba, que hiede a muerte. Allí, agrupados, dudan de entrar, como si continuasen oyendo aquellos pasos obsesos y viesen la sombra, en la sombra, ir y venir.

ARTEMISA. ¡Espanto en el alma me pusieron sus palabras!

DOÑA MONCHA. ¡Son bien de espantar!

LA RECOGIDA. ¡Quiere morir!

ANDREÍÑA. ¡Y buscará la muerte!

ARTEMISA. ¡Y condenará su alma!

LA RECOGIDA. ¡Adónde irá!

DON GALÁN. ¡Si no le temiere, iría tras él!

EL CAPELLÁN. ¡No acosemos al león!... Si nuestros ojos no pueden seguirle, que le sigan nuestras oraciones.

La sombra del CAPELLÁN *pasea la estancia de uno a otro testero, con un murmullo de rezo, y los criados, reunidos a la redonda de la cesta colmada de mazorcas, hablan en voz baja. De pronto se oyen pisadas de caballos refrenados ante el portón.*

DOÑA MONCHA. ¿Qué será en tal hora?

EL CAPELLÁN. Los lobos que bajan del monte. ¿Quiénes pueden ser sino los hijos?...

DON GALÁN. Llegan para repartirse la herencia.

ARTEMISA. ¡Pronto tuvieron noticia!...

DON GALÁN. ¡Alguna bruja!...

ANDREÍÑA. De hoy son nuestros amos.

ESCENA III

DON JUAN MANUEL MONTENEGRO, *cruza una y otra calle, calles angostas, asombradas por altas tapias, sobre las cuales ya se derrama una higuera, ya descuella un ciprés. ¡Viejas calles de una vieja villa feudal, con iglesias, con caserones, con huertos conventuales! De los negruzcos aleros gotea la lluvia, y en las angostas ventanas que se abren debajo asoma el contorno de un gato, alguna rara vez.*

EL CABALLERO. ¿Dónde esperar la muerte sin que me acosen con sus voces?... ¿En qué oscura cueva de lobo o de león iré a esconderme?... ¡No hallo paz en la vida! ¡Fuí pastor de lobos y ahora mis ganados me comen! ¡Engendré monstruos y estoy maldito! ¿Por qué de aquel vientre de mujer santa salieron demonios en vez de ángeles con alas? ¡Estaba maldito el sembrador! ¡Estaba maldita la simiente! ¡Muerte, no tardes! ¡Sácame de este pozo de sierpes, y dame a tus gusanos!... ¡Que me coman tus hijos, pero no los míos! ¡Muerte, no tardes! ¡Dios, si por mis pecados no me quieres, deja que me arrebate Satanás!

EL CABALLERO *cruza ante dos mujeres, que se asustan del encuentro. Pasa sin verlas y solamente se detiene cuando le llaman con plañideros gritos. Entonces reconoce a la vieja criada y a* SABELITA.

LA ROJA. ¿ Señor, mi amo, adónde camina en esta hora ?

SABELITA. ¡Don Juan Manuel! ¡Madre de Dios!

5 LA ROJA. ¡Señor, adónde camina con la blanca cabeza descubierta a la lluvia ?

EL CABALLERO. ¿De qué infierno habéis salido ? ¿Por qué me detenéis? ¿Por qué me habláis cuando huyo de vuestras voces ?... ¿Isabel, qué me quieres? ¡Me abandonaste un día y 10 ahora vuelves a mí, acompañada de una bruja! ¿De qué infierno sales, Isabel? ¿Cuál es tu nombre, ahora?

SABELITA. ¡Soy Isabel, señor!...

EL CABALLERO. ¡El Demonio no te llama Isabel! 15 ... ¡El Demonio te llama voz de mentira, cuervo de ingratitud, sierpe de hipocresía, brasa de lujuria! ¡Sólo la santa de quien fuimos verdugos te llamaba Isabel! ¡Ay, para ella todos éramos sus hijos!... ¡Pero Satanás 20 no tiene en los labios el amor de aquella boca ya muda!... ¡Isabel, tú para mí te llamas remordimiento, y esa bruja, bruja!...

Desaparece EL CABALLERO *en la sombra. Las dos mujeres, asustadas, no se atreven a seguirle. Por* 25 *algunos momentos se oyen los pasos en la soledad de la calle. ¡Huecos y resonantes pasos!* EL CABALLERO *baja a la playa. El viento bordonea en el mar.*

EL CABALLERO. ¡Mar, tus olas no se abrieron 30 para tragarme!... ¡Quisiste aquellas vidas y no quisiste la mía! ¡Si me tragases, mar, y no arrojases mi cuerpo a ninguna playa! ¡Si me sepultases en tu fondo y me guardases para ti!... ¡No me quisiste aquella noche, y soy 35 más náufrago que esos cuerpos desnudos que bailan en tus olas!... ¡Tengo la pobreza y la desnudez y el frío de un náufrago! ¡No sé adónde ir!... ¡Si la muerte tarda, pediré limosna por los caminos!... ¡Y el mar, aquella 40 noche, pudo caer sobre mi cuerpo, como la tierra de la sepultura, y no me quiso!... ¡Ya soy pobre! ¡Todo lo he dado a los monstruos! ¡Mi alma en otra vida, aquella vida de que huyo, también fué un mar, y tuvo tempestades 45 y noches negras y monstruos que habían nacido de mí! ¡Ya no soy más que un mendigo viejo y miserable! ¡Todo lo he repartido entre mis hijos, y mientras ellos se calientan ante el fuego encendido por mí, yo voy por los cami- 50 nos del mundo, y un día, si tú no me quieres, mar, moriré de frío al pie de un árbol tan viejo como yo! ¡Las encinas que plantó mi mano no me negarán su sombra, como me niegan su amor los monstruos de mi san- gre!...   55

A lo largo de la playa bajan tres negras figuras. Sobre sus hombros se alarga un palo, que allá en su extremo parece levantar hacia la luna en dos cuer- nos, la dentadura de una vieja. Las tres figuras negras van delante del CABALLERO. *De tiempo en* 60 *tiempo se detienen, y sobre las olas crestadas de espuma, alargan sus varales, y los dientes de bruja que se abren al extremo desaparecen sepultos en el mar.* EL CABALLERO *pasa por entre aquellas figuras, que asombradas, le reconocen. Son tres mendigos* 65 *que en las noches de resaca catean por la playa buscando los tesoros de un naufragio. El viejo linajudo también reconoce aquellas sombras.* EL MORCEGO, *la coima y un loco que se llama* FUSO NEGRO.   70

EL CABALLERO. ¿Qué trasgo o qué bruja os ha convocado aquí ?

FUSO NEGRO. La luna...

LA MUJER DEL MORCEGO. Buscamos los tesoros de una gran nave que venía no se sabe de 75 dónde...

EL MORCEGO. Un gran bergantín, que naufragó en la mar de Corrubedo.

LA MUJER DEL MORCEGO. Pudiera suceder que las olas tuviesen más caridad que algunos cora- 80 zones y esta noche nos arrojasen alguna cosa, remedio de nuestra pobreza.

EL CABALLERO. ¡Las olas no tienen caridad!

LA MUJER DEL MORCEGO. Para muchos la tuvie- ron...   85

EL MORCEGO. Y no hay otra playa como ésta, adonde salgan tantas tablas de navíos.

LA MUJER DEL MORCEGO. Y por veces cosas de gran riqueza...

FUSO NEGRO. Plata fina, y joyas...   90

EL CABALLERO. ¡Y también algún ahogado co- mido de los peces!

FUSO NEGRO. Hace años, salió el cuerpo de un rey con su corona de oro y pedrería. Traíala tan bien puesta, que no se le pudo arrancar y fué menester cortarle la cabeza . . .

EL CABALLERO. ¡Con cuántos náufragos no habrá hecho lo mismo vuestra codicia!

FUSO NEGRO. Aquel era un rey de morería. La sangre que le manaba del cuello era negra.

EL CABALLERO. Si yo hubiera naufragado aquella noche, vosotros también habríais segado mi cabeza, aun cuando no llevase una corona. Se la venderíais a mis hijos y os la pagarían bien.

LA MUJER DEL MORCEGO. ¡No diga tal, señor!

FUSO NEGRO. Se la presentaríamos en una fuente de plata, cuando estuviesen sentados a la mesa.

EL CABALLERO. Y se la comerían como un rico manjar.

FUSO NEGRO. Don Pedrito diría: ¡Yo quiero la lengua! Don Gonzalito diría: ¡Yo quiero los ojos! ¡Y cómo le habían de chascar bajo los dientes!

EL CABALLERO. ¡Y se matarían disputándoselos!

FUSO NEGRO. Los huesos serían para los canes.

EL CABALLERO. Los canes no comen a los amos.

LA MUJER DEL MORCEGO. ¿Y pueden los hijos comer a los padres, mi señor?

EL CABALLERO. ¡A mí me comieron el corazón!

FUSO NEGRO. Aun cuando lo arrancaren del pecho con los dientes, vuelve otro a nacer. Retoña como un verde laurel . . . ¡No hay que tener miedo!

LA MUJER DEL MORCEGO. Sólo lo come de raíz el verme de la muerte. En tanto dure la vida es como una fontela donde todos acuden a beber y nadie la seca.

EL MORCEGO. Una fontela tiene agua para todas las sedes.

EL CABALLERO. ¿Y no habéis visto fuentes secas?

EL MORCEGO. En tiempo de calores.

LA MUJER DEL MORCEGO. Mas aquéllas habíalas secado el sol, y no la boca de un sediento.

FUSO NEGRO. Los lobos que quieren beberse toda el agua de las fuentes, mueren como odres reventadas.

EL CABALLERO. ¿Por qué habéis dicho que el corazón es como una fuente? En las fuentes se envenenan las aguas y mueren los que beben de ellas . . .

EL MORCEGO. ¡También el corazón tiene su ponzoña!

EL CABALLERO. Pero no la vierte en las bocas que le muerden sino que la recibe de ellas.

FUSO NEGRO. El corazón es como la niña del ojo. Adonde mira, aquello tiene en el fondo. Unas veces fuente y otras roquedo . . . Unas veces los dientes arregañados[1] de un lobo y otras un resplandor.

EL CABALLERO. ¿Por qué dirán que estás loco, Fuso Negro?

LA MUJER DEL MORCEGO. Dícelo él por no trabajar.

FUSO NEGRO. Lo dicen los rapaces por poder tirarme piedras. En todas las villas tiene[2] de haber un loco y un mayorazgo.

EL MORCEGO. Ya baja la marea. Hoy las ondas no quisieron hacer nuestra suerte.

LA MUJER DEL MORCEGO. ¡Si la hace con una limosna el señor Mayorazgo! . . .

EL CABALLERO. He llegado a ser tan pobre como vosotros. Si no tuviese abierta la sepultura tendría que ir en vuestra caravana por los caminos mendigando el pan. La muerte ya marcó mis horas, y para poder morir en paz, he abandonado a mis hijos todo cuanto tenía.

LA MUJER DEL MORCEGO. ¿Y adónde va en esta noche?

EL CABALLERO. Ya os dije que voy a morir.

LA MUJER DEL MORCEGO. La muerte viene sin que la llamen. ¡No la busque que es muy grande pecado, señor!

EL CABALLERO. No la busco . . . ¡La espero porque me fué anunciada! . . . Un gran cirio, todo de luz, se ha encendido dentro de mí, y me guía y me alumbra. He visto en abismos, donde sólo se ve cuando se tiene cavada la fosa. He aprendido, al final de mis días, que todos debemos tener por lecho de muerte un muladar, y voy a él. La tierra ha de dármelo mucho antes que el mar a vosotros esos tesoros de naufragios que buscáis . . .

[1] *dientes arregañados* with the teeth bared.
[2] *tiene = ha.*

EL CABALLERO *se aleja lentamente. Los tres men-*
digos le miran desvanecerse entre los roquedos de
la playa. La luna parece agigantar la figura del
viejo hidalgo y poner un nimbo en su cabeza blanca
5 *y desnuda.*

ESCENA IV

Una costa brava ante un mar verdoso y temeroso.
Lomas de arena, con pinares desmedrados en lo alto, y
en la bajada un charcal salobre, donde blanquean los
10 *huesos de una vaca. Larga bandada de cuervos revo-*
lotea sobre aquella carroña, bajo un cielo gris de ama-
necer. En el fondo de una caverna socavada por el mar el
viejo linajudo espera la muerte como un viejo león. Ante
sus ojos nublados ve aparecer la sombra de FUSO NEGRO.

15 FUSO NEGRO. ¡Tou! ¡Tou! ¡Tou![1] . . . Ya somos
dos.

EL CABALLERO. ¡Tampoco aquí podré estar solo
para morir en paz! . . .

FUSO NEGRO. El señor Mayorazgo tiene sus pala-
20 cios y su cama con dosel . . . Aquí haránsele
llagas las costas . . . Para el cuerpo de los
señores es muy duro el cocho de Fuso Negro.

EL CABALLERO. ¿Duermes en esta cueva?

FUSO NEGRO. Unas veces duermo y otras veces
25 velo.

EL CABALLERO. ¡Yo te pido que me dejes morir
aquí!

FUSO NEGRO. ¿Quiere hacerse ermitaño el señor
Mayorazgo? Iráse el loco a reinar en sus
30 palacios. Tendrá su manto de una sábana blanca y su corona ribeteada de papel. Tendrá su
mesa con pan de trigo y cuatro odres haciendo
una cruz. El uno de vino del Rivero,[2] el otro
de vino de la Ramallosa, el otro de vino blanco
35 Alvariño[2] y el otro del buen vino que beben
los abades en la misa, y si parida, el ama en la
cama. ¡Iráse el loco a los palacios del señor
Mayorazgo!

EL CABALLERO. Ya no tengo palacios. Todo lo
40 he repartido entre mis hijos para que no acabasen en la horca y fuesen deshonra de mi
linaje. ¡Todo lo dí!

FUSO NEGRO. ¡Tou! ¡Tou! ¡Tou . . . ¡Ya somos
hermanos!

[1] Onomatopoeic noise.
[2] Galician wines.

EL CABALLERO. Un ángel y un demonio me están 45
abriendo la sepultura a la luz de un cirio. El
ángel cava, el demonio cava . . . Uno a la
cabecera, otro a los pies . . . El demonio con
una guadaña, el ángel con una concha de oro.
¿No ves, hermano Fuso Negro? El ángel cava, 50
el demonio cava . . . Uno a la cabecera, otro a
los pies.

FUSO NEGRO. El ángel cava, el demonio cava . . .
¡Bien que los veo! El demonio agora enciende
un cigarro con un tizón que saca del rabo. 55

EL CABALLERO. ¿Tú los ves, Fuso Negro?

FUSO NEGRO. ¡Sí que los veo!

EL CABALLERO. ¿Estás seguro?

FUSO NEGRO. ¡Sí que los veo!

EL CABALLERO. Yo dudaba que fuese delirio de 60
mis sentidos . . . Apenas distingo tu sombra
en esta cueva. He venido aquí para morir . . .
Fuí toda mi vida un lobo rabioso, y como lobo
rabioso quiero perecer de hambre en esta cueva . . . Hermano Fuso Negro, me cortarás la 65
cabeza y se la llevarás a mis hijos. Verás cómo
te visten de seda esos monstruos nacidos de
mi sangre.

FUSO NEGRO. ¿Cuántos son?

EL CABALLERO. Cinco. 70

FUSO NEGRO. ¡Cinco cirios, cinco rabos, cinco
demonios coronados!

EL CABALLERO. ¡Demonios son!

FUSO NEGRO. Hijos del Demonio Mayor, que
cinco veces estuvo en la cama con aquélla que 75
ya dejó el mundo.

EL CABALLERO. ¡No la nombres, boca miserable!
¡Boca de escorpión! ¡Boca de serpiente!

FUSO NEGRO. ¿Ya no somos hermanos? . . . ¡Y
todo porque le cuento las burlerías del De- 80
monio Mayor! Los cinco mancebos son hijos
de su ciencia condenada. ¡Arreniégola! ¡Arreniégola! . . . De la su mano derecha a cada
cual dióle un dedo con su uña, para que rabu-
ñasen en el corazón de mi hermano el señor 85
Mayorazgo. Hermano de este día, por parte de
los caminos, y de pedir por las puertas, y de
la cueva para morir . . . Hermano de este día
. . . ¡Tou! ¡Tou! . . . Van por un camino toda
la vida los hermanos y no se reconocen . . . 90
Van por un camino. ¡Tou! ¡Tou! ¡Tou!

EL CABALLERO. ¡Hermanos todos, todos hijos de Satanás! ¡Y no se reconocen! . . .

FUSO NEGRO. También hay los hijos de Dios Nuestro Señor . . .

EL CABALLERO. Todos hermanos por parte de la tierra, que es nuestra madre. ¿Tú dices que mis hijos tienen un dedo de Satanás? Todos lo tenemos para robar, para matar, para hacer una higa . . .

FUSO NEGRO. Los cinco mancebos son hijos del Demonio Mayor. A cada uno lo hizo un sábado, filo de media noche, que es cuando se calienta con las brujas, y todo rijoso, aullando como un can, va por los tejados quebrando las tejas, y métese por las chimeneas abajo, para montar a las mujeres y empreñarlas con una trampa que sabe . . . Sin esa trampa, que el loco también sabe, no puede tener hijos . . . Y las mujeres conocen que tienen encima al enemigo, porque la flor de su sangre es fría. El Demonio Mayor anda por las ferias y las vendimias, y las procesiones, con la apariencia de una moza garrida, tentando a los hombres. Frailes y vinculeros son los más tentados. ¡Ay, hermano, cuántas veces habremos estado con una moza bajo las viñas sin cuidar que era el Demonio Mayor de los Infiernos! El gran ladrón se hace moza para que le demos nuestra sangre encendida de lujuria, y luego, dejándonos dormidos, vuela por los aires . . . Con la misma apariencia del marido se presenta a la mujer y se acuesta con ella. ¡Cata la trampa, porque entonces tiene el calor del hombre, la flor de su sangre, y puede empreñar! Al señor Mayorazgo gustábanle las mozas, y por aquel gusto el Diablo hacíale cabrón, y se acostaba con Dama María.

EL CABALLERO. Yo no soy cabrón.

FUSO NEGRO. El Diablo púsole sus cuernos.

EL CABALLERO. Tendrían que ser cabrones todos los hombres para que lo fuese don Juan Manuel Montenegro.

FUSO NEGRO. ¡Todos lo son, y por eso está lleno el mundo de hijos de Satanás!

Aquí FUSO NEGRO *saca un mendrugo de entre la camisa y comienza a roerlo, con la mirada adusta y obstinada.* EL CABALLERO *cierra los ojos y se recuesta sobre las algas que sirven al loco de camada. Se oye el bordón del viento y el tumbo de las olas en la playa.* EL CABALLERO *suspira sin abrir los ojos.*

EL CABALLERO. ¿Tienes hambre, hermano Fuso Negro?

FUSO NEGRO. Los vinculeros y los abades siéntanse a una mesa con siete manteles, y llenan la andorga de pan trigo y chicharrones. Luego a dormir y que amanezca. ¡Jureles asados! . . . ¡Sartenes sin rabos! . . . ¡Una vieja con los ojos encarnados! . . . ¡El loco tiene siempre hambre! . . .

EL CABALLERO. ¡La furia de tus dientes me desvela!

FUSO NEGRO. ¡Es duro como un hueso este rebojo!

EL CABALLERO. ¡Yo hace dos días que no como, y toda el hambre dormida se despierta oyéndote roer! . . .

FUSO NEGRO. ¡Parezco un can!

EL CABALLERO. ¿Es el mar o son tus dientes en el mendrugo?

FUSO NEGRO. ¡Cómo broa el mar!

EL CABALLERO. ¡No sé si el mar, si tus dientes hacen ese gran ruido que no me deja descansar y se agranda dentro de mí!

FUSO NEGRO. ¡Es la voz de la cueva!

EL CABALLERO *se tiende sobre las algas que sirven de camada a* FUSO NEGRO. *En la concavidad del escavón parece aletear un gran pájaro invisible que acordase su vuelo con la voz del viento y el tumbo de las olas. La cortina cenicienta de la lluvia ondula en el claro de luz que recorta la boca de la cueva. Algunas sombras llegan a cobijarse y se agrupan en el umbral, alentando afanosas de la carrera. Aquellas figuras que huyen del nublado, se destacan por oscuro sobre el fondo del mar tendido de espuma. Son cuatro niños descalzos, con los pelos crespos, y una mujer de luto.*

LA MUJER. ¡Tiempo de aguas! . . . ¡Tiempo de tormentas! . . . ¡Tiempo maldito! . . . ¡Miseria para los pobres! . . . ¡Lutos y hambres! . . . ¡Cúbrese el sol! . . . ¡Sentarvos en la tierra a descansar, mis hijos! . . . ¡Aun hemos de ir mucho por este arenal!... ¡Vos dolerán los pies si no descansáis!... ¡Repartirvos ese pan!...¡Tiempo de tormentas!...¡Tiempo de dolor!...

5 FUSO NEGRO. Si tuviésemos un amparo de leña encenderíamos una hoguera.

LA MUJER. No se distingue en esta escuridad... ¿Eres tú, Fuso Negro? Si bajaste por este arenal de lobos, acaso sabrás en qué playa
10 echaron las olas el cuerpo de un ahogado. A la media noche llegaron a decírmelo. Batieron en la ventana. No conocí quién era.

FUSO NEGRO. ¿Inda la mar no quiso darte el cuerpo de Venturoso?

15 LA MUJER. Dijo la voz que en la playa de Campelos... Allá voy por ver si le reconozco. Las cuatro criaturas despertáronse llorando al oír petar en la ventana...¡Creían que era el ánima de su padre! Esta mañana, rayando el
20 día, fuí a la casa grande por tener un socorro para este camino tan largo. ¡Echáronme los canes!...¡Malditos sean todos los ricos!

FUSO NEGRO. Largo camino haces para las criaturas. Si les atares una cuerda podías descan-
25 sadamente llevarlas por la mar y tú ir por la tierra.

LA MUJER. ...¡Y tenían dicho que darían socorro a las viudas y a los huérfanos! ¡El Mayorazgo huyóse para no cumplirnos la manda!
30 ¡Cinco lobos dejó alrededor de su silla vacía! ¡Ay, Montenegro, negro de corazón! ¡Por tu imperio se hicieron aquellos pobres a la mar en una noche tan fiera! ¡Cuando seáis mozos reclamarle cuentas, mis hijos, que él os dejó
35 sin padre! ¡Mal can le arranque el corazón y lo lleve por este arenal! ¡Mal cuervo le coma los ojos! ¡Malas ortigas le broten en el pecho! ¡Mal avispero le nazca en la lengua!

EL CABALLERO. ¡Calla, mujer, que tus maldicio-
40 nes ya se cumplen!

EL CABALLERO *se incorpora en el lecho de algas y la viuda y los cuatro niños tiemblan al reconocerle. En la oscuridad de la cueva apenas se distingue la sombra del viejo linajudo, y su voz tiene*
45 *una resonancia oscura de caos y tinieblas, como si saliese de la oquedad del roquedo.*

LA MUJER. ¡Tanta es la dolor de mi alma que hablo sin sentido!...¡Por estas cuatro criaturas, no me haga mal!

EL CABALLERO. ¡Fuiste a mi casa y encontraste 50 cerrada la puerta!

LA MUJER. ¡Me echaron los canes!...¡Pedía un bien de caridad para abrir una cueva!...

FUSO NEGRO. ¡Cinco cirios, cinco rabos, cinco demonios coronados! 55

EL CABALLERO. ¡Yo cavaré la cueva para tu marido! Si faltase azada la cavaré con mis manos ...Para la mortaja iré a pedir una limosna en la casa que fué mía, y si hallo la puerta cerrada, la derribaré para que entres tú con tus 60 hijos...

FUSO NEGRO. ¡Y el loco también!

EL CABALLERO. ¡Haré respetar mi voluntad! Los muertos serán sepultos y amparados los vivos. Se cumplirán todas las mandas que ordené. 65 Venid conmigo, y en el umbral de mi casa me veréis pedir una limosna para vosotros. Después, cúmplanse tus maldiciones y lleven los perros por este arenal mi corazón desesperado.

EL CABALLERO *sale de la cueva. La lluvia moja* 70 *su cabeza blanca y su barba patriarcal que aborrasca el viento, llevándola del uno al otro hombro. La viuda, el loco y los niños le siguen como sombras de su delirio. Van los niños atenazados a la falda de la madre y llorando de miedo. Todos* 75 *parecen perdidos en la vastedad del páramo.*

EL CABALLERO. ¡Desfallezco de hambre!...¡No veo!...¡Apenas puedo andar!...Esos niños que me den un poco de su pan.

LA MUJER. ¡Ya nada les queda, señor! 80

EL CABALLERO. ¡Dios haga que no caiga muerto en medio del camino!

ESCENA V

La hueste de mendigos descansa al sol ante el portal de la casona, y se tiende por la orilla del camino aldeano. 85 *Sobre la veleta del hórreo, el gallo clarinea, en el sol, dorado y soberbio.*

DOMINGA DE GÓMEZ. ¡De toda la vida lo recuerdo! Al son de las doce repartíase el pan y las berzas a los pobres que acudíamos a este por- 90 tal. Era una caridad de fundación. Venía desde los difuntos señores que levantaron la casona.

EL MANCO DE GONDAR. ¡Y esta puerta, que siempre estuvo franca para los desvalidos, ciérrase agora!

5 EL MANCO LEONÉS. ¡No heredaron los hijos la honrada ley de los padres!

LA MUJER DEL MORCEGO. Catailos los amos. Murió la madre y el padre fuése por el mundo, dejándolo todo. En la ribera del mar lo topa-
10 mos que iba con la cabeza descubierta a la lluvia.

EL MORCEGO. ¡Clamaba por la muerte!

EL POBRE DE SAN LÁZARO. Todo lo dejó para ser pobre como nosotros y tener su silla de oro en
15 el Cielo.

EL MANCO LEONÉS. Los herederos la tendrán de espinas en el Infierno.

DOMINGA DE GÓMEZ. Cierran su puerta a los pobres que son hijos de Dios Nuestro Señor.
20 ADEGA LA INOCENTE. El Divino Jesús, también anduvo pidiendo por los caminos del mundo, con unas alforjinas a cuestas que le bordara la Virgen Madre.

EL MANCO LEONÉS. ¿Y adónde se habrá retirado
25 el noble Caballero?

LA MUJER DEL MORCEGO. ¡Y quién lo sabe!

DOMINGA DE GÓMEZ. Para hacer penitencia iríase al monte, donde tiene un gran pazo.

EL POBRE DE SAN LÁZARO. Allí guarda cinco mo-
30 zas, y no iría, si está talmente arrepentido.

LA MUJER DEL MORCEGO. ¡Escuchad la voz de los hijos en la casona!

DOMINGA DE GÓMEZ. ¡Vanse a matar!

EL MORCEGO. ¡Pelean haciendo las particiones!
35 EL POBRE DE SAN LÁZARO. ¡En la gran Jerusalén, hace cientos de años, oyéronse estas mismas voces, que las daban los judíos, repartiéndose la túnica de Nuestro Señor Jesucristo!

DOMINGA DE GÓMEZ. ¡Talmente son judíos!
40 EL POBRE DE SAN LÁZARO. ¡Como tales judíos obran, cerrando su puerta a los pobres y echándolos al camino! ¡Las migajas de su mesa se las dan a los canes!

DOMINGA DE GÓMEZ. ¡La suerte de un pobre es
45 más triste que la de un can!

EL POBRE DE SAN LÁZARO. ¡Porque un pobre sabe resignarse y un can rabia!

Se abre un postigo en el gran portón de la casona y uno a uno van saliendo los criados:—LA ROJA, DON GALÁN, LA RECOGIDA.—*Tras ellos, el* 50 *postigo vuelve a cerrarse.*

LA ROJA. ¡Bien mala cosa es la vejez!

DON GALÁN. ¡Un hueso que nadie lo quiere roer, si no es la muerte!

LA RECOGIDA. ¿Adónde iremos, señora Micaela? 55

LA ROJA. Tú eres moza, y en cualquier banda hallarás acomodo . . . ¡Pero yo, triste de mí, con tantos años a cuestas, que voy a cumplir el ciento! . . . ¿Adónde iré, despedida de esta casa donde gané el pan toda mi vida? . . . 60 ¡Bien se me alcanza[1] que no podía ya ganarlo! . . . ¡Y una boca, aun cuando no tenga dientes, es una carga muy grande! . . . ¡Y lo mucho es poco cuando se reparte! ¡Y si los reinos se deshacen, qué no será las casas! . . . ¡Esta 65 casa fué muy grande, mas agora, repartida no será nada! . . . ¡Por eso, si culpo, es a la muerte que tanto me tarda!

LA RECOGIDA. Solamente tuvo suerte la señora Andreíña. 70

DON GALÁN. Porque tiene tres cabras que acochan con los lobos.[2]

LA ROJA. Moriré en un camino, al pie de un bardal.

LA RECOGIDA. ¡Juntas nos atrapó la tormenta, 75 señora Micaela!

DON GALÁN. Irémonos los tres por luengas tierras pidiendo una limosna. A mí llevaréisme en un carretón.

LA ROJA. ¡Pudiera yo,[3] como tú, trabajar! 80

DON GALÁN. Pero no tengo voluntad.

LA ROJA. ¡Se me parte el corazón al separarme de estas piedras! . . . ¡Pierdo a mis amos, piérdolos para siempre, yo que los vi nacer! . . . 85

DON GALÁN. ¡Nosotros somos ovejas y ellos son lobos que nos enseñan los dientes!

LA ROJA. ¡Son leones y de mucha nobleza!

DON JUAN MANUEL *llega por aquel camino aldeano, de verdes orillas. El loco, la viuda y los* 90

---

[1] *Bien se me alcanza* It is very clear to me.
[2] A reference to the fact that Andreíña gave her daughters to Don Juan Manuel's sons.
[3] *Pudiera yo* If only I could.

huérfanos le acompañan. EL CABALLERO *camina entre ellos como un viejo patriarca entre su prole: Dolor, Miseria y Locura.*

DON GALÁN. ¡Catay,[1] el amo que torna!

5 DOMINGA DE GÓMEZ. ¡Vuelve a su silla el rey de Castilla!

EL MANCO LEONÉS. ¡Vuelven los desvalidos a tener padre!

LA ROJA. ¡Con cuánto dolor camina!

10 LA RECOGIDA. ¡Nos topábamos como ovejas sin pastor, y cuida que llega![2]

DON GALÁN. ¡No es el pastor sino el mastín! ¡Veredes[3] qué dientes le muestra a los lobos!

EL CABALLERO, *con el andar desfallecido, llega a*
15 *la puerta y pulsa. Apoyado en la jamba espera. Los mendigos y los criados se agrupan detrás, todos en un gran silencio.* EL CABALLERO *vuelve a pulsar en la puerta, y acompaña con grandes voces los golpes de su puño cerrado.*

20 EL CABALLERO. ¡Abrid, hijos de Satanás! ¡Abrid estas puertas que cierra vuestra codicia! ¡Abridlas de par en par, como tenéis abiertas las del Infierno! ¡Abridlas para que entren los que nunca tuvieron casa! ¡Soy yo, quien, des-
25 pués de habéroslo dado todo, llego a pediros una limosna para ellos! ¡Soy yo, quien, pobre y miserable, golpea esta puerta cerrada! ¡Hijos de Satanás, no hagáis que mi cólera la derribe y entre por ella, como quien es, don
30 Juan Manuel Montenegro! ¡Abrid, hijos de Satanás!

Resuenan en el ancho zaguán los golpes del Caballero. Ante la puerta hostil y cerrada, se levanta, como un oleaje, el vocerío de la hueste
35 *mendicante y los viejos criados despedidos de la casona.*

LA VOZ DE TODOS. ¡Abran a su padre! ¡Abran a su padre!

EL CABALLERO. ¡Derribad la puerta! ¡Mis verda-
40 deros hijos sois vosotros!

[1] *Catay = Mirad.*
[2] *cuida que llega* be careful, for he is coming!
[3] *Veredes = Veréis.*

LA VOZ DE TODOS. ¡Tengan caridad para su padre! ¡Caridad y respeto! ¡Caridad y respeto!

EL CABALLERO. ¡Eso lo da sólo el amor!

Por las mejillas del viejo linajudo ruedan dos lágrimas que se pierden en la nieve de su barba. Los 45 *mendigos y los criados se arrojan sobre la puerta.*

LA VOZ DE TODOS. ¡Tengan ley de Dios!

EL CABALLERO. ¡Dadme un hacha!

LA VOZ DE TODOS. ¡Tengan ley de Dios!

EL CABALLERO. ¡Poned fuego a la casa por sus 50 cuatro esquinas! ¡Perezcan entre llamas los hijos del Infierno!

LA VOZ DE TODOS. ¡No hay ley de Dios! ¡No hay ley de Dios!

De pronto cesa el clamor. Espantados de sus 55 *voces, mendigos y criados oyen en un gran silencio descorrer los cerrojos de la puerta: Se abre rechinando, y sobre el umbral, como una sombra de malas artes, aparece* ANDREÍÑA. *Al mismo tiempo asoman con bárbara violencia los cuatro segundones, en* 60 *aquel balcón de piedra que remata con el escudo de armas: ¡Águilas y Lobos! Todos hablan en un son.*

DON MAURO. ¡Ya tenéis franca la puerta!

DON ROSENDO. ¡Entrad, si os atrevéis!

DON MAURO. ¡El que cruce esos umbrales no 65 vuelve a salir!

DON GONZALITO. ¡Atreveos, miserables!

DON FARRUQUIÑO. ¡Ya no gritáis, mal nacidos!

EL CABALLERO. ¡Entrad conmigo todos! ¡Mis verdaderos hijos sois vosotros! ¡Ayudadme, 70 para que pueda saciar vuestra hambre de pan y vuestra sed de justicia! ¡Ayudadme como hijos! ¡Ayudadme como animales hambrientos, como arcángeles o como demonios! ¡Rabiad, ovejas! 75

Todos permanecen ante la puerta cobardes, mudos y quietos. EL CABALLERO *entra solo, y sus voces roncas y tronantes bajo la bóveda del zaguán, se alejan y se pierden. Los cuatro mancebos se retiran del balcón, unánimes en el impulso violento* 80 *y fiero.* ANDREÍÑA *empuja la puerta para cerrarla, y en aquel momento adelántase la figura gigante del pobre lazarado, derriba por tierra a la bruja y penetra en el zaguán clamando, y todos le siguen repitiendo sus voces.*

EL POBRE DE SAN LÁZARO. ¡Es nuestro padre! ¡Es nuestro padre!

5 LA VOZ DE TODOS. ¡Es nuestro padre!

ESCENA FINAL

La cocina de la casona. En el hogar arde una gran fogata y las lenguas de la llama ponen reflejos de sangre en los rostros. Los cuatro segundones aparecen sobre el 10 *fondo oscuro de una puerta, cuando la cocina es invadida por la hueste clamorosa que sigue al* CABALLERO.

EL CABALLERO. ¡Soy un muerto que deja la sepultura para maldeciros!

DON FARRUQUIÑO. ¡Padre, tengamos paz!

15 DON ROSENDO. ¡Fuera de aquí toda esa gente!

EL CABALLERO. ¡Son mis verdaderos hijos! ¡Para ellos os pedí una limosna y hallé cerrada la puerta!

DON MAURO. ¡Ya la tiene franca!

20 EL CABALLERO. ¡Llego para hacer una gran justicia, porque vosotros no sois mis hijos!... ¡Sois hijos de Satanás!

DON FARRUQUIÑO. Entonces somos bien hijos de don Juan Manuel Montenegro.

25 EL CABALLERO. ¡Ay, yo he sido un gran pecador, y mi vida una noche negra de rayos y de truenos!... ¡Por eso a mi vejez me veo tan castigado!... ¡Dios, para humillar mi soberbia, quiso que en aquel vientre de mujer santa 30 engendrase monstruos Satanás!... ¡Siento que mis horas están contadas; pero aún tendré tiempo para hacer una gran justicia. Vuelvo aquí para despojaros, como a ladrones, de los bienes que disfrutáis por mí! ¡Dios me alarga 35 la vida para que pueda arrancarlos de vuestras manos infames y repartirlos entre mis verdaderos hijos! ¡Salid de esta casa, hijos de Satanás!

A las palabras del viejo linajudo, los cuatro 40 *segundones responden con una carcajada, y la hueste que le sigue, calla suspensa y religiosa.* EL CABALLERO *adelanta algunos pasos, y los cuatro*

mancebos le rodean con bárbaro y cruel vocerío, y le cubren de lodo con sus mofas.

DON MAURO. ¡Hay que dormirla,[1] señor don 45 Juan Manuel!

DON ROSENDO. ¿Dónde la hemos cogido, padre?

DON GONZALITO. ¡Buen sermón para Cuaresma!

DON FARRUQUIÑO. ¡No mezclemos en estas burlas las cosas sagradas! 50

DON ROSENDO. ¿Dónde hay una cama?

DON MAURO. Vosotros, los verdaderos hijos, salid, si no queréis que os eche los perros. ¡Pronto! ¡Fuera de aquí! ¡A pedir por los caminos! ¡A robar en las cercas! ¡A espiojarse 55 al sol!

El segundón atropella por los mendigos y los estruja contra la puerta con un impulso violento y fiero, que acompañan voces de gigante. La hueste se arrecauda con una queja humilde. Pegada a los 60 *quicios inicia la retirada, se dispersa con un murmullo de cobardes oraciones.* EL CABALLERO *interpone su figura resplandeciente de nobleza: Los ojos llenos de furias y demencias, y en el rostro la altivez de un rey y la palidez de un Cristo. Su* 65 *mano abofetea la faz del segundón. Las llamas del hogar ponen su reflejo sangriento, y el segundón, con un aullido, hunde la maza de su puño sobre la frente del viejo vinculero, que cae con el rostro contra la tierra. La hueste de siervos se yergue con* 70 *un gemido y con él se abate, mientras los ojos se hacen más sombríos en el grupo pálido de los mancebos. Y de pronto se ve crecer la sombra del leproso, poner sus manos sobre la garganta del segundón, luchar abrazados, y los albos dientes de* 75 *lobo y la boca llagada, morderse y escupirse. Abrazados, caen entre las llamas del hogar. Transfigurado, envuelto en ellas, hermoso como un arcángel, se levanta* EL POBRE DE SAN LÁZARO.

EL POBRE DE SAN LÁZARO. ¡Era nuestro padre! 80

LA VOZ DE TODOS. ¡Era nuestro padre! ¡Era nuestro padre!...

LA VOZ DE LOS HIJOS. ¡Malditos estamos! ¡Y metidos en un pleito para veinte años!

---

[1] *¡Hay...dormirla.* You've got to sleep it (drunkenness) off.

JACINTO BENAVENTE
1866–1954

Ingenioso, demasiado ingenioso, estuvo a punto de perderse en la facilidad de la frase ocurrente, de la anécdota chistosa. Como reacción contra el teatro del fin de siglo, especialmente el de Echegaray, empezó escribiendo comedias de sociedad, entretenidas, graciosas y fútiles. No tardó en ser el niño mimado del público, y como todos los de su especie impuso sobre sus fieles una tiranía irrefrenable. Una parte de su obra es poco más que trivialidades dichas con gracia, filosofía de salón, fuegos artificiales que cuando se apagan apenas dejan rastro. Nada le fué negado: ni siquiera el premio Nobel (1922). Durante años, los gacetilleros repitieron sus frases, contaron sus anécdotas, y comentaron a la ligera sus obras. Tanta facilidad le perjudicó y quizá deterioró su talento, pues no se exigió lo que pudo y debió exigirse.

Pero este conversador ameno, este profesional de la tertulia no siempre se limitó a teatralizar el chisme, a dialogar la comidilla. Su conciencia artística y su inteligencia se impusieron esporádicamente y, siendo notables, al tomar el mando dieron lugar a creaciones dramáticas grandes y fuertes. La gracia pudo ser trascendente, como en Los intereses creados *(1907) donde la crítica alcanza estratos sociales a los cuales no solía llegar el aguijón del autor; la humanidad pudo ser captada en dramas como* Señora ama *(1908) y* La malquerida *(1913), sencillos de línea y construcción, vigorosos en el planteamiento del problema y escritos con imaginación, sintiendo con igual fuerza la razón y la emoción de cada personaje: del antagonista como del protagonista. Las situaciones tienen sentido y validez en sí mismas y respecto a las demás: no son instantes inconexos, unidos en la obra por el azar, sino partes de una experiencia, de una continuidad que progresa con adecuado ritmo dramático, sin zonas vacías, sin pausas ni retrocesos, hacia su natural culminación y desenlace. Las figuras del drama podrán ser interpretadas simbólicamente y sus palabras traducidas en diferentes niveles de significación, pero ante todo impresionan como «semejantes», como seres vivos que no tanto encarnan una pasión como la padecen.*

En La malquerida *el drama cuaja en torno al amor de un hombre por la hija de su mujer, el amor-odio que la muchacha siente por él y la escisión pasional de la esposa-madre que al final decide sacrificarse e interponer su cadáver entre los enamorados para impedir el incesto.*

El autor, arrinconando la gente conocida, los títeres de salón, dejó que llegaran a la escena hombres de carne y hueso, y el resultado fué excelente. Escuchó los sordos temblores del corazón humano y los registró en esas obras con energía. Pudo seguir haciéndolo así, pero, por alguna extraña debilidad de carácter, miró de nuevo a los hombres con lentes empeque- ñecedores y deformantes.

La Malquerida (1913)[1]

DRAMA EN TRES ACTOS Y EN PROSA

Personajes

LA RAIMUNDA	LA FIDELA	NORBERTO
LA ACACIA	LA ENGRACIA	FAUSTINO
LA JULIANA	LA BERNABEA	EL TÍO EUSEBIO
DOÑA ISABEL	LA GASPARA	BERNABÉ
MILAGROS	ESTEBAN	EL RUBIO

MUJERES, MOZAS Y MOZOS.

En un pueblo de Castilla.

ACTO PRIMERO

Sala en casa de unos labradores ricos.

ESCENA PRIMERA

LA RAIMUNDA, LA ACACIA, DOÑA ISABEL, MILAGROS,
5 LA FIDELA, LA ENGRACIA, LA GASPARA y LA BERNABEA.

*Al levantarse el telón todas en pie, menos doña Isabel,
se despiden de otras cuatro o cinco, entre mujeres y
mozas.*

GASPARA. Vaya, queden ustedes con Dios; con
10 Dios, Raimunda.

BERNABEA. Con Dios, doña Isabel . . . Y tú, Acacia, y tu madre, que sea para bien.

RAIMUNDA. Muchas gracias. Y que todos lo veamos. Anda, Acacia, sal tú con ellas.

15 TODAS. Con Dios, abur.

*(Gran algazara. Salen las mujeres y los mozos y
ACACIA con ellas.)*

DOÑA ISABEL. ¡Qué buena moza está la Bernabea!

ENGRACIA. Pues va para el año[2] bien mala que 20
estuvo. Nadie creíamos que lo contaba.

DOÑA ISABEL. Dicen que se casa también muy
pronto.

FIDELA. Para San Roque,[3] si Dios quiere.

DOÑA ISABEL. Yo soy la última que se entera de 25
lo que pasa en el pueblo. Como en mi casa
todo son calamidades, está una tan metida en
sí.

ENGRACIA. ¡Qué! ¿No va mejor su esposo?

DOÑA ISABEL. Cayendo y levantando; aburridas 30
nos tiene. Ya ven todos lo que salimos de
casa; ni para ir a misa los más de los domingos. Yo por mí ya estoy hecha,[4] pero esta hija
se me está consumiendo.

ENGRACIA. Ya, ya. ¿En qué piensan ustedes? Y 35
tú, mujer, mira que está el año de bodas.

DOÑA ISABEL. Sí, sí, buena es ella. No sé yo de
dónde haya de venir el que le caiga en gracia.

FIDELA. Pues para monja no irá, digo yo; así,
ella verá. 40

[1] In this play Benavente reproduces the speech of the
common people. The following linguistic characteristics appear frequently and will not be footnoted nor
placed in the vocabulary: Final and intervocalic *d* often
disappears: *tóo (todo), ca (cada), va etrás (va detrás),
¿qué icen? (¿qué dicen?), enreaora (enredadora).*
   Other intervocalic and final consonants in words of
great frequency are also dropped sometimes: *pa (para),
po ande (por donde), tié (tiene), tamién (también), mu
(muy).*
   Archaic and dialectal words commonly used in peasant
speech are retained: *ande (donde), ende (desde), haiga
(haya), naide (nadie).*
   Initial *h* or *f* often is pronounced as a *j: jué (fué),
jipar (hipar).*

[2] *Pues . . . año* Well, about a year ago.
[3] August 16th, the festival of this popular saint.
[4] *Yo por . . . hecha* I'm used to it.

DOÑA ISABEL. Y tú, Raimunda. ¿Es a gusto tuyo esta boda? Parece que no te veo muy cumplida.

RAIMUNDA. Las bodas siempre son para tenerles miedo.

ENGRACIA. Pues, hija, si tú no casas la chica a gusto no sé yo quién podamos decir otro tanto; que denguna[1] como ella ha podido escoger entre lo mejorcito.

FIDELA. De comer no ha de faltarles, dar gracias a Dios, y como están las cosas no es lo que menos hay que mirar.

RAIMUNDA. Anda, Milagros, anda abajo con Acacia y los mozos; que me da no sé qué de verte tan parada.

DOÑA ISABEL. Ve, mujer. Es que esta hija es como Dios la ha hecho.

MILAGROS. Con el permiso de ustedes. (*Sale.*)

RAIMUNDA. Y anden ustedes con otro bizcochito y con otra copita.

DOÑA ISABEL. Se agradece, pero yo no puedo con nada.

RAIMUNDA. Pues andar vosotras[2] que esto no es nada.

DOÑA ISABEL. Pues a la Acacia tampoco la veo como debía de estar un día como el de hoy que vienen a pedirla.

RAIMUNDA. Es que también esta hija mía es como es. ¡Más veces me tiene desesperada! Callar a todo, eso sí, hasta que se descose, y entonces no quiera usted oírla, que la dejará a usted bien parada.

ENGRACIA. Es que se ha criao siempre tan consentida..., como tuvisteis la desgracia de perder a los tres chicos y quedó ella sola, hágase usted cargo... Su padre, pajaritas del aire que le pidiera la muchacha, y tú dos cuartos de lo mismo[3]... Luego, cuando murió su padre, esté en gloria, la chica estaba tan encelada contigo; así es que cuando te volviste a casar le sentó muy malamente. Y eso es lo que ha tenido siempre esa chica, pelusa.

RAIMUNDA. ¿Y qué iba yo a hacerle? Yo bien hubiera querido no volverme a casar... Y si mis hermanos hubieran sido otros... Pero digo, si no entran aquí unos pantalones a poner orden, a pedir limosna andaríamos mi hija y yo a estas horas; bien lo saben todos.

DOÑA ISABEL. Eso es verdad. Una mujer sola no es nada en el mundo. Y que te quedaste viuda muy joven.

RAIMUNDA. Pero yo no sé que esta hija mía y[4] haya podido tener pelusa de nadie; que su madre soy y no sé yo quién la quiera y la consienta más de los dos; que Esteban no ha sido nunca un padrastro pa ella.

DOÑA ISABEL. Y es razón que así sea. No habéis tenido otros hijos.

RAIMUNDA. Nunca va y viene, de ande quiera que sea, que no se acuerde de traerle algo... No se acuerda tanto de mí, y nunca me he sentido por eso; que al fin es mi hija, y el que la quiera de ese modo me ha hecho quererle más. Pero ella... ¿Querrán ustedes creer que ni cuando era chica, ni ahora, no se diga, y ha permitido nunca de darle un beso? Las pocas veces que le he puesto la mano encima no ha sido por otra cosa.

FIDELA. Y a mí que no hay quien me quite de la cabeza que tu hija y a quien quiere y es a su primo.

RAIMUNDA. ¿A Norberto? Pues bien plantao le dejó de la noche a la mañana. Ésa es otra;[5] lo que pasó entre ellos no hemos podido averiguarlo nadie.

FIDELA. Pues ésa es la mía, que nadie hemos podido explicárnoslo y tiene que haber su misterio.

ENGRACIA. Y ella puede y que no se acuerde de su primo; pero él aún le tiene su idea. Si no mira y cómo hoy en cuanto se dijo que venía el novio con su padre a pedir a tu hija, cogió y bien temprano se fué pa los Berrocales, y los que le han visto dicen que iba como entristecío.

RAIMUNDA. Pues nadie podrá decir que ni Este-

---

[1] *denguna = ninguna.*

[2] *Pues ... vosotras* Go ahead and have some.

[3] *Su padre ... muchacha ... mismo* Her father would give her the moon if she asked for it, and you're just as bad.

[4] This superfluous *y* is used in popular speech and occurs frequently in *La Malquerida.*

[5] *Esa es otra (cosa).*

ban ni yo la hemos aconsejao en ningún sentío.
Ella de por sí dejó plantao a Norberto, todos
lo saben, que ya iban a correrse las proclamas, y ella consintió de hablar con Faus-
5 tino. A él siempre le pareció ella bien, ésa es
la verdad ... Como su padre ha sido siempre
muy amigo de Esteban, que siempre han
andao muy unidos en sus cosas de la política
y de las elecciones, cuantas veces hemos ido
10 al Encinar por la Virgen o por cualquier otra
fiesta o han venido aquí ellos, el muchacho
pues no sabía qué hacerse con mi hija; pero
como sabía que ella y hablaba aquí con su
primo, pues decirle nunca le dijo nada ...
15 Y hasta que ella, por lo que fuera, que nadie
lo sabemos, plantó al otro, éste no dijo nada.
Entonces, sí, cuando supieron y que ella había
acabao con su primo, su padre de Faustino
habló con Esteban y Esteban habló conmigo
20 y yo hablé con mi hija y a ella no le pareció
mal; tanto es así que ya lo ven todos, a
casarse van, y si a gusto suyo no fuera, pues
no tendría perdón de Dios, que lo que hace
nosotros a gusto suyo y bien que a su gusto
25 la hemos dejao.

DOÑA ISABEL. Y a su gusto será. ¿Por qué no?
El novio es buen mozo y bueno parece.

ENGRACIA. Eso sí. Aquí todos le miran como si
fuera del pueblo mismamente; que aunque
30 no sea de aquí es de tan cerca y la familia es
tan conocida que no están miraos como forasteros.

FIDELA. El tío Eusebio puede y que tenga más
tierras en la jurisdicción que en el Encinar.

35 ENGRACIA. Y que así es. Haste[1] cuenta; se quedó
con todo lo del tío Manolito y a más con las
tierras de propios que se subastaron va pa
dos años.

DOÑA ISABEL. No, la casa es la más fuerte de por
40 aquí.

FIDELA. Que lo diga usted, y que aunque sean
cuatro hermanos todos cogerán buen pellizco.

ENGRACIA. Y la de aquí que tampoco va des-
calza.

45 RAIMUNDA. Que es ella sola y no tiene que partir
con nadie y que Esteban ha mirao por la

hacienda que nos quedó de su padre que no
hubiera mirado más por una hija suya.

(Se oye el toque de Oraciones.)

DOÑA ISABEL. Las Oraciones. (Rezan todas entre 50
dientes.) Vaya, Raimunda, nos vamos para
casa; que a Telesforo hay que darle de cenar
temprano; digo cenar, la pizca de nada que
toma.

ENGRACIA. Pues quiere decirse que nosotras tam- 55
bién nos iremos si te parece.

FIDELA. Me parece.

RAIMUNDA. Si queréis acompañarnos a cenar ...
A doña Isabel no le digo nada, porque estando
su esposo tan delicado no ha de dejarle solo. 60

ENGRACIA. Se agradece; pero cualquiera gobierna aquella familia si una falta.

DOÑA ISABEL. ¿Cena esta noche el novio con
vosotras?

RAIMUNDA. No, señora, se vuelven él y su padre 65
pa el Encinar; aquí no habían de hacer noche
y no es cosa de andar el camino a deshora, y
estas noches sin luna ... Como que ya me
parece que se tardan, que ya van acortando
mucho los días y luego, luego es noche cerrada. 70

ENGRACIA. Acá suben todos. A la cuenta[2] es la
despedida.

RAIMUNDA. ¿No lo dije?

ESCENA II

DICHAS, LA ACACIA, MILAGROS, ESTEBAN,   75
EL TÍO EUSEBIO y FAUSTINO

ESTEBAN. Raimunda; aquí, el tío Eusebio y
Faustino que se despiden.

EUSEBIO. Ya es hora de volvernos pa casa; antes
que se haga noche, que con las aguas de estos 80
días pasados están esos caminos que es una
perdición.

ESTEBAN. Sí que hay ranchos muy malos.

DOÑA ISABEL. ¿Qué dice el novio? Ya no se
acuerda de mí. Verdad que bien irá para cin- 85
co años que no le había visto.

EUSEBIO. ¿No conoces a doña Isabel?

---

[1] Haste = Hazte.

[2] A la cuenta I imagine that.

FAUSTINO. Sí, señor; pa servirla. Creí que no se recordaba de mí.

DOÑA ISABEL. Sí, hombre; cuando mi marido era alcalde; va para cinco años. ¡Buen susto nos diste por San Roque, cuando saliste al toro y creímos todos que te había matado!

ENGRACIA. El mismo año que dejó tan mal herido a Julián, el de la Eudosia.

FAUSTINO. Bien me recuerdo, sí, señora.

EUSEBIO. Aunque no fuera más que por los lapos que llevó luego en casa ... muy merecidos ...

FAUSTINO. ¡La mocedad!

DOÑA ISABEL. Pues no te digo nada, que te llevas la mejor moza del pueblo; y que ella no se lleva mal mozo tampoco. Y nos vamos, que ustedes aún tendrán que tratar de sus cosas.

ESTEBAN. Todo está tratao.

DOÑA ISABEL. Anda, Milagros ... ¿Qué te pasa?

ACACIA. Que le digo que se quede a cenar con nosotros y no se atreve a pedirle a usted permiso. Déjela usted, doña Isabel.

RAIMUNDA. Sí que la dejará. Luego la acompañan de aquí Bernabé y la Juliana y si es caso también irá Esteban.

DOÑA ISABEL. No, ya mandaremos de casa a buscarla. Quédate, si es gusto de la Acacia.

RAIMUNDA. Claro está, que tendrán ellas que hablar de mil cosas.

DOÑA ISABEL. Pues con Dios todos, tío Eusebio, Esteban.

EUSEBIO. Vaya usted con Dios, doña Isabel ... Muchas expresiones a su esposo.

DOÑA ISABEL. De su parte.

ENGRACIA. Con Dios; que lleven buen viaje.

FIDELA. Queden con Dios ...

(*Salen todas las mujeres.*)

EUSEBIO. ¡Qué nueva está doña Isabel! Y a la cuenta debe de andarse por mis años. Pero bien dicen: quien tuvo, retuvo y guardó para la vejez ... porque doña Isabel ha estao una buena moza ande las haya habío.

ESTEBAN. Pero siéntese usted un poco, tío Eusebio. ¿Qué prisa le ha entrao?

EUSEBIO. Déjate estar, que es buena hora de volvernos, que viene muy oscuro. Pero tú no nos acompañes; ya vienen los criados con nosotros.

ESTEBAN. Hasta el arroyo siquiera; es un paseo.

(*Entran* LA RAIMUNDA, LA ACACIA *y* LA MILAGROS.)

EUSEBIO. Y vosotros deciros tóo lo que tengáis que deciros.

ACACIA. Ya lo tenemos todo hablao.

EUSEBIO. ¡Eso te creerás tú!

RAIMUNDA. Vamos, tío Eusebio; no sofoque usted a la muchacha.

ACACIA. Muchas gracias de todo.

EUSEBIO. ¡Anda ésta! ¡Qué gracias!

ACACIA. Es muy precioso el aderezo.

EUSEBIO. Es lo más aparente que se ha encontrao.

RAIMUNDA. Demasiado para una labradora.

EUSEBIO. ¡Qué demasiado! Dejarse estar.[1] Con más piedras que la Custodia de Toledo lo hubiera yo querido. Abraza a tu suegra.

RAIMUNDA. Ven acá, hombre; que mucho tengo que quererte pa perdonarte lo que te me llevas. ¡La hija de mis entrañas!

ESTEBAN. ¡Vaya! Vamos a jipar ahora ... Mira la chica. Ya está hecha una Madalena.

MILAGROS. ¡Mujer! ... ¡Acacia! (*Rompe también a llorar.*)

ESTEBAN. ¡Anda la otra! ¡Vaya, vaya!

EUSEBIO. No ser así ... Los llantos pa los difuntos. Pero una boda como ésta, tan a gusto de tóos. Ea, alegrarse ... y hasta muy pronto.

RAIMUNDA. Con Dios, tío Eusebio. Y a la Julia que no le perdono y que no haya venido un día como hoy.

EUSEBIO. Si ya sabes cómo anda de la vista ... Había que haber puesto el carro y está esa subida de los Berrocales pa matarse el ganao.

RAIMUNDA. Pues déle usted muchas expresiones y que se mejore.

EUSEBIO. De tu parte.

RAIMUNDA. Y andarse ya, andarse ya, que se hace noche. (*A* ESTEBAN.) ¿Tardarás mucho?

EUSEBIO. Ya le he dicho que no venga ...

ESTEBAN. ¡No faltaba otra cosa! Iré hasta el arroyo. No esperarme a cenar.

RAIMUNDA. Sí que te esperamos. No es cosa de cenar solas un día como hoy. Y a la Milagros le da lo mismo cenar un poco más tarde.

[1] *Dejarse estar.* Let things be.

MILAGROS. Sí, señora; lo mismo.

EUSEBIO. ¡Con Dios!

RAIMUNDA. Bajamos a despedirles.

FAUSTINO. Yo tenía que decir una cosa a la
Acacia . . .

EUSEBIO. Pues haberlo dejao pa mañana. ¡Como
no habéis platicao todo el día!

FAUSTINO. Si es que . . . unas veces que no me
acordao y otras con el bullicio de la gente . . .

EUSEBIO. A ver po ande sales . . .

FAUSTINO. Si no es nada . . . Madre, que al venir, como cosa suya, me dió este escapulario
pa la Acacia; de las monjas de allá.

ACACIA. ¡Es muy precioso!

MILAGROS. ¡Bordao de lentejuela! ¡Y de la Virgen Santísima del Carmen!

RAIMUNDA. ¡Poca devoción que ella le tiene! Da
las gracias a tu madre.

FAUSTINO. Está bendecío . . .

EUSEBIO. Bueno; ya hiciste el encargo. Capaz
eras de haberte vuelto con él y ¡hubiera tenido
que oír tu madre! ¡Pero qué corto eres, hijo!
No sé yo a quién hayas salío . . .

(*Salen todos. La escena queda sola un instante.
Ha ido obscureciendo. Vuelven* LA RAIMUNDA, LA
ACACIA *y* LA MILAGROS.)

RAIMUNDA. Mucho se han entretenido; salen de
noche . . . ¿Qué dices, hija? ¿Estás contenta?

ACACIA. Ya lo ve usted.

RAIMUNDA. ¡Ya lo ve usted! Pues eso quisiera
yo: verlo . . . ¡Cualquiera sabe contigo!

ACACIA. Lo que estoy es cansada.

RAIMUNDA. ¡Es que hemos llevao un día! Desde
las cinco y que estamos en pie en esta casa.

MILAGROS. Y que no habrá faltao nadie a darte
el parabién.

RAIMUNDA. Pues todo el pueblo, puede decirse;
principiando por el señor cura, que fué de los
primeritos. Ya le he dao pa que diga una misa
y diez panes pa los más pobrecitos, que de
todos hay que acordarse un día así. ¡Bendito
sea Dios, que nada nos falta! ¿Están ahí las
cerillas?

ACACIA. Aquí están, madre.

RAIMUNDA. Pues enciende esa luz, hija; que da
tristeza esta oscuridad. (*Llamando.*) ¡Juliana!
¡Juliana! ¿Ande andará ésa?

JULIANA. (*Dentro y como desde abajo.*) ¿Qué?

RAIMUNDA. Súbete pa cá una escoba y el cogedor.

JULIANA (*ídem*). De seguida subo.

RAIMUNDA. Voy a echarme otra falda; que ya no
ha de venir nadie.

ACACIA. ¿Quiere usted que yo también me des-
nude?

RAIMUNDA. Tú déjate estar, que no tienes que
trajinar en nada y un día es un día . . .

(*Entra* LA JULIANA.)

JULIANA. ¿Barro aquí?

RAIMUNDA. No; deja ahí esa escoba. Recoge todo
eso; lo friegas muy bien fregao, y lo pones en
el chinero; y cuidado con esas copas que es
cristal fino.

JULIANA. ¿Me puedo comer un bizcocho?

RAIMUNDA. Sí, mujer, sí. ¡Que eres de golosona!

JULIANA. Pues sí que la hija de mi madre ha dis-
frutao de nada. En sacar vino y hojuelas pa
todos se me ha ido el día, con el sinfín de gente
que aquí ha habío . . . Hoy, hoy se ha visto lo
que es esta casa pa todos y tamién la del tío
Eusebio, sin despreciar. Y ya se verá el día de
la boda. Yo sé quien va a bailarte una onza de
oro y quien va a bailarte una colcha bordada
de sedas, con unas flores que las ves tan preciosas de propias que te dan ganas de cogerlas mismamente. Día grande ha de ser,
¡bendito sea Dios!, de mucha alegría y de
mucho llanto también; yo la primera, que, no
diré yo como tu madre, porque con una madre
no hay comparación de nada, pero quitao tu
madre . . . Y que a más de lo que es pa mí esta
casa, el pensar en la moza que se me murió,
¡hija de mi vida!, que era así y como eres tú
ahora . . .

RAIMUNDA. ¡Vaya, Juliana; arrea con todo eso y
no nos encojas el corazón tú también, que ya
tenemos bastante ca uno con lo nuestro!

JULIANA. No permita Dios de afligir yo a nadie
. . . Pero estos días así no sé qué tienen que
todo se agolpa, bueno y malo, y quiere una
alegrarse y se pone más entristecía . . . Y no
digas, que no he querío mentar a su padre
de ella, esté en gloria. ¡Válganos Dios! ¡Si la
hubiera visto este día! Esta hija que era pa él
la gloria del mundo.

RAIMUNDA. ¿No callarás la boca?

JULIANA. ¡No me riñas, Raimunda! Que es como si castigaras a un perro fiel, que ya sabes que eso he sido yo siempre pa esta casa
5 y pa ti y pa tu hija; como un perro leal, con la ley de Dios el pan que he comido siempre de esta casa, con la honra del mundo como todos lo saben . . . (*Sale.*)

RAIMUNDA. ¡Qué Juliana! . . . Y dice bien; que
10 ha sido siempre como un perro de leal y de fiel pa esta casa. (*Se pone a barrer.*)

ACACIA. Madre . . .

RAIMUNDA. ¿Qué quieres, hija?

ACACIA. ¿Me da usted la llave de esta cómoda,
15 que quiero enseñarle a la Milagros unas cosillas?

RAIMUNDA. Ahí la tienes. Y ahí os quedáis, que voy a dar una vuelta a la cena. (*Sale.*)

(LA ACACIA y LA MILAGROS *se sientan en el suelo*
20 *y abren el cajón de abajo de la cómoda.*)

ACACIA. Mira estos pendientes; me los ha regalao . . . Bueno, Esteban . . . ahora no está mi madre; mi madre quiere que le llame padre siempre.
25 MILAGROS. Y él bien te quiere.

ACACIA. Eso sí; pero padre y madre no hay más que unos . . . Estos pañuelos también me los trajo él de Toledo; las letras las han bordao las monjas . . . Éstas son tarjetas postales;
30 mira qué preciosas.

MILAGROS. ¡Qué señoras tan guapetonas!

ACACIA. Son cómicas de Madrid y de París de Francia . . . Mira estos niños qué ricos . . . Esta caja me la trajo él también llena de dulces.
35 MILAGROS. Luego dirás . . .

ACACIA. Si no digo nada. Si yo bien veo que me quiere; pero yo hubiera querido mejor y estar yo sola con mi madre.

MILAGROS. Tu madre no te ha querido menos
40 por eso.

ACACIA. ¡Qué sé yo! Está muy ciega por él. No sé yo si tuviera que elegir entre mí y ese hombre . . .

MILAGROS. ¡Qué cosas dices! Ya ves, tú ahora te
45 casas, y si tu madre hubiera seguido viuda, bien sola la dejabas.

ACACIA. Pero ¿tú crees que yo me hubiera casao si yo hubiera estao sola con mi madre?

MILAGROS. ¡Anda! ¿No te habías de haber casao? Lo mismo que ahora.
50
ACACIA. No lo creas. ¿Ande iba yo haber estao más ricamente que con mi madre en esta casa?

MILAGROS. Pues no tienes razón. Todos dicen que tu padrastro ha sido muy bueno para ti y con tu madre. Si no hubiera sido así, ya tú 55 ves, con lo que se habla en los pueblos . . .

ACACIA. Sí ha sido bueno; no diré yo otra cosa. Pero no me hubiera casao si mi madre no vuelve a casarse.

MILAGROS. ¿Sabes lo que te digo? 60

ACACIA. ¿Qué?

MILAGROS. Que no van descaminados los que dicen que tú no quieres a Faustino, que al que tú quieres es a Norberto.

ACACIA. No es verdad. ¡Qué voy a quererle!¹ 65 Después de la acción que me hizo.

MILAGROS. Pero si todos dicen que fuiste tú quien le dejó.

ACACIA. ¡Que fuí yo, que fuí yo! Si él no hubiera dao motivo . . . En fin, no quiero hablar de 70 esto . . . Pero no dicen bien; quiero más a Faustino que le he querido a él.

MILAGROS. Así debe ser. De otro modo mal harías en casarte. ¿Te han dicho que Norberto se fué del pueblo esta mañana? A la cuenta no 75 ha querido estar aquí el día de hoy.

ACACIA. ¿Qué más tiene pa él este día que cualquiera otro? Mira, ésta es la última carta que me escribió, después que concluímos . . . Como yo no he consentío volverle a ver . . ., no 80 sé pa qué la guardo . . . Ahora mismito voy a hacerla pedazos. (*La rompe.*) ¡Ea!

MILAGROS. ¡Mujer, con qué rabia! . . .

ACACIA. Pa lo que dice . . ., y quemo los pedazos . . . 85

MILAGROS. ¡Mujer, no se inflame la lámpara!

ACACIA (*abre la ventana*). Y ahora a la calle, al viento. ¡Acabao y bien acabao está todo! . . . ¡Qué oscuridad de noche!

MILAGROS (*asomándose también a la ventana*). Sí 90 que está miedoso; sin luna y sin estrellas . . .

¹ How could I love him!

ACACIA. ¿Has oído?

MILAGROS. Habrá sido una puerta que habrán cerrao de golpe.

ACACIA. Ha sonao como un tiro.

5 MILAGROS. ¡Qué, mujer! ¿Un tiro a estas horas? Si no es que avisan de algún fuego, y no se ve resplandor de ninguna parte.

ACACIA. ¿Querrás creerme que estoy asustada?

MILAGROS. ¡Qué, mujer!

10 ACACIA (*corriendo de pronto hacia la puerta*). ¡Madre, madre!

RAIMUNDA (*desde abajo*). ¡Hija!

ACACIA. ¿No ha oído usted nada?

RAIMUNDA (*ídem*). Sí, hija; ya he mandao a la
15 Juliana a enterarse ... No tengas susto.

ACACIA. ¡Ay, madre!

RAIMUNDA. ¡Calla, hija! Ya subo.

ACACIA. Ha sido un tiro lo que ha sonao, ha sido un tiro.

20 MILAGROS. Aunque así sea; nada malo habrá pasao.

ACACIA. ¡Dios lo haga!

(*Entra* RAIMUNDA.)

RAIMUNDA. ¿Te has asustao, hija? No habrá
25 sido nada.

ACACIA. También usted está asustada, madre.

RAIMUNDA. De verte a ti ... Al pronto, pues como está tu padre fuera de casa, sí me he sobresaltao ... Pero no hay razón para ello.
30 Nada malo puede haber pasao ... ¡Calla! ¡Escucha! ¿Quién habla abajo? ¡Ay, Virgen!

ACACIA. ¡Ay, madre, madre!

MILAGROS. ¿Qué dicen, qué dicen?

RAIMUNDA. No bajes tú, que ya voy yo.

35 ACACIA. No baje usted, madre.

RAIMUNDA. Si no sé qué he entendido ... ¡Ay Esteban de mi vida y que no le haya pasao nada malo! (*Sale.*)

MILAGROS. Abajo hay mucha gente ..., pero
40 desde aquí no les entiendo lo que hablan.

ACACIA. Algo malo ha sido, algo malo ha sido. ¡Ay, lo que estoy pensando!

MILAGROS. También yo, pero no quiero decírtelo.

45 ACACIA. ¿Qué crees tú que ha sido?

MILAGROS. No quiero decírtelo, no quiero decírtelo.

RAIMUNDA (*desde abajo*). ¡Ay, Virgen Santísima del Carmen! ¡Ay, qué desgracia! ¡Ay, esa pobre madre cuando lo sepa que han matado 50 a su hijo! ¡Ay, no quiero pensarlo! ¡Ay qué desgracia, qué desgracia pa todos!

ACACIA. ¿Has entendido? ... Mi madre ... ¡Madre ... madre! ...

RAIMUNDA. ¡Hija, hija, no bajes! ¡Ya voy, ya voy! 55

(*Entran* RAIMUNDA, LA FIDELA, LA ENGRACIA *y algunas mujeres.*)

ACACIA. Pero, ¿qué ha pasao?, ¿qué ha pasao? Ha habido una muerte, ¿verdad?, ha habido una muerte. 60

RAIMUNDA. ¡Hija de mi vida! ¡Faustino, Faustino! ...

ACACIA. ¿Qué?

RAIMUNDA. Que lo han matao, que lo han matao de un tiro a la salida del pueblo. 65

ACACIA. ¡Ay, madre! ¿Y quién ha sido, quién ha sido?

RAIMUNDA. No se sabe ... no han visto a nadie ... Pero todos dicen y que ha sido Norberto; pa que sea mayor la desgracia que nos ha 70 venido a todos.

ENGRACIA. No puede haber sido otro.

MUJERES. ¡Norberto! ... ¡Norberto!

FIDELA. Ya han acudío los de justicia.

ENGRACIA. Lo traerán preso. 75

RAIMUNDA. Aquí está tu padre. (*Entra* ESTEBAN.) ¡Esteban de mi vida! ¿Cómo ha sido? ¿Qué sabes tú?

ESTEBAN. ¡Qué tengo de saber! Lo que todos ... Vosotras no me salgáis de aquí, no tenéis que 80 hacer nada por el pueblo.

RAIMUNDA. ¡Y ese padre cómo estará! ¡Y aquella madre cuando le lleven a su hijo, que salió esta mañana de casa lleno de vida y lleno de ilusiones y vea que se lo traen muerto de tan 85 mala muerte, asesinao de esta manera!

ENGRACIA. Con la horca no paga y el que haiga sío.

FIDELA. Aquí, aquí mismo habían de matarlo.

RAIMUNDA. Yo quisiera verlo, Esteban; que no 90 se lo lleven sin verlo ... Y esta hija también; al fin iba a ser su marido.

ESTEBAN. No acelerarse; lugar habrá para todo.

Esta noche no os mováis de aquí, ya lo he dicho. Ahora no tiene que hacer allí nadie más que la justicia; ni el médico ni el cura han podido hacer nada. Yo me vuelvo pa allá,
5 que a todos han de tomarnos declaración. (*Sale* ESTEBAN.)

RAIMUNDA. Tiene razón tu padre. ¿Qué podemos ya hacer por él? Encomendarle su alma a Dios... Y a esa pobre madre que no se me
10 quita del pensamiento... No estés así, hija, que me asustas más que si te viera llorar y gritar. ¡Ay, quién nos hubiera dicho esta mañana lo que tenía que sucedernos tan pronto!

15 ENGRACIA. El corazón y dicen que le ha partío.

FIDELA. Redondo cayó del caballo.

RAIMUNDA. ¡Qué borrón y qué deshonra pa este pueblo y que de aquí haya salido el asesino con tan mala entraña! ¡Y que sea de nuestra
20 familia pa mayor vergüenza!

GASPARA. Eso es lo que aún no sabemos nadie.

RAIMUNDA. ¿Y quién otro puede haber sido? Si lo dicen todos...

ENGRACIA. Todos lo dicen. Norberto ha sido.

25 FIDELA. Norberto, no puede haber sido otro.

RAIMUNDA. Milagros, hija, enciende esas luces a la Virgen y vamos a rezarle un rosario ya que no podamos hacer otra cosa más que rezarle por su alma.

30 GASPARA. ¡El Señor le haiga perdonao!

ENGRACIA. Que ha muerto sin confesión.

FIDELA. Y estará su alma en pena. ¡Dios nos libre!

RAIMUNDA (*a* MILAGROS). Lleva tú el rosario; yo
35 ni puedo rezar. ¡Esa madre, esa madre! (*Empiezan a rezar el rosario. Telón.*)

FIN DEL ACTO PRIMERO

ACTO SEGUNDO

Portal de una casa de labor. Puerta grande al foro,
40 *que da al campo. Reja a los lados. Una puerta a la derecha y otra a la izquierda.*

ESCENA PRIMERA

LA RAIMUNDA, LA ACACIA, LA JULIANA *y* ESTEBAN. ESTEBAN, *sentado a una mesa pequeña, almuerza. La Raimunda, sentada también, le sirve.* LA JULIANA *entra* 45 *y sale asistiendo a la mesa.* LA ACACIA, *sentada en una silla baja, junto a una de las ventanas, cose, con un cesto de ropa blanca al lado.*

RAIMUNDA. ¿No está a tu gusto?

ESTEBAN. Sí, mujer. 50

RAIMUNDA. No has comido nada. ¿Quieres que se prepare alguna otra cosa?

ESTEBAN. Déjate, mujer, si he comido bastante.

RAIMUNDA. ¡Qué vas a decirme! (*Llamando.*) Juliana, trae pa acá la ensalada. Tú has tenido 55 algún disgusto.

ESTEBAN. ¡Qué, mujer!

RAIMUNDA. ¡Te conoceré yo! Como que no has debío ir al pueblo. Habrás oído allí a unos y a otros. Quiere decir que determinamos, muy 60 bien pensao, de venirnos al Soto por no estar allí en estos días, y te vas tú allí esta mañana sin decirme palabra. ¿Qué tenías que hacer allí?

ESTEBAN. Tenía... que hablar con Norberto y 65 con su padre.

RAIMUNDA. Bueno está; pero les hubieras mandao llamar y que hubieran acudío ellos. Podías haberte ahorrao el viaje y el oír a la demás gente, que bien sé yo las habladurías 70 de unos y de otros que andarán por el pueblo.

JULIANA. Como que no sirve el estarse aquí, sin querer ver ni entender a ninguno, que como el Soto es paso de tóos estos lugares a la redonda, no va y viene uno que no se pare 75 aquí a oliscar y cucharetear lo que a nadie le importa.

ESTEBAN. Y tú que no dejarás de conversar con todos.

JULIANA. Pues no, señor, que está usted muy 80 equivocao, que no he hablao con nadie, y aun esta mañana le reñí a Bernabé por hablar más de la cuenta con unos que pasaron del Encinar. Y a mí ya pueden venir a preguntarme, que de mi madre lo tengo aprendido, y es 85 buen acuerdo: al que pregunta mucho responderle poco y al contrario.

RAIMUNDA. Mujer, calla la boca. Anda allá dentro. (*Sale* JULIANA.) Y ¿qué anda por el pueblo?

ESTEBAN. Anda... que el tío Eusebio y sus hijos
5 han jurao de matar a Norberto, que ellos no se conforman con que la justicia y le haya soltao tan pronto; que cualquier día se presentan allí y hacen una sonada; que el pueblo anda dividío en dos bandos y mientras unos
10 dicen que el tío Eusebio tiene razón y que no ha podío ser otro que Norberto, los otros dicen que Norberto no ha sío, y que cuando la justicia le ha puesto en la calle es porque está bien probao que es inocente.

15 RAIMUNDA. Yo tal creo. No ha habido una declaración en contra suya; ni el padre mismo de Faustino, ni sus criados, ni tú que ibas con ellos.

ESTEBAN. Encendiendo un cigarro íbamos el tío
20 Eusebio y yo; por cierto que nos reíamos como dos tontos; porque yo quise presumir con mi encendedor y no daba lumbre, y entonces el tío Eusebio fué y tiró de su buen pedernal y su yesca y me iba diciendo muerto de risa:
25 anda, enciende tú con eso pa que presumas con esa maquinaria saca-dineros, que yo con esto me apaño tan ricamente... Y ése fué el mal, que con esta broma nos quedamos rezagaos y cuando sonó el disparo y quisimos
30 acudir ya no podía verse a nadie. A más que, como luego vimos que había muerto, pues nos quedamos tan muertos como él y nos hubieran matao a nosotros que no nos hubiéramos dao cuenta.

35 (LA ACACIA *se levanta de pronto y va a salir.*)

RAIMUNDA. ¿Dónde vas, hija, como asustada? ¡Sí que está una pa sobresaltos!

ACACIA. Es que no saben ustedes hablar de otra cosa. ¡También es gusto! No habrá usted con-
40 tao veces cómo fué y no lo tendremos oído otras tantas.

ESTEBAN. En eso lleva razón... Yo por mí no hablaría nunca; es tu madre.

ACACIA. Tengo soñao más noches... yo, que
45 antes no me asustaba nunca de estar sola ni a oscuras y ahora hasta de día me entran unos miedos...

RAIMUNDA. No eres tú sola; sí que yo duermo ni descanso[1] de día ni de noche. Y yo sí que
50 nunca he sido asustadiza, que ni de noche me daba cuidao de pasar por el campo santo, ni la noche de ánimas que fuera, y ahora todo me sobrecoge, los ruidos y el silencio... Y lo que son las cosas, mientras creímos todos que
55 podía haber sido Norberto, con ser de la familia y ser una desgracia y una vergüenza pa todos, pues quiere decirse que como ya no tenía remedio, pues... ¡qué sé yo!, estaba tan conforme..., al fin y al cabo tenía su
60 explicación. Pero ahora... si no ha sío Norberto, ni nadie sabemos quién ha sido y nadie podemos explicarnos por qué mataron a ese pobre, yo no puedo estar tranquila. Si no era Norberto, ¿quién podía quererle mal? Es que
65 ha sido por una venganza, algún enemigo de su padre, quién sabe si tuyo también... y quién sabe si no iba contra ti el golpe, y como era de noche y hacía muy oscuro no se confundieron y lo que no hicieron entonces lo
70 harán otro día y... y vamos, que yo no vivo ni descanso y ca vez que sales de casa y andas por esos caminos me entra un desasosiego... Mismo hoy, como ya te tardabas, en poco estuvo de[2] irme yo pa el pueblo.

ACACIA. Y al camino ha salido usted.
75 RAIMUNDA. Es verdad; pero como te vi desde el altozano que ya llegabas por los molinos y vi que venía el Rubio contigo, me volví corriendo pa que no me riñeras. Bien sé que no es posible, pero yo quisiera ir ahora siempre
80 ande tú fueras, no desapartarme[3] de junto a ti por nada de este mundo; de otro modo no puedo estar tranquila, no es vida ésta.

ESTEBAN. Yo no creo que nadie me quiera mal. Yo nunca hice mal a nadie. Yo bien descuidao
85 voy ande quiera, de día como de noche.

RAIMUNDA. Lo mismo me parecía a mí antes, que nadie podía querernos mal... Esta casa ha sido el amparo de mucha gente. Pero basta una mala voluntad, basta con una mala in-
90 tención; y ¡qué sabemos nosotros si hay quien

[1] *sí... descanso* I can't sleep or even rest.
[2] *en poco estuvo de* I was just about to.
[3] *desapartar = apartar.*

nos quiere mal sin nosotros saberlo! De ande
ha venido este golpe puede venir otro. La
justicia ha soltao a Norberto, porque no ha
podido probarse que tuviera culpa ninguna
5 . . . Y yo me alegro. ¿No tengo de alegrarme?,
si es hijo de una hermana, la que yo más
quería . . . Yo nunca pude creer que Norberto
tuviera tan mala entraña pa hacer una cosa
como ésa: ¡asesinar a un hombre a traición!
10 Pero ¿es que ya se ha terminado todo? ¿Qué
hace ahora la justicia? ¿Por qué no buscan,
por qué no habla nadie? Porque alguien tié
que saber, alguno tié que haber visto aquel
día quién pasó por allí, quién rondaba por el
15 camino . . . Cuando nada malo se trama, todos
son a dar razón[1] de quién va y quién viene,
sin nadie preguntar todo se sabe, y cuando
más importa saber, nadie sabe, nadie ha visto
nada . . .
20 ESTEBAN. ¡Mujer! ¿Qué particular tiene que así
sea? El que a nada malo va, no tiene por qué
ocultarse: el que lleva una mala idea, ya mira
de esconderse.
RAIMUNDA. ¿Tú quién piensas que pué haber
25 sido?
ESTEBAN. ¿Yo? La verdad . . . pensaba en Norberto como todos; de no haber sido él, ya no
me atrevo a pensar de nadie.
RAIMUNDA. Pues mira: yo bien sé que vas a re-
30 ñirme, pero ¿sabes lo que he determinao?
ESTEBAN. Tú dirás . . .
RAIMUNDA. Hablar yo con Norberto. He mandado a Bernabé a buscarlo. Pienso que no
tardará en acudir.
35 ACACIA. ¿Norberto? ¿Y qué quiere usted saber
dél?
ESTEBAN. Eso digo yo. ¿Qué crees tú que él
puede decirte?
RAIMUNDA. ¡Qué sé yo! Yo sé que él a mí no
40 puede engañarme. Por la memoria de su
madre he de pedirle que me diga la verdá de
todo. Aunque él hubiera sido, ya sabe él que
yo a nadie había de ir a contarlo. Es que yo no
puedo vivir así, temblando siempre por todos
45 nosotros.

---

[1] *son . . . razón* are disposed to talk about.

ESTEBAN. Y ¿tú crees que Norberto va a decirte
a ti lo que haya sido, si ha sido él quien lo
hizo?
RAIMUNDA. Pero yo me quedaré satisfecha después de oírle. 50
ESTEBAN. Allá tú, pero cree que todo ello sólo
servirá para más habladurías si saben que ha
venido a esta casa. A más que hoy ha de venir
el tío Eusebio y si se encuentran . . .
RAIMUNDA. Por el camino no han de encontrarse, 55
que llegan de una parte ca uno . . . y aquí,
la casa es grande, y ya estarán al cuidao.

(*Entra* LA JULIANA.)

JULIANA. Señor amo . . .
ESTEBAN. ¿Qué hay? 60
JULIANA. El tío Eusebio que está al llegar y vengo a avisarle, por si no quiere usted verlo.
ESTEBAN. Yo ¿por qué? Mira si ha tardao en
acudir. Tú verás si acude también el otro.
RAIMUNDA. Por pronto que quiera . . . 65
ESTEBAN. Y ¿quién te ha dicho a ti que yo no
quiero ver al tío Eusebio?
JULIANA. No vaya usted a achacármelo a mí
también; que yo por mí no hablo. El Rubio
ha sido quien me ha dicho y que usted no 70
quería verle, porque está muy emperrao en
que usted no se ha puesto de su parte con la
justicia y por eso y han soltao a Norberto.
ESTEBAN. Al Rubio ya le diré yo quién le manda
meterse en explicaciones. 75
JULIANA. Otras cosas también había usted de
decirle, que está de algún tiempo a esta parte
que nos quiere avasallar a todos. Hoy, Dios
me perdone si le ofendo, pero me parece que
ha bebido más de la cuenta. 80
RAIMUNDA. Pues eso sí que no pué consentírsele.
Me va a oír.
ESTEBAN. Déjate, mujer. Ya le diré yo luego.
RAIMUNDA. Sí que está la casa en república;
bien se prevalen de que una no está pa gober- 85
narla . . . Es que lo tengo visto, en cuantito
que una se descuida . . . ¡Buen hato de holgazanes están todos ellos!
JULIANA. No lo dirás por mí, Raimunda, que no
quisiera oírtelo. 90

RAIMUNDA. Lo digo por quien lo digo, y quien se pica ajos come.[1]

JULIANA. ¡Señor, Señor!... ¡Quién ha visto esta casa! No parece sino que todos hemos pisao una mala yerba, a todos nos han cambiado; todos son a pagar unos con otros y todos conmigo... ¡Válgame Dios y me dé paciencia pa llevarlo todo!

RAIMUNDA. ¡Y a mí pa aguantaros!

JULIANA. Bueno está. ¿A mí también? Tendré yo la culpa de todo.

RAIMUNDA. Si me miraras a la cara sabrías cuándo habías de callar la boca y quitárteme de delante sin que tuviera que decírtelo.

JULIANA. Bueno está. Ya me tiés callada como una muerta y ya me quito de delante. ¡Válgame Dios, Señor! No tendrás que decirme nada. (*Sale.*)

ESTEBAN. Aquí está el tío Eusebio.

ACACIA. Les dejo a ustedes. Cuando me ve se aflige... y como está que no sabe lo que le pasa, a la postre siempre dice algo que ofende. A él le parece que nadie más que él hemos sentido a su hijo.

RAIMUNDA. Pues más no digo, pero puede que tanto como su madre y le haya lloro yo. Al tío Eusebio no hay que hacerle caso; el pobre está muy acabao. Pero tiés razón, mejor es que no te vea.

ACACIA. Estas camisas ya están listas, madre. Las plancharé ahora.

ESTEBAN. ¿Has estao cosiendo pa mí?

ACACIA. Ya lo ve usted.

RAIMUNDA. ¡Si ella no cose! Yo estoy tan holgazana... ¡Bendito Dios!, no me conozco. Pero ella es trabajadora y se aplica. (*Acariciándola al pasar para el mutis.*) ¿No querrá Dios que tengas suerte, hija? (*Sale* ACACIA.) ¡Lo que somos las madres! Con lo acobardada que estaba yo de pensar y que iba a casárseme tan moza y ahora... ¡Qué no daría yo por verla casada!

ESCENA II

LA RAIMUNDA, ESTEBAN *y* EL TÍO EUSEBIO

EUSEBIO. ¿Ande anda la gente?

ESTEBAN. Aquí, tío Eusebio.

EUSEBIO. Salud a todos.

RAIMUNDA. Venga usted con bien, tío Eusebio.

ESTEBAN. ¿Ha dejado usted acomodás[2] las caballerías?

EUSEBIO. Ya se ha hecho cargo el espolique.

ESTEBAN. Siéntese usted. Anda, Raimunda, ponle un vaso del vino que tanto le gusta.

EUSEBIO. No, se agradece; dejarse estar, que ando muy malamente y el vino no me presta.

ESTEBAN. Pero si éste es talmente una medicina.

EUSEBIO. No, no lo traigas.

RAIMUNDA. Como usted quiera. Y ¿cómo va, Eusebio, cómo va? ¿Y la Julia?

EUSEBIO. Figúrate, la Julia... Ésa se me va etrás de su hijo; ya lo tengo pronosticao.

RAIMUNDA. No lo quiera Dios, que aún le quedan otros cuatro por quien mirar.

EUSEBIO. Pa más cuidaos; que aquella madre no vive pensando siempre en todo lo malo que puede sucederles. Y con esto de ahora. Esto ha venido a concluir de aplanarnos. Tan y mientras confiamos que se haría justicia... Es que me lo decían todos y yo no quería creerlo... Y ahí le tenéis, al criminal, en la calle, en su casa, riéndose de tóos nosotros; pa afirmarme yo más en lo que ya me tengo bien sabido; que en este mundo no hay más justicia que la que ca uno se toma por su mano. Y a eso darán lugar,[3] y a eso te mandé ayer razón, pa que fueras tú y les dijeses que si mis hijos se presentaban por el pueblo que no les dejasen entrar por ningún caso, y si era menester que los pusieran presos, todo antes que otro trastorno pa mi casa; aunque me duela que la muerte de mi hijo quede sin castigar, si Dios no la castiga, que tié que castigarla o no hay Dios en el cielo.

RAIMUNDA. No se vuelva usted contra Dios, tío

---

[1] *quien se pica ajos come* the one who is alluded to will know.

[2] *acomodás = acomodadas.*

[3] *Y a eso darán lugar* And that's what will happen.

Eusebio; que aunque la justicia no diera nunca con el que mató tan malamente a su hijo,
nadie quisiéramos estar en su lugar dél. ¡Allá
él con su conciencia! Por cosa ninguna de este
5 mundo quisiera yo tener mi alma como él
tendrá la suya; que si los que nada malo hemos
hecho ya pasamos en vida el purgatorio, el que
ha hecho una cosa así tié que pasar el infierno;
tan cierto puede usted estar como hemos de
10 morirnos.

EUSEBIO. Así será como tú dices, pero ¿no es
triste gracia que por no hacerse justicia como
es debido, sobre lo pasao, tenga yo que andar
ahora sobre mis hijos pa estorbarlos de que
15 quieran tomarse la justicia por su mano y que
sean ellos los que, a la postre, se vean en un
presidio? Y que lo harán como lo dicen.
¡Hay que oírles! Hasta el chequetico; va pa
los doce años, hay que verle apretando los
20 puños como un hombre y jurando que el que
ha matao a su hermano se las tié que pagar,
sea como sea . . . Yo le oigo y me pongo a
llorar como una criatura . . . y su madre, no
se diga. Y la verdad es que uno bien quisiera
25 decirles: ¡Andar ya, hijos, y matarle a can-
tazos como a un perro malo y hacerle peazos
aunque sea y traérnoslo aquí a la rastra! . . .
Pero tié uno que tragárselo tóo y poner cara
seria y decirles que ni por el pensamiento se
30 les pase semejante cosa, que sería matar a su
madre y una ruina pa todos . . .

RAIMUNDA. Pero, vamos a ver, tío Eusebio, que
tampoco usted quiere atender a razones; si la
justicia ha sentenciado que no ha sido Nor-
35 berto, si nadie ha declarao la menor cosa en
contra suya, si ha podido probar ande estuvo
y lo que hizo todo aquel día, una hora tras
otra; que estuvo con sus criados en los Berrocales, que allí le vió también y estuvo hablando
40 con él don Faustino, el médico del Encinar,
mismo a la hora que sucedió lo que sucedió . . .
y diga usted si nadie podemos estar en dos
partes al mismo tiempo . . . Y de sus criados
podrá usted decir que estarían bien alecciona-
45 dos, por más que no es tan fácil ponerse tanta
gente acordes pa una mentira; pero don
Faustino, bien amigo es de usted y bastantes

favores le debe . . . y como él otros muchos
que habían de estar de su parte de usted, y
todos han declarao lo mismo. Sólo un pastor 50
de los Berrocales supo decir que él había visto
de lejos a un hombre a aquellas horas, pero
que él no sabría decir quién pudiera ser; pero
por la persona y el aire y el vestido, no podía
ser Norberto. 55

EUSEBIO. Si a que no fuera él yo no digo nada.
Pero ¿deja de ser uno el que lo hace, porque
haiga comprao a otro pa que lo haga? Y eso
no pué dudarse . . . La muerte de mi hijo no
tié otra explicación . . . Que no vengan a mí 60
a decirme que si éste que si el otro. Yo no
tengo enemigos pa una cosa así. Yo no hice
nunca mal a nadie. Harto estoy de perdonar
multas a unos y a otros, sin mirar si son de los
nuestros o de los contrarios. Si mis tierras 65
paecen la venta de mal abrigo. ¡Si fuera yo a
poner todas las denuncias de los destrozos que
me están haciendo todos los días! A Faustino
me lo han matao porque iba a casarse con
Acacia, no hay más razón y esa razón no podía 70
tenerla otro que Norberto. Y si todos hubieran
dicho lo que saben ya se hubiera aclarao todo.
Pero quien más podía decir, no ha querido
decirlo . . .

RAIMUNDA. Nosotros. ¿Verdad usted? 75

EUSEBIO. Yo a nadie señalo.

RAIMUNDA. Cuando las palabras llevan su intención no es menester nombrar a nadie ni
señalar con el dedo. Es que usted está creído,[1]
porque Norberto sea de la familia, que si noso- 80
tros hubiéramos sabido algo, habíamos de
haber callao.

EUSEBIO. Pero ¿vas tú a decirme que la Acacia
no sabe más de lo que ha dicho?

RAIMUNDA. No, señor, que no sabe más de lo 85
que todos sabemos. Es que usted se ha emperrao en que no puede ser otro que Norberto,
es que usted no quiere creerse de que nadie
pueda quererle a usted mal por alguna otra
cosa. Nadie somos santos, tío Eusebio. Usted 90
tendrá hecho mucho bien, pero también tendrá usted hecho algún mal en su vida; usted
pensará que no es pa que nadie se acuerde,

[1] *Es que usted está creído* You think.

pero al que se lo haiga usted hecho no pensará lo mismo. A más, que si Norberto hubiera estao enamorao de mi hija hasta ese punto, antes hubiera hecho otras demostraciones. Su hijo de usted no vino a quitársela; Faustino no habló con ella hasta que mi hija despidió a Norberto y le despidió porque supo que él hablaba con otra moza y él ni siquiera fué pa venir y disculparse; de modo y manera que si a ver fuéramos, él fué quien la dejó a ella plantada. Ya ve usted que nada de esto es pa hacer una muerte.

EUSEBIO. Pues si así es, ¿por qué a lo primero todos decían que no podía ser otro? Y vosotros mismos, ¿no lo ibais diciendo?

RAIMUNDA. Es que así, a lo primero, ¿en quién otro podía pensarse? Pero si se para uno a pensar, no hay razón pa creer que él y sólo él pueda haberlo hecho. Pero usted no parece sino que quiere dar a entender que nosotros somos encubridores, y sépalo usted, que nadie más que nosotros quisiéramos que de una vez y se supiera la verdad de todo, que si usted ha perdío un hijo, yo también tengo una hija que no va ganando nada con todo esto.

EUSEBIO. Como que así es. Y con callar lo que sabe, mucho menos. Ni vosotros . . . que Norberto y su padre, pa quitarse sospechas, no queráis saber lo que van propalando de esta casa, que si fuera uno a creerse de ello . . .

RAIMUNDA. ¿De nosotros? ¿Qué puen ir propalando? Tú que has estado en el pueblo ¿qué icen?

ESTEBAN. ¡Quién hace caso!

EUSEBIO. No, si yo no he de creerme de na que venga de esa parte, pero bien y que os agradecen el no haber declarao en contra suya.

RAIMUNDA. Pero ¿vuelve usted a las mismas? . . . ¿Sabe usted lo que le digo, tío Eusebio? Que tié una que hacerse cargo de lo que es perder un hijo como usted lo ha perdío, pa no contestarle a usted de otra manera. Pero una también es madre, ¡caray!, y usted está ofendiendo a mi hija y nos ofende a todos.

ESTEBAN. ¡Mujer! No se hable más . . . ¡Tío Eusebio!

EUSEBIO. Yo a nadie ofendo. Lo que digo es lo que dicen todos; que vosotros por ser de la familia y todo el pueblo por quitarse de esa vergüenza, os habéis confabulao todos pa que la verdad no se sepa. Y si aquí todos creen que no ha sido Norberto, en el Encinar todos creen que no ha sido otro. Y si no se hace justicia mu pronto, va a correr mucha sangre entre los dos pueblos, sin poder impedirlo nadie, que todos sabemos lo que es la sangre moza.

RAIMUNDA. Si usted va soliviantando a todos. Si pa usted no hay razón ni justicia que valga. ¿No está usted bien convencío de que si no fué que él compró a otro pa que lo hiciera, él no pudo hacerlo? Y eso de comprar a nadie para una cosa así . . . ¡Vamos que no me cabe a mí en la cabeza! ¿A quién puede comprar un mozo como Norberto? ¡Y no vamos a creer que su padre dél iba a mediar en una cosa así!

EUSEBIO. Pa comprar a una mala alma, no es menester mucho. ¿No tienes ahí, sin ir más lejos, a los de Valderrobles, que por tres duros y medio mataron a los dos cabreros?

RAIMUNDA. ¿Y qué tardó en saberse; que ellos mismos se descubrieron disputando por medio duro? El que compra a un hombre pa una cosa así, viene a ser como un esclavo suyo pa toda la vida. Eso podrá creerse de algún señorón con mucho poder, que pueda comprar quien le quite de enmedio a cualquiera que pueda estorbarle. Pero Norberto . . .

EUSEBIO. A nadie nos falta un criado que es como un perro fiel en la casa pa obedecer lo que se le manda.

RAIMUNDA. Pué que usted los tenga de esa casta y que alguna vez los haya usted mandao algo parecido, que el que lo hace lo piensa.

EUSEBIO. Mírate bien en lo que estás diciendo.

RAIMUNDA. Usted es el que tié que mirarse.

ESTEBAN. Pero ¿no quiés callar, Raimunda?

EUSEBIO. Ya lo estás oyendo. ¿Qué dices tú?

ESTEBAN. Que dejemos ya esta conversación, que todo será volvernos más locos.

EUSEBIO. Por mí, dejá está.

RAIMUNDA. Diga usted que usted no pué conformarse con no saber quién le ha matao a su hijo y razón tiene usted que le sobra; pero no es

razón pa envolvernos a todos, que si usted pide que se haga justicia, más se lo estoy pidiendo yo a Dios todos los días, y que no se quede sin castigar el que lo hizo, así fuera[1]
5 un hijo mío el que lo hubiera hecho.

ESCENA III
DICHOS *y* EL RUBIO

RUBIO. Con licencia.
ESTEBAN. ¿Qué hay, Rubio?
10 RUBIO. No me mire usted así, mi amo, que no estoy bebío . . . Lo de esta mañana fué que salimos sin almorzar, y me convidaron y un traguete que bebió uno, pues le cayó a uno mal y eso fué todo . . . Lo que siento es que
15 usted se haya incomodao.
RAIMUNDA. ¡Ay, me parece que tú no estás bueno! Ya me lo había dicho la Juliana.
RUBIO. La Juliana es una enreaora. Eso quería ecirle al amo.
20 ESTEBAN. ¡Rubio! Después me dirás lo que quieras. Está aquí el tío Eusebio. ¿No lo estás viendo?
RUBIO. ¿El tío Eusebio? Ya le había visto . . ., ¿qué le trae por acá?
25 RAIMUNDA. ¡Qué te importa a ti qué le traiga o le deje de traer! ¡Habráse visto! Anda, anda y acaba de dormirla,[2] que tú no estás en tus cabales.
RUBIO. No me diga usted eso, mi ama.
30 ESTEBAN. ¡Rubio!
RUBIO. La Juliana es una enreaora. Yo no he bebío . . . y el dinero que se me cayó era mío, yo no soy ningún ladrón, ni he robao a nadie . . . Y mi mujer tampoco le debe a nadie lo
35 que lleva encima . . . ¿verdá usted, señor amo?
ESTEBAN. ¡Rubio! Anda ya, y acuéstate y no parezcas hasta que te hayas hartao de dormir. ¿Qué dirá el tío Eusebio? ¿No has reparao?
RUBIO. Demasiao que he reparao . . . Bueno es-
40 tá . . . No tié usted que ecirme nada . . . (*Sale.*)
RAIMUNDA. Pa lo que dice usted de los criados, tío Eusebio. Sin tenerle que tapar a uno nada,

ya de por sí saben abusar . . . Dígame usted si tuviera alguno cualquier tapujo con ellos . . . Pero, ¿pué saberse qué le ha pasao hoy al 45 Rubio? ¿Es que ahora va a emborracharse todos los días? Nunca había tenido él esa falta; pues no vayas a consentírsela, que como empiece así . . .
ESTEBAN. ¡Qué mujer! Si porque no tié costum- 50 bre es por lo que hoy se ha achispao una miaja. A la cuenta mientras yo andaba a unas cosas y otras por el pueblo, le han convidao en la taberna . . . Ya le he reñío yo, y le mandé acostar; pero a la cuenta no ha dormío bas- 55 tante y se ha entrao aquí sin saber entoavía lo que se habla . . . No es pa espantarse.
EUSEBIO. Claro está que no. ¿Mandas algo?
ESTEBAN. ¿Ya se vuelve usted, tío Eusebio?
EUSEBIO. Tú verás. Lo que siento es haber venío 60 pa tener un disgusto.
RAIMUNDA. Aquí no ha habido disgusto ninguno. ¡Qué voy yo a disgustarme con usted!
EUSEBIO. Así debe de ser. ¡Hacerse cargo, con lo que a mí me ha pasao! Esa espina no se 65 arranca así como así; clavada estará y bien clavada hasta que quiera Dios llevársele a uno de este mundo. ¿Tenéis pensao de estar muchos días en el Soto?
ESTEBAN. Hasta el domingo. Aquí no hay nada 70 que hacer. Sólo hemos venido por no estar en el pueblo en estos días; como al volver Norberto tóo habían de ser historias . . .
EUSEBIO. Como que así será. Pues yo no te dejo encargao otra cosa, cuando estés allí, que estés 75 a la mira por si se presentan mis hijos que no me vayan a hacer alguna,[3] que no quiero pensarlo.
ESTEBAN. Vaya usted descuidao; pa que hicieran algo estando yo allí, mal había yo de verme. 80
EUSEBIO. Pues no te digo más. Estos días les tengo entretenidos trabajando en las tierras de la linde del río . . . Si no va por allí alguien que me los soliviante . . . Vaya, quedar con Dios. ¿Y la Acacia? 85
RAIMUNDA. Por no afligirle a usted no habrá acudío . . . Y que ella también de verle a usted se recuerda de muchas cosas.

---

[1] *así fuera* even though it were.
[2] *¡Habráse visto! Anda . . . dormirla* Have you ever seen the like! Go on now and sleep it off!
[3] *alguna (cosa mala).*

EUSEBIO. Tiés razón.

ESTEBAN. Voy a que saquen las caballerías.

EUSEBIO. Déjate estar. Yo daré una voz . . .
¡Francisco! Allá viene. No vengas tú, mujer.
5 Con Dios. (*Van saliendo.*)

RAIMUNDA. Con Dios, tío Eusebio; y pa la Julia
no le digo a usted nada . . ., que me acuerdo
mucho de ella, y que más tengo rezao por ella
que por su hijo, que a él Dios le habrá per-
10 donao, que ningún daño hizo pa tener el mal
fin que tuvo . . . ¡Pobre! (*Han salido* ESTEBAN
y EL TÍO EUSEBIO.)

ESCENA IV

RAIMUNDA *y* BERNABÉ

15 BERNABÉ. ¡Señora ama!

RAIMUNDA. ¿Qué? ¿Viste a Norberto?

BERNABÉ. Como que aquí está; ha venido conmigo. ¡Más pronto! Él, de su parte, estaba
deseandito de avistarse con usted.

20 RAIMUNDA. ¿No os habréis cruzao con el tío Eusebio?

BERNABÉ. A lo lejos le vimos llegar de la parte
del río; conque nosotros echamos de la otra
parte y nos metimos por el corralón y allí me
25 dejé a Norberto agazapao, hasta que el tío
Eusebio se volviera pa el Encinar.

RAIMUNDA. Pues mira si va ya camino.

BERNABÉ. Ende aquí le veo que ya va llegando
por la cruz.

30 RAIMUNDA. Pues ya puedes traer a Norberto.
Atiende antes. ¿Qué anda por el pueblo?

BERNABÉ. Mucha maldá, señora ama. Mucho va
a tener que hacer la justicia si quiere averiguar algo.

35 RAIMUNDA. Pero allí, ¿nadie cree que haya sío
Norberto? ¿Verdad?

BERNABÉ. Y que le arrean un estacazo al que diga
otra cosa. Ayer, cuando llegó, que ya venía
medio pueblo con él, que salieron al camino
40 a esperarle, todo el pueblo se juntó para
recibirle, y en volandas le llevaron hasta su
casa, y todas las mujeres lloraban, y todos los
hombres le abrazaban, y su padre se quedó
como acidentao[1] . . .

[1] *se quedó . . . acidentao (accidentado) almost fainted.*

RAIMUNDA. ¡Pobre! ¡No, no podía haber sío él! 45

BERNABÉ. Y como se susurra que los del Encinar
y se han dejao decir que vendrán a matarlo el
día menos pensao, pues tóos los hombres,
hasta los más viejos, andan con garrotas y
armas escondías.   50

RAIMUNDA. ¡Dios nos asista! Atiende: el amo,
cuando estuvo allí esta mañana, ¿sabes si ha
tenío algún disgusto?

BERNABÉ. ¿Ya le han venío a usted con el cuento?

RAIMUNDA. No . . . es decir, sí, ya lo sé.   55

BERNABÉ. El Rubio, que se entró en la taberna y
parece ser que allí habló cosas . . . Y como le
avisaron al amo, se fué a buscarle y le sacó a
empellones, y él se insolentó con el amo . . .
Estaba bebío . . .   60

RAIMUNDA. Y ¿qué hablaba el Rubio, si pué saberse?

BERNABÉ. Que se fué de la lengua . . . Estaba
bebío . . . ¿Quiere usted que le diga mi sentir?
Pues que no debieran ustedes de parecer por 65
el pueblo en unos cuantos días.

RAIMUNDA. Ya puedes tenerlo por seguro. Lo
que hace a mí, no volvería nunca . . . ¡Ay,
Virgen, que me ha entrao una desazón que
echaría a correr tóo ese camino largo adelante 70
y después me subiría por aquellos cerros y
después no sé yo ande quisiá[2] esconderme,
que no parece sino que viene alguien detrás de
mí, peor que pa matarme! . . . Y el amo . . .
¿Ande está el amo?   75

BERNABÉ. Con el Rubio andaba.

RAIMUNDA. Vé y tráete a Norberto.

(*Sale* BERNABÉ.)

ESCENA V

RAIMUNDA *y* NORBERTO   80

NORBERTO. ¡Tía Raimunda!

RAIMUNDA. ¡Norberto! ¡Hijo! Ven que te abrace.

NORBERTO. Lo que me he alegrao de que usted
quisiera verme. Después de mi padre y de mi
madre, en gloria esté, y más vale, si había de 85
verme visto como me han visto todos . . ., como un criminal, de nadie me acordaba como
de usted.

[2] *quisiá = quisiera.*

RAIMUNDA. Yo nunca he podido creerlo, aunque lo decían todos.

NORBERTO. Bien lo sé, y que usted ha sío la primera en defenderme. ¿Y la Acacia?

5 RAIMUNDA. Buena está; pero con la tristeza del mundo en esta casa.

NORBERTO. ¡Decir que yo había matao a Faustino! ¡Y pensar que, si no puedo probar, como pude probarlo, lo que había hecho todo aquel

10 día, si como lo tuve pensao, cojo la escopeta y me voy solo a tirar unos tiros y no puedo dar razón de ande estuve, porque nadie me hubiera visto, me echan a un presidio pa toda la vida!

15 RAIMUNDA. ¡No llores, hombre!

NORBERTO. Si esto no es llorar; llantos los que tengo lloraos entre aquellas cuatro paeres[1] de una cárcel; que si me hubieran dicho a mí que tenía que ir allí algún día . . . Y lo malo

20 no ha concluío. El tío Eusebio y sus hijos y todos los del Encinar sé que quien[2] matarme . . . No quien creerse de que yo estoy inocente de la muerte de Faustino, tan cierto como mi madre está bajo tierra.

25 RAIMUNDA. Como nadie sabe quién haya sío . . . Como nada ha podido averiguarse . . ., pues, ya se ve, ellos no se conforman . . . Tú, ¿de nadie sospechas?

NORBERTO. Demasiao que sospecho.

30 RAIMUNDA. Y ¿no le has dicho nada a la justicia?

NORBERTO. Si no hubiera podido por menos pa verme libre, lo hubiea dicho todo . . . Pero ya que no haya habío necesiá de acusar a nadie . . . Así como así, si yo hablo . . . harían con-

35 migo igual que hicieron con el otro.

RAIMUNDA. Una venganza. ¿Verdad? Tú crees que ha sío una venganza . . . ¿Y de quién piensas tú que pué haber sido? Quisiera saberlo, porque, hazte cargo, el tío Eusebio y

40 Esteban tien que tener los mismos enemigos; juntos han hecho siempre bueno y malo, y no puedo estar tranquila . . . Esa venganza tanto ha sío contra el tío Eusebio como en contra de nosotros; pa estorbar que estuviean más

[1] *paeres = paredes.*
[2] *quien = quieren.*

unidas las dos familias; pero pueden no con- 45 tentarse con esto y otro día pueden hacer lo mismo con mi marido.

NORBERTO. Por tío Esteban no pase usted cuidao.

RAIMUNDA. Tú crees . . .

NORBERTO. Yo no creo nada. 50

RAIMUNDA. Vas a decirme todo lo que sepas. A más de que, no sé por qué me paece que no eres tú solo a saberlo. Si será lo mismo que ha llegao a mi conocimiento. Lo que dicen todos.

NORBERTO. Pero no es que se haya sabío por mí 55 . . . Ni tampoco pué saberse; es un runrún que anda por el pueblo na más. Por mí na se sabe.

RAIMUNDA. Por la gloria de tu madre, vas a decírmelo todo, Norberto. 60

NORBERTO. No me haga usted hablar. Si yo no he querido hablar ni a la justicia . . . Y si hablo me matan, tan cierto que me matan.

RAIMUNDA. Pero, ¿quién pué matarte?

NORBERTO. Los mismos que han matao a Faus- 65 tino.

RAIMUNDA. Pero, ¿quién ha matao a Faustino? Alguien comprao pa eso, ¿verdad? Esta mañana en la taberna hablaba el Rubio . . .

NORBERTO. ¿Lo sabe usted? 70

RAIMUNDA. Y Esteban fué a sacarle de allí pa que no hablara . . .

NORBERTO. Pa que no le comprometiera.

RAIMUNDA. ¡Eh! ¡Pa que no le comprometiera! . . . Porque el Rubio estaba diciendo que 75 él . . .

NORBERTO. Que él era el amo de esta casa.

RAIMUNDA. ¡El amo de esta casa! Porque el Rubio ha sío . . .

NORBERTO. Sí, señora. 80

RAIMUNDA. El que ha matao a Faustino . . .

NORBERTO. Eso mismo.

RAIMUNDA. ¡El Rubio! Ya lo sabía yo . . . Y ¿lo saben todos en el pueblo?

NORBERTO. Si él mismo se va descubriendo; si 85 ande llega principia a enseñar dinero, hasta billetes . . . Y esta mañana, como le cantaron la copla en su cara, se volvió contra todos y fué cuando avisaron a tío Esteban y le sacó a empellones de la taberna. 90

RAIMUNDA. ¿La copla? Una copla que han sacao . . . Una copla que dice . . . ¿Cómo dice la copla? . . .

NORBERTO. El que quiera a la del Soto,
tié pena de la vida.
5   Por quererla quien la quiere
le dicen la Malquerida.

RAIMUNDA. Los del Soto somos nosotros, así nos dicen, en esta casa . . . Y la del Soto no pué ser otra que la Acacia . . . ¡mi hija! Y esa co-
10 pla . . . es la que cantan todos . . . Le dicen la Malquerida . . . ¿No dice así? ¿Y quién la quiere mal? ¿Quién pué quererla mal a mi hija? La querías tú y la quería Faustino . . . Pero ¿quién otro pué quererla y por qué le
15 dicen Malquerida? . . . Ven acá . . . ¿Por qué dejaste tú de hablar con ella, si la querías? ¿Por qué? Vas a decírmelo tóo . . . Mira que peor de lo que ya sé no vas a decirme nada . . .
20 NORBERTO. No quiera usted perderme y perder-nos a todos. Nada se ha sabío por mí; ni cuando me vi preso quise decir náa . . . Se ha sabío, yo no sé cómo, por el Rubio, por mi padre, que es la única persona con quien lo
25 tengo comunicao . . . Mi padre sí quería ha-blarle a la justicia, y yo no le he dejao, porque le matarían a él y me matarían a mí.

RAIMUNDA. No me digas náa; calla la boca . . . Si lo estoy viendo todo, lo estoy oyendo todo.
30 ¡La Malquerida, la Malquerida! Escucha aquí. Dímelo a mí todo . . . Yo te juro que pa matarte a ti, tendrán que matarme a mí antes. Pero ya ves que tié que hacerse justicia, que mientras no se haga justicia el tío Eusebio y
35 sus hijos van a perseguirte y de esos sí que no podrás escapar. A Faustino lo han matao pa que no se casara con la Acacia, y tú dejaste de hablar con ella pa que no hicieran lo mismo contigo. ¿Verdad? Dímelo todo.
40 NORBERTO. A mí se me dijo que dejara de hablar con ella, porque había el compromiso de ca-sarla con Faustino, que era cosa tratada de antiguo con el tío Eusebio, y que si no me avenía a las buenas, sería por las malas, y que
45 si decía algo de todo esto . . . pues que . . .

RAIMUNDA. Te matarían. ¿No es eso? Y tú . . .

NORBERTO. Yo me creí de todo, y la verdad, tomé miedo, y pa que la Acacia se enfadara conmigo, pues prencipié[1] a cortejar a otra moza, que náa me importaba . . . Pero como 50 luego supe que náa era verdad, que ni el tío Eusebio ni Faustino tenían tratao cosa nin-guna con tío Esteban . . . Y cuando mataron a Faustino . . . pues ya sabía yo por qué lo habían matao; porque al pretender él a la 55 Acacia, ya no había razones que darle como a mí; porque al tío Eusebio no se le podía negar la boda de su hijo, y como no se le podía negar se hizo como que se consentía a todo, hasta que hicieron lo que hicieron, que aquí estaba 60 yo pa achacarme la muerte. ¿Qué otro podía ser? El novio de la Acacia por celos . . . Bien urdío sí estaba. ¡Valga Dios que algún santo veló por mí aquel día! Y que el delito pesa tanto que él mismo viene a descubrirse. 65

RAIMUNDA. ¡Quié decirse que todo ello es ver-dad! ¡Que no sirve querer estar ciegos para no verlo! . . . Pero, ¿qué venda tenía yo elante los ojos? . . . Y ahora todo como la luz de claro . . . Pero, ¡quién pudiea seguir 70 tan ciega!

NORBERTO. ¿Ande va usted?

RAIMUNDA. ¿Lo sé yo? Voy sin sentío . . . Si es tan grande lo que me pasa, que paece que no me pasa nada. Mira tú, de tóo ello, sólo se 75 me ha quedao la copla, esa copla de la Mal-querida . . . Tiés que enseñarme el son pa cantarla . . . ¡Y a ese son vamos a bailar tóos hasta que nos muramos! ¡Acacia, Acacia, hija! . . . Ven acá. 80

NORBERTO. ¡No la llame usted! ¡No se ponga usted así, que ella no tié culpa!

ESCENA VI

DICHOS *y* LA ACACIA

ACACIA. ¿Qué quié usted, madre? ¡Norberto! 85

RAIMUNDA. ¡Ven acá! ¡Mírame fijo a los ojos!

ACACIA. Pero, ¿qué le pasa a usted, madre?

RAIMUNDA. ¡No, tú no pués tener culpa!

ACACIA. Pero, ¿qué le han dicho a usted, madre? ¿Qué le has dicho tú? 90

---

[1] *prencipié = principié.*

RAIMUNDA. Lo que saben ya tóos . . . ¡La Malquerida! ¡Tú no sabes que anda en coplas tu honra!

ACACIA. ¡Mi honra! ¡No! ¡Eso no han podido decírselo a usted!

RAIMUNDA. No me ocultes náa. Dímelo todo. ¿Por qué no le has llamao nunca padre? ¿Por qué?

ACACIA. Porque no hay más que un padre; bien lo sabe usted. Y ese hombre no podía ser mi padre, porque yo le he odiao siempre, ende que entró en esta casa, pa traer el infierno consigo.

RAIMUNDA. Pues ahora vas a llamarle tú y vas a llamarle como yo te digo, padre . . . Tu padre. ¿Entiendes? ¿Me has entendío? Te he dicho que llames a tu padre.

ACACIA. ¿Quié usted que vaya al campo santo a llamarle? Si no es el que está allí yo no tengo otro padre. Ése . . . es su marido de usted, el que usted ha querido, y pa mí no pué ser más que ese hombre, ese hombre, no sé llamarle de otra manera. Y si ya lo sabe usted tóo, no me atormente usted. ¡Qué le prenda la justicia y que pague tóo el mal que ha hecho!

RAIMUNDA. La muerte de Faustino, ¿quiés decir? Y a más . . . dímelo todo.

ACACIA. No, madre; si yo hubiera sío consentidora no hubiera matao a Faustino. ¿Usted cree que yo no he sabío guardarme?

RAIMUNDA. Y ¿por qué has callao? ¿Por qué no me lo has dicho a mí tóo?

ACACIA. ¿Y se hubiera usted creído de mí más que de ese hombre, si estaba usted ciega por él? Y ciega tenía usted que estar pa no haberlo visto . . . Si elante de usted me comía con los ojos, si andaba desatinao tras mí a toas horas, y ¿quiere usted que le diga más? Le tengo odiao tanto, le aborrezco tanto que hubiera querío que anduviese entavía[1] más desatinao a ver si se le quitaba a usted la venda de los ojos, pa que viera usted qué hombre es ése, el que me ha robao su cariño, el que usted ha querío tanto, más que quiso usted nunca a mi padre.

[1] *entavía = todavía.*

RAIMUNDA. ¡Eso no, hija!

ACACIA. Pa que le aborreciera usted como yo le aborrezco, como me tié mandao mi padre que le aborrezca, que muchas veces lo he oído como una voz del otro mundo.

RAIMUNDA. ¡Calla, hija, calla! Y ven aquí junto a tu madre, que ya no me queda más que tú en el mundo, y ¡bendito Dios que aún puedo guardarte!

(*Entra* BERNABÉ.)

BERNABÉ. ¡Señora ama, señora ama!

RAIMUNDA. ¿Qué traes tú tan acelerao? ¡De seguro nada bueno!

BERNABÉ. Es que vengo a darle aviso de que no salga de aquí Norberto por ningún caso.

RAIMUNDA. ¿Pues luego . . . ?

BERNABÉ. Están apostaos los hijos del tío Eusebio con sus criados pa salirle al encuentro.

NORBERTO. ¿Qué le decía yo a usted? ¿Lo está usted viendo? ¡Vienen a matarme! ¡Y me matan, tan cierto que me matan!

RAIMUNDA. ¡Nos matarán a tóos! Pero eso tié que haber sío que alguien ha corrido a llamarles.

BERNABÉ. El Rubio ha sío; que le he visto yo correrse por la linde del río hacia las tierras del tío Eusebio; el Rubio ha sido quien les ha dado el soplo.

NORBERTO. ¿Qué le decía yo a usted? Pa taparse ellos quieren que los otros me maten, pa que no haiga más averiguaciones; que los otros se darán por contentos creyendo que han matao a quien mató a su hermano . . . Y me matarán, tía Raimunda, tan cierto que me matan . . . Son muchos contra uno, que yo no podré defenderme, que ni un mal cuchillo traigo, que no quiero llevar arma ninguna por no tumbar a un hombre, que quiero mejor que me maten antes que volverme a ver ande ya me he visto . . . ¡Sálveme usted, que es muy triste morir sin culpa acosao como un lobo!

RAIMUNDA. No tiés que tener miedo. Tendrán que matarme a mí antes, ya te lo he dicho . . . Entra ahí con Bernabé. Tú coge la escopeta . . . Aquí no se atreverán a entrar, y si alguno se atreve, le tumbas sin miedo, sea quien sea.

¿Has entendío? Sea quien sea. No es menester que cerréis la puerta. Tú, aquí conmigo, hija. ¡Esteban!... ¡Esteban! ¡Esteban!

ACACIA. ¿Qué va usted a hacer? (*Entra* ESTE-
BAN.)

ESTEBAN. ¿Que me llamas?

RAIMUNDA. Escucha bien. Aquí está Norberto, en tu casa; allí tiés apostaos a los hijos del tío Eusebio pa que lo maten; que ni eso eres tú hombre pa hacerlo por ti y cara a cara.

ESTEBAN. (*Haciendo intención de sacar un arma.*) ¡Raimunda!

ACACIA. ¡Madre!

RAIMUNDA. ¡No, tú no! Llama al Rubio pa que nos mate a todos, que a todos tié que matarnos pa encubrir tu delito... ¡Asesino, asesino!

ESTEBAN. ¡Tú estás loca!

RAIMUNDA. Más loca tenía que estar; más loca estuve el día que entraste en esta casa, en mi casa, como un ladrón pa robarme lo que más valía.

ESTEBAN. Pero ¿pué saberse lo que estás diciendo?

RAIMUNDA. Si yo no digo na, si lo dicen tóos, si lo dirá muy pronto la justicia, y si no quieres que sea ahora mismo, que no empiece yo a voces y lo sepan todos... Escucha bien; tú que los has traído, llévate a esos hombres que aguardan a un inocente para matarlo a mansalva. Norberto no saldrá de aquí más que junto conmigo, y pa matarle a él tien que matarme a mí... Pa guardarle a él y pa guardar a mi hija me basto yo sola, contra ti y contra tóos los asesinos que tú pagues. ¡Mal hombre! ¡Anda ya y vé a esconderte en lo más escondío de esos cerros, en una cueva de alimañas! Ya han acudido tóos, ya no puedes atreverte conmigo... ¡Y aunque estuviera yo sola con mi hija! ¡Mi hija, mi hija! ¿No sabías que era mi hija? ¡Aquí la tiés! ¡Mi hija! ¡La Malquerida! Pero aquí estoy yo pa guardarla de ti, y hazte cuenta de que vive su padre... ¡Y pa partirte el corazón si quisieras llegarte a ella! (*Telón.*)

FIN DEL ACTO SEGUNDO

ACTO TERCERO

La misma decoración del segundo.

ESCENA PRIMERA

RAIMUNDA *y* LA JULIANA. RAIMUNDA *a la puerta, mirando con ansiedad a todas partes. Después* LA JULIANA.

JULIANA. ¡Raimunda!

RAIMUNDA. ¿Qué traes? ¿Está peor?

JULIANA. No, mujer, no te asustes.

RAIMUNDA. ¿Cómo está? ¿Por qué le has dejao solo?

JULIANA. Se ha quedao como adormilao, pero no se queja de náa, y la Acacia está allí junto. Es que me das tú más cuidao que el herido. Lo de él, gracias a Dios, no es de muerte. Pero ¿es que te vas a pasar todo el día sin querer tomar nada?

RAIMUNDA. ¡Déjate, déjate!

JULIANA. Pues ven pa allá dentro con nosotras. ¿Qué haces aquí?

RAIMUNDA. Miraba si Bernabé no estaría al llegar.

JULIANA. Si vienen con él los que han de llevarse a Norberto no podrá estar tan pronto de vuelta. Y si vienen también los de justicia...

RAIMUNDA. Los de justicia... La justicia en esta casa... ¡Ay, Juliana, y qué maldición habrá caído sobre ella!

JULIANA. Vamos, entra y no mires más de una parte y de otra, que no es Bernabé el que tú quisieas ver llegar; es otro, es tu marío, que no puede dejar de ser tu marido.

RAIMUNDA. Así es, que lo que ha durao muchos años no puede concluirse en un día. Sabiendo lo que sé, sabiendo que ya no puede ser otra cosa, y que si le viea llegar sería pa maldecir dél y pa aborrecerle toda mi vida, estoy aquí mirando de una parte y de otra, que quisiea pasar con los ojos las piedras de esos cerros, y me paece que le estoy aguardando como otras veces, pa verle llegar lleno de alegría y entrarnos de bracero como dos novios y sentarnos a comer, y sentaos a la mesa, contarnos todo lo que habíamos hecho, el tiempo que habíamos estao el uno sin el otro, y reír unas veces y porfiar otras, pero siempre con el cariño del mundo. ¡Y pensar que todo ha concluido, que ya tóo sobra en esta casa, que ya pa siempre se fué la paz de Dios de con nosotros!

JULIANA. Sí que es pa no creerse ya de na de este mundo. Y yo por mí, vamos, que si no me lo hubiás dicho tú, y si no te viea como te veo, nunca lo hubiea creído. Lo de la muerte de Faustino, ¡anda con Dios!, aún podía tener algún otro misterio, pero lo que hace al mal querer que le ha entrao por la Acacia, vamos, que se me resiste a creerlo. Y ello es que la una cosa sin la otra no hay quien pueda explicársela.

RAIMUNDA. ¿De modo que tú nunca habías reparado la menor cosa?

JULIANA. Ni por lo más remoto. Y tú sabes que ende que entró en esta casa pa enamorarte, nunca le he mirao con buenos ojos, que tú sabes cómo yo quería a tu primer marío, que hombre más de bien y más cabal no le ha habío en el mundo ... y vamos, ¡Jesús!, que si yo hubiea reparao nunca una cosa así, ¿de aonde me había yo de estar calláa? ... Ahora que una lo sabe ya cae una en la cuenta de que era mucho regalar a la muchacha, y mucho no darse por sentío, por más de que ella le hiciera tantos desprecios, que no ha tenío palabra buena con él ende que te casaste, que era ella un redrojo y ya se le plantaba a insultarle, que no servía reprenderla unos y otros, ni que tú la tundieas a golpes. Y mía[1] tú, como digo una cosa digo otra. Pué que si ella ende pequeña le hubiea tomao cariño y él se hubiea hecho a mirarla como hija suya no hubiea llegao a lo que ha llegao.

RAIMUNDA. ¿Vas tú a disculparle?

JULIANA. ¡Qué voy a disculpar, mujer, no hay disculpa pa una cosa así! Con sólo que hubiea mirao que era hija tuya. Pero, vamos, quieo decirte que pa él, salvo ser tu hija, la muchacha era como una extraña, y ya te digo, otra cosa hubiea sío si ella le hubiea mirao como padre ende un principio, porque él no

[1] mía = mira.

es un mal hombre, el que es malo es siempre malo, y a lo primero de casaros, cuando la Acacia era bien chica, más de cuatro veces le he visto yo caérsele los lagrimones, de ver y que la muchacha le huía como al demonio.

RAIMUNDA. Verdad es, que son los únicos disgustos que hemos tenío, por esa hija siempre.

JULIANA. Después la muchacha ha crecío, como tóos sabemos, que no tié su par ande quiea que se presenta, y despegá dél como una extraña y siempre elante los ojos, pues nadie estamos libres de un mal pensamiento.

RAIMUNDA. De un mal pensamiento no te digo, aunque nunca había de haber tenío ese mal pensamiento. Pero un mal pensamiento se espanta, cuando no se tié mala entraña. Pa llegar a lo que ha llegao, a tramar la muerte de un hombre, para estorbar y que mi hija se casara y saliera de aquí, de su lao, ya tié que haber más que un mal pensamiento, ya tié que estarse pensando siempre lo mismo, al acecho siempre como un criminal, con la maldad del mundo. Si yo también quisiea pensar que no hay tanta culpa, y cuanto más lo pienso más lo veo que no tié disculpa ninguna ... Y cuando pienso que mi hija ha estao amenazá a toas horas de una perdición como ésa, que el que es capaz de matar a un hombre es capaz de tóo ... Y si eso hubiea sido, tan cierto como me llamo Raimunda que a los dos los mato, a él y a ella, pués creérmelo. A él por su infamia tan grande, a ella si no se había dejao matar antes de consentirlo.

ESCENA II

DICHAS y BERNABÉ

JULIANA. Aquí está Bernabé.

RAIMUNDA. ¿Vienes tú solo?

BERNABÉ. Yo solo, que en el pueblo tóos son a deliberar lo que ha de hacerse, y no he querío tardarme más.

RAIMUNDA. Has hecho bien, que no es vivir. ¿Qué dicen unos y otros?

BERNABÉ. Pa volverse uno loco si fuera uno a hacer cuenta.

RAIMUNDA. ¿Y vendrán pa llevarse a Norberto?

BERNABÉ. En eso está su padre. El médico dice
que no le lleven en carro, que podía em-
peorarse, que le lleven en unas angarillas, y a
5   más que debe venir el forense y el juez a
tomarle aquí la declaración, no sea caso que
cuando llegue allí esté peor, y como ayer no
pudo declarar como estaba sin conocimiento
. . . Si usted no sabe, ca uno es de un parecer
10   y nadie se entiende. Ningún hombre ha salío
hoy al campo, tóos andan en corrillos y las
mujeres de casa en casa y de puerta en puerta,
que estos días no se habrá comío ni cenao a
su hora en casa ninguna . . .

15 RAIMUNDA. Pero ya sabrán que las heridas de
Norberto no son de cuidado.

BERNABÉ. Y cualquiera les concierta.[1] Ayer,
cuando supieron y que los hijos del tío Eusebio le habían salío al encuentro yendo con el
20   amo, le habían herío malamente, tóo eran llantos por el herío. Y hoy, cuando supieron y que
no había sío pa tanto y que muy pronto estaría curao, los más amigos de Norberto ya dicen
y que no había de haber sío tan poca cosa, que
25   ya que le han herío tenía que haber sío algo
más, pa que los hijos del tío Eusebio tuvieran
su castigo, que ahora si se cura tan pronto,
tóo queará en un juicio y nadie se conforma
con tan poco.

30 JULIANA. De modo, que mucho quieren a Norberto, pero hubiean querido mejor y que los
otros lo hubiean matao. ¡Serán de brutos!

BERNABÉ. Así es. Pues ya les he dicho, que den
gracias a usted que dió aviso al amo y al amo
35   que se puso de por medio y hasta llegó a
echarse la escopeta a la cara pa estorbarles de
que le mataran.

RAIMUNDA. ¿Les has dicho eso?

BERNABÉ. A tóo el que se ha llegao a preguntar-
40   me. Y lo he dicho, lo uno, porque así es la
verdad, y lo otro, porque no quiea usted saber
lo que han levantao por el pueblo que aquí
había habío.

RAIMUNDA. No me digas na. ¿Y el amo? ¿No ha
45   acudío por allí? ¿No has sabío dél?

[1] *Y cualquiera les concierta.* And nobody can get them
to agree.

BERNABÉ. Sé que le han visto esta mañana con el
Rubio y con los cabreros del Encinar en los
Berrocales, que a la cuenta ha pasao allí la
noche en algún mamparo. Y si valiea mi
parecer no había de andar así como huído, 50
que no están las cosas para que nadie piense
lo que no ha sío. Que el padre de Norberto
anda diciendo lo que no debiera. Y esta
mañana se ha avistao con el tío Eusebio pa
imbuirle de que sus hijos no han tenío razón 55
pa hacer lo que han hecho con su hijo.

RAIMUNDA. Pero ¿es que el tío Eusebio y está en
el lugar?

BERNABÉ. Con sus hijos ha ido, que esta mañana
les pusieron presos. Atados codo con codo les 60
trajeron del Encinar y su padre ha venío tras
ellos a pie tóo el camino con el hijo chico de
la mano sin dejar de llorar, que no ha habío
quien no haya llorao de verle, hasta los más
hombres.   65

RAIMUNDA. ¡Y aquella madre allí y aquí yo! ¡Si
supiean los hombres!

ESCENA III

DICHOS *y* LA ACACIA

ACACIA. ¡Madre!   70

RAIMUNDA. ¿Qué me quiés, hija?

ACACIA. Norberto la llama a usted. Se ha desper-
tao y pide agua. Dice que se muere de sed.
Yo no me atrevío a dársela, no fuera caso que
no le prestara.[2]   75

RAIMUNDA. Ha dicho el médico que pué beber
agua de naranja toa la que quiera. Allí está
una jarra. ¿Se queja mucho?

ACACIA. No, ahora no.

RAIMUNDA (*a Bernabé*). ¿Te has traído lo que 80
dijo el médico?

BERNABÉ. En las alforjas está todo. Voy a traer-
lo. (*Vase.*)

ACACIA. ¿No oye usted, madre? Le está a usted
llamando.   85

RAIMUNDA. Allá voy, hijo, Norberto.

[2] *no fuera . . . prestara* afraid it might hurt him.

ESCENA IV

LA JULIANA *y* LA ACACIA

ACACIA. ¿No ha vuelto ese hombre?

JULIANA. No. Desde que sucedió lo que sucedió
5 cogió la escopeta y salió como un loco, y el
Rubio tras él.

ACACIA. ¿No le han puesto preso?

JULIANA. Que sepamos.[1] Antes tendrá que declarar mucha gente.

10 ACACIA. Pero ya lo saben tos, ¿verdad? Tos oyeron a mi madre.

JULIANA. De aquí, quitao yo y Bernabé, que no
dirá lo que no se quiea que diga, que es un
buen hombre y tié mucha ley a esta casa, los
15 demás no han podío darse cuenta. Oyeron que
gritaba tu madre, pero tos se han creío que
era tocante a Norberto, y a que los hijos del
tío Eusebio venían a matarle. Aquí, si la justicia nos pregunta, nadie diremos otra cosa
20 que lo que tu madre nos diga que hayamos de
decir.

ACACIA. Pero ¿es que mi madre os va a decir que
os calléis? ¿Es que ella no va a decirlo to?

JULIANA. Pero ¿es que tú te alegrarías? ¿Es que
25 no miras la vergüenza que va a caer sobre esta
casa y pa ti muy principalmente, que ca uno
pensará lo que quiera y habrá y quien no puea
creer que no has sío consentiora, y habrá
quien no lo crea así, y la honra de una mujer
30 no es pa andar en boca de unos y otros que na
va ganando con ello?

ACACIA. ¡Mi honra! ¡Pa mí soy bien honrá! Pa
los demás, allá ca uno. Yo ya no he de casarme.
Si me alegro de lo que ha sucedío, es por no
35 haberme casao. Si me casaba sólo era por
desesperarle.

JULIANA. Acacia, no quieo oírte, que eso es estar
endemoniá.

ACACIA. Y lo estoy y lo he estao siempre, de
40 tanto como le tengo aborrecío.

JULIANA. Y ¿quién te dice que ése no ha sío tóo
el mal, que no has tenío razón pa aborrecerle?
Y miá que nadie como yo le hizo los cargos a
tu madre cuando determinó de volverse a
45 casar. Pero yo le he visto cuando eras bien

[1] *Que sepamos. = No, que sepamos.*

chica y tú no podías darte cuenta lo que ese
hombre se tié desesperao contigo.

ACACIA. Más me tengo yo desesperao de ver
cómo le quería mi madre, que andaba siempre colgá de su cuello y yo les estorbaba 50
siempre.

JULIANA. No digas eso, pa tu madre has sío tú
siempre lo primero en el mundo. Y pa él
también lo hubieas sío.

ACACIA. No, pa él sí lo he sío, pa él sí lo soy. 55

JULIANA. Pero no como dices, que paece que te
alegras. Como tenía que haber sío, que no te
hubiera él querido tan mal si tú le hubieras
querido bien.

ACACIA. Pero ¿cómo había de quererle, si él ha 60
hecho que yo no quiera a mi madre?

JULIANA. ¿Mujer, qué dices? ¿Que no quiés a tu
madre?

ACACIA. No, no la quiero como tenía que haberla
querido, si ese hombre no hubiea entrao nun- 65
ca en esta casa. Si me acuerdo de una vez, era
muy chica y no he podío olvidarlo, que toa
una noche tuve un cuchillo guardao ebajo la
almohada, y toa la noche me estuve sin dormir, pensando na más que en ir y clavárselo. 70

JULIANA. Jesús, muchacha, ¿que estás diciendo?
¿Y hubieas tenío valor? ¿Y hubieas ido y le
hubieas matao?

ACACIA. ¡Qué sé yo y a quién hubiea matao!

JULIANA. ¡Jesús! ¡Virgen! Calla esa boca. Tú es- 75
tás dejá de la mano de Dios. ¿Y quiés que te
diga lo que pienso? Que no has tenío tú poca
culpa de todo.

ACACIA. ¿Qué yo he tenío culpa?

JULIANA. Tú, sí, tú. Y más te digo. Que si le 80
hubieas odiao como dices, le hubieas odiao
sólo a él. ¡Ay, si tu madre supiera!

ACACIA. ¿Si supiera qué?

JULIANA. Que toa esa envidia no era de él, era
de ella. Que cualquiera diría que sin tú darte 85
cuenta le estabas queriendo.

ACACIA. ¿Qué dices?

JULIANA. Por odio na más, no se odia de ese
modo. Pa odiar así tié que haber un querer
muy grande. 90

ACACIA. ¿Que yo he querío nunca a ese hombre?
¿Tú sabes lo que estás diciendo?

JULIANA. Si yo no digo náa.

ACACIA. No, y serás capaz de ir y decírselo lo mismo a mi madre.

JULIANA. ¿Te da miedo, verdad? ¿Lo ves cómo eres tú quien lo está diciendo tóo? Pero está descuidá.[1] ¡Qué voy a decirle! ¡Bastante tié la pobre! ¡Dios nos valga!

ESCENA V

DICHAS y BERNABÉ

BERNABÉ. Ahí está el amo.

JULIANA. ¿Le has visto tú?

BERNABÉ. Sí, viene como rendío.

ACACIA. Vamos de aquí nosotras.

JULIANA. Sí, vamos, y no digas náa, que no sepa tu madre que te has podío encontrar con él. (*Salen las mujeres.*)

ESCENA VI

BERNABÉ, ESTEBAN y EL RUBIO, *con escopetas.*

BERNABÉ. ¿Manda usted algo?

ESTEBAN. Nada, Bernabé.

BERNABÉ. ¿Quié usted que le diga al ama...?

ESTEBAN. No le digas na. Ya me verán.

RUBIO. ¿Cómo está el herío?

BERNABÉ. Va mejorcito. Allá voy con tóo esto de la botica, si no manda usted otra cosa. (*Vase.*)

ESCENA VII

ESTEBAN y EL RUBIO

ESTEBAN. Ya me tiés aquí. Tú dirás ahora.

RUBIO. ¿Qué voy a decirle a usted? Que aquí es ande tié usted que estar. Que está usted en su casa y aquí pué usted hacerse fuerte; que eso de andar huíos y no dar la cara, no es más que declararse y perdernos...

ESTEBAN. Ya me tiés aquí, te digo, ya me has traío como querías... Y ahora, tú dirás, cuando venga esa mujer y vuelva a acusarme, y les llame a tóos y venga la justicia y el tío Eusebio con ellos... Tú dirás...

[1] *Pero está descuidá.* But don't worry.

RUBIO. Si hubiea usted dejao que los del tío Eusebio se las hubiesen entendío solos con el que está ahí... náa más que herío, ya estaría tóo acabao... Pero ahora hablará ése, hablará su padre dél, hablarán las mujeres... Y ésas son las que no tién que hablar. Lo de Faustino naide puede probárnoslo. Usted iba junto con su padre, a mí naide pudo verme; tengo buenas piernas y me habían visto casi a la misma hora a dos leguas de allí. Yo adelanté el reló en la casa ande estaba, y al despedirme traje la conversación pa que reparasen bien la hora que era.

ESTEBAN. Bueno estaría tóo eso, si después no hubieras sío tú el que ha ido descubriéndose y pregonándolo.

RUBIO. Tié usted razón, y aquel día debió usted haberme matao; pero es que aquel día, es la primera vez que he tenío miedo. Yo no esperaba que saliea libre Norberto. Usted no quiso hacer caso e mí cuando yo le ecía a usted: Hay que apretar con la justicia, que declare la Acacia y diga que Norberto le tenía jurao de matar a Faustino... ¿Va usted a decirme que no podía usted obligarla a que hubiea declarao... y como ella ya hubiéamos tenío otros que hubiean declarao de haberle entendío decir lo mismo?... Y otra cosa hubiea sío; veríamos si la justicia le había soltao así como así. Pues como iba diciendo, que no es que quiea negar lo malo que hice aquel día; como vi libre a Norberto y pensé que la justicia y el tío Eusebio que había de apretar con ella, y tóos habían de echarse a buscar por otra parte, como digo, por primera vez me entró miedo y quise atolondrarme y bebí, que no tengo costumbre, y me fuí de la lengua, que ya digo, aquel día me hubiea usted matao y razón tenía usted de sobra... Por más de que el runrún andaba ya por el pueblo, y eso fué lo que me acobardó, principalmente en oír la copla que tóo el mal está de esa parte, créamelo usted, de que Norberto y su padre, por lo que había pasao entre usted y Norberto, ya tenían sus sospechas de que usted andaba tras la Acacia... Y ésa es la voz que hay que callar, sea como sea, que eso es lo que pué perdernos, que el delito por la causa se saca; por lo demás . . . que no supiean por qué había muerto y a ver de ande iban a saber quién lo había matao.

5 ESTEBAN. Eso me digo yo ahora. ¿Por qué ha muerto nadie? ¿Por qué ha matao nadie?

RUBIO. Eso, usted lo sabrá. Pero cuando se confiaba usted de mí, cuando me decía usted un día y otro: Si esa mujer es pa otro hombre no 10 miraré náa. Y cuando me decía usted: Va a casarse, y esta vez no pueo espantar al que se la lleva, se casa, se la llevan de aquí y ca vez que lo pienso . . . ¿No se acuerda usted cuántas mañanas, apenas si había amanecío, 15 venía usted a despertarme: Anda, Rubio, levántate, que no he podío pegar los ojos en toa la noche, vámonos al campo, quiero andar, quiero cansarme? . . . Y ca uno con nuestra escopeta, cogíamos y nos íbamos por ahí aelan-20 te, los dos mano a mano, sin hablar palabra horas y horas . . . Allá, cuando caíamos en la cuenta, pa que no dijesen los que nos veían, que salíamos de caza y no cazábamos, tirábamos unos tiros al aire: pa espantar la caza, 25 que decía yo, pa espantar pensamientos, que decía usted; y al cabo de andar y andar, nos dejábamos caer y tumbaos sobre algún ribazo, usted, siempre callao, hasta que al cabo, soltaba usted como un bramío, como si se qui-30 tara usted un peso muy grande de encima, y me echaba usted un brazo por el cuello y se soltaba usted a hablar y a hablar, que usted mismo si hubiea querío recordarse, no hubiea usted sabío decir lo que había hablao; pero 35 todo ello venía a parar en lo mismo: Que estoy loco, que no pueo vivir así, que me muero, que no sé qué me pasa, que esto es un castigo, que esto es un infierno . . . Y vuelta a barajar las mismas palabras, pero con tanto barajar, 40 siempre pintaba la misma, la de la muerte . . . Y pintó tanto, que un día . . . el cómo se acordó, ya usted lo sabe, pa qué voy a decirlo.

ESTEBAN. ¿No quiés callar?

RUBIO. Cuidao, señor amo, cuidao con ponerme 45 la mano encima. Y no vaya usted a creerse que antes cuando veníamos, no le he visto a usted la intención, que más de cuatro veces, se ha quedao usted como rezagao y ha querío usted echarse la escopeta a la cara. Pa eso no hay razón, señor amo, no hay razón. Nosotros 50 tenemos ya siempre que estar muy uníos . . . Yo bien sé que usted está ya pesaroso de tóo y que si pudiea usted no quisiea usted verme más en su vida . . . Si con eso se quedaba usted en paz, ya me había quitao de elante. 55 Lo que ha de saber usted es que a mí no me ha llevao interés nenguno. Lo que usted me haiga dao, por su voluntad ha sío. A mí me sobra tóo; yo no bebo, no fumo, tóos mis gustos no han sío siempre más que andar por esos 60 campos a mi albedrío; lo único que me ha gustao siempre, eso sí, es tener yo mando . . . Yo quisiea que usted y yo fuéamos como dos hermanos mismamente; yo hice lo que he hecho, porque usted hizo confianza en mí, 65 como pué usted hacerla siempre, sépalo usted. Cuando los dos nos viéamos perdidos, me perdería yo solo, que ya tengo pensao lo que he e decir. De usted ni palabra, antes me hacen peazos; por mí ni la tierra sabrá nunca 70 náa. Diré que he sío yo solo; yo solo por . . . lo que fuea, que a nadie le importa . . . Yo no sé lo que podrá salirme; diez años, quince; usted tié poder pa que no sean muchos; luego, con empeños, vienen los indultos; más han 75 hecho otros y con cuatro o cinco años han cumplío. Lo que yo quiero es que usted no se olvide de mí, y cuando vuelva que yo sea pa usted, ya lo he dicho, como un hermano, que no hay hombre sin hombre, y uníos los dos, 80 podremos lo que queramos. Yo no quiero náa más que tener mando, eso sí, mucho mando, pero pa usted, usted me manda siempre . . ¡El ama! (*Viendo llegar a Raimunda.*)

ESCENA VIII   85

DICHOS *y* RAIMUNDA

RAIMUNDA. (*Sale con una jarra; al ver a Esteban y al Rubio se detiene, asustada. Después de titubear un momento llena la jarra en un cántaro.*) 90

RUBIO. Con licencia, señora ama.

RAIMUNDA. Quita, quítateme de delante. No te

me acerques. ¿Qué haces tú aquí? No quiero verte.

RUBIO. Pues tiene usted que verme y oírme.

RAIMUNDA. A lo que he llegao en mi casa. ¿A mí, qué tiés tú que decirme?

RUBIO. Usted verá. Más tarde o más temprano nos ha de llamar a tóos la justicia. En bien de tóos, bueno será que estemos tóos acordes. Usted dirá si por habladurías de unos y otros puede consentirse de echar un hombre a presidio.

RAIMUNDA. No iría uno solo. ¿Piensas tú que ibas a escapar?

RUBIO. No he querío decir lo que usted se piensa. Iría uno solo, pero ése no sería ningún otro más que yo.

RAIMUNDA. ¿Qué dices?

RUBIO. Pero tampoco es razón que yo me calle pa que los demás hablen. Usted verá. A más de que las cosas no han sío como usted se piensa. Todas esas habladurías que andan por el pueblo, han sío cosas de Norberto y de su padre. Y esa copla tan indecente que a usted le ha soliviantao haciéndole creer lo que no ha sío . . .

RAIMUNDA. ¡Ah, os habéis concertao en tóo este tiempo! Yo no tengo que creerme de náa. Ni de coplas ni de habladurías. Me creo de lo que es la verdad, de lo que yo sé. Tan bien lo sé, que casi no han tenío que decírmelo. Lo he adivinao yo, lo he visto yo. Pero ni siquiera . . . Tú no, ¡cómo vas a tener esa nobleza! Pero él sería más noble que me lo confesara a mí tóo. Si bien pué saber que yo no he de ir a delatar a nadie. No por vosotros, por esta casa, que es la de mis padres, por mi hija, por mí. Pero ¿qué vale que yo no lo diga si lo dicen tóos, si hasta las piedras lo cantan y lo pregonan por tóo el contorno?

RUBIO. Deje usted que pregonen, usted es la que tié que callar.

RAIMUNDA. Porque tú lo quieres. Pues mira que sólo de oírtelo a ti, ya me entran ganas de gritarlo ande más puedan escucharme.

RUBIO. No se ponga usted así, que no hay razón pa ello.

RAIMUNDA. No hay razón y habéis dao muerte a un hombre. Y ahí tenéis a otro que han podío matar por causa vuestra.

RUBIO. Y ha sío lo menos malo que ha podío suceder.

RAIMUNDA. Calla, calla, asesino, cobarde.

RUBIO. A usted le dicen, señor amo.

ESTEBAN. ¡Rubio!

RUBIO. ¿Qué?

RAIMUNDA. Así, tiés que bajar la cabeza delante de este hombre. ¡Qué más castigo! ¡Qué más caena que andar atao con él pa toa la vida! Ya tié amo esta casa. ¡Gracias a Dios! ¡Pué que mire más por su honra de lo que has mirao tú!

ESTEBAN. ¡Raimunda!

RAIMUNDA. ¡Qué, también digo yo! ¡Pué que conmigo sí te atrevas!

ESTEBAN. Tiés razón, tiés razón, que no he sío hombre pa meterme una onza de plomo en la cabeza y acabar de una vez.

RUBIO. ¡Señor amo!

ESTEBAN. ¡Quita, quita! ¡Vete de aquí, vete! ¿Cómo quiés que te lo pida? ¿De rodillas, quiés que te lo pida?

RAIMUNDA. ¡Ah!

RUBIO. No, señor amo. Conmigo no tié usted que ponerse así. Ya me voy. (*A* RAIMUNDA.) Si no hubiea sío por mí, no habría muerto un hombre, pero quizá que se hubiea perdío su hija. Ahora, ahí le tié usted, acobardao como una criatura. Ya se ha pasao tóo, fué una ventolera, un golpe de sangre. ¡Ya está curao! Y pué que yo haiga sío el médico. ¡Eso tié usted que agradecerme, pa que usted lo sepa!

ESCENA IX

RAIMUNDA *y* ESTEBAN

ESTEBAN. No llores más, no quieo verte llorar. No valgo yo pa esos llantos. Yo no hubiea vuelto aquí nunca, me hubiea dejao morir entre esas breñas, si antes no me cazaban como a un lobo, que yo no había de defenderme. Pero no quieo tampoco que tú me digas nada. Tóo lo que puedas decirme, me lo he dicho yo antes. Más veces que tú pueas decírmelo me he dicho yo criminal y asesino.

Déjame, déjame, ya no soy de esta casa. Déjame, que aquí aguardo a la justicia; y no voy yo a buscarla y a entregarme a ella porque no pueo más, porque no podría tirar de mí[1] pa
5 llevarme. Pero si no quieres tenerme aquí, me saldré en medio del camino pa dejarme caer en mitá de una de esas herrenes como si hubiean tirao una carroña fuera.

RAIMUNDA. ¡Entregarte a la justicia, pa arruinar
10 esta casa, pa que la honra de mi hija anduviea en dichos de unos y otros! Pa ti no tenía que haber habío más justicia que yo. En mí sólo que hubiás pensao. ¿Crees que voy a creerme ahora esos llantos porque no te haya visto
15 nunca llorar? El día que se te puso ese mal pensamiento, tenías que haber llorao hasta secársete los ojos pa no haberlos puesto y ande menos debías. Si lloras tú, ¿qué tenía que hacer yo entonces? Y aquí me tiés, que
20 quien me viera no podría creerse de tóo lo que a mí me ha pasao, y no sé yo qué más podría pasarme, y no quiero recordarme de náa, no quiero pensar otra cosa que en ver de esconder de tóos la vergüenza que ha caío
25 sobre tóos nosotros. Estorbar que de esta casa puea decirse y que ha salío un hombre pa ir a un presidio, y que ese hombre sea el que yo traje pa que fuea como otro padre pa mi hija. A esta casa, que ha sío la de mis padres y mis
30 hermanos, ande tóos ellos han vivío con la honra del mundo, ande los hombres que han salío de ella pa servir al Rey o pa casarse o pa trabajar otras tierras, cuando han vuelto a entrar por esas puertas han vuelto con tanta
35 honra como habían salío. No llores, no escondas la cara, que tiés que levantarla como yo cuando vengan a preguntarnos a tóos. Que no se vea el humo aunque se arda la casa. Límpiate esos ojos, sangre tenían que haber llorao.
40 ¡Bebe una poca de agua! ¡Veneno había de ser! No bebas tan aprisa, que estás tóo sudao. ¡Mira cómo vienes, arañao de las zarzas! ¡Cuchillos habían de haber sío! ¡Trae aquí que te lave, que da miedo de verte!
45 ESTEBAN. ¡Raimunda, mujer! ¡Ten lástima de

mí! ¡Si tú supieras! Yo no quiero que tú me digas náa. Pero yo sí quiero decírtelo tóo. Confesarme a ti, como me confesaría a la hora de mi muerte. ¡Si tú supieras lo que yo tengo pasao entre mí en tóo este tiempo! ¡Como si 50 hubiea estao porfiando día y noche con algún otro que hubiea tenío más fuerza que yo y se hubiea empeñao en llevarme ande yo no quería ir!

RAIMUNDA. Pero ¿cómo te acudió ese mal pensa- 55 miento y en qué hora maldecía?[2]

ESTEBAN. Si no sabré decirlo. Fué como un mal que le entra a uno de pronto. Tóos pensamos alguna vez algo malo, pero se va el mal pensamiento y no vuelve uno a pensar más en ello. 60 Siendo yo muy chico, un día que mi padre me riñó y me pegó malamente, con la rabia que yo tenía, me recuerdo de haber pensao así en un pronto: «Miá si se muriese», pero fué na más que pensarlo y en seguía de haberlo pen- 65 sao entrarme una angustia muy grande y mucho miedo de que Dios no me le llevara.[3] Y ende aquel día me apliqué más a respetarle. Y cuando murió, años después, que ya era yo muy hombre, tanto como su muerte tengo 70 llorao por aquel mal pensamiento y así me creía yo que sería de este otro. Pero éste no se iba. Más fijo estaba cuanto más quería espantarle. Y tú lo has visto, que no podrás decir que yo haiga dejao de quererte, que te he 75 querío más cada día. No podrás decir que yo haiga mirao nunca a ninguna otra mujer con mala intención. Y a ella no hubiea querío mirarla nunca. Pero sólo de sentirla andar cerca de mí se me ardía la sangre. Cuando nos 80 sentábamos a comer no quería mirarla y ande quiea que volvía los ojos la estaba viendo elante de mí siempre. Y las noches, cuando más te tenía junto a mí, en medio del silencio de la casa, yo no sentía más que a ella, la sen- 85 tía dormir como si estuviera respirando a mi oído. Y tengo llorao de coraje. Y le tengo pedío a Dios. Y me tengo dao de golpes. Y me

---

[1] *no podría tirar de mí* I would not have the strength.

[2] *maldecía = maldita.*
[3] *Dios no me le llevara.* God would take him away from me.

hubiea matao y la hubiea matao a ella. Si yo no sabré decir cómo ha sío. Las pocas veces que no he podío por menos de encontrarme a solas con ella he tenío que escapar como un loco. Y no sabré decir lo que hubiea sío de no escapar, si la hubiea dao de besos o la hubiea dao de puñaladas.

RAIMUNDA. Es que sin tú saberlo has estao como loco, y alguien tenía que morir de esa locura. ¡Si antes se hubiea casao, si tú no hubieas estorbao que se casase con Norberto! . . .

ESTEBAN. Si no era el casarse, era el salir de aquí. Era que yo no podía vivir sin sentirla junto a mí un día y otro. Que tóo aquel aborrecimiento suyo, y aquel no mirarme a la cara, y aquel desprecio de mí que ha hecho siempre, tóo eso que tanto había de dolerme, lo necesitaba yo pa vivir como algo mío. ¡Ya lo sabes tóo! Y casi puede decirse que ahora es cuando yo me he dao cuenta. Que hasta ahora que me he confesao a ti, tóo me parecía que no había sío. Pero así ha sío, ha sío pa no perdonármelo nunca, aunque tú quisieas perdonarme.

RAIMUNDA. No está ya el mal en que yo te perdone o deje de perdonarte. A lo primero de saberlo, sí, no había castigo que me paeciera bastante pa ti. Ahora ya no sé. Si yo creyera que eras tan malo pa haber tú querío hacer tanto mal como has hecho. Pero si has sío siempre tan bueno, si lo he visto yo, un día y otro, pa mí, pa esa hija misma, cuando viniste a esta casa y era ella una criatura, pa los criaos, pa tóos los que a ti se llegaban, y tan trabajaor y tan de tu casa. Y no se pué ser bueno tanto tiempo pa ser tan criminal en un día. Tóo esto ha sío, qué sé yo, miedo me da pensarlo. Mi madre, en gloria esté, nos lo decía muchas veces, y nos reíamos con ella, sin querer creernos de lo que nos decía. Pero ello es que a muchos les tié pronosticao cosas que después les han sucedío. Que los muertos no se van de con[1] nosotros, cuando paecen que se van pa siempre al llevarlos pa enterrar en el campo santo, que andan día y noche alrededor de los que han querío y de los que han odiao

[1] *se van de con = no se separan de.*

en vida. Y sin nosotros verlos, hablan con nosotros. ¡Que de ahí proviene que muchas veces pensamos lo que no hubieamos creído de no haber pensao nunca!

ESTEBAN. ¿Y tú crees?

RAIMUNDA. Que tóo esto ha sío pa castigarnos, que el padre de mi hija no me ha perdonao que yo hubiea dao otro padre a su hija. Que hay cosas que no puen explicarse en este mundo. Que un hombre bueno como tú puea dejar de serlo. Porque tú has sío muy bueno.

ESTEBAN. Lo he sío siempre, lo he sío siempre y de oírtelo decir a ti, ¡qué consuelo y qué alegría tan grande!

RAIMUNDA. Calla, escucha. Me parece que ha entrao gente de la otra parte de la casa. A la cuenta será el padre de Norberto y los que vienen con él pa llevárselo. No deben haber venío los de justicia, que hubiean entrao de esta parte. Voy a ver. Tú, anda allá dentro, a lavarte y mudarte de camisa, que no te vean así, que paeces . . .

ESTEBAN. No te pares en decirlo. Un malhechor, ¿verdad?

RAIMUNDA. No, no, Esteban. Pa qué atormentarnos más. Ahora lo que importa es acallar a tóos los que hablan. Después ya pensaremos. Mandaré a la Acacia unos días con las monjas del Encinar, que la quieren mucho y siempre están preguntando por ella. Y después escribiré a mi cuñada Eugenia, la de Adrada, que siempre ha querío mucho a mi hija, y se la mandaré con ella. Y ¡quién sabe! Allí pué casarse, que hay mozos de muy buenas familias y bien acomodás y ella es el mejor partío de por aquí y pué volver casada y luego tendrá hijos que nos llamarán abuelos y ya iremos pa viejos y entoavía pué haber alegría en esta casa. Si no fuea . . .

ESTEBAN. ¿Qué?

RAIMUNDA. Si no fuea . . .

ESTEBAN. Sí. El muerto.

RAIMUNDA. Ése, que estará ya aquí siempre, entre nosotros.

ESTEBAN. Tiés razón. Pa siempre. Tóo pué borrarse menos eso. (*Sale.*)

ESCENA X

RAIMUNDA *y* ACACIA

RAIMUNDA. ¡Acacia! ¿Estabas ahí, hija?

ACACIA. Ya lo ve usted. Aquí estaba. Ahí está el
5   padre de Norberto, con sus criados.

RAIMUNDA. ¿Qué dice?

ACACIA. Paece más conforme. Como le ha visto
tan mejorao . . . Esperan al forense que ha de
venir a reconocerle. Ha ido al Sotillo a otra
10   diligencia y luego vendrá.

RAIMUNDA. Pues vamos allá nosotras.

ACACIA. Es que antes quisiea yo hablar con
usted, madre.

RAIMUNDA. ¿Hablar tú? ¡Ya me tiés asustá!
15   ¡Que hablas tan pocas veces! ¿Asunto de qué?

ACACIA. De que he entendío lo que tié usted determinao de hacer conmigo.

RAIMUNDA. ¿Andabas a la escucha?

ACACIA. Nunca he tenío esa costumbre. Pero
20   ponga usted que hoy he andao. Es que me
importaba lo que había usted de tratar con
ese hombre. Quie decirse que en esta casa la
que estorba soy yo. Que los que no tenemos
culpa ninguna, hemos de pagar por los que
25   tién tanta. Y tóo pa quedarse usted tan ricamente con su marío. A él se lo perdona usted
tóo, pero a mí se me echa de esta casa, náa
más que pa quedarse ustedes muy descansaos.

RAIMUNDA. ¿Qué estás diciendo? ¿Quién pué
30   echarte a ti de esta casa? ¿Quién ha tratao
semejante cosa?

ACACIA. Usted sabrá lo que ha dicho. Que me
llevará usted al convento del Encinar, y pué
que quisiea usted encerrarme allí pa toa mi
35   vida.

RAIMUNDA. No sé cómo pueas decir eso. Pues ¿no
has sío tú muchas veces la que me tié dicho
que te gustaría pasar allí algunos días con las
monjas? ¿Y no he sío yo la que nunca te ha
40   consentío, por miedo no quisieas quedarte
allí? Y con la tía Eugenia, ¿cuántas veces no
me has pedío tú misma de dejarte ir con ella?
Y ahora que se dispone en bien de tóos, en
bien de esta casa, que es tuya y na más que
45   tuya, y a todos importa poder salir de ella con
la frente muy alta . . . ¿qué quisieas tú, que

yo delatase al que has debío mirar como a un
padre?

ACACIA. ¿Si querrá usted decir, como la Juliana,
que yo he tenío la culpa de todo?   50

RAIMUNDA. No digo náa. Lo que yo sé, es que él
no ha podío mirarte como hija, porque tú no
lo has sío nunca pa él.

ACACIA. ¿Si habré sío yo la que se habrá ido a
poner elante e sus ojos? ¿Si habré sío yo la 55
que habrá hecho matar a Faustino?

RAIMUNDA. ¡Calla, hija, calla! ¡Si te entienden
de allí!

ACACIA. Pues no se saldrá usted con la suya.
Si usted quié salvar a ese hombre y callar tóo 60
lo que aquí ha pasao, yo lo diré a la justicia y a
tóos. Yo no tengo que mirar más que por mi
honra. No por la de quien no la tiene, ni la ha
tenío nunca, porque es un criminal.

RAIMUNDA. ¡Calla, hija, calla! ¡Frío me da de 65
oírte! ¡Que tú le odies, cuando yo casi le he
perdonao!

ACACIA. Sí, le odio, le he odiao siempre, y él
también lo sabe. Y si no quiere verse delatao
por mí, ya pué venir y matarme. ¡Si eso 70
quisiea yo, que me matase! ¡Sí, que me mate,
pa ver si de una vez deja usted de quererle!

RAIMUNDA. ¡Calla, hija, calla!

ESCENA FINAL

DICHAS *y* ESTEBAN   75

RAIMUNDA. ¡Esteban!

ESTEBAN. ¡Tié razón, tié razón! ¡No es ella la
que tié que salir de esta casa! Pero yo no quiero
que sea ella quien me entregue a la justicia.
Me entregaré yo mismo. ¡Descuida! ¡Y antes 80
de que puean entrar aquí, les saldré yo al
encuentro! ¡Déjame tú, Raimunda! Te queda
tu hija. Ya sé que tú me hubieas perdonao.
¡Ella no! ¡Ella me ha aborrecío siempre!

RAIMUNDA. No, Esteban. Esteban de mi alma.   85

ESTEBAN. Déjame, déjame, o llamo al padre de
Norberto y se lo confieso tóo aquí mismo.

RAIMUNDA. Hija, ya lo ves. Y ha sío por ti. ¡Esteban, Esteban!

ACACIA. ¡No le deje usted salir, madre!   90

RAIMUNDA. ¡Ah!

ESTEBAN. ¿Quiés ser tú quien me delate? ¿Por qué me has odiao tanto? ¡Si yo te hubiea oído tan siquiera una vez llamarme padre! ¡Si tú pudieas saber cómo te he querío yo siempre!

ACACIA. ¡Madre, madre!

ESTEBAN. Malquerida habrás sío sin yo quererlo. Pero antes, ¡cómo te había yo querío!

RAIMUNDA. ¿No le llamarás nunca padre, hija?

ESTEBAN. No me perdonará nunca.

RAIMUNDA. Sí, hija, abrázale. Que te oiga llamarle padre. ¡Y hasta los muertos han de perdonarnos y han de alegrarse con nosotros!

ESTEBAN. ¡Hija!

ACACIA. ¡Esteban! ¡Dios mío, Esteban!

ESTEBAN. ¡Ah!

RAIMUNDA. ¿Aún no le dices padre? Qué, ¿ha perdío el sentío? ¡Ah!, ¿boca con boca y tú abrazao con ella? ¡Quita, aparta, que ahora veo por qué no querías llamarle padre! ¡Que ahora veo que has sío tú quien ha tenío la culpa de too, maldecía!

ACACIA. Sí, sí. ¡Máteme usted! Es verdad, es la verdad. ¡Ha sío el único hombre a quien he querío!

ESTEBAN. ¡Ah!

RAIMUNDA. ¿Qué dice, qué dice? ¡Te mato! ¡Maldecía!

ESTEBAN. ¡No te acerques!

ACACIA. ¡Defiéndame usted!

ESTEBAN. ¡No te acerques te digo!

RAIMUNDA. ¡Ah! ¡Así! ¡Ya estáis descubiertos! ¡Más vale así! ¡Ya no podrá pesar sobre mí una muerte! ¡Que vengan toos! ¡Aquí, acudir toa la gente! ¡Prender al asesino! ¡Y a esa mala mujer, que no es hija mía!

ACACIA. ¡Huya usted, huya usted!

ESTEBAN. ¡Contigo! ¡Junto a ti siempre! ¡Hasta el infierno! ¡Si he de condenarme por haberte querío! ¡Vamos los dos! ¡Que nos den caza si puen entre esos riscos! ¡Pa quererte y pa guardarte, seré como las fieras, que no conocen padres ni hermanos!

RAIMUNDA. ¡Aquí, aquí! ¡Ahí está el asesino! ¡Prenderle! ¡El asesino!

(*Han llegado por diferentes puertas,* EL RUBIO, BERNABÉ *y* LA JULIANA, *y gente del pueblo.*)

ESTEBAN. ¡Abrir paso, que no miraré náa!

RAIMUNDA. ¡No saldrás! ¡Al asesino!

ESTEBAN. ¡Abrir paso, digo!

RAIMUNDA. ¡Cuando me haigas matao!

ESTEBAN. ¡Pues así! (*Dispara la escopeta y hiere a Raimunda.*)

RAIMUNDA. ¡Ah!

JULIANA. ¡Jesús! ¡Raimunda! ¡Hija!

RUBIO. ¿Qué ha hecho usted, qué ha hecho usted?

UNO. ¡Matarle!

ESTEBAN. ¡Matarme si queréis, no me defiendo!

BERNABÉ. ¡No; entregarle vivo a la justicia!

JULIANA. ¡Ese hombre ha sío, ese mal hombre! ¡Raimunda! ¡La ha matao! ¡Raimunda! ¿No me oyes?

RAIMUNDA. ¡Sí, Juliana, sí! ¡No quisiera morir sin confesión! ¡Y me muero! ¡Miá cuánta sangre! ¡Pero no importa! ¡Ha sío por mi hija! ¡Mi hija!

JULIANA. ¡Acacia!, ¿ande está?

ACACIA. ¡Madre, madre!

RAIMUNDA. ¡Ah! ¡Menos mal, que creí que aún fuea por él por quien llorases!

ACACIA. ¡No, madre, no! ¡Usted es mi madre!

JULIANA. ¡Se muere, se muere! ¡Raimunda, hija!

ACACIA. ¡Madre, madre mía!

RAIMUNDA. ¡Ese hombre ya no podrá nada contra ti! ¡Estás salva! ¡Bendita esta sangre que salva, como la sangre de Nuestro Señor!

FIN DEL DRAMA

CARLOS ARNICHES
1866–1943

El público mayoritario y las llamadas minorías selectas rara vez se ponen de acuerdo. En este caso lo hicieron, pero no por las mismas razones. Aunque levantino (de Alicante) Arniches fué en su obra madrileño y madrileñista. Notable caso de identificación con un pueblo: a fuerza de observarlo y quererlo lo hizo suyo; no solamente lo entendió y asimiló formas de vida y lenguaje sino que puso en aquéllas y en éste (sabroso, preciso y equívoco a la vez) un acento, una inflexión personal que el público aceptó como propios, incorporándolos al repertorio de actitudes y al modo de hablar cotidiano. La afirmación de que la naturaleza imita al arte resultó en su caso literalmente exacta. Y es fácil descubrir la causa: el ingenio del autor supo mitificar las pequeñeces de lo diario y poner en la vida de las gentes una aureola de gracia que el buen espectador reconocía como suya. Humanísimo y tierno, propenso a dejarse arrastrar por el sentimentalismo, corregía por el humor los excesos del sentimiento, dosificando con mano diestra los ingredientes cómicos y los otros. Quiso exponer la vida según era (según era a sus ojos) y gracias a la intensidad de su visión reflejó en sus comedias y en sus sainetes cuanto hay de «juguete cómico» y «tragedia grotesca» en la vida del hombre más sencillo. Mucho antes que los escritores de la generación siguiente descubrió el absurdo existencial, pero más piadoso y menos sistemático se esforzó en mostrar cómo, a pesar de eso, la vida podía ser soportada y el mundo habitable.

La señorita de Trevélez es la historia de una burla cruel a través de la cual pueden diagnosticarse los males crónicos del alma humana: la insensibilidad al sufrimiento ajeno, la tendencia a burlarse de los sentimientos elevados, la chabacanería . . . No es solamente comedia de costumbres, aunque refleje las españolas de su momento, sino, como observó Ramón Pérez de Ayala, «una tragedia desarrollada al revés», es decir, una tragedia que lo es por su planteamiento y no por su desenlace.

La señorita de Trevélez (1916)

Personajes

FLORA DE TREVÉLEZ	DON MARCELINO CÓRCOLES	MENÉNDEZ
MARUJA PELÁEZ	PABLITO PICAVEA	CRIADO
SOLEDAD	TITO GUILOYA	DON ARÍSTIDES
CONCHITA	TORRIJA	LACASA
DON GONZALO DE TREVÉLEZ	PEPE MANCHÓN	QUIQUE
NUMERIANO GALÁN	PEÑA	NOLO

La acción, en una capital de provincia de tercer orden.
Época actual.
Derecha e izquierda, las del actor.

ACTO PRIMERO

*Sala de lectura de un Casino de provincia. En el
centro, una mesa de forma oblonga, forrada de bayeta
verde. Sobre ella, periódicos diarios prendidos a suje-*
5 *tadores de madera con mango, y algunas revistas ilustradas españolas y extranjeras metidas en carpetas de
piel muy deteriorada con cantoneras metálicas. Pendientes del techo, y dando sobre la mesa, lámparas con
pantallas verdes. Junto a las paredes, divanes. Alrede-*
10 *dor de la mesa, sillas de rejilla.*

*Al foro, dos balcones grandes, amplios; por cada uno
de ellos se verá, toda entera, la ventana correspondiente
de una casa vecina. Dichas ventanas tendrán vidrieras
y persianas practicables. Las puertas de los balcones*
15 *del Casino también lo son.*

*En la pared lateral derecha del gabinete de lectura,
una puerta mampara con montante de cristales de colores.*

En la pared izquierda, puertas en primero y segundo
20 *término, cubiertas con cortinas de peluche raído del
tono de los divanes. Todo el mobiliario, muy usado.*

*En el lateral derecha, en segundo término, una me-
sita pequeña con algunos periódicos que todavía conservan la faja, papel de escribir y sobres. Entre la*
25 *mesa y la pared, una silla. En lugar adecuado, un reloj.
Es de día. Sobre la pared de la casa frontera da un sol
espléndido.*

ESCENA PRIMERA

MENÉNDEZ, el criado de enfrente; luego, TITO GUILOYA,
30 *PEPE MANCHÓN y TORRIJA. Al levantarse el telón aparece MENÉNDEZ con el uniforme de ordenanza del Casino
y zapatillas de orillo, durmiendo, detrás de la mesita
de la derecha. Se escucha en la calle el pregón lejano de
un vendedor ambulante, y más lejana aún la música de*
35 *un piano de la vecindad, en el que alguien ejecuta
estudios primarios. Un criado, en la casa de enfrente,
limpia los cristales de la ventana de la derecha. La
otra permanecerá cerrada. El criado, subido a una silla
y vistiendo delantal de trabajo, canturria un aire*
40 *popular mientras hace su faena. Por la puerta primera
izquierda aparecen TITO GUILOYA, PEPE MANCHÓN y
TORRIJA. El primero es un sujeto bastante feo, algo
corcovado, de cara cínica, biliosa y atrabiliaria. Salen
riendo.*

45 MANCHÓN. ¡Eres inmenso!

TORRIJA. ¡Formidable!

MANCHÓN. ¡Colosal!

TORRIJA. ¡Estupendo!

TITO. Chist . . . (*Imponiendo silencio.*) ¡Por Dios,
callad! (*Señalándole y en voz baja. Andan de* 50
puntillas.) Menéndez en el primer sueño.

TORRIJA. ¡Angelito!

MANCHÓN. (*Riendo*) ¿Queréis que le dispare un
tiro en el oído para que se espabile?

TORRIJA. ¡Qué gracioso! Sí, anda, anda . . . 55

TITO. (*Deteniendo a Manchón, que va a hacerlo.*)
Es una idea muy graciosa, pero para otro día.
Hoy no conviene. Y como dice el poeta:
«¡Callad, que no se despierte!» Y ahora . . .
(*Se acercan.*) Ved el reloj . . . (*Se lo señala.*) 60

TORRIJA. Las once menos cuarto.

TITO. Dentro de quince minutos . . .

MANCHÓN. (*Riendo*). ¡Ja, ja; no me lo digas, que
estallo de risa!

TITO. Dentro de quince minutos ocurrirá en esta 65
destartalada habitación el más famoso y
diabólico suceso que pudieron inventar
imaginaciones humanas.

TORRIJA. ¡Ja, ja, ja! . . . ¡Va a ser terrible!

MANCHÓN. ¿De manera que todo lo has resuel- 70
to?

TITO. Absolutamente todo. Los interesados
están prevenidos, las cartas en su destino, las
víctimas convencidas, nuestra retirada cubierta. No me quedó un cabo suelto. 75

TORRIJA. ¿De modo que tú crees que esta broma
insigne, imaginada por ti . . . ?

TITO. Va a superar a cuantas hemos dado y las
hemos dado inauditas. Va a ser una broma tan
estupenda, que quedará en los anales de la 80
ciudad como la burla más perversa de que
haya memoria. Ya lo veréis.

TORRIJA. Verdaderamente, a mí, a medida que
se acerca la hora, me va dando un poco de
miedo. 85

MANCHÓN. ¡Ja, ja! . . . ¡Tú, temores pueriles!

TORRIJA. ¡Hombre, es una burla tan cruel!

TITO. ¡Qué más da! La burla es conveniente
siempre; sanea y purifica; castiga al necio,
detiene al osado, asusta al ignorante y previene 90
al discreto. Y, sobre todo, cuando, como en esta ocasión, escoge sus víctimas entre la gente
ridícula, la burla divierte y corrige.

MANCHÓN. Eres un tipo digno de figurar entre los héroes de la literatura picaresca castellana.

TORRIJA. ¡Viva Tito Guiloya!

TITO. Yo no, compañeros . . . Sea toda la gloria para el Guasa-Club, del que soy indigno presidente y vosotros dignísimos miembros.

MANCHÓN. ¡Silencio! . . . (*Escucha.*) Alguien se acerca.

TORRIJA. (*Que ha ido a la puerta derecha.*) ¡Don Marcelino . . ., es don Marcelino Córcoles!

TITO. ¡Ya van llegando! Ya van llegando nuestros hombres. ¡Chist! . . . Salgamos por la escalera de servicio.

MANCHÓN. Vamos.

TITO. Compañeros, empieza la farsa. Jornada primera.

TODOS. ¡Ja, ja, ja! . . . (*Vanse de puntillas, riendo, por la segunda izquierda.*)

ESCENA II

MENÉNDEZ *y* DON MARCELINO, *por la primera derecha.*

DON MARCELINO. (*Entrando.*) Nadie. El salón de lectura, desierto, como siempre. Es el Sahara del Casino. Menéndez, dormido, como de costumbre; pues, ¡vive Dios!, que no veo señal de lo que en este anónimo y misterioso papel se me previene. Anoche lo recibí, y dice a la letra . . . (*Leyendo*) «Querido Córcoles: Si quieres ser testigo de un ameno y divertido suceso, no faltes mañana, a las once menos cuarto, al salón de lectura del Casino. Llega y espera. No te impacientes. Los sucesos se desarrollarán con cierta lentitud, porque la broma es complicada. Salud y alegría para gozarla. V.» ¿Qué será esto? . . . Lo ignoro; pero está la vida tan falta de amenidad en estos poblachos, que el más ligero vislumbre de distracción atrae como un imán poderoso. Esperaré leyendo. Veamos qué dice la noble Prensa de la ilustre ciudad de Villanea. (*Busca.*) Aquí están los periódicos locales «El Baluarte», «La Muralla», «La Trinchera». ¡Y todo esto para defender a un cacique! . . . «El Grito», «La Voz», «El Clamor», «El Eco».

Y estotro para decir las cuatro necedades que se le ocurran al susodicho cacique . . . (*Deja los periódicos con desprecio.*) ¡Bah! Me entretendré con las ilustraciones extranjeras. (*Coge una y lee.*) U, u, u, u, u, . . . (*Don Marcelino, al leer, produce un monótono ronroneo, que crece y apiana alternativamente, y que no tiene nada que envidiar al zumbido de cualquier moscardón. Menéndez sacude el aire con la mano como espantándose una mosca. Las primeras veces Don Marcelino no lo advierte y sigue con su ronroneo. Al fin, observa el error de Menéndez.*) ¿Qué hace ése? . . . (*Llamándole.*) Menéndez . . . (*Más fuerte.*) ¡Menéndez!

MENÉNDEZ. (*Despertando.*) ¿Eeeh? . . .

DON MARCELINO. No sacudas, que no te pico.

MENÉNDEZ. ¡Caramba, señor Córcoles! Hubiera jurado que era un moscón. (*Se despereza.*)

DON MARCELINO. Pues soy yo. Dispensa.

MENÉNDEZ. Deje usted; es igual.

DON MARCELINO. Tantísimas gracias.

MENÉNDEZ. Pero ¿cómo tan de mañana? ¿Es que no ha tenido usté clase en el Estituto?[1]

DON MARCELINO. Que los chicos no han querido entrar hoy tampoco.

MENÉNDEZ. ¿Pues . . . ?

DON MARCELINO. Es el cumpleaños del gobernador civil.

MENÉNDEZ. ¡Hombre! ¿Y cuántos cumple?

DON MARCELINO. El año pasado cumplió cincuenta y cuatro; este año no sé, porque es una cuenta que le gusta llevar a él solo. ¿Ha venido el correo de Madrid?

MENÉNDEZ. Abajo estará.

DON MARCELINO. Pues anda a subirlo, hombre.

MENÉNDEZ. Es que como a mí no me gusta moverme de mi obligación . . .

DON MARCELINO. No, y que además tú, cuando te agarras a la obligación, no te despierta un tiro.

MENÉNDEZ. (*Haciendo mutis.*) ¡Qué don Marcelino, pero cuidao que es usté muerdaz![2] (*Vase segunda por la izquierda.*)

---

[1] *Estituto = Instituto.*
[2] *muerdaz = mordaz (sarcastic).*

ESCENA III

DON MARCELINO; *luego*, PICAVEA, *por la puerta derecha.*

DON MARCELINO. Bueno, y cualquiera que me
vea a mí con este periódico en la mano cree
5   que yo sé alemán; pues no, señor. Es que me
entretengo en contar las «pes», las «cus» y las
«kas» que hay en cada columna. ¡Un diluvio!
¡Qué ganas de complicar! ¡Para qué tanta con-
sonante, señor! Es como añadirle espinas a un
10 pescado. (*Entra* PABLITO PICAVEA, *mozo vano
y elegante, con una elegancia un poco provinciana. Entra anheloso, impaciente. Es sujeto rápido
de expresión y de movimientos.*)
PICAVEA. Buenos días, don Marcelino. (*Deja el
15 bastón y el sombrero, mira por el balcón de la
izquierda, consulta su reloj, lo confronta con
el del salón y empieza a revolver entre los
periódicos.*)
DON MARCELINO. Hola, Pablito. ¡Qué raro! . . .
20 ¡Tú por el gabinete de lectura!
PICAVEA. Que no tengo más remedio.
DON MARCELINO. Ya decía yo.
PICAVEA. (*Rebuscando entre los periódicos.*) ¿Está
«El Baluarte»?
25 DON MARCELINO. Sí; aquí lo tienes. (*Se lo da, cada vez más asombrado.*) ¡Pero tú leyendo un
periódico! ¡No salgo de mi asombro![1]
PICAVEA. Que no tengo más remedio. Quiero enterarme de una cosa.
30 DON MARCELINO. ¿Ciencias, política, literatura?
PICAVEA. ¡Ca, hombre! ¡Que quiero enterarme
de una cosa que va a pasar en la casa de enfrente, y para ello cojo el periódico, ¿entiende
usted? Le hago un agujero como la muestra,
35 (*Se lo hace.*) y por él, sentado estratégica-
mente, averiguo cuándo se asoma Solita, la
doncella de los Trevélez. (*Hace cuanto dice,
colocándose frente a la ventana de la derecha y
mirando a ella por el roto del periódico.*)
40 DON MARCELINO. ¡Ah granuja! ¡Conque Solita!
¡Buen bocadito!
PICAVEA. Eso no es un bocadito, don Marcelino;
eso es un banquete de cincuenta cubiertos.
DON MARCELINO. Con brindis y todo . . . Pero

[1] *¡No . . . asombro!* I can't get over my astonishment!

lo que no me explico es lo del agujero que 45
haces en el diario . . .
PICAVEA. Muy sencillo. Como Solita tiene relaciones con el criado de la casa, que es un animal, con un carácter que se pega con su
sombra,[2] yo vengo, agujereo la sección de 50
espectáculos, y a la par que atisbo, evito el
peligro de una sorpresa y la probabilidad de
un puñetazo, ¿usted me comprende?
DON MARCELINO. ¡Ah libertino!
PICAVEA. ¡Si viera usted «Los Baluartes» que lle- 55
vo agujereados!
DON MARCELINO. Eres un mortero del cuarenta
y dos.[3]
PICAVEA. Calle usté . . . ¡Ella! . . . La absorbo
como una vorágine, don Marcelino. ¡Verá 60
usté qué demencia!
DON MARCELINO. Yo os observaré desde aquí.
(*Coge un periódico.*) Me conformaré con «El
Eco».
PICAVEA. No; que es muy pequeño; coja usted 65
«La Voz».
DON MARCELINO. Cogeré «La Voz». (*Coge el pe-
riódico «La Voz». Mete los dedos, arranca un
trozo de papel, hace un agujero, y mira.*)

ESCENA IV   70

DICHOS *y* SOLEDAD, *por la ventana de la derecha. Con
unos vestidos y una mano de mimbre se asoma a la
ventana y comienza a sacudir, cantando el «couplet»[4]
de «Ladrón . . . ladrón»*

PICAVEA. (*Por encima de «El Baluarte».*) ¡Chi- 75
sst . . ., Solita!
SOLEDAD. (*Dejando de sacudir y cantar.*) ¡Hola,
don Pablito; usted!
PICAVEA. Perdona que te hable por encima de
«El Baluarte . . .»; pero hasta vista así, por 80
encima, me gustas . . .
SOLEDAD. Que me mira usted con buenos
ojos . . .
PICAVEA. Gracias. Oye, eso que cantabas de ladrón . . ., ladrón, digo yo que no sería por mí, 85
¿eh?

[2] *con un carácter . . . sombra* with a temperament that
fights at the drop of a hat.
[3] *mortero . . . dos* weapon of great force.
[4] (*Fr.*) song.

SOLEDAD. Quia. Usted no le quita nada a nadie . . .

PICAVEA. Eso de que no le quito nada a nadie, es mucho decir.

5 SOLEDAD. Digo en metálico.

PICAVEA. En metálico, no te quitaré nada; pero en ropas y efectos, no te descuides. (*Ríen.*)

SOLEDAD. ¿Y qué, leyendo la sección de espectáculos?

10 PICAVEA. Sí; aquí echando una miradita a los teatros.

SOLEDAD. ¿Y qué hacen esta noche en el Principal?

PICAVEA. (*Con gran malicia.*) En el principal no

15 sé lo que hacen. En el segundo izquierda[1] sé lo que harían.

DON MARCELINO. (*Aparte.*) ¡Muy bueno, muy bueno!

SOLEDAD. ¿Y qué harían, vamos a ver?

20 PICAVEA. «Locura de amor.»

SOLEDAD. ¿Y eso es de risa?

PICAVEA. Según como se tome. A la larga,[2] casi siempre. Y oye, Solita: ¿vendrías tú conmigo al teatro una noche?

25 SOLEDAD. De buena gana; pero donde usté va no podemos ir los pobres, don Pablito.

PICAVEA. Es que yo, por acompañarte, soy capaz de ir contigo al gallinero.

SOLEDAD. ¡Ay, quite usté, por Dios! . . . Una

30 criada en el gallinero[3] y con un pollo . . ., creerían que lo iba a matar . . .

DON MARCELINO. (*Riendo, aparte.*) ¡Muy salada, muy salada!

SOLEDAD. (*Por Don Marcelino.*) ¡Ay!, ¿pero qué

35 voz es ésa?

DON MARCELINO. (*Asomando por encima del periódico.*) «La Voz de la Región . . .», una cosa de Lerroux,[4] pero no te asustes . . .

PICAVEA. Oye, Solita . . .

SOLEDAD. Mande . . . 40

PICAVEA. No dejes de salir esta tarde, que tengo gana de estrenar dos piropos que se me han ocurrido.

SOLEDAD. ¡Ay, sí! . . . A ver, adelánteme usté uno al menos.[5] 45

PICAVEA. Verás. (*Se asoma y habla en voz baja.*)

SOLEDAD. (*Riendo.*) ¡Ja, ja, ja! . . . (*Sale el criado y, furioso y violento, coge a Soledad de un brazo.*)

CRIADO. ¡Maldita sea! . . . Adentro. 50

SOLEDAD. ¡Ay hijo . . .! ¡Jesús!

PICAVEA. (*Cubriéndose con «El Baluarte».*) ¡Atiza!

DON MARCELINO. (*Ídem con «La Voz».*) ¡El novio! 55

CRIADO. ¡Hale pa dentro![6]

SOLEDAD. ¡Pues, hijo, qué modales!

CRIADO. Y más valía que en vez de estar de palique con los sucios del Casino . . .

DON MARCELINO. (*Detrás de «La Voz».*) Socios.[7] 60

CRIADO. Sucios . . . Te estuvieras en tu obligación. Pa adentro.

SOLEDAD. ¡Pero, hijo; Jesús, si estaba sacudiendo!

CRIADO. Ya sacudiré yo, ya . . . ¡Y menudo que 65 voy a sacudir![8]

DON MARCELINO. ¡Qué bruto!

PICAVEA. (*Sujetándole el periódico.*) No levante usted «La Voz», que le va a ver por debajo.

CRIADO. Y en cuanto yo consiga verle la jeta a 70 uno de esos letorcitos,[9] va a ir pa la Casa de Socorro, pero que deletreando.[10] ¡Ay, cómo voy a sacudir! ¡A cuatro manos! (*El criado cierra los cristales. Se les ve discutir acaloradamente. Él dirige miradas y gestos amenaza-* 75 *dores al Casino. Al fin, hace una mueca de ira y cierra maderas y todo.*)

DON MARCELINO. ¡Qué hombre más bestia!

---

[1] *Principal* name of theater; *principal* first floor of a building; *segundo izquierda* second floor on the left (referring to an apartment).

[2] *a la larga* in the long run.

[3] *gallinero* (play on words): *gallinero* means both peanut gallery and chicken coop; *pollo* means chicken and young fellow.

[4] Spanish politician (1864–1949), organizer of the Republican party and head of government several times.

[5] *adelánteme . . . menos* tell me at least one of them in advance.

[6] *¡Hale pa dentro!* Get inside! (*pa=para*).

[7] Play on words: *socios* and *sucios*.

[8] *¡Y menudo . . . sacudir!* And how I'm going to beat! (play on two meanings of *sacudir* here: to beat and to shake).

[9] *letorcito=lectorcito*.

[10] *pero que deletreando* on the double.

PICAVEA. Habrá usted comprendido la utilidad de «El Baluarte».

DON MARCELINO. Como que a mí me ha dado un susto que he perdido «La Voz».[1]

5 ESCENA V

DON MARCELINO *y* PABLITO PICAVEA

PICAVEA. Bueno; pero al mismo tiempo habrá usted comprendido también que a ese monumento de criatura le he puesto verja.

10 DON MARCELINO. ¿Cómo verja?

PICAVEA. Que esa chiquilla es de mi absoluta pertenencia, vamos.

DON MARCELINO. (*Sonriendo irónicamente.*) Hombre, Pablito, no quisiera quitarte las ilusiones;
15 pero tampoco quiero que vivas engañado.

PICAVEA. ¿Yo engañado?

DON MARCELINO. Las mismas coqueterías que ha hecho Solita contigo, se las vi hacer, ayer tarde, con el más terrible de tus rivales; con
20 Numeriano Galán, para que lo sepas.

PICAVEA. ¡Con Numeriano Galán!...¡Ja, ja, ja! ¡Ella con Galán! ¡Ja, ja, ja! (*Ríe a todo reír.*) ¡Galán con...! ¡ja, ja, ja!

DON MARCELINO. ¿Pero de qué te ríes?

25 PICAVEA. (*Con misterio. Cambiando su actitud jovial por una expresión de gran seriedad.*) Venga usted acá, don Marcelino. (*Le coge de la mano.*)

DON MARCELINO. (*Intrigado.*) ¿Qué pasa?

30 PICAVEA. Que esa mujer no puede ser de nadie más que mía. Óigalo usted bien, ¡mía!...

DON MARCELINO. ¡Caramba!

PICAVEA. Es un acuerdo de Junta general.

DON MARCELINO. ¿Cómo de Junta general?..
35 No comprendo...

PICAVEA. Va usted a comprenderlo en seguida. ¿No nos oirá nadie?

DON MARCELINO. Creo que no.

PICAVEA. Usted sabe, don Marcelino, que yo
40 pertenezco al Guasa-Club, misterioso y secreto Katipunán,[2] formado por toda la gente

joven y bullanguera del Casino, para auxiliarnos en nuestras aventuras galantes, para fomentar francachelas y jolgorios y para organizar bromas, chirigotas y tomaduras de pelo 45 de todas clases. Como nos hemos constituido imitando esas sociedades secretas de películas, nos reunimos con antifaz y nos escribimos con signos.

DON MARCELINO. Sí; alguna noticia tenía yo de 50 esas bromas; pero vamos...

PICAVEA. Pues bien: a Numeriano Galán y a mí nos gustó Solita a un tiempo mismo y empezamos a hacerla el amor los dos. Yo, como él no es socio del Guasa-Club, denuncié al 55 tribunal secreto su rivalidad para que me lo quitaran de en medio, y a la noche siguiente Galán encontró clavada con un espetón de ensartar riñones, en la cabecera de su cama, una orden para que renunciara a esa mujer; no 60 hizo caso y se burló de la amenaza, y, en consecuencia, ha sido condenado a una broma tan tremenda, que si nos sale bien, no sólo abandonará a Solita, dejándome el campo libre sino que tendrá que huir de la ciudad, re- 65 nunciando hasta su destino de oficial de Correos; no le digo a usted más.

DON MARCELINO. ¡Demontre!, ¿y qué broma es ésa?

PICAVEA. No puedo decirla; pero dentro de unos 70 instantes, y en esta misma habitación, verá usted a Galán debatirse lloroso, angustiado e indefenso en la tela de araña que ha tejido el Guasa-Club, y lo comprenderá usted todo.

DON MARCELINO. Os tengo miedo. Recuerdo la 75 broma que le disteis al pintor Carrasco el mes pasado y se me ponen los pelos de punta.

PICAVEA. Aquello no fué nada; que le hicimos creer que su marina titulada «Ola, ola...» había sido premiada con segunda medalla en 80 la Exposición de pinturas.

DON MARCELINO. ¡Una friolera!...Y el pobre hombre asistió tan satisfecho al banquete que le disteis para festejar su triunfo. ¡Sois tremendos!   85

PICAVEA. ¡Damos cada broma![3]...¡Ja, ja, ja!...(*Empieza a tocar en la calle un cuarteto*

---

[1] Play on word *voz*, referring to the newspaper and literally to his voice, i.e., rendered speechless by fear.

[2] Secret organization of Asiatic origin.

[3] *¡Damos...broma!* We play some jokes, don't we!

de músicos ambulantes, la despedida del bajo de «*El Barbero de Sevilla*», *que canta un individuo con muy mala voz y peor entonación.*) ¡Hombre, a propósito!

5 DON MARCELINO. ¿Qué pasa?

PICAVEA. ¿Oye usted eso?...¿Oye usted esa música?... Otra broma nuestra.

DON MARCELINO. ¿También esa música?

PICAVEA. También. La música está dedicada a

10 don Gonzalo de Trevélez, nuestro vecino. Es la hora en que se afeita, y como se afeita solo, hemos gratificado a un cuarteto ambulante para que todos los días, a estas horas, vengan a tocarle una cosa que le recuerde al barbero.

15 DON MARCELINO. Hombre, qué mala intención.

PICAVEA. Verá usted cómo se asoma indignado.

DON MARCELINO. Ya está ahí.

PICAVEA. (*Riendo.*) Ja, ja...¡No lo dije!...¡Y a medio afeitar!...¡Verá usted, verá usted!

20 ESCENA VI

DICHOS *y* DON GONZALO; *luego,* MENÉNDEZ

DON GONZALO. (*Que se asoma por la ventana de la izquierda de la casa vecina. Aparece despeinado, con un peinador puesto, media cara llena*

25 *de jabón y una navaja en la mano.*) ¡Pero hoy también el «Barbero...»! ¡Caramba qué latita! ¡Quince días con lo mismo, y a la hora de afeitarme! Esto parece una burla. (*Mirando a la calle y en voz alta.*) Chist..., ejecutan-

30 tes... (*Más alto.*) Ejecutantes... Tengan la bondad de evadirse y continuar el concierto extramuros...¿Qué?...¿Que si no me gusta la voz del bajo? No, señor. Eso no es voz de bajo; es voz de enano, todo lo más.

35 (*Como siguiendo la conversación con alguien de abajo.*) Y como me estoy afeitando y desentona de una forma que me crispa, me he dado un tajo que se me ven las muelas...¿Cómo? ¿Que si las postizas?[1]...¡Hombre, si no hu-

40 biera señoritas en los balcones, ya le diría yo a usted...!; pero ahora le bajará un criado el adjetivo que merece esa estupidez para que se

[1] (*muelas*) *postizas.*

lo repartan entre los cinco del cuarteto. ¡So[2] sinvergüenzas!...¡No, señor; no echo de menos al barbero!...¡Vayan muy enhora- 45 buena, rasca intestinos![3]

DON MARCELINO. No les hagas caso, Gonzalo.

MENÉNDEZ. (*Que se ha asomado también.*) Ya se van.

DON MARCELINO. Y no es el cuarteto de ciegos. 50

DON GONZALO. ¡No; es un cuarteto de cojos!... Unos cojos que se atreven con todo. Ayer ejecutaron un andante de Mendelssohn. ¡Figúrate cómo les saldría el andante![4]

DON MARCELINO. ¡Desprécialos! 55

DON GONZALO. (*Gesto de desprecio.*) ¡Aaaah!...

(*Don Marcelino y Picavea entran del balcón. Picavea, dando suelta a una risa contenida, habla en voz baja con Don Marcelino*)

DON GONZALO. (*A Menéndez y en tono confiden-* 60 *cial.*) Chist... Menéndez.

MENÉNDEZ. Mande usted, don Gonzalo.

DON GONZALO. ¿He tenido cartas?

MENÉNDEZ. Cinco.

DON GONZALO. Masculinas o...(*Gesto picares-* 65 *co.*)

MENÉNDEZ. Tres masculinas y dos o...(*Imita el gesto.*) Una de ellas perfumada.

DON GONZALO. ¿A qué huele?

MENÉNDEZ. A heno. 70

DON GONZALO. Ya sé de quién es. No me la extravíes, que me matas. ¿Y la otra?

MENÉNDEZ. Tiene letra picuda.

DON GONZALO. De la de Avecilla.

MENÉNDEZ. Viene dirigida al señor Presidente 75 del Real Aeroclub de Villanea.

DON GONZALO. Sí, sí...; ya sé...Ésa puedes extraviármela si te place. Es pidiéndome un donativo para un ropero. El ropero de San Sebastián. ¡Figúrate tú, San Sebastián con 80 ropero! ¡Nada, es la monomanía actual de las señoras! Empeñadas en hacer mucha ropa a los pobres y ellas cada vez con menos.

[2] *So* used with certain despective adjectives for emphasis.

[3] *rasca intestinos* gut-scraper (a derogatory description of the guitar player's ability).

[4] (play on words): *andante* meaning musical tempo, and here, making fun of the way lame people walk.

MENÉNDEZ. Que no quieren pedricar con el ejemplo.

DON GONZALO. Se dice predicar, querido Menéndez; de hablar bien a hablar mal, hay gran diferencia. Hasta luego. (*Entra y cierra la ventana.*)

MENÉNDEZ. Adiós, don Gonzalo. Otro muerdaz.

(*Vase izquierda.*)

ESCENA VII

DON MARCELINO *y* PABLITO PICAVEA

DON MARCELINO. Vamos, no seas terco.

PICAVEA. Nada, que no insista usted. No desplego mis labios.

DON MARCELINO. Anda, dime: ¿qué broma es la que preparáis a Galán?, que tengo impaciencia . . .

PICAVEA. ¿No dice usted que ha sido invitado misteriosamente a presenciarla? . . . Pues un poco de calma . . . (*Atendiendo.*), que poca cosa será . . ., porque, si no me equivoco . . . (*Va a mirar hacia la derecha.*), sí . . . ¡Él es! . . . ¡Galán! . . .

DON MARCELINO. ¿Galán? . . .

PICAVEA. Ya está aquí la víctima. Aquí la tenemos. Va usted a satisfacer su curiosidad. ¡Pobre Galán, ja, ja!

DON MARCELINO. Pero . . .

PICAVEA. ¡Dejémosle solo! . . . ¡Ay de él! . . . ¡Ay de él! . . . Por aquí. Pronto. (*Vase primera izquierda.*)

ESCENA VIII

NUMERIANO GALÁN *y* MENÉNDEZ

NUMERIANO. (*Sale por la derecha. Entra y mira a un lado y otro.*) «Personne . . .»,[1] que dicen los franceses cuando no hay ninguna persona. Faltan tres minutos para la hora: ¡hora suprema y deliciosa! La ventana frontera cerrada todavía. Me alegro. Colocaré las puertas de los balcones en forma propicia para la observación. (*Las entorna.*) ¡Ajajá! Y ahora a esperar a mi víctima, como espera el tigre a la cordera:

[1] (*Fr.*) nobody.

cauteloso, agazapado y voraz. ¡Manes de don Juan, acorredme! (*Pausa.*)

MENÉNDEZ. (*Por segunda izquierda.*) ¡Caray! (*Andando a tientas.*) Pero, ¿quién ha cerrado?

NUMERIANO. Chist, por Dios, querido Menéndez . . . (*Deteniéndole.*) Que es un plan estratégico. No me abras el balcón, que me lo fraguas.

MENÉNDEZ. Pero, don Numeriano, ¿y no se puede saber por qué ha entornado usted?

NUMERIANO. ¿Que por qué he entornado? . . . ¡Ah plácido y patriarcal Menéndez! . . . Tú; sí, tú puedes saberlo. Ven, que voy a abrir mi pecho a tu cariñosa amistad.

MENÉNDEZ. Abra usted.

NUMERIANO. Menéndez, yo te debo a ti . . .

MENÉNDEZ. Trescientas cuarenta y cinco pesetas de bocadillos.

NUMERIANO. Y un cariño muy grande, porque si no me quisieras, ¿cómo me ibas a haber dado tantos bocadillos?[2] . . .

MENÉNDEZ. Que le tengo a usted ley.

NUMERIANO. Pues por eso, como sé que me quieres . . ., y que te alegras de mis triunfos amorosos . . .

MENÉNDEZ. Por descontado . . .

NUMERIANO. Voy a hacerte una revelación sensacional.

MENÉNDEZ. ¡Carape!

NUMERIANO. Sensacionalísima.

MENÉNDEZ. ¿Ha caído la viuda?

NUMERIANO. Ha tropezado nada más; pero no es eso. Atiende. Muchos días, efusivo Menéndez, ¿no te ha chocado a ti verme entrar a deshora en este salón de lectura?

MENÉNDEZ. Mucho; sí, señor.

NUMERIANO. Pues bien: ¿al entrar yo en el salón de lectura tú no leías nada en mis ojos?

MENÉNDEZ. No, señor; yo casi nunca leo nada.

NUMERIANO. Pero ¿no te chocaba verme huraño, triste y solo, metido en ese rincón?

MENÉNDEZ. Sí, señor; pero yo decía, será que le gusta la soledad.

NUMERIANO. Y eso era, perspicaz Menéndez, que me gusta la Soledad . . . Pero no la de aquí, sino la de ahí enfrente.

[2] pun on *bocadillos*: sandwiches and amorous nibbles.

MENÉNDEZ. ¡La doncellita de los Trevélez!

NUMERIANO. La misma que viste y calza[1]..., de una manera que conmociona.

MENÉNDEZ. Entonces, ahora me explico por qué teniendo usté tanta ilustración aquí dentro...

NUMERIANO. No hacía más que tonterías ahí fuera..., como señas, sonrisitas, juegos de fisonomía...¿Lo comprendes ahora?

MENÉNDEZ. ¡Ya lo creo!...¡Menudo pimpollo[2] está la niña!

NUMERIANO. ¡Qué Soledad más apetecible, verdad, Menéndez?

MENÉNDEZ. Es una Soledad pa no juntarse con nadie, don Numeriano.

NUMERIANO. Para no juntarse con nadie más que con ella.

MENÉNDEZ. Natural.

NUMERIANO. A mí, Menéndez, esa chiquilla me inspira un sentimiento de deseo, un sentimiento de pasión, un sentimiento de...

MENÉNDEZ. (*Dándole la mano.*) Acompaño a usted en el sentimiento.[3]

NUMERIANO. Muchas gracias, incondicional Menéndez. Pues bien: por conseguir los favores de esa monada, andábamos a la greña Pablito Picavea y yo.

MENÉNDEZ. ¿Y qué?

NUMERIANO. Que lo he arrollado...¡Que esa bizcotela ya es mía!

MENÉNDEZ. ¡Arrea!

NUMERIANO. Aquí tengo los títulos de propiedad. (*Saca una carta.*) Atiende y deduce. Por la tarde la pedí relaciones y por la noche me trajo el cartero del interior esta expresiva y seductora cartita. Juzga: «Señorito Numeriano: De palabra no me he atrevido esta tarde a darle una contestación aparente, porque no me dejó el reparo.» ¡El reparo!...¡Qué monísima!...«Pero si usted quiere que le diga lo que sea, estése mañana a las once en el salón de lectura del Casino, y si tiene valor una servidora, se asomará y se lo dirá, aunque sé

que es usted muy mal portao[4] con las mujeres...» ¡Mal portao!...¡Me ha cogido el flaco!

MENÉNDEZ. ¡La fama, que vola!

NUMERIANO. (*Sigue leyendo.*) «No falte. Saldré a sacudir...No vuelva...(*Vuelve la hoja.*) No vuelva a asomarse esta mañana, porque mi señorita está escamada. Sulla.[5] Ese.» ¡Sulla! (*Guardándose la carta.*) ¡Ah, estupefacto Menéndez, este «sulla» no lo cambio yo por una dolora[6] de Campoamor, porque estas cuatro letras quieren decir que esa fruta sazonada y exquisita ha caído en mi implacable banasta.

MENÉNDEZ. ¡Pero qué suerte tiene usted!

NUMERIANO. (*Por sus ojos.*) ¡Le llaman suerte a estas dos ametralladoras!

MENÉNDEZ. ¡Hombre!...

NUMERIANO. Lo que hay es que tengo una mirada que es para sacar patente. La fijo cuarenta segundos en un puro, y lo enciendo. No te digo más. Y hay días que los enciendo de reojo.

MENÉNDEZ. ¿De modo que viene usted a la cita?

NUMERIANO. Di más bien a la toma de posesión.

MENÉNDEZ. Poquito que va a rabiar el señor Picavea.

NUMERIANO. El señor Picavea y todos esos imbéciles del Guasa-Club, que hasta me amenazaron con no sé qué venganzas si no abandonaba mi conquista. ¡Abandonarla yo!...Cuando es ella la que...¡Ja, ja, ja!

MENÉNDEZ. ¿Y a qué hora es la cita?

NUMERIANO. ¿No lo has oído? A las once. Faltan sólo unos segundos.

MENÉNDEZ. Pues miremos a ver...(*Dan las once en el reloj.*)

NUMERIANO. ¡Ya dan!...¡Estoy emocionado...(*A Menéndez, que mira.*) ¿Ves algo?

MENÉNDEZ. No...; aún nada...¡Pero calle!... Sí...; los visillos se menean.

NUMERIANO. (*Mira.*) Es verdad, algo se mueve detrás.

---

[1] *La mísma...calza* the very same (an emphatic expression in popular usage).

[2] *menudo pimpollo* what a peach.

[3] *Acompaño...sentimiento.* A play on words, using the formula of condolence, and also implying the attraction he feels for Soledad.

[4] *es...portao* (*portado*) you behave very badly.

[5] *Suya.*

[6] *dolora* short, sentimental and philosophic ballad invented by the Spanish poet Campoamor (1817–1901).

MENÉNDEZ. ¿Será ella?...

NUMERIANO. Sí; ella, ella es; veo su silueta hermosísima. Aparta, Menéndez. (*Se retoca y acicala.*)

5 MENÉNDEZ. Salga usted.

NUMERIANO. Sí; voy a salir, porque hasta que no me vea, no se asoma.

MENÉNDEZ. Ya va a abrir, ya va a abrir...

NUMERIANO. Ahora verás aparecer su juvenil y
10 linda carita... Ahora verás cómo fulgen sus ojos africanos. ¡Fíjate!... (*Sale.*) ¡Ejem, ejem!... (*Tose delicadamente. Se abre la ventana poco a poco y asoma entre las persianas la cara ridícula, pintarrajeada y sonriente de la
15 señorita de Trevélez.*)

ESCENA IX

DICHOS *y* FLORITA

FLORITA. (*Depués de mirar con rubor a un lado y otro.*) Buenos días, amigo Galán.

20 NUMERIANO. (*Aparte, aterrado.*) ¡Cielos!

MENÉNDEZ. (*Aparte.*) ¡Atiza! ¡Doña Florita!

NUMERIANO. Muy buenos los tenga usted, amiga Flora.

FLORITA. Es usted cronométrico.

25 NUMERIANO. ¿Un servidor?

FLORITA. Y no tiene usted idea de todo lo que me expresa su puntualidad.

NUMERIANO. ¿Mi puntualidad?... (*Aparte.*) ¿Sabrá algo?

30 MENÉNDEZ. (*Aparte, muerto de risa.*) ¡Qué plancha!

NUMERIANO. (*A Menéndez.*) No te rías, que me azoras.

FLORITA. (*Acariciando las flores de un tiesto.*)
35 ¡Galán!

NUMERIANO. Florita.

FLORITA. (*Con rubor.*) He recibido eso.

NUMERIANO. ¿Que ha recibido usted eso?... (*Aparte.*) ¿Qué será eso?

40 FLORITA. Lo he leído diez veces, y a las diez, su fina galantería ha vencido mi natural rubor.

NUMERIANO. ¿A las diez?... De modo que dice usted que a las diez... (*Aparte.*) Pero ¿de qué me hablará esta señorita? (*Alto.*) Florita,
45 usted perdone; pero no comprendo, y yo

desearía que me dijese de una manera breve y concreta...

FLORITA. (*Con vivo rubor.*) ¡Ah, no; no, no, no!... Eso es mucho pedir a una novicia en estas lides... Hágase usted cargo... Mi 50 cortedad es muy larga, Galán.

NUMERIANO. Bueno; pero por muy larga que sea su cortedad, si a uno no le dicen claramente las cosas...

FLORITA. Sí; pero repare usted que hay gente en 55 los balcones...

NUMERIANO. Ya lo veo; pero qué importa eso para...

FLORITA. Y como yo presumía que no podríamos hablar sin testigos, le he escrito en este papel 60 unas líneas que expresarán a usted debidamente mi gratitud y mi resolución.

NUMERIANO. ¿Dice usted que su gratitud y su...?

FLORITA. (*Tirando el papel, que cae en la habita-* 65 *ción.*) Ahí va mi alma.

NUMERIANO. (*Esquivando el golpe. Aparte.*) Caray, de poco me deja tuerto.

FLORITA. Galán..., en el texto de esa carta voy yo misma. Léalo, compréndala y júzguele. 70 (*Entorna.*)

NUMERIANO. Bueno; pero...

FLORITA. Voy tal cual soy: sin malicia, sin reserva, sin doblez. (*Cierra.*)

NUMERIANO. ¡Pero, Florita! 75

FLORITA. (*Abre.*) Sin doblez. Adiós, Galán. (*Cierra.*)

ESCENA X

NUMERIANO *y* MENÉNDEZ

NUMERIANO. (*A Menéndez, que está muerto de* 80 *risa en una silla*) ¡Dios mío!... Ay Menéndez, pero ¿qué es esto?

MENÉNDEZ. (*Señalando la carta que está en el suelo.*) Parece un papel.

NUMERIANO. No; eso ya lo sé; mi pregunta es 85 abstracta; digo, ¿qué es esto?, ¿qué me pasa a mí?, ¿por qué en vez de Solita sale ese estafermo y me arroja una carta?

MENÉNDEZ. ¡Qué sé yo! Ábrala, léale y averígüelo.

NUMERIANO. Tienes razón. (*Coge el papel y empieza a desdoblarlo, tarea dificilísima por los muchos dobleces que trae.*) ¡Caramba, y decía que sin doblez! . . . ¿Y qué viene aquí dentro?

MENÉNDEZ. Ella ha dicho que venía su alma.

NUMERIANO. Pues es una perra gorda.

MENÉNDEZ. Que la ha metido pa darle impulso al papel.

NUMERIANO. Veamos qué trae la perra.[1] (*Leyendo.*) «Apasionado Galán.»

MENÉNDEZ. ¡Atiza!

NUMERIANO. ¡Yo apasionado! (*Lee.*) «Despeés de leída y releída su declaración amorosa . . .»

MENÉNDEZ. ¡Repeine!

NUMERIANO. ¡Pero qué dice esta anciana! (*Lee.*) «Y sus entusiastas elogios a mi belleza estética, que sólo puedo atribuir a una bondad insólita . . .» (*Aparte.*) ¡Qué tía más esdrújula![2] (*Alto.*) «Consultéle a mi corazón, pedíle consejo a mi hermano como usted indicóme . . .» ¡Cuerno! «Y mi hermano y mi corazón, de consuno, decídenme a aceptar las formales relaciones que usted me ofrenda . . .» ¡Me ofrenda! . . . ¡Mi madre!

MENÉNDEZ. Pero ¿usted la ha ofrendido?[3]

NUMERIANO. ¡Yo qué la voy a ofrender,[3] hombre! (*Lee.*) «¡Ah Galán, el amor que usted me brinda es una suerte . . .» ¡Pero, Dios mío, si yo no la he brindado ninguna suerte[4] a esta señora! «Es una suerte, porque prendióse en mi alma con tan firmes raíces, que nadie podrá ya arrancarlo, y si quieren hacer la prueba, háganla cuanto antes. ¡Ah Galán! ¿Se lo digo todo en esta carta? . . . Yo creo que sí.»

MENÉNDEZ. Y yo creo que también.

NUMERIANO. «Nada reservéme, y sepa que al escribirla entreguéle mi alma . . . Adiós.»

MENÉNDEZ. ¿Se ha muerto?

NUMERIANO. Se ha vuelto loca. (*Lee.*) «Suya hasta la ultratumba, *Flora de Trevélez.*» ¡Pero, Dios mío, yo me vuelvo loco! . . . Pero ¿qué es esto?

MENÉNDEZ. (*Señalándole los ojos.*) Las ametralladoras.

NUMERIANO. ¿A qué viene esta carta? . . . Pero ¿quién le ha dicho a ese pliego de aleluyas[5] que yo la amo? Pero ¿qué es esto? . . . ¡Dios mío, qué es esto!

ESCENA XI

DICHOS, TITO GUILOYA, PICAVEA, TORRIJA *y* PEPE MANCHÓN; *luego,* DON MARCELINO

TODOS. (*Riendo.*) ¡Ja, ja, ja!

TITO. Pues esto es, amigo Galán, que el Guasa-Club ha triunfado.

TORRIJA. ¡Viva el Guasa-Club!

NUMERIANO. ¡Pero vosotros! . . . ¿Pero es que vosotros? . . .

MANCHÓN. Que sea enhorabuena, Galán; ya eres dueño de esa beldad.

TITO. ¡Querías a la doncella y te entregamos a la señora!

PICAVEA. ¡La doncellita, para mí!

NUMERIANO. ¡Ah, pero vosotros! . . . ¡Pero esta canallada!

PICAVEA. Ardides del juego son.

TODOS. (*Vanse riendo por la derecha.*) ¡Ja, ja, ja! (*Menéndez les sigue estupefacto y haciéndose cruces.*) Hagan la prueba que hagan. ¡Ah, Galán! . . . ¡Ja, ja, ja!

ESCENA XII

NUMERIANO GALÁN *y* DON MARCELINO

NUMERIANO. (*Desesperado.*) ¿Pero qué han hecho esos cafres, don Marcelino?

DON MARCELINO. ¿No lo adivinas, infeliz? Pues que imitando tu letra han escrito una carta de

---

[1] A play on the word *perra*, meaning coin or bitch.

[2] *Qué . . . esdrújula!* How the old hag likes to use *esdrújulas*! (In the first sentence of her letter she uses two *esdrújulas*, words accented on the antipenultimate syllable: *estética, insólita.*) This is also an allusion to her pretentious, high-flown style of writing.

[3] Play on words: Menéndez understands *ofender* or doesn't know *ofrendar* and Numeriano repeats *ofrender*.

[4] *brindar suerte* alludes to the bullfighter's dedicating his killing of the bull to someone.

[5] *pliego de aleluyas* comic strip character.

declaración a Florita de Trevélez firmada
por ti.

NUMERIANO. ¡Dios mío!

DON MARCELINO. Que ella, romántica y pre-
5   sumida como un diantre, te ha visto mil veces
al acecho en ese balcón, y creyendo que
salías por ella ha caído fácilmente en el engaño,
y que te contesta aceptando tu amor.

NUMERIANO. ¡Cuerno!

10 DON MARCELINO. Y de ese modo te inutilizan
para que sigas cortejando a la doncellita, y
Picavea se sale con la suya. ¿Ves qué sencillo?

NUMERIANO. ¡Dios mío, pero esto es una felonía,
una canallada, que no estoy dispuesto a con-
15   sentir! Yo deshago el error inmediatamente.
(*Llamando desde el balcón.*) ¡Flora . . .,
Flora . . ., Florita; amiga Flora! . . .

DON MARCELINO. Aguarda, hombre, aguarda.
Así, a voces y desde el balcón, no me parece
20   procedimiento para deshacer una broma que
pone en ridículo a personas respetables.

NUMERIANO. ¿Y qué hago yo, don Marcelino?
Porque ya conoce usted el carácter de don
Gonzalo.

25 DON MARCELINO. ¡Que si le conozco! Pues eso es
lo único grave de este asunto.

NUMERIANO. Y por lo que aquí dice, se ha enterado.

DON MARCELINO. Como que esta burla puede
30   acabar en tragedia: porque Gonzalo, en su
persona, tolera toda clase de chanzas; pero a
su hermana, que es todo su amor . . . ¡Acuérdate que tuvo a Martínez cuatro meses en
cama de una estocada, sólo porque la llamó la
35   jamona de Trevélez![1] . . . ¡Conque si se entera de que esto es una guasa, hazte cargo de
lo que sería capaz! . . .

NUMERIANO. ¡Ay, calle usted, por Dios! . . .
Pero yo le diré que la carta no es mía, que
40   compruebe la letra.

DON MARCELINO. Sí; pero ellos pueden decirle
que la has desfigurado para asegurarte la
impunidad, y entre que si sí y que si no, el
primer golpe lo disfrutas tú.

45 NUMERIANO. ¡Miserables, canallas! . . . ¿Y qué

---

[1] Trevélez is also a place, traditionally famous for its
hams.

hago yo, don Marcelino, qué hago yo?
(*Se oye rumor de voces.*)

DON MARCELINO. ¡Silencio! . . . ¿Oyes? . . .

NUMERIANO. ¡Madre! . . . ¡Es don Gonzalo!
¡Don Gonzalo que viene!   50

DON MARCELINO. Y viene con esos bárbaros.

NUMERIANO. ¡Ay don Marcelino! . . ., ¡ay! ¿Qué
hago yo?

DON MARCELINO. Ocúltate. En cuanto nos dejen
solos yo procuraré tantearle. Le dejaré entre-   55
ver la posibilidad de una broma . . . Tú oyes
detrás de una puerta, y según oigas, procede.

NUMERIANO. Sí; eso haré. ¡Canallas! ¡Bandidos!

(*Vase segunda izquierda.*)

ESCENA XIII   60

DON MARCELINO, DON GONZALO, TITO GUILOYA, MAN-
CHÓN, TORRIJA y PABLITO PICAVEA; *salen por la de-*
recha. El rumor de las voces ha ido creciendo; al fin,
aparecen por la puerta de la derecha, precediendo a
DON GONZALO, MANCHÓN, PICAVEA y TORRIJA, *que bu-*   65
lliciosa y alegremente, se forman en fila a la parte
izquierda de la puerta, y al salir DON GONZALO *agitan*
los sombreros aclamándole con entusiasmo.

TITO. ¡Hurra por don Gonzalo!

TODOS. ¡Hurra!   70

DON GONZALO. (*Sale sombrero en mano. Viste con*
elegancia llamativa y extremada para sus años.
Va teñido y muy peripuesto.) Gracias, señores,
gracias.

TITO. ¡Bravo, don Gonzalo, bravo!   75

TORRIJA. ¡Elegantísimo! ¡Cada día más elegante!

MANCHÓN. ¡Deslumbrador!

PICAVEA. ¡Lovelacesco![2]

DON GONZALO. (*Riendo.*) ¡Hombre, por Dios, no
es para tanto!   80

PICAVEA. Inmóvil, y con un letrero debajo, la
primera plana del «Pictorial Reviu».

TITO. ¡Si Roma tuvo un Petronio,[3] Villanea
tiene un Trevélez! . . . ¡Digámoslo muy alto!

---

[2] Like Lovelace, the seducer, one of the principal
characters in Richardson's novel *Clarissa Harlowe*
(1747–48).

[3] Petronius (d. in 66), famous Latin writer of the
Satyricon.

DON GONZALO. Nada, hombre, nada. Total un trajecillo «nigge faeshion»,[1] un chalequito de fantasía, una corbata bien entonada, una flor bien elegida, un poquito de «caché»,[2] de «chic . . .» y vuestro afecto. Nada, hijos míos, nada. (*Les abraza.*) ¿Y tú qué tal, Marcelino, cómo estás?

DON MARCELINO. Bien, Gonzalo, ¿y tú?

DON GONZALO. Ya lo ves, confundido con los elogios de estos tarambanas . . . ¡Yo! . . ., ¡un pobre viejo! . . ., ¡figúrate! . . .

PICAVEA. ¿Cómo viejo? Usted es como el buen vino, don Gonzalo: cuantos más años, más fuerza, más aroma, más «bouquet».

TITO. Y si no, que lo digan las mujeres. Ellas acreditan su marca. Le saborean y se embriagan. ¿Niéguelo usted?

DON GONZALO. (*Jovialmente.*) ¡Hombre, hombre! . . . Entono y reconforto . . . «Voilà tout[3] . . .» ¡Ja, ja, ja!

TODOS. (*Aplauden.*) ¡Bravo, bravo!

TORRIJA. ¡Y lo que le ocurre a don Gonzalo es rarísimo: cuantos más años pasan, menos canas tiene!

TITO. Y se le acentúa más ese tinte juvenil . . ., ese tinte de distinción, que le da toda la arrogancia de un Bayardo.[4]

DON GONZALO. ¡Ah, no, amigos míos; no burlaros de mí! Yo ya no soy nada. Claro está que las altas cimas de mis ilusiones aún tienen resplandores de sol, postrera luz de un ocaso espléndido . . .; pero el fin de mi vida ya no es más que un crepúsculo . . .

TODOS. ¡Bravo, bravo!

TITO. ¡Qué poetazo![5]

PICAVEA. Pero usted todavía ama, don Gonzalo, y el amor . . .

DON GONZALO. ¡Amor, amor! . . . Eterna poesía. Es el dulce rumor que va cantando en su marcha hacia el misterio de la muerte el río caudaloso de la vida. Esto es de un poema que tengo empezado.

---

[1] 'nigge faeshion' negro fashion.
[2] (*Fr.*) style.
[3] (*Fr.*) There you are.
[4] French captain (1473–1524) famed for his valor and chivalry.
[5] *¡Qué poetazo!* What a fine poet! (ironic).

TODOS. ¡Colosal! ¡Colosal!

TORRIJA. Gran maestro en amor debe ser usted.

DON GONZALO. ¡Maestro! . . . ¡Ay, hijo mío, en amor, como las que enseñan son las mujeres, cuanto más te enseñan . . ., más suspenso[6] te dejan!

TODOS. ¡Muy bien, muy bien!

DON GONZALO. Sin embargo, yo tengo mis teorías.

TODOS. Veamos, veamos.

DON GONZALO. La mujer es un misterio.

MANCHÓN. Muy nuevo, muy nuevo.

DON GONZALO. Amar a una mujer es como tirarse al agua sin saber nadar: se ahoga uno sin remedio. Si le dicen a uno que sí, le ahoga la alegría; si le dicen que no, le ahoga la pena.

TITO. ¿Y si le dan a uno calabazas?

DON GONZALO. ¡Ah, si le dan a uno calabazas, entonces . . ., nada![7]

TODOS. (*Riendo.*) ¡Ja, ja, ja! . . . ¡Muy bien! ¡Bravo!

PICAVEA. ¡Graciosísimo!

TITO. ¡Y se llama viejo un hombre de tan sutil ingenio!

PICAVEA. ¡Viejo, un hombre de contextura tan hercúlea! . . . ¡Porque fijaos en este torso! . . . (*Le golpea la espalda.*) ¡Qué músculos!

TORRIJA. ¡Es el «Moisés» de Miguel Ángel!

DON GONZALO. (*Satisfecho.*) ¡Ah, eso, sí! . . . ¡Todavía tuerzo una barra de hierro y parto un tablero de mármol! . . . Hundo un tabique . . .

TITO. ¡Mirad qué bíceps!

MANCHÓN. ¡Enorme!

TORRIJA. Pues, ¿y los sports, cómo los practica? . . .

TODOS. ¡Oh!

DON GONZALO. En fin, pollos, esperadme en la sala de billar, que tengo algo interesante que decir a don Marcelino, y en seguida corro a vuestro encuentro y jugaremos ese «match» prometido.

TITO. Pues allí esperamos.

PICAVEA. ¡Viva don Gonzalo!

---

[6] play on words: *suspenso* meaning in suspense, and also flunked (from *suspender* to flunk).
[7] *nada* meaning nothing (happens), or, swim.

TODOS. ¡Viva!

TITO. «¡Arbiter elegantorum civitatis villanearum, salve!»[1]

PICAVEA. ¡Salve y Padre nuestro! (*Se abrazan.*)

5 DON GONZALO. Gracias, gracias. (*Vanse riendo por la primera izquierda.*)

ESCENA XIV

DON GONZALO *y* DON MARCELINO

DON GONZALO. Marcelino.

10 DON MARCELINO. Gonzalo.

DON GONZALO. (*Con gran alegría.*) Estaba deseando que nos dejasen solos. He venido especialmente a hablar contigo.

DON MARCELINO. ¿Pues?

15 DON GONZALO. Abrázame.

DON MARCELINO. ¡Hombre! . . .

DON GONZALO. Abrázame, Marcelino. (*Se abrazan efusivamente.*) ¿No has notado desde que traspuse esos umbrales que un júbilo radiante 20 me rebosa del alma?

DON MARCELINO. ¿Pero qué te sucede para esa satisfacción?

DON GONZALO. ¡Ah, mi querido amigo, un fausto suceso llena mi casa de alegres presagios de 25 ventura!

DON MARCELINO. ¿Pues qué ocurre?

DON GONZALO. Tú, Marcelino, conoces mejor que nadie este amor, qué digo amor, esta adoración inmensa que siento por esta noble 30 criatura llena de bondad, de perfecciones que Dios me dió por hermana.

DON MARCELINO. Sé cuánto quieres a Florita.

DON GONZALO. ¡Oh, no! No puedes imaginarlo, porque en este amor fraternal se han fundido 35 para mí todos los amores de la vida. De muy niños quedamos huérfanos. Comprendí que Dios me confiaba la custodia de aquel tesoro y a ella me consagré por entero; y la quise como padre, como hermano, como preceptor, 40 como amigo, y desde entonces, día tras día, con una abnegación y una solicitud maternales velo su sueño, adivino sus caprichos, calmo sus dolores, alivio sus inquietudes y soporto sus

---

[1] *Macaronic Latin="¡Arbitro de la elegancia en esta ciudad, salve!"*

puerilidades, porque, claro, una juventud defraudada produce acritudes e impertinen- 45 cias muy explicables. Pues bien, Marcelino: mi único dolor, mi único tormento era ver que pasaban los años y que Florita no encontraba un hombre . . ., un hombre que, estimando los tesoros de su belleza y de su bondad en lo 50 que valen, quisiera recoger de su corazón todo el caudal de amor y de ternura que brota de él. ¡Pero, al fin, Marcelino, cuando yo ya había perdido las esperanzas . . ., ese hombre . . .!

DON MARCELINO. ¿Qué?   55

DON GONZALO. ¡Ese hombre ha llegado! (*Galán se asoma por la izquierda con cara de terror.*)

DON MARCELINO. (*Aparte.*) ¡Dios mío!

DON GONZALO. Y si lo pintan, no lo encontramos ni más simpático, ni más fino, ni más bon- 60 dadoso. Edad adecuada, posición decorosa, honorabilidad intachable . . ., ¡un hallazgo!. . . ¿Sabes quién es?

DON MARCELINO. ¿Quién?

DON GONZALO. Numeriano Galán . . . ¡Nada me- 65 nos que Numeriano Galán! (*Galán manifiesta un pánico creciente.*) ¿Qué te parece?

DON MARCELINO. Hombre, bien . . .; me parece bien. (*Galán le hace señas de que no.*) Buena persona. (*Siguen las señas negativas de Galán.*) 70 Un individuo honrado . . . (*Galán sigue diciendo que no.*); pero yo creo que debías informarte, que antes de aceptarle debías . . .

DON GONZALO. (*Contrariado.*) Pero ¿qué estás diciendo?   75

DON MARCELINO. Hombre, se trata de un forastero que apenas conocemos, y por consecuencia . . .

DON GONZALO. ¡Bah, bah, bah! . . . Ya empiezas con tus suspicacias, con tus pesimismos de 80 siempre . . . ¡Has de leer la carta que le ha escrito a Florita! . . . Una carta efusiva, llena de sinceridad, de pasión, modelo de cortesanía, diciéndole que me entere de sus proposiciones y que le fijemos el día de la boda . . . 85 Conque ya ves si en un hombre que dice esto . . . ¡Dudar, por Dios! . . .

DON MARCELINO. (*Aparte.*) ¡Canallas! (*Alto.*) No; si yo lo decía porque como es una cosa tan inopinada, quién no te dice que a veces . . ., 90 como este pueblo es así . . ., figúrate que alguien . . ., una broma . . .

DON GONZALO. (*Le coge de la mano con expresión trágica.*) ¡Cómo broma!

5 DON MARCELINO. Hombre, quiero decir . . .

DON GONZALO. ¿Qué quieres decir?

DON MARCELINO. No, nada; pero . . .

DON GONZALO. (*Sonriendo.*) ¡Una broma! . . . No sueñes con ese absurdo. Ya sabe todo el

10 mundo que bromas conmigo, cuantas quieran. Las tolero, no con la inconsciencia que suponen, pero en fin, con esa amable tolerancia que dan los años; pero una broma de este jaez con mi hermana, sería trágica para todos. Sería

15 jugarse la vida sin apelación, sin remedio, sin pretexto. Te lo juro por mi fe de caballero.

DON MARCELINO. No; no te pongas así . . .; si te creo; sí, figúrate; pero vamos . . .

DON GONZALO. Además, puedes desechar tus

20 temores, Marcelino, porque esto no es una cosa tan inopinada como tú supones.

DON MARCELINO. ¿Ah, no?

DON GONZALO. Hoy, llena de rubor la pobrecilla, me lo ha confesado todo. Ella ya tenía ciertos

25 antecedentes. Dudaba entre Picavea y Galán, porque los dos la han cortejado desde esos balcones; pero su preferido era Galán, y por eso se ha apresurado a aceptarle loca de entusiasmo . . . ¡Sí, loca! ¡Porque está loca de

30 gozo, Marcelino! Su alegría no tiene límites... y a ti puedo decírtelo . . .: ¡ya piensa hasta en el traje de boda!

DON MARCELINO. ¡Hombre, tan de prisa! . . .

DON GONZALO. Quiere que sea liberty . . . ¡Yo

35 no sé qué es liberty; pero ella dice que liberty, y liberty ha de ser! . . . ¡Florita es dichosa, Marcelino! . . . ¡Mi hermana es feliz! . . . ¿Comprendes ahora este gozo, que no cambiaría yo por todas las riquezas de la tierra? . . .

40 ¡Ah, qué contento estoy! ¡Y es tan buena la pobrecilla, que cuando me hablaba de si al casarse tendríamos que separarnos, una nube de honda tristeza nubló su alegría. Yo, emocionado, balbuciente, la dije: «No te aflijas;

45 debes vivir sola con tu marido. Mucho ha de costarme esta separación al cabo de los años; pero por verte dichosa, ¿qué amargura no

soportaría yo? . . .» Nos miramos, nos abrazamos estrechamente y rompimos a llorar como dos chiquillos. Yo sentí entonces en mi 50 alma algo así como una blandura inefable, Marcelino; algo así como si el espíritu de mi madre hubiera venido a mi corazón para besarla con mis labios. Y ves . . ., yo . . . todavía . . . una lágrima . . . (*Emocionado se enjuga los ojos.*) Nada, nada . . . 55

DON MARCELINO. (*Aparte.*) ¡Dios mío, y quién le dice a este hombre que esos desalmados . . .!

DON GONZALO. ¿Comprendes ahora mi felicidad; comprendes ahora mi júbilo? 60

DON MARCELINO. Hombre, claro; pero . . .

DON GONZALO. Conque vas a hacerme un favor, un gran favor, Marcelino.

DON MARCELINO. Tú dirás . . .

DON GONZALO. Que llames a Galán . . . 65

DON MARCELINO. ¿A Galán?

DON GONZALO. A Galán. Sé que está aquí, y quiero, sin aludir para nada al asunto, claro está, darle un abrazo, un sencillo y discreto abrazo, en el que note mi complacencia y mi 70 conformidad.

DON MARCELINO. Es que, si no estoy equivocado, me parece que ya se marchó.

DON GONZALO. No, no . . . Está en el Casino; me lo ha dicho el conserje. Y tengo interés, 75 porque además del abrazo traigo un encargo de Florita: invitarle a una «suaré»[1] que daremos dentro de ocho días. (*Toca el timbre, Aparece* MENÉNDEZ.) Menéndez, haz el favor de decir al señor Galán que venga un instante. 80

MENÉNDEZ. Sí, señor. (*Vase.*)

DON GONZALO. ¡Qué boda, Marcelino, qué boda! . . . Voy a echar la casa por la ventana. Traigo al obispo de Anatolia para que los case, y digo al de Anatolia, porque en obispos es el 85 más raro que conozco.

DON MARCELINO. (*Aparte.*) ¡Pobre Galán!

ESCENA XV

DICHOS *y* NUMERIANO GALÁN, *por la segunda izquierda.*

NUMERIANO. (*Haciendo esfuerzos titánicos para* 90

---

[1] *"suaré"* = soirée (*Fr.*).

sonreír. Viene pálido, balbuciente.) Mi querido don Gon..., don Gon...

DON GONZALO. ¡Galán!... ¡Amigo Galán!...

NUMERIANO. ¡Don Gonzalo!

5 DON GONZALO. ¡A mis brazos!

NUMERIANO. Sí, señor. (*Se abrazan efusivamente.*)

DON GONZALO. ¿No le dice a usted este abrazo mucho más de lo que pudiera expresarse en 10 un libro?

NUMERIANO. Sí, señor... Este abrazo es para mí un diccionario enciclopédico, don Gonzalo.

DON GONZALO. Reciba usted con él la expresión de mi afecto sincero y fraternal... «¡Fra-ter- 15 nal!»

NUMERIANO. «Ya lo sé...» Sí, señor... Gracias..., muchas gracias, don Gonzalo. (*Le suelta.*)

DON GONZALO. ¿Cómo don?... Sin don, sin 20 don...

NUMERIANO. Hombre, la verdad; yo, como...

DON GONZALO. Pero parece usted hondamente preocupado... Está usted pálido...

NUMERIANO. No; la emoción..., la...

25 DON MARCELINO. Hazte cargo; le ha pillado tan de sorpresa..., y luego esta acogida...

NUMERIANO. Sí, señor... Sobre todo, la acogida...

DON GONZALO. ¡Pues venga otro abrazo! (*Se 30 abrazan.*)

NUMERIANO. (*Aparte.*) ¡Qué bíceps!

DON GONZALO. ¿Qué dice?

NUMERIANO. Nada, nada, nada...

DON GONZALO. Y después de hecha esta ratifica- 35 ción de afecto, diré a usted que le he molestado, querido Galán, para invitarle, al mismo tiempo que a Marcelino, a una «suaré» que celebraremos en breve en los jardines de mi casa, que es la de ustedes...

40 NUMERIANO. Con mucho gusto, don Gonzalo.

DON GONZALO. Allí será usted presentado a nuestras amistades.

NUMERIANO. Tanto honor... (Yo salgo esta noche para Villanueva de la Serena.)

45 DON GONZALO. Bueno y ahora vamos a otra cosa.

NUMERIANO. Vamos donde usté quiera.

DON GONZALO. Me ha dicho Torrijita que es usted un entusiasta aficionado a la caza... ¡Un gran cazador! 50

NUMERIANO. ¿Yo?... ¡Por Dios, don Gonzalo, no haga usted caso de esos guasones!... ¡Yo cazador!... Nada de eso... Que cojo alguna que otra liebre, una perdicilla; pero nada...

DON GONZALO. Bueno, bueno... Usted es muy 55 modesto; de todos modos, he oído decir que le gustan a usted mucho mis dos perros «setter», «Castor» y «Polux».[1] Una buena parejita, ¿eh?

NUMERIANO. Hombre, como gustarme, ya lo 60 creo. Son dos perros preciosos.

DON GONZALO. Pues bien, a la una los tendrá usted en su casa.

NUMERIANO. ¡Quia, por Dios, don Gonzalo, de ninguna manera! 65

DON GONZALO. Le advierto que son muy baratos de mantener. Por cuatro pesetas diarias los tiene usted como dos cebones.

NUMERIANO. ¿Cuatro pesetas?... ¿Y dice usted?... 70

DON GONZALO. A la una los tiene en su casa.

NUMERIANO. Que no los mande usted, don Gonzalo, que los suelto... ¡No quiero que usted se prive!...

DON GONZALO. Pero, hombre... 75

NUMERIANO. Además, a mí se me podrían morir. Como no me conocen los animalitos, la hipocondría...

DON GONZALO. ¡Ah, eso, no; son muy cariñosos, y dándoles bien de comer!... 80

NUMERIANO. Pues ahí está, que en una casa de huéspedes... Ya ve usted, a nosotros nos tratan como perros...

DON GONZALO. Pues con que den a los perros el trato general, arreglado. 85

NUMERIANO. Si ya lo comprendo; pero usted se hará cargo...

DON GONZALO. A la una los tendrá usted en su casa.

NUMERIANO. Bueno... 90

[1] Castor and Pollux, twins in Greek mythology, sons of Jupiter and Leda. Their names are frequently cited as symbols of close friendship.

DON GONZALO. Además, también le voy a mandar a usted . . .

NUMERIANO. ¡No, no, por Dios! . . . No me mande usted nada más . . ., yo le suplico . . .

5 DON GONZALO. Ah, sí, sí, sí . . . Ha de ser para mi hermana, conque empiece usted a disfrutarlo. Le voy a mandar mi cuadro, mi célebre cuadro, último vestigio de mi bohemia artística. Una copia que hice de la «Rendición

10 de Breda», la obra colosal de Velázquez, conocida vulgarmente por el «cuadro de las lanzas . . .»

NUMERIANO. Sí; ya, ya . . .

DON GONZALO. Sino que yo lo engrandecí; el

15 mío tiene muchas más lanzas.

DON MARCELINO. Que le sobraba lienzo y se quedó sólo pintando lanzas.[1]

DON GONZALO. Ocho metros de lanzas, ¡calcule usted!

20 NUMERIANO. ¡Caramba! . . . ¡Ocho metros!

DON GONZALO. Lo que tendrá usted que comprarle es un marquito.

NUMERIANO. ¿Ocho metros y dice usted que un marquito? ¿Por qué no espera usted a ver si

25 me cae la lotería de Navidad, y entonces . . . ?

DON GONZALO. ¡Hombre, no exagere usted; no es para tanto! . . . El marco todo lo más se llevará . . .

NUMERIANO. Medio kilómetro de moldura. Lo

30 he calculado «grosso modo».[2] Además, me parece que no voy a tener dónde colocarle, porque como no dispongo más que de un gabinete y una alcoba . . .

DON GONZALO. Puede usted echar abajo un

35 tabique.

NUMERIANO. Sí; pero ¿cómo le voy yo a hablar a mi patrona de echar nada . . ., si está conmigo si me echa o no?

DON MARCELINO. Bueno; pero todo puede arre-

40 glarse: divides el cuadro en dos partes; pones la mitad en el gabinete y debajo una mano indicadora señalando a la alcoba, y el que quiera ver el resto, que pase . . .

DON GONZALO. ¡Ja, ja! . . . Muy bien . . .; muy

45 gracioso, Marcelino, muy gracioso . . . ¡Qué

[1] *se quedó . . . lanzas* he kept on and on painting lances.
[2] (*Ital.*) more or less.

humorista! . . . Conque, con el permiso de ustedes, me marcho, reiterándoles la invitación a nuestra próxima «suaré . . .» (*Tendiéndoles la mano.*) Querido Marcelino . . .

DON MARCELINO. Adiós, Gonzalo. 50

DON GONZALO. Simpático Galán . . .

NUMERIANO. Don Gonzalo . . . (*Le va a dar la mano.*)

DON GONZALO. No, no . . . La mano, no . . . Otro efusivo y fraternal abrazo. (*Se abrazan.*) 55 «¡Fra-ter-nal!»

ESCENA XVI

DICHOS, TORRIJA, MANCHÓN, TITO GUILOYA *y* PABLITO PICAVEA

TODOS. (*Desde la primera izquierda, aplaudiendo.*) 60 ¡Bravo, bravo!

TITO. ¡Abrazo fraternal!

PICAVEA. ¡Preludio de venturas infinitas!

TORRIJA. ¡Hurra! . . . ¡Tres veces hurra!

TODOS. ¡Hurra! 65

TITO. ¿Conque era cierto lo que se susurraba?

DON GONZALO. ¡Ah!, ¿pero éstos saben . . . ?

TITO. ¡Estas noticias corren como la pólvora!

MANCHÓN. ¡Enhorabuena, don Gonzalo!

TORRIJA. ¡Enhorabuena, Galán! 70

DON MARCELINO. (*Aparte.*) ¡Canallas!

NUMERIANO. (*Ídem.*)[3] ¡Granujas! ¡Por éstas que me las pagáis!

TITO. Y aquí traemos una botella de champaña para rociar con el vino de la alegría los albores 75 de una ventura que todos deseamos inacabable.

MANCHÓN. Adelante, Menéndez. (*Pasa* MENÉNDEZ, *primera izquierda, con servicio de copas de champaña.*)

DON GONZALO. Se acepta y se agradece tan fina 80 y delicada cortesía. Gracias, queridos pollos, muchas gracias.

TITO. Escancia, Torrija. (*Se sirve el champaña.*) Señores: levanto mi copa para que este glorioso entronque de Galanes y Trevélez 85 proporcione a un futuro hogar horas de bienandanza, y a Villanea' hijos preclaros que perpetúen sus glorias y enaltezcan sus tradiciones.

[3] (*Lat.*) the same (also in an aside).

TODOS. (*Con las copas en alto.*) ¡Hurra!

DON GONZALO. Gracias, señores, gracias ... Y yo, profundamente emocionado, quiero corresponder con un breve discurso a la ... (*En*
5 *este momento se escucha en el piano de enfrente el «Torna a Sorrento»,[1] y a poco la voz de Florita, que lo canta de un modo exagerado y ridículo.*)

TITO. ¡Silencio!

10 TORRIJA. ¡Callad! ... (*Quedan exageradamente atentos.*)

DON GONZALO. (*Casi con emoción.*) ¡Es ella! ... ¡Es ella, Galán! ... ¡Es un ángel!

TITO. ¡Qué voz! ¡Qué extensión! ... (*Suena un*
15 *timbre.*) ¡Qué timbre!

TORRIJA. ¡Qué timbre más inoportuno!

DON GONZALO. (*Indignado.*) ¡Pararle, hombre, pararle!

TORRIJA. ¡Ah, don Gonzalo! ... Eso es, en una
20 pieza, la Pareto[2] y la Galicursi.[3]

MANCHÓN. ¡Yo la encuentro más de lo último que de lo primero!

TODOS. Mucho más, mucho más ...

DON GONZALO. Silencio ...; no perder estas no-
25 tas ... (*Todos callan. Florita acaba con una nota aguda y estalla una ovación.*)

TODOS. ¡Bravo, bravo! ... (*Aplauden.*)

DON MARCELINO. ¡Bravo, Florita, bravo!

FLORITA. (*Levanta la persiana a manera de telón*
30 *y se asoma saludando.*) Gracias, gracias. (*Baja la persiana.*)

TODOS. (*Volviendo a aplaudir.*) ¡Bravo, bravo!

DON GONZALO. ¡Es un ángel! ¡Es un ángel!

FLORITA. (*Volviendo a levantar la persiana.*)
35 Gracias, gracias ... ¡Muchas gracias! (*Vuelve a bajarla.*)

MANCHÓN. ¡Admirable!

TITO. ¡Colosal!

TORRIJA. ¡Suprema!

40 DON GONZALO. (*Se limpia los ojos.*) ¡Son lágrimas! ... ¡Son lágrimas! ... ¡Cada vez que canta me hace llorar!

[1] From Verdi's opera "Rigoletto".
[2] Pareto (1888), Spanish soprano noted for her sweetness of voice.
[3] Amelita Galli-Curci (1889–1963), Italian soprano. The last part of the name Galicursi is a reference to "cursi".

TITO. (*Fingiendo aflicción.*) ¡Y a todos, y a todos!

FLORITA. (*Vuelven a aplaudir. Levanta la persiana, sonríe y tira un beso.*) ¡Para Galán! 45 (*Felicitaciones, abrazos y vítores. Telón.*)

TELÓN

ACTO SEGUNDO

Jardín en la casa de Trevélez. Es por la noche. Luces artísticamente combinadas entre el follaje y las ramas 50 *de los árboles. A la derecha, en primer término, hay un poético rincón esclarecido por la luz de la luna y en el que se verá una pequeña fuente con un surtidor; a los lados, dos banquillos rústicos. A la izquierda, hacia el foro, figura que está la casa. En ese punto resplandece* 55 *una mayor iluminación y se escucha la música de un sexteto y gran rumor de gente.*

ESCENA PRIMERA

MARUJA, CONCHITA, QUIQUE y NOLO, *por el foro izquierda.* 60

MARUJA. ¡Ay, sí, hija; sí, por Dios! ... Vamos hacia este rincón.

QUIQUE. Esto está muy poético.

CONCHITA. Por lo menos muy solo.

NOLO. Solísimo. 65

MARUJA. A mí estas cachupinadas me ponen frenética.

QUIQUE. ¡Pero, por Dios, qué gente tan cursi hay aquí!

MARUJA. No; allí, allí ... 70

NOLO. Eso he querido decir.

MARUJA. Pues ha dicho usted lo contrario, hijo mío.

CONCHITA. ¿Y has visto a Florita?

NOLO. ¡Qué esperpento! 75

CONCHITA. La visten sus enemigos.

MARUJA. ¡Eso quisiera ella! ... Ni eso.

CONCHITA. ¡Con ese pelo y con esa figura que me gasta, ponerse un traje salmón! ... ¡Ja, ja! ... 80

MARUJA. Está como para tomar bicarbonato.[4]

[4] *Está ... bicarbonato.* She's enough to give one indigestion.

QUIQUE. ¿Y qué me dicen ustedes de su amiga inseparable, de Nilita, la de Palacios? . . .

CONCHITA. ¡Cuidado que es orgullosa! . . . Acaba de decirme que ella no baila más que con los muchachos de mucho dinero.

MARUJA. Ya lo dice Catalina Ansúrez, que ésa es como un trompo; sin guita no hay quien la baile.[1]

QUIQUE. ¡Ja, ja!

CONCHITA. ¡Y mire usté que llamarse Nilita!

NOLO. Yo, cuando voy a su casa, no fumo.

CONCHITA. ¿Por qué?

NOLO. Me da miedo. Eso de Nilita me parece un explosivo . . . ¡La «nilita»!

MARUJA. ¡No tiene el valor de su Petronila!²

TODOS. (*Riendo.*) ¡Ja, ja!

CONCHITA. Y habrán comprendido ustedes que esta cachupinada la dan los Trevélez para presentarnos al novio, a Galán.

MARUJA. No lo presentarán como galán joven,[3] ¿eh?

QUIQUE. Ni mucho menos. (*Ríen todos.*)

ESCENA II

DICHOS, TITO y TORRIJA, *por la izquierda.*

TITO. ¡Caramba! . . . ¡Coro de murmuración; como si lo viera!

MARUJA. Ay hijo, ¿en qué lo ha conocido usted?

TITO. Mujeres junto a una fuente, y con cacharros[4] . . ., a murmurar, ya se sabe.

QUIQUE. Oiga usted, señor Guiloya: eso de cacharros, ¿es por nosotros?

TITO. Es por completar la figura retórica.

QUIQUE. ¿Y por qué no la completa usted con sus deudos?

TITO. No los tengo.

QUIQUE. Bueno; pues con sus deudas,[5] que ésas no dirá usted que no las tiene.

TORRIJA. ¡Ja, ja! . . . (*Fingiendo una gran risa.*) ¡Pero has visto qué gracioso! . . .

[1] Play on the two meanings of the word *guita*: money and the cord with which the top is spun.

[2] Martyr and virgin of the first century A.D. *Nilita* is a diminutive of *Petronila*.

[3] A play on the word *galán*. *Galán joven* refers to a juvenile actor.

[4] *con cacharros* gossiping (while they wait to fill their water jugs at the fountain).

[5] A play on the word *deudas*, meaning debts or feminine relatives.

TITO. ¡Calla, hombre! Si este joven creo que hace unos chistes con los apellidos, que dice su padre que por qué no será todo el mundo expósito . . .

MARUJA. Es que si el chico fuera muy gracioso, ¿qué iban a hacer los demás?

TITO. Bueno; pero vamos a ver. ¿Se murmuraba o no se murmuraba?

MARUJA. No se murmuraba, hijo; sencillos comentarios.

TITO. No; si no me hubiesen extrañado las represalias, porque hay que oír cómo las están poniendo a ustedes allí, en aquel cenador precisamente.

MARUJA. ¡Ay, sí! ¿y quién se ocupa de nosotros, hijo?

TORRIJA. Pues Florita, su despiadada, su eterna rival de usted.

MARUJA. ¿Y qué decía, si puede saberse?

TORRIJA. Que no puede usted remediarlo, que desde que sabe usted que ella se casa, que se la come la envidia. Que por eso se han venido ustedes tan lejos.

TITO. Y que toda la vida se la ha pasado usted poniéndole dos luces a San Antonio, una para que le dé a usted novio y otra para que se lo quite a las amigas.

TORRIJA. Pero que ya puede usted apagar la segunda.

TITO. Y la primera.

MARUJA. ¿Y les ha mandado a ustedes a soplar, eh? . . . ¡Muy bien, muy bien! . . . (*Todos ríen.*)

QUIQUE. (*Aparte.*) Chúpate ésa.

NOLO. (*Aparte.*) Tiene gracia.

TITO. Pues si oye usted a Aurorita Méndez . . ., ¡qué horror! . . ., decía que no sabe qué atractivo tiene usted para que la asedien tantos pipiolos.

NOLO. Oiga usted, señor Guiloya: ¿eso de pipiolos es por nosotros?

TITO. Es por completar la figura retórica.

TORRIJA. Y la ha puesto a usted un mote que ha sido un éxito.

TITO. La llama «El Paraíso de los niños».

MARUJA. ¡Muy gracioso, muy gracioso! . . . ¿y eso lo ha dicho Aurorita Méndez? ¡Me parece mentira que diga esas cosas la hija de un catedrático!

CONCHITA. Una pobrecita más flaca que un fideo y que lleva un escote hasta aquí.

5 MARUJA. Y no sé para qué, porque enseña menos que su padre . . .

QUIQUE. ¡Que es el colmo!

MARUJA. Como que cuando esa marisabia hizo el bachillerato, decían los chicos que el latín 10 era lo único que tenía sobresaliente.[1]

CONCHITA. ¡Déjalas . . .; ya quisieran!

NOLO. No haga usted caso. Siempre ha habido clases.

MARUJA. Eso lo dirá el padre, porque ella tiene 15 vacaciones para un rato . . . «¡El Paraíso de los niños! . . .» Vamos hacia allá, que voy a ver si le digo dos cositas y me convierto en «El Infierno de los viejos . . .»

NOLO Y QUIQUE. Muy bien, muy bien. ¡Bravo, 20 bravo! (*Vanse izquierda.*)

TITO. Va que trina.[2] (*Riendo.*)

TORRIJA. ¡Esta noche se pegan! . . .

TITO. Eso voy buscando.

TORRIJA. ¡Eres diabólico!

25 ESCENA III

DICHOS, PICAVEA *y* MANCHÓN

PICAVEA. Oye, ¿qué le habéis dicho a Maruja Peláez, que va echando chispas?

TORRIJA. Las cosas de éste; ya le conoces.

30 TITO. ¿Y Galán, y Galán? . . .; ¿cómo anda, tú?

MANCHÓN. ¡Calla, chico; medio muerto!

PICAVEA. Allí le tenéis al pobre, en brazos de Florita, lívido, sudoroso, jadeante . . . Pasan del «Fox-trot» al «Guan step»,[3] y del «Guan 35 step» al «tuesten»[4] sin tomar aliento.

MANCHÓN. Y en el tuesten le hemos dejado.

PICAVEA. Está que echa hollín.[5]

TITO. ¡Formidable, hombre; os digo que formidable! . . .

[1] *sobresaliente* refers both to the grade of A in Latin and to her feminine curves.
[2] *Va que trina.* She is fuming.
[3] *"guan step"* one-step.
[4] *"tuesten"* two-step.
[5] *Está . . . hollín.* He's ready to explode.

PICAVEA. Bueno, tú; pero yo creo que debías ir 40 pensando en buscar una solución a esta broma, porque el pobre Galán, en estos quince días, se ha quedado en los huesos.

MANCHÓN. ¡Está que no se le conoce!

TORRIJA. ¡Da lástima!   45

TITO. Señor; ¿pero no era esto lo que nos proponíamos? Las bromas, pesadas, o no darlas.

MANCHÓN. Sí; pero es que este hombre está en un estado de excitación, que ya has visto los dos puntapiés que le ha dado a Picavea en el 50 vestíbulo.

PICAVEA. ¡Qué animal! . . . ¡Como que si no le sujetáis, me tienen que extraer la bota quirúrgicamente!

TITO. ¿Se ha enterado don Gonzalo del jaleo? 55

TORRIJA. Creo que no. Pero, en fin, yo también temo que Galán, si apuramos mucho la broma, en su desesperación, confiese la verdad y se produzca una catástrofe.

TITO. No asustarse, hombre; si le tiene a don 60 Gonzalo más miedo que nosotros.

PICAVEA. Bueno; pero es que, además, estos pobres ancianos han tomado la cosa tan en serio, que, según dicen, Florita se está haciendo hasta el «trousseau». Y vamos, hasta este 65 extremo, yo creo que . . .

TITO. Nada, hombre; no apuraros. Ya me conocéis. ¿Habéis visto la gracia con que he complicado todo esto? . . . Pues mucho más gracioso es lo que estoy tramando para des- 70 hacerlo.

LOS TRES. ¿Y qué es?, ¿qué es?

TITO. Permitidme que me lo reserve. Lo tengo todavía medio urdido. Os anticiparé, sin embargo, que es un drama pasional, que voy a 75 complicar en él nuevos personajes y que tiene un desenlace muy poético, inesperado y sentimental . . .

PICAVEA. Bueno; pero . . .

TITO. Ni una palabra más. Pronto lo sabréis 80 todo.

MANCHÓN. Chist . . ., silencio. Mirad: Galán que viene agonizante en brazos de don Marcelino.

TORRIJA. ¡Pobrecillo!   85

TITO. Huyamos. (*Vanse izquierda riendo.*)

ESCENA IV

NUMERIANO GALÁN *y* DON MARCELINO, *por la derecha.*

NUMERIANO. (*Desesperado, deprimido, con cara de fatiga y medio llorando.*) ¡Ay, que no ...; ay, que no puedo más, señor Córcoles! ... Yo me marcho, yo huyo, yo me suicido. Todo menos otro «Fox-trot».

DON MARCELINO. (*Conteniéndole.*) Pero espera, hombre, por Dios; ten calma.

NUMERIANO. No; no puedo. ¡Otro «Guan step» y fallezco! Esta broma está tomando para mí proporciones trágicas, espeluznantes, aterradoras ... Yo me voy, me voy ... ¡Déjeme usted! ...

DON MARCELINO. ¡Pero, por Dios, Galán, no seas loco! Ten calma ...

NUMERIANO. No; no puedo más, don Marcelino; porque, aparte del terror que me inspira don Gonzalo ..., es que Florita ... ¡Florita me inspira mucho más terror todavía! ... (*Se vuelve aterrado.*) ¿Viene?

DON MARCELINO. No; no tengas miedo, hombre.

NUMERIANO. No; si no es miedo, ¡es pánico! ...; porque sépalo usted todo, don Marcelino ... ¡Es que la he vuelto loca!

DON MARCELINO. ¿Loca?

NUMERIANO. ¡Está loca por mí! ..., ¡pero loca furiosa!

DON MARCELINO. ¿Es posible?

NUMERIANO. Lo que sintió Eloísa por Abelardo[1] fué casi una antipatía personal comparado con la pasión que he encendido en el alma volcánica de esta señorita ..., y la llamo señorita por no agraviar a ninguna especie zoológica. Figúrese usted que me obliga a estar a su lado para hablarme de amor durante ¡nueve horas diarias!

DON MARCELINO. ¡Nueve!

NUMERIANO. ¡Y cuando me voy, me escribe!

DON MARCELINO. ¡Atiza!

NUMERIANO. Mientras estoy en la oficina me escribe ... Me voy a comer y me escribe ... Me meto en el baño ...

DON MARCELINO. ¿Y te escribe?

NUMERIANO. Me cablegrafía. ¡Lleva en el bolsillo una caja de pastillas de sublimado y una «browning»[2] por si la abandono! Las pastillas, para mí; la «browning», para ...; digo, no ... Bueno; no me acuerdo; pero yo en el reparto salgo muy malparado. ¡Dice que me matará si la dejo!

DON MARCELINO. Eso es lo peor.

NUMERIANO. No, quia. Lo peor es que como sabe usted que pinta, me está haciendo un retrato.

DON MARCELINO. ¿Al óleo?

NUMERIANO. Al pastel.[3] Y tengo que poner la mirada dulce ...

DON MARCELINO. Es natural.

NUMERIANO. Y estarme hora y media inmóvil, vestido de cazador, con aquellos dos perros del regalito, que se me están comiendo el sueldo, y una liebre en la mano, en esta actitud. (*Hace una postura ridícula.*)

DON MARCELINO. Como diciendo: ¡ahí va la liebre!

NUMERIANO. ¡Sí, señor, y así quince días! ... ¡Quince! ... ¡Figúrese usted cómo estaré yo y cómo estará la liebre!

DON MARCELINO. ¡Y cómo estarás de pastel!

NUMERIANO. Que paso por una pastelería y me vuelvo de espaldas. No le digo a usted más. ¡Con lo goloso que yo era!

DON MARCELINO. ¡Qué horror!

NUMERIANO. Bueno; pues mientras me acaba el pictórico, me ha pedido el retrato fotográfico, ha mandado sacar ocho ampliaciones y dice que me tiene en el gabinete y en el comedor y en los pasillos ... ¡y que me tiene hasta en la cabecera de la cama! ... ¡Y yo no paso de aquí, don Marcelino, no paso de aquí!

DON MARCELINO. ¡Pobre Galán! ...; pero, claro, lo que sucede es lógico. Una mujer que ya había perdido sus ilusiones ve renacer de pronto ...

NUMERIANO. Lo ve renacer todo. ¡Qué ímpetu, qué fogosidad! ... ¡Con decirle a usted que ya está bordando el juego de novia![4]

[1] French philosopher (1079–1142) and theologian, famed for his love for Héloïse.

[2] A pistol.
[3] *pastel* here refers both to cake and to a crayon drawing.
[4] *juego de novia* = negligée (robe, nightgown, and other intimate garments).

DON MARCELINO. ¡Hombre, por Dios, procura evitarlo!

NUMERIANO. ¿Pero cómo? . . . Si para disuadirla hasta le he dicho que está prohibido el juego[1] y no me hace caso. Ayer me enseñó dos saltos de cama—figúrese usted el salto mío—, para preguntarme que cómo me gustaban más los saltos, si con caídas[2] o sin ellas.

DON MARCELINO. Tú le dirías que los saltos sin caídas.

NUMERIANO. Yo no sé lo que le dije, don Marcelino, porque yo estoy loco. Puedo jurarle a usted que, en mi desesperación, más de tres veces he venido a esta casa resuelto a confesarle la verdad a don Gonzalo; pero, claro, le encuentro siempre tirando a las armas, o con los guantes de boxeo puestos, dándole puñetazos a una pelota que tiene sujeta entre el techo y el suelo . . .

DON MARCELINO. Un «punching-ball».

NUMERIANO. No sé cómo se llama; pero como a cada puñetazo la pelota oscila de un modo terrible y la habitación retiembla, yo me digo: ¡Dios mío, si le confieso la verdad y se ciega y me da a mí uno de ésos en el balón[3] (*por la cabeza*), pasado mañana estoy prestando servicio en el Purgatorio.

DON MARCELINO. No, hombre; no, por Dios . . . Ten ánimo, no te apures.

NUMERIANO. Sí, no te apures; pero el compromiso va creciendo y esos miserables burlándose de mí. ¡Maldita sea! . . .

DON MARCELINO. ¡Ah!, oye; lo que te aconsejo es que te moderes, porque Gonzalo me acaba de preguntar que por qué le has dado dos puntapiés a Picavea en el vestíbulo, y no he sabido qué decirle.

NUMERIANO. Y los mato, no lo dude usted; los mato como no busquen a este conflicto en que me han metido una solución rápida, inmediata. ¡Es necesario, es urgentísimo!

DON MARCELINO. Descuida, que creo lo mismo, y en ese sentido voy a hablarle a Tito Guiloya.

NUMERIANO. ¡Sí; porque yo no espero más que esta noche para tomar una resolución heroica!

DON MARCELINO. Aguárdame aquí. Voy a hablarles seriamente. No tardo.

NUMERIANO. Oiga, usted, don Marcelino: si Florita le pregunta a usted que dónde estoy, dígale que me he subido a la azotea, hágame el favor. Siquiera que tarde en encontrarme, porque me andará buscando, de seguro.

DON MARCELINO. Descuida. (*Vase izquierda.*)

ESCENA V

NUMERIANO GALÁN; *luego,* FLORITA

NUMERIANO. (*Cae desfallecido sobre un banco.*) ¡Ay, Dios mío! Bueno; yo hace quince días que no duermo, ni como, ni vivo . . . ¡Y yo que nunca he debido un céntimo, me he hecho hasta tramposo! . . . Porque entre los dos perros y el marco, que lo estoy pagando a plazos, se me va la mitad del sueldo. ¡Qué cuadrito! . . . Don Gonzalo le llama «la mancha», pero quia. Es muchísimo más grande. La Mancha y la Alcarria,[4] todo junto. ¡No le he puesto más que un listón alrededor y me ha subido a veinticinco duros! . . . ¡Ay!, yo estoy enfermo, no me cabe duda. Tengo dolor de cabeza, inquietud, espasmos nerviosos; porque además de todo esto, esa mujer me tiene loco. Es de una exaltación, de una vehemencia y de una fealdad que consternan. Y luego tiene unas indirectas . . . Ayer me preguntó si yo había leído una novela que se titula «El primer beso», y yo no la he leído; pero aunque me la supiera de memoria . . . ¡Esas bromitas, no! Y para colmo, habla con un léxico tan empalagoso, que para estar a su altura me veo negro.[5] Aquí me he venido huyendo de ella . . . Aquí, siquiera por unos momentos, estoy libre de esa visión horrenda, de esa visión . . .

FLORITA. (*Apartando el ramaje del fondo de la fuente, asoma su cara risueña y dice melodiosamente.*) ¡Nume!

---

[1] *juego prohibido* refers to the fact that games of chance are forbidden in Spain.

[2] Two plays on words: *saltos*=jumps, *saltos de cama* =negligées; *caída*=fall, *saltos de cama con caídas*=long negligées.

[3] *balón* head.

[4] Regions in central Spain.

[5] *me veo negro* I go crazy.

NUMERIANO. (*Levantándose de un salto tremen-do.*) (*Aparte.*) ¡Cuerno! . . . ¡La visión!

FLORITA. Adorado Nume.

NUMERIANO. (*Con desaliento.*) ¡Florita!

5 FLORITA. (*Saliendo, lo mira.*) ¡Pero cuán pálido! ¡Estás incoloro! ¿Te has asustado?

NUMERIANO. (*Desfallecido.*) Si me sangran, no me sacan un coágulo.

FLORITA. Pues yo, errabunda, hace un rato que
10 de un lado a otro del parterre vago en tu busca. ¿Y tú, amor mío?

NUMERIANO. ¡Yo vago también; pero más vago[1] que tú, me había sentado un instante a delectarme en la contemplación de la noche
15 serena y estrellada! . . .

FLORITA. ¡Oh Nume! . . . Pues yo te buscaba.

NUMERIANO. Pues si yo sé que me buscas, te juro que corro, que corro a tu encuentro.

FLORITA. Y dime, Nume: ¿qué hacías en este
20 paradisíaco rincón?

NUMERIANO. Rememorarte. (*Aparte.*) Con más elegancia, ni D'Annunzio.[2]

FLORITA. ¡Ah Nume mío, gracias, gracias! ¡Ah, no puedes suponerte cuánto me alegro encon-
25 trarte en este lugar recóndito!

NUMERIANO. Bueno; pero, sin embargo, yo creo que debíamos irnos, porque si alguien nos sorprendiera arrinconados y extáticos, podía macular tu reputación incólume, y eso moles-
30 taríame.

FLORITA. ¿Y qué importa, Nume? ¡La felicidad es un pájaro azul que se posa en un minuto de nuestra vida y después levanta el vuelo, y Dios sabe en qué otro minuto se volverá a posar!

35 NUMERIANO. Sí; pero figúrate que ahora viene el pájaro y se posa; pero luego pasa uno y nos lo espanta y encima lo divulga, y ¿qué pasa? Pues que te pesa. Hay que estar en todo. (*Intenta irse.*)

40 FLORITA. (*Deteniéndole.*) Nume, no seas tímido. La dicha es efímera. Siéntate, Nume.

NUMERIANO. No me siento, Florita. (*Aparte.*) ¡A solas la tengo pánico!

FLORITA. Anda, siéntate, porque quiero en este rincón de ensueño pedirte una revelación . . . 45 (*Le obliga a sentarse.*)

NUMERIANO. ¡Una revelación! . . . Bueno; si eres rápida y sintética, atenderéte; pero si no, alejaréme. Habla.

FLORITA. Vamos a ver, Nume, con franqueza: 50 ¿por qué te he gustado yo?

NUMERIANO. Por nada.

FLORITA. ¿Cómo?

NUMERIANO. Quiero decir que no me has gus-tado por nada y . . . me has gustado por todo. 55 Te he encontrado . . .

FLORITA. ¿Qué? . . . ¿Qué? . . .

NUMERIANO. Te he encontrado un no sé qué . . . un qué sé yo . . . un algo así, indefinible; un algo raro. ¡Raro, ésa es la palabra! 60

FLORITA. Bueno; ¿qué te han gustado más, los ojos, la boca, el pie?

NUMERIANO. Ah, eso, no, no . . .; detallar, no he detallado. Me gustas en globo, vamos . . .

FLORITA. ¡En globo! ¡Qué concepto tan ele- 65 vado!

NUMERIANO. Sí; elevadísimo; lo más elevado posible . . ., como corresponde a mi admira-ción.

FLORITA. ¡Ah Nume mío, gracias, gracias! 70

NUMERIANO. No hay de qué.

FLORITA. Y dime, Nume, una simple pregunta: ¿tú has visto por acaso en el «cine» una película que se titula «Luchando en la obscuri-dad»? 75

NUMERIANO. ¿En la obscuridad? . . . No; yo en la obscuridad no he visto nada.

FLORITA. ¡Lo decía, porque en una de sus partes hay una escena tan parecida a ésta!

NUMERIANO. (*Aterrado.*) ¿Sí? (*Intenta levan-* 80 *tarse. Ella le detiene.*)

FLORITA. Es un jardín. Un rincón poético, una fontana rumorosa, la luna discreta, dos aman-tes apasionados . . .

NUMERIANO. (*Con miedo creciente.*) ¡Qué casua- 85 lidad!

FLORITA. De pronto los amantes, yo no sé por qué, se miran, se prenden de las manos, se atraen.

NUMERIANO. (*Aparte.*) ¡Cielos! 90

---

[1] *vago* from the verb *vagar*, and also meaning lazy.
[2] Italian author and soldier (1863–1938) who was noted for his pretentious elegance and airs.

FLORITA. Y un beso une sus labios; un beso largo, prolongado; uno de esos besos de «cine» durante los cuales todo se atenúa, se desvanece, se esfuma, se borra, y . . . aparece un letrero que dice «Milano Films». Pues bien, Nume: ese final . . .

NUMERIANO. ¡No, no . . .; jamás . . .; Florita! Cálmate o pido socorro . . . No quiero dejarme llevar de la embriaguez. ¡Yo no llego al Milano ni aunque me emplumen![1] . . .

FLORITA. ¡Pero, Nume mío! . . .

NUMERIANO. No, Flora; hay que hacerse fuertes . . . Vámonos, vida mía. Vámonos, o llamo. (*Se escucha pianísimo el vals de «Eva».*)

FLORITA. (*Exaltada.*) Espera . . ., atiende . . . ¡Oh, esto es un paraíso! . . . ¿No escuchas?

NUMERIANO. Sí; el vals de «Eva».

FLORITA. ¡Delicioso!

NUMERIANO. Delicioso; pero vámonos.

FLORITA. ¡Divina, suave, enloquecedora melodía de amor! ¿Quieres que nos vayamos como en las operetas? . . .

NUMERIANO. Vámonos, y vámonos como te dé la gana.

FLORITA. ¡Oh, Nume! . . . (*Se van bailando el vals.*)

NUMERIANO. ¡Por Dios, Florita, no aprietes, que congestionas! (*Hacen mutis bailando. Vanse por la izquierda.*)

ESCENA VI

DICHOS y DON GONZALO, *por la izquierda.*

DON GONZALO. (*Los saca cogidos cariñosamente, a ella de una mano y a él de una oreja. Ella baja la cabeza risueña y ruborosa, ocultando la cara tras el abanico; él aterrado, aunque tratando inútilmente de sonreír.*) ¡Venid, venid acá, picarillos irreflexivos, imprudentes! . . .

FLORITA. ¡Ay, por Dios, Gonzalo! . . . ¡Cogiónos!

DON GONZALO. ¡Aquí, en un rincón, y los dos solitos! . . .

NUMERIANO. Don Gonzalo, por Dios, yo neguéme; pero ella insistióme y complacíla: ¿qué iba a hacer?

DON GONZALO. (*Cambiando la fingida expresión de enfado por otra risueña.*) No, hombre, no; si lo comprendo. Los enamorados son como los pájaros: siempre buscando las frondas apartadas, los lugares silenciosos . . .

FLORITA. (*Muy digna.*) ¡Pero, por Dios, Gonzalo, a pesar de la soledad, no vayas a creer que nosotros . . .!

NUMERIANO. Yo aseguro a usted que ha sido una cosa meramente fortuita.

DON GONZALO. ¿Fortuita? . . . Cállese el seductor.

FLORITA. ¡Uy, seductor! . . .

NUMERIANO. Don Gonzalo, yo le juro . . .

DON GONZALO. Ahora que yo confío, amigo Galán, en su caballerosidad, y espero que este tesoro encomendado a su hidalguía . . .

NUMERIANO. ¡Por Dios!, ¿quiere usted enmudecer? . . . ¡Ni aunque nos sorprendiese usted en el Trópico![2]

DON GONZALO. Ya lo sé, ya lo sé . . . Y vaya, pase esto como una ligereza de chiquillos, y ahora que estamos los tres juntitos, venid acá, parejita feliz. Venid y decidme . . .: ¿sois muy dichosos, muy dichosos? . . . La verdad . . .

NUMERIANO. Hombre, don Gonzalo . . ., yo . . .

DON GONZALO. No me diga usted más. (*A Flora.*) ¿Y tú?

FLORITA. Mucho, mucho, mucho. No hay paleta, por muy paleta que sea, que tenga colores suficientes para pintar mi felicidad.

DON GONZALO. ¡Oh, qué feliz, qué venturoso me hacéis! . . . ¡Ah querido Galán, ya lo ve usted . . ., en ese corazoncito ya no vivo yo solo! (*Con pena.*)

FLORITA. ¡Por Dios, Gonzalo!

DON GONZALO. Sí. ¡Otro cariñito ha penetrado en él arteramente y apenas queda ya sitio para el pobre hermano! . . .

---

[1] *¡Yo no . . . emplumen!* I won't reach that end, even if they tar and feather me! (A play on the word *Milano*, meaning bird of prey, and also referring to the film producer's name that is flashed on the screen just before the final kiss in a movie.)

[2] *¡Ni aunque . . . Trópico!* Even if you surprised us in the sensual tropics, I would be behaving properly!

NUMERIANO. ¡Hombre, don Gonzalo, yo sentiría que por mí . . .!

DON GONZALO. ¡Ah, pero no me importa! . . . Ámela usted con este acendrado amor con que yo la amo, y si la veo dichosa, me resignaré contento a la triste soledad en que voy a quedarme.

NUMERIANO. Don Gonzalo, por Dios; si le va a usted a servir esto de un disgusto tan grande . . ., yo estoy dispuesto incluso a renunciar a . . .

FLORITA. ¡Pero calla, por Dios! . . .; ¿qué estás diciendo ? . . . Si son tonterías de éste . . . Chocheces. ¡Egoísmos de viejo! . . .

DON GONZALO. Sí . . ., sí . . .; egoísmos. Pero, por Dios, riquita, no te enfades. Y ¡ea! . . . Perdonad a un hermano impertinente esta pequeña molestia . . . Y venga usted acá . . . ¡Oh amigo mío, ha elegido usted tarde; pero ha elegido usted bien!

FLORITA. Vamos, calla; por favor, Gonzalo.

DON GONZALO. ¡Yo no digo que físicamente Florita sea una perfección; pero es un conjunto tan armónico, tan sugestivo, tan atrayente! . . . Ni es alta ni baja, ni rubia ni morena . . .; es más bien castaña . . .; ¡pero qué castaña! . . . Y mirándola . . ., cuántas . . ., cuántas veces he recordado los versos del jocundo, del galante arcipreste de Hita.[1]

Cata, mujer fermosa, donosa e lozana,
que non sea mucho luenga, otro si nin enana.[2]

FLORITA. Estatura regular, vamos. (*Alardeando de la suya.*)

DON GONZALO.

Que teña ojos grandes, fermosos, relucientes,
e de luengas pestañas, bien claros e reyentes.[3]

FLORITA. (*Los abre mucho.*) Como, por ejemplo . . .

DON GONZALO.

Las orejas pequeñas, delgadas. Para al mientes,

Si ha el cuello alto, que a tal quieren las gentes.
La nariz afilada . . .[4]

FLORITA. Bueno; eso . . .

DON GONZALO.

Los dientes menudillos, 45
los labios de la boca bermejos, angostillos.
La su faz sea blanca, sin pelos, clara e lisa.
Puña de haber mujer que la veas de prisa,
que la talla del cuerpo te dirá esto a guisa
e complida de hombros e con seno de peña, 50
ancheta de caderas; ésta es talla de dueña.[5]

(FLORA *ha ido siguiendo el relato con gesto y actitudes que demuestran su identidad con los versos.*)

FLORITA. El señor arcipreste parece que me 55
conocía de toda la vida.

DON GONZALO. ¿Qué tal, qué tal el retratito ?

NUMERIANO. Un verdadero calco.

DON GONZALO. (*A Flora.*) Y respecto a ti, vamos, que tampoco te llevas costal de paja.[6] 60

NUMERIANO. Hombre, tanto como costal . . .

FLORITA. (*Riendo coquetonamente.*) ¡Y aunque fuera costal, cargaría con él!

DON GONZALO. (*Riendo.*) ¿Oyóla usted, afortunado Galán ? . . . 65

NUMERIANO. Oíla, oíla . . .

DON GONZALO. Bueno, y ahora, como recuerdo de esta noche memorable, voy a hacerle a usted un regalito.

NUMERIANO. ¡No; eso sí que no; regalitos de 70
ninguna manera, don Gonzalo, por lo que más quiera usted en el mundo!

DON GONZALO. No; si no nos causa extorsión. Es un retablo gótico, estofado, siglo XVII, con

---

[1] Juan Ruiz (d. 1353 ?), author of the famous Spanish poem, *El libro de buen amor.*

[2] *In modern Spanish:*
" Busca, mujer hermosa, donosa y lozana,
que no sea muy alta, tampoco enana."

[3] "Que tenga ojos grandes, hermosos, relucientes,
y de largas pestañas, bien claros y sonrientes."

[4] "Las orejas pequeñas, delgadas. Fíjate,
Si tiene el cuello alto, que así le gusta a la gente
La nariz afilada . . ."

[5] "Los dientes menudillos,
los labios de la boca bermejos, angostillos.
Su faz sea blanca, sin pelos, clara y lisa.
Trata de tener mujer que la veas sin camisa
(Arniches changed the original text here. [l. 437.] His version seems meaningless.)
que el talle del cuerpo te dirá bien
y ancha de hombros y con seno de piedra,
ancha de caderas; este es talle de dueña."

[6] *tampoco . . . paja* nor are you getting a bag of straw, i.e., you are getting a fine fellow in Numeriano.

un tríptico atribuído a Valdés Leal,[1] nueve metros de altura por seis de ancho; una verdadera joya. Mande usted restaurar el estofado, que es lo que está peor . . .

5 NUMERIANO. Claro, figúrese usted, un estofado[2] de tantos siglos.

DON GONZALO. Y por tres mil pesetas . . .

NUMERIANO. Sí, bueno; pero tres mil pesetas por un estofado, comprenderá usted . . .

10 Además, que es cosa a la que no he tenido nunca gran afición . . .

DON GONZALO. Entonces nada digo . . . Y ea, amigo Galán, adelántesenos usted; evitemos la maledicencia, que no nos vean llegar

15 juntos. Les separo a ustedes, pero sólo unos minutos. No me guarde usted rencor.

NUMERIANO. No, no; quia . . . ¡Cómo rencor!..., ¡por Dios! . . . Aprovecharé para ir a la sala de billar.

20 FLORITA. Bueno; pero no tardes, ¿eh?

NUMERIANO. Descuida.

FLORITA. ¡Como tardes, te escribo!

NUMERIANO. No, no; por Dios . . . Seguiréte raudo . . . ¡Adiós! (*Aparte.*) ¡Maldita sea! ¡No

25 sé a qué sabrá el ácido prúsico, pero esto es cincuenta veces peor! (*Vase por la izquierda.*)

ESCENA VII

FLORA *y* DON GONZALO

DON GONZALO. Habrás comprendido que, aun a

30 trueque de enojarte, he alejado a Galán intencionadamente.

FLORITA. Figurémelo.

DON GONZALO. ¿Te ha dicho al fin por qué le dió las dos punteras a Picavea?

35 FLORITA. ¡Ay!, ni me he acordado de preguntárselo; ¿querrás creerlo?

DON GONZALO. ¡Pero, mujer! . . .

FLORITA. ¡No te extrañe, Gonzalo; el amor es tan egoísta! . . . Pero, ah, yo lo sospecho todo.

40 DON GONZALO. ¿Qué sospechas?

[1] Juan de Valdés Leal (1630–1691), Spanish painter.
[2] *estofado* refers to ornamentation, and also is a kind of stew.

FLORITA. Que Picavea y Galán se han ido a las manos; mejor dicho, se han ido a los pies por causa mía.

DON GONZALO. ¿Será posible?

FLORITA. Como sabes que los dos me hacían el 45 amor desde los balcones del Casino y he preferido a Galán, observo que Picavea está así como celoso, como sombrío, como despechado. No se aparta de Tito Guiloya. Los dos miran a Numeriano y se ríen. Y, además, 50 hace unos minutos he visto a Picavea en un rincón del jardín hablando misteriosamente con Solita.

DON GONZALO. ¿Con tu doncella?

FLORITA. Con mi doncella. ¿Tratará de com- 55 prarla?

DON GONZALO. ¿De comprarla qué?

FLORITA. De ganar su voluntad para que le ayude, quiero decir . . . Lo sospecho, porque al pasar por entre los evónivus,[3] sin que me 60 vieran, le oí decir a ella: «¡Pero por qué ha hecho usted eso, señorito; qué locura!» Y él la contestaba: «¡Por derrotar a Galán, haré hasta lo imposible; llegaré hasta la infamia, no lo dudes!» 65

DON GONZALO. ¡Oh, qué iniquidad! ¿Pero has oído bien, Florita?

FLORITA. Relatélo según oílo, Gonzalo. Ni palabra más ni palabra menos. Yo estoy aterrada, porque en el fondo de todo esto veo palpitar 70 un drama pasional.

DON GONZALO. Verdaderamente, hemos debido alejar de nuestra casa a Picavea con cualquier pretexto.

FLORITA. Al menos, no haberle invitado. 75

DON GONZALO. Sí; pero a mí me parecía incorrecto sin motivo alguno hacer una excepción en contra suya.

FLORITA. Sí, es verdad; pero ¡ay!, Gonzalo. No sé qué me temo. ¿Tramará algo en la sombra 80 ese hombre?

DON GONZALO. No temas; descuida. Por todo cuanto has dicho, yo también sospecho que algo trama. Pero estaré vigilante y a la primera incorrección, ¡ay de él! 85

[3] *evónivus* shrub.

FLORITA. ¡Por Dios, Gonzalo, efusión de sangre, no!

DON GONZALO. Descuida. Sé lo que me cumple. No le perderé de vista. (*Vase izquierda.*)

5 ESCENA VIII

DON MARCELINO, NUMERIANO, TITO, TORRIJA, PICAVEA *y* MANCHÓN, *por el foro izquierda.*

DON MARCELINO. Oye, pero venid, venid en silencio ... Venid acá ... Pero ¿es posible lo
10 que decís?

TITO. Lo que oye usted, don Marcelino.

PICAVEA. ¡Albricias! ¡Albricias, Galán! ¡Estás salvado!

NUMERIANO. Yo no lo creo, no me fío.

15 TORRIJA. Que sí, hombre, que se le ha ocurrido a éste una solución ingeniosísima, formidable. ¡No puedes imaginártela!

PICAVEA. Prodigiosa, estupenda ... Ya lo verás ...

20 MANCHÓN. Y que lo acaba todo felizmente, sin que nadie sospeche que esto ha sido una broma.

NUMERIANO. (*A don Marcelino.*) ¿Será posible?

DON MARCELINO. Veamos de qué se trata.

25 TITO. Te advierto que es una cosa que requiere algún valor.

NUMERIANO. Sacadme de este conflicto en que me habéis metido, y Napoleón a mi lado es una señorita de compañía.

30 DON MARCELINO. Bueno; decid, decid pronto ... ¿Qué es?

PICAVEA. Cuéntalo tú. Verán ustedes qué colosal.

TITO. Acercaos, no nos oigan. Es una cosa que
35 tiene su asunto.

NUMERIANO. ¿Asunto? (*Se agrupan con interés.*)

TITO. Se trata de representar un drama romántico. Decoración: ese jardín; la noche, la luna ... Argumento: con cualquier motivo se
40 procura que la señorita de Trevélez venga hacia aquí. Tras ella viene Picavea ...

PICAVEA. Aparezco yo ...

TITO. Siguiendo solapado y cauteloso sus pasos leves.

NUMERIANO. Leves para vosotros; para mí, de 45 pronóstico.[1] Adelante.

TITO. Picavea, apelando a un recurso cualquiera, denota su presencia. Ella, sorprendida, al verle, dirá: «¡Ah! ¡Oh!»; en fin, la exclamación que sea de su agrado y entonces éste, 50 con frase primero emocionada, luego vibrante, y, al fin, trágica, le da a entender en una forma discreta que hace tiempo que la ama de un modo ígneo. Como Florita le ha visto muchas veces en los balcones del Casino atisbando sus 55 ventanas, caerá fácilmente en engaño, como cayó contigo. Y una vez conseguido esto, Picavea se manifiesta francamente rival tuyo. Le dice que te confió el secreto de su amor y que tú te anticipaste, traicionándole, y a par- 60 tir de esta acusación te insulta, te injuria, te calumnia ... En esto, surges tú de la enramada, como aparición trágica, lívido, descompuesto, con los ojos centelleantes, las manos crispadas, y te increpa, le vituperas, 65 le agriedes[2] ... Suena un ¡ay! ..., dos gritos, y éste te da a ti cuatro bofetadas ...

NUMERIANO. ¿Cuatro bofetadas a mí? Encima de ...

TITO. Son indispensables. 70

DON MARCELINO. Pero ¿no se podría hacer un reparto más proporcional?

TITO. No, porque las bofetadas han de dar lugar a un duelo, y el duelo es precisamente la clave de mi solución. 75

NUMERIANO. ¿De modo que tras lo uno ..., lo otro ...? (*Acción de pegar.*)

DON MARCELINO. Cállate ... Sigue.

TITO. Galán, ofendido por la calumnia y por los golpes, le envía a éste los padrinos; pero 80 Picavea se niega en absoluto a batirse, alegando que éste, encima de robarle el amor de Florita, le quiere quitar la vida, y que él rendirá la vida a manos de Galán, pero el amor de Florita, no. Y en consecuencia, que impone 85 como condición precisa para batirse que los

---

[1] Play on the word *leves*, meaning light and of little import, for all except Numeriano, for whom they are "of prognosis", a medical term applied to wounds or ailments that can not be diagnosed immediately.

[2] *agriedes* popular variant of *agredes*.

dos han de renunciar a ella, sea cual fuere el resultado del lance.

MANCHÓN. ¡Admirable!

NUMERIANO. ¡Lo de renunciar yo, colosal!

5 TITO. Tú en seguida la escribes a tu prometida una carta heroica, diciendo que por no aparecer como un cobarde sacrificas tu inmenso amor, y al día siguiente se simula el duelo, y tú, fingiéndote herido, te estás en cama ocho días 10 con una pierna vendada.

NUMERIANO. No, las piernas déjamelas libres por lo que pueda suceder.

DON MARCELINO. Sí, no metas las piernas en el argumento.

15 TITO. Las amigas consolarán a Florita; nosotros convenceremos a don Gonzalo para que vuelva a dedicarse a la aerostación y se distraiga, y «tuti contenti».[1] ¿Eh, qué tal?

MANCHÓN. ¡Estupendo!

20 NUMERIANO. ¿Qué le parece a usted, don Marcelino?

DON MARCELINO. Mal, hijo; ¿cómo quieres que me parezca?... Ahora, que como yo no veo solución ninguna, lo que me importa es que 25 termine pronto el engaño de estas pobres personas, sea como sea. Haced lo que queráis. (*Vase izquierda.*)

NUMERIANO. Entonces, yo debo limitarme a salir cuando éste...

30 MANCHÓN. Tú vienes con nosotros, que ya te diremos.

TITO. ¡Callad! Florita viene hacia aquí..., y viene sola...

PICAVEA. Como anillo al dedo. Pues no perda- 35 mos la ocasión. Cuanto antes mejor. ¿No os parece? Dejadme solo. Marchaos pronto.

TORRIJA. ¡Que te portes como quien eres!

PICAVEA. Zacconi[2] me envidiaría. ¡Ya me conocéis cuando me pongo lánguido y persuasivo!

40 NUMERIANO. ¡Oye, y a ver cómo me das esas dos bofetadas, que no me molesten mucho!

PICAVEA. ¡Cuatro, cuatro!...

TITO. Por aquí...; silencio. (*Vanse por el foro derecha. Picavea se oculta en el follaje.*)

[1] (*Ital.*) completely happy.
[2] Italian tragedian of the early twentieth century.

ESCENA IX 45

PICAVEA y FLORITA, *por la primera izquierda.*

FLORITA. (*Como buscándole.*) ¡Nume!...¡Nume!...¡No está! (*Llama otra vez.*) ¡Nume!... Pero ¿qué ha sido de ese hombre, si dijo que vendría en seguida?...¿Estará 50 acaso...? ¡Dios mío, cuando se ama ya no se vive! (*Llama de nuevo.*) ¡Nume!...

PICAVEA. (*Apareciendo.*) ¡Florita!

FLORITA. ¡Ah!..., ¿quién es?

PICAVEA. Soy yo. 55

FLORITA. (*Aparte.*) ¡Él! (*Alto.*) ¡Picavea!... ¿Usted?

PICAVEA. Soy yo, que venía siguiéndola.

FLORITA. ¿Siguiéndome?...¡Qué extraño!... Pues... es la primera vez que no noto que me 60 siguen...

PICAVEA. Es que he procurado recatarme todo lo posible.

FLORITA. ¿Recatarse, por qué?

PICAVEA. Porque deseaba ardientemente una 65 ocasión para poder hablar a solas con usted.

FLORITA. ¿A solas conmigo?... (*Aparte.*) ¡Ay, lo que yo temíame! (*Alto.*) ¿Y dice usted que a solas?

PICAVEA. A solas, sí. 70

FLORITA. (*Con gran dignidad.*) Señor Picavea, usted no ignora que en mis actuales circunstancias yo no puedo hablar a solas con un hombre sin infligirle un agravio a otro. Ya no dispongo de mi libre albedrío. Beso a usted la 75 mano, como suele decirse. (*Hace una reverencia y se dispone a marchar.*)

PICAVEA. (*Le coge la mano para retenerla.*) ¡Por Dios, Florita, un instante!

FLORITA. He dicho que beso a usted la mano, 80 conque suélteme usted la mano.

PICAVEA. Yo la ruego que me escuche una palabra, una sola palabra.

FLORITA. Si no es más que una, oiréla por cortesía. Hable. 85

PICAVEA. Florita, yo no ignoro su situación de usted, desgraciadamente.

FLORITA. ¿Cómo desgraciadamente?

PICAVEA. Desgraciadamente, sí... No quito una letra. Y comprenderá usted que cuando ni el 90

respeto a las circunstancias en que usted se
halla ni el temor a ninguna otra clase de incidentes me detiene, muy grave y muy hondo
debe ser lo que pretendo decirla.

5 FLORITA. (*Aparte.*) ¡Dios mío! (*Alto.*) ¡Pero, Picavea! . . .

PICAVEA. ¡Más bajo! . . . ¡Pueden oírnos!

FLORITA. ¡Ay; pero por Dios, Picavea! . . .

PICAVEA. ¡Más bajo! . . . ¡Pueden oírnos!

10 FLORITA. ¡Ay; pero por Dios, Picavea! . . . Ese
tono, esa emoción . . . Está usted pálido, tembloroso . . . Me asusta usted. ¿De qué se
trata? Hable usted pronto . . . Hable usted de
prisa.

15 PICAVEA. ¿De prisa?

FLORITA. De prisa, sí; me desagradaría que nos
sorprendieran. Nume es muy celoso. Hable.

PICAVEA. Florita, ¿usted no ha observado nunca
que yo, día tras día, me he estado asomando

20 al gabinete de lectura del Casino para mirar
melancólicamente a sus ventanas?

FLORITA. ¡Oh, Picavea!

PICAVEA. Conteste usted . . . Diga usted.

FLORITA. Pues bien, sí; la verdad, lo he notado.

25 Muchas veces le he visto a usted con una
«Ilustración» muy deteriorada en la mano,
ojeando las viñetas y soslayando de vez en
vez la mirada hacia mi casa; pero yo atribuílo
a mera curiosidad.

30 PICAVEA. ¿De modo que no ha caído usted en el
verdadero motivo?

FLORITA. No; yo me asomaba a la ventana, pero
no caía.

PICAVEA. Pues ha debido usted de caer.

35 FLORITA. ¡Picavea!

PICAVEA. Ha debido usted de caer. El poema de
las miradas saben leerlo todas las mujeres.

FLORITA. ¡Oh, Dios mío! . . . ¿De modo, Picavea, que usted también . . . ?

40 PICAVEA. ¡Sí, Florita, sí . . .; yo también la amo!

FLORITA. (*Aparte.*) ¡Dios mío! Pero ¿qué tendré
yo de un mes a esta parte que cada hombre
que miro es un torrezno?[1]

PICAVEA. (*Cogiéndola de la mano.*) Y si usted qui-
45 siera, Florita; si usted quisiera, todavía . . .

FLORITA. (*Tratando de desasirse.*) ¡Ay, no!, por
Dios, Picavea, suélteme usted; suélteme usted,
por compasión, que no me pertenezco.

PICAVEA. ¿Y qué me importa?

FLORITA. Suélteme usted, por Dios . . . Repare 50
usted que aún no estoy casada.

PICAVEA. Sí, es verdad. No sé lo que hago. Usted
perdone.

FLORITA. (*Aparte.*) ¡Pobrecillo! (*Alto.*) ¡Pero
oiga usted, Picavea, por Dios! . . . ¿Usted por 55
qué ha de amarme? . . . No tiene usted
motivos . . .

PICAVEA. ¡El amor no se escoge ni se calcula,
Florita!

FLORITA. Olvídeme usted.   60

PICAVEA. No es posible.

FLORITA. Acepte usted una amistad cordial. No
puedo ofrecerle más. Déjeme usted ser dichosa con Galán: le quiero. Es mi primer amor,
mi único amor, y por nada del mundo 65
dejaríale.

PICAVEA. (*Aparte.*) Esta señora es un Vesubio[2]
ambulante. Tengo que apretar. (*Alto.*) ¿De
modo, Florita, que no aborrecería usted a ese
hombre de ninguna manera?   70

FLORITA. Ni aunque me dijesen que era Pasos
Largos,[3] ya ve usted.

PICAVEA. ¿Y si fuera tan miserable que hubiese
jugado con su amor de usted? . . .

FLORITA. ¡Oh, eso no es posible! . . . (*Sonrien-* 75
do.) ¡Pero si no vive más que para mí! . . .
¿Lo sabré yo?

PICAVEA. Bueno; pero si a pesar de todo a usted
le probaran que ese hombre había jugado
vilmente con su corazón, ¿qué haría? 80

FLORITA. ¡Oh, entonces mataríale; mataríale,
sí, lo juro!

PICAVEA. Pues bien, Florita, lo que va usted a
oír es muy cruel, pero hace falta que yo lo
diga y que usted lo sepa. Galán no es digno 85
del amor de usted.

FLORITA. (*Aterrada.*) ¡Picavea!

PICAVEA. ¡Galán es un miserable!

FLORITA. ¡Jesús! Pero ¿qué está usted diciendo?

---

[1] *es un torrezno* melts with love for me.

[2] Vesuvius (volcano).
[3] Pasos Largos, nineteenth-century Spanish highwayman.

¡Miente usted! ¡El despecho, la envidia, los celos, le hacen hablar así!

PICAVEA. ¡No, no; es un bandido, porque yo le confié el amor que usted me inspiraba y se me adelantó como un miserable!

FLORITA. ¡Pero eso no puede ser! ¡Sería horrible!

PICAVEA. Además, ese hombre es un criminal que no merece su cariño, porque sépalo de una vez... ¡Ese hombre tiene cuatro hijos con otra mujer!

FLORITA. (*Aterrada, enloquecida.*) ¡Ah!... ¡Oh!... ¡Cuatro hijos!... ¡Falso, eso es falso! ¡Pruebas, pruebas!

PICAVEA. Sí, lo probaré. Traeré los cuatro hijos si hace falta. Esa mujer se llama Segunda Martínez.

FLORITA. ¡Oh, cuatro hijos de Segunda![1]

PICAVEA. Vive en Madrid, Jacometrezo, 92. Galán es un canalla. Yo lo sostengo. (*Picavea hace señas con la mano para que salga Galán.*)

ESCENA X

DICHOS, DON GONZALO; *después* GALÁN, TORRIJA, GUILOYA *y* MANCHÓN; *luego* DON MARCELINO. *Don Gonzalo sale cautelosamente y cae de un modo fiero y terrible sobre Picavea, cogiéndole por el cuello.*

DON GONZALO. ¡Ah, granuja! ¡Te has vendido!

PICAVEA. (*Trémulo de dolor.*) ¡Don Gonzalo!

FLORITA. ¡Por Dios, Gonzalo! ¡No le mates!

DON GONZALO. Lo que sospechábamos...¿Lo ves? ¿Lo estás viendo?

PICAVEA. Pero don Gonzalo, por Dios, que yo...

DON GONZALO. ¡Silencio, o te ahogo, miserable!

FLORITA. ¡Ay, Gonzalo, cálmate!

DON GONZALO. ¡Quieres con tus calumnias destrozar la felicidad de dos almas, pero no te vale, reptil! Te hemos descubierto el juego.

PICAVEA. ¡Don Gonzalo, que yo no he dicho... que no era eso!... ¡Ay, que me ahoga!

DON GONZALO. ¡Baja la voz, canalla, y escúchame! No mereces honores de caballero, pero yo no puedo prescindir de mi noble condición. Mañana te mataré en duelo.

[1] *Segunda* (*clase*), a play on words.

FLORITA. ¡Ay, no, Gonzalo!

PICAVEA. No, don Gonzalo, eso sí que no...; en duelo no, que yo soy inocente.

DON GONZALO. Te mataré como a un perro; y ahora, a la calle, en silencio, sin escándalo, sin ruido...; que no se entere nadie... (*Se lo lleva hacia la izquierda.*)

PICAVEA. ¡Pero, don Gonzalo!

DON GONZALO. (*Dándole un puntapié.*) ¡Largo de aquí, calumniador!...

PICAVEA. ¡Pero atiéndame usted!

DON GONZALO. ¡A la calle!... Ni una palabra más. (*Picavea vase despavorido por la primera izquierda.*)

NUMERIANO. (*Saliendo aterrado.*) Pero don Gonzalo, ¿qué es esto? ¿Qué pasa? (*Le siguen Torrija, Guiloya y Manchón.*) ¡Está usted lívido!

FLORITA. ¡Ay Nume, Nume!... (*Se acerca a él.*)

DON MARCELINO. (*Saliendo.*) ¿Qué sucede? ¿Qué ha ocurrido?

DON GONZALO. Nada, nada, que voy a matar a un calumniador, nada más. Ya lo explicaré todo. Ahora basta que diga delante de todos que mi hermana es para usted. Esto nadie tendrá poder para impedirlo, y ahora como desagravio, un abrazo, Galán, un fuerte y fraternal abrazo.

NUMERIANO. ¡Don Gonzalo! (*Cae desfallecido en sus brazos.*)

DON GONZALO. (*Mirándole.*) ¿Pero qué es esto? ¡Esa inercia!... ¡Esa palidez!... (*Sacudiéndole.*) ¡Galán!... ¡Galán!... ¡Se ha desvanecido!

FLORITA. Nume, Nume... ¡Ah, que no me oye!... (*Sacudiéndole.*) Nume, escucha... Nume, mira...

DON GONZALO. ¿Pero qué será esto?

DON MARCELINO. La emoción, la sorpresa, el disgusto quizá... Hacedle aire...

FLORITA. ¡Llevémosle a la cama!...

NUMERIANO. (*Recobrándose súbitamente.*) No, nada, nada..., ya se me pasa; no es nada. El sombrero, el bastón...

DON GONZALO. De ninguna manera. Usted no sale de esta casa. Va usted a tomar un poco de éter. A mi cuarto, a mi cuarto. Y por Dios, señores . . . Confío en su discreción. Ni una palabra de todo esto . . . Silencio, silencio . . . (*Don Gonzalo y Florita se llevan a Galán por* 5 *la izquierda.*)

DON MARCELINO. (*A los guasones que quedan aterrados.*) ¡Picavea ha subido al cielo! (*Telón.*)

ACTO TERCERO

Cuarto gimnasio en casa de DON GONZALO. *Puertas* 10 *practicables en primer término izquierda y segundo derecha. Un balcón grande al foro. Por la escena, aparatos de gimnasia: escaleras, pesas, poleas; en la pared, panoplias con armas y caretas de esgrima, y por el suelo una tira de linóleo y una colchoneta. Cerca del* 15 *foro, un «punching-ball» prendido del techo y del suelo. A la izquierda, una mesita con una botella de agua y dos vasos. En primer término izquierda, mesa, y encima algunos libros, periódicos, escribanía, carpeta, papel, caja con cigarros, etc., etc. En segundo término* 20 *izquierda, un bargueño, y en uno de sus cajones un revólver. Junto a las paredes, divanes: en la pared del primer término derecha, una percha con dos toallas grandes. Sillas y sillón de cuero. Es de día. En el balcón, una gran cortina.*

25 ESCENA PRIMERA

DON GONZALO *y* DON ARÍSTIDES. *Aparecen los dos en traje de esgrima con las caretas de sable puestas.* DON ARÍSTIDES *da a* DON GONZALO *una lección de duelo.*

DON ARÍSTIDES. Marchar, marchar. Encima. En 30 guardia. (*Don Gonzalo va ejecutando todos estos movimientos de esgrima que el profesor le manda.*) Marchar. Batir bajo. Otra vez. Uno, dos. Uno, dos, tres. Marchar. Finta de estocada y encima. En guardia. Romper. (*La* 35 *segunda vez que Don Gonzalo retrocede obedeciendo la voz de mando del profesor, tropieza con la mesita que habrá al foro y derriba los cacharros que habrá en ella.*) Pero no tanto.

DON GONZALO. ¡Demonio, qué contrariedad! En 40 fin, adelante.

DON ARÍSTIDES. Marchar cambiando. Estocada. Encima. Otra vez pare y conteste. Otra vez. Batir. Revés. Pequeño descanso. (*Se quita la careta.*)

DON GONZALO. (*Quitándosela también.*) ¿Y cómo 45 me encuentra usted, amigo Arístides?

DON ARÍSTIDES. ¿A qué hora es el duelo?

DON GONZALO. A las seis de la tarde.

DON ARÍSTIDES. Se merienda usted al adversario. Seguro. 50

DON GONZALO. ¿Estoy fuerte?

DON ARÍSTIDES. Superabundantemente fuerte. Pétreo.

DON GONZALO. Picavea creo que no tira.[1]

DON ARÍSTIDES. Ni enganchado. Si se pueden 55 emplear en estos lances los términos taurinos, diré a usted que en la corridita de esta tarde, más bien becerrada, por lo que al adversario se refiere, se viene usted a su casa con una ovación y una oreja . . ., más las dos suyas, 60 naturalmente.

DON GONZALO. Pues a mí me habían dicho que Picavea, en cuestión de sable,[2] era un practicón.

DON ARÍSTIDES. Cuando estaba sin destino, sí, 65 señor. Pero ahora . . ., ¿lo sabré yo, que he sido su maestro? . . .

DON GONZALO. En fin, ¿reanudamos?

DON ARÍSTIDES. Vamos allá. (*Requieren las armas y vuelven a la lección.*) Finta de estocada mar- 70 chando. Encima. Romper. Uno, dos. Marchar. Dos llamadas.

DON GONZALO. Con permiso. Un momento. Voy a llamar al criado que se lleve estos cacharros. (*Hace que toca un timbre.*) 75

DON ARÍSTIDES. En guardia. Uno, dos. Marchar. Revés. Romper. Encima, pare y conteste. Marchar. Batir. Salto atrás.

CRIADO. ¡Señor! (*No le hacen caso.*)

DON ARÍSTIDES. Marchar. A ver cómo se para, 80 vivo . . . (*Comienza un asalto movidísimo. Las armas chocan con violencia.*)

CRIADO. (*Vuelve a acercarse temeroso.*) Señor . . . (*Siguen el asalto, avanzando y retrocediendo, sin hacerle caso, y el criado, viéndose en peligro,* 85 *se pone una careta de esgrima y se acerca decididamente.*) Señor . . .

DON GONZALO. ¿Qué quieres, hombre?

[1] Play on two meanings of *tirar*: to pull and to fence.
[2] *sable* here refers to Picavea as a professional sponger.

CRIADO. No, yo es que como me ha llamado el señor . . .

DON GONZALO. Sí, hombre, que recojas esos cacharros.

5 CRIADO. Está bien, señor. (*Los recoge sin quitarse la careta, luego se marcha huyendo de los golpes de sable, que continúan.*)

DON ARÍSTIDES. Tajo. Uno, dos. Salto atrás. Marchar. Uno, dos, tres. Salto atrás. Marchar.

10 DON GONZALO. ¿Vamos?

DON ARÍSTIDES. No. (*Quitándose la careta.*) Con eso, y los padrinitos que trae usted, no hace falta más, porque creo que sus padrinos son Lacasa y Peña.

15 DON GONZALO. Lacasa y Peña.

DON ARÍSTIDES. Entonces las condiciones serán durísimas, estoy seguro.

DON GONZALO. Imagínese usted.

DON ARÍSTIDES. Para intervenir ésos, el duelo tie-
20 ne que ser a muerte. No rebajan ni tanto así. Los conozco.

DON GONZALO. Además, las instrucciones que yo les he dado son severísimas: nada de transigencias, nada de blanduras.

25 DON ARÍSTIDES. Pues no doy veinticinco centavos por la epidermis de Picavea. (*Se cambian las chaquetas de esgrima, Arístides por su americana y Don Gonzalo por una chaqueta elegante de caza.*)

30 DON GONZALO. ¡Oh, ese canalla! . . . ¿No sabe usted lo que hizo anoche en el Casino a última hora?

DON ARÍSTIDES. Sabe Dios.

DON GONZALO. Abofeteó e injurió a Galán horri-
35 blemente.

DON ARÍSTIDES. ¡Qué bárbaro!

DON GONZALO. En tales términos, que Galán me ha escrito agradeciendo la defensa que hice de su honor, pero recabando el derecho de
40 batirse con Picavea antes que yo.

DON ARÍSTIDES. No lo consienta usted de ninguna manera.

DON GONZALO. Ni soñarlo. Picavea ofendió en mi propia casa a mi hermana, proponiéndola una
45 indignidad, valido de una calumnia. Yo soy, pues, el primer ofendido.

DON ARÍSTIDES. Sin duda ninguna.

DON GONZALO. Lacasa y Peña harán valer mis derechos.

DON ARÍSTIDES. ¡Buenos son ellos! 50

DON GONZALO. Y además, cuando Galán le envió los padrinos, ¿sabe usted la condición que imponía Picavea para batirse? . . . ¡Pues que fuese cual fuese el resultado del lance, los dos habían de renunciar a mi hermana, so pre- 55 texto de no sé qué lirismos ridículos! . . .

DON ARÍSTIDES. ¡Es un hombre perverso!

DON GONZALO. Ni más ni menos. Pero figúrese el disgusto de la pobre Flora cuando supo por Marcelino que Galán quizás tuviese que acep- 60 tar la tremenda condición para que no pueda atribuirse su negativa a cobardía . . . ¡Un disgusto de muerte! En vano trato de tranquilizarla. No descansa, no duerme, no vive. ¡Cuando más feliz se creía! . . . ¡Y todo por 65 culpa de ese miserable! ¡Ah, no tengo valor para hacer daño a nadie; pero la vida le hace a uno cruel, y como pueda, mato a Picavea! Se lo juro a usted.

DON ARÍSTIDES. Lo merece, lo merece . . . Pues 70 nada, don Gonzalo, hágame usted piernas[1] y hasta luego. (*Poniéndose el sombrero.*) Voy a ver a Valladares, que está muy grave.

DON GONZALO. ¡Ah, Valladares, sí; ya me han dicho . . . que se concertó el duelo en con- 75 diciones terribles!

DON ARÍSTIDES. A espada francesa. Con todas las agravantes.

DON GONZALO. ¿Y Valladares está en cama?

DON ARÍSTIDES. Si se va o no se va. Y el adver- 80 sario también.

DON GONZALO. ¿También? ¿Y qué es lo que tienen?

DON ARÍSTIDES. Gastritis tóxica por indigestión.

DON GONZALO. ¡Ah! ¿Pero no es herida? 85

DON ARÍSTIDES. No, no es herida; porque desoyendo mis consejos, en lugar de batirse, se fueron a almorzar al hotel Patrocinio, y claro, les pusieron unos calamares en tinta que están los dos si se las lían.[2] ¡Mucha más cuenta les 90 hubiese tenido celebrar un duelo a muerte, como yo les propuse! A estas horas los dos en

---

[1] *hágame . . . piernas* get your legs into good shape.
[2] *que . . . lían* so that they are dying.

la calle. ¡Pero calamares! ¡Quién calcula las consecuencias!... Son unos temerarios. ¡Le digo a usted!...

DON GONZALO. ¡Ya, ya!... ¡Qué gentes!

DON ARÍSTIDES. Conque hasta luego; hágame piernas y no me olvide esa finta de estocada marchando, ¿eh?... Uno, dos..., a fondo. Rápido, ¿eh?... (*Vase derecha.*)

DON GONZALO. Sí, sí; descuide, descuide... (*Vuelve y toca el timbre.*) Voy a ver cómo sigue esa criatura. Cree que le ocultamos la verdad; que Galán es quien va a batirse y está que no vive. ¡Pobre Florita!... ¡Calle! ¡Ella viene hacia aquí!

ESCENA II

DON GONZALO *y* FLORITA

FLORITA. (*Por la izquierda, con una bata y el pelo medio suelto.*) ¡La felicidad es un pájaro azul, que se posa en un minuto de nuestra vida y que cuando levanta el vuelo, Dios sabe en qué otro minuto se volverá a posar!

DON GONZALO. ¡Florita!

FLORITA. ¡Ay Gonzalo de mi alma!... (*Llora amargamente abrazada a su hermano.*)

DON GONZALO. ¡Por Dios, Flora; no llores, que me partes el corazón!

FLORITA. El hado fatal cebóse en mí... Clavóme su garra siniestra.

DON GONZALO. ¡Por Dios, Florita; si no hay motivo! No desesperes.

FLORITA. ¿Que no hay motivo? ¿Que no desespere?... ¿Pero no te has enterado de lo que proyectan?

DON GONZALO. Me he enterado de todo.

FLORITA. Picavea ha impuesto la condición de que los dos han de renunciar a mí, sea cual fuere el resultado del lance, y claro, Galán se considera en la necesidad de aceptar para que no lo crean un cobarde... ¡Y me dejarán los dos!... Y esto es demasiado, porque quedarme sin el que sucumba, bueno; pero sin el superviviente, ¿por qué, Dios mío, por qué?

DON GONZALO. No llores, Florita; no llores; estáte tranquila, ya te he dicho que no se baten; yo sabré evitarlo.

FLORITA. ¡Qué espantosa tragedia! Toda mi juventud suspirando por un hombre, y de pronto me surgen dos; venme, inflámanse, insúltanse, péganse y de repente se me esfuman. ¡Esto es espantoso!... ¡Horrible!... ¿Qué tendré yo, Gonzalo, qué tendré que no puedo ser dichosa?

DON GONZALO. Cálmate, Florita, que yo te juro que lo serás. Cálmate.

FLORITA. Si no puedo calmarme, Gonzalo, no puedo...; porque encima de esta amargura, Maruja Peláez me ha hecho un chiste, ¡un chiste!..., en esta situación..., ¡miserable! ... ¡Dice que mi boda era imposible, porque hubiera sido una boda de un Galán con una característica!... ¡Figúrate!... (*Llora amargamente.*) ¡Yo característica!...

DON GONZALO. ¡Infame!... Escándalos, ultrajes, burlas..., y todo sobre esta criatura infeliz! ¡No, no, Florita!... No llores, seca tus ojos. ¡Ni una lágrima más! ¡Bandidos!... No; yo te juro que te casas con Galán, te casas con Galán aunque se hunda el mundo, porque el que mata a Picavea soy yo..., ¡yo!...

FLORITA. ¡No, eso no, Gonzalo; eso tampoco! ¡A costa de tu vida, cómo iba yo a ser dichosa!... No, déjalo; he tenido la desgracia de enloquecer a dos hombres... ¡Lo sufriré yo sola!... Entraré en un convento...

DON GONZALO. ¿Tú en un convento?

FLORITA. Sí, en un convento; profesaré en las Capuchinas...; seré Capuchina... Ya he cogido hasta el nombre. Sor María de la Luz; creo que para una Capuchina...

DON GONZALO. ¡Pero qué locuras estás diciendo!... ¿Crees que lejos de ti podría yo vivir tranquilo?... Calla, Florita, calla; ¡no me partas el alma!

ESCENA III

DICHOS *y el* CRIADO; *y luego,* PEÑA *y* LACASA

CRIADO. (*Por la derecha.*) Señor...

DON GONZALO. ¿Quién?

CRIADO. Los señores Peña y Lacasa.

FLORITA. ¡Peña y Lacasa! . . . ¿Qué quieren? ¿Qué buscan aquí esos hombres siniestros?

DON GONZALO. Nada, nada . . . Déjame unos instantes. Luego hablaremos. Ten calma.
5 Todo se resolverá felizmente. ¡Te lo aseguro!

FLORITA. ¡Ah, no, no! . . . La felicidad es un pájaro azul que se posa en un minuto de nuestra vida, pero levanta el vuelo . . .

CRIADO. ¿Qué? . . .

10 FLORITA. No te digo a ti . . ., ¿eres tú pájaro acaso? ¿O azul, por una casualidad? . . .

CRIADO. Es que creí . . .

FLORITA. ¡Estúpido!

DON GONZALO. Que pasen esos señores.

15 FLORITA. Pero levanta el vuelo y Dios sabe en qué otro minuto se volverá a posar. ¡Ah! . . . (*Vase por la izquierda.*)

CRIADO. (*Asomándose a la puerta de la derecha.*) ¡Señores! . . . (*Les deja pasar y se retira.*)

20 PEÑA. ¡Gonzalo! . . .

LACASA. ¡Querido Gonzalo!

DON GONZALO. Pasad, pasad y hablemos en voz baja. ¿Qué tal?

LACASA. ¡Horrible!

25 PEÑA. ¡Espantoso!

LACASA. ¡Trágico!

PEÑA. ¡Funesto!

DON GONZALO. ¿Pero qué sucede?

PEÑA. ¡Un duelo tan bien concebido! . . .

30 LACASA. ¡Una verdadera obra de arte!

PEÑA. Tres disparos simultáneos apuntando seis segundos.

LACASA. Y cada disparo avanzando cinco pasos.

PEÑA. Y en el supuesto desgraciado de que los
35 dos saliesen ilesos, continuar a sable.

LACASA. Filo, contrafilo y punta; a todo juego, asaltos de seis minutos . . ., uno de descanso, permitida la estocada . . .

PEÑA. ¡En fin, que no había escape! Un duelo
40 como para servir a un amigo.

LACASA. ¡Oh, qué ira! ¡La primera vez que me sucede!

PEÑA. ¡Y a mí!

DON GONZALO. ¡Bueno, estoy que no respiro! . . .
45 ¿Queréis decirme al fin qué pasa?

PEÑA. ¡Una desdicha! Que el duelo no puede verificarse.

LACASA. Todo se nos ha venido a tierra.

DON GONZALO. ¿Pues?

PEÑA. Que no encontramos a Picavea ni vivo ni 50 muerto.

DON GONZALO. ¿Cómo que no?

LACASA. Ni ofreciendo hallazgo. Unos dicen que después de la cuestión le vieron salir de tu casa y desaparecer por la boca de una alcantarilla. 55

PEÑA. Otros aseguran que no fué por la boca, sino que desde que supo que tenía que batirse contigo, marchó a su casa por un retrato, tomó un kilométrico[1] de doce mil kilómetros y se metió en el rápido. 60

LACASA. Corren distintas versiones.

PEÑA. Pero Picavea, por lo visto, ha corrido mucho más que las versiones, porque no damos con él por parte alguna; ¡ni con el rastro siquiera! 65

LACASA. ¡Qué fatalidad!

DON GONZALO. ¿Habéis ido a su casa?

PEÑA. Lo primero que hicimos. Y dice la patrona que la misma noche de la cuestión llegó lívido, sin apetito, y que, a instancias suyas, lo 70 único que pudo hacerle tomar fueron unas patas de liebre, unas alas de pollo y un poco de gaseosa . . .; cosas ligeras como ves, fugitivas . . .

LACASA. Y tan fugitivas. 75

PEÑA. Como que después de lo de las patas y las alas desapareció con un aviador; sospechan si para emprender el «raid»[2] Madrid-San Petersburgo.

DON GONZALO. ¡Miserable! Pone tierra por 80 medio.

LACASA. Aire, aire.

PEÑA. Otros compañeros de hospedaje relatan que le oyeron preguntar qué punto de Oceanía es el más distante de la Península. 85

DON GONZALO. ¡Cobarde! . . . ¡Ha huído!

PEÑA. ¡Los datos son para sospecharlo!

DON GONZALO. ¡Oh!, ¿veis? . . . Eso prueba que lo de Galán fué una calumnia . . . ¡Una repugnante calumnia! ¡Oh, qué alegría, qué 90 alegría va a tener mi hermana! . . . ¡Pobre

---

[1] *kilométrico* a ticket sold by the kilometer (i.e., sold at a reduced rate).
[2] Flight.

Galán! . . . Yo que hasta había llegado a sospechar . . . ¡Le haré un regalo!

LACASA. ¡Gonzalo, ese granuja nos ha privado de
complacerte!

5 PEÑA. Gonzalo, no hemos podido servirte; pero
si a consecuencia de este asunto tuvieses que
matar a otro amigo, acuérdate de nosotros.

DON GONZALO. Descuidad.

LACASA. Te serviremos con muchísimo placer.
10 Ya nos conoces.

PEÑA. ¡Lances de «menú» o de papel secante,[1]
no! . . . Ni almuerzos, ni actas. ¡Duelos
serios, especialidad de Lacasa y mía!

DON GONZALO. Os estimo en lo que valéis.
15 Gracias por todo. Adiós, Peña . . . Adiós,
Lacasa.

LACASA. ¡A dos pasos de tus órdenes!

PEÑA. Disparado por servirte. (*Saludan. Vanse
por la derecha.*)

20 DON GONZALO. Ha huído. Era un calumniador y
un envidioso. Voy a contárselo todo a Florita;
se va a volver loca de alegría. ¡Oh! Ya no hay
obstáculo para su felicidad. Dentro de un
mes, la boda. No la retraso ni un solo minuto.
25 Y en cuanto a Galán, como compensación le
regalaré la estatua de Saturno comiéndose a
sus hijos[2] que tengo en el jardín. Dos metros
de base por tres de altura. Está algo deteriorada, porque al hijo que Saturno se está co-
30 miendo le falta una pierna . . .; pero, en fin, así
está más en carácter. (*Vase por la izquierda.*)

ESCENA IV

CRIADO, DON MARCELINO *y* NUMERIANO GALÁN, *por la
derecha.*

35 CRIADO. Pasen los señores. (*Les deja paso y se va.*)

---

[1] *Lances . . . secante* duels that end in eating together
peacefully or writing an explanation of why the duel did
not take place.

[2] According to classical mythology, Saturn or Cronus
ruled the world until his son Zeus rebelled against him.
He had good cause, for Cronus had learned that one of
his children was destined some day to dethrone him and
he thought to go against fate by swallowing them as
soon as they were born. When Rhea gave birth to Zeus,
her sixth child, she had him secreted away and gave her
husband Cronus a great stone wrapped in swaddling
clothes, which he supposed was the child and accord-
ingly swallowed.

NUMERIANO. ¿Ha visto usted qué par de cha-
cales esos que salían?

DON MARCELINO. Peña y Lacasa. Son los padrinos de Gonzalo. Iban furiosos, y con un juego
de pistolas debajo del brazo.   40

NUMERIANO. A cualquier cosa le llaman juego.

DON MARCELINO. Bueno, Galancito, ¿y a qué me
traes aquí, si puede saberse?

NUMERIANO. Pues a que me ayude usted a
convencer a don Gonzalo para que me deje   45
batirme antes con Picavea. Si no, estamos
perdidos.

DON MARCELINO. Me parece que no conseguire-
mos nada. ¡Tú no sabes cómo está Gonzalo!

NUMERIANO. Entonces, ¿qué hacemos, don Mar- 50
celino, qué hacemos?

DON MARCELINO. A mi juicio, lo primero que hay
que hacer es el borrador para la esquela de
Picavea, porque Picavea sube hoy al cielo.
A patadas, pero sube.   55

NUMERIANO. ¡Ay, Dios mío! . . . ¿Y Florita
estará . . . ?

DON MARCELINO. Medrosa del todo. Desde que
supone que Picavea y tú vais a batiros por ella,
se ha puesto mucho más romántica.   60

NUMERIANO. ¡Qué horror!

DON MARCELINO. Se ha soltado el pelo, o por lo
menos el añadido,[3] ha extraviado los ojos en
una forma que ni anunciándolos en los periódicos se los encuentran,[4] y anda deshojando   65
flores por el jardín y preguntándoles unas cosas
a las margaritas, que un día le van a contestar
mal, lo vas a ver.

NUMERIANO. ¡Virgen Santa!

DON MARCELINO. Y se ha encerrado en este dile-   70
ma pavoroso: «O Galán, o Capuchina».

NUMERIANO. (*Aterrado.*) ¿Y qué es eso?

DON MARCELINO. ¡No sé; pero debe ser algo terrible!

NUMERIANO. ¡Ay, qué miedo! ¡Por Dios, don   75
Marcelino, ayúdeme usted a convencer a don
Gonzalo! ¡Sálveme usted! ¡Estoy desespera-
do! ¡Maldita sea! . . . De algún tiempo a esta

---

[3] *Se ha soltado . . . añadido* She has let down her hair,
at least her false hair.

[4] Play on the word *extraviar*, to lose, and when
referring to eyes, to cross.

parte todo se vuelve contra mí, ¡todo! . . . (*Furioso, da un puñetazo al «punching-ball» y, naturalmente, la pelota se vuelve contra él.*) ¡Caray! . . . ¡Hasta la pelota! . . .

5 DON MARCELINO. ¡Calla, Gonzalo viene!

NUMERIANO. ¡Elocuencia, Dios mío!

ESCENA V

DICHOS *y* DON GONZALO, *por la izquierda.*

DON GONZALO. (*Tendiéndoles las manos.*) ¿Uste-
10 des ?

DON MARCELINO. Querido Gonzalo, vengo porque no te puedes imaginar lo que está sufriendo este hombre.

DON GONZALO. Pero ¿por qué, amigo Galán, por
15 qué ?

NUMERIANO. ¡Ah, don Gonzalo, una tortura horrible me destroza el alma! Usted sabe como nadie que el honor es mi único patrimonio; por consecuencia, de rodillas suplico a
20 usted me permita que sea yo el que mate a ese granuja que aquella noche nefasta enlodó mi honradez acrisolada . . .

DON GONZALO. Bueno, Galán; pero . . .

NUMERIANO. ¡No olvide usted que el miserable
25 dijo que yo tenía no sé qué de Segunda, y yo no tengo nada de Segunda, don Gonzalo, se lo juro a usted! . . .

DON GONZALO. No, hombre; si lo creo . . . Y por mí, mátelo usted cuando quiera, amigo
30 Galán.

NUMERIANO. (*Abrazando a don Gonzalo.*) ¡Gracias, gracias! ¡Oh, qué alegría! ¡Ser yo el que le atraviese el corazón!

DON GONZALO. Lo malo es que no va usted a
35 poder.

DON MARCELINO. (*Aterrado.*) ¿Le has matado tú ya ?

DON GONZALO. No me ha sido posible.

NUMERIANO. Entonces, ¿por qué no voy a ser yo
40 el que le arranque la lengua ?

DON GONZALO. Porque se la ha llevado con todo lo demás.

NUMERIANO. ¿Cómo que se la ha llevado ?

DON MARCELINO. ¿Qué quieres decir ?

DON GONZALO. (*Riendo francamente.*) Sí, hom-
45 bre, sí. Sabedlo de una vez. ¡Picavea, asustado de su crimen, ha huído!

LOS DOS. (*Con espanto.*) ¿Que ha huído ? . . .

DON GONZALO. ¡Ha huído!

DON MARCELINO. ¡Pero no es posible!
50

NUMERIANO. ¡Eso no puede ser, don Gonzalo!

DON GONZALO. Y en aeroplano, según me aseguran.

DON MARCELINO. ¡Atiza!

NUMERIANO. ¡Que ha huído! . . . ¡Dios mío;
55 pero está usted oyendo qué canallada!

DON MARCELINO. ¡Qué sinvergüenza!

NUMERIANO. ¡Irse y dejarme de esta manera! ¡Es esto formalidad, don Marcelino!

DON GONZALO. ¡Cálmese, amigo Galán!
60

NUMERIANO. ¡Qué voy a calmarme, hombre! . . . ¡Esto no se hace con un amigo . . ., digo, con un enemigo! (*A Don Marcelino.*) ¡Irse en aeroplano!

DON MARCELINO. (*Aparte.*) ¡Y no invitarte! (*Al-
65 to.*) Ya, ya . . . ¡Qué canalla!

DON GONZALO. Calme, calme su justa cólera, amigo Galán. Su honor queda inmaculado, y puesto que la dicha renace para nosotros, no pensemos ya sino en la felicidad de Florita y
70 de usted, porque mi deseo es que se casen a escape.

NUMERIANO. Hombre, don Gonzalo, yo a escape, la verdad . . .

DON GONZALO. No quiero que surjan otros inci-
75 dentes. La vida está llena de asechanzas. Acaba usted de verlo.

DON MARCELINO. Bueno, pero Galán lo que desea es un plazo para . . .

DON GONZALO. No le pongo un puñal al pecho,[1]
80 naturalmente; pero, vamos, ¿le parecería a usted bien que para la boda fijáramos el día del Corpus ? Faltan dos meses.

NUMERIANO. Hombre, Corpus, Corpus . . . No tengo yo el Corpus por una fecha propicia
85 para nupcias . . .; no me hace a mí . . .

DON GONZALO. Entonces, ¿quiere usted que lo adelantemos para la Pascua ?

NUMERIANO. ¡Qué sé yo!

[1] *No . . . pecho* I'm not threatening you with a dagger aimed at your heart, i.e., this is not a shotgun wedding.

DON GONZALO. ¿Tampoco le hace a usted la Pascua?

NUMERIANO. Como hacerme, sí me hace la Pascua,[1] pero vamos, es que yo . . ., es que yo, don Gonzalo, la verdad, quiero serle a usted franco, hablarle con toda el alma.

DON GONZALO. Dígame, dígame, amigo Galán.

NUMERIANO. ¿Dice usted que Picavea ha huído?

DON GONZALO. Ha huído. Indudable.

NUMERIANO. Pues bien: yo tengo que decirle a usted que hasta que ese hombre parezca y yo le mate, yo no puedo casarme, don Gonzalo.

DON GONZALO. ¡Por Dios, es un escrúpulo exagerado!

NUMERIANO. Hágase usted cargo: si yo no vuelvo por los fueros de mi honor, ¿qué dignidad le llevo a mi esposa?

DON MARCELINO. Hombre; en eso el muchacho tiene algo de razón.

NUMERIANO. Ahora, eso sí, don Gonzalo, que parece Picavea, y al día siguiente, la boda.

CRIADO. (*Desde la puerta.*) El señor Picavea.

DON GONZALO. ¿Qué?

CRIADO. Su tarjeta.

DON GONZALO. (*La toma y lee.*) ¡Picavea! (*Mostrándoles la tarjeta.*)

LOS DOS. ¡Picavea! (*Galán cae aterrado sobre una silla.*)

DON GONZALO. Se conoce que han aterrizado. (*Al Criado.*) ¿Y este hombre? . . .

CRIADO. Aguarda en la antesala. Debe encontrarse algo enfermo. Está pálido, tembloroso. Me ha pedido un vaso de agua con azahar. Por cierto, que al ir a traérsela he visto que escondía todos los bastones del perchero.

DON GONZALO. ¡Ah canalla!

CRIADO. Dice que tiene algo extraordinario y urgente que decirle al señor, y que le suplica de rodillas, si es preciso, que le reciba. . .

DON GONZALO. Yo no sé hasta qué punto será correcto . . .

CRIADO. Dice que se acoge a la hidalguía del señor.

---

[1] *¿Tampoco . . . la Pascua? Como . . . Pascua* Then don't you think Easter will be a good time to get married either?—Yes, of course. (A play on the word *hacer*: Gonzalo means *convenir*, Numeriano, *fastidiar*.)

DON GONZALO. Basta. Dile que pase.

NUMERIANO. Pero ¿le va usted a recibir?

DON GONZALO. ¡Qué remedio! . . .¿No oye usted cómo lo suplica?

NUMERIANO. (*Aparte, a don Marcelino.*) ¡Estoy aterrado! ¿A qué vendrá ese bruto?

DON MARCELINO. (*Ídem.*) No me llega la camisa al cuerpo.[2]

DON GONZALO. Vosotros pasad a esa habitación y oíd. Y por Dios, Galán, conténgase usted oiga lo que oiga. Marcelino, no le abandones.

DON MARCELINO. Descuida. (*Vanse izquierda.*)

ESCENA VI

DON GONZALO y PICAVEA; *luego*, DON MARCELINO y NUMERIANO GALÁN

PICAVEA. (*Dentro.*) ¿Da . . . da . . . da . . . dada . . . dada . . . usted su per . . ., su permiso?

DON GONZALO. Adelante. (*Aparte.*) ¡Dadme calma, Dios mío, que yo no olvide que estoy en mi casa! Apartaré este sable, no me dé una mala tentación . . . (*Coge un sable para retirarlo.*)

PICAVEA. (*Asomando la cabeza.*) Muy bue . . . ¡Caray! (*Se retira en seguida al ver a Don Gonzalo con el sable.*)

DON GONZALO. ¿Pero qué hace ese hombre? (*Alto.*) Pase usted sin miedo.

PICAVEA. ¡Papa . . . papa . . . pa . . ., pasaré, sí, señor; pe . . . pe . . ., pero sin miedo es impo . . ., es imposible! . . . Com . . . com . . . comprendo su . . ., su indignación, don Gon . . . don Gonzalo, y por eso . . .

DON GONZALO. Sí, señor; mi indignación es mucha y muy justa; pero acogido a la hospitalidad de estas nobles paredes nada tiene usted que temer por ahora. Tranquilícese y diga cuanto quiera.

PICAVEA. Don Gon . . ., don Gon . . ., don Gonzalo, yo no sé cómo agradecer a usted que me haya re . . . re . . ., recibido después de la su . . . su . . ., susu . . .

---

[2] *No me . . . cuerpo.* I'm shaking in my boots.

DON GONZALO. Abrevie usted los períodos, porque entre la tartamudez y la abundancia retórica no acabaríamos nunca.

PICAVEA. Lo que quiero decir es que mi gratitud por la bondad de recibirme...

DON GONZALO. Nada tiene que agradecerme. Cumplo con mi deber de caballero. Hable.

PICAVEA. (*Cayendo súbitamente de rodillas a los pies de Don Gonzalo.*) ¡Ah don Gonzalo, escúpame usted, máteme usted! Coja usted una de esas nobles tizonas y déme usted una estocada.

DON GONZALO. Señor mío, eso no sería digno...

PICAVEA. Pues una media estocada..., ¡un bajonazo!... ¡Sí! ¡Lo merezco, don Gonzalo, lo merezco por buey![1]

DON GONZALO. ¿Pero qué está usted diciendo?

PICAVEA. La verdad, don Gonzalo; vengo a decir toda la verdad. Yo seguramente habré aparecido a los ojos de usted como un canalla.

DON GONZALO. Se califica usted con una justeza que me ahorra a mí esa molestia.

PICAVEA. Pues bien, don Gonzalo: de todo esto tiene la culpa...

DON GONZALO. Ya sé lo que va usted a decirme: ¿que tiene la culpa el que mi hermana le ha vuelto a usted loco?

PICAVEA. ¡Quia, no, señor; qué me ha de volver a mí loco la pobre señora! Yo sólo siento por ella una admiración simplemente amistosa.

DON GONZALO. Entonces, ¿por qué dió usted lugar a aquella trágica escena?

PICAVEA. Yo, don Gonzalo, todo lo que dije y lo que hice, lo hice y lo dije por salvar a Galán únicamente.

DON GONZALO. ¿Cómo por salvar a Galán?... ¡No comprendo!... Salvar a Galán, ¿de qué?...

PICAVEA. Es que Galán, usted perdone; pero a Galán tampoco le gusta su hermana de usted.

DON GONZALO. (*Con tremenda sorpresa.*) ¿Eh?... ¿Cómo?... ¿Qué está usted diciendo?

PICAVEA. Que no le gusta.

DON GONZALO. ¡Pero este hombre se ha vuelto loco!

PICAVEA. No, don Gonzalo, no. Ustedes, Galán y yo, hemos sido víctimas de un juego inicuo, y permítame que le suplique toda la calma de que sea capaz para escucharme hasta el fin.

DON GONZALO. (*Con ansiedad.*) Hable, hable usted pronto.

PICAVEA. Don Gonzalo, la declaración amorosa que recibió Florita, no era de Galán.

DON GONZALO. ¿Cómo que no?

PICAVEA. Fué escrita por Tito Guiloya, imitando su letra, para darle una broma de las que han hecho famoso al Guasa-Club.

DON GONZALO. ¡Oh! ¿Pero qué dice este necio?... ¿Qué nueva mentira inventa este canalla?... (*Va a acometerle.*)

PICAVEA. ¡Por Dios, don Gonzalo!...

DON GONZALO. Yo te juro que vas a pagar ahora mismo...

ESCENA VII

DICHOS, NUMERIANO GALÁN y DON MARCELINO

NUMERIANO. (*Saliendo.*) Deténgase usted, don Gonzalo. Este hombre dice la verdad.

DON GONZALO. (*Aterrado.*) ¿Qué?

DON MARCELINO. Una verdad como un templo, Gonzalo.

DON GONZALO. ¿Pero qué dices?

DON MARCELINO. Mátanos, desuéllanos..., porque cada uno tiene en esta culpa una parte proporcional. Éste, por debilidad, por miedo; éste, por inducción; yo, por silencio, por tolerancia...; pero lo que oyes es la verdad.

DON GONZALO. (*Como enloquecido.*) ¿Pero no sueño?... ¿Pero es esto cierto, Marcelino?

NUMERIANO. Sí, don Gonzalo; hemos sido víctimas de una burla cruel. Yo no me he declarado jamás a su hermana de usted. Yo no he tenido nunca intención de casarme con ella, porque ni mi posición ni mi deseo me habían determinado a semejante cosa.

DON GONZALO. ¿De modo que es verdad?... ¿De modo que...?

---

[1] Bullfighting terms used here to describe how the bull is killed: *estocada* for the noble bull; *bajonazo* for the *manso peligroso*, i.e., *el buey.*

DON MARCELINO. Han sido esos bandidos, Tito Guiloya, Manchón y Torrija, los que, aprovechando hábilmente una situación equívoca, que ya te explicaré, y con propósitos de insano regocijo, de burla indigna, fraguaron esta iniquidad . . . ¡Una broma de Casino!

DON GONZALO. ¡Dios mío!

NUMERIANO. Y yo también soy culpable, don Gonzalo, lo reconozco. Soy culpable, porque debí, en el primer momento, decir a ustedes lo que pasaba. Pero me faltó valor. Aparte la condición pusilánime de mi carácter, la acogida cordial, efusiva, que usted me dispensó, henchido de gozo por el bien de su hermana, a la que adora en términos tan conmovedores, me hizo ser cobarde y preferí aguardar a que una solución imprevista resolviera el conflicto.

DON GONZALO. (*Repuesto del estupor, se levanta airado, violento, tembloroso.*) ¡Ah! . . ., ¡ de modo que una burla! . . ., ¡que todo ha sido una burla! . . . ¿Y por el placer de una grosera carcajada no han vacilado en amargar con el ridículo el fracaso de una vida? . . . ¡Y para este escarnio, cien veces infame, escogen a mi hermana, alma sencilla, cuyo único delito es que se resiste a perder el derecho a una felicidad que ha visto disfrutar fácilmente a otras mujeres sólo porque la naturaleza ha sido más piadosa con ellas! ¡Pues no, no será!

DON MARCELINO. ¡Gonzalo!

DON GONZALO. No será, y a este crimen de la burla, frío, cruel, pérfido, premeditado . . ., responderé yo con la violencia, con la barbarie, con la crueldad. ¡Yo mato a uno, mato a uno, Marcelino, te lo juro! . . .

DON MARCELINO. ¡Cálmate, cálmate, por Dios, Gonzalo! . . .

DON GONZALO. No puedo, no puedo calmarme, Marcelino, no puedo. ¡Burlarse de mi hermana adorada, de mi hermana querida, a la que yo he consagrado con mi amor y mi ternura una vida de renunciaciones y de sacrificios! De sacrificios, sí. Porque vosotros, como todo el mundo, me suponéis un solterón egoísta, incapaz de sacrificar la comodidad personal a los desvelos e inquietudes que impone el matrimonio. Pues sabedlo de una vez: nada más lejos de mi alma. En mi corazón, Marcelino, he ahogado muchas veces (y algunas Dios sabe con cuánta amargura) el germen de nobles amores que me hubiesen llevado a un hogar feliz, a una vida fecunda. Pero surgía en mi corazón un dilema pavoroso: u obligaba a mi hermana a soportar en su propia casa la vida triste de un papel secundario, o había yo de marcharme, dejándola en una orfandad que mis nuevos afectos hubiesen hecho más triste y más desconsoladora. ¡Y por su felicidad he renunciado siempre a la mía!

DON MARCELINO. Eres un santo, Gonzalo.

DON GONZALO. Hay más. Ésta es para mí una hora amarga de confesión; quiero que lo sepáis todo, todo . . . Yo he llegado por ella, entiéndelo bien, sólo por ella, hasta el ridículo.

DON MARCELINO. ¡Gonzalo! . . .

DON GONZALO. (*Con profunda amargura.*) Sí; porque yo, yo soy un viejo ridículo, ya lo sé.

DON MARCELINO. ¡Hombre! . . .

DON GONZALO. Sí, Marcelino, sí; hasta el ridículo. Un ridículo consciente, que es el más triste de todos. Yo, y perdonadme estas grotescas confesiones, yo me tiño el pelo; yo, impropiamente, busco entre la juventud mis amistades. Yo visto con un acicalamiento amanerado, llamativo, inconveniente a la seriedad de mis años. Y todo esto, que ha sido y es en el pueblo motivo de burla, de chacota, de escarnio, yo lo he padecido con resignación y lo he tolerado con humildad, porque lo he sufrido por ella.

DON MARCELINO. ¿Por ella?

DON GONZALO. Sí, por ella. Como entre Florita y yo la diferencia de años es poca, las canas, las arrugas, los achaques en mí la producían un profundo horror, una espantosa consternación. Veía en mi vejez acercarse la suya, y yo entonces quise parecer joven solamente para que Florita no se creyese vieja. Y para atenuarla el espectáculo del desastre, puse sobre esta cabeza, que para ser respetada debía ser blanca, y sobre este cuerpo ya caduco unas ridículas mentiras que conservaran en ella la pueril ilusión de una falsa juventud. Esto ha sido todo. (*Llora.*)

DON MARCELINO. (*Conmovido.*) ¡Gonzalo! . . .

PICAVEA. Don Gonzalo, perdón; somos unos miserables.

NUMERIANO. Usted es un santo, don Gonzalo, un santo, y si no le pareciese absurdo lo que
5 voy a decirle, yo me ofrezco a reparar esta broma infame casándome con Florita, si usted quiere.

DON GONZALO. No, gracias, amigo Galán; muchas gracias. Pasado ese impulso generoso de
10 su alma buena, quedaría la realidad: mi hermana, con sus años . . .; usted, con su natural desamor . . . Imagínese el espanto. Quedémonos en el ridículo; no demos paso a la tragedia.

15 NUMERIANO. Sí, sí, don Gonzalo; lo comprendo; pero por lo que se refiere a Tito Guiloya, a Manchón, a Torrija . . ., a todos los del Guasa-Club, yo ruego a usted que me conceda el derecho a una venganza bárbara, ejem-
20 plar . . .; a una venganza . . .

ESCENA FINAL

DICHOS, *el* CRIADO; *luego,* TITO GUILOYA, *por la puerta derecha.*

CRIADO. Señor . . ., este caballero.
25 DON GONZALO. (*Leyendo la tarjeta.*) ¡Hombre...,
Dios le trae! Aquí le tenemos.

DON MARCELINO. ¿Quién?

DON GONZALO. Tito Guiloya.

PICAVEA Y NUMERIANO. ¡Él!
30 DON GONZALO. Viene a continuar la burla.

PICAVEA. (*Coge un sable.*) Pues permítame usted que yo . . .

NUMERIANO. (*Coge una espada.*) Y déjeme usted a mí que le . . .
35 DON GONZALO. Quietos. En mi casa, y en cosas que a mí tan tristemente se refieren, yo soy quien debo hablar.

DON MARCELINO. Pero, por Dios, Gonzalo . . .

DON GONZALO. Descuida, estoy tranquilo.
40 NUMERIANO. Pero nosotros . . .

DON GONZALO. Métanse ustedes ahí. Les suplico un silencio absoluto. (*Al Criado.*) Que pase ese señor. (*Se meten los tres detrás de las cortinas de la ventana, de modo que al entrar el
45 visitante no los vea.*) Un silencio absoluto, vean lo que vean y oigan lo que oigan.

TITO. (*Desde la puerta.*) ¿Da usted su permiso, queridísimo don Gonzalo?

DON GONZALO. Adelante.

TITO. Perdone usted, mi predilecto y cordial 50 amigo, que venga a molestarle; pero . . . altos dictados de caballerosidad, que los hombres de honor no podemos desatender, me impelen a esta lamentable visita.

DON GONZALO. Tome asiento y dígame lo que 55 guste. (*Se sientan.*)

TITO. Don Gonzalo, usted y yo somos dos hombres de honor.

DON GONZALO. Uno.

TITO. Usted perdone: dos, o yo no sé mate- 60 máticas.

DON GONZALO. Sabe usted matemáticas. Uno. Adelante.

TITO. Bueno; pues yo vengo con la desagradable misión de convencer a usted de que el señor 65 Picavea, mi apadrinado, debe batirse, antes que con usted, con ese canalla, con ese reptil, con ese bandido de Galán, cuyas infamias probaremos cumplidamente.

DON GONZALO. ¡Chist! . . . No levante usted la 70 voz, no sea que le oiga.

TITO. Pero ¿cómo va a oírme?

DON GONZALO. Fíjese. (*Galán le saluda con la mano.*)

TITO. (*Dando un salto.*) ¡Carape! (*Lleno de asom-* 75 *bro.*) Pero ¿qué es esto? (*A Picavea.*) ¿Tú aquí? . . . ¿Y con Galán? . . . Pero ¿no habíamos quedado en que yo vendría a buscar una solución honrosa al . . .? (*Picavea hace un gesto encogiendo los hombros, como el que quiere* 80 *expresar:* «*Qué quieres que te diga*».) Pero ¿cómo se justifica la presencia aquí de Picavea, cuando habíamos quedado en que tú . . .? (*Galán hace el mismo gesto de Picavea.*) Don Marcelino, yo ruego a usted que justifi- 85 que esta situación inexplicable en que me hallo, porque es preciso que yo quede como debo. (*Don Marcelino hace el mismo gesto.*) ¿Es decir, que ninguno de los tres . . .? Señores, por Dios, que yo necesito que a mí 90 se me deje en el sitio . . . (*Los tres indican con la mano que espere, que no tenga prisa.*), en el sitio que me corresponde, no confundamos. (*Pausa. Ya muy azorado.*) Bueno, don

Gonzalo; en vista de la extraña actitud de estos señores, yo me atrevería a suplicar a usted unas ligeras palabras que hicieran más airosa esta anómala situación. (*Don Gonzalo hace el mismo gesto.*) ¡Tampoco! . . . ¡Caray, comparado con esta casa el colegio de sordomudos es una grillera! . . . ¡Caramba, don Gonzalo, por Dios! . . . Yo ruego a usted . . ., yo suplico a usted . . ., que acabe esta broma del silencio, si es broma, y que se me abra siquiera . . . un portillo por donde yo pueda dar una excusa y oír una réplica, buena o mala, pero una réplica. Yo, hasta ahora, no sé qué es lo que sucede. Hablo, y la contestación que se me da es un movimiento de gimnasia sueca. (*Lo remeda.*) Interrogo, y no se me responde.

DON GONZALO. (*Se levanta y, clavándole los ojos, se dirige a él. Guiloya retrocede aterrado. Al fin le coge la mano.*) Y más vale que sea así.

TITO. Don Gonzalo, por Dios; que yo venía aquí . . .

DON GONZALO. Usted venía aquí a lo que va a todas partes: a escarnecer a las personas honradas, a burlar a aquellos infelices que por achaques de la vida o ingratitudes de la naturaleza considera víctimas inofensivas de su cinismo.

TITO. (*Aterrado.*) ¿Yo? . . .

DON GONZALO. ¡Usted! . . . Y por eso, creyéndonos dos viejos ridículos, ha cogido usted el corazón de mi hermana y el mío y los ha paseado por la ciudad entre la rechifla de la gente, como un despojo, como un airón de mofa.

TITO. ¿Que yo he hecho eso? . . . ¡Don Gonzalo, por la Santa Virgen! . . . Hombre, decidle, habladle, haced el favor. (*Los tres el gesto.*)

DON GONZALO. Pero para todos llega en la vida una hora implacable de expiación. Usted, hombre jovial, cínico, desaprensivo, cruel, no la sentía venir, ¿verdad? . . . Pues para usted esa hora ha llegado, y es ésta. Siéntese ahí.

TITO. (*Muerto de miedo, tembloroso.*) ¡Don Gonzalo!

DON GONZALO. Siéntese ahí. Si usted estuviese en mi lugar y mi hermana fuera la suya y sintiera usted caer sobre su vida adorada ese dolor amargo y lacerante de la burla de todo un pueblo, ¿qué haría usted conmigo? . . .

TITO. ¡Bueno, don Gonzalo; pero es que yo! . . . ¡Hombre, por Dios, salvadme! . . .

DON GONZALO. Aquí tiene usted papel, pluma y una pistola . . .

TITO. (*Dando un salto.*) ¡Don Gonzalo!

DON GONZALO. Si conserva un resto de caballerosidad, escriba una ligera exculpación para nosotros y hágase justicia.

TITO. (*Enloquecido de horror, coge la pistola tembloroso.*) ¡Ay, por Dios, don Gonzalo, perdón!

DON GONZALO. ¡Hágase justicia!

DON MARCELINO. ¡Oye; pero hazte justicia hacia aquel lado, que nos vas a dar a nosotros!

TITO. (*Cayendo de rodillas.*) Don Gonzalo, perdón. ¡Ya estoy arrepentido! . . . ¡Le juro a usted que no volveré más! . . .

DON GONZALO. (*Quitándole la pistola violentamente.*) ¡Cobarde, mal nacido! . . . ¡Vas a morir!

TITO. (*En el colmo del terror, da un salto y se esconde detrás de los tres.*) ¡Socorro! . . . ¡Socorro! . . . ¡Salvadme!

NUMERIANO. (*Aterrado.*) ¡Por Dios, don Gonzalo, desvíe el cañón . . .; que está usted muy tembloroso!

DON GONZALO. ¡Canalla! ¡Miserable! . . . ¡Que se vaya pronto, que se vaya o le mato!

DON MARCELINO. ¡A la calle! . . ., ¡a la calle! ¡Fuera de aquí!, ¡granuja! . . . (*Le da un puntapié y lo echa puertas afuera.*)

PICAVEA. Vamos a hacerle los honores de la casa . . . (*Coge un sable y sale tras él.*)

NUMERIANO. ¡De la casa de Socorro! (*Coge otro sable y sale escapado.*)

DON GONZALO. (*Todavía excitado.*) ¡Cobarde! ¡Infame! ¡Lo he debido estrangular . . ., he debido matarlo!

DON MARCELINO. Cálmate, Gonzalo, cálmate. ¡No vale la pena! ¿Qué hubieras conseguido? ¡Matas a Guiloya!, ¿y qué? . . . Guiloya no es un hombre; es el espíritu de la raza, cruel, agresivo, burlón, que no ríe de su propia alegría, sino del dolor ajeno. ¡Alegría! . . .

¿Qué alegría va a tener esta juventud que se forma en un ambiente de envidia, de ocio, de miseria moral, en esas charcas de los cafés y de los casinos barajeros? ¿Qué ideales van a tener estos jóvenes que en vez de estudiar e ilustrarse se quiebran el magín y consumen el ingenio buscando una absurda similitud entre las cosas más heterogéneas y desemejantes?... ¿En qué se parece un membrillo a la catedral de Burgos? ¿En qué se parece una lenteja a un caballo a galope? Y, claro, luego surge rápida esta natural pregunta: ¿En qué se parecen estos muchachos a los hombres cultos, interesados en el porvenir de la patria? Y la respuesta es tan desconsoladora como trágica... ¡En nada, en nada; absolutamente en nada!

DON GONZALO. ¡Tienes razón, Marcelino, tienes razón!

DON MARCELINO. Pues si tengo razón, calma tu justa cólera y piensa, como yo, que la manera de acabar con este tipo tan nacional del guasón es difundiendo la cultura. Es preciso matarlos con libros, no hay otro remedio. La cultura modifica la sensibilidad, y cuando estos jóvenes sean inteligentes, ya no podrán ser malos, ya no se atreverán a destrozar un corazón con un chiste, ni a amargar una vida con una broma.

DON GONZALO. ¡Ah!, ¡mi pobre hermana! ¡Qué cruel dolor! Pero ¿qué remedio? La llamaré. La diremos la verdad.

DON MARCELINO. No. La burla humilla, degrada. Proyecta un viaje, te la llevas y estáis ausentes algún tiempo. Y ahora, si te parece, la diremos que no has podido evitar el duelo; que Galán está herido; que aceptó la condición de Picavea; que no vuelva a pensar en él.

DON GONZALO. Sí; quizá es lo mejor. ¡Pero cómo va a llorar! ¡Ay mi hermana, mi adorada hermana!

DON MARCELINO. ¡Pobre Florita!

DON GONZALO. ¡Qué amargura, Marcelino! ¡Ver llorar a un ser que tanto quieres, con unas lágrimas que ha hecho derramar la gente sólo para reírse! ¡No quiero más venganza sino que Dios, como castigo, llene de este dolor mío el alma de todos los burladores! (*Telón.*)

PÍO BAROJA
1872–1956

*Vasco, misógino y vagabundo, pasó la vida novelando. Su capacidad
fabuladora no la supera ningún otro escritor de lengua española. ¡Lástima
que escribiera acosado por la digresión y la arbitrariedad, que sólo
excepcionalmente favorecen al novelista! Su mirada erró de un punto a
otro, captando con maravillosa acuidad cuanto veía: su intuición era
penetrante y rápida, su impaciencia excesiva. Así, la mayoría de sus
novelas son un desfile de tipos pintorescos, que se presentan en escena,
opinan sobre cualquier problema y desaparecen, sin dar tiempo al lector
para interesarse en ellos.*

*«Humilde y errante» dijo que era. Sí, y también casero, apegado como un
gato al calor del hogar, siquiera de vez en cuando le gustara escapar, por
poco tiempo, al tejado. Pergeñó artículos, crónicas, memorias: le gustaba
hablar de lo pasado, divagar, fantasear, exponer sus opiniones y refutar
las de otros. Cualquiera podía ser su antagonista, pues se complacía en
discutir por la discusión misma. Así, muchas páginas de sus novelas están
repletas de conversaciones: los personajes hablan, hablan, hablan, y no
hay tema que caiga fuera de su alcance. Sus hombres de acción son más
conspiradores que aventureros propiamente dichos. Andrés Hurtado, en
El árbol de la ciencia (1911), expone—quizá—las ideas del autor y sus
ilusiones perdidas. En Camino de perfección (1902), su mejor novela,
cuenta Baroja la historia de un fracaso más generacional que personal: el
reformador idealista derrotado por la tradición y la costumbre; el soñador
vencido por la realidad.*

*Escribió un centenar de volúmenes, novelas en su mayoría, y el conjunto
es una prodigiosa galería de sombras animadas súbitamente por la destreza
con que el autor puede sintetizar en dos frases lo esencial y característico de
cada personaje. Su visión del mundo fué pesimista: la vida le parecía
sórdida y fea; los hombres, mezquinos y débiles. En El mundo es ansí
(1912) («Todo es dureza, todo crueldad, todo egoísmo. ¡En la vida de la
persona menos cruel cuánta injusticia, cuánta ingratitud! . . . El mundo
es ansí.») reflejó sin estridencia esa debilidad y esa sordidez; el cuadro
es más convincente por su sobriedad, por la retórica puesta en juego,
apagada, antirromántica. El fracaso es natural si la vida, como Baroja
pensaba, es radicalmente frustración. Alzarse abruptamente contra la ley
común es dar muestra de ceguera frente a la realidad inesquivable.*

*Y sin embargo, en este escritor alentaba un romántico soterrado, un
lector de Nietzsche que desde el lumbago y la bronquitis, desde la camilla
y el café con media, se soñaba aventurero, conquistador como su Paradox,
rey (1906). Las callecitas resonantes, los muelles brumosos, las mujeres del
Norte, el acordeón lejano . . . , toda una gama de estímulos para el*

ensueño enardecían a veces su pasión de sedentario errante. Fué un hombre
bueno y leal. No hizo daño a nadie, pero apenas pudo hablar bien de
nadie, ni aún de sí mismo. Sería más fácil definirle por sus aversiones
—y sus prejuicios—que por sus simpatías.

Camino de perfección (1902)

I

ENTRE LOS COMPAÑEROS que estudiaron medicina conmigo, ninguno tan extraño y digno de observación como Fernando Ossorio. Era un
5 muchacho alto, moreno, silencioso, de ojos intranquilos y expresión melancólica. Entre los condiscípulos, algunos aseguraban que Ossorio tenía talento; otros, en cambio, decían que era uno de esos estudiantes pobretones que, a fuerza
10 de fuerzas, pueden ir aprobando cursos.

Fernando hablaba muy poco, sabía con frecuencia las lecciones, faltaba en ciertos períodos del curso a las clases y parecía no darle mucha importancia a la carrera.

15 Un día vi a Ossorio en la sala de disección, que quitaba cuidadosamente un escapulario al cadáver de una vieja, que después envolvía el trapo en un papel y lo guardaba en la caja de los bisturís.

20 Le pregunté para qué hacía aquello y me dijo que coleccionaba todos los escapularios, medallas, cintas o amuletos que traían los cadáveres al Depósito.

Desde entonces intimamos algo y hablábamos
25 de pintura, arte que él cultivaba como aficionado. Me decía que a Velázquez le consideraba como demasiado perfecto para entusiasmarle; Murillo[1] le parecía antipático; los pintores que le encantaban eran los españoles anteriores a
30 Velázquez, como Pantoja de la Cruz,[2] Sánchez Coello[3] y, sobre todo, el Greco.[4]

A pesar de sus opiniones, que a mí me parecían excelentes, no podía comprender que un muchacho que andaba a todas horas con Santana, el condiscípulo más torpe y más negado de la
35 clase, pudiera tener algún talento. Después, cuando en el curso de Patología general comenzamos a ir a la clínica, veía siempre a Ossorio, sin hacer caso de las explicaciones del profesor, mirando con curiosidad a los enfermos, haciendo
40 dibujos y croquis en su álbum. Dibujaba figuras locas, estiradas unas, achaparradas las otras; tan pronto grotescas y risibles como llenas de espíritu y de vida.

—Están muy bien—le decía yo contemplando
45 las figuras de su álbum—, pero no se parecen a los originales.

—Eso ¿qué importa?—replicaba él—. Lo natural es sencillamente estúpido. El arte no debe ser nunca natural.
50

—El arte debe de ser la representación de la naturaleza, matizada al reflejarse en un temperamento—decía yo que estaba entonces entusiasmado con las ideas de Zola.

—No. El arte es la misma Naturaleza. Dios
55 murmura en la cascada y canta en el poeta. Los sentimientos refinados son tan reales como los toscos, pero aquéllos son menos torpes. Por eso hay que buscar algo agudo, algo finamente torturado.
60

—Con estas ideas—le dije una vez—, ¿cómo puede usted resistir a ese idiota de Santana, que es tan estúpidamente natural?

—¡Oh! Es un tipo muy interesante—contestó, sonriendo—. A mí, la verdad, la gente que
65 me conoce me estima; él no: siente un desprecio tan profundo por mí, que me obliga a respetarle.

Un día, en una de esas conversaciones largas en que se vuelca el fondo de los pensamientos y se vacía espiritualmente una conciencia, le
70 hablé de lo poco clara que resultaba su persona; de cómo en algunos días me parecía un necio, un completo badulaque, y otros, en cambio, me asombraba y le creía un hombre de grandísimo talento.
75

---

[1] Murillo (1617–1682), Spanish painter.
[2] Pantoja de la Cruz (1549–1609), Spanish painter.
[3] Sánchez Coello (1531–1588), Spanish painter.
[4] El Greco (1548 ?–1614 ?), Spanish painter.

—Sí—murmuró Ossorio, vagamente—. Hay algo de eso: es que soy un histérico, un degenerado.

—¡Bah!

5 —Como lo oye usted. De niño fuí de esas criaturas que asombran a todo el mundo por su precocidad. A los ocho años dibujaba y tocaba el piano; la gente celebraba mis disposiciones; había quien aseguraba que sería yo una eminen-
10 cia; todos se hacían lenguas de mi talento, menos mis padres, que no me querían. No es cosa de recordar historias tristes, ¿verdad? Mi nodriza, la pobre, a quien quería más que a mi madre, se asustaba cuando yo hablaba. Por una de esas
15 cuestiones tristes, que decía, dejé a los diez años la casa de mis padres y me llevaron a la de mi abuelo, un buen señor, baldado, que vivía gracias a la solicitud de una vieja criada; sus hijos, mi madre y sus dos hermanas no se ocupaban del pobre
20 viejo absolutamente para nada. Mi abuelo era un volteriano convencido, de esos que creen que la religión es una mala farsa; mi nodriza fanática como nadie; yo me encontraba combatido por la incredulidad del uno y la superstición de la otra.
25 A los doce años mi nodriza me llevó a confesar. Sentía yo por dentro una verdadera repugnancia por aquel acto, pero fuí y, en vez de parecerme desagradable, se me antojó dulce, grato, como una brisa fresca de verano. Durante algunos
30 meses tuve una exaltación religiosa grande; luego, poco a poco, las palabras de mi abuelo fueron haciendo mella en mí, tanto que, cuando a los catorce o quince años me llevaron a comulgar, protesté varias veces. Primero, yo no quería
35 llevar lazo en la manga; después dije que todo aquello de comulgar era una majadería y una farsa, y que en una cosa que va al estómago y se disuelve allí no puede estar Dios, ni nadie. Mi abuelo sonreía al oírme hablar; mi madre, que
40 aquel día estaba en casa de su padre, no se enteró de nada; mi nodriza, en cambio, se indignó tanto que casi reprendió a mi abuelo porque me imbuía ideas antirreligiosas. Él la contestó riéndose. Poco tiempo después, al ir a
45 concluir yo el bachillerato, mi abuelo murió, y la presencia de la muerte y algo doloroso que averigüé en mi familia me turbaron el alma de tal modo que me hice torpe, huraño, y mis brillantes facultades desaparecieron, sobre todo mi portentosa memoria. Yo, por dentro, com-
50 prendía que empezaba a ver las cosas claras, que hasta entonces no había sido más que un badulaque; pero los amigos de casa decían—Este chico se ha entontecido—. Mi madre, a quien indudablemente estorbaba en su casa y que no
55 quería tenerme a su lado, me envió a que concluyese el grado de bachiller a Yécora, un lugarón de la Mancha, clerical, triste y antipático. Pasé en aquella ciudad levítica tres años, dos en un colegio de escolapios [1] y uno en casa del
60 administrador de unas fincas nuestras, y allí me hice vicioso, canalla, mal intencionado; adquirí todas estas gracias que adornan a la gente de sotana y a la que se trata íntimamente con ella. Volví a Madrid cuando murió mi padre; a los
65 diez y ocho años me puse a estudiar, y yo, que antes había sido un prodigio, no he llegado a ser después ni siquiera un mediano estudiante. Total: que gracias a mi educación han hecho de mí un degenerado.
70
—¿Y piensa usted ejercer la carrera cuando la concluya?—le pregunté yo.

—No, no. Al principio me gustaba; ahora me repugna extraordinariamente. Además, me considero a mí mismo como un menor de edad,
75 ¿sabe usted?; algún resorte se ha roto en mi vida.

Ossorio me dió una profunda lástima.

Al año siguiente no estudió ya con nosotros, no le volví a ver y supuse que habría ido a
80 estudiar a otra Universidad; pero un día le encontré y me dijo que había abandonado la carrera, que se dedicaba a la pintura definitivamente. Aquel día nos hablamos de tú, no sé por qué.
85

II

EN LA EXPOSICIÓN DE BELLAS ARTES, años después, vi un cuadro de Ossorio colocado en las salas del piso de arriba, donde estaba reunido lo peor de todo, lo peor en concepto del Jurado.
90

[1] *Scuole Pie* religious schools founded in Rome in the seventeenth century.

El cuadro representaba una habitación pobre con un sofá verde, y encima un retrato al óleo. En el sofá, sentados, dos muchachos altos, pálidos, elegantemente vestidos de negro, y una joven de quince o diez y seis años; de pie, sobre el hombro del hermano mayor, apoyaba el brazo una niña de falda corta, también vestida de negro. Por la ventana, abierta, se veían los tejados de un pueblo industrial, el cielo cruzado por alambres y cables gruesos y el humo de las chimeneas de cien fábricas que iba subiendo lentamente en el aire. El cuadro se llamaba *Horas de silencio*. Estaba pintado con desigualdad; pero había en todo él una atmósfera de sufrimiento contenido, una angustia, algo tan vagamente doloroso, que afligía el alma.

Aquellos jóvenes enlutados, en el cuarto abandonado y triste, frente a la vida y al trabajo de una gran capital, daban miedo. En las caras alargadas, pálidas y aristocráticas de los cuatro se adivinaba una existencia de refinamiento, se comprendía que en el cuarto había pasado algo muy doloroso; quizá el epílogo triste de una vida. Se adivinaba en lontananza una terrible catástrofe; aquella gran capital, con sus chimeneas, era el monstruo que había de tragar a los hermanos abandonados.

Contemplaba yo absorto el cuadro, cuando se presentó Ossorio delante de mí. Tenía aspecto de viejo; se había dejado la barba; en su rostro se notaban huellas de cansancio y demacración.

—Oye, tú; esto es muy hermoso—le dije.

—Eso creo yo también; pero aquí lo han metido en este rincón y nadie se ocupa de mi cuadro. Esta gente no entiende nada de nada. No han comprendido a Rusiñol,[1] ni a Zuloaga,[2] ni a Regoyos;[3] a mí, que no sé pintar como ellos, pero que tengo un ideal de arte más grande, me tienen que comprender menos.

—¡Bah! ¿Crees tú que no comprenden? Lo que hacen es no sentir, no simpatizar.

—Es lo mismo.

—¿Y qué ideal es ese tuyo tan grande?

—¡Qué sé yo! Se habla siempre con énfasis y exagera uno sin querer. No me creas; yo no tengo ideal ninguno, ¿sabes? Lo que sí creo es que el arte, eso que nosotros llamamos así con cierta veneración, no es un conjunto de reglas, ni nada, sino que es la vida: el espíritu de las cosas reflejado en el espíritu del hombre. Lo demás, eso de la técnica y el estudio, todo eso es m . . .[4]

—Ya se ve, ya. Has pintado el cuadro de memoria, ¿eh?, sin modelos.

—¡Claro! Así se debe pintar. ¿Que no se recuerda, lo que me pasa a mí, los colores? Pues no se pinta.

—En fin, que todas tus teorías han traído tu cuadro a este rincón.

—¡Pchs! No me importa. Yo quería que alguno de esos críticos imbéciles de los periódicos, porque mira que son brutos, se hubieran ocupado de mi cuadro, con la idea romántica de que una mujer que me gusta supiera que yo soy hombre capaz de pintar cuadros. ¡Una necedad! Ya ves tú, a las mujeres qué les importará que un hombre tenga talento o no.

—Habrá algunas . . .

—¡Ca! Todas son imbéciles. ¿Vámonos? A mí esta Exposición me pone enfermo.

—Vamos.

Salimos del Palacio de Bellas Artes. Nos detuvimos a contemplar la puesta del sol, desde uno de los desmontes cercanos.

El cielo estaba puro, limpio, azul, transparente. A lo lejos, por detrás de una fila de altos chopos del Hipódromo,[5] se ocultaba el sol, echando sus últimos resplandores anaranjados sobre las copas verdes de los árboles, sobre los cerros próximos, desnudos, arenosos, a los que daba un color cobrizo y de oro pálido.

La sierra se destacaba como una mancha azul violácea, suave en la faja del horizonte cercana al suelo, que era de una amarillez de ópalo; y sobre aquella ancha lista opalina, en aquel fondo de místico retablo, se perfilaban claramente, como en los cuadros de los viejos y concienzudos maestros, la silueta recortada de una torre, de

[1] Rusiñol (1861–1931), Catalan writer and impressionist painter.
[2] Ignacio Zuloaga (1870–1945), Spanish painter.
[3] Darío de Regoyos (1875–1913), Spanish painter.

[4] *m . . . (mierda)* excrement.
[5] Racetrack situated on the outskirts of Madrid.

una chimenea, de un árbol. Hacia la ciudad, el humo de unas fábricas manchaba el cielo azul, infinito, inmaculado . . .

Al ocultarse el sol se hizo más violácea la 5 muralla de la sierra; aún iluminaban los últimos rayos un pico lejano del poniente, y las demás montañas quedaban envueltas en una bruma rosada y espléndida, de carmín y de oro, que parecía arrancada de alguna apoteosis del 10 Ticiano.[1]

Sopló un ligero vientecillo; el pueblo, los cerros, quedaron de un color gris y de un tono frío; el cielo se oscureció.

Oíase desde arriba, desde donde estábamos, la 15 cadencia rítmica del ruido de los coches que pasaban por la Castellana,[2] el zumbido de los tranvías eléctricos al deslizarse por los railes. Un rebaño de cabras cruzó por delante del Hipódromo; resonaban las esquilas dulcemente.

20 —¡Condenada Naturaleza!—murmuró Ossorio—. ¡Es siempre hermosa!

Bajamos a la Castellana, comenzamos a caminar hacia Madrid. Fernando tomó el tema de antes y siguió:

25 —Esto no creas que me ha molestado; lo que me molesta es que me encuentro hueco, ¿sabes? Siento la vida completamente vacía: me acuesto tarde, me levanto tarde, y al levantarme ya estoy cansado; como que me tiendo en un sillón y 30 espero la hora de cenar y de acostarme.

—¿Por qué no te casas?

—¿Para qué?

—¡Toma! ¿Qué sé yo? Para tener una mujer a tu lado.

35 —He tenido una muchacha hasta hace unos días en mi casa.

—Y ¿ya no la tienes?

—No; se fué con un amigo que le ha alquilado una casa elegante y la lleva por las noches a 40 Apolo.[3] Los dos me saludan y me hablan; ninguno de ellos cree que ha obrado mal conmigo. Es raro, ¿verdad? Si vieras; está mi casa tan triste . . .

—Trabaja más.

—Chico, no puedo. Estoy tan cansado, tan 45 cansado . . .

—Haz voluntad, hombre. Reacciona.

—Imposible. Tengo la inercia en los tuétanos.

—¿Pero es que te ha pasado alguna cosa nueva; has tenido desengaños o penas última- 50 mente?

—No; si, fuera de mis inquietudes de chico, mi vida se ha deslizado con relativa placidez. Pero tengo el pensamiento amargo. ¿De qué proviene esto? No lo sé. Yo creo que es cuestión 55 de herencia.

—¡Bah! Te escuchas demasiado.

Mi amigo no contestó.

Volvíamos andando por la Castellana hacia Madrid. El centro del paseo estaba repleto de 60 coches; los veíamos cruzar por entre los troncos negros de los árboles; era una procesión interminable de caballos blancos, negros, rojizos, que piafaban impacientes; de coches charolados con ruedas rojas y amarillas, apretados en cuatro o 65 cinco hileras, que no se interrumpían; los cocheros y lacayos sentados en los pescantes con una tiesura de muñecos de madera. Dentro de los carruajes, señoras con trajes blancos en posturas perezosas de sultanas indolentes, niñas 70 llenas de lazos con vestidos llamativos, jóvenes *sportsmen* vestidos a la inglesa y caballeros ancianos, mostrando la pechera resaltante de blancura.

Por los lados, a pie, paseaba gente atildada, 75 esa gente de una elegancia enfermiza que constituye la burguesía madrileña pobre. Todo aquel conjunto de personas y de coches parecía moverse dirigido por una batuta invisible.

Avanzamos Fernando Ossorio y yo hasta el 80 Obelisco de Colón,[4] volvimos sobre nuestros pasos, llegamos al Obelisco, y desde allá, definitivamente, nos dirigimos hacia el centro de Madrid.

El cielo estaba azul, de un azul líquido: 85 parecía un inmenso lago sereno, en cuyas aguas se reflejaran tímidamente algunas estrellas.

La vuelta de los coches de la Castellana tenía

---

[1] Titian (1477-1576), Italian painter.
[2] *paseo* in Madrid.
[3] theater in Madrid.

[4] Columbus monument.

algo del afeminamiento espiritual de un paisaje de Watteau.[1]

Sobre la tierra, entre las dos cortinas de follaje formadas por los árboles macizos de hojas, nadaba la niebla tenue, nacida del vaho caluroso de la tarde.

—Sí; la influencia histérica—dijo Ossorio al cabo de unos minutos, cuando yo creí que había olvidado ya el tema desagradable de su conversación—; la influencia histérica se marca con facilidad en mi familia. La hermana de mi padre, loca; un primo, suicida; un hermano de mi madre, imbécil, en un manicomio; un tío, alcoholizado. Es tremendo, tremendo.—Luego, cambiando de conversación, añadió—: El otro día estuve en un baile en casa de unos amigos, y me sentí molesto porque nadie se ocupaba de mí, y me marché en seguida. Estas mujeres—y señaló unas muchachas que pasaron riendo y hablando alto a nuestro lado—no nos quieren. Somos tristes, ya somos viejos también . . .; si no lo somos, lo parecemos.

—¡Qué le vamos a hacer!—le dije yo—. Unos nacen para buhos, otros para canarios. Nosotros somos buhos o cornejas. No debemos intentar cantar. Quizá tengamos también nuestro fin.

—¡Ah! ¡Si yo supiera para qué sirvo! Porque yo quisiera hacer algo, ¿sabes?; pero no sé qué.

—La literatura quizá te gustaría.

—No; es poco plástico eso.

—Y la medicina, ¿por qué no la sigues?

—Me repugna ese elemento de humanidad sucio con el que hay que luchar: la vieja que tiene la matriz podrida, el señor gordo que pesca indigestiones . . ., eso es asqueroso. Yo quisiera tener un trabajo espiritual y manual al mismo tiempo; así como ser escultor y tratar con esas cosas tan limpias como la madera y la piedra, y tener que decorar una gran iglesia y pasarme la vida haciendo estatuas, animales fantásticos, canecillos monstruosos y bichos raros; pero haciéndolo todo a puñetazos, ¿eh? . . . Sí, un trabajo manual me convendría.

—Si no te cansabas.

—Es muy probable. Perdóname, me marcho.

Voy detrás de aquella mujer vestida de negro . . . ¿sabes? Ese entusiasmo es mi única esperanza.

Habíamos llegado a la plaza de la Cibeles; Ossorio se deslizó por entre la gente y se perdió.

La conversación me dejó pensativo. Veía la calle de Alcalá iluminada con sus focos eléctricos, que nadaban en una penumbra luminosa. En el cielo, enfrente, muy lejos, sobre una claridad cobriza del horizonte, se destacaba la silueta aguda de un campanario. Veíanse por la ancha calle en cuesta correr y deslizarse los tranvías eléctricos con sus brillantes reflectores y sus farolillos de color; trazaban zigzags las luces de los coches, que parecían los ojos llenos de guiños de pequeños y maliciosos monstruos; el cielo, de un azul negro, iba estrellándose. Volvía la gente a pie por las dos aceras, como un rebaño oscuro, apelotonándose, subiendo hacia el centro de la ciudad. Del jardín del Ministerio de la Guerra y de los árboles de Recoletos llegaba un perfume penetrante de las acacias en flor; un aroma de languideces y deseos.

Daba aquel anochecer la impresión de la fatiga, del aniquilamiento de un pueblo que se preparaba para los placeres de la noche, después de las perezas del día.

III

DÍAS MÁS TARDE, al llegar Fernando a su casa se encontró con una invitación para ir a una *kermesse*[2] que se celebraba en el Jardín del Buen Retiro.

Se dirigió hacia allá pensando si la invitación sería de aquella mujer que tanto le preocupaba. Daban las doce de la noche cuando llegó.

Era verano, hacía un calor sofocante. El jardín estaba espléndido: mujeres hermosas vestidas de blanco, ojos brillantes, gasas, cintas, joyas llenas de reflejos, pecheras impecables de los caballeros, uniformes negros, azules y rojos, roces de faldas de seda, risas, murmullos de conversaciones . . .

En la oscuridad, entre el negruzco follaje verde lustroso, brillaban focos eléctricos y farolillos de papel. Los puestos, adornados con

---

[1] French painter (1684–1721).

[2] A party with a bazaar held for some charitable purpose.

percalinas de colores nacionales y banderolas, también amarillas y encarnadas, estaban llenos de cachivaches colocados en los estantes. Una fila de señoritas en pie, sofocadas, rojas, sacaban
5 papeletas de unas urnas y se las daban a los elegantes caballeros, que iban dejando al mismo tiempo monedas y billetes en una bandeja.

Otras señoronas elegantes iban con *carnets* vendiendo números para una rifa. A seguida de
10 los puestos había una rifa, un diorama[1] y una horchatería, servida por jóvenes de la alta crema madrileña.

Y en el paseo, mientras la música tocaba en el quiosco central, se agrupaba la gente y se oía
15 más fuerte el crujir de las faldas de seda, carcajadas y risas contenidas; voces agudas de las muchachas elegantes que hablaban con una rapidez vertiginosa, risas claras y argentinas de las señoras, voces gangosas y veladas de las
20 viejas. Brillaban los ojos de las mujeres alumbrados con un fulgor de misterio; en los corros había conversaciones a media voz, que no tenían más atractivo e incitante que el ser vehículo de deseos no expresados; una atmósfera de sen-
25 sualidad y de perfumes voluptuosos llenaba el aire.

Y en la noche, templada, parecía que aquellos deseos estallaban como los capullos de una flor al abrirse; los cohetes subían en el aire, detonaban y caían deshechos en chispas azules y rojas,
30 que a veces quedaban inmóviles en el aire brillando como estrellas . . .

Estaba también la mujer de luto hablando con un húsar; Ossorio la contempló desde lejos.

Era para él aquella mujer, delgada, enfermiza,
35 ojerosa, una fantasía cerebral e imaginativa, que le ocasionaba dolores ficticios y placeres sin realidad. No la deseaba, no sentía por ella el instinto natural del macho por la hembra; la consideraba demasiado metafísica, demasiado
40 espiritual; y ella, la pobre muchacha, enferma y triste, ansiosa de vida, de juventud, de calor, quería que él la desease, que él la amara con furor de sexo, y coqueteaba con uno y otro para arrancar a Fernando de su apatía; y, al ver lo

inútil de sus infantiles maquinaciones, tenía una 45 mirada de tristeza desoladora, una mirada de entregarse a la ruina de su cuerpo, de sus ilusiones, de su alma, de todo . . .

Aquella noche la muchacha de luto hallábase transformada. Hablaba con calor, estaba con las 50 mejillas rojas y la mirada brillante; a veces dirigía la vista hacia donde estaba Fernando.

Ossorio experimentó una gran tristeza, mezcla de celos y de dolor.

Se dispuso a salir, y pasó sin fijarse al lado de 55 su prima.

—No, pues, ahora no te vas, *golfo*—le dijo ella.

—¡Sabes que estás hoy la mar de guapa!

—¿Sí?

—¡Vaya! Como no se ve bien, ¿comprendes? 60

—Hombre, ¡qué fino! A ver. ¿Te sientas? ¿Vas a tomar algunas papeletas?

—Espera. No me puedo decidir así como así. Hay que saber las ventajas que tiene una cosa y otra. 65

—¡Viene la Reina!—dijo una de las que estaban con la prima de Ossorio.

Con la noticia se conmovió el grupo de horchateras, y Fernando, aprovechándose de la conmoción, se escabulló. 70

Venía la Reina con sus hijos por entre dos filas de gente que la saludaban al pasar con grandes reverencias.

Las mujeres encontraban gallardo a Caserta,[2] al príncipe consorte, a quien miraban con curio- 75 sidad.

Fernando, al separarse de María Flora, se dispuso a salir.

Iba a hacerlo, cuando la señorita de luto, que iba paseando con sus amigas, se le acercó y le 80 dijo con voz suave y algo opaca:

—¿Quiere usted papeletas para la rifa de la Reina?

—No, señora—contestó él brutalmente.

Salió a los Jardines. En la puerta esperaban 85 grupos de lacayos y un gran semicírculo de coches con los faroles encendidos.

—Es extraño—murmuró Ossorio—. Yo no

---

[1] A panorama in which the canvases the spectator looks at are transparent and painted on both sides: thus, one can see two distinct things in the same spot.

[2] Prince Consort, Carlos de Borbón, who married Alfonso XII's daughter at a ceremony shrouded in mystery, on February 14, 1901.

estaba antes enamorado de esta mujer; hoy he sentido más que amor, ira, al verla con otro. Mis entusiasmos son como mis constipados: empiezan por la cabeza, siguen en el pecho y después . . . se marchan. Esta muchacha era para mí algo musical y hoy ha tomado carne. Y por dentro veo que no la quiero, que no he querido nunca a nadie; quizá si estuve enamorado alguna vez fué cuando era chico. Sí; cuando tenía diez o doce años.

Recordaba en la vecindad de casa de su abuelo una muchacha de pelo rojizo y ojos ribeteados, a la cual no se atrevía a mirar, y que a veces soñaba con ella. Luego, ya de estudiante, esperaba a que pasara una modista por el mismo camino que llevaba él para ir al Instituto, y al cruzarse con ella le temblaban las piernas.

Mientras traía a la imaginación estos recuerdos lejanos, caminaba por Recoletos, oscuro, lleno de sombras misteriosas. Al verle pasar tan elegante, con la pechera blanca, que resaltaba en la obscuridad, las busconas le detenían; él las rechazaba y seguía andando velozmente, movido por el ritmo de su pensamiento, que marchaba con rapidez y sin cadencia.

Al llegar a la calle de Génova tomó por ella, siguió luego por el paseo de Santa Engracia, y a la izquierda entró por una callejuela, se detuvo frente a una casa alta, abrió la puerta y fué subiendo la escalera, sin hacer ruido. Entró en el estudio, encendió una vela, se desnudó y se sentó en la cama.

Se sentía allí un aire de amarga desolación: los bocetos, antes clavados en las paredes pintadas de azul, estaban tirados en el suelo, arrollados; la mesa llena de trastos y de polvo, los libros deshechos, amontonados en un armario.

—¡Cómo está esto!—murmuró—. ¡Qué sucio! ¡Qué triste! Apagaré la luz, aunque sé que no voy a dormir.

Puso un libro encima de la vela, la apagó, y se tendió en la cama.

IV

NO CONOCÍA FERNANDO al hermano de su abuelo. No le había visto más que de niño alguna vez, y si no le hubiese escrito su tía Laura diciéndole que el tío había muerto y que se presentara en la casa, Fernando no se hubiera ocupado para nada de un pariente a quien no conocía. Aunque murmurando y de mala gana, Ossorio fué por la tarde a casa del hermano de su abuelo, a un caserón de la calle del Sacramento. Llegó a la casa y le hicieron pasar inmediatamente a un gabinete. Se habían reunido allí los notables de la familia. Acababa el juez de abrir y leer el testamento del anciano señor y todos los parientes bufaban de rabia; una de las partes más saneadas de la fortuna se les marchaba de entre las manos e iba a parar a la hija de una querida del viejo. El marqués, cuñado de Luisa Fernanda, se había sentado en el sofá, y su abultado abdomen en forma puntiaguda le bajaba entre las dos piernecillas de enano; vestía chaleco blanco y corbata también blanca; llevaba a sus labios húmedos con sus dedos gordos y amorcillados un cigarro puro y escuchaba los distintos pareceres, aprobándolos o desaprobándolos. Su hermano dormitaba en una butaca, y un primo de ambos, que parecía un pez por su cara, se paseaba de un lado a otro, apoyándose en el respaldo de las sillas.

—Hay que solucionar el conflicto—decía a cada momento. Parecía que le había tomado gusto a la palabra solucionar.

Estaban, además de éstos, un militar, también pariente de Fernando, y dos chicos altos, jóvenes, vestidos de negro, hijos del marqués: uno, el menor, serio y grave; el otro, movedizo y alegre. En medio de todos ellos se hallaba el administrador del tío abuelo, hombre triste, de barba negra y hablar meloso, por el cual en aquel momento sentían todos los parientes extraordinario cariño. Después de ver qué gran parte de la fortuna se llevaba la niña de la *pelandusca*, se trataba de salvar de la ruina un almacén de aceites que había puesto el tío para dar salida al de sus olivares andaluces, y una casa de préstamos. Pero aparecía que el almacén, que estaba a nombre del administrador, tenía deudas. ¡Pero si no se comprendían aquellas deudas!

El administrador dijo que se había vendido mucho más aceite de lo que daban los olivares del señor y se había recurrido a otros cosecheros.

—¿De manera que eso podría ser un buen negocio?—preguntó el marqués.

—Sí; llevándolo bien es un gran negocio.

El marqués miró al administrador fijamente.

5 —¿Pero qué hacía el tío con ese dinero?—murmuró el hombre-pez.

El administrador sonrió discretamente y torció la cabeza con resignación.

El odio se acentuó en contra de Nini, de la 10 grandísima pelandusca que arruinaba a la familia.

El marqués dijo que aquellas manifestaciones eran extemporáneas. La cuestión estaba en poner a flote el aceite y quedarse libres de las deudas. 15 Se trataba de esto, aunque parecía que se hablaba de otra cosa.

—Un procedimiento sencillo—dijo el primo de la cara de pez, con su voz afeminada—es vender el género, figurar falsos acreedores y de- 20 clararse en quiebra. Luego se ponía la casa a nombre de otro, y ya estaba hecho todo.

El marqués no aprobó, por el pronto, la idea de su pariente y estudió la cara del administrador, el cual manifestó que él no podía prestar su 25 nombre a una combinación de aquella clase. El pez comentó la desaprobación. Otra opinión era ir a los principales acreedores, prometerles a ellos sólo el pago y declararse en quiebra.

Fernando, al que no le interesaba aquello, 30 salió del despacho, y tras de él salieron los hijos del marqués.

—¿Dónde está el muerto?—preguntó Ossorio.

—Ahí, en ese gabinete—le dijo el primo. Pero 35 no vayas a verle. Está completamente en descomposición.

—¿Sí, eh?

—Uf.

Fernando apenas conocía a sus primos, pero 40 le parecieron alegres y desenvueltos.

—Y vosotros, ¿le conocéis a ella?— le preguntó.

—¿A quién, a Nini? Sí, hombre.

—¿Y qué tal es?

45 —Más bonita que el mundo—contestó el más joven. Y no creas, que le quería al tío. La última

vez que les vi juntos fué en Romea.[1] Estaban los dos en un palco; yo estaba en otro con una amiga . . . Bailaba la bella Martínez, y cuando terminó de bailar, Nini, que es amiga de la 50 Martínez, la echó al escenario un ramillete de flores.

—¿Y sabe ella que se ha muerto el tío?

—Sí, ¡ah! ¿Pero no te han dicho lo que ha ocurrido? 55

—No.

—Pues que ha mandado una corona de flores naturales, y estaba puesta en el cuarto, cuando se enteran que es de ella, y se indignan todas las señoras, y va papá y le dice que aquel atrevi- 60 miento no se puede soportar, y coge la corona y la echa a un cuarto oscuro. Ya le he dicho yo a papá cuatro cosas para que no vuelva a hacer tonterías.

—¿Vamos a dar una vuelta?—preguntó uno 65 de ellos—. El coche de mamá debe estar abajo. Volveremos al anochecer.

—Vamos. ¿Se lo decimos a mamá?

—¿Para qué? Está muy entretenida.

Efectivamente, en el salón en donde estaban 70 las señoras se oía una conversación muy animada y un murmullo de voces que subía y bajaba de intensidad.

Fueron los tres a la calle, entraron en el coche y se dirigieron a la Castellana. Los dos jóvenes 75 comentaban, riéndose, la avaricia de su papá.

Pasaron en un coche una señorita y una señora. Los dos primos de Fernando las saludaron.

—Lulú Cortunay y su madre. 80

—Es bonita.

—Preciosa.

—Esta chica no se casará—dijo el más serio de los hermanos.

—¿Por qué? ¿Porque no tiene capital? 85

—No . . . si lo debe tener . . . pero mordido.

—¿Mordido?—preguntó Fernando, extrañado.

—Sí; mordido por un condesito, amigo suyo.

El otro hermano comenzó a reírse al oír 90 aquello.

[1] A theater in Madrid.

—¡Admirable, chico, admirable!

Pasaron las hijas de un general y su madre, en un landó grande y destartalado.

Hubo nuevos saludos y nuevas sonrisas.

5 —Son feas.

—Y cursis.

—Ahora viene la condesa y sus hijas.

Pasaron; se descubrieron los dos primos de Fernando, y éste hizo lo mismo; una de las 10 muchachas saludó con risa irónica, levantando el brazo por encima de la cabeza con la mano abierta.

—¿A éstas las conocerás?—preguntó el menos serio de los primos de Fernando.

15 —Sí; creo que las conozco de vista.

—¡Pero si son populares! A esta muchacha la conoce ya todo Madrid. En el teatro habla alto, se suena fuerte, se ríe a carcajadas, lleva el compás con el abanico y se hace señas con los amigos.

20 —¡Demonio! Pues es una mujer extraña.

—¡Vaya, y de talento! ¡Suele dar unas tabarras a los jovencitos que la hacen la rosca!

Y el primo contó algunas anécdotas.

Una vez estaban reunidos en su casa la madre, 25 que debe ser una mujer de éstas que tienen furor sexual, y algunos amigos. La madre tenía un amigo íntimo, joven. Se oye sonar el timbre del teléfono. Se acerca la muchacha. Pregunta que quién llama, y al oír que es el amigo de su 30 madre, le dice:—«¡Mamá!» «¿Que quién es?» —responde la vieja—. «¡Tu héroe!»

Otra vez, salió mal la broma, porque se encontró en los pasillos del Real[1] a la Ortiz de Estúñiga y le dijo:

35 —Oye, ¿has visto a mi marido? Se ha marchado del palco y no sé dónde anda.

—Pues, échale los *mansos*[2]—le replicó ésta.

—Hija, ¿está tu padre ahí?

Y las anécdotas llovían.

40 Tenía ya la chica fama, y todas las historias desvergonzadas se las atribuían a ella, como

---

[1] A theater where the opera was held.

[2] A bullfighting expression, here meaning to thrust oxen into the bullring so that the bull will leave with them. Metaphorically, to get rid of someone with the help of others; the speech refers to the father as *manso*, i.e., *cornudo*.

antes las anécdotas grotescas a un señor riquísimo.

—Lo que es ésa, cuando se case, va a eclipsar a su madre—terminó diciendo, como conclusión, 45 el pollo.

—¡Bah! Según—murmuró el más serio.—Yo no creo que esta chica tenga la lubricidad de su madre. Indudablemente en ella hay un instinto de perversidad, pero de perversidad moral. Es 50 más; es posible que esta manera de ser nazca de un romanticismo fracasado al vivir en un ambiente imposible para la satisfacción de sus deseos. Yo no sé, pero no creo en la maldad ni en el vicio de los que sonríen con ironía. 55

—Te advierto, Fernando, que éste es un filósofo.

—No; veo nada más y observo. Fijaos. Vuelven otra vez. Mirad la madre. Es seria, tranquila; de soltera sería soñadora. La hija sigue 60 riendo, riendo con su risa irónica y sus ojos brillantes. Hay algo de romanticismo en esa risa burlona, que niega, que parece que ridiculiza.

—Habrá todo lo que quieras, pero yo no me casaría con ella. 65

—Eso no quiere decir nada. ¿Vamos a casa?

Volvieron. El primo más alegre y jovial, inclinándose al oído de Fernando, iba mostrando y nombrándole al mismo tiempo la gente que pasaba en coche. Aristócratas viejos con aspecto 70 humilde y encogido, nobles de nuevo cuño estirados y petulantes, senadores, diputados, bolsistas. Todos, en sus coches, que se apretaban en las filas del paseo, sintiendo el placer de verse, de saludarse, de espiarse, casi todos aguijoneados 75 por las tristezas de la envidia y las sordideces de una vida superficialmente fastuosa e íntimamente miserable y pobre.

Y seguían las historias, que no terminaban nunca, y los apodos que trascendían a romanti- 80 cismo trasnochado. La Bestia Hermosa, la Judía Verde, la Preciosa Ridícula, el Lirio del Valle, y seguían las murmuraciones. A una muchacha no le gustaban los chicos; tres jovencitos que iban en un coche eran los *liones* que cambiaban las 85 queridas, las mujeres más elegantes y hermosas de Madrid.

—Esta sociedad aristocrática—dijo sentenciosamente el primo filósofo—está muy bien organizada. Es la única que tiene buen sentido y buen gusto. Los maridos andan *golfeando* con una y otra, de acá para allá, de casa de Lucía a casa de Mercedes, y de ésta a casa de Marta. Las pobrecitas de las mujeres se quedan abandonadas, y se las ve vacilar durante mucho tiempo y pasear con los ojos tristes. Hasta que un día se deciden y hacen bien, toman un queridito, y a vivir alegremente.

Al entrar en la calle Mayor los dos primos saludaban a dos muchachas y a una señora que pasaron en un coche.

—El padre de éstas—dijo el primo filósofo— es un católico furibundo. Es de los que van a los jubileos con cirios; en cambio, las chicas andan de teatrucho en teatrucho, escoltadas, riéndose y charlando con sus amigos. Es una sociedad muy amable esta madrileña.

—Ya te habrás fijado en el aspecto místico que tiene la mayor de las hermanas—dijo el primo jovial—. Dicen que tiene ese aspecto tan espiritual desde que se acostaba con un obispo.

Llegaron a la calle del Sacramento y subieron a casa.

En el despacho se seguía hablando de la cuestión del aceite; en la sala se comentaba en voz baja los escándalos de la Nini; los criados andaban alborotados por si les despedían o no de la casa, y mientras tanto, el tío abuelo, solo, bien solo, sin que nadie le molestara con gritos ni lamentos, ni otras tonterías por el estilo, se pudría tranquilamente en su ataúd, y de su cara gruesa, carnosa, abultada, no se veía a través del cristal más que una mezcla de sangre rojiza y negra, y en las narices y en la boca, algunos puntos blancos de pus.

V

CUANDO FERNANDO OSSORIO se encontró instalado en la nueva casa de la calle del Sacramento comprendió que debía haber llegado a un extremo de debilidad muy grande. Precisamente entonces la herencia de su tío abuelo le daba medios para vivir con cierta independencia, pero como no tenía deseos, ni voluntad, ni fuerzas para nada, se dejó llevar por la corriente. No entraba en la decisión de sus tías de llevarle a vivir con ellas ningún móvil interesado. Luisa Fernanda le tenía cariño a su sobrino y al mismo tiempo pensaba que cuatro mujeres solas en una casa no tenían la autoridad que podría tener un hombre. Antes, Fernando tuvo una conferencia con su tía Laura, y desde entonces ya no se volvió a hablar del matrimonio de María Flora con Fernando.

Las tías, que fueron a ocupar el segundo piso de la casa del señor difunto, destinaron para su sobrino dos cuartos grandes, una sala con dos balcones que daban a la calle del Sacramento y una alcoba con ventanas a un jardín de la vecindad. La sala, que había estado cerrada durante mucho tiempo, tenía un aspecto marchito que agradaba a Fernando. Era grande y de techo bajo, lo que le hacía parecer de mayor tamaño; estaba tapizada con papel amarillo claro, con dibujos geométricos en las paredes y cubierta en el techo con papel blanco.

Un zócalo de madera de limoncillo corría alrededor del cuarto.

Los balcones, altos y anchos, rasgados en la gruesa pared, no se abrían en toda su altura, sino sólo en la parte de abajo; los cristales eran pequeños y sujetos por gruesos listones pintados de blanco.

Una sillería vieja de terciopelo amarillo formada por sillas curvas, un sofá y dos sillones ajados adornaban la sala. En las paredes y en el suelo había un amontonamiento de muebles, cuadros y cachivaches; un piano viejo con las teclas amarillentas, dos o tres cornucopias, una consola de mármol que sostenía dos relojes ennegrecidos de metal dorado, un pupitre de porcelana y una poltrona vieja cubierta de tela dorada con dibujos negros.

En esta poltrona pasaba Ossorio las horas muertas, contemplando las rajaduras del techo, que parecían las líneas que presentan los ríos en los mapas, y las manchas redondeadas, rojizas, que dejaban las moscas.

En las paredes no había sitio libre donde poner la punta de un alfiler: estaban llenas de cuadros, de apuntes, de fotografías de iglesias, de grabados y de medallas. Había reunido allí los mejores cuadros de la casa, antes colocados en los sitios más oscuros.

Desde los balcones se veía un montón de tejados parduscos, grises. Por encima de ellos, enfrente, la iglesia de San Andrés, la única quizá agradable de Madrid; más lejos, a la derecha, se destacaba la parte superior de la cúpula gris de San Francisco el Grande; y cerca, a un lado, la torre de Santa María de la Almudena.

Reinaba en la sala un gran silencio. De cuando en cuando se oía el timbre de los tranvías de la calle Mayor y las campanas de la iglesia próxima.

La alcoba, cuyas ventanas daban a un jardín de la vecindad, tenía una cama de madera, grande, baja, con cortinas verdes, un armario y un gran sillón.

Abajo, desde las ventanas, se veía un jardín con un estanque redondo en medio, adornado con macetas.

El cambio de medio moral influyó en Ossorio grandemente; dejó sus amistades de bohemio, y se reunió con una caterva de señoritos de buena sociedad, viciosos, pero correctos siempre; comenzó a presentarse en la Castellana y en Recoletos, en coche, y en los palcos de los teatros, elegantemente vestido, acompañando señoras.

Era una vida desconocida para Fernando, que tenía atractivos.

Toda la gente distinguida se ve por la mañana, por la tarde y por la noche. El gran entretenimiento de ellos no es presenciar óperas, dramas, pasear, andar en coche o bailar; la satisfacción es verse todos los días, saber lo que hacen, descubrir el aspecto de una familia, su encumbramiento o su ruina, estudiarse, espiarse, observarse unos a otros. Pero esto, que mientras lo fué conociendo le pareció interesantísimo a Fernando, ya conocido no lo encontró nada digno de observación.

La prima de Ossorio tenía relaciones con un chico artillero, de buena familia, pero pobre, con el que se pasaba la vida hablando desde el balcón y mirándose en los teatros; Octavio, el primo, estaba en un colegio de Francia; la familia parecía encontrarse en un buen período de calma y de tranquilidad.

Una noche, Fernando, que solía quedarse con mucha frecuencia en casa y empezaba a abandonar su vida elegante, oyó a través del tabique vagos murmullos apenas perceptibles. Separaba su cuarto del de Laura otro cuarto intermedio. Encendió la luz y vió que, oculta por las cortinas de su cama, había una ventana condenada. De día abrió la ventana condenada que daba a un cuarto lleno de armarios y de cajas, que casi siempre estaba cerrado.

A la noche siguiente abrió de par en par el montante y escuchó: oyó la voz de la tía Laura y la de su doncella, y luego, gritos, risas, estallidos de besos; después lamentos, súplicas, gritos voluptuosos . . .

Laura tenía de treinta a treinta y cinco años. Era morena, de ojos algo claros, el pelo muy negro, la nariz gruesa, los labios abultados; la voz fuerte, hombruna, que a veces se hacía opaca, como en sus hermanas; gangueaba algo, por haberse educado en un colegio de monjas de París, una sucursal de Lesbos, en donde se rendía culto a la *joie imparfaite*.[1] Los andares de Laura eran decididos, de marimacho; vestía con mucha frecuencia trajes que las mujeres llaman de sastre, y sus enaguas se ceñían estrechamente a la carne.

Cuando se ponía a reñir, su voz era molesta de tal modo, que se sentía odio por ella, sin más razón que la voz. Tenía en su aspecto algo indefinido, neutro, parecía una mujer muy poco femenina y, sin embargo, había en ella una atracción sexual grande. A veces su palabra sonaba a algo afrodisíaco, y su movimiento de caderas, hombruno por lo violento, era ásperamente sexual, excitante como la cantárida.

Algunas noches se quedaba Fernando en casa. Luisa Fernanda y Laura se sentaban en el comedor al lado del fuego.

Luisa Fernanda, hundida en la poltrona, miraba las llamas. Ella y su hermana no hablaban más que del tiempo y de lo que sucedía en casa.

Flora se aburría, leía o dormía de rabia.

[1] (*Fr.*) imperfect joy.

Sonaba lentamente el reloj de caja del pasillo.

Cuando se acercaba la hora de irse a acostar, las dos hermanas mayores llamaban primero a la cocinera y se discutía la comida del día siguiente.

5 Luisa Fernanda preguntaba a todos lo que querían para comer.

Luego venía una serie de recomendaciones largas.

Muchas veces María Flora y Fernando se
10 quedaban en el comedor charlando a los lados de la chimenea.

VI

POR ENTONCES YA Fernando comenzaba a tener ciertas ideas ascéticas.

15 Sentía desprecio por la gimnasia y el atletismo.

La limpieza le parecía bien, con tal de que no ocasionase cuidados.

Tenía la idea del cristiano de que el cuerpo es
20 una porquería, en la que no hay que pensar.

Todas esas fricciones y flagelaciones de origen pagano le parecían repugnantes. Ver a un atleta en un circo le producía una repulsión invencible.

El ideal de su vida era un paisaje intelectual,
25 frío, limpio, puro, siempre cristalino, con una claridad blanca, sin un sol bestial; la mujer soñada era una mujer algo rígida, de nervios de acero; energía de domadora y con la menor cantidad de carne, de pecho, de grasa, de estú-
30 pida brutalidad y atontamiento sexuales.

Una noche de Carnaval en que Fernando llegó a casa a la madrugada, se encontró con su tía Laura, que estaba haciendo té para Luisa Fernanda, que se hallaba enferma.

35 Fernando se sentía aquella noche brutal; tenía el cerebro turbado por los vapores del vino.

Laura era una mujer incitante, y en aquella hora aún más.

Estaba despechugada; por entre la abertura de
40 su bata se veía un pecho blanco, pequeño y poco abultado, con una vena azul que lo cruzaba; en el cuello tenía una cinta roja con un lazo.

Fernando se sentó junto a ella sin decir una palabra; vió cómo hacía todos los preparativos;
45 calentaba el agua, apartaba después la lamparilla

del alcohol, vertía el líquido en una taza e iba después hacia el cuarto de su hermana con el plato en una mano mientras con la otra movía la cucharilla, que repiqueteaba con un tintineo alegre en la taza. 50

Fernando esperó a que volviera, entontecido, con la cara inyectada por el deseo. Tardó Laura en volver.

—¿Todavía estás aquí?—le preguntó a su sobrino. 55

—Sí.

—Pero, ¿qué quieres?

—¿Qué quiero?—murmuró Fernando sordamente, y acercándose a ella tiró de la bata de una manera convulsiva y besó a Laura en el pecho 60 con labios que ardían.

Laura palideció profundamente y rechazó a Ossorio con un ademán de desprecio. Luego pareció consentir; Fernando la agarró del talle y la hizo pasar a su cuarto. 65

La luz eléctrica estaba allí encendida; había fuego en la chimenea. Al llegar él allí se sentó en un sofá y miró estúpidamente a Laura; ella, de pie, le contempló; de pronto, abalanzándose sobre él, le echó los brazos al cuello y le besó en 70 la boca; fué un beso largo, agudo, doloroso. Al retroceder ella, Fernando trató de sujetarla, primero del talle, después agarrándola de las manos. Laura se desasió, y tranquilamente, despacio, rechazándole con un gesto violento 75 cuando él quería acercarse, fué dejando la ropa en el suelo y apareció sobre un montón de telas blancas su cuerpo desnudo, alto, esbelto, moreno, iluminado por la luz del techo y por las llamaradas rojas de la chimenea. 80

La cinta que rodeaba su cuello parecía una línea de sangre que separaba su cabeza del tronco. Fernando la cogió en sus brazos y la estrechó convulsivamente, y sintió en la cara, en los párpados, en el cuello los labios de Laura, 85 y oyó su voz áspera y opaca por el deseo.

A medianoche, Ossorio se despertó; vió que Laura se levantaba y salía del cuarto como una sombra blanca. Al poco rato volvió.

—¿A dónde has ido? Te vas a enfriar—le dijo. 90

—A ver a Luisa. Hace frío—y apelotonándose se enlazó a Fernando estrechamente.

Y así en los demás días. Como las fieras que huyen a la oscuridad de los bosques a satisfacer su deseo, así volvieron a encontrarse mudos, temblorosos, poseídos de un erotismo bestial 5 nunca satisfecho, quizá sintiendo el uno por el otro más odio que amor. A veces en el cuerpo de uno de los dos quedaban huellas de golpes, de arañazos, de mordiscos. Fernando fué el primero que se cansó. Sentía que su cerebro se deshacía, 10 se liquidaba. Laura no se saciaba nunca: aquella mujer tenía el furor de la lujuria en todo su cuerpo.

Su piel estaba siempre ardiente, los labios secos; en sus ojos se notaba algo como reque- 15 mado. A Fernando le parecía una serpiente de fuego que le había envuelto entre sus anillos y que cada vez le estrujaba más y más, y él iba ahogándose y sentía que le faltaba el aire para respirar. Laura le excitaba con sus conversa- 20 ciones sexuales. De ella se desprendía una voluptuosidad tal, que era imposible permanecer tranquilo a su lado.

Cuando sus palabras no llegaban a enloquecer a Fernando, ponía sobre su hombro un gato de 25 Angora blanco, muy manso, que tenían, y allí lo acariciaba como si fuera un niño: ¡Pobrecito!, ¡pobrecito!, y sus palabras tenían entonaciones tan brutalmente lujuriosas que a Fernando le hacían perder la cabeza y lloraba de rabia y de 30 furor. Laura quería gozar de todas estas locuras y salían y se daban cita en una casa de la calle de San Marcos. Era una casa estrecha, con dos balcones en cada piso; en uno del principal había una muestra que ponía: «Sastre y mo- 35 dista», y sostenidos en los hierros de los balcones, abrazados, por un anillo, tiestos con plantas. En el piso bajo había un obrador de plancha. Fernando solía esperar a Laura en la calle. Ella llegaba en coche, llamaba en el piso 40 principal; una mujer *barbiana*, gorda, que venía sin corsé, con un peinador blanco y en chanclas, le abría la puerta y le hacía pasar a un gabinete amueblado con un diván, una mesa, varias sillas y un espejo grande, frente al diván.

45 Todo aquello le entretenía admirablemente a Laura; leía los letreros que se habían escrito en la pared y en el espejo.

Algunas veces, buscando la sensación más intensa, iban a alguna casa de la calle de Embajadores o de Mesón de Paredes. Al salir de allá, 50 cuando los faroles brillaban en el ambiente limpio de las noches de invierno, se detenían en los grupos de gente que oía a algún ciego tocar la guitarra. Laura se escurría entre los aprendices de taller embozados hasta las orejas en 55 sus tapabocas, entre los golfos, asistentes y criadas. Escuchaba en silencio los arpegios, punteados y acordes, indispensable introducción del cante jondo.[1]

Carraspeaba el cantor, lanzaba doloridos ayes 60 y jipíos, y comenzaba la copla, alzando los turbios ojos, que brillaban apagados a la luz de los faroles.

Con los ojos cerrados, la boca abierta y torcida, apenas articulaba el ciego las palabras del 65 lamento gitano, y sus frases sonaban subrayadas con golpes de pulgar sobre la caja sonora de la guitarra.

Aquellas canciones nostálgicas y tristes, cuyos principales temas eran el amor y la muerte, la 70 sangrecita y el presidio, el corazón y las cadenas, y los camposantos y el ataúd de la madre, hacían estremecer a Laura, y sólo cuando Fernando le advertía que era tarde se separaba del grupo con pena y cogía el brazo de su amigo e iban los dos 75 por las calles oscuras.

Muchas veces Fernando, al lado de aquella mujer, soñaba que iba andando por una llanura castellana seca, quemada y que el cielo era muy bajo, y que cada vez bajaba más, y él sentía sobre 80 su corazón una opresión terrible, y trataba de respirar y no podía.

De vez en cuando un detalle sin importancia reavivaba sus deseos: un vestido nuevo, un escote más pronunciado. Entonces andaba de- 85 trás de ella por la casa como un lobo, buscando las ocasiones para encontrarla a solas, con los ojos ardientes y la boca seca; y cuando la cogía, sus manos nerviosas se agarraban como tenazas a los brazos o al pecho de Laura, y, con voz rabiosa, 90 murmuraba entre dientes: «Te mataría»; y a

[1] *cante jondo* type of Spanish, particularly Andalusian, song. This music is predominantly sad and shows evident Moorish influence.

veces tenía que hacer un esfuerzo para no coger entre sus dedos la garganta de Laura y estrangularla.

Laura le excitaba con sus caricias y sus perversidades, y cuando veía a Fernando gemir dolorosamente con espasmos, le decía, con una sonrisa entre lúbrica y canalla:

—Yo quiero que sufras, pero que sufras mucho.

Muchas noches Fernando se escapaba de casa y se reunía con sus antiguos amigos bohemios; pero en vez de hablar de arte bebía frenéticamente.

Por la mañana, cuando iba a casa, cuando por el frío del amanecer se disipaba su embriaguez, sentía un remordimiento terrible, no un dolor de alma, sino un dolor orgánico en el epigastrio y una angustia brutal que le daban deseos de echar a correr dando vueltas y saltos mortales por el aire, como los payasos, lejos, muy lejos, lo más lejos posible.

Solía recordar en aquellos amaneceres una impresión matinal de Madrid, de cuando era estudiante; aquellas mañanas frescas de otoño, cuando iba a San Carlos, se le representaban con energía, como si fueran los pocos momentos alegres de su vida.

Laura parecía rejuvenecerse con sus relaciones; en cambio, Fernando se avejentaba por momentos, e iba perdiendo el apetito y el sueño. Una neuralgia de la cara le mortificaba horriblemente; de noche le despertaba el dolor, tenía que vestirse y salir a la calle a pasear.

Quizá por contraste, Fernando, que estaba hastiado de aquellos amores turbulentos, se puso a hacer el amor a la muchacha de luto que era amiga de su prima y se llamaba Blanca.

Laura lo supo y no se incomodó.

—¡Si debías de casarte con ella!—le dijo a Fernando—. Te conviene. Tiene una fortuna regular.

A Ossorio le pareció repugnante la observación, pero no dijo nada.

Una noche Fernando fué a los Jardines y vió a Blanca paseándose, mirando a un nuevo galán. A Fernando empezaba a parecerle otra vez bonita y agradable. Devoró su rabia, y al salir siguió tras ella, que no sólo no disimulaba sino que exageraba la amabilidad con el joven. Iba la muchacha en un grupo de varias personas que volvían a casa.

La siguió por Recoletos, y la oyó una risa tan irónica, tan burlona, que se acercó sin saber para qué. Fernando se adelantó a ella y se detuvo a encender un cigarro. Pasaron Blanca y su amiga, y detrás, dos señoras y un caballero, las dos muchachas del brazo, balanceándose, moviendo las caderas; y al llegar cerca de Fernando, éste se retiró tan torpemente que casi tropezó con ellas. Blanca se llevó la mano a la boca, fingiendo que contenía la risa, y murmuró:

—¡Está chiflado!

En todas las amigas de Blanca, Fernando notaba la misma mezcla de ironía y de compasión que le exasperaba.

Por la amistad de María Flora llegó a acompañar a Blanca algunos días; pero en vez de enamorarse con el trato, le sucedió lo contrario.

Cada detalle le molestaba más y más. ¡Hacían unos desprecios a la institutriz!, pobre muchacha que había cometido el delito de tener unos ojos muy grandes y muy hermosos y una cara tranquila, de expresión dulce. La hacían ir siempre detrás; si formaban un corro para hablar, la dejaban fuera. Quizá había en la muchacha una gran serenidad, y todos los desdenes resbalaban en ella.

Blanca era de una desigualdad de carácter perturbadora, y Fernando tuvo que desistir de sus intentos.

Laura trató de consolarle; ella, que no quería perder a Fernando, ansiaba comprender aquel temperamento opuesto al suyo, aquel carácter irregular, tan pronto lleno de ilusiones como aplanado por un desaliento sin causa. Había un verdadero abismo entre la manera de ser de los dos; no se entendían en nada, y Fernando, con la indignación de su debilidad, pegaba a su querida. A veces, a ella le entraba un terror pánico al ver a su sobrino hablando solo por las habitaciones oscuras.

Ella quería experimentar el placer a todo pasto, sentir vibrando las entrañas con las voluptuosidades más enervadoras, llegar al límite en que el placer, de intenso, se hace doloroso; pero turbar su espíritu, no.

Nunca se habían dicho Fernando y Laura una palabra tierna propia de enamorados; cuando sus ojos no manifestaban odio, más bien huían que buscaban encontrarse.

5 Y cada día Fernando estaba más intranquilo, más irritado y desigual en su manera de ser. De afirmaciones categóricas pasaba a negaciones de la misma clase, y si alguno le contrariaba, balbuceaba por la indignación palabras incohe-
10 rentes. Una de sus frases era decir:

—Estoy azorado.

—¿Por qué?—se le preguntaba.

—Qué sé yo—contestaba irritado.

VII

15 FUERON TRES MESES terribles para Fernando.

Una noche después de salir de la casa en donde se reunían los dos, en vez de callejear entraron en la iglesia de San Andrés, que estaba abierta. Se rezaba un rosario o una novena; la iglesia
20 estaba a oscuras; había cuatro o cinco viejas arrodilladas en el suelo. Laura y Fernando entraron hasta el altar mayor, y como la verja que comunica la iglesia con la Capilla del Obispo estaba abierta, pasaron adentro y se sentaron en un
25 banco. Después, Laura se arrodilló. El lugar, la irreverencia que allí se cometía, impulsaron a Fernando a interrumpir los rezos de Laura, inclinándose para hablarla al oído. Ella, escandalizada, se volvió a reprenderle; él la tomó del talle,
30 Laura se levantó, y entonces Fernando, bruscamente, la sentó sobre sus rodillas.

—Te he de besar aquí—murmuró, riéndose.

—No—dijo ella temblorosamente—, aquí no. Después, mostrándole un Cristo en un altar,
35 apenas iluminado por dos lamparillas de aceite, murmuró: Nos está mirando—Ossorio se echó a reír, y besó a Laura dos o tres veces en la nuca. Ella se pudo desasir, y salió de la iglesia; él hizo lo mismo.

40 De noche, al entrar en la cama, sin saber por qué, se le apareció claramente sobre el papel de su cuarto un Cristo grande que le contemplaba. No era un Cristo vivo de carne ni una imagen del Cristo: era un Cristo momia. Fernando veía
45 que el cabello era de alguna mujer, la piel de

pergamino; los ojos debían de ser de otra persona. Era un Cristo momia, que parecía haber resucitado de entre los muertos, con carne y huesos y cabellos prestados.

—¡Farsante!—murmuró con ironía Ossorio—. 50 ¡Imaginación, no me engañes!—Y no había acabado de decir esto, cuando sintió un escalofrío que le recorría la espalda.

Se levantó de su asiento, apagó la luz, se acercó a su alcoba y se tendió en la cama. Mil 55 luces le bailaban en los ojos; ráfagas brillantes, espadas de oro. Sentía como avisos de convulsiones que le espantaban.

—Voy a tener convulsiones—se decía a sí mismo, y esta idea le producía un terror pánico. 60

Tuvo que levantarse de la cama; encendió una luz, se puso las botas y salió a la calle. Llegó a la plaza de Oriente a toda prisa. Se revolvían en su cerebro un *maremagnum* de ideas que no llegaban a ser ideas. 65

A veces sentía como un aura epiléptica, y pensaba: me voy a caer ahora mismo; y se le turbaban los ojos y se le debilitaban las piernas, tanto, que tenía que apoyarse con las manos en la pared de alguna casa. 70

Por la calle del Arenal fué hasta la Puerta del Sol. Eran las doce y media.

Llegó a Fornos y entró. En una mesa vió a un antiguo condiscípulo de San Carlos, que estaba cenando con una mujerona gruesa, y que le in- 75 vitó a cenar con ellos.

Fernando contestó haciendo un signo negativo con la cabeza y ya iba a marcharse, cuando oyó que le llamaban. Se volvió y se encontró a Paco Sánchez de Ulloa que estaba tomando café. 80

Paco Sánchez era hijo de una familia ilustre. Se había gastado toda su fortuna en locuras, y debía una cantidad crecida. Eso sí, cuando se sentía vanidoso y se emborrachaba, decía que era el señor del estado de Ulloa y de Monterroto, y de 85 otros muchos más.

Fernando contó, espantado, lo que le había sucedido.

—¡Bah!—murmuró Sánchez de Ulloa—. Si estuvieras en mi caso, no tendrías esos terrores. 90

—¿Pues qué te pasa?

—Nada. Que ha entrado un imbécil en el

ministerio, uno de esos ministros honrados que se dedican a robar el papel, las plumas, y me dejará cesante. Este otro que se ha marchado era una buena persona.

5 —Pues chico, no tenía una gran fama.

—No. Es un ladrón: pero siquiera roba en grande. El dice: ¿Cuánto se puede sacar al año del ministerio? ¿Veinte mil pesetas? Pues las desprecia; las abandona a nosotros. Que luego 10 divida a España en diez pedazos y los vaya vendiendo uno a Francia, otro a Inglaterra, etc., etc. Hace bien. Cuanto antes concluyan con este cochino país, mejor.

En aquel momento se sentó una muchacha 15 pintada en la mesa en que estaban los dos.

—Vete, joven prostituta—le dijo Ulloa—; tengo que hablar con este amigo.

—¡*Desaborío*!—murmuró ella al levantarse.

—Será lo único que sabrá decir esa imbécil 20 —masculló Fernando, con rabia.

—¿Tú crees que las señoras saben decir más cosas? Ya ves María la *Gallega*, la *Regardé*, la *Churretes* y todas esas otras si son bestias; pues nuestras damas son más bestias todavía y 25 mucho más golfas.

—¿Qué, salimos?—preguntó Fernando.

—Sí. Vamos—dijo Ulloa.

Salieron de Fornos y echaron a andar nuevamente hacia la Puerta del Sol.

30 Ulloa maldecía de la vida, del dinero, de las mujeres, de los hombres, de todo.

Estaba decidido a suicidarse si la última combinación que se traía no le resultaba.

—A mí todo me ha salido mal en esta perra 35 vida—decía Ulloa—, todo. Verdad que en este país el que tiene un poco de vergüenza y de dignidad está perdido. ¡Oh! Si yo pudiera tomar la revancha. De este indecente pueblo no quedaba ni una mosca. Que me decía uno: Yo soy un 40 ciudadano pacífico.—No importa. ¿Ha vivido usted en Madrid?—Si, señor.—Que le peguen cuatro tiros. Te digo que no dejaría ni una mosca, ni una piedra sobre otra.

Fernando le oía hablar sin entenderle. ¿Qué 45 querrá decir?—se preguntaba.

Se traslucían en Ulloa todos los malos instintos del aristócrata arruinado.

Al desembocar en la *Puerta del Sol* vieron a dos mujeres que se insultaban rabiosamente.

Cuatro o cinco desocupados habían formado 50 corro para oírlas. Fernando y Ulloa se acercaron. De pronto una de la mujeres, la más vieja, se abalanzó sobre la otra. La joven se terció el mantón y esperó con la mano derecha levantada, los dedos extendidos en el aire. En un momento, 55 las dos se agarraron del moño y empezaron a golpearse brutalmente. Los del grupo reían. Fernando trató de separarlas, pero estaban agarradas, con verdadera furia.

—Déjalas que se maten—dijo Ulloa, y tiró del 60 brazo a Fernando.

Las dos mujeres seguían arañándose y golpeándose en medio de la gente, que las miraba con indiferencia.

De pronto se acercó un chulo, cogió a la 65 muchacha más joven del brazo y le dió un tirón que la separó de la otra; tenía la cara llena de arañazos y de sangre.

—¡Vaya un sainete!—gritó Ulloa—. ¡Y la policía sin aparecer por ninguna parte! ¡Para qué 70 servirá la policía en Madrid!

Las palabras de su amigo, la riña de las dos mujeres, Laura, la aparición de la noche, todo se confundía y se mezclaba en el cerebro de Fernando. 75

Nunca había estado su alma tan turbada. Ulloa seguía hablando, haciendo fantasías sobre el motivo del país. En este país . . . : ¡Si estuviéramos en otro país!

Dieron una vuelta por la plaza de Oriente, y se 80 dirigieron hacia el Viaducto. Desde allá se veía hacia abajo la calle de Segovia, apenas iluminada por las luces de los faroles, las cuales se prolongaban después en dos líneas de puntos luminosos que corrían en zigzag por el campo negro, como 85 si fueran de algún malecón que entrara en el mar.

—Me gusta sentir el vértigo, suponer que aquí no hay una verja a la que uno puede agarrarse— dijo Ulloa.

Por una callejuela próxima a San Francisco el 90 Grande salieron cerca de la plaza de la Cebada, y bajando por la calle de Toledo, pasaron por la puerta del mismo nombre. Antes de llegar al puente oyeron gritos y sonidos de cencerros.

Traían las reses al matadero. Fernando y Ulloa se acercaron al centro de la carretera.

—¡Eh! ¡Fuera de ahí!—les gritó un hombre con gorra de pelo que corría enarbolando un garrote.

—¿Y si no nos da la gana?—preguntó Ulloa.

—Maldita sea la . . . —exclamó el hombre de la gorra.

—¡A que le pego un palo a este tío!—murmuró Ulloa.

—¡Eh! ¡eh! ¡fuera! ¡fuera!—gritaron desde lejos.

Fernando hizo retroceder a su amigo; el hombre de la gorra echó a correr con el garrote al hombro y comenzaron a pasar las reses saltando, galopando, como una ola negra.

Detrás del ganado venían tres garrochistas a caballo. Ya cerca del Matadero, los jinetes gritaron, se encabritaron los caballos y todo el tropel de reses desapareció en un momento.

La noche estaba sombría; el cielo, con grandes nubarrones, por entre los cuales se filtraba de vez en cuando un rayo blanco y plateado de luna.

Ossorio y Ulloa siguieron andando por el campo llano y negro, camino de Carabanchel Bajo. Llegaron a este pueblo, bebieron agua en una fuente y anduvieron un rato por campos desiertos, llenos de surcos. Era una negrura y un silencio terribles. Sólo se oían a lo lejos ladridos desesperados de los perros. Enfrente, un edificio con las ventanas iluminadas.

—Eso es un manicomio—dijo Ulloa.

A la media hora llegaron a Carabanchel Alto por un camino a cuya derecha se veía un jardín que terminaba en una plaza iluminada con luz eléctrica.

—La verdad es que no sé para qué hemos venido tan lejos—murmuró Ulloa.

—Ni yo.

—Sentémonos.

Estuvieron sentados un rato sin hablar, y cuando se cansaron salieron del pueblo. Se veía Madrid a lo lejos, extendido, lleno de puntos luminosos, envuelto en una tenue neblina.

Llegaron al cruce de la carretera de Extremadura y pasaron por delante de algunos ventorros.

—¿Tú tienes dinero?—preguntó Ulloa.

—Un duro.

—Llamemos en una venta de éstas.

Hiciéronlo así; les abrieron en un parador y pasaron a la cocina, iluminada por un candil que colgaba de la campana de una chimenea.

—Se encuentra aquí uno en plena novela de Fernández y González,[1] ¿verdad?—dijo Ulloa—. Le voy a hablar de vos[2] al posadero.

—¡Eh, *seor* hostelero! ¿Qué tenéis para comer?

—Pues hay huevos, sardinas, queso . . .

—Está bien. Traed las tres cosas y poned la mesa junto al fuego. Pronto. ¡Voto a bríos![3] Que no estoy acostumbrado a esperar.

Fernando no tenía ganas de comer; pero, en cambio, su amigo tragaba todo lo que le ponían por delante. Los dos bebían con exageración; no hablaban. Vieron que unos arrieros con sus mulas salían del parador. Debía de estar amaneciendo.

—Vámonos—dijo Fernando.

Pero Ulloa estaba allí muy bien y no quería marcharse.

—Entonces me marcho solo.

—Bueno; pero dame el duro.

Ossorio se lo dió. Salió de la venta.

Empezaba a apuntar el alba; enfrente se veía Madrid envuelto en una neblina de color de acero. Los faroles de la ciudad ya no resplandecían con brillo; sólo algunos focos eléctricos, agrupados en la plaza de la Armería, desafiaban con su luz blanca y cruda la suave claridad del amanecer.

Sobre la tierra violácea de oscuro tinte, con alguna que otra mancha verde, simétrica de los campos de sembradura, nadaban ligeras neblinas; allá aparecía un grupo de casuchas de basurero, tan humildes que parecían no atreverse a salir de la tierra; aquí, un tejar; más lejos, una corraliza con algún grupo de arbolillos enclenques y tristes y alguna huerta por cuyas tapias asomaban masas de follaje verde.

Por la carretera pasaban los lecheros montados

[1] Popular Spanish historical novelist (1830–1888).
[2] *hablar de vos* to use the antiquated pronoun "vos" in address rather than "tú".
[3] *¡Voto a bríos!* Good heavens! (archaic exclamation).

en sus caballejos peludos, de largas colas; mujeres de los pueblos inmediatos arreando borriquillos cargados de hortalizas; pesadas y
misteriosas galeras, que nadie guiaba, arras-
5 tradas por larga reata de mulas medio dormidas;
carros de los basureros, destartalados, con las
bandas hechas de esparto, que iban dando bar-
quinazos, tirados por algún escuálido caballo
precedido de un valiente borriquillo; traperos
10 con sacos al hombro; mujeres viejas, haraposas,
con cestas al brazo. A medida que se acercaba
Ossorio a Madrid iba viendo los paradores
abiertos y hombres y mujeres negruzcos que
entraban y salían en ellos. Se destacaba la ciudad
15 claramente: el Viaducto, la torre de Santa Cruz,
roja y blanca; otras puntiagudas, piramidales, de
color pizarroso, San Francisco el Grande . . .

Y en el aéreo mar celeste se perfilaban, sobre
montes amarillentos, tejados, torres, esquinazos
20 y paredones del pueblo.

Sobre el bloque blanco del Palacio Real,
herido por los rayos del sol naciente, aparecía
una nubecilla larga y estrecha, rosado dedo de la
aurora; el cielo comenzaba a sonreír con dulce
25 melancolía, y la mañana se adornaba con sus más
hermosas galas azules y rojas.

Subió Ossorio por la cuesta de la Vega,
silenciosa, con sus jardines abandonados; pasó
por delante de la Almudena, salió a la calle
30 Mayor; Madrid estaba desierto, iluminado por
una luz blanca, fría, que hacía resaltar los detalles todos. En el barrio donde vivía Fernando
las campanas llamaban a los fieles a la primera
misa; alguna que otra vieja encogida, cubierta
35 con una mantilla verdosa, se encaminaba hacia
la iglesia, como deslizándose cerca de las paredes.

VIII

AL DÍA SIGUIENTE, Ossorio se levantó de la cama
tarde, cansado, con la espalda y los riñones
40 doloridos. Seguía pensando en el fenómeno de la
noche anterior e interpretándolo de una porción
de maneras: unas veces se inclinaba a creer en lo
inconsciente; otras, suponía la existencia de
fuerzas supranaturales, o, por lo menos, supra-

sensibles. Había momentos en que se creía en 45
una farsa inventada por él mismo sin darse
conciencia clara del hecho; pero, fuese cualquiera la explicación que admitiera, el fenómeno
le producía un miedo horrible.

Siempre había sido inclinado a la creencia en 50
lo sobrenatural, pero nunca de una manera tan
rotunda como entonces. La época de la pubertad
de Fernando, además de ser dolorosa por sus
descubrimientos desagradables y penosos, lo fué
también por el miedo. De noche, en su cuarto, 55
oía siempre la respiración de un hombre que
estaba detrás de la puerta. Además era sonámbulo; se levantaba de la cama muchas veces,
salía al comedor y se escondía debajo de la mesa;
cuando el frío de las baldosas le despertaba, 60
volvía a la cama sin asombrarse.

Tenía dolores de distinto carácter; de distinto
color le parecía a él.

Cuando todavía era muchacho fué a ver cómo
agarrotaban a los tres reos de la Guindalera[1] 65
llevado por una curiosidad malsana, y por la
noche, al meterse en la cama, se pasó hasta el
amanecer temblando; durante mucho tiempo al
abrir la puerta de un cuarto oscuro veía en el
fondo la silueta de los tres ajusticiados: la mujer 70
en medio, con la cabeza para abajo; uno de los
hombres, aplastado sobre el banquillo; el otro,
en una postura jacarandosa con el brazo apoyado
en una pierna.

Pero aunque el miedo hubiera sido un huésped 75
continuo de su alma, nunca había llegado a una
tan grande intranquilidad, de todos los momentos. Desde aquella noche la vida de Fernando fué
imposible.

Parecía que la fuerza de su cerebro se disolvía, 80
y, con una fe extraña en un hombre incrédulo,
intentaba levantar por la voluntad las mesas y las
sillas y los objetos más pesados.

Fué una época terrible de inquietudes y
dolores.   85

Unas veces veía sombras, resplandores de luz,
ruidos, lamentos; se creía transportado en los
aires o que le marchaba del cuerpo un brazo o
una mano.

[1] District of Madrid.

Otra vez se le ocurrió que los fenómenos medianímicos que a él le ocurrían tenían como causa principal el demonio.

En su cerebro débil todas las ideas locas mordían y se agarraban, pero aquélla, no; por más que quiso aferrarse y creer en Satanás, la idea se le escapaba.

Intimamente su miedo era creer que los fenómenos que experimentaba eran única y exclusivamente síntomas de locura o de anemia cerebral.

Al mismo tiempo sentía una gran opresión en la columna vertebral y vértigos y zumbidos y la tierra le parecía como si estuviera algodonada.

Un día que encontró a un antiguo condiscípulo suyo, le explicó lo que tenía y le preguntó después:

—¿Qué haría yo?

—Sal de Madrid.

—¿Adónde?

—A cualquier parte. Por los caminos, a pie, por donde tengas que sufrir incomodidades, molestias, dolores . . .

Fernando pensó durante dos o tres días en el consejo de su amigo, y viendo que la intranquilidad y el dolor crecían por momentos, se decidió. Pidió dinero a su administrador, cosió unos cuantos billetes en el forro de su americana, se vistió con su peor traje, compró un revólver y una boina y, una noche, sin despedirse de nadie, salió de casa con intención de marcharse de Madrid.

IX

LLEGÓ AL FINAL de la Castellana, subió por los desmontes del Hipódromo, y fué siguiendo maquinalmente las vueltas y revueltas del Canalillo.

La noche estaba negra, calurosa, pesada; ni una estrella brillaba en el cielo opaco, ni una luz en las tinieblas. De algunas casas cercanas salían perros al camino, que se ponían a ladrar con furia.

A Fernando le recordaba la noche y el lugar, noches y lugares de los cuentos en donde salen trasgos o ladrones.

Se sentó al borde del Canalillo. Era así como la noche su porvenir: oscuro, opaco, negro. No quería emperezarse. Se levantó, y en una de las revueltas del camino se encontró con dos hombres garrote en mano. Eran consumeros.

—¿Adónde salgo por aquí?—les preguntó Fernando.

—Si sigue usted por esta senda, a la Castellana; por esta otra, a los Cuatro Caminos.

Se veían aquí y allá filas de faroles que brillaban, se interrumpían, volvían a formar otra hilera y a brillar a lo lejos.

Ossorio siguió hacia los Cuatro Caminos. Cuando llegó a los merenderos empezaba a amanecer. En una taberna preguntó cuál era aquella carretera: le dijeron que la de Fuencarral y comenzó a marchar por ella. A ambos lados de la carretera se veían casuchas roñosas, de piso bajo sólo, con su corraliza cercada de tapia de adobe; la mayoría, sin ventanas, sin más luz ni más aire que el que entraba por la puerta.

Blancas nubes cruzaban el cielo pálido; en la sierra aún resaltaban grandes manchas de nieve. A lo lejos se veía un pueblo envuelto en una nube cenicienta. De los tejares próximos llegaba un olor irrespirable a estiércol quemado.

Salió el sol que, aun dando de soslayo, comenzó a fatigarle. Al poco rato sudaba a mares. No había sombra allí para tenderse, ni ventorro cercano; después de vacilar Ossorio muchas veces, entró en un cobertizo rodeado por una cerca hecha con latas de petróleo.

Allí dentro, un viejo estaba amontonando botes de pimiento en un rincón.

—Oiga usted, buen hombre, ¿quiere usted darme algo de comer, pagando, por supuesto?—preguntó Ossorio.

—Pase usted, señorito.

Entró Fernando en el cobertizo, y el viejo lo hizo pasar de aquí a su casa, hecha de adobe, con un corralillo para las gallinas, cercado por latas extendidas y clavadas en estacas.

El viejo era encorvado, con el pelo del color gris sucio, las manos temblorosas y los ojos rojizos; ejercía su profesión de basurero desde la infancia. Antes que Sabatini[1] tuviera sus carros y su contrata con el Ayuntamiento, le dijo a Fernando, conocía él todo lo conocible en cuestión de basuras.

Después de exponer sus grandes conocimientos en este asunto, preguntó a Ossorio.

—¿Y adónde va usted, si se puede saber?

—Difícil es, porque yo no lo sé.

El viejo movió la cabeza con un ademán compasivo y de duda al mismo tiempo, y no dijo nada.

—¿Adónde va la carretera?—preguntó Fernando.

—La de la izquierda, a Colmenar; la otra es la carretera de Francia.

—Pues iré a Colmenar. ¿Me dejará usted dormir un rato aquí?

—Sí, señor. Duerma usted. ¡Pues no faltaba más!

Fernando se tendió en un montón de paja y quedó amodorrado.

Soñó que se acercaba a él por los aires, amenazadora, una nube negra, muy negra, y de repente se abría en su centro una especie de cráter rojo.

Se despertó de repente y se levantó.

—¿Qué le debo a usted?—le preguntó al viejo.

—A mí, nada.

—¡Pero, hombre!

—Nada, nada.

—Pues, muchas gracias.

Se despidió del viejo dándole un apretón de manos, y siguió andando por la carretera, llena de polvo. Pasaban carromatos y mujeres montadas en borriquillos. La tierra era estéril; en la carretera, sólo a largo trecho había algún arbolillo raquítico y torcido, y en algunas partes, cuadros de viñas polvorientas.

A las nueve estaba Ossorio en Fuencarral. En la entrada del pueblo, a la derecha, hay una ermita blanca, acabada de blanquear, con la puerta de azul rabioso, cúpula de pizarra y un tinglado de hierro para las campanas.

[1] Francisco Sabatini (1722–1795), Spanish architect and general. He invented a closed cart for garbage collection which for many years was known as *chocolatera de Sabatini*. The comparison here to Sabatini is hyperbolic.

El pueblo estaba solitario y triste, como si estuviera abandonado: se olía, al entrar en él, un olor fuerte a paja quemada.

En Fuencarral se divide la carretera; Ossorio tomó la que pasa próxima a la tapia del Pardo.

Nubarrones grises y pálidos celajes llenaban el cielo; algunos rebaños pacían en la llanura. La carretera se extendía llena de polvo y de carriles hechos por los carros entre los arbolillos enclenques. El paisaje tenía la enorme desolación de las llanuras manchegas. A media tarde vió entre las colinas áridas y yermas las copas de unos cuantos cipreses que se destacaban negruzcos en el cielo.

Era algún jardín o cementerio de un convento abandonado y ruinoso que se veía a pocos pasos.

Fernando se echó allá, a la sombra, y descansó un par de horas. Sentía un terrible cansancio que no le dejaba discurrir, con gran satisfacción suya, y al mismo tiempo una vaguedad y laxitud grandes.

Al ver que pasaba la tarde tuvo que hacer un gran esfuerzo para levantarse; bordeando la cerca de El Pardo, sentándose aquí, echándose allá, fué acercándose a Colmenar.

Se veía el pueblo desde lejos sobre una loma. Por encima de él, nubes espesas y plomizas formaban en el horizonte una alta muralla, encima de la cual parecían adivinarse las torres y campanarios de alguna ciudad misteriosa, de sueño.

Aquella masa de color de plomo estaba surcada por largas hendeduras rojas que al reunirse y ensancharse parecían inmensos pájaros de fuego con las alas extendidas.

La masa azulada de la sierra se destacó al anochecer y perfiló su contorno, línea valiente y atrevida, detallada, en la superficie más clara del cielo.

Oscureció; lo plomizo fué tomando un tono frío y gris; comenzó a oírse a lo lejos el tañido de una campana; pasó una cigüeña volando . . .

X

CUANDO SE DESPERTÓ al día siguiente en una posada de Colmenar, eran ya las dos de la tarde.

No había podido conciliar el sueño hasta el amanecer. Se levantó encorvado, con los pies doloridos; comió y salió de casa. El día era caluroso, asfixiante; el cielo azul, blanquecino; la tierra, quemada.

Fernando se tendió a esperar a que el sol se ocultase para seguir su marcha y se durmió. Era el anochecer cuando salió del pueblo; la carretera estaba oscura, sombría después; a medida que la oscuridad se hacía mayor, quedó imponente.

La noche, estrellada, había refrescado; a un lado y a otro se oía el tintineo de los cencerros de las vacas y toros que pastaban en las dehesas.

Pasaron por el camino carros de bueyes en fila cargados de leña dirigidos por boyerizos con sombreros anchos; cruzaron por delante de Fernando algunos jinetes como negros fantasmas; después, la carretera quedó completamente desierta y silenciosa; no se oyó más que el tañido de las esquilas de las vacas, tan pronto cerca, tan pronto lejos, rápido y vocinglero unas veces, triste y pausado otras.

Fernando se puso a cantar para ahuyentar el miedo, cuando oyó junto a él los ladridos broncos de un perro. Debía de ser un perrazo enorme, de esos de ganado; en la oscuridad no se le veía; pero se notaba que se acercaba de pronto y retrocedía después. Ossorio sacó el revólver y lo amartilló.

El perro pareció entender la advertencia y se fué alejando, quedándose atrás hasta que dejaron de oírse sus ladridos.

Como sucede siempre, después de experimentar una impresión de miedo, Fernando se quedó turbado y con predisposición ya para sentirlo y experimentarlo fuertemente por cualquier motivo, grande o pequeño. De pronto vió en la carretera una cosa blanca y negra que se movía. Se figuró que debía de ser un toro o una vaca.

Fernando se sintió lleno de terror, y como para aquel caso de nada le servía el revólver, lo guardó en el bolsillo del pantalón después de ponerlo en el seguro; y hecho esto, salió de la carretera, saltando la cerca de un lado, se internó en una dehesa, sin pensar que el peligro era allí mayor por estar pastando multitud de reses bravas. Dentro de la dehesa trató de hacer una curva, dejando en medio a la vaca, o toro o lo que fuese y seguir la carretera adelante.

Por desdicha, el terreno en el soto era muy desigual, y Ossorio se cayó de bruces desde lo alto de un ribazo, sin más daño que una rozadura en las rodillas.

La viajata empezaba a parecerle odiosa a Fernando, sobre todo larguísima. No pasaba nadie a quien preguntarle si se había equivocado o no de camino. Seguía oyéndose monótono y triste el son de las esquilas; alguna que otra hoguera de llamas rojas brillaba entre los árboles.

Se mezcló después al tañer de los cencerros el graznido de las ranas, alborotador, escandaloso.

Al poco rato de esto, Fernando vió a un hombre, que debía ser molinero o panadero, porque estaba blanco de harina y que venía jinete en un borriquillo tan pequeño, que iba rozando el suelo con los pies.

—¿Este es el camino de Manzanares?—le preguntó Ossorio de sopetón.

El hombre, en vez de contestar, dió con los talones al borriquillo, que echó a correr; luego, desde lejos, gritó:

—Sí.

—Ha creído que soy algún bandido—pensó Fernando, mirando al hombre que se alejaba; y, acompañándole con sus maldiciones, siguió Ossorio camino adelante, cada vez más turbado y medroso, cuando a la revuelta de la carretera se encontró con un castillo que se levantaba sobre una loma.

—Debe ser un efecto de óptica—pensó Ossorio, y se fué acercando con susto, como quien se aproxima a un fantasma que sabe que se va a desvanecer.

Era real el castillo, y parecía enorme. La luna pasaba por una galería destrozada que tenía en lo alto, y producía un efecto fantástico.

No lejos se comenzaba a ver el pueblo, envuelto en una neblina plateada. Era un pueblo de sierra, de pobres casas desparramadas en una loma.

Fernando se acercó a él y entró por una calle

ancha y oscura, que era continuación de la carretera. Las casas todas estaban cerradas: ladraban los perros. En la plaza, de piso desigual, salía luz por la rendija de una puerta.

Ossorio llamó.

—¿Es posada ésta?—dijo.

—Sí, posada es.

Abrióse la puerta y entró en el zaguán, grande, blanqueado, con vigas en el techo.

A un lado, debajo de una tosca escalera, había un cajón de madera sin pintar, con un mostrador recubierto de zinc, y en el mostrador, un hombre ceñudo de boina, que asomaba el cuerpo tras de una balanza de platillos de hierro.

Era el posadero; hablaban con él dos tipos de aspecto brutal: el uno, con la chaqueta al hombro, faja y boina; el otro, con sombrero ancho, de tela.

El de la boina pedía al del mostrador aguardiente y tabaco al fiado, y el posadero se lo negaba y miraba al suelo amargamente, mientras daba vuelta entre los labios a una colilla apagada.

Viendo que la conversación seguía sin que el posadero se fijara en él, Fernando preguntó:

—¿Se puede cenar?

—Pagando . . .

—Se pagará. ¿Qué hay para cenar?

—Usted dirá.

—¿Hay huevos?

—No, señor; no hay.

—¿Habrá carne?

—A estas horas carne, tú . . .—dijo con ironía el del mostrador a uno de sus amigos.

—¿Pues qué demonios hay entonces?

—Usted dirá.

—¿Quiere usted hacer unas sopas? Y no hablemos más.

—Bueno. ¡Vaya por las sopas! Dentro de un momento están aquí.

Vinieron las sopas en una gran cazuela, con una capa espesísima de pimentón. No estaban agradables, ni mucho menos; pero con un esfuerzo de voluntad eran casi comestibles.

—¿Hay algún pajar?—preguntó después Ossorio al posadero.

—No hay pajar.

—Entonces, ¿dónde se puede dormir?

—Aquí se duerme en la cama.

—Y en todas partes; pero como en este pueblo parece que no hay nada, creía que no habría cama tampoco.

—Pues hay dos. Ahí enfrente está el cuarto.

Fernando entró en él. Era un cuarto ancho, negro, con una cama de tablas y un colchón muy delgado.

Ossorio se tendió vestido, y no pudo dormir un momento: veía caminos que se alargaban hasta el infinito, y él los seguía y los seguía, y siempre estaba en el mismo sitio. De vez en cuando se despertaban sus sentidos; escuchaba avizorado por un temor sin causa, y oía fuera, en el silencio de la noche, el canto de los ruiseñores.

XI

DESPUÉS DE UN rato corto de amodorramiento, Ossorio se despertó de madrugada con sobresalto; saltó de la dura cama, abrió una ventanuca y se asomó a ella. Era un amanecer espléndido y alegre: despertaba la Naturaleza con una sonrisa tímida; cantaban los gallos, chillaban las golondrinas; el aire estaba limpio, saturado de olor a tierra húmeda.

Cuando Ossorio iba a salir, se encontró con la puerta cerrada por fuera. Llamó varias veces, hasta que oyó la voz del dueño.

—¡Voy, voy!

—¿Es que tenía usted miedo de que me marchara sin pagar?—le dijo Fernando.

—No; pero todo podía ser.

Ossorio no quiso reñir; pagó la cuenta, que subía a una peseta, y salió del pueblo.

El castillo, con la luz de la mañana, no era, ni mucho menos, lo que de noche había parecido a Fernando; lo que tenía era una buena posición: estaba colocado admirablemente, dominando el valle.

Sería en otros tiempos más bien lugar de recreo que otra cosa; los señores de la corte irían allí a lancear los toros, y en los bancos de piedra de las torres, próximos a las ventanas, contemplarían las señoras las hazañas de los castellanos.

Pronto Ossorio perdió de vista el castillejo y comenzó a bordear dehesas, en las cuales pastaban toros blancos y negros que le miraban atentamente. Algunos pastores famélicos, sucios, desgreñados, le contemplaban con la misma indiferencia que los toros. Un zagal tocaba en el caramillo una canción primitiva, que rompía el aire silencioso de la mañana.

El cielo iba poniéndose negruzco, plomizo, violado por algunos sitios; una gran nube oscura avanzaba. Empezó a llover, y Ossorio apresuró su marcha. Iba acercándose a un bosquecillo frondoso de álamos, de un verde brillante. Ocultábase entre aquel bosquecillo una aldehuela de pocas casas, con su iglesia de torre piramidal terminada por un enorme nido de cigüeñas. Tocaban las campanas a misa. Era domingo.

Fernando entró en la iglesia, que se hallaba ruinosa, con las paredes recubiertas de cal, llenas de roñas y desconchaduras.

Al entrar no se percibía más que unas cuantas luces en el suelo, colocadas sobre cuadros de tela blanca; después se iban viendo el altar mayor, el cura con su casulla bordada con flores rojas y verdes; luego se percibían contornos de mujeres arrodilladas, con mantillas negras echadas sobre la frente, caras duras, denegridas, tostadas por el sol, rezando con un ademán de ferviente misticismo; y en la parte de atrás de la iglesia, debajo del coro, por una ventana con cristales empolvados, entraba una claridad plateada que iluminaba las cabezas de los hombres, sentados en fila en un banco largo.

El cura, desde el altar, cantaba la misa con una voz cascada que parecía un balido; el órgano sonaba en el coro con una voz también de viejo. La misa estaba al concluir; el cura, que era un viejo de cara tostada y de cabellos blancos, alto, fornido, con aspecto de cabecilla carlista, dió la bendición al pueblo.

Las mujeres apagaron las luces y las guardaron con el paño blanco en los cestillos; se acercaron a la pila de agua bendita y fueron saliendo.

Y la iglesia quedó negra, vacía, silenciosa ...

Fernando salió también, se sentó en un banco de la plaza, debajo de un álamo grande y frondoso, frente al pórtico de la iglesia, y contempló la gente que iba dispersándose por los caminos y senderos en cuesta.

Eran tipos clásicos: viejas vestidas de negro, con mantones verdosos, tornasolados; las mantillas, con guarniciones de terciopelo roñoso, prendidas al moño. Las caras terrosas; las miradas de través, hoscas y pérfidas. Salieron todas las mujeres, viejas y jóvenes, al atrio, y fueron bajando las cuestas del pueblo, hablando y murmurando entre ellas.

En derredor de la torre chillaban y revoloteaban los negros vencejos ...

Fernando salió de la plaza, y después, del pueblo, siguiendo una vereda. Había cesado de llover; trozos de nubes blancas algodonosas se rompían y quedaban hechas jirones al pasar por entre los picachos de un monte formado por pedruscos, sin árboles ni vegetación alguna.

Cruzó cerros llenos de matas de tomillo violadas, campos esmaltados por las flores blancas de las jaras y con las amarillas brillantes de retama. Por entre el boscaje y las zarzas de ambos lados del camino levantaba su vuelo alguna urraca negra; una bandada de cuervos pasaba graznando por el aire.

A las cuatro o cinco horas de salir de Manzanares, Fernando estaba a poca distancia de otra aldea.

El camino, al acercarse al pueblo aquél, trazaba una curva bordeando un barranco.

En el fondo corría un arroyo de agua espumosa entre grandes álamos y enormes peñas cubiertas de musgo, y en lo más bajo había un molino. Enfrente se recortaban y se contorneaban en el cielo, uno a uno, los riscos de un monte. Llegó Ossorio al pueblo, dió una vuelta por él y en la posada esperó a que le dieran de comer, sentándose en un banco que había al lado del portal.

Junto a una tapia de adobe color de tierra jugaban los chiquillos en un carro de bueyes; un burro tumbado en el suelo, patas arriba, coceaba alegremente. En el umbral de la casa frontera, de miserable aspecto, una vieja con refajo de bayeta encarnada, puesto como manto sobre la cabeza, espulgaba a un chiquillo dormido en sus piernas, que llevaba una falda también de bayeta amarillenta. Era una mancha de color tan viva y armónica, que Fernando se sintió pintor y hubiera querido tener lienzo y pinceles para 5 poner a prueba su habilidad.

Le llamaron para comer, y entró en una sala con el techo bajo cruzado de vigas, las paredes pintadas de blanco, con varios cromos, y el suelo embaldosado con ladrillos rojos y bastos. 10 En la ventana, con las maderas entreabiertas, había una cortina roja, y al pasar la luz por ella, matizaba los objetos con una tonalidad de misterio y de artificio al mismo tiempo, algo que a Fernando le parecía como su vida en aquellos 15 momentos, una cosa vaga y sin objeto.

Concluyó de comer, y después de un momento de modorra, se levantó y no quiso preguntar nada de caminos ni de direcciones, y se marchó del pueblo.

20 Comenzó a subir un barranco lleno de piedras sueltas. Al terminar, tomó un sendero, y, después, veredas y sendas hechas por los rebaños.

Se dirigió hacia una quiebra que hacían dos montañas desnudas, rojizas; se tendió en el suelo, 25 y miró las nubes que pasaban por encima de su cabeza.

¡Qué impresión de vaguedad producían el cansancio y la contemplación en su alma!

Su vida era una cosa tan inconcreta como una 30 de aquellas nubes sin fuerza que se iba esfumando en el seno de la Naturaleza.

Cuando hubo descansado, siguió adelante y atravesó el puerto. Desde allá, el paisaje se extendía triste, desolado. Enfrente se veía So- 35 mosierra como una cortina violácea y gris; más cerca se sucedían montes desnudos con altas cimas agudas, en cuyas grietas y oquedades blanqueaban finas estrías de nieve. Bajó Fernando hacia un valle, por una escarpada ladera, 40 entre tomillares floridos y olorosos, matas de espinos y de zarzas. Al anochecer, un carbonero que encontró en el camino le indicó la dirección fija de una aldea.

XII

45 SIGUIENDO LAS INSTRUCCIONES que le dieron, Fernando alquiló un caballo y se dirigió a buscar la carretera de Francia. El caballo era un viejo rocín cansado de arrastrar diligencias, que tenía encima de los ojos unos agujeros en donde podrían entrar los puños. Las ancas le salían 50 como si le fueran a cortar la piel. Su paso era lento y torpe, y cuando Ossorio quería hacerle andar más de prisa, tropezaba el animal y tomaba un trote que, al sufrirlo el jinete, parecía como si le estremecieran las entrañas. 55

A paso de andadura llegó al mediodía a un pueblecillo pequeño con unas cuantas casuchas cerradas; sobre los tejados terreros sobresalían las cónicas chimeneas. Llamó en una puerta. 60

Como no le contestaba nadie, ató el caballo por la brida a una herradura incrustada en la pared, y entró en un zaguán miserable, en donde una vieja, con un refajo amarillo, hacía pleita. 65

—Buenos días—dijo Fernando—. ¿No hay posada?

—¿Posada?—preguntó con asombro la vieja.

—Sí, posada o taberna.

—Aquí no hay posada ni taberna. 70

—¿No podía usted venderme pan?

—No vendemos pan.

—¿Hay algún sitio donde lo vendan?

—Aquí cada uno hace el pan para su casa.

—Sí. Será verdad; pero yo no lo puedo hacer. 75 ¿No me puede usted vender un pedazo?

La vieja, sin contestar, entró en un cuartucho y vino con un trozo de pan seco.

—¿Cuántos días tiene?—preguntó Fernando.

—Catorce. 80

—¿Y qué vale?

—Nada, nada. Es una limosna.

Y la vieja se sentó sin hacer caso de Fernando.

Aquella limosna le produjo un efecto dulce y doloroso al mismo tiempo. Subió en el jamelgo; 85 fué cabalgando hasta el anochecer, en que se acercó a un pueblo. Una chiquilla le indicó la posada; entró en el zaguán y se sentó a tomar un vaso de agua.

En un cuarto, cuya puerta daba al zaguán, 90 había algunos hombres de mala catadura bebiendo vino y hablando a voces de política. Se habían verificado elecciones en el pueblo.

En esto llegó un joven alto y afeitado, montado a caballo; ató el caballo a la reja, entró en el zaguán, hizo restallar el látigo y miró a Fernando desdeñosamente.

5 Uno de los que estaban en el cuarto salió al paso del jaque y le hizo una observación respecto a Ossorio; el joven entonces, haciendo un mohín de desprecio, sacó una navaja del bolsillo interior de la americana y se puso a limpiarse las uñas
10 con ella.

Al poco rato entró en el zaguán un hombre de unos cincuenta años, chato, de cara ceñuda, cetrino, casi elegante, con una cadena de reloj, de oro, en el chaleco. El hombre, dirigiéndose al
15 tabernero, preguntó en voz alta, señalando con el índice a Ossorio.

—¿Quién es ése?

—No sé.

Fernando, inmediatamente, llamó al taber-
20 nero, le pidió una botella de cerveza, y, señalando con el dedo al de la cadena de reloj, preguntó:

—Diga usted, ¿quién es ese chato?

El tabernero quedó lívido; el hombre arrojó
25 una mirada de desafío a Fernando, que le contestó con otra de desprecio. El chato aquel entró en el cuarto donde estaban reunidos los demás. Hablaban todos a la vez, en tono unas veces amenazador y otras irónico.

30 —Y si no se gana la elección, hay puñaladas.

Fernando se olvidó de que era demócrata, y maldijo con toda su alma al imbécil legislador que había otorgado el sufragio a aquella gentuza innoble y miserable, sólo capaz de fechorías
35 cobardes.

Hallábase Ossorio embebido en estos pensamientos, cuando el joven jaque, seguido de tres o cuatro, salió al zaguán; primeramente se acercó al caballo que había traído Fernando, y
40 comenzó a hacer de él una serie de elogios burlones; después, viendo que esto no le alteraba al forastero, cogió una cuerda y empezó a saltar como los chicos, amagando dar con ella a Fernando. Este, que notó la intención, palideció
45 profundamente y cambió de sitio; entonces el joven, creyendo que Ossorio no sabría defenderse, hizo como que le empujaban, y pisó a

Fernando. Lanzó Ossorio un grito de dolor; se levantó, y, con el puño cerrado, dió un golpe terrible en la cara de su contrario. El jaque tiró 50 de cuchillo; pero, al mismo tiempo, Fernando, que estaba lívido de miedo y de asco, sacó el revólver y dijo con voz sorda:

—Al que se acerque, lo mato. Como hay Dios, que lo mato. 55

Mientras los demás sujetaban al joven, el tabernero le rogó a Fernando que saliera. El pagó, y con la brida del caballo en una mano y en la otra el revólver, se acercó a un guardia civil que estaba tomando el fresco en la 60 puerta de su casa, y le contó lo que había pasado.

—Lo que debe usted de hacer es salir inmediatamente de aquí. Ese joven con el que se ha pegado usted es muy mala cabeza,[1] y como su 65 padre tiene mucha influencia, es capaz de cualquier cosa.

Ossorio siguió el consejo que le daban, y salió del pueblo.

A las once de la noche llegó al inmediato, y, 70 sin cenar, se fué a dormir.

En el cuarto que le destinaron había colgadas en la pared una escopeta y una guitarra; encima, un cromo del Sagrado Corazón de Jesús.

Ante aquellos símbolos de la brutalidad 75 nacional comenzó a dormirse, cuando oyó una rondalla de guitarras y bandurrias que debía de pasar por delante de la casa. Oyó cantar una jota, y después otra y otra, a cual más estúpida y más bárbara, en las cuales celebraban a un 80 señor que había debido salir diputado, y que vivía enfrente. Cuando concluyeron de cantar y se preparaba Ossorio a dormirse, oyó murmullos en la calle, silbidos, fueras, y después, cristales rotos en la casa vecina. 85

Era encantador; al poco rato volvía la rondalla.

Desesperado, Fernando se levantó y se asomó a la ventana. Precisamente en aquel momento pasaban por la calle, montados a 90 caballo, el joven jaque de la riña del día anterior, con dos amigos.

---

[1] *mala cabeza* person with no judgment.

Fernando avisó al posadero de que si preguntaban por él dijese que no estaba allí; y cuando el grupo de los tres, después de preguntar en la posada, entraron en otra calle, 5 Fernando se escabulló, y, volviendo grupas, echó a trotar, alejándose del camino real hasta internarse en el monte.

XIII

DESPUÉS DE ALGUNAS horas de andar a caballo se 10 encontró en Rascafría, un pueblo que le pareció muy agradable, con arroyos espumosos que lo cruzaban por todos sitios.

Luego de echar un vistazo por el pueblo tomó el camino del Paular, que pasaba entre prados 15 florecidos llenos de margaritas amarillas y blancas y regatos cubiertos de berros que parecían islillas verdes en el agua limpia y bullidora.

Al poco rato llegó a la alameda del Paular, abandonada, con grandes árboles frondosos de 20 retorcido tronco.

A un lado se extendía muy alta la tapia de la huerta del monasterio; al otro saltaba el río claro y cristalino sobre un lecho de guijarros.

Llegó al abandonado monasterio y en la 25 portería le hospedaron. Ossorio creyó aquel lugar muy propio para el descanso.

Se sentía allí en aquellos patios desiertos un reposo absoluto. Sobre todo, el cementerio del convento era de una gran poesía. Era huerto 30 tranquilo, reposado, venerable. Un patio con arrayanes y cipreses, en donde palpitaba un recogimiento solemne, un silencio sólo interrumpido por el murmullo de una fuente que cantaba invariable y monótona su eterna canción 35 no comprendida.

Las paredes que circundaban al huerto eran de granito azulado, áspero, de grano grueso; tenían góticas ventanas al claustro tapiadas a medias con ladrillos y a medias con tablas car-40 comidas por la humedad, negruzcas y llenas de musgo.

Entre ventana y ventana se elevaban desde el suelo hasta el tejado robustos contrafuertes de piedra terminados en alto en canecillos mons-truosos; fantásticas figuras asomadas a los 45 aleros para mirar al huerto, aplastadas por el peso de los chapiteles, toscos, desmoronados, desgastados, rotos. Encima de algunas ventanas se veían clavadas cruces de madera carcomida. Masas simétricas de viejos y amarillentos arra-50 yanes, adornadas en los ángulos por bolas de recortado follaje, dividían el cementerio en cuadros de parcelas sin cultivar, bordeadas por las avenidas, cubiertas de grandes lápidas.

En medio del huerto había un aéreo pabellón 55 con ventanas y puertas ojivales, y en el interior una pila redonda con una gran copa de piedra, de donde brotaban por los caños chorros brillantes de agua que parecían de plata.

A un lado, medio oculta por los arrayanes, se 60 veía la tumba de granito de un obispo de Segovia, muerto en el *cenobium*[1] y enterrado allí por ser ésta su voluntad.

¡Qué hermoso poema el del cadáver del obispo en aquel campo tranquilo! Estaría allí abajo con 65 su mitra y sus ornamentos y su báculo, arrullado por el murmullo de la fuente. Primero, cuando lo enterraran, empezaría a pudrirse poco a poco: hoy se le nublaría un ojo, y empezarían a nadar los gusanos por los jugos vítreos; luego el 70 cerebro se le iría reblandeciendo, los humores correrían de una parte del cuerpo a otra y los gases harían reventar en llagas la piel: y en aquellas carnes podridas y deshechas correrían las larvas alegremente . . .   75

Un día comenzaría a filtrarse la lluvia y a llevar con ella sustancia orgánica, y al pasar por la tierra aquella sustancia, se limpiaría, se purificaría, nacerían junto a la tumba hierbas verdes, frescas, y el pus de las úlceras brillaría en las 80 blancas corolas de las flores.

Otro día esas hierbas frescas, esas corolas blancas darían su sustancia al aire y se evaporaría ésta para depositarse en una nube . . .

¡Qué hermoso poema el del cadáver del obispo 85 en el campo tranquilo! ¡Qué alegría la de los átomos al romper la forma que les aprisionaba, al fundirse con júbilo en la nebulosa del infinito, en la senda del misterio donde todo se pierde!

[1] Monastery.

XIV

AL DÍA SIGUIENTE de llegar, Fernando pensó que sería una voluptuosidad tenderse a la sombra en el cementerio, y fué allá.

Después de recorrer los claustros entró en el camposanto, buscó la sombra y vió que debajo de unos arrayanes estaba tendido un hombre alto, flaco y rubio. Ossorio se retiraba de aquel sitio, cuando el hombre, con acento extranjero le dijo:

—¡Oh! No encontrará usted mejor lugar que éste para tenderse.

—Por no molestarle a usted . . .

—No, no me molesta.

Se tendió a pocos pasos del desconocido y permanecieron los dos mirando el cielo.

El follaje de un *evonymus*[1] nacido en medio de una parcela resplandecía con el sol al ser movido por el viento y rebrillaban las hojas con el tembleteo como si fueran laminillas de estaño.

Como contraste de aquel brillo y movimiento los cipreses levantaban las rígidas y altas pirámides de sus copas y permanecían inmóviles, oscuros, exaltados, como si ellos guardasen el alma huraña de los monjes; y sus agudas cimas verdes, negruzcas, se perfilaban sobre la dulce serenidad del cielo inmaculado.

Se oía a veces vagamente un grito largo, lastimero, quizá el canto lejano de un gallo. En las avenidas, cubiertas de losas de granito, donde descansaban las viejas cenizas de los cartujos muertos en la paz del claustro, crecían altas hierbas y musgos amarillentos y verdosos. En medio del huerto, en el aéreo pabellón con puertas y ventanas ojivales, caían los chorros de agua en la pila redonda y cantaba la fuente su larga canción misteriosa.

El extranjero, sin abandonar su posición, dijo que se llamaba Max Schultze, que era de Nuremberg y que estaba en España por la simpatía y curiosidad que experimentaba por el país.

Fernando también se presentó a sí mismo.

Cambiaron entre los dos algunas palabras.

Cuando el sol estaba en el cenit, el alemán dijo:

[1] (*Lat.*) Boxwood.

—Es hora de comer. Vámonos.

Se levantaron los dos, y andando lentamente como bueyes cansinos, fueron a la portería del convento, en donde comieron.

—Ahora echaremos una siesta—dijo Schultze.

—¿Otra?

—Sí; yo por lo menos, sí.

Se tendieron en el mismo sitio, y como la reverberación del cielo era grande, se echaron el ala de los sombreros sobre los ojos.

—No es natural dormir tanto—murmuró Ossorio.

—No importa—replicó el alemán con voz confusa—. Yo no sé por qué hablan todos los filósofos de que hay que obrar conforme a la Naturaleza.

—¡Pchs!—murmuró Ossorio—; yo creo que será para que el mundo, los hombres, las cosas, evolucionen progresivamente.

—Y ese progreso, ¿para qué? ¿Qué objeto tiene? Mire usted qué nube más hermosa—dijo interrumpiéndose el alemán—; es digna de Júpiter.

Hubo un momento de silencio.

—¿Decía usted—preguntó Ossorio—, que para qué servía el progreso?

—Sí; tiene usted buena memoria. Es indudable que el mundo ha de desaparecer; por lo menos en su calidad de mundo. Sí; su materia no desaparecerá, cambiará de forma. Algunos de nuestros alemanes optimistas creen que como la materia evoluciona, asciende y se purifica, y como esta materia no se ha de perder, podrá utilizarse por seres de otro mundo, después de la desaparición de la Tierra. Pero, ¿y si el mundo en donde se aprovecha esta materia está tan adelantado, que lo más alto y refinado de la materia terrestre, el pensamiento de hombres como Shakespeare o Goethe, no sirve más que para mover molinos de chocolate?

—A mí todo esto me produce miedo; cuando pienso en las cosas desconocidas, en la fuerza que hay en una planta de éstas, me entra verdadero horror, como si me faltara el suelo para poner los pies.

—No parece usted español—dijo el alemán—; los españoles han resuelto todos esos problemas metafísicos y morales que nos preocupan a nosotros, los del Norte, en el fondo mucho menos civilizados que ustedes. Los han resuelto, negándolos; es la única manera de resolverlos.

5 —Yo no los he resuelto—murmuró Ossorio—. Cada día tengo motivos nuevos de horror; mi cabeza es una guarida de pensamientos vagos, que no sé de dónde brotan.

—Para esa misticidad—repuso Schultze—, el 10 mejor remedio es el ejercicio. Yo tuve una sobre-excitación nerviosa, y me la curé andando mucho y leyendo a Nietzsche. ¿Lo conoce usted?

—No. He oído decir que su doctrina es la glorificación del egoísmo.

15 —¡Cómo se engaña usted, amigo! Crea usted que es difícil de representarse un hombre de naturaleza más ética que él; dificilísimo hallar un hombre más puro y delicado, más irrepro-chable en su conducta. Es un mártir.

20 —Al oírle a usted se diría que es Buda o que es Cristo.

—¡Oh! No compare usted a Nietzsche con esos miserables que produjeron la decadencia de la Humanidad.

25 Fernando se incorporó para mirar al alemán, vió con asombro que hablaba en serio, y volvió a tenderse en el suelo.

Comenzó a anochecer; el viento silbaba dulce-mente por entre los árboles. Un perfume acre, 30 adusto, se desprendía de los arrayanes y de los cipreses; no piaban los pájaros, ni cacareaban los gallos . . . y seguía cantando la fuente, in-variable y monótona, su eterna canción no comprendida . . .

35   XV

—¿CONQUE SUBE USTED a ese monte o no?—le dijo el alemán—. Creo que le conviene a usted castigar el cuerpo, para que las malas ideas se vayan.

40 —¿Pero piensa usted pasar la noche allá arriba?

—Sí; ¿por qué no?

—Hará frío.

—Eso no importa. Encenderemos fuego y 45 llevaremos mantas.

—Bien. Pero yo le advierto a usted que cuando me canse me tiro al suelo y no sigo.

—Es natural. Yo haré lo mismo. Conque vamos a comer y en seguida, ¡arriba!

Comieron, prepararon algunas viandas para 50 el día siguiente, y cada uno con su manta al hombro y la escopeta terciada se encaminaron hacia un pinar de la falda de Peñalara.

El alemán se sentía movedizo y jovial; había hecho indudablemente provisión de energía 55 mientras pasaba los días tendido en el suelo.

Al llegar al pinar, la cuesta se hizo tan pen-diente que se resbalaban los pies. Fernando tenía que pararse a cada momento fatigado, Schultze le animaba gesticulando, gritando, cantando a 60 voz en grito, con entusiasmo irónico, una can-ción patriótica que tenía por estribillo:

Deutschland, Deutschland über alles.[1]

Fernando sentía una debilidad como no la había sentido nunca, y tuvo que hacer largas 65 paradas. Schultze se detenía junto a él de pie, y charlaban un rato.

De pronto oyeron un ladrido lejano, más agudo que el de un perro.

—¿Será algún lobo?—preguntó Ossorio.   70

—¡Ca! Es un zorro.

El gañido del animal se oía cerca, o lejos.

—Voy a ver si lo encuentro; esté usted pre-parado por si acaso viene por aquí—dijo Schultze, y cargó la escopeta con grandes postas y desa- 75 pareció por entre la maleza. Poco después se oyeron dos tiros.

Fernando se sentó en el tronco de un árbol.

Al poco rato oyó ruido por entre los árboles. Preparó la escopeta, y al terminar de hacer esto 80 vió a diez o doce pasos el zorro, alto, amarillo, con su hermosa cola como un plumero. Sin saber por qué no se determinó a disparar, y el zorro huyó corriendo y se perdió en la espesura.

Al llegar Schultze, le dijo que había visto al 85 zorro.

—¿Por qué no ha disparado usted?

—Me ha parecido la distancia larga y creí que no le daría.

—Sin embargo, se dispara. Dice Turgeneff[2] 90

---

[1] (*Ger.*) Germany, Germany over all.
[2] Russian novelist (1818–1883).

que hay tres clases de cazadores : unos que ven la pieza, disparan en seguida, antes de tiempo, y no le dan ; otros apuntan, piensan qué momento será el mejor, disparan, y tampoco le dan, y, por último, hay los que tiran a tiempo. Usted es de la segunda clase de cazadores, y yo, de la primera.

Charlando iban subiendo el monte, se internaban por entre selvas de carrascas espesas con claros en medio. A veces cruzaban por bosques, entre grandes árboles secos, caídos, de color blanco, cuyas retorcidas ramas parecían brazos de un atormentado o tentáculos de un pulpo. Comenzaba a caer la tarde. Rendidos, se tendieron en el suelo. A su lado corría un torrente, saltando, cayendo desde grandes alturas como cinta de plata ; pasaban nubes blancas por el cielo, y se agrupaban formando montes coronados de nieve y de púrpura ; a lo lejos, nubes grises e inmóviles parecían islas perdidas en el mar del espacio con sus playas desiertas. Los montes que enfrente cerraban el valle tenían un color violáceo con manchas verdes de las praderas ; por encima de ellos brotaban nubes con encendidos núcleos fundidos por el sol al rojo blanco. De las laderas subían hacia las cumbres, trepando, escalando los riscos, jirones de espesa niebla que cambiaban de forma, y al encontrar una oquedad hacían allí su nido y se amontonaban unos sobre otros.

—A mí, esos montes—murmuró Ossorio—no me dan idea de que sean verdad ; me parece que están pintados, que eso es una decoración de teatro.

—No creo eso de usted.

—Pues, sí ; créalo usted.

—Para mí esos montes—dijo Schultze—son Dios.

Comenzó a anochecer.

—¿Qué hacemos ? ¿Subimos más ? ¿Vamos a ver si encontramos esa laguna ?

—Vamos.

Anochecido llegaron a la laguna y anduvieron reconociendo los alrededores por todas partes a ver si encontraban alguna cueva o socavón donde meterse. Era aquello un verdadero páramo, lleno de piedras, desabrigado ; el viento, muy frío, azotaba allí con violencia. Como no encontraron ni un agujero, se cobijaron en la oquedad que formaban dos peñas, y Fernando trató de cerrar una de las aberturas amontonando pedruscos, lo que no pudo conseguir.

—Yo voy por leña—dijo Schultze—. Sin fuego aquí nos vamos a helar.

Se marchó el alemán, y Ossorio quedó allá envuelto en la manta, contemplando el paisaje a la vaga luz de las estrellas. Era un paisaje extraño, un paisaje cósmico, algo como un lugar de planeta inhabitado, de la Tierra en las edades geológicas de icthiosauros y plesiosauros. En la superficie de la laguna larga y estrecha no se movía ni una onda ; en su seno, oscuro, insondable, brillaban dormidas miles de estrellas. La orilla, quebrada e irregular, no tenía a sus lados ni arbustos ni matas ; estaba desnuda.

En la cima de un monte lejano se columbraba la luz de la hoguera de algunos pastores.

Hasta que llegó Schultze, Fernando tuvo tiempo de desesperarse.

Tardó más de media hora, y vino con su manta llena de ramas sujeta en la cabeza.

Llegó sudando.

—Hay que andar mucho para encontrar algo combustible—dijo Schultze—. Hemos subido demasiado. A esta altura no hay más que piedras.

Tiró la manta, en donde traía ramas verdes de espino, de retama y de endrino. El encenderlas costó un trabajo ímprobo : ardían y se volvían a apagar al momento.

Cuando después de muchos ensayos pudo hacerse una mediana hoguera, ya no quedaban más ramas que quemar, y a medida que avanzaba la noche hacía más frío ; el cielo estaba lechoso, cuajado de estrellas. Fernando se sentía aterido, pero dulcemente, sin molestia.

—Vamos a traer más leña—dijo Schultze.

—¿Para qué ?—murmuró vagamente Fernando—. Yo estoy muy bien.

Schultze vió que Ossorio estaba tiritando y que tenía las manos heladas.

—¡Vamos! ¡A levantarse!—gritó agarrándole del brazo.

Ossorio hizo un esfuerzo y se levantó. Inmediatamente empezó a temblar.

—Tome usted mi manta—dijo el alemán—, y ahora, andando a buscar leña.

Fueron los dos hasta una media hora de camino; echaron las mantas en el suelo y las fueron cargando de ramas, que cortaban por allí cerca. Después, con la carga en las espaldas, volvieron hacia el sitio de donde habían salido.

Sobre el rescoldo de la apagada hoguera pudieron encender otra fácilmente.

Ya, como había combustible en gran cantidad, a cada paso echaban al fuego más ramaje, que crepitaba al ser devorado por las llamas. Cuando aún creían que era media noche, comenzaron a correr nubes plomizas por el cielo. Se destacaron sobre el horizonte las cimas de algunas montañas; las nubes oscuras se aclararon; más lejos fueron apareciendo otras nubes estratificadas, azules, como largos peces; se dibujaron de repente las siluetas de los riscos cercanos.

A lo lejos, el paisaje parecía llano, y que terminaba en una sucesión de colinas.

El humo espeso y negro de la hoguera iba rasando la tierra y subía después en el aire por la pared pedregosa del monte.

De pronto apareció sobre las largas nubes azules una estría roja, el horizonte se iluminó con resplandores de fuego, y por encima de las lejanas montañas el disco del sol miró a la tierra y la cubrió con la gloria y la magnificencia de los rayos de su inyectada pupila. Los montes tomaron colores: el sol brilló en la superficie tersa y sin ondas de la laguna.

—El buen papá de arriba es un gran escenógrafo—murmuró Schultze—. ¿Verdad?

—¡Oh! Ahora no siento haber venido—respondió Ossorio.

Después de admirar el espectáculo de la aurora se decidieron los dos a subir a la cumbre del monte.

Fernando se detuvo en el camino, al pie de uno de los picachos.

Desde allá se veían los bosques de El Espinar, La Granja, que parecía un cuartel, y más lejos Segovia, en una inmensa llanura amarilla, a trechos manchada por los pinares. No se advertía ningún otro pueblo en la llanura extensísima.

Por la mañana, Schultze y Fernando se internaron en lo más áspero de la sierra, sin dirección fija; durmieron y almorzaron en la cabaña de un cabrero, el cual les indicó como pueblo más cercano el de Cercedilla; y al divisar los tejados rojos de éste, como no tenían gana de llegar pronto, tendiéronse en el suelo en una pradera que en el claro de un pinar se hallaba.

Hacía allí un calor terrible; la tarde estaba pesada, de viento sur.

Con los ojos entornados por la reverberación de las nubes blancas, veían el suelo lleno de hierba salpicado de margaritas blancas y amarillas, de peonías de malsano aspecto y tulipanes de purpúrea corola.

Una ingente montaña, cubierta en su falda de retamares y jarales florecidos, se levantaba frente a ellos; brotaba sola, separada de otras muchas, desde el fondo de una cóncava hondonada, y al subir y ascender enhiesta, las plantas iban escaseando en su superficie, y terminaba en su parte alta aquella mole de granito como muralla lisa o peñón tajado y desnudo, coronado en la cumbre por multitud de riscos de afiladas aristas, de pedruscos rotos y de agujas delgadas como chapiteles de una catedral.

En lo hondo del valle, al pie de la montaña, veíanse por todas partes grandes piedras esparcidas y rotas, como si hubieran sido rajadas a martillazos; los titanes, constructores de aquel paredón ciclópeo, habían dejado abandonados en la tierra los bloques que no les sirvieron.

Sólo algunos pinos escalaban, bordeando torrenteras y barrancos, la cima de la montaña.

Por encima de ella, nubes algodonosas, de una blancura deslumbrante, pasaban con rapidez.

A Fernando le recordaba aquel paisaje algunos de los sugestivos e irreales paisajes de Patinir.[1]

Dando la espalda a la montaña se veía una llanura azulada, y la carretera, cruzándola en zigzag, serpenteando después entre oscuros cerros hasta perderse en la cima de un collado.

La parte cercana de la llanura estaba en sombra; una nube plomiza le impedía reflejar el sol; la parte lejana, iluminada perfectamente, se alejaba hasta confundirse con la sierra de

[1] Flemish landscape painter (d. c. 1524).

Gredos, faja oscura de montañas, oculta a trozos por nubecillas grises y rojizas.

Aquella tierra lejana e inundada de sol daba la sensación de un mar espeso y turbio; y un mar
5 también, pero mar azul y transparente, parecía el cielo, y sus blancas nubes eran blancas espumas agitadas en inquieto ir y venir: tan pronto escuadrón salvaje, como manada de tritones melenudos y rampantes.

10 Con los cambios de luz, el paisaje se transformaba. Algunos montes parecían cortados en dos; rojos en las alturas, negros en las faldas, confundiendo su color en el color negruzco del suelo. A veces, al pasar los rayos por una nube
15 plomiza, corría una pincelada de oro por la parte en sombra de la llanura y del bosque, y bañaba con luz anaranjada las copas redondas de los pinos. Otras veces, en medio del tupido follaje, se filtraba un rayo de sol, taladrándolo todo a su
20 paso, coloreando las hojas en su camino, arrancándolas reflejos de cobre y de oro.

Fué anocheciendo. Se levantó un vientecillo suave que pasaba por la piel como una caricia. Los cantuesos perfumaron el aire tibio de un
25 aroma dulce, campesino. Piaron los pájaros, chirriaron los grillos, rumor confuso de esquilas resonó a lo lejos. Era una sinfonía voluptuosa de colores, de olores y de sonidos.

Brillaban a intervalos los pedruscos de la alta
30 muralla, enrojecidos de pronto por los postreros resplandores del sol, como si ardieran por un fuego interior; a intervalos también, al nublarse, aquellas rocas erguidas, de formas extrañas, parecían gigantescos centinelas mudos o mons-
35 truosos pajarracos de la noche, preparados para levantar el vuelo.

De pronto, por encima de un picacho, comenzaron a aparecer nubes de un color ceniciento y rojizo que incendiaron el cielo y lo anegaron en
40 un mar de sangre. Sobre aquellos rojos siniestros se contorneaban los montes ceñudos, impenetrables.

Era la visión algo de sueño, algo apocalíptico; todo se enrojecía como por el resplandor de una
45 luz infernal; las piedras, las matas de enebro y de jabino, las hojas verdes de los majuelos, las blancas flores de jara y las amarillas de la retama,

todo se enrojecía con un fulgor malsano. Se experimentaba horror, recogimiento, como, si en aquel instante fuera a cumplirse la profecía 50 tétrica de algún agorero del milenario.

Graznó una corneja; la locomotora de un tren cruzó a lo lejos con estertor fatigoso. Llegaban ráfagas de niebla por entre las quebraduras de los montes; poco después empezó a llover. 55

Fernando y el alemán bajaron al pueblo. Se había levantado la luna sobre los riscos de un monte, roja, enorme, como un sol enfermizo, e iba ascendiendo por el cielo. La vaga luz del crepúsculo, mezclada con la de la luna, ilumi- 60 naba el valle y sus campos, violáceos, grises, envueltos en la blanca esfumación de la niebla.

Por delante de la luna llena pasaban nubecillas blancas, y el astro de la noche parecía atravesar sus gasas y correr vertiginosamente por el cielo. 65

XVI

AL DÍA SIGUIENTE, Schultze volvió al Paular; Fernando se despidió de él y en un carro salió para Segovia.

Llegó a Segovia con un calor bochornoso. El 70 cielo estaba anubarrado, despedía un calor aplastante; sobre los campos, abrasados y secos, se agitaba una gasa espesa de la calina.

Se paró el carro en la *Posada del Potro*, en donde entraban y salían arrieros y chalanes. 75

Llamó Ossorio a la dueña de la casa, una mujer gruesa, la cual le dijo que allá no daban de comer, que cada uno comía lo que llevaba.

Era costumbre ésta añeja de mesones y posadas del siglo XVII. 80

Le llevaron a su cuarto y se tendió en la cama. A las doce fué a la fonda de Caballeros, a comer, y después salió a dar una vuelta por el pueblo, que no conocía.

Paseó por dentro de la Catedral, grande, her- 85 mosa, pero sin suma de detalles que regocijase el contemplarlos; vió la iglesia románica de San Esteban, que estaban restaurando; después se acercó al Alcázar.

Desde allá, cerca de la verja del jardín del 90 Alcázar, se veían a lo lejos lomas y tierras amarillas y rojizas; Zamarramala sobre una ladera, unas cuantas casas mugrientas apiñadas y una torre, y la carretera blanca que subía el collado; a la derecha, la torre de la Lastrilla, y abajo, 5 junto al río, en una gran hondonada llena de árboles macizos de follaje apretado, el ruinoso monasterio del Parral. Se le ocurrió a Fernando verlo; bajó por un camino, y después por sendas y vericuetos llegó a la carretera, que tenía a am- 10 bos lados álamos altísimos. Pasó el río por un puente que había cerca de una presa y de una fábrica de harinas.

Al lado de ésta, en un remanso del río, se bañaban unos cuantos chicos. Se acercó al 15 monasterio; el pórtico estaba hecho trizas, sólo quedaba su parte baja. En el patio crecían viciosas hierbas, ortigas y yezgos en flor.

Hacía un calor pegajoso; rezongueaban los moscardones y las abejas; algunos lagartos ama- 20 rillos corrían por entre las piedras.

Del claustro, por un pasillo, salió a un patio con corredores de una casa que debía estar adosada al monasterio; unas cuantas viejas negruzcas charlaban sentadas en el suelo; dos o 25 tres dormían con la boca abierta. Salió del monasterio y bajó a una alameda de la orilla derecha del río. El suelo allí estaba cubierto de hierba verde, florecida; el follaje de los árboles era tan espeso, que ocultaba el cielo.

30 El río se deslizaba con rapidez; los álamos en flor de las márgenes dejaban caer sobre él un polvillo algodonoso que corría por la superficie lisa, verde y negruzca del agua en copos blancos.

Fernando se sentó en la alameda.

35 Enfrente, sobre la cintura de follaje verde de los árboles que rodeaban la ciudad, aparecían los bastiones de la muralla, y encima las casas, de paredes oscuras y grises, y las espadañas de las iglesias. Como la corola sobre el cáliz verde, 40 veíase el pueblo, soberbia floración de piedra, y sus torres y sus pináculos se destacaban, per- filándose en el azul intenso y luminoso del horizonte.

Se oían las campanas de la Catedral, que 45 retumbaban, llamando a vísperas.

Empezó a llover; Fernando se encaminó hacia el pueblo; cruzó un puente, y tomando una

senda, fué hasta pasar cerca de una iglesia gótica con una portada decadente. Llegó a la plaza; había dejado de llover. Se sentó en un café. A su 50 lado, en otra mesa, había una tertulia de gente triste, viejos con caras melancólicas y expresión apagada, echando el cuerpo hacia adelante, apoyados en los bastones; señoritillos de pueblo que cantaban canciones de zarzuela madrileña, 55 con los ojos vacíos, sin expresión ni pensa- miento; caras hoscas por costumbre, gente de mirada siniestra y hablar dulce.

En aquellos tipos se comprendía la enorme decadencia de una raza que no guardaba de su 60 antigua energía más que gestos y ademanes, el cascarón de la gallardía y de la fuerza.

Se respiraba allí un pesado aburrimiento; las horas parecían más largas que en ninguna parte. Fernando se levantó presa de una invencible 65 tristeza, y comenzó a andar sin dirección fija. El pueblo, ancho, silencioso, sin habitantes, parecía muerto.

En una calle que desembocaba en la plaza vió una iglesia románica con un claustro exterior. 70 Estaba pintada de amarillo; el pórtico tenía a los lados dos imágenes bizantinas, de esas figuras alargadas, espirituales que admiran y hacen sonreír al mismo tiempo, como si en su hierá- tica postura y en su ademán petrificado hubiese 75 tanto de exaltación mística como de alegría y de candidez.

El interior de la iglesia estaba revocado con una torpeza e ignorancia repulsivas.

Molduras de todas clases, ajedrezadas y 80 losanjeadas, filigranas de los capiteles, grecas y adornos habían quedado ocultos bajo una capa de yeso.

Estaban desesterando la iglesia; reinaba en ella un desorden extravagante. Encima de un se- 85 pulcro de alabastro se veía un montón de sillas y de palos; sobre la mesa del altar habían dejado un fardo de alfombras arrolladas. Ossorio salió al claustro y se entretuvo en contemplar los capiteles románicos: aquí se veían guerreros con 90 espadas en la mano, haciendo una matanza de chicos; allá, luchas entre hombres y animales fantásticos; en otro lado, la perdiz con cabeza humana, de tan extraña leyenda arqueológica.

Como ya no llovía, Fernando volvió a salir en dirección a las afueras del pueblo por un camino en cuesta que bajaba hacia el barranco por donde corre uno de los arroyos que bordean Segovia: el arroyo de los Clamores. El camino pasaba cerca de un convento ruinoso con el campanario ladeado. Desde el raso del convento partía una fila de cruces de piedra que iba subiendo, por colinas verdes las unas, amarillentas y rapadas las otras, rotas y cortadas en algunas partes, mostrando sus entrañas sangrientas de ocre y rojo. Cerca de las colinas se alargaba una muralla de tierra blanca, llena de hendeduras horizontales.

Era un paisaje de una desolación profunda; las cruces de piedra se levantaban en los áridos campos, rígidas, severas; desde cierto punto no se veían más que tres. Fernando se detuvo allí. Componía con la imaginación el cuadro del Calvario. En la cruz de en medio, el Hombre-Dios que desfallece, inclinando la cabeza descolorida sobre el desnudo hombro; a los lados, los ladrones luchando con la muerte, retorcidos en bárbara agonía; las santas mujeres que se van acercando lentamente a la cruz, vestidas con túnicas rojas y azules; los soldados romanos, con sus cascos brillantes; el centurión, en brioso caballo, contemplando la ejecución, impasible, altivo y severo, y a lo lejos, un camino tallado en roca, que sube serpenteando por la montaña, y en la cumbre de ésta, rasgando el cielo con sus mil torres, la mística Jerusalén, la de los inefables sueños de los santos ...

Le faltaban los medios de representación para fijar aquel sueño.

Fernando siguió bordeando el barranco, hasta llegar a un pinar, en donde se tendió en la hierba. Desde allí se dominaba la ciudad. Enfrente tenía la Catedral, altísima, amarillenta, de color de barro, con sus pináculos ennegrecidos; rodeada de casas parduzcas, más abajo corría la almenada muralla, desde el acueducto, que se veía únicamente por su parte alta, hasta un risco frontero, a aquél en el cual se levantaba el Alcázar. Se oía ruido del arroyo que murmuraba en el fondo del barranco.

Se nublaba; de vez en cuando salía el sol e iluminaba todo con una luz de oro pálido.

Ossorio se levantó del suelo; a medida que andaba veía el barranco más macizo de follaje; el Alcázar, sin el aspecto de repintado que tenía al sol, se ensombrecía: semejaba un castillo de la Edad Media.

El arroyo de los Clamores, al acercarse al río, resonaba con mugido más poderoso.

En una hendedura del monte, unas mujeres andrajosas charlaban sentadas en el suelo; una de ellas, barbuda, de ojos encarnados, tenía una sartén sobre una hoguera de astillas, que echaba un humo irrespirable.

Fernando pasó un puente; siguió por una carretera, próxima a un convento, y subió al descampado de una iglesia que le salió al camino, en donde había una cruz de piedra. Se sentó en el escalón de ésta.

La iglesia, que tenía en la puerta, en azulejos, escrito *Capilla de la Veracruz*, era románica y debía de ser muy antigua; tenía adosada una torre cuadrada, y en la parte de atrás, tres ábsides pequeños.

Para Fernando ofrecía más encanto que la contemplación de la capilla, la vista del pueblo, que se destacaba sobre la masa verde del follaje, contorneándose, recortándose en el cielo gris de acero y de ópalo.

Había en aquel verdor, que servía de pedestal a la ciudad, una infinita graduación de matices: el verde esmeralda de los álamos, el de sus ramas nuevas, más claro y más fresco, el sombrío de algunos pinos lejanos, y el amarillento de las lomas cubiertas de césped.

Era una sinfonía de tonos suaves, dulces; una gradación finísima que se perdía y terminaba en la faja azulada del horizonte.

El pueblo entero parecía brotar de un bosque, con sus casas amarillentas, ictéricas, de maderaje al descubierto, de tejados viejos, roñosos como manchas de sangre coagulada, y sus casas nuevas con blancos paredones de mampostería, persianas verdes y tejados rojizos de color de ladrillo recién hecho.

Veíanse a espaldas del pueblo lomas calvas, bajas colinas, blancas, de ocre, violáceas, de siena ..., alguna que otra mancha roja.

El camino, de un color violeta, subía hacia

Zamarramala; pasaban por él hombres y mujeres, ellas con refajos de color sobre la cabeza, ellos llevando del ronzal las caballerías.

A la puesta del sol, el cielo se despejó; nubes fundidas al rojo blanco aparecieron en el poniente.

Sobre la incandescencia de las nubes heridas por el sol, se alargaban otras de plomo, inmóviles, extrañas. Era un cielo heroico; hacia el lado de la noche el horizonte tenía un matiz verde espléndido.

Los pináculos de la Catedral parecían cipreses de algún cementerio.

Oscureció más; comenzaron a brillar los faroles en el pueblo.

El verde de los chopos y de los álamos se hizo negruzco; el de las lomas, cubiertas de césped, se matizó de un tono rojizo al reflejar las nubes incendiadas del horizonte; las lomas, rapadas y calvas, tomaron un tinte blanquecino, cadavérico.

Sonaron campanas en una iglesia; le contestaron al poco tiempo las de la Catedral con el retumbar de las suyas.

Era la hora del *Angelus*.

El Alcázar parecía, sobre su risco afilado, el castillo de proa de un barco gigantesco . . .

Por la noche, en la puerta de la posada del Potro, un arriero joven cantaba malagueñas, acompañándose con la guitarra:

> Cuando yo era criminal
> en los montes de Toledo,
> lo primero que robé
> fueron unos ojos negros.

Y al rasguear de la guitarra se oían canciones lánguidas, de muerte, de una tristeza enfermiza, o jotas brutales, sangrientas, repulsivas, como la hoja brillante de una navaja.

XVII

A LA MAÑANA SIGUIENTE, de madrugada, salió Fernando de casa. Había en el aire matinal del pueblo, además de su frescura, un olorcillo a pajar muy agradable. Pasó por la calle de San Francisco a preguntar en la posada de Vizcaínos por un arriero, llamado Polentinos, que iba a Madrid en su carro; y como la posada de Vizcaínos estuviese cerrada, siguió andando hasta la plaza del Azoguejo.

Volvió al poco rato calle arriba, entró en la posada y preguntó por Polentinos. Estaba ya preparando el carro para salir.

Nicolás Polentinos era un hombre bajo, fornido, de cara ancha, con un cuello como un toro, los ojos grises, los labios gruesos, belfos. Llevaba un sombrero charro de tela, de esos sombreros que, puestos sobre una cabeza redonda, parecen el planeta Saturno rodeado de su anillo. Vestía traje pardo y botas hasta media pierna.

—¿Es usted el señor Polentinos?

—Para servirle.

—Me han dicho en la posada del Potro que va usted a Madrid en carro.

—Sí, señor.

—¿Quiere usted llevarme?

—¿Y por qué no? ¿Es un capricho?

—Sí.

—Pues, no hay inconveniente. Yo salgo ahora mismo.

—Bueno. Ya arreglaremos lo del precio.

—Cuando usted quiera.

—¿Por dónde iremos?

—Pues de aquí a La Granja, y por la venta de Navacerrada a salir hacia Torrelodones, y de allá, pasando por Las Rozas y Aravaca, a Madrid. Es posible que yo no entre en Madrid —añadió Polentinos—; tengo que ir a Illescas a ver a una hija.

—¿Y por qué no va usted en tren?

—¿Para qué? No tengo prisa.

—¿Cuántas leguas tenemos de aquí a Madrid?

—Trece o catorce.

—¿Y de Madrid a Illescas?

—Unas seis leguas.

Pusieron unas tablas en el carro, y, sentado en ellas Fernando, con los pies dentro de la bolsa[1] del carro, y Polentinos en el varal,[2] bajaron por la calle de San Francisco hasta tomar la carretera.

[1] A large pouch slung under the coach in which freight was carried.

[2] Horizontal pole with holes in which to fasten the upright side sticks of a cart.

—Va a hacer mucho calor—dijo Polentinos.

—¿Sí?

—¡Vaya!

—Maldito sea. Y eso será malo para el campo,
5 ¿eh?

—En esta época, pues, ya no le hace daño al
campo.

—Y la cosecha, ¿qué tal es?—preguntó Fernando, por entrar en conversación.

10 —Por aquí no es como pensábamos en el mes
de mayo y hasta mediados de junio, por causa de
las muchas lluvias y fuertes vientos, que nos
tumbó el pan criado en tierra fuerte antes de salir
la espiga, y no ha podido criarse el grano; y a lo
15 que no le ha sucedido esto, los aires lo han
arrebatado.

Era el hablar de Polentinos cachazudo y sentencioso.

Parecía un hombre que no se podía extrañar
20 de nada.

A poco de salir vieron a una cuadrilla de
segadores que venían por un camino entre las
mieses.

—¿Estos serán gallegos?—preguntó Ossorio.
25 —Sí.

—Qué vida más horrible la de esta gente.

—¡Bah! Todas las vidas son malas—dijo
Polentinos.

—Pero la del que sufre es peor que la del que
30 goza.

—¡Gozar! ¿Y quién es el que goza en la vida?

—Mucha gente. Creo yo . . .

—¿Usted lo cree? . . .

—Yo, sí. ¿Usted no?

35 —Le diré a usted. Y no es que yo quiera enseñarle a usted nada, porque usted ha estudiado
y yo soy un rústico; pero, también a mi modo,
he visto y observado algo, y creo, la verdad, que
cuanto más se tiene más se desea, y nunca se
40 encuentra uno satisfecho.

—Sí, eso es cierto.

—Es que la vida—prosiguió el señor Nicolás—, después de todo, no es nada. Al fin y al
cabo, lo mismo da ser pobre que ser rico;
45 ¿quién sabe?, puede ser que valga más ser
pobre.

—¿Cree usted?—preguntó con suave ironía

Ossorio, y se tendió sobre las maderas del carro,
apoyó la cabeza en un saco y se puso a contemplar el fondo del toldo.   50

—Pues qué, ¿los ricos no tienen penas? Yo,
algunas veces, cuando vengo a Segovia de
Sepúlveda, que es donde vivo, y voy al teatro,
arriba, al paraíso, suelo pensar: Y qué bien
deben de encontrarse las señoras y los caballeros 55
de los palcos; y después se me ocurre que
también ellos tienen sus penas como nosotros.

—Pero, por si acaso, todo el mundo quiere ser
rico, buen amigo.

—Sí, es verdad, porque todo el mundo quiere 60
gozar de los placeres, y siempre se desea algo. A
mí me pasó lo mismo; hasta los veinticinco años
fuí pastor, y en mi pequeñez y en mi miseria,
pues ya ve usted, vivía bien. De vez en cuando
tenía tres o cuatro duros para gastarlos; pero se 65
me metió en la cabeza que había de hacer
dinero, y empecé a comprar ganado aquí y a
venderlo allá; primero en Sepúlveda y en
Segovia, después en Valencia, en Sevilla y en
Barcelona, y ahora mi hijo vende ganado ya en 70
Francia; tengo mi casa y algunos miles de duros
ahorrados, y no crea usted que soy más feliz que
antes. Hay muchos disgustos y muchas tristezas.

—Sí, ¿eh?

—Vaya. Mire usted, cuando se me casaron 75
mis hijas me hice yo este cargo. Si les doy su
parte es posible que se olviden de mí; pero si no
se la doy es posible que lleguen a encontrar que
tardo en morirme. Hice las reparticiones, y a
cada hija su parte. Bueno, pues por unas cercas 80
que entraron en la repartición, y porque a un
arrendador le perdonaba yo veinticinco o
cuarenta reales al año, este yerno de Illescas,
¿sabe usted lo que hace?, pues nada: despide al
que estaba en la cerca, a un viejo que era un buen 85
pagador y amigo mío, y pone allí a uno que
quiso ser verdugo y ha sido carcelero en la villa
de Santa María de Nieva. Figúrese usted qué
hombre será el tal, que el viejo al tener que dejar
la cerca le advierte que el fruto de los huerteci- 90
llos, unas judías y unas patatas son suyos como
la burra que dejó en el corral, y el hombre que
quiso ser verdugo le arranca toda la fruta y todas
las hortalizas. Le escribo esto a mi yerno, y dice

él que tiene razón, y mi hija se pone a su favor en esta cuestión y en todas. Y la otra hija, lo mismo. Después de haber hecho lo que he podido por ellas. La única que me quiere es la menor, pero la pobre es desgraciada.

—Pues, ¿qué la pasa?

—Es jorobada. Tuvo de niña una enfermedad.

—¿Y vive con usted?

—No; ahora la tengo en Illescas. Voy a recogerla. La pobrecilla... Nada, que la vida es una mala broma.

—Es que usted, señor Nicolás, y dispénseme usted que se lo diga, es usted insaciable.

—Y todos los hombres lo son, créalo usted, y como no se pueden saciar todos los deseos, porque el hombre es como un gavilán, pues vale más no saciar ninguno. ¿Usted no cree que se puede vivir en una casa de locos encerrado y ser más feliz con las ilusiones que tenga uno, que no siendo rico y viviendo en un palacio?

—Sí. Es posible.

—Claro. Si la vida no es más que una ilusión. Cada uno ve el mundo a su manera. Uno lo ve de color de rosa, y otro, negro. ¡Vaya usted a saber cómo será! Es posible que no sea también más que una mentira, una figuración nuestra, de todos.

Y el señor Nicolás hizo una mueca de desdén con sus labios gruesos y belfos y siguió hablando de la inutilidad del trabajo, de la inutilidad de la vida, de lo grande y niveladora que es la muerte.

Fernando miraba con asombro a aquel rey Lear de la Mancha, que había repartido su fortuna entre sus hijas y había obtenido como resultado el olvido y el desdén de ellas. La palabra del ganadero le recordaba el espíritu ascético de los místicos y de los artistas castellanos; espíritu anárquico cristiano, lleno de soberbias y de humildades, de austeridad y de libertinaje de espíritu.

XVIII

LLEGARON ANTES del mediodía a La Granja y comieron los dos en una casa de comidas. Por la tarde fueron a ver los jardines, que en el filosófico arriero no hicieron impresión alguna.

A Fernando, todas aquellas fuentes de gusto francés; aquellas estatuas de bronce de los padres ríos, con las barbas rizadas; aquellas imitaciones de Grecia, pasadas por el filtro de Versalles; aquellas esfinges de zinc blanqueado, peinadas a lo Madame Pompadour, le parecieron completamente repulsivas, de un gusto barroco, antipático y sin gracia.

Salieron de La Granja y por la noche llegaron a un pueblo; durmieron en la posada, y a la mañana siguiente, antes de que se hiciese de día, aparejaron las mulas, las engancharon y salieron del pueblo.

La luz eléctrica brillaba en los aleros de las casuchas negruzcas, débil y descolorida; la luna iluminaba el valle y plateaba el vaho que salía de la tierra húmeda.

En el campo oscuro rebrillaban como el azogue charcos y regueros que corrían como culebrillas.

En un redil veíase un rebaño de ovejas blanquinegras, y cubiertos con una gran manta los pastores, a quienes se veía rebullir debajo...

El camino trazaba una curva. Desde lejos se veía el pueblo con sus casas en montón y las paredes blancas por la luna.

Pasando por Torrelodones y Las Rozas, llegaron a Aravaca por la tarde, y de aquí por la Puerta de Hierro, decidieron seguir por el paseo de los Melancólicos, que pasa por entre el campo del Moro y la Casa de Campo, sin parar en Madrid.

El día era domingo. A la caída de la tarde, entre dos luces, llegaron a la Puerta de Hierro. Hacía un calor sofocante.

En el cielo, hacia el Pardo, se veía una faja rojiza de color de cobre.

En la Casa de Campo, por encima de la tapia blanca, aparecían masas de follaje, que en sus bordes se destacaban sobre el cielo con las ramitas de los árboles como las filigranas esculpidas en las piedras de una catedral.

En el río, sin agua, con dos o tres hilillos negruzcos, se veían casetas hechas de esparto y se levantaba de allí una peste del cieno imposible de aguantar.

En los merenderos de la Bombilla se notaba un movimiento y una algarabía grandes.

El camino estaba lleno de polvo. Cuando llegaron en el carro, cerca de la Estación del Norte, había anochecido.

No se veía Madrid, envuelto como estaba en una nube de polvo. A largos trechos brillaban los faroles rodeados de un nimbo luminoso.

La gente tornaba de pasear, de divertirse, de creer, por lo menos, que se había divertido, pasando la tarde aprisionada en un traje de domingo, bailando al compás de las notas chillonas de un organillo.

En los tranvías, hombres, mujeres y chicos, sudorosos, llenos de polvo, luchaban a empujones, a brazo partido, para entrar y ocupar el interior o las plataformas de los coches, y cuando éstos se ponían en movimiento, rebosantes de carne, se perdían de vista pronto en la gasa de calor y de polvo que llenaba el aire.

La atmósfera estaba encalmada, asfixiante; la multitud se atropellaba, gritaba, se injuriaba, quizá sintiendo los nervios irritados por el calor.

Aquel anochecer, lleno de vaho, de polvo, de gritos, de mal olor; con el cielo bajo, pesado, asfixiante, vagamente rojizo; aquella atmósfera, que se mascaba al respirar; aquella gente, endomingada, que subía en grupos hacia el pueblo, daba una sensación abrumadora, aplastante, de molestia desesperada, de malestar, de verdadera repulsión.

XIX

—¿ES ILLESCAS ?—preguntó Fernando.

—Sí, es Illescas—contestó Polentinos.

Se veía desde lejos el Hospital de la Caridad y la alta torre de la Asunción, recortándose sobre el cielo azul blanquecino luminoso, y a los pies de la torre un montón parduzco de tejados.

Un camino polvoriento, con álamos raquíticos, subía hacia la iglesia.

Tomaron por la alameda y fueron acercándose al pueblo, que parecía dormido profundamente bajo un sol ardiente, abrasador; las puertas de las casas estaban cerradas; sus paredes reflejaban una luz deslumbradora, cruda, que cegaba; entre los hierros de las rejas, terminadas en la parte alta por cruces, brillaban rojos geranios y claveles.

Atontados por el calor, que caía como un manto de plomo, siguieron andando hasta llegar a casa de la hija de Polentinos.

Entraron en la casa.

Fernando pudo notar la frialdad con que recibieron al señor Nicolás, excepto la jorobadita, que le abrazó con efusión.

El yerno miró a Fernando con desconfianza, y éste dijo que se iba. Como habían comido ya en la casa, decidieron el señor Nicolás y Ossorio ir a la fonda del pueblo, y enviaron a una muchacha a que encargara la comida.

Fernando, con el pretexto de que quería ver la iglesia, salió de la casa, diciéndole a Polentinos que le esperaría en la fonda.

Fernando salió, y al ver el Hospital de la Caridad abierto, entró en su iglesia; pasó primero por un patio con árboles.

La iglesia estaba desierta. Se sentó en un banco a descansar. Enfrente, en el altar mayor, ardían dos lamparillas de aceite: una muy alta, otra junto al suelo. Había un silencio de esos que parecen sonoros; del patio llegaba a veces el piar de los pájaros; al paso de alguna carreta por la calle, retemblaba el suelo. De la bóveda central de la iglesia colgaban, suspendidas por barras de hierro, dos lámparas grandes, envueltas en lienzos blancos, como dos enormes lagrimones helados; de vez en cuando crujía, por el calor, alguna madera.

Fernando se acercó a la gran verja central, pintarrajeada, plateresca,[1] que dividía el templo, y vió en el fondo unas viejas vestidas de negro que andaban de un lado a otro. Salió de allá, y en el patio se encontró con Polentinos.

Entraron a comer en la confitería, que era al mismo tiempo fonda. El comedor era un cuartucho empapelado con papel amarillo, con unas banquetas de percalina roja.

---

[1] Platheresque, sixteenth-century Spanish ornate architectural decoration, resembling silver plate.

Por entre las cortinas se veía un trozo de tapia blanca que reverberaba por el sol. Una nube de moscas revoloteaban en el aire y se depositaban en masas negras sobre la mesa.

5 Polentinos hablaba con tristeza de su hija la jorobadita, ¡que era más buena la pobre . . . !

La infeliz comprendía que no se podía casar, y todo su ideal era ir a Segovia y poner allí una cacharrería. Se despidieron afectuosamente 10 Polentinos y Fernando.

—¿Qué va usted a hacer?—le dijo Polentinos.

—Me voy a Toledo.

—Tiene usted más de treinta kilómetros desde aquí.

15 —No me importa.

—¿Pero va usted a ir a pie?

—Sí.

Salió a eso de las cuatro.

El paisaje de los alrededores era triste, llano. 20 Estaban en los campos trillando y aventando. Salió del pueblo por una alameda raquítica de árboles secos.

Al acercarse a la estación vió pasar el tren; en los andenes no había nadie.

25 Comenzó a andar; se veían lomas blancas, trigales rojizos, olivos polvorientos; el suelo se unía con el horizonte por una línea recta.

Bajo el cielo de un azul intenso, turbado por vapores blancos como salidos de un horno, se 30 ensanchaba la tierra, una tierra blanca calcinada por el sol, y luego, campos de trigo, y campos de trigo de una entonación gris parduzca, que se extendían hasta el límite del horizonte; a lo lejos, alguna torre se levantaba junto a un pueblo; se 35 veían los olivos en los cerros, alineados como soldados en formación, llenos de polvo; alguno que otro chaparro, alguno que otro viñedo polvoriento . . .

Y a medida que avanzaba la tarde calurosa, el 40 cielo iba quedándose más blanco.

Sentíase allí una solidificación del reposo, algo inconmovible, que no pudiera admitir ni la posibilidad del movimiento. En lo alto de una loma, una recua de mulas tristes, cansadas, 45 pasaba a lo lejos levantando nubes de polvo; el arriero, montado encima de una de las caballerías, se destacaba agrandado en el cielo rojizo del crepúsculo, como gigante de edad prehistórica que cabalgara sobre un megaterio.[1]

El aire era cada vez más pesado, más quieto. 50

En algunas partes estaban segando.

Eran de una melancolía terrible aquellas lomas amarillas, de una amarillez cruda calcárea, y la ondulación de los altos trigos.

Pensar que un hombre tenía que ir segando 55 todo aquello con un sol de plano, daba ganas, sólo por eso, de huir de una tierra en donde el sol cegaba, en donde los ojos no podían descansar un momento contemplando algo verde, algo jugoso, en donde la tierra era blanca y blancos 60 también y polvorientos los olivos y las vides . . .

Fernando se acercó a un pueblo rodeado de lomas y hondonadas amarillas, ya segadas.

En uno de aquellos campos pastaban toros blancos y negros. 65

El pueblo se destacaba con su iglesia de ladrillo y unas cuantas tapias y casas blancas que parecían huesos calcinados por un sol de fuego.

Veíanse las eras cubiertas de parvas doradas; trillaban, subidos sobre los trillos arrastrados por 70 caballejos, los chicos, derechos, sin caerse, gallardos como romanos en un carro guerrero, haciendo evolucionar sus caballos con mil vueltas; a los lados de las eras se amontonaban las gavillas en las hacinas, y, a lo lejos, se secaba 75 el trigo en los amarillentos tresnales.

Por las sendas, entre rastrojos, pasaban siluetas de hombres y de mujeres denegridos; venían por el camino carretas cargadas hasta el tope de paja cortada. 80

Nubes de polvo formaban torbellinos en el aire encalmado, inmóvil, que vibraba en los oídos por el calor.

Las piedras blanquecinas, las tierras grises, casi incoloras, vomitaban fuego. 85

Fernando, con los ojos doloridos y turbados por la luz, miraba entornando los párpados. Le parecía el paisaje un lugar de suplicio, quemado por un sol de infierno.

Le picaban los ojos, estornudaba con el olor 90 de la paja seca, y se le llenaba de lágrimas la cara.

[1] Megathere, a ground sloth of gigantic size found in the Pleistocene age of America.

Un rebaño de ovejas grises, también polvorientas, se desparramaba por unos rastrojos.

Fué oscureciendo.

Fernando dejó atrás el pueblo.

5 A medianoche, en un lugarón tétrico, de paredes blanqueadas, se detuvo a descansar; y al día siguiente al querer levantarse, se encontró con que no podía abrir los ojos, que tenía fiebre y le golpeaba la sangre en la garganta.

10 Pasó así diez días enfermo en un cuarto oscuro, viendo hornos, bosques incendiados, terribles irradiaciones luminosas.

A los diez días, todavía enfermo, con los ojos vendados, en un carricoche, al amanecer, salió 15 para Toledo.

XX

LLEGÓ A LA IMPERIAL ciudad por la mañana, a las ocho.

Entró por el puente de Alcántara.

20 El día era fresco, hermoso, tranquilo. El cielo, azul, limpio, con nubes pequeñas, redondeadas, negruzcas en su centro, adornadas con un reborde blanco reverberante.

El cochero le recomendó una casa de huéspedes de la plaza de las Capuchinas que él 25 conocía; pero Fernando prefería ir a un mesón.

El cochero paró el coche en una posada a la entrada de Zocodover, enfrente de un convento.

Era el mesón modernizado, con luz eléctrica, 30 pero simpático en su género. Un pasillo en cuesta, con el suelo cubierto de cascajo, conducía a un patio grande, limpio y bien blanqueado, con techumbre de cristalería en forma de linterna.

35 En el patio se abrían varias puertas: las de las cuadras, la de la cocina, y otras, y desde él subía la escalera para los pisos altos de la casa. Era el patio el centro de la posada; allí estaba la artesa para lavar la ropa, el aljibe con su pila 40 para que bebiese el ganado; allí aparejaban los arrieros, los caballos y las mulas, y allí se hacía la tertulia en el verano, al anochecer.

En aquella hora el patio estaba desierto; llamó Ossorio varias veces, y apareció el posa-45 dero, hombre bajo y regordete, que abrió una de las puertas, la del comedor, e hizo pasar a Fernando a un cuarto largo, estrecho, con una mesa también larga en medio, dos pequeñas a los lados, y en el fondo dos armarios grandes y pesadotes, llenos de vajilla pintarrajeada de 50 Talavera.

Desayunóse Fernando, y salió a Zocodover.

La luz del sol le produjo un efecto de dolor en los ojos, y, algo mareado, se sentó en un banco.

Una turba de chiquillos famélicos se acercó a él. 55

—¿Quiere usted ver la Catedral, San Juan de los Reyes, la Sinagoga?

—No, no quiero ver nada.

—Una buena fonda; un intérprete.

—No, nada. 60

—*Musiú, musiú*,[1] deme usted un *sú*[2]—gritaban otros chiquillos.

Fernando volvió a la posada y se acostó pronto. Al día siguiente se encontró con que no podía abrir los ojos, de inflamados que nueva-65 mente los tenía, y se quedó en la cama.

La gente del mesón le dejaba solo, sin cuidarse más que de llevarle la comida.

En aquel estado era un flujo de pensamientos el que llegaba a su cerebro. 70

De optimista pensaba que aquella enfermedad, los días horribles que estaba pasando, podían ser dirigidos para él por el destino, con un móvil bueno, a fin de que se mejorase su espíritu. Después, como no admitía una voluntad 75 superior que dirigiera los destinos de los hombres, pensaba que, aunque las desgracias y las enfermedades en sí no tuviesen un objeto moral, el individuo podía dárselos, puesto que los acontecimientos no tienen más valor que 80 aquel que se les quiere conceder.

Otras veces hubiera deseado dormir. Pasar toda la vida durmiendo con un sueño agradable, ¡qué felicidad! ¡Y si el sueño no tuviera ensueños! Entonces, aún felicidad mayor. Pero como 85 el sueño está preñado de vida, porque en las honduras de esa muerte diaria se vive sin conciencia de que se vive, al despertar Ossorio y al no hacer gasto de su energía ni de su fuerza, esta energía se transformaba en su cerebro en un ir y 90

[1] Monsieur.
[2] Sou, French coin.

venir de ideas, de pensamientos, de proyectos, en un continuo oleaje de cuestiones, que salían enredadas como las cerezas, cuando se tira del rabito de una de ellas.

5 Decía, por ejemplo, inconscientemente, en voz alta, quejándose:

—¡Ay, qué vida ésta!

Y el cerebro, automáticamente, hacía el comentario.

10 —¿Qué es la vida? ¿Qué es vivir? ¿Moverse, ver, o el movimiento anímico que produce el sentir? Indudablemente, es esto: una huella en el alma, una estela en el espíritu, y entonces, ¿qué importa que las causas de esta huella, de 15 esta estela, vengan del mundo de adentro o del mundo de afuera? Además, el mundo de afuera no existe; tiene la realidad que yo le quiero dar. Y, sin embargo, ¡qué vida ésta más asquerosa!

XXI

20 CUANDO COMENZÓ A sentirse mejor, compró unas antiparras negras, que le tapaban por completo los ojos, y con ellas puestas paseaba todos los días en Zocodover,[1] a la sombra, entre empleados, cadetes y comerciantes de la ciudad; veía a 25 los chiquillos que llegaban por el Miradero,[2] voceando los periódicos de Madrid, y, como no le interesaban absolutamente nada las noticias que pudieran tener, no los compraba.

El primer día que se encontró ya bien, decidió 30 marcharse de la posada e ir a la casa de huéspedes que le había recomendado el hombre en compañía del cual fué a Toledo. Se levantó de madrugada, como casi todos los días, se desayunó con un bartolillo[3] que compró en una 35 tienda de allí cerca, salió a Zocodover, y, callejeando, llegó a la plaza de las Capuchinas, cerca de la cual le habían indicado que se hallaba la casa de huéspedes; la encontró, pero estaba cerrada. Volvió de aquí para allá, a fin de matar el 40 tiempo, hasta encontrarse en una plaza en donde

se veía una iglesia grandona y churrigueresca,[4] con dos torres a los lados, portada con tres puertas y una gradería, en la que estaba sentada una porción de mujeres y de chicos.

Entre aquellas mujeres había algunas que 45 llevaban refajos y mantos de bayeta de unos colores desconocidos en el mundo de la civilización, de un tono tan jugoso, tan caliente, tan vivo, que Fernando pensó que sólo allí pudo el Greco vestir sus figuras con los paños espléndidos con que las vistió. 50

En medio de la plaza había una fuente y un jardinillo con bancos. En uno de éstos se sentó Fernando.

En la acera de una callejuela en cuesta, que 55 partía de la plaza, se veía una fila de cántaros sosteniéndose amigablemente, como buenos camaradas; unos hacían el efecto de haberse dormido sobre el hombro de sus compañeros; otros, apoyándose en la pared, tan gordos y 60 tripudos, parecían señores calmosos y escépticos, completamente convencidos de la inestabilidad de las cosas humanas.

A un lado de la plaza, por encima de un tejado, asomaba la gallarda torre de la Catedral. 65

Ossorio miraba a los cántaros y a las personas sentadas en las gradas de la iglesia, preguntándose qué esperarían unos y otras.

En esto, vino un hombre con un látigo en la mano, se acercó a la fuente, hizo una serie de 70 manipulaciones con unos bramantes y unas cañas, y al poco rato, el agua empezó a manar.

Entonces, el hombre restalló el látigo en el aire.

Inmediatamente, como una bandada de go- 75 rriones, toda la gente apostada en las gradas bajó a la plaza; cogieron mujeres y chicos los cántaros en la acera de la callejuela, y se acercaron con ellos a la fuente.

Después de contemplar el espectáculo, pensó 80 Fernando que estaría ya abierta la casa.

A pesar de que sabía que estaba cerca de las Capuchinas, de la calle de las Tendillas y de otra que pasa por Santa Leocadia y Santo

---

[1] Main square of Toledo.
[2] Street that comes into the Zocodover.
[3] Small, triangular-shaped pastry filled with cream or meat.

[4] Churrigueresque, pertaining to the baroque-like excessively ornamented architectural style developed in Spain by José Churriguera (1650–1723).

Domingo el antiguo, se perdió a pocos metros de distancia, y tuvo que dar muchas vueltas para encontrarla.

Entró Fernando en el oscuro zaguán, llamó a la campanilla, y, abierta la puerta, pasó a un patio, no muy grande, con el suelo de baldosa encarnada.

En el centro había unos cuantos *evonymus*, y en un ángulo un aljibe. En uno de los lados estaba la puerta del piso bajo, que daba a una galería estrecha o pasillo con ventanas, en una de las cuales se sujetaba la cuerda, que al tirar de ella abría la puerta del zaguán; del pasillo partía la escalera, que era clara, con una gran linterna de cristales en el techo, que dejaba pasar la claridad del sol.

En el piso alto vivía la patrona; el bajo lo tenía alquilado a otra familia.

La casa era grande y bastante oscura, pues aunque daba a una calle y tenía un patio en medio, estaba rodeada de casas más altas que no la dejaban recibir el sol.

Desde que se entraba, olíase a una planta rústica, quemada, que recordaba los olores de las sacristías.

Fernando preguntó en el piso bajo por la casa de doña Antonia, y le indicaron que subiera al principal.

Allí se encontró con la patrona, una mujer gruesa, frescota, de unos treinta y cinco a cuarenta años, de cara redonda y pálida, ojos negros, voluptuosos, y modo de hablar un tanto libre.

Su marido era empleado en el Ayuntamiento, un hombre bajito, charlatán y movedizo, al que vió salir Fernando para ir a la oficina.

No tuvieron que discutir ni condiciones ni precio, porque a Ossorio le pareció todo muy barato; y por la tarde abandonó la posada y fué a instalarse en la casa nueva.

El cuarto que ocupó Fernando era un cuarto largo, para entrar en el cual había que subir unos escalones; estaba blanqueado y tenía más alto el techo que las demás habitaciones de la casa. El balcón, de gran saliente, daba a una callejuela estrechísima, y parecía que se podía dar la mano con el vecino de enfrente, un cura viejo, alto y escuálido, que por las tardes salía a una azotea pequeña, y paseando de un lado a otro y rezando, se pasaba las horas muertas.

En el cuarto había una cómoda grande, y sobre ella, en medio, una Virgen del Pilar de yeso, y a los lados, fanales de cristal, y dentro de ellos, ramilletes hechos de conchitas pequeñas, pegadas unas a otras, imitando margaritas, rosas, siemprevivas, abiertas o en capullo, en medio de un follaje espeso, formado por hojas de papel verde, descoloridas por la acción del tiempo.

El cuarto de Fernando estaba frente a una escalera de ladrillo que conducía a la cocina y a otros dos cuartos grandes, y que seguía después hasta terminar en un terrado.

La cama era de varias tablas sostenidas por dos bancos pintados de verde.

Indudablemente, doña Antonia, viendo a Fernando tan preocupado y distraído, le había puesto en el peor cuarto de la casa.

Comía Ossorio casi siempre solo, mucho más temprano que los demás huéspedes.

En aquellas horas no solía haber en el comedor más que una vieja, ciega y chocha, que tenía un aspecto de bruja de Goya, con la cara llena de arrugas y la barba de pelos, que hacía muecas y se reía hablando a un niño recién nacido que llevaba en brazos; la vieja solía venir con una muchachita, hija de la casa, de aspecto monjil, aunque muy sonriente, que muchas veces le servía la comida a Fernando.

Se sentaba la abuelita en una silla, la muchacha traía el niño, se lo entregaba a la vieja, y ésta pasaba horas y horas con él.

¡Qué de cosas se dirían sin hablarse aquellas dos almas!—pensaba Fernando—; y si, efectivamente, las almas primitivas son las que mejor pueden comunicarse sin la palabra, ¡qué de cosas no se dirían aquéllas!

Un día, mientras estaba comiendo, Fernando habló con la vieja:

—¿Es usted de Toledo?—le preguntó.

—No. Soy de Sonseca.

—¿Pero vive usted aquí?

—Unas veces aquí, con mi hijo; otras, con mi hija, en Sonseca.

—Esa criatura, ¿es su nieto?

—Sí, señor.

Entró la muchachita, la hija de la patrona, que
servía algunas veces la mesa, y, dirigiéndose a la
anciana, murmuró:

—Abuela, ¡a ver si no pone usted así al chico,
5 que lo va usted a tirar al suelo!

—¿Es su abuela?—preguntó Ossorio a la
muchacha.

—Sí. Es la madre de mi padre.

—¿Madre del dueño de la casa? Entonces,
10 ¿tendrá muchos años?

—Figúrese usted—contestó, riendo—. Yo no
sé los que tiene. Se lo voy a preguntar. Abuela,
¿cuántos años tiene usted?

—Más de setenta . . . y más de ochenta.

15 —No sabe—dijo la muchacha, volviéndose a
reír. Al reírse, sus ojos estaban llenos de guiños
cándidos, enseñaba los dientecillos blancos y, a
veces, entornaba los ojos, que entonces casi no
se veían.

20 —Y usted, ¿cuántos años tiene?—le preguntó
Fernando.

—¿Yo? Diez y ocho.

—Tiene usted un hermano, ¿verdad?

—Un hermano y una hermana.

25 —A la hermana no la he visto.

—Está en el Colegio de Doncellas Nobles.

—¡Caramba! Y el hermano, ¿estudia?

—Sí. Estudió para cura.

—¿Y ha dejado la carrera?

30 —No le gustaba. Mi padre quería que mi
hermano fuese cura, y nosotras monjas; pero no
queremos.

—Usted se querrá casar, claro.

—Sí; cuando tenga más años.

35 —Pero ya tiene usted edad de casarse. ¡A los
diez y ocho años!

—¡Bah! A los diez y ocho años dice mi madre
que sólo se casan las locas que no saben ni el
arreglo de la casa.

40 —Pero usted ya lo sabe.

—Yo, sí; pero, ¿para qué me voy a casar tan
pronto?—Y miró a Fernando con una expresión
de alegría, de dulzura, de serenidad.

Para la muchacha aquella, lo único impor-
45 tante para casarse era saber el arreglo de la casa.

Era interesante la niña; sobre todo, muy
mona. Se llamaba Adela.

A primera vista, no parecía una preciosidad;
pero fijándose bien en ella, iban notándose perfecciones. Su cabeza rubia, de tez muy blanca, 50
hubiera podido ser de un ángel de Rubens,[1] algo
anémico.

El cuerpo, a través del vestido, daba la impresión de ser blanco, linfático, perezoso en sus
movimientos.   55

Era la chica hacendosa por gusto, y se pasaba
el día haciendo trabajos y diligencias, porque no
le gustaba estar sin hacer nada.

No conocía las calles de Toledo. Se había
pasado la vida sin salir de casa.   60

La mayor parte de los días, de las Capuchinas[2]
a casa, y de casa a las Capuchinas, era su único
paseo. De vez en cuando, algún día de fiesta iba
con su padre por el camino de la Fábrica, bajaban por cerca de la Diputación,[3] tomaban por 65
el presidio antiguo, a salir al paseo de Merchán,
y volvían a casa. Esta era su vida.

Quizá aquel aislamiento le permitía tener un
carácter alegre.

Fernando, que había notado que comiendo 70
temprano le servía la comida Adela, porque la
criada vieja solía estar ocupada, iba a casa antes
de las doce. En la comida hablaba con la abuela
de Sonseca y con Adela, y para disimularse el
placer que esto le daba, se decía a sí mismo, 75
seriamente:

—Aprendo en las palabras de la vieja y de la
niña la sencillez y la piedad.

XXII

A LAS DOS o tres semanas de estar en casa de 80
doña Antonia, comenzó Fernando a conocer y a
intimar con los demás huéspedes.

Había dos curas en la casa, un muchacho
teniente y un registrador de un pueblo in-
mediato, con su madre.   85

De los dos curas, el uno, don Manuel, tenía
una cara ceñuda y sombría, abultada, de torpes
facciones. Era hombre de unos cuarenta y cinco
años, de cuerpo alto y robusto, de pocas pala-

[1] Flemish painter (1577–1640).
[2] The Capuchine church.
[3] Building where provincial officials gather.

bras, y éstas con frecuencia acres y malhumoradas; parecía estar distraído siempre.

La patrona, en el seno de la confianza, suponía que estaba enamorado. Quizá estaba enamorado de alguien o de algo, porque se hallaba continuamente fuera de la realidad. Sin embargo, no tenía nada de místico.

Se contaba en la casa que, aunque cumplía siempre su misión escrupulosamente, no era muy celoso. Además, no confesaba nunca.

—Un día me tiene usted que confesar, don Manuel—le dijo la patrona.

—No, señora—le contestó don Manuel con violencia—; no tengo ganas de ensuciarme el alma.

El otro cura, don Pedro Nuño, era todo lo contrario de don Manuel: amable, sonriente, aficionado a la arqueología, pero aficionado con verdadero furor.

Ossorio fué a visitar una vez a este cura, y viendo que le acogía muy bien, después de comer echaba con él un párrafo, tocando de paso todos los puntos humanos y divinos de la religión y de la ciencia.

El despacho de don Pedro Nuño daba por dos ventanas a la calle, y era el mejor de la casa.

El suelo era de una combinación de ladrillos encarnados y blancos; en las paredes había un zócalo de azulejos árabes.

Guardaba don Pedro en su gabinete un monetario completo de monedas romanas que había coleccionado en Tarragona, y una porción de libros viejos encuadernados en pergamino.

A pesar de su afición por las cosas artísticas, tenía una noción clara, aunque un tanto desdeñosa, de las actuales. Sin darse cuenta, era un volteriano. La idea de arte había substituído en él toda idea religiosa.

Si le dejaba hablar, y hablaba con mucha gracia, con acento andaluz, duro, aspirando mucho las haches, se deslizaba hasta considerar la Iglesia como la gran institución protectora de las artes y de las ciencias, y se permitía bromas sobre las cosas más santas. Si se trataba de atacar las ideas religiosas, que él debía tener, aunque no las tenía, entonces se le hubiera tomado por un fanático completo.

Más que la irreligiosidad—que en algunos no le molestaba por completo, el *Diccionario Filosófico*, de Voltaire, lo citaba mucho en sus escritos—le indignaban algunas cosas nuevas; el neocristianismo de Tolstoi,[1] por ejemplo, del cual tenía noticias por algunas críticas de revistas, le sacaba de quicio.

Para él, aquel noble señor ruso era un infatuado y un vanidoso que tenía talento, él no lo negaba, pero que el zar debía de obligarle a callar, metiéndolo en una casa de locos.

El mismo odio sentía por los autores del Norte, a quienes no conocía y le molestaba que periodistas y críticos españoles, en las revistas y en los periódicos, supieran que aquellos rusos y noruegos y dinamarqueses valieran más que los franceses, que los españoles e italianos.

Las mixtificaciones y exageraciones graciosas de los historiadores le encantaban.

Uno de los párrafos que le leyó a Fernando el primer día, sonriendo maliciosamente, era éste, de una *Historia de Toledo*, que estaba consultando:

«Vió que para albergar a la gran Casa de Austria en la ostentación magnífica que se porta, era su Real Alcázar nido estrecho; y así en lo más salutífero de su territorio, y a donde con más anchura pudiese ostentar su Corte, le fabricó palacio. De suerte, que Madrid es como nuevo Alcázar de Toledo, un arrabal, un barrio, un retiro suyo, donde, como a desahogarse se ha retirado toda la Grandeza y Nobleza de Toledo».

De los otros huéspedes, el militar joven se pasaba la mayor parte del día en la Academia, en donde estaba destinado.

El otro, el registrador, don Teodoro, era un hombre humilde y triste. Su padre, minero de Cartagena,[2] había prometido con cierto fervor religioso en algún momento de mala suerte que si una mina le daba resultado dotaría un asilo o una casa de beneficencia.

Efectivamente, le dió resultado la mina, y en vez de dotar el hospital, empezó a gastar dinero a troche y moche, tuvo tres o cuatro queridas, se

---

[1] Russian novelist (1828–1910).
[2] Port in southeastern Spain.

arregló además con la criada de su casa, y como ésta quedara embarazada, quiso que su hijo se casara con ella.

Don Teodoro protestó, y con su madre se fué a Madrid, hizo oposiciones y las ganó.

Muchos de estos detalles le contaban a Fernando por la tarde en el cuarto en donde cosían las mujeres de la casa, incluso la vieja criada.

De aquellas conversaciones comprendía Ossorio claramente que Toledo no era ya la ciudad mística soñada por él, sino un pueblo secularizado, sin ambiente de misticismo alguno.

Sólo por el aspecto artístico de la ciudad podía colegirse una fe que en las conciencias ya no existía.

Los caciques, dedicados al chanchullo; los comerciantes, al robo; los curas, la mayoría de ellos con sus barraganas, pasando la vida desde la iglesia al café, jugando al monte, lamentándose continuamente de su poco sueldo; la inmoralidad, reinando; la fe, ausente, y para apaciguar a Dios unos cuantos canónigos cantando a voz en grito en el coro, mientras hacían la digestión de la comida abundante, servida por alguna buena hembra.

XXIII

COMENZÓ A ANDAR sin rumbo por las callejuelas en cuesta.

Se había nublado; el cielo, de color plomizo, amenazaba tormenta. Aunque Fernando conocía Toledo por haber estado varias veces en él, no podía orientarse nunca; así que fué sin saber el encontrarse cerca de Santo Tomé, y una casualidad hallar la iglesia abierta. Salían en aquel momento unos ingleses. La iglesia estaba oscura. Fernando entró. En la capilla bajo la cúpula blanca, en donde se encuentra *El enterramiento del conde de Orgaz*,[1] apenas se veía; una luz débil señalaba vagamente las figuras del cuadro. Ossorio completaba con su imaginación lo que no podía percibir con los ojos. Allá en el centro del cuadro veía a San Esteban, protomártir, con su áurea capa de diácono, y en ella, bordada, la

escena de su lapidación, y San Agustín, el santo obispo de Hipona,[2] con su barba de patriarca blanca y ligera como humo de incienso, que rozaba la mejilla del muerto.

Revestidos con todas sus pompas litúrgicas, daban sepultura al conde de Orgaz y contemplaban la milagrosa escena, monjes, sacerdotes y caballeros.

En el ambiente oscuro de la capilla el cuadro aquél parecía una oquedad lóbrega, tenebrosa, habitada por fantasmas inquietos, inmóviles, pensativos.

Las llamaradas cárdenas de los blandones flotaban vagamente en el aire, dolorosas como almas en pena.

De la gloria, abierta al romperse por el Angel de la Guarda las nubes macizas que separan el cielo de la tierra, no se veían más que manchones negros, confusos.

De pronto, los cristales de la cúpula de la capilla fueron heridos por el sol, y entró un torrente de luz dorada en la iglesia. Las figuras del cuadro salieron de su cueva.

Brilló la mitra obispal de San Agustín con todos sus bordados, con todas su pedrerías; resaltó sobre la capa pluvial del santo obispo de Hipona la cabeza dolorida del de Orgaz, y su cuerpo, recubierto de repujada coraza milanesa, sus brazaletes y guardabrazos, sus manoplas, que empuñaron el fendiente.[3]

En hilera colocados, sobre las rizadas gorgueras españolas, aparecieron severos personajes, almas de sombra, almas duras y enérgicas, rodeadas de un nimbo de pensamiento y de dolorosas angustias. El misterio y la duda se cernían sobre las pálidas frentes.

Algo aterrado de la impresión que le producía aquello, Fernando levantó los ojos, y en la gloria abierta por el ángel de grandes alas, sintió descansar sus ojos y descansar su alma en las alturas donde mora la Madre rodeada de la eucarística blancura en el fondo de la Luz Eterna.

Fernando sintió como un latigazo en sus nervios, y salió de la iglesia.

---

[1] *Enterramiento* . . . painting by El Greco.

[2] City in North Africa.

[3] *fendiente = hendiente*, from *hender*, to cleave. Here, Baroja refers to the weapon.

XXIV

UN DOMINGO por la mañana, al levantarse, vió Fernando en casa a la otra hija de su patrona y hermana de Adela. Iba Teresa, la educanda del Colegio de Doncellas Nobles, todos los domingos a pasar el día con sus padres.

Mientras Ossorio se desayunaba, doña Antonia le explicó cómo logró conseguir una beca para su hija en el colegio de Doncellas Nobles, por medio de don Pedro Nuño, que había hablado al secretario del arzobispo, y lo que había pagado por el equipo y la manera de vivir y demás condiciones de la fundación del Cardenal Siliceo.[1]

El tener la chica en este Colegio halagaba a doña Antonia en extremo. Para ella era un bello ideal realizado.

Mientras doña Antonia daba todas estas explicaciones, que creía indispensables, entraron sus dos hijas, Adela y Teresa, la colegiala, la cual en seguida adquirió confianza con Ossorio.

—Tienen que ser hijas de Toledo para ir al Colegio—seguía diciendo doña Antonia—; si salen para casarse, las dan una dote, y si no se pueden casar, pasan allí toda su vida.

—No seré yo la que pase la vida allá con esas viejas—replicó Teresa, la colegiala—. ¡Que las den morcilla a todas ellas!

—Esta hija ... es más repicotera. ¿Pues qué vas a hacer si no te casas?

—¡Como me casaré!

Teresa, la colegiala, era graciosa; tenía la estatura de Adela, la nariz afilada, los labios delgados, los ojos verdosos, los dientes pequeños, y la risa siempre apuntando en los labios, una risa fuerte, clara, burlona; sus ademanes eran felinos. Repetía una porción de gracias que sin duda corrían por el Colegio, y las repetía de tal manera, que hacía reír.

A las primeras palabras que dijo Fernando, le interrumpió ella diciéndole:

—¡Ay, qué risa con usted y con su suegra!

Teresa contó lo que pasaba en el Colegio.

La superiora era perrísima; la rectora también tenía más mal genio. Entre las mayores había una que dirigía la cocina; otras, las labores.

—Pero, ¿viven ustedes todas juntas o en cuartos?

—Cada una en su cuarto, y no nos reunimos más que para comer y rezar. ¡Es más aburrido! ... Cada cuatro jóvenes tiene una mayor que las dirige, a la que llamamos tía.

—Y usted, ¿qué piensa hacer? ¿Salir del Colegio para casarse o meterse monja?

—Sí, monja ... de tres en celda—replicó Adela, creyendo que la frase debía de tener mucha malicia.

—Yo quisiera casarme—dijo Teresa—con un hombre muy rico. A mí me entusiasman las batas de color de rosa, y las perlas y los brillantes—. Luego, riéndose, añadió:—¡Ya sé que no me casaré sino con un pobretón! ¡Que les zurzan a los ricos con hilo negro![2]

—Pues yo—manifestó Adela—quisiera una casita en un cigarral y un marido que me quisiera muchísimo, y que yo le quisiera muchísimo, y que ...

—Hija, qué perrísima eres—repuso la colegiala, y rodeó el cuello de Adela con su brazo y la atrajo hacia sí.

—Déjame, muchacha.

—No quiero, de castigo.

—¿A que no puede usted con ella?—preguntó Fernando a Teresa, señalando a su hermana.

—¿Qué no? ¡Vaya! Y la estrechó entre sus brazos sujetándola y besuqueándola.

Era aquella Adelita muy decidida y muy valiente, no callaba nada de lo que le pasaba por la imaginación. Volvieron a hablar Teresa y Adela de novios y de amoríos.

—¿Pero qué?—dijo Fernando—, ¿dos muchachas tan bonitas como ustedes no tienen ya sus respectivos galanes ..., algún gallardo toledano; alguno de Sonseca? ...

—¿Los de Sonseca ...? Son más *cazuelos*[3] —contestó Teresa.

Durante todo el día oyó Fernando la charla de las dos, interrumpida por carreras que daban por

---

[1] Siliceo (1486–1557), Professor of Philosophy at the University of Salamanca.

[2] *¡Que ... negro!* Let the rich ones get along as best as they can!

[3] Fond of fussy domestic chores, more properly in women's domain.

los pasillos de la casa, y por no pocas discusiones y riñas. Sobre todo Adela, aquella muchacha tan valiente y decidida, era muy agradable y simpática.

5 —Y no he estado en Madrid—le decía a Fernando antes de marcharse al colegio, con los ojos verdes brillantes—. ¡Debe ser más bonito! —añadía juntando las manos y sonriendo.

XXV

10 A LOS DOS MESES de estar en Toledo, Fernando se encontraba más excitado que en Madrid.

En él influían de un modo profundo las vibraciones largas de las campanas, el silencio y la soledad que iba a buscar por todas partes.

15 En la iglesia, en algunos momentos, sentía que se le llenaban los ojos de lágrimas; en otros seguía murmurando por lo bajo, con el pueblo, la sarta de latines de una letanía o las oraciones de la misa.

20 El no creía ni dejaba de creer. El hubiese querido que aquella religión tan grandiosa, tan artística, hubiera ocultado sus dogmas, sus creencias, y no se hubiera manifestado en el lenguaje vulgar y frío de los hombres, sino en 25 perfumes de incienso, en murmullos de órgano, en soledad, en poesía, en silencio. Y así, los hombres, que no pueden comprender la divinidad, la sentirían en su alma, vaga, lejana, dulce, sin amenazas, brisa ligera de la tarde que refresca 30 el día ardoroso y cálido.

Y, después, pensaba que quizá esta idea era de un gran sensualismo, y que en el fondo de una religión así, como él señalaba, no había más que el culto de los sentidos. Pero, ¿por qué los sen-35 tidos habían de considerarse como algo bajo, siendo fuentes de la idea, medios de comunicación del alma del hombre con el alma del mundo?

Muchas veces, al estar en la iglesia, le entra-40 ban grandes ganas de llorar, y lloraba.

—¡Oh! Ya estoy purificado de mis dudas—se decía a sí mismo—. Ha venido la fe a mi alma.

Pero, al salir de la iglesia a la calle, se encontraba sin un átomo de fe en la cabeza. La religión producía en él el mismo efecto que la música: 45 le hacía llorar, le emocionaba con los altares espléndidamente iluminados, con los rumores del órgano, con el silencio lleno de misterio, con los borbotones de humo perfumado que sale de los incensarios. 50

Pero que no le explicaran, que no le dijeran que todo aquello se hacía para no ir al infierno y no quemarse en lagos de azufre líquido y calderas de pez derretida; que no le hablasen, que no le razonasen, porque la palabra es el enemigo 55 del sentimiento; que no trataran de imbuirle un dogma; que no le dijeran que todo aquello era para sentarse en el paraíso al lado de Dios, porque él, en su fuero interno, se reía de los lagos de azufre y de las calderas de pez, tanto como de 60 los sillones del paraíso.

La única palabra posible era amar. ¿Amar qué? Amar lo desconocido, lo misterioso, lo arcano, sin definirlo, sin explicarlo. Balbucir como un niño las palabras inconscientes. Por eso 65 la gran mística Santa Teresa había dicho: *El infierno es el lugar donde no se ama.*

En otras ocasiones, cuando estaba turbado, iba a Santo Tomé a contemplar de nuevo el *Enterramiento del conde de Orgaz,* y le consultaba 70 e interrogaba a todas las figuras.

Una mañana, al salir de Santo Tomé, fué por la calleja del Conde a una explanada con un pretil.

Andaban por allí unos cuantos chiquillos que 75 jugaban a hacer procesiones; habían hecho unas andas y colocado encima una figurita de barro, con manto de papel y corona de hoja de lata. Llevaban las microscópicas andas entre cuatro chiquillos; por delante iba el pertiguero con una 80 vara con su contera y sus adornos de latón, y, detrás, varios chicos y chicas con cerillas y otras con cabos de vela.

Fernando se sentó en el pretil.

Enfrente de donde estaba había un gran 85 caserón, adosado a la iglesia, con balcones grandes y espaciados en lo alto, y ventanas con rejas en lo bajo.

Fernando se acercó a la casa, metió la mano por una reja, y sacó unas hojas rotas de papel 90 impreso. Eran trozos de los ejercicios de San

Ignacio. En la disposición de Fernando, aquello le pareció una advertencia.

Callejeando, salió a la puerta del Cambrón, y desde allá, por la Vega Baja, hacia la puerta Visagra.

Era una mañana de octubre. El paisaje allí, con los árboles desnudos de hojas, tenía una simplicidad mística. A la derecha veía las viejas murallas de la antigua Toledo; a la izquierda, a lo lejos, el río con sus aguas de color de limo; más lejos, la fila de árboles que lo denunciaban, y algunas casas blancas y algunos molinos de orillas del Tajo. Enfrente, lomas desnudas, algo como un desierto místico; a un lado, el hospital de Afuera, y, partiendo de aquí, una larga fila de cipreses, que dibujaba una mancha alargada y negruzca en el horizonte. El suelo de la Vega estaba cubierto de rocío. De algunos montones de hojas encendidas salían bocanadas de humo negro, que pasaban rasando el suelo.

Un torbellino de ideas melancólicas giraba en el cerebro de Ossorio, informes, indefinidas. Se fué acercando al hospital de Afuera, y en uno de los bancos de la Vega se sentó a descansar. Desde allá se veía Toledo, la imperial Toledo, envuelta en nieblas, que se iban disipando lentamente, con sus torres y sus espadañas y sus paredones blancos.

Fernando no conocía de aquellas torres más que la de la Catedral; las demás las confundía; no podía suponer de dónde eran.

Acababan de abrir la puerta del hospital de Afuera.

Fernando recordaba que allí dentro había algo, aunque no sabía qué.

Atravesó el zaguán y pasó a un patio con galerías sostenidas por columnas a los lados, lleno de silencio, de majestad, de tranquilo y venerable reposo. Estaba el patio solitario; sonaban las pisadas en las losas, claras y huecas. Enfrente había una puerta abierta, que daba acceso a la iglesia. Era ésta grande y fría. En medio, cerca del presbiterio, se destacaba la masa de mármol blanco de un sepulcro. A un lado del altar mayor, una hermana de la Caridad, subida en una escalerilla, arreglaba una lámpara de cristal rojo. Su cuerpo, pequeño, delgado, cubierto de hábito azul, apenas se veía; en cambio, la toca, grande, blanca, almidonada, parecía las alas blancas e inmaculadas de un cisne.

A la derecha del altar mayor, en uno de los colaterales, había un cuadro del Greco, resquebrajado; las figuras, todas alargadas, extrañas, con las piernas torcidas.

A Fernando le llamó la atención; pero estaba más impresionado por el sepulcro, que le parecía una concepción de lo más genial y valiente.

La cara del muerto, que no podía verse más que de perfil, producía verdadera angustia. Estaba, indudablemente, sacada de un vaciado hecho en el cadáver; tenía la nariz curva y delgada; el labio superior, hinchado; el inferior, hundido; el párpado cubría a medias el ojo, que daba la sensación de ser vidrioso.

La hermana de la Caridad se le acercó, y con acento francés le dijo:

—Es el sepulcro del cardenal Tavera. Ahí está el retrato del mismo, hecho por el Greco.

Fernando entró en el presbiterio.

Al lado derecho del altar mayor estaba: era un marco pequeño que encerraba un espectro, de expresión terrible, de color terroso, de frente estrecha, pómulos salientes, mandíbula afilada y prognata. Vestía muceta roja, manga blanca debajo; la mano derecha, extendida junto al birrete cardenalicio; la izquierda, apoyada despóticamente en un libro. Salió Fernando de la iglesia y se sentó en un banco del paseo. El sol salía del seno de las nubes, que lo ocultaban.

Veíase la ciudad destacarse lentamente sobre la colina en el azul puro del cielo, con sus torres, sus campanarios, sus cúpulas, sus largos y blancos lienzos de pared de los conventos, llenos de celosías, sus tejados rojizos, todo calcinado, dorado por el sol de los siglos y de los siglos; parecía una ciudad de cristal en aquella atmósfera tan limpia y pura. Fernando soñaba y oía el campaneo de las iglesias que llamaban a misa.

El sol ascendía en el cielo; las ventanas de las casas parecían llenarse de llamas. Toledo se destacó en el cielo lleno de nubes incendiadas ..., las colinas amarillearon y se doraron, las lápidas del antiguo camposanto lanzaron destellos

al sol ... Volvió Fernando hacia el pueblo, pasó por la puerta Visagra y después por la del Sol. Desde la cuesta del Miradero se veía la línea valiente formada por la iglesia mudéjar de San-
5 tiago del Arrabal, dorada por el sol; luego, la puerta Visagra, con sus dos torres, y al último, el hospital de Afuera.

XXVI

AQUELLA MISMA TARDE, en una librería religiosa
10 de la calle del Comercio, compró Fernando los ejercicios de San Ignacio de Loyola.[1]

Sentía al ir a su casa verdadero terror y espanto, creyendo que aquella obra iba a concluir de perturbarle la razón.

15 Llegó a casa, y en su cuarto se puso a leer el libro con detenimiento.

Creía que cada palabra y cada frase estampadas allí debían de ser un latigazo para su alma.

Poco a poco, a medida que avanzaba en la
20 lectura, viendo que la obra no le producía el efecto esperado, dejó de leer y se propuso reflexionar y meditar en todas las frases aquéllas, palabra por palabra.

Al día siguiente reanudó la lectura, y el libro
25 le siguió pareciendo la producción de un pobre fanático ignorante y supersticioso.

A Fernando, que había leído el *Eclesiastés*, le parecían los pensamientos del oscuro hidalgo vascongado sencillas vulgaridades.

30 El infierno, en aquel librito, era el lugar tremebundo pintado por los artistas medievales, por donde se paseaba el demonio con su tridente y sus ojos llameantes y en donde los condenados se revolvían entre el humo y las
35 llamas, gritando, aullando, en calderas de pez hirviente, lagos de azufre, montones de gusanos y de podredumbre.

Una página de Poe hubiera impresionado más a Fernando que toda aquella balumba terrorífica.
40 Pero, a pesar de esto, había en el libro, fuera del elemento intelectual, pobre y sin energía, un fondo de voluntad, de fuerza; un ansia para conseguir la dicha ultraterrena y apoderarse de

[1] Founder of the Jesuit order (1491–1556).

ella, que Ossorio se sintió impulsado a seguir las recomendaciones del santo, si no al pie de la 45 letra, al menos en su espíritu.

—¿Habré nacido yo para místico?—se preguntaba Fernando algunas veces. Quién sabe si estas locuras que he tenido no eran un aviso de la Providencia. Debo ser un espíritu religioso. 50 Por eso, quizá, no me he podido adaptar a la vida. Busquemos el descubrir lo que hay en el fondo del alma; debajo de las preocupaciones; debajo de los pensamientos; más allá del dominio de las ideas. 55

Y a medida que iban pasando los días tenía necesidad de sentir la fe que le atravesara el corazón como con una espada de oro.

Tenía, también, la necesidad de humillarse, de desahogar su pecho llorando, de suplicar a un 60 poder sobrenatural, a algo que pudiera oírle, aunque no fuera personalizado.

XXVII

UN DÍA QUE Fernando paseaba en el Zodocover, vió venir hacia él un muchacho teniente, amigo 65 suyo, que se le acercó, le alargó la mano y se la apretó con efusión.

—Fernando, ¿tú por aquí?

Ossorio conocía desde niño al teniente Arévalo, pero no con gran intimidad. 70

Se pusieron a charlar, y al irse para casa, Fernando dijo al teniente:

—No te convido a comer, porque aquí se come bastante mal.

—Hombre, no importa; vamos allá. 75

A Fernando le molestaba Arévalo, porque pensaba que quería darse tono entre la gente bonachona y silenciosa de la casa de huéspedes.

Se sentaron a la mesa. El teniente habló de la vida de Toledo; de los juegos de ajedrez en el 80 café Imperial; de los paseos por la Vega. En el teatro de Rojas no se sostenían las compañías.

Había ido una que echaba dos dramas por función; pusieron el precio de la butaca a seis reales y no fué nadie. 85

Sólo los sábados y los domingos había una buena entrada en el teatro. En el pueblo no había sociedad, la gente no se reunía, las muchachas se pasaban la vida en su casa.

Se interrumpió el teniente para hacer una pregunta de doble intención a Adela, la hija de la casa, que le contestó sin malicia alguna.

—Deja ya a la muchacha—le dijo irritado Fernando.

—¡Ah! Vamos. Te gusta y no quieres que otro la diga nada. Bueno, hombre, bueno; por eso no reñiremos—y el teniente siguió hablando de la vida de Toledo con verdadera rabia.

Salieron Arévalo y Ossorio a pasear. Arévalo quería llevar a Fernando a cualquier café y pasarse allí la tarde jugando al dominó. Fueron bajando hacia la Puerta del Sol. Junto a ésta había una casita pequeña de color de salmón, con las ventanas cerradas, y el teniente propuso entrar allí a Fernando.

—¿Qué casa es ésta?—dijo Ossorio.

—Es una casa de muchachas alegres. La casa de la Sixta. Una mujer que baila la danza del vientre que es una maravilla. ¿Vamos?

—No.

—¿Has hecho voto de castidad?

—¿Por qué no?

—Chico, tú no estás como antes—murmuró el teniente—. Has variado mucho.

—Es posible.

—¿Y quieres que pasemos la tarde andando por callejuelas en cuesta? Pues es un porvenir, chico.

Fernando estuvo por decirle que le dejara y se fuese; pero se calló, porque Arévalo creía que era una obligación suya impedir que Fernando se aburriera.

—¡Hombre!—dijo el teniente—tengo un proyecto; vamos al Gobierno civil.

—¿A qué?

—Veremos al gobernador. Es un hombre muy *barbián.*

Fernando trató de oponerse, pero Arévalo no dió su brazo a torcer. Habían de ir a donde decía él o si no se incomodaba.

Se fueron acercando al Gobierno civil. Atravesaron un corredor que daba la vuelta a un patio; subieron por una escalera ruinosa y preguntaron por el gobernador.

No se había levantado aún.

—Sigue madrileño—murmuró el teniente sonriendo.

Podían pasar al despacho; Arévalo hizo algunas consideraciones humorísticas acerca de aquel gobernador refinado, amigo de placeres, gran señor en sus hábitos y costumbres, que dormía a pierna suelta en el enorme y destartalado palacio a las tres de la tarde.

El despacho del gobernador era un salón grande, tapizado de rojo, con dos balcones. En el testero principal había un retrato al óleo de Alfonso XII;[1] unos cuantos sillones y divanes, una mesa de ministro debajo del retrato y dos o tres espejos en las paredes.

En medio de la sala zumbaba una estufa encendida. Como hacía mucho calor, Arévalo abrió un balcón y se sentó cerca de él. Desde allá se veía un entrelazamiento de tejados con las tejas cubiertas de musgos que brillaban con tonos amarillentos verdosos y plateados. Por encima de las casas, como si fueran volando por el aire, se presentaban las blancas estatuas del remate de la fachada del Instituto. Se oían las campanas de alguna iglesia que retumbaban lentamente, dejando después de sonar una larga y triste vibración.

—Esto me aplasta—dijo Arévalo irritado—. ¡Qué silencio más odioso!

Fernando no le contestó.

Al poco rato entró un señor flaco, de bigote gris, en el despacho.

El teniente y él se saludaron con afecto, y después Arévalo se lo presentó a Fernando como escritor, sociólogo y pedagogo.

—¿No se ha levantado el gobernador?—preguntó el pedagogo.

—No; todavía no. Sigue tan madrileño.

—Sí; conserva las costumbres madrileñas. Yo ahora me levanto a las siete. Antes en Madrid, me levantaba tarde.

Después, encarándose con Fernando, le dijo:

—¿A usted le gusta Toledo?

—¡Oh! Sí. Es admirable.

—¡Ya lo creo!

Y el pedagogo fué barajando palabras de

[1] King of Spain, 1874–1885.

arquitectura y de pintura con un entusiasmo fingido.

En esto entró el gobernador, vestido de negro.

Era un hombre de mediana estatura, de barba
5 negra, ojos tristes, morunos, boca sonriente y voz gruesa.

Saludó a Arévalo y al otro señor, cambió unas cuantas frases amables con Fernando, se sentó a la mesa, hizo sonar un timbre, y al conserje que
10 se presentó, le dijo:

—Que vengan a la firma.

Se presentaron unos cuantos señores, con un montón de expedientes debajo del brazo, y el gobernador empezó a firmar vertiginosamente.

15 —¿Ve usted ese retrato de Alfonso XII? —dijo a Fernando el pedagogo—. Pues es todo un símbolo de nuestra España.

—¡Hombre! Y ¿cómo es eso?

—Es un retrato que tiene su historia. Fué
20 primitivamente retrato de Amadeo,[1] vestido de capitán general; vino la República, se arrinconó el cuadro y sirvió de mampara en una chimenea; llegó la Restauración, y el gobernador de aquella época mandó borrar la cabeza de Amadeo y
25 sustituirla por la de Alfonso. Es posible que ésta de ahora sea sustituída por alguna otra cabeza. Es el símbolo de España.

No había acabado de decir esto, cuando entró el secretario en la sala y habló al oído del
30 gobernador.

—Que esperen un poco, y cuando concluya de firmar que pasen—dijo éste.

Se retiraron los empleados con sus mamotretos debajo del brazo, y entraron en la sala los
35 individuos de una comisión del Ayuntamiento de un pueblo que venían a quejarse del cura de la localidad.

El gobernador, volteriano en sus ideas, engrosó la voz y les dijo que él no podía hacer nada
40 en aquel asunto.

¿Creían que el cura había faltado? Pues le procesaban, instruían expediente y le llevaban a presidio.

Los del Ayuntamiento, que comprendían que

nada de aquello se podía hacer, marcharon 45 cabizbajos y cariacontecidos.

Al salir éstos, entró un señor grueso, bajito, muy elegante, con botas de charol y chaleco blanco, que habló a media voz y riéndose con el gobernador.   50

Concluyó diciendo:

—Usted hace lo que quiera; a mí me los han recomendado las monjas.

El gobernador hizo sonar el timbre, entró su secretario y le dijo: 55

—Diga usted a esos señores que pasen.

Aparecieron dos curas en la puerta y saludaron a todos haciendo grandes zalemas.

—¿Cómo está su excelencia?

—No me den ustedes tratamiento—dijo el 60 gobernador, después de estrechar las manos a los dos—. Vamos aquí.

Y se fué a hablar con ellos al hueco de uno de los balcones.

El grupo del teniente Arévalo, el pedagogo y 65 Fernando se había engrosado con el señor gordo de las botas de charol y del chaleco blanco.

Ossorio, interrogado por el pedagogo, contó la impresión que le había producido un convento al amanecer.   70

El señor bajo y gordo, que dijo que era médico, al oír que Ossorio creía en la espiritualidad de las monjas, dijo con una voz impregnada de ironía:

—¡Las monjas! Sí; son casi todas zafias y sin 75 educación alguna. Ya no hay señoritas ricas y educadas en los conventos.

—Sí. Son mujeres que no tienen el valor de hacerse lavanderas—afirmó el pedagogo—y vienen a los conventos a vivir sin trabajar.   80

—Yo las insto—continuó el señor grueso— para que coman carne. ¡Ca! Pues no lo hacen. Mueren la mar; como chinches. Luego ya no tienen ni dinero, ni rentas; viven diez o doce en caserones grandes como cuarteles, en unas cel- 85 das estrechas, mal olientes, con el piso de piedra, sin que tengan ni una esterilla, ni nada que resguarde los pies de la frialdad.

—A mí me gustaría verlas—dijo el teniente—. Debe haber algunas guapas.   90

[1] Amadeo (1845–1890), King of Spain (1871–1873) during the Carlist War period, who abdicated.

—No, no lo crea usted. Si no estuviéramos en Adviento [1]—replicó el médico—, yo les llevaría a usted; pero ya no tiene interés.

De pronto se oyó la voz de uno de los curas que, en tono de predicador decía:—Todo el mundo tiene derecho a ser libre menos la Iglesia, y ¿ésa es la libertad tan decantada?

El gobernador le dijo que hiciera lo que quisiese, que él no había de tomar cartas en el asunto, y les acompañó a los dos curas hasta la puerta.

El teniente y Fernando se despidieron del gobernador; y éste les invitó a comer con él, dos días después.

XXVIII

ENTRARON EN EL COMEDOR, provisionalmente alhajado. Era ya el anochecer. Se sentaron a la mesa, además del anfitrión, el médico grueso, el teniente Arévalo y Fernando.

La conversación revoloteó sobre todos los asuntos, hasta que fué a parar a los atentados anarquistas.

Arévalo señaló a Ossorio como uno de tantos demagogos partidarios de la destrucción en el terreno de las ideas.

El pedagogo se sintió indignado, y entonces el gobernador le dijo:

—Pero si aquí todos somos anarquistas.

El pedagogo anunció que iba a hacer un libro en el cual plantearía, como única base de la sociedad, ésta: el fin del hombre es vivir.

Los cuatro comensales, en vez de encontrar la base social hallada por el pedagogo firme y sólida, la creyeron digna de la chacota y de la broma.

—Pues, sí, señor; es la única base social: el fin del hombre es vivir. Es verdad que esta frase puede representar lo más egoísta y mezquino si se dice: el fin de cada hombre es vivir.

A pesar del distingo, todos rieron a costa de la base social tan importante y trascendentalísima.

De esta cuestión, mezclada con ideas políticas y sociales, se pasó a hablar del arzobispo de Toledo.

Uno decía que era un hereje, otro que era un modernista. Arévalo se encogió de hombros: él creía que el cardenal-arzobispo era un majadero; se aseguraba que creía en la sugestión a distancia y en el hipnotismo, y que deseaba que el clero español estudiara y se instruyese.

Con este objeto enviaba a algunos curas jóvenes al extranjero.

Había tenido la idea de fundar un gran periódico demócrata y católico al mismo tiempo; pero ninguno de los obispos y arzobispos le secundó, y el de Sevilla dijo que aquél era el camino de la herejía.

Se empezaron a contar anécdotas del arzobispo.

A uno le había dicho:

—¡Ríase usted de los masones! Eso es un espantajo que inventan los reaccionarios.

A un canónigo muy ilustrado le dijo, en confianza, que entre San Pablo y San Pedro, él hubiera elegido a San Pablo.

Era un hombre demócrata que hablaba con las mujeres de la calle. Arévalo seguía encogiéndose de hombros y creyendo que era un majadero.

El pedagogo dijo que el anterior arzobispo, conociendo los instintos ambiciosos del actual, decía:

—Si él es *Lagartijo* [2]; yo soy *Frascuelo*. [2]

Se celebró la anécdota tanto como la exposición de la base social.

—En tiempo de agitación—concluyó diciendo el médico—, este arzobispo sería capaz de hacer independiente de Roma la Iglesia española y erigirse Papa.

Se habló de las ventajas que esto tendría para Toledo, y después se discutió si esta ciudad tenía verdadero carácter místico.

El gobernador aseguró que el pueblo castellano no era un pueblo artista.

Decía que Toledo, lo mismo que está puesto en medio de la Mancha, podía estar en medio de Marruecos, repleto de obras artísticas de maes-

[1] Holy period celebrated by the church from the first Sunday of four before Christ's birth up to the Nativity.

[2] Famous bullfighters who were rivals: Lagartijo (1841–1900) and Frascuelo (1842–1898).

tros alemanes, italianos, griegos, o discípulos de
éstos, sin que el pueblo las admirase, provinien-
do aquel arte del instinto de lujo de los cabildos.

Así en Toledo se advertía un arte de aluvión,
5 sin raíz en la tierra manchega, adusta, seca, anti-
artística.

Arévalo no veía en Toledo más que una ciudad
aburrida, una de las muchas capitales de provincia española donde no se puede vivir.

10 El pedagogo la llamaba la ciudad de la muerte:
era el título que, según él, mejor cuadraba a
Toledo.

Después se citó al Greco. Alguien contó que
dos pintores impresionistas, uno catalán y el
15 otro vascongado, habían ido a ver el *Entierro del
conde de Orgaz* de noche, a la luz de los cirios.

—¿Vamos nosotros, a ver qué efecto hace?—
dijo Arévalo.

—Vamos—repuso el gobernador—. Que le
20 avisen al sacristán para que nos abra.

Hizo sonar el timbre, dió el recado a un portero, se levantaron todos de la mesa y se pusieron
los gabanes.

Fernando se estremeció sin saber por qué. Le
25 parecía una irreverencia monstruosa ir a ver
aquel cuadro con el cerebro enturbiado por los
vapores del vino. Pensaba en aquella ciudad de
sus sueños, llena de recuerdos y de tradiciones,
poblada por la burguesía estúpida, gobernada
30 espiritualmente por un cardenal *baudeleresco*[1] y
un gobernador volteriano.

Al salir del Gobierno era de noche. Se dirigieron por las callejuelas tortuosas hacia Santo
Tomé.

35 La puerta de la iglesia estaba entornada; fueron entrando todos. El sacristán tenía encendidos
los dos ciriales, y, entre él y su hijo, los levantaron hasta la altura del cuadro.

Fuera por excitación de su cerebro o porque
40 las llamaradas de los cirios iluminaban de una
manera tétrica las figuras del cuadro, Ossorio
sintió una impresión terrible, y tuvo que sentarse en la oscuridad en un banco, y cerrar los
ojos.

[1] In the style of Charles Baudelaire (1821–1867),
French poet famous for his beautiful, satanic *Flowers of
Evil.*

Salieron de allá; fueron al Gobierno civil, y en 45
la puerta se despidieron.

Fernando tenía la seguridad de que no podría
dormirse, y comenzó a dar vueltas y vueltas por
el pueblo. Se encontró en los alrededores de la
cárcel. Bordeó el Tajo por un camino alto. En el 50
fondo de ambas orillas brillaba el río como una
cinta de acero a la luz vaga del anochecer, unida
a la luz de la luna.

Al seguir andando se veía ensancharse el río
y se divisaban las casitas blancas de los molinos; 55
después, cerca de las presas, las orillas del Tajo
se estrechaban entre los paredones amarillentos
cortados a pico.

Se hizo de noche, y la luna se levantó en el
cielo iluminando los taludes pedregosos de las 60
orillas, e hizo brillar con un resplandor de azogue el río estrecho, encajonado en una angosta
garganta, y que luego se veía extenderse por la
vega.

Fernando sentía el vértigo al mirar para abajo 65
al fondo del barranco, en donde el río parecía ir
limando los cimientos de Toledo.

Siguió hacia el puente de Alcántara. El agua
saltaba en la presa, tranquila, sin espuma; brillaban luces rojas en el fondo del río; más lejos, 70
parpadeaban las luces en la barriada baja de las
Covachuelas.

Sobre un monte, a la luz de la luna, se perfilaba, escueta y siniestra, la silueta de una cruz,
que Fernando creyó que le llamaba con sus lar- 75
gos brazos.

XXIX

UN DÍA, muy de mañana, fue al convento de Santo Domingo el Antiguo, *Divo Dominicus Silae-
censis.*   80

La puerta de la iglesia se encontraba todavía
cerrada. Enfrente había una casa de un piso, y en
el balcón, una mujer con una niña en brazos.
Preguntó a ésta cuándo abrían la iglesia, y la
mujer le dijo que no tardarían mucho, que lo 85
preguntara en la portería del convento, al otro
lado.

Dió Fernando la vuelta, y en un portal, sobre
cuyo dintel se veía una imagen en una horna-

cina y en un azulejo el nombre del convento, escrito en letras azules, entró y llamó en la portería.

Una mujer que salió le dijo:

5 —Llame usted por el torno y pida usted permiso a las monjas para entrar.

Fernando se acercó al torno y llamó. Al poco tiempo oyóse la voz de la hermana tornera, que le preguntaba qué quería.

10 Fernando expresó su deseo.

—Se lo preguntaré a la madre superiora—contestó la monja.

Mientras esperaba, Fernando paseó por el zaguán, en donde sonaban sus pisadas como en 15 hueco.

Por el montante de una puerta se veía parte del jardín del convento.

Al poco tiempo se oyó la voz de la monja, que preguntaba:

20 —¿Está usted ahí?

—Sí, hermana.

—La madre superiora dice que puede usted pasar, siempre que entre en la iglesia con el respeto debido y haga todas las reverencias ante el 25 Santísimo Sacramento.

—Descuide usted, hermana, las haré.

Se separó del torno al decir esto; advirtió a la portera la respuesta afirmativa de la monja; tomó ésta una llave grande, y le dijo a Fernando:

30 —Bueno, vámonos.

Salieron a dar la vuelta al convento.

—¿Cuántas monjas hay aquí? —preguntó Fernando.

—No hay más que trece desde hace muchísi-35 mo tiempo.

—¿Es que no viene ninguna nueva a profesar?

—Sí, han venido varias, pero ha dado la casualidad de que, cuando se han reunido catorce, 40 ha muerto alguna, y han vuelto a ser trece.

—Es extraño.

Dieron vuelta al convento, hasta llegar a la plaza, en la cual estaba colocada la iglesia.

Fernando tomó el agua bendita, y se arrodilló 45 delante del altar.

Fué mirando los cuadros.

En el retablo mayor, tallado y esculpido por el Greco, en el intercolumnio, se veía, medio oculto por un altarcete de mal gusto, un cuadro del Greco, con figuras de más de tamaño natural, 50 firmado en latín.

Recordó que le habían dicho que aquel cuadro no era del Greco, sino la copia de otro que había estado en aquel lugar, y que se lo había llevado, con el asentimiento de las monjas, un 55 infante de España.

Admiró después, en los retablos laterales, dos cuadros que le parecieron maravillosos: una *Resurrección* y un *Nacimiento*, y se acercó al púlpito de la iglesia a ver una *Verónica* pintada al 60 blanco y negro.

Al acercarse al púlpito vió frente al altar mayor, en la parte de atrás de la iglesia, dos rejas de poca altura, y, a través de ellas, el coro, con una sillería de madera tallada y el techo lleno de 65 artesonados admirables.

En el ambiente oscuro se veían tres monjas arrodilladas, con el manto blanco como el plumaje de una paloma y la toca negra sobre la cabeza. A la luz tamizada y dulce que entraba 70 cernida por las grandes cortinas del coro, aquellas figuras tenían la simetría y el contraste fuerte de claroscuro de un cuadro impresionista.

Haciendo como que contemplaba el cuadro de la Verónica, Ossorio se fué acercando a una de 75 las rejas distraídamente, y, cuando estaba cerca, miró hacia el interior del coro.

Las tres monjas lanzaron una ojeada escrutadora.

La abadesa tuvo una mirada de desdén obser- 80 vador, otra de las monjas miró con curiosidad, y la tercera lanzó a Fernando una mirada con sus ojos negros llenos de pasión, de tristeza y de orgullo. No fué más que un momento, pero Fernando sintió aquella mirada en lo más íntimo de 85 su alma.

La superiora se levantó de su sillón y extendió los brazos para colocar bien su hábito, como un pájaro blanco que extiende las alas; las otras dos monjas la siguieron sin volver el rostro. 90

Después, en los días posteriores, iba Fernando, por la mañana temprano, a oír la misa del convento.

En la iglesia, que solía oler a cerrado, no había

más que algunas viejas enlutadas y algunos ancianos.

Fernando oía la misa, se colocaba cerca de la
doble reja del coro, y veía a la monja a poca distancia suya, rezando, con la toca negra, que servía de marco a una cara delgada, fina, de ojos
brillantes, valientes y orgullosos. Sus manos
eran huesudas, con los dedos largos, delgados,
que, al cruzarse los de una mano con la otra para
rezar, formaban como un montón blanco de huesos.

Un día Fernando se decidió a escribir a la
monja. Lo hizo así, y fué a la portería del convento a convencer a la portera para que entre-
gase la carta a la monja.

Por la conversación que tuvo con la portera,
comprendió que no haría nunca lo que él deseaba.

Lo único que averiguó fué que la monja pálida
de ojos negros, alta y delgada, se llamaba la hermana Desamparados, y que era la que tocaba el
órgano y el armonium en las fiestas.

Todos los días Ossorio iba dispuesto a entregarle una carta rabiosa, proponiéndola escaparse
de allá con él, que estaba dispuesto a todo.

Se sentía a veces con fuerza para hacer un disparate muy grande; otras, se sentía débil como
un niño.

Le indignaba pensar que aquella mujer, en
cuyos ojos se leía el orgullo, la pasión, tuviera
que vivir encerrada entre aquellas viejas imbéciles, sufriendo el despotismo de la superiora,
atormentada por pensamientos de amor, sin ver
el cielo azul.

Una mañana, después de misa, Fernando vió
a la hermana Desamparados rezando en un reclinatorio, cerca de la verja. En el coro no había
más que otra monja. La superiora no estaba.

Fernando, haciendo como que miraba a un altar, con la mano izquierda introdujo la carta por
la reja.

La hermana Desamparados, al notar el movimiento, indicó con los ojos a Fernando algo como una señal de alarma. Entonces, de pronto,
Ossorio vió levantarse a la otra monja, una vieja
negruzca de cara terrosa, y acercarse a la reja
con una expresión tan terrible en la mirada, que

quedó perplejo. A pesar de esta perplejidad, tuvo
tiempo para meter la mano entre las rejas y recoger la carta. Después miró tranquilamente a la
vieja, que parecía un espectro, una cara de loca,
alucinada y furiosa, y, volviéndose hacia la puerta, huyó con rapidez.

Al día siguiente, Fernando ya no vió a la hermana Desamparados, y en los días posteriores,
tampoco. A veces, el armonium cantaba, y en sus
notas creía ver Fernando las quejas de aquella
mujer de la cara pálida, de los ojos negros llenos
de fuego y de pasión.

XXX

DÍAS DESPUÉS, Fernando buscó por todas partes
al teniente Arévalo, hasta que lo encontró.

—Chico—le dijo—, necesito de ti. Tengo un
aburrimiento mortal. Llévame a alguna parte
que tú conozcas.

—Veo que vuelves al buen camino. Co-
meremos hoy en casa de Granullaque platos
regionales, nada más que platos regionales. Te
presentaré dos muchachas que conozco muy amables. Si quieres, las convidamos a comer, ¿eh?

—Sí.

—Bueno. Entonces yo preparo todo, y tú me
esperas en tu casa, adonde iré a recogerte.

A las tres de la mañana se retiraron los dos
amigos.

Al otro día se levantó Fernando a las doce, y
no pudo asistir, como acostumbraba, a la misa
del convento.

Se encontraba débil, turbado, sin fuerzas.

Apenas pudo comer, y después de levantarse
de la mesa se dirigió en seguida al convento por
ver si la iglesia estaba abierta, como domingo;
pero, viendo que no lo estaba, comenzó a pasearse por las callejuelas próximas.

Cerca había una plaza triste, solitaria, a la cual
se llegaba recorriendo dos estrechos pasadizos,
oscuros y tortuosos.

A un lado de la plaza se veía la fachada de una
iglesia con pórtico bajo, sostenido por columnas
de piedra y cubierto con techumbres de tejas
llenas de musgos.

En los otros lados, altas paredes de ladrillo, con una fila de celosías junto al alero, puertas hurañas, ventanucas con rejas carcomidas en la parte baja . . . Un silencio de campo reinaba en la plazoleta; el grito de algún niño o las pisadas del caballo de algún aguador, que otras veces turbaban el callado reposo, no sonaban en el aire tranquilo de aquella tarde dominguera, plácida y triste. El cielo estaba azul, limpio, sereno; de vez en cuando llegaba de lejos el murmullo del río, el cacareo estridente de algún gallo.

Mecánicamente Ossorio volvía hacia el convento y le daba vueltas. Una de las veces advirtió un rumor a rezo que salía de las celosías, y después el tintineo de una campanilla.

Una impresión de tristeza y de nostalgia acometió su espíritu, y escuchó durante algún tiempo aquellos suaves murmullos de otra vida.

Inquieto e intranquilo, sin saber por qué, con el corazón encogido por una tristeza sin causa, sintió una gran agonía en el espíritu al oír las vibraciones largas de las campanas de la Catedral, y hacia la santa iglesia encaminó sus pasos.

Era la hora de vísperas. La gran nave estaba negra y silenciosa. Fernando se arrodilló junto a una columna. Sonó una hora en el gran reloj, y comenzaron a salir curas y canónigos de la sacristía y a dirigirse al coro.

Resonó el órgano; se vieron brillar en la oscuridad por debajo de los arcos de la sillería, tallados por Berruguete, luces y más luces.

Después, precedidos por un pertiguero con peluca blanca, calzón corto y la pértiga en la mano, que resonaba de un modo metálico en las losas, salieron varios canónigos con largas capas negras, acompañando a un cura revestido de capa pluvial.

A los lados iban los monaguillos; en el aire oscuro de la iglesia se les veía avanzar a todos como fantasmas, y las nubes de incienso subían al aire.

Toda la comitiva entró en la capilla mayor; se arrodillaron frente al altar, y el que estaba revestido con la capa pluvial, de líneas rígidas como las de las imágenes de las viejas pinturas bizantinas, tomó el incensario e incensó varias veces el altar.

Luego se dirigieron todos a la sacristía; desaparecieron en ella, y al poco rato volvieron a salir para entrar en el coro. Y empezaron los cánticos, tristes, terribles, sobrehumanos . . . No había nadie en la iglesia; sólo de vez en cuando pasaba alguna negra y tortuosa sombra.

Al salir Ossorio a la calle recorrió callejuelas buscando en el silencio lleno de misterio, de las iglesias, emoción tan dulce que hacía llegar las lágrimas a los ojos, y no la encontró.

Callejeando apareció en la puerta del Cambrón, después de pasar por cerca de Santa María la Blanca, y desde allá, por la Vega, fué a la Puerta Visagra, y paseó por la explanada del hospital de Afuera. Al anochecer, desde allá, aparecía Toledo, severo majestuoso; desde la cuesta del Miradero tomaba el paisaje de los alrededores un tono amarillo, cobrizo, como el de algunos cuadros del Greco, que terminaba al caer la tarde en un tinte calcáreo y cadavérico.

En un café descansó un momento; pero impulsado por la excitación de los nervios, salió en seguida a la calle. Era de noche. Había niebla y el pueblo tomaba envuelto en ella unas proporciones gigantescas.

Las calles subían y bajaban, no tenían algunas salida. Era aquello un laberinto; la luz eléctrica, tímida de brillar en la mística ciudad, alumbraba débilmente, rodeada cada lámpara por un nimbo espectral.

En la calle de la Plata, Fernando solía ver en un mirador una muchacha pálida, carirredonda, con grandes ojos negros. No debía de salir aquella muchacha más que a rezar en las iglesias.

Fernando pensaba en que su piel blanca y exangüe debía haber compenetrado el perfume del incienso.

Ossorio fué a ver si la veía. La casa estaba cerrada; no había ni luz.

¡Qué bien se debía de vivir en aquellas grandes casas! Se debía de pasar una vida de convento saboreando el minuto que transcurre. Fernando pasaba de una calle a otra sin saber por dónde iba, como si fuera andando con la fantasía por un pueblo de sueños. En algunas casas se veían desde fuera semiiluminados patios enlosados con una fuente en medio.

Con la cabeza llena de locuras y los ojos de visiones anduvo; por una calle, que no conoció cuál era, vió pasar un ataúd blanco, que un hombre llevaba al hombro, con una cruz dorada en-5 cima.

La calle estaba en el mismo barrio por donde había pasado por la tarde.

A un lado debía de estar Santo Tomé; por allá cerca Santa María la Blanca, y abajo de la calle, 10 San Juan de los Reyes.

A pesar del cono de luz que daban las lámparas incandescentes, brillaba la cruz y las listas doradas de la caja de una manera siniestra, y al entrar en la zona de sombra, la caja y el hombre 15 se fundían en una silueta confusa y negra. El hombre corría dando vueltas rápidamente a las esquinas.

Fernando pensaba:

—Este hombre empieza a comprender que le 20 sigo. Es indudable.

Y decía después:

—Ahí van a enterrar una niña. Habrá muerto dulcemente, soñando en un cielo que no existe. ¿Y qué importa? Ha sido feliz, más feliz que 25 nosotros que vivimos.

Y el hombre seguía corriendo con su ataúd al hombro, y Fernando detrás.

Después de una correría larga, desesperada, en que se iban sucediendo a ambos lados tapias 30 bajas blanqueadas, caserones grandes, oscuros, con los portales iluminados por una luz de la escalera, puertas claveteadas, grandes escudos, balcones y ventanas floridas, el hombre se dirigió a una casa blanca que había a la derecha, que 35 tenía unos escalones en la puerta; y mientras esperaba, bajó el ataúd desde su hombro hasta apoyarlo derecho en uno de los escalones, en donde sonó a hueco.

Llamó, se vió que se abría una madera de una 40 ventana, dejando al abrirse un cuadro de luz, en donde apareció una cabeza de mujer.

—¿Es para aquí esta cajita? —preguntó el hombre.

—No; es más abajo: en la casa de los esca-45 lones—le contestaron.

Cogió el ataúd, lo colocó en el hombro y siguió andando de prisa.

—¡Qué impresión más tremenda habrá sido la de esta mujer al ver la caja!—pensó Fernando.

El hombre con su ataúd miraba vacilando a un 50 lado y a otro, hasta que vió próxima a un arco una casa blanca con la puerta abierta vagamente iluminada. Se dirigió a ella y bajó la caja sin hacer ruido.

Dos mujeres viejas salieron de un portal y se 55 acercaron al hombre.

—¿Es para aquí esa caja?

—Sí debe ser. Es para una chiquilla de seis a siete años.

—Sí, entonces es aquí. Se conoce que se ha 60 muerto la mayor. ¡Pobrecita! ¡Tan bonita como era!

Se escabulleron las viejas. El hombre llamó con los dedos en la puerta y preguntó con voz alta: 65

—¿Es para aquí una cajita de muerto, de una niña?

De dentro debieron de contestarle que sí. El hombre fué subiendo la caja, que, de vez en cuando, al dar un golpe, hacía un ruido a hueco 70 terrible. Fernando se acercó al portal. No se oía dentro ni una voz ni un lloro.

De pronto, el misterio y la sombra parecieron arrojarse sobre su alma, y un escalofrío recorrió su espalda y echó a correr hacia el pueblo. Se 75 sentía loco, completamente loco; veía sombras por todas partes. Se detuvo. Debajo de un farol estaba viendo el fantasma de un gigante en la misma postura de las estatuas yacentes de los enterramientos de la Catedral, la espada ceñida 80 a un lado y en la vaina, la visera alzada, las manos juntas sobre el pecho en actitud humilde y suplicante, como correspondía a un guerrero muerto y vencido en el campo de batalla. Desde aquel momento ya no supo lo que veía: las 85 paredes de las casas se alargaban, se achicaban; en los portones entraban y salían sombras; el viento cantaba, gemía, cuchicheaba. Todas las locuras se habían desencadenado en las calles de Toledo. Dispuesto a luchar a brazo partido con 90 aquella ola de sombras, de fantasmas, de cosas extrañas que iban a tragarle, a devorarle, se apoyó en un muro y esperó ... A lo lejos oyó el rumor de un piano; salía de una de aquellas casas solariegas; prestó atención: tocaban *Loin du Bal.*[1]

* * * * *

Rendido, sin aliento, entró a descansar en un café grande, triste, solitario. Alrededor de una 5 estufa del centro se calentaban dos mozos. Hablaban de que en aquellos días iba a ir al Teatro de Rojas una compañía de teatro.

El café, grande, con sus pinturas detestables y ya carcomidas, y sus espejos de marcos pobres, 10 daba una impresión de tristeza desoladora.

XXXI

—Y USTED, ¿dónde duerme? —preguntó Ossorio a Adela.

—En el segundo piso.

15 —¿Sola, en su cuarto?

—Sí.

—¿Y no tiene usted miedo?

—Miedo, ¿de qué?

—Figúrese usted que dejara la puerta abierta 20 y entrara alguno . . .

—¡Ca!

Fernando sintió una oleada de sangre que afluía a su cara.

Adela estaba tambien roja y turbada, no tenía 25 el aspecto monjil de los demás días, sonreía forzadamente y sus mejillas estaban coloreadas con grandes chapas rojas.

Hablaban de noche en el comedor, iluminado por la lámpara de aceite que colgaba del techo. 30 Doña Antonia y la vieja criada habían salido a la novena.[2]

La abuela, con el niño en brazos, dormía en una silla. Adela y Ossorio estaban solos en la casa. Habían hablado tanto de los deseos y aspi-35 raciones de cada uno, que se habían quedado ambos turbados al mismo tiempo. Adela escuchaba atentamente por si se oía llamar a la puerta, quizá deseando, quizá temiendo que llamaran.

40 Tenían que decirse muchas cosas; pero si las

[1] French song in vogue.
[2] *novena* acts of devotion, such as prayers and masses, which one makes for nine days.

palabras pugnaban por brotar de sus labios, la prudencia lo impedía. No se conocían, no se podían tener cariño, y sin embargo, temblaban y el corazón latía en uno y otro como un martillo de fragua. 45

—¿Y si yo? . . . —le dijo Fernando.

—¿Qué?—preguntó la muchacha penosamente.

—Nada, nada.

Estuvieron mirándose de reojo largo tiempo. 50

De pronto oyeron llamar a la puerta. Era doña Antonia y la criada.

Fernando se levantó de la mesa, miró a la muchacha y ésta le miró también, sofocada y temblorosa. Fernando salió a la calle abrumado por 55 deseos agudos; no encontraba ninguna idea moral en la cabeza que le hiciese desistir de su proyecto.

—La muchacha era suya—pensaba él—. Es indudable. ¡Afuera escrúpulos! La moral es una 60 estupidez. Satisfacer un ansia, dejarse llevar por un instinto, es más moral que contrariarlo.

El aire frío de la noche, en vez de calmar su excitación, la agrandaba. Parecía que tenía el corazón hinchado. 65

—Es la vida—decía él—que quiere seguir su curso. ¿Quién soy yo para detener su corriente? Hundámonos en la inconsciencia. En el fondo es ridícula, es vanidosa la virtud. Yo siento un impulso que me lleva a ella, como ella siente hoy 70 impulso que la empuja hacia mí. Ni ella ni yo hemos creado este impulso. ¿Por qué vamos a oponernos a él?

Recorría, mientras tanto, las calles oscuras, los pasadizos . . . 75

La noche estaba fresca y húmeda.

—Es verdad que puede haber consecuencias para ella que para mí no existen. Estas consecuencias pueden tronchar la vida a esa pobre muchacha de aspecto monjil. ¿Y qué? Nada, 80 nada. Hay que cegarse. Esta preocupación por otro es una cobardía. Esperaré en un café.

Estuvo más de una hora allí, sin poder coordinar sus pensamientos, hasta que se levantó, decidido. 85

—Voy a casa—murmuró—y salga lo que salga.

Se acercó a la plaza de las Capuchinas, abrió la puerta, subió las escaleras, entró en su cuarto y apagó la luz.

El corazón le latía con fuerza; se agitaban en
5 su cerebro, en una ebullición loca, pensamientos embrionarios, ideas confusas de un idealismo exaltado, y recuerdos intensos, gráficos, de una pornografía monstruosa y repugnante.

Oyó como se cerraban las puertas de los
10 cuartos; vió que se apagaba la luz.

Al poco rato, Adela pasó por el corredor a su cuarto. Luego de esto, Fernando, sin zapatos, salió de su alcoba. Recorrió el pasillo, llegó a la cocina y empezó a subir la escalera.

15 Llegó al descansillo del cuarto de la muchacha. La alcoba era muy pequeña, y tenía un ventanillo alto, que daba a la escalera.

Por él vió Fernando a la muchacha, que se persignaba y rezaba ante un altarillo formado
20 por una Virgen de yeso, puesta sobre una columna, encima de una cómoda grande y antigua. Fernando, que en su turbación discurría con frialdad, pensó:

—Reza con fe. Esperemos.

25 La muchacha comenzó a desnudarse, mirando de vez en cuando hacia la puerta. Se veía que estaba intranquila. A veces miraba al vacío.

De pronto, la mirada de los dos debió cruzarse. Fernando, sin pensar ya en nada, se acer-
30 có a la puerta y empujó. Estaba cerrada.

—¿Quién? —dijo ella con voz ahogada.

—Yo; abre—contestó Fernando.

La puerta cedió.

Ossorio entró en el cuarto, cogió a la mucha-
35 cha en sus brazos, la estrujó y la besó en la boca. La levantó en el aire para dejarla en la cama, y al mirarla la vió pálida, con una palidez de muerto, que doblaba la cabeza como un lirio tronchado.

40 Entonces Fernando sintió un estremecimiento convulsivo, y le temblaron las piernas y le castañetearon los dientes. Vió ráfagas de luz, círculos luminosos y espadas de fuego. Temblando como un enfermo de la médula, salió del cuarto,
45 cerró la puerta y bajó a la cocina, de allí salió al pasillo y entró en su alcoba. Se puso las botas y salió a la calle, siempre temblando, con las piernas vacilantes.

La noche estaba fría, brillaban las estrellas en el cielo. Trataba de coordinar sus movimientos, 50 y sus miembros no respondían a su voluntad. Empezaba a sentir un verdadero placer por no haberse dejado llevar por sus instintos. No; no era sólo el animal que cumple una ley orgánica: era un espíritu, era una conciencia. 55

¿Qué hubiese hecho la pobre muchacha, tan buena, tan apacible, tan sonriente?

El hubiera podido casarse con ella, pero hubiesen sido desgraciados los dos.

En aquel momento se acordó de una mucha- 60 cha de Yécora,[1] a quien había seducido, aunque en sus relaciones ni cariño ni nada semejante hubo.

Nunca se había acordado de ella con tanta intensidad como entonces. Lo que no comprendía 65 es cómo estuvo tanto tiempo sin que el recuerdo de aquella muchacha le viniese a la mente.

Al pensar en la otra, la figura de Adela se perdía, y, en cambio, se grababa con una gran fuerza la imagen de la muchacha de Yécora. 70

Recordaba, como nunca hasta entonces la hubiera recordado, a Ascensión, la hija de Tozenaque. Cuando comenzó a pretenderla estaba entonces en una época de furor sexual.

A ella, que era bastante bonita, le gustaba co- 75 quetear con los muchachos.

Durante un período de vacaciones, la persiguió Fernando, rondó su casa, y una tarde consiguió de la muchacha que saliera a pasear con él solo por entre los trigos, altos para ocultar una 80 persona.

Fueron los dos hacia una ermita abandonada; oculta en una umbría formada por altos olmos, cercando el bosque por un lado, había un montón de piteras que escalaban un alto ribazo con 85 sus palas verdes, brillantes, erizadas de espinas.

Al llegar a la umbría, comenzaba a caer la tarde.

Sin frases de amor, casi brutalmente, se consumó el sacrificio. 90

Al principio, la muchacha opuso resistencia, se defendió como pudo, se lamentó amargamente; después, se entregó, sin fuerzas, con el corazón hinchado por el deseo, en medio de aquel anochecer de verano, ardiente y voluptuoso. 95

[1] Imaginary town.

XXXII

AL DÍA SIGUIENTE, con el pretexto de un viaje corto, Fernando se marchó de Toledo.

Tomó el tren al mediodía y trasbordó en Castillejo.

Tendido en el banco de un coche de tercera pasó horas y horas contemplando ensimismado el techo del vagón, pintado de amarillo, curvo como camarote de barco, con su faro de aceite, que se encendió al anochecer, y que apenas si daba luz.

Se hizo de noche; pasaban por delante de la ventanilla sombras de árboles, pedruscos de la pared de una trinchera.

Salió la luna en menguante. De vez en cuando, al pasar cerca de alguna estación, se veía vagamente un molino de viento que, con sus aspas al aire, parecía estar pidiendo socorro.

Cerca de Albacete entró un labriego con una niña, a la que dejó tendida en un banco. La niña se durmió en seguida.

Su padre se puso a hablar con un aldeano. De vez en cuando la niña abría los ojos, sonreía y llamaba a su mamá.

—Ahora viene—le decía Fernando, y la chiquilla volvía a dormirse otra vez.

El vagón presentaba un aspecto extraño: hombres envueltos hasta la cabeza en mantas blancas y amarillas, aldeanos con sombrero ancho y calzón corto; cestas, líos, jaulas; viejas dormidas, con el refajo puesto por encima de la cabeza . . . todo envuelto en una atmósfera brumosa empañada por el humo del tabaco.

Sólo en un compartimiento, en donde iban unas muchachas, se hablaba y se reía.

Llegó el tren al apeadero en donde Fernando tenía que bajar. Cogió su lío de ropa y saltó del coche. La estación estaba completamente desierta, iluminada por dos faroles clavados en una tapia blanca.

—¡Eh, el billete!—gritó un hombre envuelto en un capote. Ossorio le dió el billete.

—¿Por dónde se sale de la estación?—le preguntó.

—¿Va usted a Yécora?

—Sí.

—Ahí tiene usted los coches.

Pasó Fernando por la puerta de la tapia blanca a una plazoleta que había delante de la estación, y vió una diligencia casi ocupada y una tartana. Se decidió por la tartana.

Hallábase ésta alumbrada por una linterna que daba más humo que luz. Subió Ossorio en el carricoche. De los dos cristales de delante, uno estaba roto, y en su lugar había un trapo sucio y lleno de agujeros.

Cerraban por detrás la tartana tres fajas de lona; el interior del coche estaba ocupado por unas cuantas maletas, dos o tres fardos, una perdiz en su jaula, y encima del montón que formaban estas cosas, dos hermosos ramos de flores de papel.

—Aquí viene alguna muchacha bonita—pensó Fernando, y no había acabado de pensarlo cuando apareció un hombre con trazas de salteador de caminos, envuelto hasta la cabeza, como si saliera del baño, en una manta a cuadros que no dejaba ver más que dos ojos amenazadores, una nariz aguileña y un bigotazo de carabinero.

El hombre subió a la tartana, se sentó sin dar las buenas noches, y se puso a observar a Fernando con una mirada inquisitorial. Este, viendo que persistía en mirarle, cerró los ojos pidiéndose a sí mismo paciencia para soportar a aquel imbécil.

—¿Pero no salimos?—dijo Fernando como dirigiéndose a una tercera persona.

Creyó que al decir esto su compañero de viaje le aniquilaba con sus ojos siniestros, y todas las ideas humildes de Ossorio se le marcharon al ver la insistencia del hombre en observarle; estuvo por decirle algo, pero se contuvo.

Poco después, una voz de tiple salió de entre los bigotes formidables:

—Vamos, Frasquito, echa a andar.

Si Fernando no hubiera estado seguro de la procedencia de la voz, hubiese creído que era una broma. Estudió con una curiosidad impertinente de arriba abajo y de abajo arriba al hombre de aspecto tan fiero y de voz tan ridícula.

El de la manta contestó mirándole con una mueca de desdén. Fué aquello un duelo de miradas a la luz de una linterna.

El cochero, a quien el hombre de la manta había llamado Frasquito, no hizo ningún caso de

la advertencia; sin duda no tenía prisa y no se apresuraba a arrancar; pero en cambio hablaba con una volubilidad extraordinaria, y por lo que oyó Fernando, desafiaba al cochero de la dili-
5 gencia a ver quién llegaba antes a Yécora; así que sólo cuando vió que el otro se subía al pescante montó él para que las condiciones fuesen iguales y salieran los dos coches a la vez; ya arriba Frasquito, azotó a los caballos, que arran-
10 caron hacia un lado, y la tartana salió botando, dando tumbos y más tumbos, y a poco estuvo que no se hiciera pedazos en una tapia. El carricoche avanzaba y tomaba ventaja a la diligencia.

Por la ventana sin cristales empezó a entrar un
15 viento helado que cortaba como un cuchillo y al mismo tiempo hinchaba el trapo lleno de agujeros, puesto para remediar la falta de cristal, como una vela.

—¿Por qué no lleva *faró, Fraquito?*[1] —pre-
20 guntó el de la manta sacando la cabeza por la ventana sin cristales.

—¿*Pa* qué? —dijo el cochero volviendo la cabeza hacia atrás.

—*Pa* que no vaya a *volcá.*

25 —*Agora* ha *hablao uté* como quien *é*—replicó descaradamente Frasquito. ¿*He volcao alguna ve?*[2]

—No te incomodes, Frasquito, no lo digo por tanto.

30 Al oír en boca de aquel hombre de aspecto furibundo una explicación tan humilde, Fernando, que se había olvidado de sus buenos propósitos, se creyó en el caso de lanzar una mirada de absoluto desdén a su compañero de viaje.

35 Como allá no se podía dormir por el frío, Ossorio se puso a contemplar el campo por la ventana. Se veía una llanura extensa, sombría, con matorrales como puntos negros y charcos helados en los cuales rielaba la claridad de la
40 noche; a lo lejos se distinguía un encadenamiento de colinas que se contorneaban en el cielo oscuro, iluminado por la luna rota, torpemente.

Pronto la diligencia, que había quedado detrás de la tartana, comenzó a acercarse a ella; se

[1] *faró, Fraquito = farol, Frasquito.*
[2] Ahora ha hablado usted como quien es.... ¿He volcado alguna vez?

vió la luz de su reverbero por entre las rendijas 45 de la lona que cerraba el carricoche; se oyó el campanilleo de las colleras de los caballos que se fueron acercando, y, por último, un toque de bocina; el cochero dirigió la tartana a un lado del camino, y la diligencia pasó por delante, ilumi- 50 nando con su luz la carretera. No fué chica la indignación de Frasquito. Latigazos, gritos, juramentos, pintorescas blasfemias. Trotaron los caballos, chirriaron las ruedas, y la tartana, al golpear con las piedras de la carretera, saltó y 55 rechinó y pareció que iba a romperse en mil pedazos.

La diligencia, en tanto, iba ganando terreno, alejándose, alejándose cada vez más. El aire entraba por la ventanilla y dejaba a los viajeros 60 ateridos. Fernando trataba de sujetar el trapo que cerraba la ventana sin cristal, y viendo que no lo podía conseguir, se ponía la capa por encima del sombrero.

Y mientras tanto la diligencia iba alejándose 65 cada vez más, y en la revuelta de una carretera se perdió de vista. Al poco rato el carricoche se detuvo.

—¿Qué te pasa, *Fraquito*? —preguntó el de la manta.   70

—*Na*, que se me ha *perdío* el látigo.

Bajó Frasquito del pescante, volvió a subir breve tiempo después, y la tartana siguió dando tumbos y tumbos, siguiendo las vueltas de la carretera solitaria. La linterna se apagó y se 75 quedaron en el interior del carricoche a oscuras.

Se veía así más claramente el campo, los cerros negruzcos bordeados, las estrellas que iban palideciendo con la vaga e incierta luz del alba. El frío era cada vez más intenso; Ossorio 80 comenzó a dar taconazos en el suelo del coche y notó que el piso se hundía bajo sus pies; el suelo de la tartana era de tablillas unidas con esparto, encima de las cuales había una estera de paja. Con los golpes de Ossorio, una de las tablillas se 85 había roto, y por el agujero entraba más frío aún.

De pronto Frasquito volvió a parar el coche, se bajó del pescante y echó a correr hacia atrás. Se le había caído nuevamente el látigo. Era para matarlo.   90

Pasó tiempo y más tiempo. Frasquito no

aparecía; de improviso sonó en el interior de la tartana ese ruido característico que hacen las navajas de muelle al abrirse.

Al oírlo, Fernando se estremeció. Pensó que el cochero les había dejado allá intencionadamente. El tío de la voz atiplada se iba a vengar de las miradas desdeñosas de Fernando.

—No va a encontrar el látigo—dijo el de la manta al poco rato—. Aquí le he cortado yo una cuerda.

Ossorio respiró. Al cabo de un cuarto de hora vino Frasquito sudando a mares sin el látigo. Ató la cuerda que le dió el de la manta a un sarmiento que cogió de una viña, se subió al pescante y echó la tartana a andar de nuevo.

El cielo iba blanqueando; a un lado, al ras del suelo, sobre unas colinas redondas, se veía una faja rojoanaranjada, en la que se destacaban, negros y retorcidos, algunos olivos centenarios y pinos achaparrados.

Poco a poco la tierra fué aclarándose: primero apareció como una cosa gris, indefinida; luego ya más distinta con matas de berceo y de retama, fueron apareciendo a lo lejos formas confusas de árboles y de casas. Comenzaban a pasar por la carretera hombres atezados envueltos en capotes pardos; otros, con anguarinas de capucha, que iban bromeando, siguiendo a las caballerías cargadas de leña, y mujeres vestidas con refajos de bayeta arreando a sus borriquillos.

La luz fué llegando lentamente, brillaba en los campos verdes, centelleaba con blancura deslumbradora en las casas de labores, enjalbegadas con cal.

El pueblo iba apareciendo a lo lejos con su caserío agrupado en las estribaciones de un cerro desnudo, con sus torres y su cúpula redonda, de tejas azules y blancas.

La tartana se iba acercando al pueblo.

Aparecieron en el camino una caseta de peón caminero, una huerta cerrada, un parador . . .

El carricoche entró en el pueblo levantando nubes de polvo.

El sol arrancaba destellos a los cristales de las ventanas; parecían las casas presas de un incendio que se corría por todos los cristales y vidrieras de aquel lugarón.

Cacareaban los gallos, ladraban los perros; alguna que otra beata cruzaba la solitaria calle; despertaba la ciudad manchega para volverse a dormir en seguida aletargada por el sol . . .

XXXIII

YÉCORA ES UN PUEBLO TERRIBLE; no es de esas negrísimas ciudades españolas, montones de casas viejas, amarillentas, derrengadas, con aleros enormes sostenidos por monstruosos canecillos, arcos apuntados en las puertas y ajimeces con airosos parteluces; no son sus calles estrechas y tortuosas como oscuras galerías, ni en sus plazas solitarias crece la hierba verde y lustrosa.

No hay en Yécora la torre ojival o románica en donde hicieron hace muchos años su nido de ramas las cigüeñas, ni el torreón de homenaje del noble castillo, ni el grueso muro derrumbado con su ojiva o su arco de herradura en la puerta.

No hay allá los místicos retablos de los grandes maestros del Renacimiento español, con sus hieráticas figuras que miraron, en éxtasis, los ojos, llenos de cándida fe, de los antepasados; ni la casa solariega de piedra sillar con su gran escudo carcomido por la acción del tiempo; ni las puertas ferradas y claveteadas con clavos espléndidos y ricos; ni las rejas con sus barrotes como columnas salomónicas[1] tomadas por el orín; ni los aldabones en forma de grifos y de quimeras; ni el paseo tranquilo en donde toman el sol, envueltos en sus capas pardas, los soñolientos hidalgos. Allí todo es nuevo en las cosas, todo es viejo en las almas. En las iglesias, grandes y frías, no hay apenas cuadros, ni altares, y éstos se hallan adornados con imágenes baratas traídas de alguna fábrica alemana o francesa.

Se respira en la ciudad un ambiente hostil a todo lo que sea expansión, elevación de espíritu, simpatía humana. El arte ha huído de Yécora, dejándolo en medio de sus campos que rodean montes desnudos, al pie de una roca calcinada por el sol, sufriendo las inclemencias de un cielo africano que vierte torrentes de luz sobre las

[1] A type of Spanish column consisting of many twisting spirals with much ornamentation which flourished in the Baroque period.

casas enjalbegadas, blancas, de un color agrio
y doloroso, sobre sus calles rectas y monótonas
y sus caminos polvorientos; le ha dejado en los
brazos de una religión áspera, formalista, seca;
5 entre las uñas de un mundo de pequeños caciques, de leguleyos, de prestamistas, de curas,
gente de vicios sórdidos y de hipocresías miserables.

Los escolapios tienen allí un colegio y contri-
10 buyen con su educación a embrutecer lentamente el pueblo. La vida en Yécora es sombría,
tétrica, repulsiva; no se siente la alegría de vivir;
en cambio pesan sobre las almas las sordideces
de la vida.

15 No se nota en parte alguna la preocupación
por la comodidad, ni la preocupación por el
adorno. La gente no sonríe.

No se ven por las calles muchachas adornadas
con flores en la cabeza, ni de noche los mozos
20 pelando la pava[1] en las esquinas. El hombre se
empareja con la mujer con la oscuridad en el
alma, medroso, como si el sexo fuera una vergüenza o un crimen, y la mujer, indiferente, sin
deseo de agradar, recibe al hombre sobre su
25 cuerpo y engendra hijos sin amor y sin placer,
pensando quizá en las penas del infierno con que
le ha amenazado el sacerdote, legando al germen
que nace su mismo bárbaro sentimiento del
pecado.

30 Todo allí, en Yécora, es claro, recortado, nuevo, sin matiz, frío. Hasta las imágenes de las
hornacinas que se ven sobre los portales están
pintadas hace pocos años.

XXXIV

35 LA CASA DEL ADMINISTRADOR de la familia de Ossorio era espaciosa; estaba situada en una de las
principales calles de la ciudad.

Se entraba por el zaguán a un vestíbulo estu-
cado, con las paredes llenas de malos cuadros.
40 Del vestíbulo, en donde había una chimenea con
el hueco de más altura que la de un hombre, se
pasaba por un corredor a un patio muy chico,
con una gradería en su fondo, en la cual se

[1] *pelar la pava* custom of young men talking from the
street at night to the girls at their windows.

veían en hilera filas de tiestos con plantas muertas por los hielos del pasado invierno.   45

De un extremo del patio, cerca de la pared,
una escalera daba acceso a la parte alta de la
gradería, que era una ancha plataforma enla-
drillada, en uno de cuyos rincones se veía un
aljibe recubierto de cal, a donde iba a dar el   50
agua de todas las cañerías del tejado. Desde la
plataforma aquella se pasaba por una puerta,
embadurnada de azul, a cuartos oscuros, bajos
de techo, llenos de gavillas y de haces de sarmientos y de leña de vid.   55

Al recorrer la casa, Fernando recordó con
placer alguno que otro rincón; el gabinete, la alcoba suya, la cocina, el despacho del administrador le hicieron el mismo efecto de antipatía que
cuando era muchacho. Estaba todo dispuesto y   60
arreglado de un modo insoportable; los malos
cuadros de iglesia abundaban; el piano de la sala
tenía una funda de hilo cruzado con ribetes
rojos; las sillas y sillones se hallaban envueltos
en idéntica envoltura gris. En las puertas de   65
cada cuarto, cruzándolas, había gruesas cadenas
de hierro.

Después de descansar del viaje, la primera idea
que tuvo Fernando fué ir a casa de Tozenaque.
Salió a la calle y se dirigió por una alameda pol- 70
vorienta, y luego cruzando unos viñedos, hacia
la casa de labor en donde antes vivía la muchacha. Llegado allí, contempló largo rato desde
muy lejos el paraje, y a un hombre que se cruzó
en el camino le preguntó por la familia de As-   75
censión.

Hacía mucho tiempo que se había marchado,
le dijo. Se fueron primeramente a vivir a las
Cuevas, porque andaban al parecer mal de
dinero; después emigraron todos a Argel, ex-   80
cepto una de las chicas que casó en el pueblo.

Fernando preguntó cuál de las hijas era la que
se había casado en Yécora; el hombre no le supo
dar razón. Cruzó Ossorio por los viñedos y en la
alameda se sentó sobre un ribazo, al borde del   85
polvoriento camino.

¡Qué silencio por todas partes!

De aquella enorme ciudad no brotaba más que
el canto estridente de los gallos, que se interrumpían unos a otros desde lejos. El cielo estaba azul, 90

de un azul profundo, y sobre él se destacaba, escueto y pelado, un monte pedregoso con una ermita en lo alto.

Ossorio pensaba en Ascensión, sin poder separar de la muchacha su recuerdo. ¿Qué sería de ella? ¿Cómo sería antes? Porque no había llegado a formarse una idea de si era buena o mala, inteligente o no. Nunca se preocupó de esto.

Si en aquella época él hubiera sospechado las decepciones, las tristezas de la vida, quizá se hubiera casado con Ascensión; ¿por qué no? Pero, ¿cómo en aquel lugarón atrasado, hostil a todo lo que fuese piedad, caridad, simpatía humana? Allí no se podían tener más que ideas mezquinas, bajas, ideas esencialmente católicas. Allí, de muchacho, le habían enseñado, al mismo tiempo que la doctrina, a considerar gracioso y listo al hombre que engaña, a despreciar a la mujer engañada y a reírse del marido burlado.

El no había podido sustraerse a las ideas tradicionales de un pueblo tan hipócrita como bestial. Había conseguido a la muchacha en un momento de abandono; no se paró a pensar si en ella estaría su dicha; se contentó con oír las felicitaciones de sus amigos y con esconderse al saber que el padre de la Ascensión le andaba buscando.

XXXV

APENAS CAMBIÓ ALGUNAS palabras con el administrador, su mujer y sus hijos.

Al día siguiente, por la mañana, subió a las Cuevas, que estaban en la falda del Castillo a preguntar de nuevo por la familia de Ascensión, a ver si se enteraba de algo más, y si podía saber cuál de las muchachas era la que se había casado.

El Castillo era un monte lleno de pedruscos, árido, seco, con una ermita en la cumbre. El sol de siglos parecía haberle tostado matizándole del color de yesca que tenía; daba la impresión de algo vigoroso y ardiente, como el sabor de un vino centenario.

La senda que escalaba el cerro subía en zigzag; era una calzada cubierta de piedras puntiagudas que corrían debajo de los pies; a un lado y a otro del quebrado camino había capillas muy pequeñas, en cuyo interior, embutidos en la pared, se veían cuadros de azulejos que representaban escenas de la Pasión.

A lo largo de la calzada, sobre todo en su primera parte veíanse filas de puertas azules, cada una con su número escrito con tinta oscura; eran aquellas puertas las entradas de las cuevas excavadas en el monte, tenían una chimenea que brotaba al ras del suelo y alguna, un corralillo con un par de higueras blancas.

Fernando se detuvo en una cueva que era al mismo tiempo cantina, pidió una copa, se sentó en un banco y, gradualmente, fué llevando la conversación con la mujer del mostrador hacia lo que a él le interesaba.

Tozenaque el Manejero y toda su familia se habían marchado a Argelia,[1] le dijo la mujer, excepto una de las chicas casada en el pueblo y que vivía en el Pulpillo, en la misma labor que antes tuvo su padre.

—¿Y por qué vino aquí el Manejero, cuando tenía su casa y sus tierras?

—¡Pues ahí verá usted! Que resultaron que no eran suyas; que las tenía hipotecadas—repuso la tabernera—. Además, sabe usted, el hermano le engañó y le sacó muchos miles de pesetas.

—Y aquí, en las Cuevas, ¿el hombre marchaba?

—No. Acostumbrados a otra manera de vivir, pues, no podía. Luego, la cueva suya, el Ayuntamiento la mandó tirar, y entonces fué cuando el Manejero se decidió a irse.

—Y, ¿cuál de las muchachas se casó?

—Pues no sé decirle a usted. Era una rubita; así, pequeña de cuerpo, garbosa.

Salió Ossorio del tabernucho, y fué subiendo por el camino hacia la ermita de la cumbre. Se veía el pueblo desde allí a vista de pájaro, enorme, con sus tejados en hilera, simétricos como las casillas de un tablero de ajedrez, todos de un tinte pardo negruzco, y sus casas blancas unas, otras amarillentas de color de barro, y sus caminos blancos cubiertos de una espesa capa de polvo, con algunos árboles escasos, lánguidos y sin follaje.

Alrededor del pueblo se extendía la huerta

[1] Algeria.

como un gran lago siempre verde, cruzado por la
línea de plata ondulante de la carretera. Más
lejos, cerrando la vallada, montes pedregosos,
plomizos, se destacaban con valentía en el cielo
5 azul de Prusia, ardiente, intenso como la plegaria de un místico. Y, en aquel silencio de la
ciudad y de la huerta, sólo se oía el estridente
cacareo de los gallos, que se contestaban desde
lejos.

10   Salían delgadas y perezosas columnas de humo de las chimeneas de las cuevas y de las casas.
Resonaba el silencio. De pronto, Fernando oyó
el murmullo de un rezo o canción y se asomó a
ver lo que era.

15   Venían de dos en dos, en fila, las muchachas
de un colegio o de un asilo, uniformadas con un
traje de color de chocolate; detrás de ellas iban
dos monjas, y cantaban las asiladas una triste y
dolorosa salmodia . . .

20   XXXVI

AL DÍA SIGUIENTE, Fernando se levantó muy temprano: estaba amaneciendo; por la ventana de su
cuarto entraba la luz fría, mate, sin brillo, la luz
deslustrada del amanecer.

25   Salió a la calle. Hallábase el pueblo silencioso;
las casas grises, amarillentas, de color de adobe,
parecían dormir con sus persianas y sus cortinas
tendidas. El cielo estaba gris, como un manto de
plomo; alguna que otra luz moribunda parpa-
30 deaba sin fuerza ante el santo guardado en la
hornacina de un portal. Corría un viento frío,
penetrante.

Ossorio fué saliendo del pueblo hacia el campo, recorrió la alameda y comenzó a cruzar
35 viñedos. Había aparecido ya el sol; brillaban los
bancales verdes de trigo y alcacel, como trozos
de mar, plateados por el rocío. El cielo estaba
azul, claro y puro, de una claridad dulce y suave.

A la hora se halló Fernando en el Pulpillo.
40 Todo estaba igual que antes. Se acercó a la casa
y se asomó a la ventana de la cocina. Cerca del
fuego estaba ella, Ascensión, con un pañuelo de
color en la cabeza, inclinada sobre la cuna de un
niño.

Fernando dió la vuelta a la alquería y entró en 45
la cocina. Saludó con una voz ahogada por la
emoción. Al verle, ella palideció; él se quedó
admirado, al encontrarla tan demacrada y tan
vieja.

—¿Qué quieres aquí? ¿A qué vienes? —pre- 50
guntó ella.

Fernando no supo qué contestar.

—¡Vete! —gritó la mujer con un gesto enér-
gico, señalándole la puerta.

—¿No está tu marido?   55

—No. Sabía que estabas en el pueblo, pero no
creí que te atreverías a venir.

—Me porté mal contigo, pero has tenido
suerte, más suerte que yo—murmuró Fernando.

—¡Vete! No quiero oírte.   60

—¿Por qué? De los dos quizás soy yo el más
desgraciado.

—¡Tú desgraciado! ¿Entonces yo?

—Tú tienes hijos; tienes un marido que te
quiere.   65

—Vete, por favor, márchate; puede venir mi
marido y entonces será peor para ti.

—¿Por qué? ¿Qué iba a hacer? ¿Matarme?
Me haría un favor. Además, que él no sabe lo
que ha pasado entre los dos. Pero hablemos— 70
dijo Ossorio apoyándose en el respaldo de una
silla.

—No quiero oírte; no quiero oírte. ¡Vete!

—No. Sí, me voy. Pero quisiera antes hablarte.   75

—Te digo que no, que no, y que no.

—¿No quieres atender mis razones?

—No.

—Eres cruel.

—¿No lo has sido tú más?   80

—Pero la suerte te ha vengado . . . Tú eres
feliz.

—¡Feliz! —murmuró ella con una sonrisa
llena de amargura.

—¿No lo eres?   85

—Vete, vete de una vez.

Fernando paseó la mirada por el cuarto, se
fijó en la cuna y se acercó a ver al niño que allí
dormía.

—No le toques, no le toques—gritó la mujer 90
levantándose de su asiento.

—Tú no perdonas.

—No.

—Sin embargo, yo no tuve toda la culpa. Tú no lo creerás . . .

—No.

—Si quisieras oírme . . . un momento.

—Vete; no quiero oír nada.

—Adiós, pues—murmuró Fernando, y salió de la casa pensativo—. Odiar tanto—se decía al marchar hacia el pueblo—. Si fuera buena, me hubiera perdonado. ¡Qué imbécil es la vida!

XXXVII

—A VER SI SIENTA ya la cabeza—dijo el administrador al saber que Fernando se quedaba en el pueblo.

Ossorio quería permanecer algún tiempo en Yécora; esperaba que allí su voluntad desmayada se rebelase y buscara una vida enérgica, o que concluyera de postrarse aceptando definitivamente una existencia monótona y vulgar.

Le pareció que si podía resistir y aficionarse al pueblo aquel y sentirse religioso en Yécora, a pesar de las ideas sórdidas y mezquinas de la tal ciudad, era porque su alma se encontraba en un estado de postración y decadencia absoluto.

Los días siguientes de su llegada se sucedieron con una gran monotonía. Por las tardes, Fernando paseaba con algunos condiscípulos que habían ido a su casa a renovar con él su amistad . . .

Aquella tarde, después del paseo, entraron Fernando y dos amigos que le acompañaban en la sacristía de una iglesia destartalada del pueblo. Se sentaron los tres en una banqueta negra que había debajo de un cuadro grande y oscuro de las Ánimas.

En las paredes de la sacristía colgaban mugrientos carteles amarillos, escritos en latín con letras capitulares rojas. Entraba la luz por una ventana pequeña e iluminaba el cuarto; a un lado se veía el armario, roñoso y carcomido, donde se guardaban casullas y ornamentos; encima de él, un busto de una santa o de una monja, en madera pintada, que tenía una peana con vestigios de haber sido dorado y un agujero elíptico en el pecho, que antes debió de servir para guardar las reliquias de la santa o monja que representaba la escultura.

En el cuarto iba y venía un sacristán viejo con cara de bandido. Comenzó a sonar una campana. A poco entró un cura joven en la sacristía, un muchacho fuerte y rollizo que parecía un toro, saludó a los dos amigos de Fernando y a éste también, tímidamente.

—¿No te acuerdas de él? —preguntó uno de los amigos a Ossorio, señalándole al cura—. Sí, hombre; Pepico, un muchacho muy gordo, con cara de bruto, hijo del sastre. Es más joven que nosotros . . .

—Sí, algo recuerdo.

—Pues es éste; aquí lo tienes, hecho un padre de almas.

—Oye, Pepico—le preguntó el otro de los amigos al cura joven—, ¿cuándo te van a hacer más grande esa moneda que lleváis en la cabeza?

—Cuando me ordene en mayores.

—¿De modo que ahora estás en cuarto menguante?

El cura joven hizo un movimiento de hombros, como indicando que a él le tenían sin cuidado aquellas irreverencias. El amigo de Fernando volvió a la carga.

—Y oye, ese redondel tendrá un tamaño fijo, ¿verdad?

—No. Es *ad libitum*.[1]

—Nada; hasta que no habláis latín no estáis satisfechos los curas.

El muchacho volvió a hacer otro gesto de indiferencia y siguió paseando a lo largo de la sacristía.

Comenzó a sonar de nuevo la campana de la iglesia. Entró poco después un cura delgado, morenillo, de ojos negros y sonrisa irónica, que saludó a Fernando y a sus amigos de una manera exageradamente mundana. El cura joven fué a decir la novena a la iglesia, en donde se habían reunido unas cuantas viejas; el otro, el morenillo, ofreció cigarros, encendió uno y se puso a fumar con el manteo desabrochado y las manos en los bolsillos del pantalón.

[1] At will.

—Y usted, ¿no tiene trabajo hoy? —le preguntaron.

—Sí; yo estoy aquí para el *capeo*.[1]

—Es que tiene que predicar—murmuró uno
5 de los amigos al oído de Fernando.

Se habló después de capellanías, de pleitos, de
mujeres; luego, Ossorio y sus amigos salieron de
la iglesia.

—¿Quién es este cura?

10 —Es un *perdío*, que vive con dos sobrinas y
se acuesta con las dos. ¿Qué hacemos ahora?
¿Vamos al colegio de escolapios?

—Vamos.

Fernando se dejó llevar; tenía una idea muy
15 vaga de aquel caserón, en donde había pasado
dos años de su vida. Se acercaron al colegio,
una especie de cuartel grande, y entraron por la
senda central de un patinillo a un ancho zaguán
que conducía a un corredor bajo de techo, ador-
20 nado con cuadros y letreros. Fernando, al entrar,
recordó de repente todo el colegio con todos sus
detalles, como si le quitaran una venda de los
ojos; reconocía uno a uno los mapas, los cuadros
de las paredes, con medidas de capacidad, las
25 figuras de anatomía, de zoología y de botánica.

Por el corredor paseaban dos escolapios
fumando, con el bonete ladeado; a ellos se
dirigieron los amigos de Ossorio para que les
enseñaran el colegio. Los dos padres les fueron
30 mostrando a los tres amigos las clases que olían
a cuarto cerrado, con sus largas mesas negras
y sus ventanas enrejadas. Aquí, recordaba
Fernando, habían variado el piso; allá habían
condenado una puerta.

35 En un patio jugaban los chicos a la pelota,
vestidos con blusas grises. Al pasar Fernando y
los demás, los muchachos les miraban con ansiedad. Subieron los visitantes al piso de arriba, en
el cual había un corredor y, a los lados, celdas
40 pequeñas, con el techo cubierto por una alambrera, ocupadas por la cama, el colgador y el
lavabo; la puerta, con una persiana para espiar
desde fuera al encerrado.

Fernando, al mirar al interior de aquellos cuar-
45 tuchos, recordó los dos años de su vida pasados

[1] The action of evading; to put off someone with
deceptions and evasions.

allí. ¡Qué tristes y qué lentos! Se veía por las
mañanas, cuando tocaba la campana y palmotea-
ban los camareros, despertarse sobresaltado, salir de la cama, lavarse, y al volver a oír el aviso,
se veía en el tétrico corredor, iluminado por un 50
farol humeante de petróleo, colgado del techo
por un garabato en forma de lira. Luego recordaba, durante el invierno, cuando, después de
rezar arrodillados, puestos en dos filas en el oscuro pasillo, capitaneados por uno de los padres, 55
iban bajando todos las escaleras, medio dormidos, tiritando, envueltos en bufandas, y recorrían
los corredores y entraban en el oratorio a cantar
los rezos de la mañana y a oír misa. ¡Qué impresión de horrible tristeza daba el ver las ventanas 60
iluminadas por la claridad blanca y fría del
amanecer!

Al dirigirse a las clases comenzaba el terror,
pensando en las lecciones, no aprendidas aún; y
en la clase se leían y releían con desesperación 65
páginas y páginas de los libros, que pasaban por
la memoria como la luz por un cristal; un aluvión de palabras que no dejaban ni rastro.

Y el tormento de dar la lección uno a uno se
alargaba, y cuando éste daba una tregua, comen- 70
zaba el fastidio, que a Fernando se le metía en el
alma de una manera aguda, dolorosa, insoportable.

Después de comer en el refectorio, que tenía
largas mesas de mármol blanco, tristes, heladas, 75
se volvía de nuevo al trabajo; lento suplicio,
interrumpido por las horas de recreo, en las que
se jugaba a la pelota en un sitio cercado por
paredes altas, que más que lugar de esparcimiento parecía patio de presidio. 80

Pero de noche . . . de noche era horroroso. Al
subir después de cenar, a las nueve, desde el refectorio, frío y triste, al pasillo donde desembo-
caban las celdas, al arrodillarse para rezar las
oraciones de la noche y al encerrarse luego en el 85
cuarto, entonces se sentía más que nunca la
tristeza de aquel presidio. Por las hendeduras de
la persiana, cuyo objeto era espiar a los muchachos, se veía el corredor, apenas iluminado por
un quinqué de petróleo; ya dentro de la cama, de 90
cuando en cuando se oían sonar los pasos del
guardián; del pueblo no llegaba ni un murmullo;

sólo rompía el silencio de las noches calladas el golpear del martillo del reloj de la torre, que contaba los cuartos de hora, las medias horas, las horas, que pasaban lentas, muy lentas, en la
5 serie interminable del tiempo.

¡Qué vida! ¡Qué horrorosa vida! ¡Estar sometido a ser máquina de estudiar, a llevar como un presidiario el número marcado en la ropa, a no ver casi nunca el sol!

10 ¡Qué comienzo de vida estar encerrado allí, en aquel odioso cuartel, en donde todas las malas pasiones tenían su asiento; en donde los vicios solitarios brotaban con la pujanza de las flores malsanas!

15 ¡Qué vida! ¡Qué horrorosa vida! Cuando más se sufre, cuando los sentimientos son más intensos, se le encerraba al niño, y se le sometía a una tortura diaria, hipertrofiándole la memoria, oscureciéndole la inteligencia, matando todos los
20 instintos naturales, hundiéndole en la oscuridad de la superstición, atemorizando su espíritu con las penas eternas . . .

De allí había brotado la anemia moral de Yécora; de allí había salido aquel mundo de pe-
25 queños caciques, de curas viciosos, de usureros; toda aquella cáfila de hombres que se pasaban la vida bebiendo y fumando en la sala de un casino.

Era el Colegio, con su aspecto de gran cuartel, un lugar de tortura; era la gran prensa lamina-
30 dora de cerebros, la que arrancaba los sentimientos levantados de los corazones, la que cogía los hombres jóvenes, ya debilitados por la herencia de una raza enfermiza y triste y los volvía a la vida convenientemente idiotizados, fanatizados,
35 embrutecidos; los buenos, tímidos, cobardes, torpes; los malos, hipócritas, embusteros, uniendo a la natural maldad la adquirida perfidia, y todos, buenos y malos, sobrecogidos con la idea aplastante del pecado, que se cernía sobre ellos
40 como una gran mariposa negra.

XXXVIII

EL TEATRO ESTABA LLENO; verdad que era muy chico. Sólo el sábado se ocupaban las localidades. Representaban cuatro zarzuelas madrileñas, de ésas con sentimentalismos, celos y demás zaran-
45 dajas.

En el palco del Ayuntamiento estaban el alcalde, pariente del administrador de Ossorio, Fernando y dos concejales jóvenes de los que acompañaban al alcalde, por ser de familias adi-
50 neradas del pueblo.

El antepalco era muy grande; el teatro, frío; el alcalde, un dictador a quien se le obedecía como a un rey, había mandado que pusieran allí un brasero. El alcalde asombraba a los dos con-
55 cejales asegurando que aquellas obras que representaban en Yécora las había visto en Madrid, en Apolo, nada menos.

—¡Qué diferencia, eh! —le decía a Fernando. Este escuchaba indiferente, aburrido, la repre-
60 sentación, mirando a una parte y a otra.

El alcalde señaló a Ossorio en la sala algunas muchachas casaderas, ricas, con las que podía intentar un matrimonio ventajoso. De pronto, el hombre se calló y se puso a mirar con los
65 gemelos al escenario. Lolita Sánchez había salido a escena; era la primera actriz y traía revuelto todo Yécora. Cuando terminó el acto, el alcalde invitó a Fernando a bajar a las tablas. Aquella Lolita Sánchez era cosa suya.
70

Fueron a los bastidores; el escenario era muy pequeño; los cuartos de los cómicos, más pequeños todavía. El alcalde hizo entrar a Fernando en el cuarto de la primera actriz. Estaban allí sentados en un sofá roto, la hermana de Lola,
75 Mencía Sánchez, con la cara afilada, llena de polvos de arroz y de lunares; el director artístico de la compañía, Yáñez de la Barbuda, un joven que a primera vista se comprendía que era imbécil, escritor aficionado al teatro, que se arruinaba
80 contratando compañías para que se representasen sus dramas; Lolita Sánchez, una mujer insignificante, muy pintada, con los ojos negros y la boca muy grande, y algunas personas más.

Como no cabían todos en el cuarto, Fernando
85 se quedó de pie cerca de la puerta, sin aceptar los ofrecimientos que le hicieron de sentarse, y, al ver que no se fijaban en él, se escabulló, e iba a salir a la calle cuando se encontró con dos amigos, también del colegio, que no le
90 permitieron escaparse. Eran ambos la única

representación del intelectualismo en Yécora; hablaban de Bourget,[1] de Prévost[2] con el respeto que se puede tener por un fetiche.

—No creas, vale la pena de ver a Lola Sánchez—le dijo uno a Fernando.

—Es una mujer digna de estudio—aseguró el otro.

—Una voluptuosidad—murmuró el primero.

—Una verdadera *demi-vierge*[3]—añadió el segundo.

Ossorio miró a sus antiguos camaradas asombrado y oyó que uno y otro barajaban nombres de escritores franceses que él nunca había oído y que trataban indudablemente de abrumarle con sus conocimientos. Pretextando que tenía que ver al alcalde, los dejó, y se fué a buscar de nuevo la puerta del escenario.

Abrió una que le salió al paso, entró pensando si daría al pasillo de salida, y se encontró en un cuarto pequeño a dos o tres cómicos, a la característica y al de la taquilla, que estaban sentados alrededor de una mesa desvencijada, de esas llenas de dorados, que sirven en las decoraciones de palacios para sostener dos copas de latón, con las cuales se envenenan el galán y la dama. Entonces sostenía una botella de vino y un vaso. Ossorio trató inmediatamente de salir de allí, después de haberse excusado; pero el gracioso, un hombre de nariz muy larga, que sin duda le había visto con el alcalde, le invitó a tomar un poco de vino. Fernando dió las gracias.

—¿Nos va usted a desairar porque somos unos pobres cómicos?

Ossorio tomó el vaso que le ofrecían y lo bebió.

—¿No se sienta usted?—continuó el gracioso—Sí, hombre, precisamente estamos riñendo y no sabe usted lo chuscas que son estas riñas entre cómicos tronados. Bueno cuando no hay bofetadas y golpes, que de todo suele haber.

Luego comenzó a presentar a los que estaban allí.

—Gómez Manrique, primer actor, un cómico, ahí donde lo ve usted, que si no fuera tan soberbio y tan amanerado, podría ser con el tiempo algo.

El aludido, que parecía un hombre que estaba bajo el peso de una terrible catástrofe, lanzó una mirada de desdén al gracioso a través de sus lentes; luego se atusó la melena, mostrando la manga raída de su chaqueta, y después llevó la mano al bigote y trató de retorcerlo; pero como haría sólo diez o quince días que dejaba de afeitarse, no pudo.

—De la señora—añadió el de la nariz larga mostrando a la característica—nada puedo decir; no la he conocido más que en su decadencia. En su tiempo . . .

—En mi tiempo—gritó la vieja—no se las[4] tragaban como puños, como ahora en Madrid y en todas partes. ¡Re . . . pateta![5] Si no hay cómicos ya.

—Eso es cierto—repuso con voz borrosa uno de los que se hallaban sentados a la mesa.

—Este señor que ha hablado, o que ha mugido, no se sabe lo que hace—prosiguió el de la nariz larga—, es don Dionis el Crepuscular, nuestro taquillero, nuestro contador, nuestro administrador, un hombre que no nos roba más que todo lo que puede.

—Y ustedes, ¿qué hacen?—preguntó don Dionis.

—Advertencia. Le llamamos el Crepuscular por esa voz tan agradable que tiene, como habrá usted podido notar. Yo soy Cabeza de Vaca de apellido, bastante buen cómico.

—Si no fueras tan borracho—interrumpió don Dionis.

—Ahora, joven yecorano—siguió Cabeza de Vaca dirigiéndose a Ossorio—, no creo que tendrá usted inconveniente en pagarnos una botella.

—Hombre, ninguno. ¿Quiere usted que al salir yo mismo la encargue?

—No. El mozo irá por ella.

—Bueno. Y usted hará el favor de enseñarme dónde está la puerta.

—Sí, señor, con mucho gusto. Por aquí, por aquí. Adiós.

---

[1] French critic and novelist (1852–1935).
[2] French novelist (1862–1941).
[3] (*Fr.*) Woman of easy virtue.

[4] *las, i.e., las mentiras.*
[5] *¡Re . . . pateta!* softened exclamation, probably standing for *repuñeta.*

XXXIX

—YA QUE TE ABURRES en Yécora, vente a Marisparza—le dijo un amigo.

—¿Qué es eso de Marisparza?

—Una casa de labor que tengo ahí en el monte. Te advierto que te vas a aburrir.

—¡Bah! No tengas cuidado.

A la mañana siguiente, después de comer, un día de fiesta, llegó el amigo en un carricoche, tirado por un caballejo peludo, a la puerta de la casa del administrador de Ossorio. Fernando montó y se acomodó sobre unos sacos; el amigo se sentó en el varal y echaron a andar.

El camino estaba lleno de carriles hondos, que habían dejado las ruedas de los carros al pasar y repasar por el mismo sitio. El paisaje no tenía nada de bello. Iban por entre campos desolados, tierras rojizas de viña con alguna que otra mancha verde negruzca de los pinos, cruzando ramblas y cauces de ríos secos, descampados llenos de matorrales de brezo y de retama.

Al anochecer llegaron a Marisparza. La casa estaba aislada en medio de un pedrizal; hallábase unida a otra más baja y pequeña. Era de color de barro, amarillenta, cubierta de una capa de arcilla y de paja; tenía grandes ventanas, con rotas y desteñidas persianas verdes. Una chimenea alta, gruesa, cuadrada, parecía aplastar al tejado pardusco; encima de la puerta, alguien, quizá el dueño anterior, había pintado con yeso una cruz grande que se destacaba blanca en el fondo sucio de la pared.

Abrieron la casa y entraron; dos o tres murciélagos refugiados en el viejo caserón salieron despavoridos.

No había muebles en las habitaciones, las ventanas no tenían cristales; en todos los cuartos sonaba a hueco. En la parte de atrás de la casa, una cerca de adobe medio derruída, cubierta con bardas de césped, limitaba un jardín abandonado en donde crecían dos cipreses negros y tristes y un almendro florido.

Del zaguán de esta casa se pasaba al vestíbulo de otra más pequeña, en donde vivía el colono con su familia. Mientras el amigo se ocupaba en desenganchar el caballejo del carricoche, Fernando se asomó a una ventana. Corría un viento frío. Veíase enfrente un cerro crestado lleno de picos que se destacaba en un cielo de ópalo. Allá, a lo lejos, sobre la negrura de un pinar que escalaba un monte, corría una pincelada violeta y la tarde pasaba silenciosa mientras el cielo heroico se enrojecía con rojos resplandores. Unos cuantos miserables, hombres y mujeres, volvían del trabajo con las azadas al hombro; cantaban una especie de guajira triste, tristísima; en aquella canción debían concretarse en queja inconsciente las miserias de una vida animal de bestia de carga. ¡Tan desolador, tan amargo era el aire de la canción! Oscureció; del cielo plomizo parecían llegar rebaños de sombras; el horizonte se hizo amenazador . . .

De noche, en la cocina, donde quemaban sarmientos, a la luz de las teas puestas sobre palas de hierro, pasaron Fernando y su amigo hasta muy tarde. Se acostaron, y toda la noche estuvo el viento gimiendo y silbando.

XL

EL DÍA SIGUIENTE era domingo. Fernando se levantó temprano y salió de la casa. Su amigo se había marchado antes a ver un cortijo de las inmediaciones.

Los alrededores de Marisparza eran desnudos parajes de una adustez tétrica, con cerros sin vegetación y canchales rotos en pedrizas, llenos de hendeduras y de cuevas.

En el raso desnudo, en donde estaban las dos viviendas reunidas, había un aljibe encalado, con su puerta azul y el cubo, que colgaba por un estropajo de la garrucha; un poco más lejos, en los primeros taludes del monte, se veía una balsa derruída y cuadrada, en cuyo fondo brillaba el agua muerta, negruzca, llena de musgos verdes.

Eran los alrededores de Marisparza de una desolación absoluta y completa. Desde el monte avanzaban primero las lomas yermas, calvas, luego, tierras arenosas, blanquecinas, como si fueran aguas de un torrente solidificado, llenas de nódulos, de mamelones áridos, sin una mata, sin una hierbecilla, plagadas de grandes hormigueros rojos. Nada tan seco, tan ardiente, tan huraño como aquella tierra; los montes, los cerros, las largas paredes de adobe de los corrales, las tapias de los cortijos, los portillos de riego, los encalados aljibes, parecían ruinas abandonadas en un desierto, calcinadas por un 5 sol implacable, cubiertas de polvo, olvidadas por los hombres.

Bajo las piedras brotaban los escorpiones; en los vallados y en las cercas corrían las lagartijas. Los grandes lagartos grises y amarilloverdosos 10 se achicharraban inmóviles al sol. Unicamente en las hondonadas había campos de verdura; grandes pantanos claros, con islas de hierbas, llenos de transparencias luminosas, en cuyo fondo se veían las imágenes invertidas de los árboles y 15 el cielo azul cruzado por nubes blancas. En las alturas, la tierra era árida; sólo crecían algunos matorros de berceo y de retama.

Aquel día, Fernando, después de dar una vuelta y esperar a su amigo, entró en la cocina 20 de la casa contigua. Como domingo, el labrador y su mujer habían ido a misa a un poblado próximo. No quedaba en casa más que el abuelo y tres muchachas casi de la misma edad, ataviadas con pañuelos blancos en la cabeza.

25 La cocina era grande, encalada, con una chimenea que ocupaba la mitad del cuarto. De algunas perchas de madera colgaban arreos para los caballos y las mulas; en un rincón había un arca y sobre un vasar una caja de alhelíes.

30 Fernando estuvo charlando con el viejo y con las mozas; después se puso a jugar a la bola con dos muchachos de la casa, y cuando se cansó subió a su cuarto a distraerse con sus propias meditaciones.

35 Al mediodía volvió el amigo de Fernando.

—Mira—le dijo a éste—, yo aquí he terminado lo que tenía que hacer. Me voy, pero si tú quieres estar, te quedas el tiempo que te dé la gana.

40 —Pues, me quedo.

—Muy bien.

Comieron, y el amigo se marchó en seguida de comer en su carricoche.

Fernando, al verse solo, sin saber qué hacer, 45 se tendió en la cama. Desde allí, por la ventana abierta, veía los crestones del monte, destacándose con todas sus aristas en el cielo; a un lado y

a otro las vertientes parecían sembradas de piedras; más abajo se destacaban algunos olivos en hileras simétricas, algunos viñedos y después el 50 camino blanco, lleno de polvo, que se alejaba hasta el infinito, en medio de aquella desolación adusta, de aquel silencio aplanador.

Al caer de la tarde, Fernando se levantó de la cama y se fué a jugar otra vez a la bola con los 55 dos muchachos, y cuando oscureció entró con ellos en la cocina. El labrador y su padre, ambos sentados en el banco de piedra, hablaban; la mujer hacía media; las mocitas jugueteaban.

El abuelo contó a Fernando las hazañas de 60 Roche, un bandido generoso, como todos los bandidos españoles, y después describió las maravillas de una cueva del monte cercano, en la cual, según viejas tradiciones, se habían refugiado los moros. Se entraba en la cueva, decía el 65 viejo, y a poco de andar topaba uno con una puerta cerrada, que a los lados tenía hombres de piedra con grandes mazas; si alguno trataba de acercarse a ellos, levantaban las mazas y las dejaban caer sobre el importuno visitante. 70

Después de esta relación, el viejo preguntó a Ossorio:

—¿Y qué? ¿Se va usted a quedar aquí durante algún tiempo?

—Sí, me parece que sí. 75

—A ver si hace usted como Juan Sedeño.

—¿Quién es? No le conozco.

—Juan Sedeño es un señorito de Yécora que se gastó todo el dinero en Madrid, y vino hace ocho años y no quiso ir a vivir a la ciudad, y dijo 80 que en la corte o en el campo, y vive en una choza. Eso sí, se pasea por la casa con traje negro y con *futraque*.

—¿Pero, qué hace? ¿Lee o escribe?

—No, no hace más que eso: pasearse vestido 85 como un caballero.

—Pues es una ocupación.

—¡Vaya!

Cuando dieron las diez se concluyó la reunión en la cocina, y se fueron todos a acostar. 90 En los días posteriores, Fernando siguió haciendo las mismas cosas; aquella vida monótona comenzó a dar a Ossorio cierta indiferencia para sus ideas y sensaciones. Allí comprendía, como

en ninguna parte, la religión católica en sus últimas fases jesuíticas, seca, adusta, fría, sin arte, sin corazón, sin entrañas; aquellos parajes, de una tristeza sorda, le recordaban a Fernando el
5 libro de San Ignacio de Loyola que había leído en Toledo. En aquella tierra gris, los hombres no tenían color; eran su cara y sus vestidos parduscos, como el campo y las casas.

XLI

10 POR LAS MAÑANAS, Fernando se levantaba temprano, subía a los montes de los alrededores y se tendía debajo de algún pino.

Iba sintiendo por días una gran laxitud, un olvido de todas sus preocupaciones, un profundo
15 cansancio y sueño a todas horas. Tenía que hacer un verdadero esfuerzo para pensar o recordar algo.

—Como las lagartijas echan cola nueva—se decía—, yo debo estar echando cerebro nuevo.
20 Si después de hacer un gran esfuerzo imaginativo recordaba, el recuerdo le era indiferente y no quedaba nada como resultado de él; sentía la poca consistencia de sus antiguas preocupaciones. Todo lo que se había excitado en Madrid
25 y en Toledo iba remitiendo en Marisparza. Al ponerse en contacto con la tierra, ésta le hacía entrar en la realidad.

Por días iba sintiéndose más fuerte, más amigo de andar y de correr, menos dispuesto a un tra-
30 bajo cerebral. Se había hecho en el monte compañero del guarda de caza, un hombre viejo, chiquitín, con patillas, alegre, que había estado en Orán y Argelia, y contaba siempre historias de moros. Gaspar, así se llamaba el guarda, gas-
35 taba alpargatas de esparto, pantalón de pana, blusa azul, pañuelo encarnado en la cabeza y encima de éste un sombrero ancho. Gaspar tenía una escopeta de pistón, vieja, atada con bramantes, y no se podía comprender cómo dis-
40 paraba y cazaba con aquello. Solía acompañar al guarda un perrillo de lanas muy chico, que, según decía su dueño, no había otro como él para levantar la caza.

En los paseos que daban el guarda y Fernan-
45 do, hablaban de todo y resolvían entre los dos, de una manera generalmente radical, los más arduos problemas de sociología, de la política y de lo que constituye la vida de los pueblos y de los individuos. Otras veces, Gaspar se constituía en maestro de Fernando, le contaba una porción 50 de historias y le explicaba las virtudes curativas de las hierbas y algunos secretos médicos que sabía.

—Mire usted la verónica—le dijo una vez—¿Usted sabe por qué esa planta no tiene raíz? 55

—No, señor.

—Pues le diré a usted: un día fué el diablo y arrancó la mata del suelo y la tiró; pasó por allá San Blas, y, viendo la planta tirada, la puso otra vez en la tierra, y así siguió viviendo, 60 aunque sin raíz.

—¿Pero eso es histórico? —le preguntó Fernando.

—Pues no ha de serlo. Como que ahora es de día; lo mismo. 65

—¿Usted cree en el diablo?

—Hombre. Aquí, en el monte, y de día, no creo . . . en nada, pero en mi casa, y de noche . . . ya es otra cosa.

Fernando, sin contestarle, tiró de una de las 70 plantas de verónica, y, quizá por casualidad, salió llena de raíces, y se la enseñó a Gaspar.

—Usted sí que es el diablo—le dijo el guarda riéndose.

Muchas veces, andando por el monte, o ten- 75 didos con la pipa en la boca entre los matorros de brezos, de romeros y de jaras, se olvidaban de la hora, y entonces, cuando tardaban mucho, solían avisarles desde Marisparza llamándoles con un caracol de mar que producía un ruido 80 bronco y triste.

Las tardes de los domingos, como Gaspar se marchaba a hacer recados al pueblo, Fernando las pasaba jugando en compañía de los dos chicos de la casa, con una bola de hierro, arrojándola lo 85 más lejos posible. Cuando se cansaba, sentábase en un poyo de la puerta. Las gallinas picoteaban en el raso de la casa; los carromatos venían por el camino de la parte de Alicante[1] hacia la Mancha alta, grises, llenos de polvo, de un color 90 que se confundía con el del suelo.

[1] City in southeastern Spain.

XLII

COMO TODOS LOS de la alquería iban a Yécora a ver las fiestas, fué también Fernando con ellos a casa del administrador.

Le recibieron allí fríamente.

Por la noche del Miércoles Santo, los del pueblo subían al castillo por un camino en zigzag, que tenía a trechos capillas pequeñas de forma redonda, en cuyo fondo veíanse pasos pintados. Gente desharrapada y sucia subía a lo alto, tocando tambores y bocinas, en cuadrillas, deteniéndose en cada paso, subiendo y bajando al monte.

Al día siguiente, por la tarde, Ossorio fué a ver la procesión de Jueves Santo. Se puso a esperarla en una calle ancha y en cuesta que tenía a los lados tapias y paredones de corrales, casas bajas de adobe, cuyas ventanucas estaban iluminadas con tristes farolillos de aceite. Cuando pasó la procesión por allí, era ya al anochecer; había oscurecido; las lamparillas de aceite de los balcones y ventanas brillaban con más fuerza; por encima de un cerro iba apareciendo una luna enorme, rojiza, verdaderamente amenazadora.

La procesión era larguísima.

Venían primero los estandartes de las cofradías, después dos largas hileras de soldados romanos, a ambos lados de la calle, con un movimiento de autómatas que hacían resonar las escamas plateadas de sus lorigas; tras ellos aparecieron judíos barbudos, negros, con la mirada terrible.

Luego fueron presentándose, todos en dos filas, grupos de veinte o treinta cofrades, vestidos con el hábito del mismo color, llevando en la mano faroles redondos colocados sobre altas pértigas; después aparecieron los disciplinantes,[1] con sus túnicas y sus corozas rojas, verdes, blancas, en compañías que llevaban en medio los pasos, custodiándolos, entonando lúgubres plegarias, mientras algunos chiquillos desharrapados, delante de cada paso, iban marcando, con un rataplán sonoro, el ritmo de la marcha en sus tambores.

Se veía aparecer la procesión por la calle en cuesta, como un cortejo de sombras lúgubres y terribles. Ante aquellos pasos llenos de luces, ante aquella tropa de disciplinantes rojos, con su alta caperuza en la cabeza y el rostro bajo el antifaz, se sentía la amenaza de una religión muerta que, al revivir un momento y al vestirse con sus galas, mostraba el puño a la vida.

El pueblo, a los lados de la calle, se arrodillaba fervorosamente. Había un silencio grave, sólo turbado por el tañido de una campana.

De vez en cuando, algún hombre del pueblo aparecía en la procesión, descalzo, llevando atada al pie una cadena, y, sobre los hombros, una pesada cruz.

Al último ya, al final de todos, cerrando la marcha, aparecieron dos filas larguísimas de disciplinantes, vestidos de negro, que llevaban un ancho cinturón y un gran escapulario, amarillos, y un cirio, también amarillo, apoyado por el extremo en la cintura. Era el colmo de lo tétrico, de lo lúgubre, de lo malsano.

Fernando, que se había inclinado al pasar los otros grupos de cofrades, se irguió, con intenciones de protestar de aquella horrible mascarada. Vió las miradas iracundas que le dirigían los disciplinantes, al ver su acto de irreverencia, los ojos negros llenos de amenazador brillo a través de los antifaces, y sintió el odio; cubrió su cabeza, ya que no podía hacer más en contra, y, volviendo la espalda a la procesión, se escabulló por una callejuela.

La gente rebullía por todas partes; pasaban como sombras labriegos envueltos en capotes de capucha parda, mujeres con mantellinas de otra época, gente de rostro denegrido y mirar amenazador y brillante.

De noche era costumbre visitar las iglesias; Fernando entró en una. En el ámbito anchuroso y negro se veía el altar iluminado por unas cuantas velas que brillaban en la oscuridad; el órgano, después de sollozar por la agonía de Cristo, había enmudecido por completo. Un silencio lleno de horrores resonaba en la negrura insondable de las naves. En los rincones, sombras negras de mujer, sentadas en el suelo, inclinaban la cabeza participando con toda su alma de las angustias y suplicios legendarios del Crucificado.

---

[1] Scourgers, those who parade during Holy Week, disciplining themselves and praying the stations of the Cross.

Al entrar y salir, hombres y mujeres se arro-
dillaban ante un Nazareno con faldas moradas,
iluminado por una lámpara; después se abalan-
zaban sobre él y besaban sus pies, con un beso
5 que resonaba con el silencio. Ponían los labios
unos donde los habían puesto los otros.

Delante de los confesionarios se amontonaban
viejas con mantellinas sobre la frente, y plañían
y lanzaban en el aire mudo, frío, opaco, de la
10 iglesia, hondos y dolorosos suspiros.

XLIII

FUÉ, QUIZÁ AL VER la persistencia de Fernando en
ir a la iglesia, por lo que la familia del administrador creyó que era el momento de catequizarle.
15 Un escolapio joven, profesor, que tenía fama
de talentudo, comenzó a ir con más frecuencia
a casa del administrador y a acompañar después
en sus paseos a Fernando. Este, que estaba asistiendo al silencioso proceso de su alma, que arro-
20 jaba lentamente todas las locuras misteriosas que
la habían enturbiado, no solía tener muchas ganas de hablar, ni de discutir; pero el escolapio
forzaba las conversaciones para llevarlas al punto
que él quería, e inmediatamente, plantear una
25 discusión metafísica. A Ossorio, a quien la discusión perturbaba la corriente interior de su
pensamiento, no le agradaba discutir; y, unas
veces, enmudecía; otras, murmuraba vagas objeciones en tono displicente.
30 Hubo ocasión en que llegaron, no a discutir,
sino a incomodarse. Fué una tarde que salieron
juntos; hacía un calor terrible; el aire vibraba en
los oídos; no se agitaba ni una ráfaga de viento
en la atmósfera encalmada, bajo el cielo asfi-
35 xiante.
Fernando iba, malhumorado, pensando en la
idea que tendrían de él aquellos administradores
para ponerle un ayo, y en la que tendría el curita
de sí mismo y de sus condiciones de persuasión.
40 Callaba para no ocuparse más que del cambio
que por momentos iba sufriendo su espíritu; el
escolapio le miraba entre las cejas, como si quisiera arrancarle el pensamiento. Con lentitud y
sin gran maña, después de mil rodeos y vueltas,
45 el cura llevó la conversación, más bien monólogo,

pues Fernando apenas si contestaba con mono-
sílabos, a un asunto entre social y religioso: la
autoridad que debía de tener la Iglesia dentro
del Poder civil.
—Si tuviera más en España de la que tiene, yo 50
emigraría—murmuró Ossorio.
—¿Por qué?
—Porque me repugna la clerecía.
El escolapio no se dió por ofendido; dió varias
vueltas y pases al Poder civil y al religioso, y ya, 55
como seguro en sus posiciones, dijo:
—Todo eso parte de la idea de Dios. ¿Usted
creerá en Dios?
—No sé—murmuró con indiferencia Fer-
nando.   60
—¡Ah! ¿No sabe usted?
—A veces he creído sentirlo.
—¡Sentirlo! Misticismo puro.
—¡Psch! ¿Y qué?
A Fernando le molestaba la petulancia de 65
aquel clérigo imbécil, que creía encerrada en su
cerebro toda la sabiduría divina. El escolapio
miraba de reojo a Ossorio, como un domador a
un animal indomesticable.
Iba anocheciendo; la caída de la tarde era de 70
una tristeza infinita. A un lado y a otro del camino se veían viñedos extensos de tierra roja,
con los troncos de las viñas, que semejaban
cuervos en hilera. Veíanse aquí manchas sangrientas de rojo oscuro, allá, el lecho pedregoso 75
de un río seco, olivares polvorientos, con olivos
centenarios, achaparrados, como enanos deformes, colinas calvas, rapadas; alguno que otro
grupo de arbolillos desnudos. En el cielo, de un
color gris de plomo, se recortaban los cerros 80
pedregosos y negruzcos.
Pasaron por delante de una tapia larguísima
de color de barro. Se veía la ciudad roñosa, gris,
en la falda del castillo, y la carretera, que ser-
penteaba llena de pedruscos. Allá cerca, el cam- 85
po yermo se coloreaba por el sol poniente, con
una amarillez tétrica.
Fernando miraba y apenas oía. Sin embargo,
oyó decir al escolapio que trataba de demostrarle
que Dios sostenía la materia con su voluntad.   90
—Yo no le entiendo a usted—le replicó Fernando—. ¿De manera que, según usted, todo no
está en Dios?

—¿Qué quiere usted decir con eso?

—Muy sencillo. Si Dios no es razón de todo, y si todo no ha venido de Dios, hay otro principio en el mundo.

5 —¿Otro principio?

—Sí; porque, oyéndole hablar a usted, parece que hay dos: Dios, uno, y la materia, otro.

—No... Dios creó la materia de la nada. Eso lo saben hasta los chicos.

10 —Es igual, son dos principios: Dios y una nada de donde se puede sacar algo.

—Dios sostiene la materia con su voluntad. El día que no la sostuviera, quedaría aniquilada.

—¿Usted cree que una cosa se puede ani-15 quilar?

—Sí.

—Físicamente es imposible; químicamente, también.

—¿Y eso qué importa?

20 —Nada; que no queda más que un aniquilamiento teológico, y a ése yo me sometería sin miedo.

Se iban acercando a Yécora; se veía el inmenso lugarón, con sus casas agrupadas y sus tejados 25 pardos y sus chimeneas humeantes.

—Es orgullo lo que le hace pensar de ese modo —dijo el escolapio.

—En mí, que no afirmo nada, porque creo que no puedo llegar a conocer nada, es orgullo—re-30 plicó Ossorio con voz irritada—, y en usted, que afirma todo, que ha ordenado el mundo, que, según parece, su Dios lo dejó en desorden, es humildad.

El escolapio no contestó; después, volviendo 35 a la carga, dijo:

—¿De modo que usted cree que la materia existe también en Dios?

—¿Creer? Creer me parecía demasiado. Hay una creencia que es afirmación, hay otra que es 40 suposición. Supongo, creo, pero no afirmo que Dios es la razón de todo, la causa de todo.

—Entonces, es usted panteísta.[1]

—No me importa el mote. Yo, como le decía antes, supongo o creo que hay en todas las

cosas, en esa hierba, en ese pájaro, en ese monte, 45 en el cielo, algo invariable, inmutable, que no se puede cambiar, que no se puede aniquilar... No... En lo íntimo creo que todo es fijo e inmutable. Y esto que es fijo, llámesele sustancia, espíritu, materia, cualquier cosa, equis, que a 50 nuestros ojos, por lo menos a los míos, es infinito; yo supongo, a veces, cuando estoy de buen humor, que se reconoce a sí mismo y que tiene conciencia de que es...

—Se explica usted bien—dijo el escolapio sar-55 cásticamente—. Tiene usted ideas muy peregrinas.

—No me choca que le parezcan peregrinas y absurdas, ni me preocupa esa opinión. Yo lo veo así. Si hay un Alma Suprema de las cosas, 60 ésa debe ser la razón de todo.

—¿Hasta del mal?

—Hasta del mal, sí. El mal es la sombra. La sombra es la necesidad de la luz.

—Nada, nada: dice unas cosas verdadera-65 mente enormes... Y oiga usted, con esas teorías suyas, ¿qué fin le asigna usted al hombre?

—¿Fin...? Yo creo que nada tiene fin; ni lo que se llama materia, ni lo que se llama espíritu. He pensado a mi modo en esto, y con relación a 70 la naturaleza, fin y principio me parecen palabras vacías. El principio de una transformación es al mismo tiempo fin de una, estado intermedio de otra y el fin es, a su vez, principio y estado intermedio. 75

—¿Y la muerte?

—La Muerte no existe, es el manantial de la vida, es como el mal, una sombra, una noche preñada de una aurora.

—Bueno, concretemos—dijo el escolapio, con 80 sonrisa satisfecha—. De modo que ese Dios que usted supone, ¿no tiene influencia sobre los hombres?

—¿Influencia? Toda... o ninguna. Como le parezca a usted mejor. 85

—Bien. ¿No premia ni castiga?

—No sé. Supongo que no. Además, ¿para qué iba a castigar ni a premiar a la gente de un pobre planeta como el nuestro, regido por leyes inmutables? Ni las fechorías de los hombres son 90 tan terribles, ni sus bondades son tan inmensas

[1] Believer in pantheism, the doctrine that there is no God but that the combined forces and laws manifested in the existing universe are divine.

para que merezcan un castigo o un premio, y mucho menos un castigo o un premio eternos.

—¡Vaya si lo merecen! Cuando el hombre abusa de la libertad que Dios le ha dado y con el don de Dios se opone a los designios de su Creador, ¿no merece una pena eterna?

—¡Bah! ¡Abusar de la libertad que Dios le ha dado! Una libertad dada por Dios, creada por Dios, que tiene su corazón también en Dios, que Dios al otorgarla sabe su calidad y conoce con su omnisciencia el uso que ha de hacer el hombre con ella, ¿qué libertad es ésa?

—No; Dios no conoce el uso que el hombre ha de hacer de su libertad; para eso le pone en el mundo, a prueba.

—¿Pero El no sabe y prevé el porvenir del hombre?

—Sí.

—Entonces El sabe ya de antemano lo que el hombre va a hacer de su voluntad, ¿a qué le prueba?

—No, no lo sabe.

—En ese caso no es omnisciente.

—Sí. Figúrese usted un hombre subido a una torre que ve que dos hombres van a pelearse. Los ve y, sin embargo, no puede evitarlo.

—Porque es hombre. Si fuera Dios, sería omnipotente y su voluntad sería bastante para evitar el encuentro.

—¿Entonces usted niega el libre albedrío?

—¿Y qué?

—Con usted no se puede discutir; niega usted la evidencia.

—No discutamos.

El cura miró a Fernando de reojo, y repuso:

—Se va usted de la cuestión; no tratábamos del libre albedrío.

—No, yo por mi parte no trataba de nada.

—Usted cree—añadió el escolapio—que las acciones del hombre no merecen una pena o un premio, eternos e irrevocables, ¿no es eso?

—Eso es.

—Sin embargo, lo irrevocable debe castigarse o premiarse de un modo irrevocable, ¿no es verdad?

—Sí, me parece que sí.

—Pues bien; hay acciones en el hombre que son definitivas, irrevocables. Un criminal que pegase fuego al Museo de Pinturas de Madrid, ¿no cometía una acción irrevocable? ¿Podrían volverse a rehacer los cuadros quemados? ¿Diga usted?

—No.

—Pues esa acción sería irrevocable.

—Físicamente, sí—respondió Ossorio.

—De todas maneras.

—No. Físicamente, objetivamente todo es irrevocable. La piedra que ha caído, ha caído irrevocablemente, no podrá nunca haber dejado de caer; el hombre que ha cometido una mala acción, por pequeña que sea, no podrá nunca haber dejado de cometerla. En el mundo físico todo es irrevocable; en el mundo moral, al contrario, todo es revocable.

—No se puede discutir con usted.

Habían llegado al pueblo. Fernando se despidió del cura, se fué a casa, y de noche, aburrido, después de cenar entró en el casino y se sentó en el rincón de una sala grande y destartalada, en la que se reunían algunos compañeros de colegio. Le habían visto los amigos discutiendo con el escolapio y le preguntaron si trataba de catequizarle.

—Eso parece—respondió Ossorio.

—Pues ten cuidado—dijo uno—; te advierto que es un mozo listo.

—Sí, ¿eh?

—Vaya.

—No tiene más—añadió otro—que es un calavera. Ahora anda con la viuda esa recatándose . . .

—No, se recataba con la mujer de Andrés, el zapatero. Yo, que vivo enfrente de Andrés, he visto a la zapatera sentada en las rodillas del escolapio.

Fernando se alegró de la noticia; dada su falta de resolución, aquello era un arma en contra de las pretensiones irritantes del escolapio.

XLIV

A LOS DOS o tres días la discusión se entabló de nuevo; pero ya no fué a solas, sino en presencia del administrador, de su esposa, de la hija y del yerno.

Fué la batalla filosófica y hasta literaria; primero se cambiaron argumentos expresados en forma suave; luego pasaron a razones, si no más duras, expuestas con mayor crudeza. Fernando temía exasperarse discutiendo; pero lo que decía el escolapio era una continua provocación; llegó a hacerle alusiones sobre los desórdenes de su vida, y entonces Fernando ya no se pudo reprimir, y se desató en improperios y en bestialidades en contra del cura y de su administrador.

El escolapio, que comprendió que desde aquel momento tenía la partida ganada, reconoció que era un pecador que lo sabía . . .

Fernando no quiso oírle, y bruscamente abandonó el cuarto, bajó las escaleras y salió a la calle.

El inmenso poblachón estaba silencioso, mudo. Hacía luna llena; los faroles de la calle, por este motivo, se hallaban sin encender. El pueblo, iluminado fuertemente por la claridad blanca de la luna, aparecía extraño, fantástico, con la mitad de las calles a la sombra y la otra mitad blancoazulada. En la zona de sombra, encima de algunos portales, veíanse escintilar y balancearse vagamente farolillos encendidos, que iluminaban los santos y las hornacinas. Ossorio, indignado con ideas rencorosas, subió hacia la plaza; en el suelo se proyectaba, a la luz de la luna, oblicuamente, la sombra de la torre. Fernando comenzó a subir al Castillo por la calzada.

A su lado se veían las puertas azules de las cuevas empotradas en el monte. Fué subiendo hasta lo alto: había algunos sitios en donde se levantaban extraños peñascales laberínticos de fantásticas formas, unos de aspecto humano, tétricos, sombríos, con agujeros negros que parecían ojos, al ser sombreados por las zarzas; otros, afilados como cuchillos agudos, como botareles de iglesia gótica, de aristas salientes, que marcaban y perfilaban en el suelo y a la luz de la luna su sombra dentellada.

Al llegar Ossorio a una peña grande y saliente, avanzó por ella y se sentó en el borde. Desde allá se veía el lugarón, iluminado por la luna, envuelto en una niebla plateada, con los tejados blanquecinos y grises, húmedos por el rocío, que se extendían y se alargaban como si no tuvieran fin, simétricos, como si todo el pueblo fuera un gran tablero de ajedrez. Cerca se destacaban, con una crudeza fotográfica, las piedras y los peñascos del monte.

Al sentarse Fernando en aquella roca, vió muy abajo su silueta, que se reflejaba sobre la sombra gigantesca de la peña y que caía encima de un tejado. Alguna que otra luz salida de las casas del pueblo brillaba y parpadeaba confidencialmente.

Un perro comenzó a ladrarle.

Sin saber por qué, aquello reavivó sus iras. El hubiese deseado que la peña donde se sentaba, que todo el monte, fuera proa de barco gigantesco o reja de inmenso arado, que hubiese ido avanzando sobre aquel pueblo odioso, sin dejar en él piedra sobre piedra. El hubiese querido tener en su mano la máquina infernal, el producto terrible engendrador de la muerte, para arrojarle sobre el pueblo y aniquilarlo y reducirlo a cenizas y terminar para siempre con su vida miserable y raquítica.

Pensó después en lo que iba a hacer. Si volvía al pueblo, podía caer en el engranaje aquel de la vida hipócrita de Yécora. Era necesario huir de allí, pero sin hablar a nadie, sin consultar a nadie. Volvió a su casa muy tarde; estaban todos acostados; arregló en su cuarto una maletilla, y luego, despacio, sin hacer ruido, salió de casa y se fué al casino. Se hallaba desierto; en un rincón, en una mesa, estaba solo Cabeza de Vaca, el gracioso de la Compañía de Yáñez de la Barbuda.

Fernando se sentó en otra mesa, e inmediatamente Cabeza de Vaca se acercó a saludarle.

—¿Va usted de viaje? —le preguntó al ver la maletilla que tenía Ossorio.

—Sí.

—¿A dónde va usted?

—No sé; a cualquier parte, con tal de salir de Yécora.

—Pero, ¿usted no es de aquí?

—Yo no. Y usted, señor Cabeza de Vaca, ¿qué hace a estas horas en el casino?

—¡Yo! Morirme de hambre y de *aburrición*. Ya sabrá usted que la Compañía se disolvió.

—No sabía nada.

—Antes de todo, ¿usted quiere mandar que me traigan un café? Hace mucho tiempo que no como nada caliente.

—Sí, hombre.

—Con leche y pan, si puede ser, ¿eh?

—Bueno.

—Pues sí; se disolvió la Compañía, porque don Dionis arramblaba con los cuartos y nosotros *in albis*.[1] Luego, a Yáñez de la Barbuda le mandó buscar su madre, y nos quedamos aquí parados. Gómez Manrique, aquel hombre negruzco de lentes, se marchó; no sé a quién le sacaría dinero; el director de orquesta y las tres coristas se fueron contratadas a un café cantante de Alcoy y nos quedamos la característica y sus dos hijas, y el maquinista, que está arreglado con la Lolita.

—¿Sí, eh? Si lo hubiera sabido mi primo el alcalde . . .

—¡Ah! ¿Pero el alcalde es primo de usted?

—Sí.

—Por muchos años.

—¡Psch! Es un animal.

Cabeza de Vaca hizo un guiño expresivo.

—Yo creo—dijo agarrando la taza de café con las dos manos y bebiendo con ansia—, señor don . . .; no sé cómo es su nombre de usted.

—Fernando.

—Pues bien, don Fernando, creo que me engañé con respecto a usted; en el escenario, el día que le vi, le traté como a un doctrino;[2] perdone usted.

—No vale la pena. Y diga usted, ¿qué han hecho ustedes en este tiempo, la característica, sus hijas y usted?

—Ellas, muy bien; *cabriteando*[3] las pobrecillas. Lolita, sobre todo, ha sido la salvación de la familia. Usted sabe; todos estos señores de la ciudad enviando cartas y alcahuetas que van, y alcahuetas que vienen, y visitas de señores serios y de curas que salían de noche embozados hasta la nariz en la capa. Las mujeres tienen esas ventajas—añadió Cabeza de Vaca, cínicamente.

—Al principio, a mí Mencía me prestó algún dinero, pero desde que se enteró el maquinista, el amigo de la Lolita, que es un bruto, animal, que se emborracha a todas horas, ya nada. He

tenido que vivir como los camaleones; aquí un café, allá una copa . . .

—¿Y qué va usted a hacer?

—Pues no sé.

—¿Y ellas, se fueron?

—Hoy quizá salgan de la estación inmediata.

—Pues yo también me marcho.

—¿Pero cuándo?

—Ahora mismo.

—¿De veras se va usted? ¿Pero ahora, de noche?

—Sí.

—¿No le da a usted miedo?

—Miedo, ¿de qué?

—¡Qué sé yo! Si tuviera dinero para llegar a Valencia, me iría con usted.

—¿Cuesta mucho el billete?

—No; unas pesetas.

—Yo se las daré.

—Vamos, entonces, don Fernando . . . otro café no creo que estaría mal, ¿eh?

—Bueno, pero de prisa.

Tomaron el café; salieron del Casino, y después del pueblo. Comenzaba a lloviznar; hacía frío; no hallaron a nadie; la noche estaba negra, el camino oscuro. A las tres horas estaban Fernando y Cabeza de Vaca en la estación del pueblo inmediato; lo primero que se encontraron allí fué la característica y sus dos hijas, que andaban embozadas en las toquillas por el andén; el maquinista dormía en un banco de la sala de espera.

Fernando se dirigió a la cantina, y por la influencia de un mozo de la estación, antiguo conocido suyo, consiguió que le abrieran la taberna. Entraron allá la característica y sus hijas, Cabeza de Vaca y Ossorio. No había más que unas rosquillas con sabor de aceite y aguardiente, pero ni las tres cómicas ni el gracioso hicieron ascos y se atracaron de rosquillas y de amílico.

Cuando llegó el tren y entraron todos en el vagón de tercera, las mejillas estaban rojas y las miradas brillantes; el maquinista, indignado porque no le avisaron, se tendió en un banco a dormir.

Mientras el tren iba en marcha, la vieja característica, que se encontraba alegre, empezó a

---

[1] (*Lat.*) without knowing anything about it.
[2] Orphan educated in a school until he is able to learn a trade. *Doctrino* also means a timid person.
[3] Looking for clients (term used by prostitutes).

cantar trozos de *Jugar con fuego* y de *Marina*,[1] siguió Cabeza de Vaca con canciones de género chico, y después Mencía se arrrancó con unas soleares y tientos[2] que quitaban el sentido.

—¡Si tuviéramos una guitarra! —se lamentó Cabeza de Vaca.

—¡Ahí va una! —dijo un hombre del mismo vagón, pero de otro compartimiento, que iba envuelto en una gran manta listada.

Entonces ya la cosa se generalizó: Cabeza de Vaca tocó la guitarra; la vieja y Lolita llevaban las palmas y Mencía cantaba canciones gitanas, sentimentales, que hacían saltar lágrimas.

> Cuando querrá la Virge
> del Mayó Doló
> q'esos peliyo rubio
> te lo peine yo.[3]

Y la vieja palmoteaba gritando desaforada un estribillo:

> Ezo quiero, ezo quiero,
> Eza pipa arraztrando po el zuelo[4]

Y Mencía, más sentimental, con las lágrimas en los ojos entornados, arrullaba y seguía achicando la frente, levantando las cejas, poniendo una cara de voluptuosidad enferma:

> En el hospitaliyo
> a manita erecha
> ayí tenía mi compañerito
> su camita jecha.[5]

Y la vieja palmoteaba gritando, desaforada, su estribillo. Toda la gente de los otros compartimientos, levantada, gritaba y tomaba parte en el espectáculo.

Después que se aburrieron de cantar, Cabeza de Vaca empezó a puntear un tango; Lolita se levantó, le pidió un sombrero ancho a un tipo de chalán o de ganadero, que iba en el vagón, se lo puso en la cabeza, inclinado, se recogió hacia un lado las faldas, y cuando el tren paró en una estación, comenzó a bailar el tango. Era el baile jacarandoso, lleno de posturas lúbricas, acompañado de castañeteo de los dedos, en algunos pasajes con conatos de danza de vientre; producía un entusiasmo, entre los espectadores, delirante. Jaleaban todos con gritos y palmadas. Al ir a concluir el baile, echó a andar el tren; Lolita perdió o hizo como que perdía el equilibrio, y fué a sentarse de golpe sobre las rodillas de Fernando. Este la cogió de la cintura y la sujetó sin que ella ofreciera gran resistencia.

—¡Ande usted con ella! —vociferaban de todos los compartimientos.

Ella se volvió a mirar a Fernando, y en voz baja le dijo:

—¡Guasón!

XLV

—ES EXTRAÑO—pensaba Ossorio—cómo se desenmascara el hombre en algunas ocasiones; el sacarlo de su lugar, de su centro, pone claramente en evidencia sus inclinaciones, su modo de ser. Un vagón de un tren es una escuela de egoísmo.

El sitio en que Ossorio filosofaba era la sala de una estación manchega, donde se cambiaba de tren para dirigirse a Valencia.

Los viajeros de primera y segunda, unos habían pasado al café; la mayoría de los de tercera quedaban en los bancos de la sala, durmiendo. Los cómicos habían entrado en el café con la seguridad de que Fernando pagaría, y Lolita, sentada junto a él, con pretexto de que tenía frío, se le iba echando encima, hasta que inclinó la cabeza sobre su hombro, y se durmió. Fernando no se sentía romántico; cogió entre sus manos la cabeza de la muchacha y la apoyó en el hombro de la característica, a quien le dijo que iba a dar una vuelta, que podían dormirse; él les avisaría cuando llegara el tren. Pagó el gasto y salió al andén.

Entró en la sala de espera, convertida en dormitorio. Un mechero de gas, en una lira de

---

[1] Nineteenth-century zarzuelas; *Jugar con fuego* by Barbieri and *Marina* by Arrieta.
[2] Kinds of Flamenco song.
[3] "Cuando querrá la Virgen/ del Mayor Dolor/ que esos pelillos rubios/ te los peine yo."
[4] "Eso quiero, eso quiero, / esa pipa arrastrando por el suelo."
[5] "En el hospitalillo/ a la mano derecha/ allí tenía mi compañerito/ su camita hecha."

hierro, temblaba, iluminando con su luz roja y vacilante las paredes sucias llenas de carteles de ferias y anuncios; los hombres dormidos, embozados en las mantas. Algunos iban y venían, y taconeaban con furia de frío; otros, más tranquilos, hablaban recostados en las paredes; no faltaba la labriega de rostro atezado, vestida de negro, que con la cara indiferente y dura, y la mirada vacía, se preparaba a esperar sentada en el banco media noche, con la mano apoyada en la cesta, sin moverse ni pestañear siquiera.

En un rincón, un hombre vestido de negro, cepillado, limpio, con el tipo de empleado decente que se muere de hambre, su mujer y una niña de siete a ocho años, que asomaba su cara aterida y pálida por encima del embozo del mantón raído, miraba atentamente los movimientos de unos y de otros, encogidos los tres como si tuvieran miedo de ocupar más sitio que el preciso.

Fernando salió al andén.

En uno de los bancos vió tendido a un hombre embozado en la capa, que roncaba como un piporro. Había colgado su maleta, por las correas, de un farol y apoyaba la cabeza en ella. Encima del banco en donde se había puesto, estaba la campana para señalar las salidas de los trenes. Además de la maleta, el hombre llevaba como equipaje dos jaulas, altas como las de las perdices, pero mucho más grandes, y dentro de cada una, un gallo.

Silbó el tren. Un mozo hizo sonar varias veces la campana. El hombre de los gallos, entonces, se incorporó, bostezó, se arregló la bufanda, cogió sus dos jaulas, y entró en un vagón de tercera.

Fernando preguntó a dónde iba aquel tren que llegaba; le dijeron que Alicante; pensó que lo más fácil para escaparse de los cómicos sería meterse allí; cogió su maleta, y cuando el tren comenzaba su marcha, se subió al estribo.

XLVI

¿FUÉ MANUSCRITO o colección de cartas? No sé; después de todo, ¿qué importa? En el cuaderno de donde yo copio esto, la narración continúa, sólo que el narrador parece ser, en las páginas siguientes, el mismo personaje.

★ ★ ★ ★ ★

Ya no podía vivir allí. Tomé el tren, y he bajado en la primera estación que me ha parecido: en la estación de un pueblo encantador. Como aquí no hay más posada que una, que está cerca de la estación, y deseo no oír ruido de trenes y de máquinas, he preguntado en dos o tres sitios dónde podría hospedarme, y me han indicado una casa de labor de fuera del pueblo, en el camino real, y aquí estoy.

Mi cuarto es grande, de paredes blanqueadas; en el techo tiene vigas de color azul con labores toscas de talla; el balcón, con el barandado de madera carcomida, es de gran saliente y da al camino real.

Estoy alegre, satisfechísimo de encontrarme aquí. Desde mi balcón ya no veo la desnudez de Marisparza. Enfrente, brillan al sol campos de verdura; las amapolas rojas salpican con manchas sangrientas los extensos bancales de trigo que se extienden, se dilatan como lagos verdes con su oleaje de ondulaciones. Por la tierra, inundada de luz, veo pasar la rápida sombra de las golondrinas y la más lenta de las palomas que cruzan el aire. Un perro blanco y amarillo se revuelca en un campo de habas, mientras un burro viejo, atado a una argolla, le mira con un tácito reproche, con las orejas levantadas.

En el corral, que veo desde mi balcón, los polluelos pican en montones de estiércol, gruñen los estúpidos cerdos y andan de acá para allá con ojillos suspicaces y actitudes de misántropo; cacarean las gallinas, y un gallo, farsantón y petulante, con sus ojos redondos como botones de metal, y su cresta y su barba de carnosidad roja, se pasea con ademanes tenoriescos.

Aquí no se ven pedregales como en Marisparza; todo es jugoso, claro y definido, pero alegre. A lo lejos veo montes cubiertos de pinares negruzcos; más cerca, entre los viñedos, un cerrillo poblado por pinos de copa redonda. Arriba, muy alto, en el espacio azul, sin mancha, resplandeciente, se divisan los gavilanes, que trazan lentas curvas en el cielo.

Es la vida, la poderosa vida que reina por todas partes; las mariposas, pintadas de espléndidos colores, se agitan temblando sobre los sembrados verdes; las altas hierbas vivaces brotan lánguidas, holgazanas, en los ribazos; pían, gritan los gorriones en los árboles, revolotean en algarabía chillona golondrinas y vencejos; corren como flechas las aéreas libélulas de alas de tul verde y dorado; los mosquitos zumban en nube; pasan como balas los grandes insectos de caparazones negros, brillantes; rezonguean las abejas y los moscones, curioseando por los huecos de tapias y paredes, y el gran sol, padre de la vida, el gran sol bondadoso, sonríe en los campos verdes y claros de alcacel, incendia las rosas del monte, con luz vivísima, y va rebrillando en el agua turbia y veloz de las acequias que se desliza con rápido tumulto, y ríe con gorjeos misteriosos por las praderas florecidas y llenas de rojas amapolas.

¡Oh, qué primavera! ¡Qué hermosa primavera! Nunca he sentido, como ahora, el despertar profundo de todas mis energías, el latido fuerte y poderoso de la sangre en las arterias. Como si en mi alma hubiese un río interior detenido por una presa, y, al romperse el obstáculo, corriera el agua alegremente, así mi espíritu, que ha roto el dique que le aprisionaba, dique de tristeza y de atonía, corre y se desliza cantando con júbilo su canción de gloria, su canción de vida; nota humilde, pero armónica en el gran coro de la Naturaleza Madre.

Por las mañanas me levanto temprano, y la cabeza al aire, los pies en el rocío, marcho al monte, en donde el viento llega aromatizado con el olor balsámico de los pinos.

Nunca, nunca ha sido para mis ojos el cielo tan azul, tan puro, tan sonriente, nunca he sentido en mi alma este desbordamiento de energía y de vida. Como la savia hincha las hojas de las piteras, llora en los troncos de las vides y las parras podadas, llena de florecillas azules los vallados de monte y parece emborracharse de sangre en las rojas corolas de los purpurinos geranios, así esa corriente de vida en mi alma le hace reír y llorar y embriagarse en una atmósfera de esperanzas, de sueños y locuras.

Por las tardes, recorro la almazara y el lagar, oscuros, silenciosos, y cuando por alguna rendija de las ventanas entra un rayo de sol como un dardo de fuego o una vara de metal fundido hasta el blanco dorado, en donde nadan las partículas de polvo, siento una inexplicable alegría.

Estos rincones de la casa de labor, estas cosas primitivas y toscas, la zafra en donde se tritura la aceituna, el molón de piedra grande y cónico, las tinajas de barro, que parecen gigantes hundidos en el suelo, todo me sugiere pensamientos de algo que no he visto jamás y me produce un recuerdo de sensaciones quizá llegadas a mí por herencia.

Suelo comer y cenar en el zaguán, en una mesa pequeña, cerca de los hombres que vuelven del trabajo del campo. Estos lo hacen por orden: los mayorales de mula y muleros, sentados; los chicos que llaman burreros, de pie. Rezamos todos al empezar y al concluir de comer.

No pinto, no escribo, no hago nada, afortunadamente. De noche oigo el canto tranquilo y filosófico de un cuco y el grito burlón y extraño de un pavo real que siempre está en el tejado.

¡Cuánta vida y cuánta vida en germen se ocultará en estas noches! —se me ocurre pensar. Los pájaros reposarán en las ramas, las abejas en sus colmenas; las hormigas, las arañas, los insectos todos, en sus agujeros. Y mientras éstos reposan, el sapo, despierto, lanzará su nota aflautada y dulce en el espacio; el cuco, su voz apacible y tranquila; el ruiseñor, su canto regio; y en tanto la tierra, para los ojos de los hombres, oscura y sin vida, se agitará, estremeciéndose en continua germinación, y en las aguas pantanosas de las balsas y en las aguas veloces de las acequias brotarán y se multiplicarán miríadas de seres.

Y, al mismo tiempo de esta germinación eterna, ¡qué terrible mortandad! ¡Qué bárbara lucha por la vida! ¿Pero para qué pensar en ella? Si la muerte es depósito, fuente manantial de vida, ¿a qué lamentar la existencia de la muerte? No, no hay que lamentar nada. Vivir y vivir . . ., ésa es la cuestión.

XLVII

POR MÁS QUE HAGO, no he desechado todavía el prurito de analizarme, y aunque me encuentro tranquilo y satisfecho, analizo mi bienestar.

5 ¿Es una idea sana que ha entrado en mi cerebro la que me ha proporcionado el equilibrio —me pregunto—, o es que he hallado la paz inconscientemente en mis paseos por la montaña, en el aire puro y limpio?

10 Lo cierto es que hace dos semanas que estoy aquí, y empiezo a cansarme de ser dichoso. Como me hallo ágil de cuerpo y de espíritu, no siento el antiguo cúmulo de indecisiones que ahogaban mi voluntad; y, una cosa imbécil que 15 me indigna contra mí mismo, experimento a veces nostalgia por las ideas tristes de antes, por las tribulaciones de mi espíritu. ¿No es ya demasiada estupidez? . . .

Esta mañana he hablado en el café de la esta- 20 ción con un vendedor de dátiles que comercia en algunos pueblos de la costa, y enredándose la charla, ha resultado que conoce a mi tío Vicente, el cual es pariente mío porque estuvo casado con una prima de Laura. Se encuentra, según me ha 25 dicho, de médico en un pueblo de la provincia de Castellón.

Le he escrito. Se me ha ocurrido ir a verle. Creo que lo agradecerá. Este médico se casó muy a disgusto de nuestra familia con mi tía, la prima 30 de mi padre, ella murió sin hijos al año, y el médico, probablemente aburrido de espiritualidad y de romanticismo, se volvió a casar con una labradora, lo cual, para Luisa Fernanda y Laura fué y sigue siendo un verdadero crimen, la 35 prueba palmaria de la grosería y de la torpeza de sentimientos de ese medicastro cerril.

XLVIII

HE TOMADO EL TREN al amanecer. A eso de las diez de la mañana estaba llamando en casa de mi 40 tío.

El pueblo es grande. Cuando llegué, las calles estaban inundadas de sol, reverberaban vívida claridad las casas blancas, amarillas, azules, continuadas por tapias y paredones que limitan huertas y corrales. A lo lejos veía el mar y una 45 carretera blanca, polvorienta, entre árboles altos que terminan en el puerto.

Se sentía en todo el pueblo un enorme silencio, interrumpido solamente por el cacareo de algún gallo. El tartanero, a quien dije adonde me 50 dirigía, paró la tartana en una callejuela que tiene a ambos lados casas blancas, rebosantes de luz. Llamé y entré en el zaguán.

Mi tío salió a recibirme, me conoció, me dió la mano, pagó al tartanero e hizo que una mu- 55 chacha subiese la maleta al piso de arriba. Mi tío tenía que hacer una visita, y me ha dejado solo en la sala. He salido al balcón; el pueblo está silencioso; las casas con sus persianas verdes, sus ventanas y puertas cerradas; parecen abs- 60 traídas en perezosas meditaciones. De vez en cuando pasan algunas palomas, haciendo zumbar el aire ligeramente con sus alas.

Ha venido la criada, y, llamándome *señoret*,[1] me ha dicho que las señoras habían venido de la 65 iglesia, que la comida estaba en la mesa. He bajado las escaleras y he entrado en el comedor, con la sonrisa de un hombre que quiere hacerse amable. Me ha presentado mi tío a su mujer; la he hecho un saludo ceremonioso; he dado un 70 apretón de manos a Dolores, la hija mayor; un beso a Blanca, una chiquilla muy graciosa, he acariciado a un niño de dos o tres años; hemos empezado la comida, y, por más esfuerzos que he hecho para animar la conversación, la frial- 75 dad ha reinado en la mesa.

Después de comer, Blanca, que es una chiquilla muy traviesa y comunicativa, me ha enseñado la casa, que no tiene nada de particular, pero que es muy cómoda. En el piso bajo están 80 el comedor, el despacho del padre, la cocina, la despensa y un patio que conduce a un corral; en el piso de arriba hay la sala grande, con dos balcones a la calle, y las alcobas.

Ha debido de ser cuestión de bastante tiempo 85 el arreglarme el cuarto; yo, para dejar libertad, me he ido al casino. Al volver me han enseñado mi cuarto. Es un gabinete grande, hermoso,

---

[1] Valencian dialect for *señorito*.

enjalbegado de cal, con el suelo de azulejos azules
y blancos, relucientes; tiene un sofá, varias sillas
azules, un espejo, un lavabo y una cama de madera de limoncillo, esta última, muy coquetona,
5 muy baja, con cortinas azules de seda.

El balcón del gabinete da a un terradito, en
cuesta, hecho sobre el tejadillo del piso bajo de
la casa. En un rincón nace una parra que sube
por la pared; ya con las hojas crecidas, del ta-
10 maño del ala de un murciélago, y en la pared
también hay unos cuantos alambres cruzados, de
los que cuelgan filamentos de enredaderas secas.
En el suelo, en graderías verdes, hay algunas
macetas.

15 Estoy ahora aquí, sentado. ¡Qué sitio más
agradable! Enfrente, por encima de las tejas,
veo la torre de un convento, torcida, con su veleta adornada, con un grifo largo y escuálido que
tiene un aspecto cómicamente triste. Me ha
20 parecido conveniente hacerle una salutación, y
le he dirigido la palabra: ¡Yo te saludo, pobre
grifo jovial y bondadoso—le he dicho—; yo sé
que, a pesar de tu actitud fiera y rampante, no
eres ni mucho menos un monstruo; sé que tu
25 lengua bífida no tiene nada de venenosa como la
de los hombres, y que no te sirve más que para
marcar sucesivamente, y no con mucha exactitud,
la dirección de los vientos! ¡Pobre grifo jovial y
bondadoso, yo te saludo y reclamo tu protección!
30 Al oírme invocarle así, el grifo ha cambiado de
postura gracias a un golpe de viento, y le he
visto con la cabeza apoyada en la mano, dudando . . .

XLIX

35 EN ESTA CASA me tratan con gran consideración,
pero con un despego absoluto. A mi tío le
escuece aún el poco aprecio que hicieron de él
los parientes de su difunta esposa, y de rechazo,
no me puede ver a mí tampoco. Su mujer cree
40 que soy un aristócrata; se conoce que le ha oído
hablar a su marido de mis tías, como si fueran
princesas, y se figura que, aunque todo me
parece mal, no lo digo porque soy maestro en
el disimulo.

45 Temo haber venido a perturbar las costumbres de la casa. La más asequible de todas es
Blanca, la chica, que suele venir a mi cuarto y
charlamos los dos.

Por ella he sabido que ese cuarto tan alegre,
con su cama de limoncillo y sus cortinas azules, 50
es el de mi prima Dolores, así la llamo, aunque
no seamos parientes. He buscado una ocasión de
decirle a ésta que han hecho mal en privarla de
su gabinete.

Dolores suele regar las macetas del terradito al 55
anochecer, acompañada de Blanca. Andan las
dos de aquí para allá, y por lo que hablan y lo
que discuten se diría que están dirigiendo la más
trascendental de las cuestiones. ¡Lo que les
intriga cada planta!   60

Un tiesto está colocado en medio de una cazuela con agua para impedir que entren en él las
hormigas; el otro tiene una capa de arena o de
mantillo; en el de más allá echan las colillas que
tira el padre.   65

Hoy he esperado el momento de encontrar a
Dolores sola. Ha venido con la regadera en la
mano derecha y el niño en el brazo izquierdo.
Yo me he hecho el distraído. La verdad, no me
había fijado en mi prima hasta ahora.   70

Es agradable como puede serlo una muchacha
de pueblo; es morenuzca, con un color tostado,
casi de canela, un color bonito. Ahora, como las
mujeres poseen la suprema sabiduría y la suprema estupidez al mismo tiempo, mi prima 75
manifiesta la última condición, llenándose la
cara de polvos de arroz a todas horas. Tiene
los dientes muy blancos; una sonrisa tranquila y
seria; los ojos grandes, muy negros, tenebrosos,
con largas pestañas; las caderas redondas, y la 80
cintura muy flexible.

He esperado a que Blanca saliese del terrado
por un momento para hablar a Dolores.

—Han hecho ustedes mal en darme este
cuarto tan bonito. Si hubiera sabido que era el 85
de usted, no lo hubiera aceptado.

No he concluído la frase y he visto a la muchacha que se ponía roja como una amapola. Me
he quedado yo también azorado al ver la turbación suya, y no he sabido qué decir; afortunada- 90
mente ha entrado Blanca y se han puesto a
hablar las dos.

Hago mil suposiciones para explicarme su azoramiento. ¿Por qué se ha turbado de tal manera? ¿Ha creído que tenía intenciones de mortificarla? Me decido a volver a hablarla.

Después de cenar, en un momento en que su padre ha salido del comedor y su madre ha quedado dormida, la he dicho:

—Esta tarde me pareció que le había molestado a usted lo que dije; no sé lo que pude decir, pero creo que interpretó usted mal mis palabras.

—¿Qué quiere usted? Soy muy torpe.

—Si alguna inconveniencia se me escapó, perdóneme usted; fué inadvertidamente.

—Está usted perdonado.

—¿Eso quiere decir que estuve inconveniente, y que, además, le molesté a usted?

No ha contestado nada.

Me he levantado de la mesa incomodado por una estupidez tal. Indudablemente, España es el país más imbécil del orbe; en otras partes se comprende quién es el que trata de ofender y quién no; en España nos sentimos todos tan mezquinos, que creemos siempre en los demás intenciones de ofensa. Estoy indignado. He decidido encontrar un pretexto y largarme de aquí.

L

HOY ME HE LEVANTADO con la intención de marcharme. Como el tren sale del pueblo a la noche, me he puesto por la tarde a meter en mi maleta alguna ropa. En esta operación me ha visto mi prima Dolores al pasar a regar sus tiestos.

—¿Pero, qué? ¿Está usted haciendo la maleta?

—Sí; tengo que marcharme; una noticia imprevista...

Como no tengo costumbre de mentir, ni tenía para qué, no he dicho más.

—Vamos, que ya se ha aburrido usted de estar con nosotros—ha dicho ella, sonriendo.

—No—he contestado secamente—, ustedes son los que se han aburrido de mí.

—¡Nosotros!

—Sí.

Hablando y discutiendo, no ha podido menos Dolores de comprender la verdad, que yo me marchaba por ellos, porque veía que molestaba. Ella ha protestado calurosamente.

—No, no—le he dicho—, comprenderá usted que no es cosa de estar en una casa en donde uno molesta, en donde se cree que uno se burla de la hospitalidad que recibe.

—Espere usted siquiera una semana.

Tras la explicación hemos llegado a una buena inteligencia con Dolores y a la amistad cariñosa con Blanca.

He exigido que me muden de cuarto, y ahora duermo en una alcoba oscura del fondo de la casa. Me he empeñado en conquistar a la familia. La mamá está casi conquistada, pero el padre es terrible; no hay medio de desarrugar su ceño.

Por la tarde, la mamá y las dos muchachas cosen en el gabinete; ésta debía de ser la costumbre de la casa; yo entro y salgo en el cuarto y hablamos por los codos. Se ha roto el hielo, al menos en lo que se refiere al elemento femenino de la casa. Yo les hablo de París, de Suiza y de Alemania, y les tengo muy entretenidas.

Delante de su padre me guardaría muy bien de hacerlo, porque aprovecharía la ocasión para decir alguna cosa desagradable, como por ejemplo, que los que tienen dinero para viajar son los que no sirven para nada, ni aprenden ni sacan jugo de lo que ven.

Mi tío es especialista en vulgaridades democráticas. Mi tío es republicano. Yo no sé si hay alguna cosa más estúpida que ser republicano; creo que no la hay, a no ser el ser socialista y demócrata.

Ni mi tía, ni mis primas son republicanas. Esas son autoritarias y reaccionarias, como todas las mujeres; pero su autoritarismo no les hace ser tan despóticas como su democracia y su libertad a mi republicano tío.

Al anochecer, las dos muchachas dejan el trabajo y andan de aquí para allá. Todas son sorpresas.

—Mira, Blanca, qué pronto ha brotado esta flor.

—¡Ay!, *dona*,[1] ya han salido las enredaderas que planté.

El otro día le dije a Dolores:

—Pues si tuviera usted un gran jardín, ¿qué 5 haría usted?

—¡Psch! Tenemos un huerto; pero no crea usted que me gusta más que este terrado.

Un conocido, que creo que es el fotógrafo, a quien encuentro en el casino, y que trata de in-10 culcarme el sentimiento de superioridad suyo y mío, por ser madrileños ambos, supone que me gusta mi prima, y no creo que esté en lo cierto.

Dolores y yo no nos entendemos; siempre estamos regañando. Yo le digo que estos pueblos 15 valencianos no me gustan: blanco y azul, yeso y añil, no se ve más, todo limpio, todo inundado de sol, pero sin gracia, sin arte; pueblos que no tienen grandes casas solariegas, con iglesias claras, blanqueadas, sin rincones sombríos.

20 —A Fernando no le gusta nuestro pueblo—ha dicho ella a su madre en tono zumbón—. ¡Como él es artista y nosotros somos unos palurdos! ¡Como no hablamos con gracia el castellano y no decimos *poyo* ni *cabayo* como él...! Pues *veas* 25 tú si eso es bonito.

Hemos seguido discutiendo que si valencianos, que si castellanos, y yo para incomodarla, le he dicho:

—Pues yo, la verdad, no me casaría con una 30 valenciana.

—Ni yo con un madrileño—me ha contestado Dolores rápidamente.

LI

HE COMENZADO A hacer el retrato de Dolores, y 35 ha transcurrido el día de la marcha y me he quedado.

¡Me encuentro tan bien aquí!...

El retrato lo estoy haciendo en el terrado al ponerse el sol. Dolores se cansa en seguida de 40 estar quieta. El primer día vino con la cara más empolvada que nunca.

Yo le dije que tan blanca me parecía un payaso, y después estuve hablando mal de las mu-

[1] Valencian for *mujer, dueña*.

jeres que se pintan o se llenan la cara de polvos de arroz. Ella quiso demostrar que una cosa es 45 distinta de otra; yo afirmé rotundamente que era igual.

Desde el segundo día de sesión viene sin polvos de arroz, pero se preocupa mucho por lo negra que está. 50

El retrato no me sale por más que trabajo, y podría ser una cosa bonita. La figura esbelta de Dolores, vestida de negro, se destaca admirablemente sobre la tapia verde, picoteada de puntos blancos, llena de manchas oscuras de las go- 55 teras.

He recurrido a un expediente, dentro del arte, vergonzoso; le he pedido a mi amigo el fotógrafo la máquina y he hecho dos retratos: uno de Dolores y otro de su madre, y un grupo de 60 toda la familia. Después los he iluminado con una mezcla de barniz y de pinturas al óleo, un verdadero crimen de leso arte. Han parecido mis retratos verdaderas maravillas.

Lo que he hecho con gusto ha sido un apunte 65 que me ha resultado bastante bien: el suelo, de ladrillos rojos; las gradas, verdes; las manchas rojas de los geranios en flor sobre la tapia, y encima de ésta el cielo azul con estrías doradas, y la espadaña medio caída y ruinosa. Hay en este 70 apunte algo de tranquilidad, de descanso.

No me podía figurar el reposo, la dulzura de estos crepúsculos. Se oye el murmullo de la gente del pueblo que a esa hora empieza a vivir; las golondrinas chillan dando vueltas alrededor 75 de la torre, y las campanas de la iglesia suenan, encima de nosotros.

Después de la sesión, cuando Dolores deja de pasear y se dedica a la costura, discutimos acerca de muchas cosas, de arte, inclusive. 80

No comprende que se puedan pintar figuras feas, de cosas tristes; no le gusta nada torturado, ni oscuro

Ella, si supiera pintar, dice que pintaría mujeres hermosas y rubias; a Dolores, la rubi- 85 cundez le parece una superioridad inmensa; pintaría también escenas de caza con ciervos y caballos, bosques, jardines, lagos con su correspondiente barca; cosas claras y sonrientes.

No se la convence de que puede haber belleza, 90

sentimiento, en otras cosas. Es una muchacha que tiene una fijeza de ideas que a mí me asombra, y, sobre todo, un sentimiento de justicia y de equidad extraño en una mujer, que yo ataco con paradojas.

El madrileñismo mío, más fingido que otra cosa, porque yo nunca tuve entusiasmo por Madrid, le indigna.

—Después de todo—le digo yo—, crea usted que es lógico que la gente del pueblo, la gente ordinaria, trabaje para nosotros los elegidos, porque así se forma una casta superior directora, que puede dedicarse al arte, a la literatura.

—Vamos, que vivan los zánganos y que trabajen las abejas.

—Usted no debe decir eso.

—¿Por qué? ¿Cree usted que yo soy zángana? Pues soy abeja.

LII

EL FOTÓGRAFO, que trata de convencerme de la superioridad de todo hombre que haya nacido entre las Vistillas y el Hipódromo, tiene razón. Dolores me va gustando cada vez más. A medida que pasan días, encuentro en mi prima mayores encantos.

Tiene unos ojos que antes no me había fijado en ellos; unos ojos que parece que van a romper a hablar a cada momento, sombreados por las pestañas que se le acercan a las cejas, y le dan una expresión de pájaro nocturno. Luego, bajo la apariencia de muchacha traviesa, hay en ella una ingenuidad y una candidez asombrosa, sin asomo de fingimiento.

El otro día estaban de visita unas amigas de Dolores. Al ver una lámina de un periódico ilustrado, en donde venía el retrato de Liane de Pougy, se comenzó a hablar de estas heteras célebres. Me preguntaron a mí si conocía alguna, y les dije que sí, que había visto bailar a la Otero,[1] a la Cleo de Merode[2] y algunas otras.

—¡Valientes tunantas serán! —dijo una de

[1] *la Otero*, Carolina Otero, la bella, Spanish dancer and actress.
[2] Cleo de Merode, French actress and dancer.

las amigas de Dolores—. Si yo fuera hombre, no las había de mirar ni a la cara.

—Pues yo creo que si fuera hombre, me gustarían mucho—saltó Dolores.

Todas protestaron. Después que se fueron las visitas, Dolores me dijo que hace colección de estampas de cajas de fósforos, y de eso conoce los retratos de la Otero y de las otras bailarinas y actrices. En un armario tiene unas cajitas con fotografías, cartas de sus amigas del colegio de Orihuela, en donde se educó, y otra porción de quisicosas guardadas.

Mientras me enseñaba estos tesoros, que yo iba examinando atentamente, le dije como quien no da importancia a la cosa:

—Es raro que nosotros nos hablemos de usted siendo primos.

—¡Bah! Es un parentesco el nuestro tan lejano...

Blanca me ha ayudado, y ha hecho que, en broma, Dolores y yo nos hablemos de tú.

LIII

LA NOTICIA FUÉ para mí terrible. Me dijeron que Dolores tenía novio. En el casino me aseguraron que recibía cartas de Pascual Nebot, el hijo de uno de los propietarios importantes del pueblo. La noche pasada fuí al casino por conocerle.

Es un hombre alto, fornido, rubio, de cara juanetuda y barba larga, dorada. No sé si notó algo en mí; probablemente me conocería; me pareció que me miraba con una atención desdeñosa. Es tipo de hombre guapo, pero tiene esa ironía antipática y amarga de los levantinos, que ofende y no divierte, una ironía sin gracia, que niega siempre, sin bondad alguna.

Este Nebot tiene fama de republicano y de anticlerical, y goza de un gran prestigio entre la gente del pueblo. Es también federal o medio regionalista, y hace alarde de hablar siempre en valenciano. Se le tiene por un tenorio de mucha fortuna.

A pesar de su fachenda, me parece que no ha de conquistar a mi prima. Yo estoy decidido a abandonar mi indolencia y a tener una voluntad de hierro. Me voy a encontrar gracioso echándomelas de hombre fuerte.

Anteayer acompañé a Dolores a las flores de María. Como la madre no puede ir, fué ella acompañada de la señora Mercedes, una vieja criada de la familia, más negra y más curtida que un salvaje.

Dolores estaba preciosa; indudablemente no pudo resistir la tentación de darse algunos polvos de arroz en la cara; me pareció muy blanca, verdad que su cabeza estaba rodeada de negro: el pelo, la mantilla, el vestido; luego, para que se destacara más la gracia de su talle y de su rostro, llevaba a la señora Mercedes al lado, que parecía el monstruo familiar; una dueña fiel y espantable que iba acompañando a su ama.

Se lo dije así a Dolores y se echó a reír; la fuí acompañando, verdaderamente orgulloso de ir con ella; echamos por el camino más largo, por entre callejuelas. Me pareció que causábamos sensación en el pueblo.

Al llegar a la puerta de la iglesia, un arco gótico, en cuyo fondo negro brillaban mil luces de cirios, nos detuvimos.

—¿Vas a entrar? —me preguntó ella.

—Sí. Entraré: te esperaré a la salida.

En la iglesia el aire estaba tibio, saturado de un olor voluptuoso de incienso y de cera. El altar brillaba con las luces, lleno de flores blancas y flores rojas, entre los adornos brillantes de oro . . .

Hoy he acompañado a la madre y a las dos hijas a misa mayor. Con el traje negro y la mantilla, Dolores estaba guapísima. Pasamos, al ir a la iglesia, por un grupo en donde se encontraba Pascual Nebot entre sus amigos. Pascual me miró con rabia; Dolores no quiso apartar sus ojos de los míos.

Terminó la misa, y al volver de la iglesia a casa estaba lloviendo. En el terrado suenan las gruesas gotas de agua al chocar en las hojas de las hortensias y dejan en el suelo manchas grandes y redondas, que al evaporarse el agua en los ladrillos caldeados desaparecen en seguida. Cantan los gallos hoy más que otros días. Sobre el fondo negro de la torrecilla del conven-to se ve correr en líneas tenues y brillantes el agua que cae. El cielo está gris, con una reverberación luminosa, tan grande, que no se le puede mirar sin que ofenda los ojos.

Dolores, después de mudarse de traje, ha entrado en el terradito y traído las plantas que están en la sala para que les dé el agua. Ha venido una visita y con ella está la madre de Dolores, charlando en el comedor.

—Oye, Dolores—le he dicho yo.

—¿Qué?

—Te tengo que hablar.

—Habla todo lo que quieras.

—Oye.

—¿Qué?

—Te estás mojando.

—No es nada.

—¿Sabes que estás muy guapa hoy?

—¿Sí . . . ?

Y me ha mirado con sus ojos negros tan brillantes, que me han dado ganas de estrujarla entre mis brazos.

—Oye.

—¿Qué?

—¿Es verdad que Pascual Nebot te pretende?

—¿Y a ti qué te importa?

—¡Que no me importa! Tú contéstame. ¿Es verdad o no?

—¿Pero a ti qué te importa, hombre?

—No, tú no me contestas—le he dicho yo tontamente.

—Claro que no te contesto. ¿Por qué te voy a contestar?

—¿Es que tú no sabes que yo también . . . ?

—¿Qué?

—Nada . . ., que yo también te quiero.

—¿Crees que no lo sabía? —ha exclamado ella mirándome a los ojos y poniéndose de súbito ruborizada.

—Entonces, dime—y me he acercado a ella—. Deja ese rosal en paz. ¿Por quién te decides, por él o por mí?

—Por ninguno.

—No es verdad. Te decides por mí. Dolores, mírame, que vea yo tus ojos. ¿No ves en los míos que yo te quiero? ¿Di? ¿Quieres que seamos novios?

Ella ha murmurado algo con voz débil, muy baja. Yo he sentido que mis labios se encontraban con sus mejillas, que estaban ardiendo. Inmediatamente se ha desasido de mis brazos; pero yo he tomado sus manos entre las mías.

—¡Que viene mamá! —ha dicho.

—No, no viene.

—Bueno, pues suéltame.

—No quiero. Tengo hambre de ti.

—Mira. Estás rompiendo esta mata de claveles. ¡Oh, qué lástima!

He vuelto la cabeza para atrás, y, mientras tanto, ella se ha escapado riendo.

Como no quiero que Pascual Nebot se me adelante, he decidido hablar a la madre de Dolores.

La buena señora es joven, guapa y gruesa como una bola. Parece que está hecha de mantequilla. Cuando la he hablado de mi propósito de casarme con Dolores, ha quedado asombrada. Sin consultar a su marido, ella no se decide; por su parte, le parece bien, aunque teme que yo sea un hombre informal. Cree que soy un tenorio que abandono a las mujeres después de seducirlas; yo me he defendido de tal suposición cómicamente, demostrando que ni lo soy ni lo he sido, aunque en otras ocasiones, no por falta de ganas. En este momento en que peroraba ha entrado Dolores; ha habido explicación entre los tres.

Ahora estoy pendiente del fallo de mi tío, que dirá probablemente alguna gansada.

Según me ha dicho Dolores, al comunicarle mi petición ha refunfuñado de mal humor.

LIV

PASCUAL NEBOT HA AVERIGUADO, no sé cómo, la vida que yo hice en Madrid, que tuve algunos líos, y, además, ha dicho, y esto probablemente es invención suya, que he estado para profesar en un convento; por el pueblo me llama el *frare*.[1]

Me parece que Nebot y yo vamos a concluir mal; yo no le provocaré; pero el día que observe en él la señal más insignificante de burla, me echo sobre él como un lobo.

[1] *frare (Val.)=fraile.*

Alguna amiga ha tenido la piadosa idea de contarle a Dolores las invenciones de Nebot, y he encontrado a mi novia adusta y de mal humor. Yo me preguntaba: ¿qué le pasará?

Teníamos que ir a un huerto de la abuela de Dolores. Salíamos a las tres o tres y media de casa. Por delante íbamos: Dolores, Blanca, una amiga de las dos hermanas y yo, acompañándolas; detrás, mi futura suegra, la madre de la amiguita y mi tío.

Dolores, esquivando mi conversación y alejándose intencionadamente de mi lado. Llegamos a la casa de la abuela por un camino que cruza por entre naranjales llenos de azahar, que todavía tienen naranjas rojizas. Dolores echa a correr, y las otras dos hacen lo mismo.

—Nada, me persigue la mala suerte—murmuro, y me pongo a contemplar la casa filosóficamente. Esta es de piso bajo sólo, pintada de azul, y se halla casi al borde de la carretera. En el centro tiene una puerta que conduce al zaguán, y a los lados, ventanas enrejadas.

El zaguán, que ocupa todo lo ancho de la casa, termina por la parte de atrás en una hermosa galería, cubierta por un parral por arriba y limitada a lo largo por una valla, en la que se tejen y entretejen las enredaderas, las hiedras y las pasionarias, formando un muro verde lleno de flores y de campánulas.

De la galería se baja por una escalera al huerto, y el camino que de aquí parte concluye en un cenador, un tinglado de maderas y de palitroques sobre los cuales se sostienen gruesos trozos de un rosal silvestre lleno de hojas, que derrama un turbión de sencillísimas flores blancas y amarillentas.

A la entrada del cenador, sobre pedestales de ladrillo, hay dos estatuas, de Flora y de Pomona;[2] en el centro, debajo de la cortina verde del rosal silvestre, una mesa rústica y bancos de madera. Nos sentamos. Todos hablaban, menos Dolores, que parecía ensimismada estudiando las figuras de los azulejos de la pared.

—¿Qué representan? —le pregunté yo, para decir algo.

[2] Goddesses of flowers, fruits, and gardens.

—Es Santo Tomás de Villanueva—contestó Blanca—; está vestido de obispo con un báculo en la mano, y un negro y una negra rezan a su lado.

5 —El pintor comprendió la grandeza del santo —le dije a Dolores—. El negro y la negra no le llegan ni a la rodilla.

Dolores me miró severamente; habló con su hermana y con la amiga, y las tres, cruzando el 10 jardín, subieron a la galería y desaparecieron. Di un pretexto para salir del cenador, entré en la casa, anduve buscando a Dolores y no la encontré. Volvía a reunirme con mi tío, cuando oí risas arriba; levanté la cabeza: Blanca y la 15 amiga estaban en la azotea.

Subí por una escalerilla de caracol. Dolores, con la actitud que toma cuando se enfada, se apoyaba en un jarrón tosco de barro que tiene el barandado de la azotea, mirando atentamente, 20 con los ojos más tenebrosos que nunca, las avispas que revoloteaban cerca de sus avisperos.

A los lados del huerto, se veían marjales divididos en cuadros por anchas y profundas acequias, en cuyo fondo verdeaba el agua.

25 Por la carretera, cubierta de polvo, iban pasando, camino del puerto, carros cargados de naranjas; alguna canción triste y monótona llegaba hasta nosotros.

Me senté al lado de Dolores.

30 En un momento que vi muy ocupadas a Blanca y a la amiga en llamar a uno que pasaba por la carretera y en esconderse después, pregunté a Dolores la causa de la frialdad y del desdén que me demostraba.

35 Hizo un gesto de impaciencia al oírme, y volvió la cabeza; al principio no quiso decir nada; después me reprochó mi falsedad acremente.

—Eres un falso, eres un mentiroso.

—Pero, ¿por qué?

40 —Tienes una querida en Madrid; lo sé.

—No es verdad.

—Si te han visto con ella.

—Pero, ¿cómo me van a ver, si hace más de medio año que estoy fuera de Madrid?

45 —No, no me engañas; todas las mentiras que inventes serán inútiles.

Le juré que no era verdad, y apretado, sin saber qué explicación dar, le dije que había sido un perdido, un vicioso, pero que ya no lo era. Desde que la había conocido estaba cambiado. 50

—¿Y por qué no me has dicho eso? —preguntó Dolores.

—Pero, ¿para qué te lo iba a decir?

—Porque es verdad.

Discutimos este punto largo rato; yo di toda 55 clase de explicaciones, inventé también algo para disculparme. Dolores es tan ingenua, que no comprende la menor hipocresía.

Ya perdonado, le pareció muy raro que yo quisiera retirarme a un monte como un 60 ermitaño, y cuando le explicaba mis dudas, mis vacilaciones, mis proyectos místicos, se reía a carcajadas.

A mí mismo la cosa no me parecía seria; pero cuando le hablé de mis noches tan tristes, de mi 65 alma torturada por angustias y terrores extraños, de mi vida con el corazón vacío y el cerebro lleno de locuras . . .

—*Pobret.*[1] —me dijo, con una mezcla de ironía y maternidad; y no sé por qué entonces me 70 sentí niño y tuve que bajar la cabeza para que no me viese llorar. Entonces ella, agarrándome de la barba, hizo que levantara la cara, sentí el gusto salado de las lágrimas en la boca, y, mirándome a los ojos, murmuró: 75

—Pero qué tonto eres.

Yo besé su mano varias veces con verdadera humildad, hasta que vi que Blanca y la amiga nos miraban en el colmo del asombro.

Dolores estaba azorada y comenzó a hablar y 80 a hablar, tratando de disimular su turbación. Yo la escuchaba como en un sueño.

Anochecía; un anochecer de primavera espléndido. Se veían por todas partes huertos verdes de naranjos, y en medio se destacaban las 85 casas blancas y las barracas, también blancas, de techo negruzco.

Cerca, un bosquecillo frondoso de altos álamos se perfilaba delicadamente en el cielo azul oscuro, recortándose en curvas redondeadas. La 90 llanura se extendía hacia un lado, muda, inmensa, hasta perderse de vista, con algunos

[1] *Pobret (Val.)=Pobrecito.*

pueblecillos lejanos, con sus erguidas torres envueltas en la niebla; hacia otra parte limitaba el llano una sierra azulada, cadena de montañas altas, negruzcas, con pedruscos de formas fantásticas en las cumbres.

Enfrente se extendía el Mediterráneo, cuya masa azul cortaba el cielo pálido en una línea recta. Bordeando la costa se veía la mancha alargada, oscura y estrecha de un pinar, que parecía algún inmenso reptil dormido sobre el agua.

A espaldas veíase la ciudad. Bajo las nubes fundidas se ocultaba el sol envuelto en rojas incandescencias, como un gran brasero que incendiara el cielo heroico en una hoguera radiante, en la gloria de un apoteosis de luz y de colores. Absortos, contemplábamos el campo, la tarde que pasaba, los rojos resplandores del horizonte. Brillaba el agua con sangriento tono en las acequias de los marjales; el terral venía blando, suave, cargado de olor de azahar; por el camino, entre nubes de polvo, seguían pasando los carros cargados de naranjas . . .

Fué oscureciendo; sonaron a lo lejos las campanas del *Angelus*, últimos suspiros de la tarde. Hacia poniente quedó en el cielo una gran irradiación luminosa de un color verde, purísimo, de nácar.

El cielo se llenaba lentamente de estrellas; envolvía la tierra en su cúpula azul oscura, como en manto regio cuajado de diamantes, y a medida que oscurecía, el mar iba tiñéndose de negro.

Sobre las hierbas, sobre las hojas de los árboles, se depositaba el húmedo rocío de la noche; temblaba el agua con brillo plateado en las charcas y en las acequias; el viento, oreado por el aroma del azahar, hacía estremecer con sus ráfagas frescas el follaje de los álamos y producía, al agitar las masas tupidas y verdes de los bancales, visos extraños y luminosos.

La frescura penetrante de los huertos subía a la azotea; mil murmullos vagos, indefinidos, suspiros de los árboles, resonar lejano de las olas, susurro de las ráfagas de viento en las florestas, repercutían en el campo ya oscuro, y en el recogimiento de la noche armoniosa, alumbrada por la luz eternal de las estrellas, bajo la augusta y solemne serenidad del cielo y el reposo profundo de los huertos, comenzó a cantar un ruiseñor tímidamente.

Oscureció aún más; en el cielo brotaron nuevas estrellas, en la tierra brillaron gusanos de luz en las enramadas, y la noche se pobló de misterios.

LV

PASCUAL NEBOT NO CEJA en su empeño; le ha escrito a Dolores; en la carta debe hablar de mí desdeñosamente; en el casino oí que decían unos amigos de Nebot, al pasar junto a ellos:

—Y si no fuera pariente de la chica, me parece que se ganaba unos palos.

Además de esto, mi tío favorece a Pascual; es correligionario, de influencia en la ciudad . . .; pero yo no estoy dispuesto a dejarme arrebatar la dicha. He hablado a Dolores y estoy tranquilo. Cuando le he expresado mi temor de que pudieran torcer su voluntad, ha dicho sonriendo:

—No tengas cuidado.

He sabido que, efectivamente, en la carta que Pascual escribió a Dolores hablaba de mí en tono de lástima.

He buscado a Nebot esta tarde en el casino. Estaba en el billar jugando a carambolas.

Le he advertido que no quiero armar un escándalo; pero que no estoy dispuesto a permitir que nadie se entremeta en mis asuntos. Me ha mirado de arriba abajo, y al decirle que le enviaría dos amigos, ha vuelto la espalda para jugar una carambola tranquilamente. Los de su cuerda han reído la gracia.

—¿Usted quiere, sin duda, que nos peguemos como dos gañanes?

El ha contestado en valenciano no sé qué; pero algo que debía ser muy despreciativo; yo, en el colmo de la exasperación, me he arrojado sobre él y le he hecho tambalear; él se ha defendido con el taco, dándome un golpe en la cara. Entonces, enfurecido, loco, he cogido yo otro taco por la punta, lo he levantado en el aire y ¡paf! le he dado en mitad de la cabeza.

El hombre ha vacilado, ha cerrado los ojos y ha caído redondo al suelo. Un trozo de taco me ha quedado en la mano. La cosa ha sido rápida, como de sueño.

Unos militares han impedido que me golpearan los amigos de Pascual; me he alojado en la posada, y he escrito a mi tío lo que ha pasado.

Estoy impaciente por las noticias que me traen.

Unos dicen que la herida de Pascual es muy grave, que ha tardado no sé cuanto tiempo en recobrar el sentido; otros aseguran que el médico ha dicho que curará en ocho o nueve días.

Veremos.

LVI

MI RIVAL ESTÁ ya curado del garrotazo que le pegué. Por nuestra riña se ha dividido la gente joven del pueblo en dos bandos: nebotistas y ossoristas; los forasteros y los militares están conmigo y me defienden a capa y espada.

Como estoy dispuesto a tener energía, he ido a casa de mi tío a pedirle la mano de Dolores. Inmediatamente, al verme, ha empezado a recriminarme por mi disputa con Pascual; yo le he enviado a paseo de mala manera. Me ha dicho que Nebot está enfurecido y que me desafiará en cuanto se encuentre bueno.

—Que lo haga; le meteré media vara de hierro en el cuerpo—le he dicho.

Mi tío se ha escandalizado; ha creído que soy un espadachín, y ha hablado de los holgazanes que aprenden esgrima para insultar y escarnecer impunemente a las personas honradas. Yo le he dicho que era tan honrado como Pascual Nebot y como él, y menos orgulloso y menos déspota que él, que llamándose republicano y liberal, y otra porción de motes bonitos, tiranizaba a su familia y trataba de violentar la voluntad de Dolores.

Muy republicanos y muy liberales en la calle todos ustedes—concluí diciendo—; pero en casa tan déspotas como los demás, tan intransigentes como los demás, con la misma sangre de fraile que los demás.

Y, ¡habrá estupidez humana! El hombre a quien quizá no hubiera conmovido con un río de lágrimas, se ha picado al oírme; ha llamado a su mujer y a su hija, y les ha expuesto mis pretensiones. Delante de mí le ha dicho a Dolores los riesgos que corría casándose conmigo.

—Fernando—con retintín nervioso—no es de nuestra clase: es un aristócrata; está acostumbrado a una vida de lujos, de vicios, de comodidades. Para él, convéncete, eres una muchacha tosca, sin maneras elegantes, sin mundo... ¡Piensa lo que haces, Dolores!

—No, papá; ya lo he pensado—ha dicho ella...

* * * * *

LVII

SE CASARON Y FUERON a pasar un mes al Collado, una casa de labor de la familia.

Fernando sentía amplio y fuerte, como la corriente de un río caudaloso y sereno, el deseo de amor, de su espíritu y de su cuerpo.

Algunas veces, la misma placidez y tranquilidad de su alma le inducía a analizarse, y al ocurrírsele que el origen de aquella corriente de su vida y amor se perdía en la inconsciencia, pensaba que él era como un surtidor de la Naturaleza que se reflejaba en sí mismo, y Dolores el gran río adonde afluía él. Sí; ella era el gran río de la Naturaleza, poderosa, fuerte; Fernando comprendía entonces, como no había comprendido nunca, la grandeza inmensa de la mujer, y al besar a Dolores, creía que era el mismo Dios el que se lo mandaba; el Dios incierto y doloroso, que hace nacer las semillas y remueve eternamente la materia con estremecimientos de vida.

Llegaba a sentir respeto por Dolores como ante un misterio sagrado; en su alma y en su cuerpo, en su seno y en sus brazos redondos, creía Fernando que había más ciencia de la vida que en todos los libros, y en el corazón cándido y sano de su mujer sentía latir los sentimientos grandes y vagos: Dios, la fe, el sacrificio, todo.

Y llevaban los dos una vida sencillísima. Por las mañanas iban a pasear al monte; ella, ligera, trepaba como un chico por entre los peñascales; él la seguía, y al abrazarla, notaba en sus ropas y en su cuerpo el olor de las hierbas del campo. No era una felicidad la suya sofocante; no era una pasión llena de inquietudes y de zozobras. Se entendían, quizá, porque no trataron nunca de entenderse.

Fernando sentía un desbordamiento de ternura por todo; por el sol bondadoso que acariciaba con su dulce calor el campo, por los árboles, por la tierra, siempre generosa y siempre fecunda.

A veces iban a algún pueblo cercano a pie y volvían de noche por la carretera iluminada por la luz de las estrellas. Dolores se cogía al brazo de Fernando y cerraba los ojos.

—Tú me llevas—solía decir.

—Pero me guías tú—replicaba él.

—¿Cómo te voy a guiar yo si tengo los ojos cerrados?

—Ahí verás . . .

Algunas noches se reunían los mozos y mozas del Collado y había reunión y baile. Se efectuaban estas fiestas en el zaguán blanqueado, que tenía dos bancos a ambos lados de la puerta en los que se sentaban chicos y chicas. En la pared, en un clavo, colgaban el candil, que apenas iluminaba la estancia.

Templaba un mozo la guitarra, el otro la bandurria, y, tras algunos escarceos insustanciales, en los que no se oía más que el ruido de la púa en las cuerdas de la bandurria, comenzaba una polca. Después de la polca se arrancaban con una jota, que repetían veinte o treinta veces.

Aquel baile brutal, salvaje, que antes disgustaba profundamente a Ossorio, le producía entonces una sensación de vida, de energía, de pujanza. Cuando, a fuerza de pisadas y saltos, se levantaba una nube de polvo, le gustaba ver la silueta gallarda de los bailarines: los brazos en el aire, castañeteando los dedos, los cuerpos inclinados, los ojos mirando al suelo; las caderas de la mujeres, moviéndose y marcándose a través de la tela, incitadoras y robustas. De pronto, la canción salía rompiendo el aire como una bala; la bandurria y la guitarra hacían un compás de espera para que se oyese la voz en todo su poder; los bailarines trazando un círculo, cambiaban de pareja, y al iniciarse el rasgueado en la guitarra, comenzaba con más furia el castañeteo de dedos, los saltos, las carreras, los regates, las vueltas y los desplantes, y mozos y mozas agitándose rabiosamente, frenéticamente, con las mejillas encendidas y los ojos brillantes en el aire turbio apenas iluminado por el candil de aceite, hacían temblar el pavimento con las pisadas, mientras la voz chillona, sin dejarse vencer por el ruido y la algarabía, se levantaba con más pujanza en el aire.

Era aquel baile una brutalidad que sacaba a flote en el alma los sanos instintos naturales y bárbaros, una emancipación de energía que bastaba para olvidar toda clase de locuras místicas y desfallecientes.

LVIII

DEJARON EL COLLADO. Fernando trató de enseñar a su mujer Madrid y París; Dolores no quiso. Habían de hacer como todos los recién casados del pueblo: ir a Barcelona.

En el fondo temía las veleidades de Fernando.

—Bueno, iremos a Barcelona—dijo Ossorio.

Fueron en un tren correo, completamente solos en el vagón. Salieron a despedirles todos los de la familia.

Comenzó a andar el tren; hacía una noche templada. El cielo estaba cubierto de negros nubarrones; llovía.

Al pasar por una estación dijo Dolores:

—Mira, ahí en un convento de ese pueblo decía Pascual Nebot que tú te querías meter a fraile.

—Antes, no me hubiera costado mucho trabajo.

—¿Por qué?

—Por que no te conocía a ti.

Hubo un momento de silencio.

—Mira, mira el mar—dijo Dolores con entusiasmo, asomándose a la ventanilla.

Algunas veces el tren se acercaba tanto a la playa, que se veían a pocos pasos las olas, que avanzaban en masas negras y plomizas, se hinchaban con una línea brillante de espuma, se incorporaban como para mirar algo y desaparecían después en el abismo sin color y sin forma. Era una impresión de vértigo lo que producía el mar, visto a los pies, como una inmensidad negra, confundida con el cielo gris por el intermedio de una ancha faja de bruma y de sombra.

A veces, en aquel manto oscuro brotaba y cabrilleaba un punto blanco y pálido de espuma, como si algún argentado tritón saliese del fondo del mar a contemplar la noche. De la tierra húmeda venía un aire acre con el gusto de marisco.

Salió la luna del seno de una nube, y rieló en las aguas. Como en un plano topográfico se dibujó la línea de la costa, con sus promontorios y sus entradas de mar y sus lenguas de tierra largas y estrechas que parecían negros peces monstruosos dormidos sobre las olas.

A veces la luna vertía por debajo de una nube una luz que dejaba el mar plateado, y entonces se veían sus olas redondas, sombreadas de negro, agitadas en continuo movimiento, en eterna violencia de ir y venir, en un perpetuo cambio de forma. Otras veces, al salir y mostrarse claramente la luna, brillaba en el mar una gran masa blanca, como un disco de metal derretido, movible, que se alargara en líneas de espuma, en cintas de plata, grecas y meandros luminosos que nacían junto a la orilla y ribeteaban la insondable masa de agua salobre.

De pronto penetró el tren en un túnel. A la salida se vió la noche negra; se había ocultado la luna. El tren pareció apresurar su marcha.

—Mira, mira—dijo Dolores mostrando un faro y sobre él, una como polvareda luminosa. El faro dió la vuelta; iluminó el tren de lleno con una luz blanca, que se fué enrojeciendo y se hizo roja al último.

Producía verdadero terror aquella gran pupila roja brillando sobre un soporte negro e iluminado con su cono de luz sangrienta el mar y los negruzcos nubarrones del cielo.

LIX

LLEGARON A TARRAGONA y se hospedaron en un hotel que estaba próximo a una iglesia. Los primeros días pasearon a orillas del mar; el Mediterráneo azul venía a romper las olas llenas de espuma a sus pies.

Luego se dedicaron a visitar la ciudad. Fernando cumplía sus deberes de *cicerone* con satisfacción infantil; ella le escuchaba aquel día sonriendo melancólicamente. En algunas callejuelas por donde pasaban, las mujeres, sentadas en los portales les miraban con curiosidad, y ellos sonreían como si todo el mundo participase de su dicha.

Entraron en la Catedral, y como Dolores se cansara pronto de verla, salieron al claustro.

—Aquí tienes una puerta románica que será del siglo XI o XII.

—¿Sí? —dijo ella, sonriendo.

—Mira, el claustro qué hermoso es. ¡Qué capiteles más bonitos!

Los contemplaron largo tiempo. Aquí se veían los ratones que han atado en unas andas al gato y lo llevan a enterrar; por debajo de las andas va un ratoncillo, que es el enterrador, con una azada; en el mismo capitel el gato ha roto sus ligaduras y está matando los ratones. En otra parte se veía un demonio comiéndose las colas de unos monstruos; una zorra persiguiendo a un conejo, un lobo a un zorro, y en las ménsulas aparecían demonios barbudos y ridículos.

Fernando y Dolores se sentaron cansados.

Hacía un hermoso día de primavera; llovía, salía el sol.

En el jardín lleno de arrayanes, piaban los pájaros volando en bandadas desde la copa de un ciprés alto, escueto y negruzco, al brocal de un pozo; de dos limoneros desgajados, con el tronco recubierto de cal, colgaban unos cuantos limones grandes y amarillos.

Había un reposo y un silencio en aquel claustro, lleno de misterio. De vez en cuando, al correr de las nubes, aparecía un trozo de cielo azul, dulce, suave como la caricia de la mujer amada.

Comenzaron a cruzar por el claustro algunos canónigos vestidos de rojo; sonaron las campanas en el aire. Se comenzó a oír la música del órgano, que llegaba blandamente, seguida del rumor de los rezos y de los cánticos. Cesaba el rumor de los rezos, cesaba el rumor de los cánticos, cesaba la música del órgano, y parecía que los pájaros piaban más fuerte y que los gallos cantaban a lo lejos con voz más chillona. Y al momento estos murmullos tornaban a ocultarse entre las voces de la sombría plegaria que los sacerdotes en el coro entonaban al Dios vengador.

Era una réplica que el huerto dirigía a la iglesia y una contestación terrible de la iglesia al huerto.

En el coro, los lamentos del órgano, los salmos de los sacerdotes, lanzaban un formidable anatema de execración y de odio contra la vida; en el huerto, la vida celebraba su plácido triunfo, su eterno triunfo.

El agua caía a intervalos, tibia, sobre las hojas lustrosas y brillantes; por el suelo las lagartijas corrían por las abandonadas sendas del jardín, cubiertas de parásitas hierbecillas silvestres.

Fernando sentía deseos de entrar en la iglesia y de rezar; Dolores estaba muy triste.

—¿Qué te pasa? —le preguntó su marido.

—¡Oh, nada! ¡Soy tan feliz! —y dos lagrimones grandes corrieron por sus mejillas.

Fernando la miró con inquietud. Salieron de la iglesia. En la plaza, el secreto fué comunicado. Dolores tenía la seguridad. Una vida nueva brotaba en su seno. Fernando palideció por la emoción.

Volvieron al Collado. A los seis o siete meses, Dolores dió a luz una niña que murió a las pocas horas. Fernando se sintió entristecido. Al contemplar aquella niña engendrada por él, se acusaba a sí mismo de haberle dado una vida tan miserable y tan corta.

LX

DOS AÑOS DESPUÉS, en una alcoba blanca, cerca de la cuna de un niño recién nacido, Fernando Ossorio pensaba. En una cama de madera, grande, que se veía en el fondo del cuarto, Dolores descansaba con los ojos entreabiertos, el cabello en desorden, que caía a los lados de su cara pálida, de rasgos más pronunciados y salientes, mientras erraba una lánguida sonrisa en sus labios.

La abuela del niño, con los anteojos puestos, cosía en silencio, cerca de la ventana, ante una canastilla llena de gorritas y de ropas diminutas.

Por los cristales se veían los campos recién labrados, los árboles desnudos de hojas, el cielo azul pálido.

El día era de final de otoño; los vendimiadores hacía tiempo que habían terminado sus faenas; la casa de labor parecía desierta, el viento soplaba con fuerza; bandadas de cuervos cruzaban graznando por el aire.

Fernando miraba a su mujer, a su hijo; de vez en cuando tendía la mirada por aquellas heredades suyas recién sembradas unas, otras en donde ardían montones de rastrojos y de hojas secas, y pensaba.

Recordaba su vida, la indignación que le ocasionó la carta irónica de Laura, en la cual le felicitaba por su cambio de existencia; sus deseos y veleidades por volver a la corte, lentamente la costumbre adquirida de vivir en el campo, el amor a la tierra, la aparición enérgica del deseo de poseer y poco a poco la reintegración vigorosa de todos los instintos, naturales, salvajes.

Y como coronando su fortaleza, el niño aquel sonrosado, fuerte, que dormía en la cuna con los ojos cerrados y los puños también cerrados, como un pequeño luchador que se aprestara para la pelea.

Estaba robustamente constituído; así había dicho su abuelo el médico; así debía ser, pensaba Fernando. El estaba purificado por el trabajo y la vida del campo. Entonces más que nunca sentía una ternura que se desbordaba en su pecho por Dolores, a quien debía su salud y la prolongación de su vida en la de su hijo.

Y pensaba que había de tener cuidado con él, apartándole de ideas perturbadoras, tétricas, de arte y de religión.

El ya no podía arrojar de su alma por completo aquella tendencia mística por lo desconocido y lo sobrenatural, ni aquel culto y atracción por la belleza de la forma; pero esperaba sentirse fuerte y abandonarlas en su hijo.

El le dejaría vivir en el seno de la Naturaleza; él le dejaría saborear el jugo del placer y de la fuerza en la ubre repleta de la vida, la vida que para su hijo no tendría misterios dolorosos, sino serenidades inefables.

El le alejaría del pedante pedagogo aniquilador de los buenos instintos; le apartaría de ser un átomo de la masa triste, de la masa de eunucos de nuestros miserables días.

El dejaría a su hijo libre con sus instintos: si era león, no le arrancaría las uñas; si era águila, no le cortaría las alas. Que fueran sus pasiones impetuosas, como el huracán que levanta montañas de arena en el desierto, libres como los leones y las panteras en las selvas vírgenes; y si la naturaleza había creado en su hijo un monstruo, si aquella masa aún informe era una fiera humana, que lo fuese abiertamente, francamente, y por encima de la ley entrase a saco en la vida, con el gesto gallardo del antiguo jefe de una devastadora horda.

No; no le torturaría a su hijo con estudios inútiles, con ideas tristes; no le enseñaría símbolo misterioso de religión alguna.

★ ★ ★ ★ ★

Y mientras Fernando pensaba, la madre de Dolores cosía en la faja que había de poner al niño una hoja doblada del Evangelio.

AZORÍN

1873–

*Nacido en Monóvar (Alicante), tierra levantina, el pequeño filósofo Azorín
se llama en realidad José Martínez Ruiz y es un hombre tímido, parco de
palabras, que camina como perdido en el laberinto de sus divagaciones.
Nada en su persona, o en su conducta, recuerda las estridencias—pronto
apagadas—de una juventud rebelde; nada recuerda al anarquista que paseó
por la corte llevando, como estandarte, un paraguas rojo. Empezó
escribiendo panfletos que en el fin de siglo pasaron por revolucionarios y
hoy parecen inocuos. Paraguas y panfletos pronto cedieron el paso a
pulcros ensayos sobre España y la vida española: «primores de lo vulgar»,
dijo Ortega, y vulgar no significa en este caso chabacanería sino
cotidianeidad.*

*En La voluntad (1902), novela autobiográfica, encontramos el mundo
azoriniano, con su problemática intemporal y sus personajes representativos.
Mundo cerrado en donde se reflejan, como en estático microcosmos, las figuras
del universo exterior. Por el desenlace desencantado, expresión del
previsible fracaso del protagonista, puede situarse, junto a* Camino de
perfección, *de Pío Baroja, publicada en el mismo año, como testimonio de
una actitud generacional.*

*Mucho después, en Doña Inés (1925) escribió con técnica impresionista
una historia de amor. De amor inventado, fantasmagórico, pues el amante
es una sombra inaprehensible, un nombre y poco más, y lo crea la
enamorada para seguir viviendo-soñando. Tal vez debemos leer tan
delicada parábola como indicación del modo azoriniano de sentir la
realidad, constituída aquí por una sucesión de minucias sin más sentido que
el que quien las vive acierte a poner en ellas. Librito de sensaciones, como
casi todos los suyos, tejido con tan etéreos hilos que su fragilidad asusta.
Los personajes de Azorín hablan en voz baja; no pisan fuerte, se deslizan;
su gesto es blando, cansado a veces. Podemos entender la razón del susurro
y la cautela: habitan un mundo quebradizo y cualquier alharaca,
cualquier desmesura podría destruirlo. Ni Fortunata ni Sancho respirarían
en ese ambiente cerrado.*

*Azorín escribió cuentos, muchos cuentos, que parecen ensayos, y ensayos,
muchos ensayos, que parecen cuentos. El sentimiento del tiempo, de lo que
pasa y lo que queda: de cuanto hay de eterno en el instante (la
eternización de la momentaneidad, según Unamuno dijo) y de momentáneo
en lo eterno, dió ocasión a páginas sutiles, de un lirismo remansado y
penetrante que transmite a la vez la emoción del artista y la realidad que
le inspira. España es su tema y supo decirlo con intensa sensibilidad en
libros como España (1909), Castilla (1912) y Una hora de España (1929).
Lo pasado y lo presente se confunden. «Todo es lo mismo y no es lo
mismo». ¿Cambian de verdad la tierra, el cielo, el alma? La lectura
azoriniana de los clásicos castellanos tiene la calidad de una reviviscencia:*

en los capítulos dedicados a escritores del ayer busca el lector de hoy el
detalle revelador, la impresión fulgurante a cuya luz el espectáculo es
diferente. Los valores literarios (*1913*), Al margen de los clásicos (*1915*)
y otras obras recogen esos textos delicados que cambiaron decisivamente
nuestro modo de entender—y querer—a los viejos maestros.

Castilla (1912)

LAS NUBES

CALISTO Y MELIBEA[1] se casaron—como sabrá el
lector, si ha leído *La Celestina*—a pocos días de
ser descubiertas las rebozadas entrevistas que
5 tenían en el jardín. Se enamoró Calisto de la que
después había de ser su mujer un día que entró
en la huerta de Melibea persiguiendo un halcón.
Hace de esto diez y ocho años. Veintitrés tenía
entonces Calisto. Viven ahora marido y mujer en
10 la casa solariega de Melibea; una hija les nació
que lleva, como su abuela, el nombre de Alisa.
Desde la ancha solana que está a la parte trasera
de la casa abarca toda la huerta en que Melibea y
Calisto pasaban sus dulces coloquios de amor.
15 La casa es ancha y rica; labrada escalera de
piedra arranca de lo hondo del zaguán. Luego,
arriba, hay salones vastos, apartadas y silenciosas
camarillas, corredores penumbrosos, con una
puertecilla de cuarterones en el fondo, que
20 —como en *Las Meninas*, de Velázquez—deja ver
un pedazo de luminoso patio. Un tapiz de verdes
ramas y piñas gualdas sobre fondo bermejo
cubre el piso del salón principal: el salón, donde
en cojines de seda, puestos en tierra, se sientan
25 las damas. Acá y allá destacan silloncitos de
cadera, guarnecidos de cuero rojo, o sillas de
tijera con embutidos mudéjares;[2] un contador
con cajonería de pintada y estofada talla, guarda
papeles y joyas; en el centro de la estancia, sobre
30 la mesa de nogal, con las patas y las chambranas

talladas, con fiadores de forjado hierro, reposa
un lindo juego de ajedrez con embutidos de
marfil, nácar y plata; en el alinde de un ancho
espejo refléjanse las figuras aguileñas, sobre
fondo de oro, de una tabla colgada en la pared 35
frontera.

Todo es paz y silencio en la casa. Melibea
anda pasito por cámaras y corredores. Lo observa todo; ocurre a todo. Los armarios están
repletos de nítida y bien oliente ropa—aromada 40
por gruesos membrillos—. En la despensa un
rayo de sol hace fulgir la ringla de panzudas
vidriadas orcitas talaveranas. En la cocina son
espejos los artefactos y cacharros de azófar que
en la espetera cuelgan, y los cántaros y alcarrazas 45
obrados por la mano de curioso alcaller en los
alfares vecinos, muestran, bien ordenados, su
vientre redondo, limpio y rezumante. Todo lo
previene y a todo ocurre la diligente Melibea; en
todo pone sus dulces ojos verdes. De tarde en 50
tarde, en el silencio de la casa, se escucha el
lánguido y melodioso son de un clavicordio: es
Alisa que tañe. Otras veces, por los viales de la
huerta, se ve escabullirse calladamente la figura
alta y esbelta de una moza: es Alisa que pasea 55
entre los árboles.

La huerta es amena y frondosa. Crecen las
adelfas a par de los jazmineros; al pie de los
cipreses inmutables ponen los rosales la ofrenda
fugaz—como la vida—de sus rosas amarillas, 60
blancas y bermejas. Tres colores llenan los ojos
en el jardín: el azul intenso del cielo, el blanco de
las paredes encaladas y el verde del boscaje. En
el silencio se oye—al igual de un diamante sobre
un cristal—el chiar de las golondrinas, que 65
cruzan raudas sobre el añil del firmamento. De

---

[1] Ill-fated lovers of the celebrated Spanish dialogue
novel, *La Celestina* (1499).
[2] *mudéjar(es)* architectural style which flourished in
Spain in the thirteenth to sixteenth centuries, using
elements of Christian art with Moorish ornamentation.

la taza de mármol de una fuente cae deshilachada, en una franja, el agua. En el aire se respira un penetrante aroma de jazmines, rosas y
magnolias. «Ven por las paredes de mi huerto»,
5 le dijo dulcemente Melibea a Calisto hace diez y
ocho años.

Calisto está en el solejar, sentado junto a uno
de los balcones. Tiene el codo puesto en el brazo
del sillón, y la mejilla reclinada en la mano. Hay
10 en su casa bellos cuadros; cuando siente apetencia de música, su hija Alisa le regala con
dulces melodías; si de poesía siente ganas, en su
librería puede coger los más delicados poetas de
España e Italia. Le adoran en la ciudad; le cui-
15 dan las manos solícitas de Melibea; ve continuada su estirpe, si no en un varón, al menos, por
ahora, en una linda moza, de viva inteligencia y
bondadoso corazón. Y, sin embargo, Calisto se
halla absorto, con la cabeza reclinada en la mano.
20 Juan Ruiz, el arcipreste de Hita, ha escrito en su
libro:

. . . et creí la fabrilla
Que dís:[1] Por lo pasado no estés mano en mejilla.

No tiene Calisto nada que sentir del pasado;
25 pasado y presente están para él al mismo rasero
de bienandanza. Nada puede conturbarle ni en-
tristecerle. Y, sin embargo, Calisto, puesta en la
mano la mejilla, mira pasar a lo lejos, sobre el
cielo azul, las nubes.

30 Las nubes nos dan una sensación de inestabilidad y de eternidad. Las nubes son—como el
mar—siempre varias y siempre las mismas. Sentimos, mirándolas, cómo nuestro ser y todas las
cosas corren hacia la nada, en tanto que ellas
35 —tan fugitivas—permanecen eternas. A estas
nubes que ahora miramos, las miraron hace doscientos, quinientos, mil, tres mil años, otros
hombres con las mismas pasiones y las mismas
ansias que nosotros. Cuando queremos tener
40 aprisionado el tiempo—en un momento de ventura—vemos que han pasado ya semanas, meses,
años. Las nubes, sin embargo, que son siempre
distintas, en todo momento, todos los días, van

caminando por el cielo. Hay nubes redondas,
henchidas, de un blanco brillante, que destacan 45
en las mañanas de primavera sobre los cielos
traslúcidos. Las hay como cendales tenues, que
se perfilan en un fondo lechoso. Las hay grises
sobre una lejanía gris. Las hay de carmín y de
oro en los ocasos inacabables, profundamente 50
melancólicos, de las llanuras. Las hay como
velloncitos iguales e innumerables, que dejan
ver por entre algún claro un pedazo de cielo azul.
Unas marchan lentas, pausadas; otras pasan
rápidamente. Algunas, de color de ceniza, cuan- 55
do cubren todo el firmamento, dejan caer sobre
la tierra una luz opaca, tamizada, gris, que presta su encanto a los paisajes otoñales.

Siglos después de este día en que Calisto está
con la mano en la mejilla, un gran poeta—Cam- 60
poamor—habrá de dedicar a las nubes un canto
en uno de sus poemas titulado *Colón*. «Las
nubes—dice el poeta—nos ofrecen el espectáculo de la vida.» La existencia, ¿qué es sino un
juego de nubes? Diríase que las nubes son «ideas 65
que el viento ha condensado»; ellas se nos representan como un «traslado del insondable porvenir». «Vivir—escribe el poeta—es *ver pasar*.»
Sí; vivir es ver pasar: ver pasar, allá en lo alto,
las nubes. Mejor diríamos: vivir es *ver volver*. 70
Es ver volver todo en un retorno perdurable,
eterno; ver volver todo—angustias, alegrías,
esperanzas—como esas nubes que son siempre
distintas y siempre las mismas, como esas nubes
fugaces e inmutables. 75

Las nubes son la imagen del Tiempo. ¿Habrá
sensación más trágica que aquélla de quien
sienta el Tiempo, la de quien vea ya en el presente el pasado y en el pasado lo porvenir?

En el jardín, lleno de silencio, se escucha el 80
chiar de las rápidas golondrinas. El agua de la
fuente cae deshilachada por el tazón de mármol.
Al pie de los cipreses se abren las rosas fugaces,
blancas, amarillas, bermejas. Un denso aroma de
jazmines y magnolias embalsama el aire. Sobre 85
las paredes de nítida cal resalta el verde de la
fronda; por encima del verde y del blanco se extiende el añil del cielo. Alisa se halla en el jardín,
sentada, con un libro en la mano. Sus menudos

---

[1] *"y cree el dicho/Que dice: . . ."* From *El libro de buen amor*.

pies asoman por debajo de la falda de fino contray; están calzados con chapines de terciopelo
negro, adornados con rapacejos y clavetes de
bruñida plata. Los ojos de Alisa son verdes,
5 como los de su madre; el rostro, más bien alar-
gado que redondo. ¿Quién podría contar la niti-
dez y sedosidad de sus manos? Pues de la
dulzura de su habla, ¿cuántos loores no podríamos decir?

10 En el jardín todo es silencio y paz. En lo alto
de la solana, recostado sobre la barandilla,
Calisto contempla extático a su hija. De pronto,
un halcón aparece revolando rápida y violentamente por entre los árboles. Tras él, persiguién-
15 dole, todo agitado y descompuesto, surge un
mancebo. Al llegar frente a Alisa, se detiene
absorto, sonríe y comienza a hablarla.

Calisto lo ve desde el carasol y adivina sus
palabras. Unas nubes redondas, blancas, pasan
20 lentamente, sobre el cielo azul, en la lejanía.

CERRERA, CERRERA . . .

ESPLÉNDIDAMENTE FLORECÍA la Universidad de
Salamanca[1] en el siglo XVI. Diez o doce mil
estudiantes cursaban en sus aulas durante la se-
25 gunda mitad de esa centuria. Hervían las calles,
en la noble ciudad, de mozos castellanos, vascos,
andaluces, extremeños. A las parlas y dialectos
de todas las regiones españolas mezclábanse los
sonidos guturales del inglés o la áspera ortología
30 de los tudescos. Resonaban por la mañana, a la
tarde, los patios y corredores con las contestaciones acaloradas de los ergotizantes, las carcajadas, los gritos, el ir y venir continuo, trafagoso,
sobre las anchas losas. Reposterías y alojerías re-
35 bosaban de gente; abundaban donilleros que
cazaban incautos jóvenes para los solapados
garitos; iban de un lado a otro, pasito y cautas,
las viejas cobejeras,[2] con su rosario largo y sus
alfileres, randas y lana para hilar. Los mozos
40 ricos tenían larga asistencia de criados, mayor-
domos y bucelarios, que revelaban el atuendo y
riqueza de sus casas—tales como nos lo ha pinta-

[1] One of the oldest universities of Europe, established
in 1243 in this city in northwestern Spain.
[2] *cobejera*, kind of go-between.

do Vives[3] en sus *Diálogos latinos*—. Vivían estrechamente los pobres: con tártagos mortales
esperaban la llegada, siempre remisa, del cosario 45
con los dineros; arbitrios y trazas peregrinas
ideaban para socorrerse en los apuros; las cajas
de los confiteros escamoteaban; las espadas em-
peñaban o malvendían; a pedazos llegaban a
hacer los muebles y con ellos se calentaban; en 50
mil mohatras y empeños usurarios se metían,
hartos ya de apelar a toda clase de recursos.
Ricos y pobres se juntaban, como buenos camaradas, en los holgorios y rebullicios. No pasaba
día sin que alguna tremenda travesura no se 55
comentara en la ciudad; cosa corriente eran las
matracas y cantaletas dadas a algún hidalgo pe-
dantón y espetado; choques violentos había cada
noche con las justicias, que trataban de impedir
una música; en las pruebas porque se hacía pasar 60
a los estudiantes novicios, agotábase el más cruel
ingenio.

Cursaba en la Universidad, allá por la época
de que hablamos, un mozo de una ciudad manchega. No gustaba del bullicio. Su casa la tenía 65
en una callejuela desierta, a la salida de la ciudad,
cerca del campo. Vivía con una familia de su
propia tierra nativa. Aposentábase en lo alto de
la casa; su cuarto daba a una galería con barandal de hierro. Desde ella se divisaba, en la lon- 70
tananza, por encima de la muchedumbre de
tejados, torrecillas y lucernas, la torre de la
catedral, que se destacaba en el cielo. De entre
las paredes de un patio lejano sobresalían las
cimas agudas, cimbreantes, de unos cipreses. 75
Muchas veces nuestro estudiante pasábase horas
enteras de pechos sobre la barandilla, contemplando la torre sobre el azul, o viendo pasar,
lentas o rápidas, las blancas nubes. Y allí, más
cerca, resaltando en lo pardo de las techumbres, 80
aquellas afiladas copas de los cipreses que desde
la prisión de un patio se elevaban hacia el firmamento ancho y libre, eran como una concreción
de sus anhelos y sus aspiraciones.

Rara vez aportaba por las aulas de la Universi- 85
dad nuestro escolar. Sobre su mesa reposaban
cubiertos de polvo, siempre quietos, las *Sumas* y

[3] Juan Luis Vives (1492–1540), Spanish philosopher
and humanist.

Digestos; iban y venían de una a otra mano, en cambio, los ligeros volúmenes de Petrarca,[1] de Camoens[2] y de Garcilaso.[3] Largas horas pasaba el mancebo en la lectura de los poetas y en la contemplación del cielo. De cuando en cuando, un amigo y conterráneo suyo venía a verle y juntos devaneaban por la ciudad y sus aledaños. Les placía en esas correrías a los dos amigos escudriñar todos los rincones y saber de todas las beldades de la ciudad; entusiastas de la poesía en los libros, uno y otro, amaban también, férvidamente, la poesía viva de la hermosura femenina o la del espectáculo del campo. Luego, cuando ya habían apacentado sus ojos de tal manera, volvía cada cual a sus meditaciones, y nuestro amigo, solo otra vez, se ponía de pechos largos ratos sobre la barandilla o iba gustando —lejos de las áridas aulas—la regalada música de Garcilaso o de Petrarca.

Un día nuestro amigo en una de sus peregrinaciones vió una linda muchacha. Nadie, entre sus camaradas, la conocía. Era una moza alta, esbelta, con la cara aguileña. Su tez era morena, y sus ojos negros tenían fulgores de inteligencia y de malicia. Como quien entra súbitamente en un mundo desconocido quedóse el estudiante a la vista de tal muchacha. Fué su pasión violenta y reconcentrada: pasión de solitario, de poeta. Vivía la moza con una tía anciana y dos criadas. Súpose luego a luego que sus lances y quiebras habían sido varios en distintas ciudades castellanas. No reparó el estudiante en nada; no retrocedió ante la pasada y aventurera historia de la moza. A poco, casóse con ella y se la llevó al pueblo. Al llegar díjole a su padre—ya muy viejo—que la muchacha era hija de una casa principal, de donde él la había sacado.

El suceso se comentó en toda Salamanca. Relatado se halla menudamente en *La Tía Fingida.*[4] Cuando el casamiento del estudiante se supo, no faltaron quienes escribieran al padre del muchacho informándole de la bajeza de la nuera.

[1] Petrarch (1304–1374), Italian poet, famed for his sonnets.
[2] Camoens (1524–1584), Portuguese poet, author of the *Lusiadas.*
[3] Garcilaso de la Vega (1503–1536), Spanish lyric poet.
[4] An exemplary novel attributed to Cervantes.

«Mas ella—dice el autor de la novela—se había dado con sus astucias y discreción tan buena maña en contentar y servir al viejo suegro, que aunque mayores males le dijeran de ella, no quisiera haber dejado de alcanzarla por hija.» Sí; eso es verdad; encantó a todos en los primeros tiempos la moza. Pero . . .

(En el *Quijote*—capítulo L, de la primera parte —el cura, el barbero y el canónigo llevan hacia el pueblo, metido en una jaula, al buen hidalgo. Han llegado todos a un ameno y fresco valle; se disponen a comer; sobre el verde y suave césped han puesto las viandas. Ya están comiendo; ya departen amigablemente durante el grato yantar. De pronto, por un claro de un boscaje, surge una hermosa cabra, que corre y salta. Detrás viene persiguiéndola un pastor. El pastor le grita así, cuando la tiene presa, cogida por los cuernos:

—«¡Ah, cerrera, cerrera; Manchada, Manchada, y cómo andáis estos días vos de pie cojo! ¿Qué lobos os espantan, hija? ¿No me diréis qué es esto, hermosa? Mas ¡qué puede ser, sino que sois hembra, y no podéis estar sosegada; que mal haya vuestra condición y la de todas aquellas a quien imitáis! . . .»

Los circunstantes, al ver al cabrero y escuchar sus razones, han suspendido durante un momento la comida. Les intrigan las extrañas palabras del pastor.

—«Por vida vuestra, hermano—le dice el canónigo—, que os soseguéis un poco, y no os acuciéis en volver tan presto esa cabra a su rebaño; que pues ella es hembra, como vos decís, ha de seguir su natural instinto, por más que vos os pongáis a estorbarlo . . .»

Ha de seguir su natural instinto. El pasaje referido del *Quijote* ha sido señalado por comentaristas que ven en tal episodio algo de simbolismo y de misterio. ¿Qué perdurable emblema hay en esta cabra, cerrera y triscadora, que va por el valle, o de peña en peña, llevada de su impulso, siguiendo su instinto?)

El hidalgo—antiguo alumno de la Universidad salmanticense—está solo en su casa. Hace dos

años que no vive en ella más que él. Todas las
tardes, en invierno y en verano, el caballero se
encamina hacia el río. Hay allí un molino a la
orilla del agua; junto a la puerta se extiende un
5 poyo de piedra; en él se sienta el caballero.
Dentro, la cítola canta su eterna y monótona
canción. No lejos de la aceña, allí a dos pasos,
desemboca un viejo puente. Generaciones y
generaciones han desfilado por este estrecho
10 paso, sobre las aguas: sobre las aguas que ahora
—como hace mil años—corren mansamente
hasta desaparecer allá abajo entre un boscaje de
álamos en un meandro suave. El hidalgo se sienta
y permanece absorto largos ratos. Por el puente
15 pasa la vida, pintoresca y varia: el carro de unos
cómicos, la carreta cubierta de paramentos
negros en que traen el cuerpo muerto de un
señor, unos leñadores con sus borricos cargados
de hornija, un hato de ganado merchaniego que
20 viene al mercado, un ciego con su lazarillo, una
romería que va al lejano santuario, un tropel de
soldados. Y las aguas del río corren mansas, impasibles, en tanto que en el molino la tarabilla
canta su rítmica, inacabable canción.
25   Un día, al regresar al anochecer el hidalgo a su
casa, encontróse con una carta. Conoció la letra
del sobre; durante un instante permaneció absorto, inmóvil. Aquella misma noche se ponía en
camino. A la tarde siguiente llegaba a una ciudad
30 lejana y se detenía, en una sórdida callejuela,
ante una mísera casita. En la puerta estaba un
criado que guardaba la mula de un médico.

El caballero, en su ciudad natal, ha vuelto a
encaminarse todas las tardes, a la misma hora, al
35 molino que se halla junto al río. Ahora viste todo
él de luto. Horas enteras permanece absorto sentado en el poyo de la puerta. Desfila por el
puente la vida, varia y pintoresca—como hace
años, como dentro de otros doscientos—. Las
40 aguas corren mansas a perderse en una lejanía en
que los finos y plateados álamos se perfilan sobre
el cielo azul. La cítola del molino sigue entonando su canción. Todo en la gran corriente de las
cosas es impasible y eterno; y todo, siendo dis-
45 tinto, volverá perdurablemente a renovarse.
Allá en la casa del caballero, entre los volú-

menes que hay sobre la mesa, está el libro que el
poeta Ovidio tituló *Los tristes*; una señal se ve en
la elegía XII, de la primera parte, que comienza:

Ecce supervacus (quid enim suit utile nasci . . . ?   50

Ha llegado el día—dice el poeta—*en que con-*
memoro mi nacimiento: día superfluo. Porque, ¿de
qué me ha aprovechado a mí el haber nacido? Una
mañana no se abrió más la casa del hidalgo ni
nadie le volvió a ver. Diez años más tarde, un   55
soldado que regresó de Italia al pueblo dijo que
le parecía haberle visto de lejos; no pudo añadir
otra cosa.

Al margen de los clásicos (1915)

GARCILASO

LEJOS DE ESPAÑA, lejos de Toledo, lejos de las   60
callejuelas, de los viejos caserones, del río Tajo,
hondo y amarillento, el poeta se halla desterrado
en una isla de otro río: del Danubio. Para llegar
hasta aquí hay que pasar por diversas y extrañas
tierras; por Francia, por Suiza, por Austria. Ya   65
han quedado atrás, allá en las remotas lontanan-
zas del espacio, sobre el planeta, los llanos áridos
y secos de Castilla, las torres de las iglesias con
sus chapiteles de pizarra y su cigüeña—resaltando en el límpido azul—, los palacios de ladrillo   70
rojo con entrepaños de cantería y con gruesas rejas, los huertos de adelfos y rosales, las
olmedas seculares en los aledaños de los pueblos.
El poeta ha cantado en una de sus *Canciones* esta
isla en que él se halla. Nada en nuestra lengua   75
más flúido, tenue, etéreo. El agua del Danubio,
corriente y clara, hace *un manso ruido*. Tan riente
y grato es el paraje, que *en la verdura de las flores*
parece siempre sembrada la primavera. Entre la
enramada cantan, a lo largo de las suaves noches,   80
los ruiseñores. Sus trinos, en tanto que las estrellas titilean en la foscura o que la luna baña la
campiña con su luz dulce; sus trinos traen tristeza al ánimo, o nos llenan de una íntima satisfacción, si nuestro ánimo está propicio a la   85
leticia. Con los ojos del espíritu estamos viendo
el lugar: un tapiz de menuda y aterciopelada

hierba cubre la tierra, que se aleja en una suave ondulación hasta un espeso bosque que forma, sobre el horizonte, una tupida cortina de verde obscuro; el río pasa cerca, se extiende en su ancho caudal, deja—amorosamente—que acaricien con suavidad sus aguas unos ramajes que se doblegan sobre ellas y forman como una sombría bóveda. Una sombría bóveda donde el poeta, que ha remado en un ligero batel un largo rato, viene a pararse y descansar, gozando de la grata sombra, viendo un claro de cielo retratado en el agua, teniendo entre las manos un libro de Petrarca o de Sannazaro . . .[1]

> Danubio, río divino,
> que por fieras naciones
> vas con tus claras ondas discurriendo . . .

«Danubio, río divino—piensa el poeta—; que mis tormentos íntimos, que mis angustias, que mis anhelos, que mis desesperanzas vayan corriendo con tus aguas hasta perderse con ellas, anegadas, en el ancho, eterno mar.» Una casa está puesta en la verdura; entre la fronda verde asoma su techumbre y una ventana alta. Desde la ventana, atalaya el poeta la campiña, el tapiz verde y suave de los prados, el río que se aleja, manso y claro, hasta perderse en la lejanía. *Danubio, río divino* . . .

A los treinta y tres años, el poeta fué herido gravemente en una acción militar; muchos días estuvo entre la vida y la muerte. Al cabo logró vencerse el peligro. La convalecencia fué larga. Garcilaso veía el mundo, sentía el mundo, vivía en el mundo como otro hombre. Era el mismo de antes, y, sin embargo, las cosas eran distintas para él; todo para él era más nuevo, más profundo y más poético. ¡Cómo recordaba en estas horas tenues y flúidas de la convalecencia los lugares en que sus ojos se habían gratamente apacentado! Los Pirineos,[2] en que *la nieve blanqueaba*; los sotos de la *abrigada* Extremadura; el *viejo* Tormes;[3] el Tajo. Los ríos han tenido la

[1] Italian poet (1456–1530) and author of the pastoral novel *Arcadia*.
[2] The Pyrenees, mountains between Spain and France.
[3] River in Spain flowing into the Duero. Salamanca is situated on it.

dilección del poeta; tres ríos ha cantado Garcilaso: el Tormes, el Tajo y el Danubio. ¿No es verdad que, al lado de los viejos ríos tan españoles—que pasan bajo seculares puentes romanos; retratan paisajes áridos, parameras, pueblecillos de adobes, milenarias ciudades llenas de conventos y de caserones de hidalgos; que son cruzados por carromatos con largas ringleras de mulas y por cosarios con sus recuas—; no es verdad que nos produce una indefinible sensación el ver, al lado de estos ríos, este otro río tan lejano, tan remoto, que lleva sus aguas a un mar que no es ni el Mediterráneo ni el Atlántico, y que bordea ciudades misteriosas y extrañas para nosotros?

Del Tormes recuerda el poeta *una vega grande y espaciosa* que hay en su ribera; siempre la verdura, invierno y verano, es perenne en ella. Del Tajo ama también Garcilaso, *una espesura de verdes sauces, toda revestida de hiedra* que se enrosca por los troncos de los árboles y sube *hasta la altura*. Pero, en los días largos de su convalecencia, en este resurgir a una vida nueva, todo el amor de Garcilaso, toda su ternura, toda su efusión era para aquel río, ancho y claro, que allá, lejos, muy lejos, deslizaba su corriente entre la arboleda. Su pensamiento, desde Toledo, iba hasta aquella bóveda que sobre el agua formaba la enramada. Y ahora, al cabo de los años, en estos momentos de meditación, de evocación, pensaba que aquellas horas pasadas allí—horas de destierro—, habían sido las más felices de su vida.

> Danubio, río divino,
> que por fieras naciones
> vas con tus claras ondas discurriendo . . .

Han transcurrido muchos años. El poeta ha salido ya de la juventud; atrás van quedando los ensueños y las esperanzas. ¿Qué canta ahora Garcilaso? ¿Cómo ve ahora el espectáculo del mundo y de la vida el poeta? Garcilaso es, entre todos los poetas castellanos, el único poeta exclusiva e íntegramente laico. No sólo entre los poetas constituye una excepción, sino entre todos los escritores clásicos de España. En la obra de Garcilaso no hay ni la más pequeña manifestación extraterrestre. Todo es humano en él; y lo humano ha sabido expresarlo con una emoción, con un matiz de morbosidad, con una lejanía ideal, que nos cautivan y llegan al fondo de 5 nuestro espíritu. Sobre sus angustias íntimas, sobre la trama—dolorosa y anhelante—de desesperanzas, de confidencias, de perplejidades, ¡cómo resalta una visión rápida del paisaje! Sobre este fondo de intensa efectividad e in- 10 telectualidad, ¡qué fuerza, qué relieve, qué limpidez radiante tienen los Pirineos coronados de blanca nieve, o los caudalosos ríos que, un momento, entrevemos!

Este poeta humano, esencialmente humano, 15 este poeta terrestre, esencialmente terrestre, ¿cómo ve el mundo ahora, cuando la vida, los tráfagos por el mundo, los viajes por extraños países han puesto en él un sedimento que antes no había? ¿Cómo ve el mundo y cuáles son sus 20 obras, ahora cuando toda aquella sensibilidad y aquellos anhelos, puramente humanos, han alcanzado todo su desenvolvimiento? ¿Ha escrito un poema sobre *las cosas*, como el de Lucrecio,[1] o como el que más tarde, siglos después, había de 25 esbozar, análogamente, otro gran poeta humano: Andrés Chenier?[2]

Desde la vieja ciudad de Toledo, desde estas roquedas y estos páramos, el pensamiento del poeta, a través de Francia, de Suiza, de Austria, 30 va hasta la bella e inolvidable isla del Danubio. Allí pasó Garcilaso los mejores días de su vida; allí, con un libro de versos en la mano, sintió deslizarse el tiempo, como se deslizaban las aguas, y a las aguas confió sus pesares para que 35 fueran con ellas a perderse y anegarse en el ancho mar. ¡Qué lejos están aquellas horas y qué suave melancolía invade el espíritu al recordarlas!

Danubio, río divino . . .

40   BÉCQUER

FUÉ BREVE la vida de Gustavo Adolfo Bécquer. Nació en 1837; murió en 1870. La obra del poeta

[1] Lucretius, Roman poet and philosopher (96?–55 B.C.).
[2] André de Chénier (1762–1794), French poet.

no es muy extensa; no lo fué tampoco la de Garcilaso. Compuso Bécquer un breve número de poemas cortos; trazó—con mano febril—unas 45 cuantas páginas en prosa. Cuando leemos ahora a Bécquer, los que no le hemos conocido tratamos de imaginárnoslo a través del espíritu de sus versos, a través de los recuerdos que tales o cuales mujeres románticas y por nosotros secre- 50 tamente amadas—cuando éramos adolescentes—han dejado en nuestro espíritu. El espíritu de Bécquer va en nosotros unido a una vaga y mórbida melancolía, a una triste canción en que se habla de unas golondrinas que *ya no volverán*, a 55 la mirada lánguida, larga y melancólica de unos ojos femeninos, a un crepúsculo, a unas campanillas azules que han subido hasta los hierros de un balcón, a unas cartas con la escritura descolorida—y con una florecita seca entre sus 60 pliegos—que encontramos en el fondo de un cajón . . . La poesía de Bécquer es frágil, alada, fugitiva y sensitiva; es inseparable de las fotografías que Laurent hizo en 1868, y de un tipo de mujer, pálido, rubio y con unos ricitos 65 sedosos sobre la frente.

El poeta no fué nada ni representó nada en su tiempo. Vivió pobre; murió casi desconocido. No le consideraron como un gran poeta sus coetáneos. Los grandes poetas eran amplifica- 70 dores, oratorios, elocuentes, pomposos. Bécquer escribía poco; lo que escribía—en una época de desbordada grandilocuencia—parecía cosa deleznable, linda, menuda, artificiosa. El poeta debió de sentir esta inferioridad en que se le con- 75 sideraba en la sociedad literaria de su país. ¿Por qué no escribía él grandes, extensos, robustos, vibrantes poemas? ¿Por qué de su estro no brotaban odas inflamadas de patriotismo, odas en que se cantaran los grandes ideales humanos? 80 Y, sin embargo, este poeta triste, desconocido, ignorado; este poeta recogido sobre sí mismo, nervioso, sensitivo, modesto; este poeta que escribe breves poesías, poesías que parecen hechas de nada, ha ahondado más en el senti- 85 miento que los robustos fabricadores de odas y ha contribuído más que ellos a afinar la sensibilidad. Al hacer esto, Bécquer ha trabajado, como el más gran poeta, en favor de los ideales humanos. El ideal humano—la justicia, el progreso—no es sino una cuestión de sensibilidad. Este arte, que no tiene por objetivo más que la belleza—la belleza y nada más que la belleza—, al darnos una visión honda, aguda y nueva de la vida y de las cosas, afina nuestra sensibilidad, hace que veamos, que comprendamos, que sintamos lo que antes no veíamos, ni comprendíamos, ni sentíamos. Un paso más en la civilización se habrá logrado; en adelante, la visión del mundo será otra y nuestro sentir no podrá tolerar sin contrariedad, sin dolor, sin protesta, lo que antes tolerábamos indiferentemente; y, por otro lado, ansiará férvidamente lo que antes no sentíamos necesidad de ansiar. El concepto del dolor ajeno, del sufrimiento ajeno, del derecho ajeno, habrá sido modificado, agrandado, sublimado, al ser intensificada y afinada la sensibilidad humana.

Formémonos idea exacta de lo que son y lo que representan los poetas líricos: artistas que no han cantado los ideales humanos y que, sin embargo—¡con cuánta eficacia!—, han laborado por ellos. Bécquer trae al arte español una visión más intensa que las anteriores de la Naturaleza. Nos referimos a sus *Cartas desde mi celda*. Hay en esas páginas descripciones de paisajes en que se mezcla un matiz de morbosidad antes desconocido. Ante las montañas hoscas y coronadas de nieve; ante los árboles seculares—formados en solitaria y misteriosa alameda—; ante las fontanas que se deslizan en hilillos de plata; ante el cielo ceniciento y triste de un crepúsculo de invierno, la prosa española no había dicho aún lo que le hace decir el poeta. Este rezago del romanticismo que surge en Bécquer es, entre nosotros, el verdadero romanticismo. Romanticismo artificioso, palabrero, hueco, el nuestro, no podía tener esa estética un verdadero representante hasta que un artista, sintiendo la independencia de la propia personalidad, y experimentando la tristeza universal de las cosas, se apoyara firmemente—como Bécquer—en el amor a la realidad y en el culto al paisaje. Las páginas escritas por el poeta frente al Moncayo,[1]

en la campiña de Tarazona,[2] desde la celda de Veruela,[3] marcan una época de nuestra literatura.

Pero Bécquer, aparte del arte puro, que tiene su manifestación en los versos del poeta, ha expresado en algunas de las páginas aludidas sus ansias de ideal y de renovación. Su fina, exasperada sensibilidad, esa sensibilidad que le daba una visión penetrante del mundo, hacía que le fuera insufrible el espectáculo de la injusticia. *Yo tengo fe en el porvenir—escribía—. Me complazco en asistir mentalmente a esa inmensa e irresistible invasión de las nuevas ideas, que van transformando poco a poco la faz de la humanidad, que, merced a sus extraordinarias invenciones, fomentan el comercio de la inteligencia, estrechan el vínculo de los países, fortificando el espíritu de las grandes nacionalidades, y borrando, por decirlo así, las preocupaciones y las distancias, hacen caer unas tras otras las barreras que separan a los pueblos.* Su filoneísmo[4] lo concreta Bécquer en la fórmula más terminante y definida que pudiéramos desear. *Lo que ha sido—escribe—no tiene razón de ser nuevamente, y no será.* Y en una hora de prima noche, sentado ante las cuartillas, allá en las soledades de Veruela, evoca el recuerdo de las damas espléndidas que en esos momentos se congregan en el Teatro Real, rodeadas de lujo, saciados sus menores caprichos y veleidades, y piensa, el poeta, en estas otras pobres mujeres de España, compatriotas de las otras, hermanas en raza, que allá por las fragosidades ásperas del Moncayo, han andado, exangües, extenuadas, buscando un poco de leña y porteándola angustiosamente, por quiebras y desfiladeros, sobre sus espaldas, hasta la remota ciudad. *Francamente hablando—escribe el poeta—hay en este mundo desigualdades que asustan.* A la memoria se nos viene—por lógica asociación de ideas—la poesía que Guyau[5] dedica en sus *Versos de un filósofo*, a un brillante: brillante que en sus facetas vívidas y claras se le antoja al poeta la cristalización de las lágrimas de

[1] Spanish mountain range between Soria and Zaragoza.
[2] Part of Zaragoza province.
[3] Ancient Cistercian monastery in the province of Zaragoza.
[4] Fondness for everything new.
[5] Marie-Jean Guyau (1854-1888), French poet and philosopher.

la larga cadena de obreros que han hecho que, desde el lejano yacimiento, vaya esa piedra inestimable, ya pulida, ya áureamente engastada, a fulgir sobre la sedosa y tibia carne de una beldad.

5   El poeta—leemos en una de sus *Rimas*—se halla en un estado espiritual que linda entre la vigilia y el sueño. No duerme y no está despierto. Su espíritu *vaga en ese limbo en que los objetos cambian de forma* y en que *las ideas dan vueltas en*
10 *torno al cerebro en un compás lento.* Todos hemos experimentado estas sensaciones indefinibles de enervación, de marasmo y de vaguedad; en unas horas de dolor, de desesperanza, de renunciamiento a todo, nuestro cerebro percibe el mundo
15 exterior como a través de un velo tupido. Como a través de un velo tupido, sí, y no obstante, en estos momentos, cuando parece que todo se cierra a nuestra percepción, hay cosas que llegan hasta nosotros—un ruido, una voz, el aullido le-
20 jano de un perro, el crepitar de una lámpara —con una claridad, con una agudeza, con una significación que nunca para nosotros han tenido. ¿Tienen alma las cosas ? ¿Nos dicen algo las cosas que nosotros no acabamos de comprender ?
25 ¿Hay en torno nuestro fuerzas desconocidas, misteriosas, que nosotros, con nuestra limitada sensibilidad, no podemos percibir ?

Bécquer—único en nuestro parnaso—ha acertado a dar en sus versos esta sensación inde-
30 finible y modernísima. En el poema a que aludimos, el poeta, después de describirnos ese estado de espíritu de que hemos hablado, nos dice que, de pronto, en medio de su somnolencia, oyó una voz *delgada y triste* que le llamó *a lo*
35 *lejos*:

> Entró la noche y, del olvido en brazos,
> caí, cual piedra, en su profundo seno;
> dormí, y al despertar exclamé: «Alguno
> que yo quería ha muerto.»

40 Un poeta que nos ofrece en sus versos una sensación tal de las cosas, es un delicadísimo poeta. Pensad en la poesía oratoria, rotunda y enfática de la misma época. ¿Tienen alma las cosas ? Poeta: ¿qué fuerzas misteriosas hay en el
45 mundo que tú has presentido y que *todavía* no

podemos comprender ni utilizar ? Poeta: tu visión ha ido más allá de esta primera y ostensible realidad que todos cotidianamente tocamos. ¿Qué es este escalofrío nervioso que, como un misterioso aviso, nos sobrecoge de pronto ? 50 ¿Y ese relumbrar vago que creemos haber percibido en la penumbra de nuestro silencioso gabinete de trabajo ? ¿Y ese grito, agudo y angustioso, que ha atravesado la noche ? Nuestros sentidos son limitados; no podemos saber aún 55 nada. *¡Quién sabe*—ha escrito nuestro gran Cajal[1] en sus *Reglas y consejos sobre investigación biológica*—; *quién sabe si a fuerza de siglos, cuando el hombre, superiormente adaptado al medio en que vegeta, haya perfeccionado sus registros óptico y* 60 *acústico, y el cerebro permita combinaciones ideales más complejas, podrá la Ciencia desentrañar las leyes más generales de la materia, dentro de las cuales, y como caso particular de las mismas, se encerrará quizá el extraordinario fenómeno de la* 65 *vida y del pensamiento!*

Blanco en azul (1929)

LOS NIÑOS EN LA PLAYA

¿UN CUENTO de niños en la playa ? Perfectamente. Principiemos. Pues, señor, una vez había un poeta; se llamaba Félix Vargas. El poeta está al 70 lado del mar, en una casa ancha, clara, limpia. No es un poeta pobre; es, sí, una excepción entre los poetas. Y tiene buen gusto; esto no era preciso decirlo tratándose de un verdadero poeta. En la casa hay una terraza embaldosada con 75 grandes losas; el poeta ama la piedra, la piedra granulienta—la de Guadarrama,[2] la piedra arenisca, fácil y blanda para el trabajo; dura en cuanto los vientos la van azotando y las aguas la mojan; la piedra tallada por pincel ingenuo, en 80 populares imágenes; la piedra tosca, irregular, que se traba en los muros con dura argamasa. El poeta ama la piedra y el agua. Desde la terraza de su casa de verano se divisa un panorama de mar espléndido. De día el mar es azul, verde, 85

---

[1] Santiago Ramón y Cajal (1852–1934), noted Spanish histologist.
[2] Mountain range in central Spain.

glauco, gris, ceniciento. De noche, allá arriba, fulge, con intermitencias, la luz de un faro, y las olas hacen, acompasadamente, un son rítmico y ronco, un son que en los primeros instantes del
5 sueño, entre vigilia y sueño, el poeta escucha complacido, voluptuoso. Y aquí en la playa, a dos pasos de la terraza, durante toda la mañana, entre los bañistas extendidos por la dorada arena, los niños, muchos niños, infinitos niños,
10 van, vienen, triscan, devanean, corren delante de las olas cuando las olas avanzan; las persiguen, pisotean, chapoteando con sus piececitos desnudos cuando las olas, después de haber hecho un esfuerzo avanzando hacia los bañistas, se re-
15 tiran cansadas para arremeter luego de nuevo.

El poeta trabaja a primera hora de la mañana, cuando el aire es delgado y fresco, cuando la luz es cristalina y virginal; luego, próximo el mediodía, vienen a verle tres, cuatro o seis amigos.
20 Félix Vargas en esa hora está un poco cansado de la meditación. Los tertulianos charlan; pero él, como si hubieran interpuesto una neblina entre los amigos y su persona, escucha vagamente, como en ausencia, como desde lejos, las palabras
25 frívolas, ligeras, actuales de señoras y caballeros. Y sólo cuando habla Plácida Valle parece que la neblina se desgarra y que el poeta escucha claras, distintas las palabras. Plácida Valle es alta, esbelta, con el pecho armoniosamente levantado,[1]
30 sin exageración; todas sus líneas son llenas, henchidas, y en su faz—con tornasoles de gravedad, de alegría—los labios forman un breve trazo rojo, carnosito, fresco. ¿Dónde vive Plácida Valle? Allá arriba, en un monte, en otra
35 casita frente al mar. La soledad le place un poco a esta mujer; ya los años han ido pasando, y el goce de la vida, para Plácida, ha de ser hondo, sosegado y estable. Toda la persona en Plácida respira serenidad y señorío. Cuando habla, sus
40 palabras son lentas y discretas; su mano, una blanca mano gordezuela, se mueve con imperio y con gracia. No dice nunca nada Plácida; no profiere cosas agudas, profundas; pero estas palabras vulgares, corrientes, que ella pronuncia,
45 al ser dichas de modo tan pausado, grave, producen en el poeta el encanto de una inaudita melodía.

[1] *con . . . levantado* full-breasted.

Plácida Valle habla, y el poeta, tendido en una larga silla, se incorpora un poco, la mira, la escucha en silencio, embelesado. ¿Podrá haber 50 para el poeta algo nuevo en la vida? La fama le ha dado sus goces; es popular y es selecto al mismo tiempo. Ser para pocos un artista, es vivir confinado en un ambiente estrecho, limitado, angosto; se tiene la aprobación, el fervor de unos 55 pocos discípulos, de un puñado de admiradores. Pero ¿y esta mirada larga, curiosa, ansiosa de un transeúnte que pasa y os reconoce? ¿Y esta sonrisa afable en el tren, en un restaurante, en un Museo, de tal o cual lectora que sigue paso a 60 paso vuestras obras? ¿Y esta resonancia grata, especial—y fecunda—que vuestra obra produce en la inmensidad de la muchedumbre? De la muchedumbre que, dichosamente, con vuestras obras y con las similares de compañeros vuestros, 65 va afinando poco a poco su sensibilidad para llegar a un nivel elevado de paz y de confraternidad mundiales. El poeta Félix Vargas gusta de lo selecto, de lo recoleto e íntimo; pero al mismo tiempo él padecería un poquito si, limitada su 70 obra a un grupo, el público grande no la conociera. Hay en él, en el fondo de su espíritu, en lo más reservado, un suave desdén para los públicos grandes; pero la vanidad tal vez, tal vez la suprema piedad, piedad para todo ser humano, 75 protestan y le sacan como a rastras, pero con suavidad, del estrecho círculo de los selectos al área grande, donde el sol es pleno y los vientos azotan.

Lo ha visto todo Félix Vargas, y está un poco 80 cansado de la vida. El cielo es bajo y gris en esta mañana de verano; los niños, sobre la dorada arena, van y vienen y retozan. En la terraza del poeta se ha charlado un momento; todos los tertulianos han ido desapareciendo. Todos, no; 85 queda aquí rezagada (como idealmente prendida en una redecita de ensueños, de deseos, de esperanzas), la señoril Plácida Valle. Plácida pasa las páginas de un libro sin ver el texto, y Félix lanza a lo alto una bocanada de humo. 90 Estos días un joven crítico le ha visitado para pedirle datos sobre su vida. Para el poeta es un tormento el regresar desde el momento presente al pretérito. Tiene la superstición del tiempo; la evocación del pasado le agobia; diríase que el evocar el pasado, su pasado—la niñez, la adolescencia, la juventud—ese cúmulo de horas, de días, de meses y de años, se yergue frente a él y le anonada con su peso terrible. Para contestar —en las cuatro sesiones—al crítico, el poeta ha tenido que pensar y pensar muchas horas. Y pensaba, evocando su niñez, su juventud, por las noches, a primera hora, en tanto que en la playa, las olas, en lo obscuro, iban y venían sobre la arena.

Con Plácida habla ahora Félix de su pasado.

—¡Qué mundo de recuerdos tan angustiosos!—exclama Félix.

Y añade: —Habitualmente, el pasado para mí es un caos negro, un espacio tenebroso. No quiero ver nada en él; es grato para mí el no distinguir nada en mi pasado; tengo así la sensación de ser siempre joven, de ver siempre nueva la vida. Y mi trabajo, estando yo siempre en el presente, siempre y con toda mi personalidad, es más grato, más fácil y más fecundo.

Plácida escucha de pie, majestuosa, al poeta, a su poeta; de poco tiempo a esta parte datan sus amistades. La mano gordezuela y rosada de la dama se ha posado, como una flor, en las páginas blancas del libro.

Y el poeta añade:

—Estos días he tenido que evocar mi niñez. Y la he visto toda, toda, con una claridad deslumbradora. Al hacer el más ligero esfuerzo para escrutar lo pretérito se hace de pronto una luz en mi cerebro y desaparece la obscuridad, la grata, la fecunda obscuridad. Lo he visto todo, Plácida. ¿Y sabe usted lo que no he podido ver claro?

Félix Vargas se detiene, y Plácida posa en él, en sus ojos de poeta y de ensoñador, una mirada maternal, amorosa.

—¿Ve usted los niños que juegan en la playa? Obsérvelos usted—ha continuado el poeta—. Corren, saltan, se cogen de la mano y avanzan en hilera... Mire usted aquellos dos, un niño y una niña. ¿Los ve usted? Están allí, delante de aquel montón de arena; él tiene en la mano un bastón. Pues como ese niño y esa niña he estado yo... Yo, sí; yo he estado en esta misma playa,

como ese niño, cuando yo lo era, en compañía de una niña como ésa. Todos los días diez o doce amiguitos jugábamos en la arena. Y una vez me eché una novia; fué una novia de tres o cuatro días; no duró más el noviazgo. Como prenda de amor eterno, sí, eterno, ella me regaló a mí una caracolilla de mar, y yo a ella otra exactamente lo mismo. Encontré ayer, rebuscando papeles en un cajón, esa caracolita. ¡Y cuánta emoción me produjo el hallazgo! La voy a traer; la verá usted.

Félix Vargas se ha levantado rápidamente, ha entrado en la casa y ha traído la caracolita.

—Lo que yo quisiera saber—ha añadido el poeta—es quién era la niña que cambió conmigo esta prenda de eterno amor. ¡Eran tantas las niñas que he conocido en aquellos años de la infancia! No tengo ni la menor idea de ésta. ¡Y cuánto daría por verla ahora, ya mujer, después de tantos años!

Plácida miraba en silencio al poeta. Durante un momento sus mejillas se han encendido con vivo carmín, sus ojos han brillado con una luz misteriosa. Y al despedirse ha dicho:

—Félix, quiero que venga usted a mi casa. ¿Vendrá usted? Pasado mañana; tenemos que hablar. Le espero a usted.

Y había una ligera emoción en sus palabras. Y su mano se ha abandonado unos segundos entre las manos del poeta.

* * * * *

Dos días después Félix Vargas ha ido a ver a Plácida Valle. La emoción del poeta ha sido tremenda. Ha quedado un rato en suspenso, indeciso, puesta su mirada en los ojos azules y dulces de Plácida. En la mano, el poeta tenía una caracolita igual, exactamente igual que la suya. Los mismos puntos negros en el reborde, en una y en otra, en la de Félix y en la de Plácida.

—¿Usted, Plácida? ¿Usted?—repetía el poeta—. ¿Era usted... o es usted... aquella niña? ¡Qué terribles coincidencias del mundo! No puedo, Plácida; no puedo decir lo que siento. Me faltan palabras.

Y la mano de Plácida, tan carnosita, tan rosada, tan suave, se ha posado un momento maternal, amorosa, en la frente del poeta.

* * * * *

De noche. Fuera, tinieblas. En las tinieblas, allá lejos, la luz que brilla, que desaparece, que torna a brillar, del faro. Y el ronco son de las olas, que tan bien se percibe desde la casita de Plácida. La dama está sentada ante una mesa, debajo del ancho y luminoso círculo de la lámpara. Con ella está su fiel y reservada camarista Tomasita. Todo es serenidad y silencio. Por la ventana, abierta de par en par, se ven fulgir las estrellas, rutilantes, en la inmensa bóveda negra.

—La verdad—dice con voz grave y dulce Plácida—, la verdad, Tomasita, es que hemos trabajado bien. ¡Qué afanes y qué trabajos! ¿Eh? Yo creí que no íbamos a poder encontrarla. ¡Cuánto hemos corrido! Pero la caracolita es igual, completamente igual que la de don Félix, con sus pintitas negras . . .

MANUEL MACHADO
1874–1947

Un año mayor que su hermano Antonio y nacido como él en Sevilla, fué su amigo del alma, su colaborador frecuente y su más leal y total admirador. Vivió en Madrid y en París días de bohemia; en Sevilla estudió la carrera de Filosofía y Letras y se inició en los esotéricos ritos del cante hondo y la danza flamenca. Frecuentó los ambientes populares, y en ellos se empapó de sentimiento y de gracia. Viviendo en París, como traductor a sueldo de la casa editorial Garnier, se hizo amigo de Oscar Wilde, Rubén Darío, Amado Nervo, y, por supuesto, de un grupo de poetas y escritores franceses, vagamente simbolistas.

*Publicó sus dos primeros libros—*Tristes y alegres *(1894) y* Etcétera *(1895)—en colaboración con Enrique Paradas, poeta injustamente olvidado, y al regreso de París,* Alma *(1902), reeditado en 1907 con prólogo de Unamuno. En las obras siguientes:* El mal poema, Cante hondo, *y* Ars moriendi *es donde logró expresar mejor la singular mezcla de andaluz donaire, displicencia irónica y pasión soterrada que constituían su personalidad. No quiso escribir poesía por oficio, aunque a veces la escribiera por amistad. Tuvo «el alma de nardo del árabe español», y esa frase vaga cuando puesta en prosa, dice en el poema con que se definió cuanto había en Machado de fatalismo y de sombra. Su hermano y Unamuno le creyeron el lírico más notable de la época. Hoy pensamos que ambos fueron más grandes que él, pues se movieron en territorio más vasto y con mayor ambición, pero la finura y el garbo de la poesía escrita por Manuel son suyos, emanación natural de un alma clara y dicen siempre una confidencia personal. Nadie hizo sonar con resonancia más evocadora y grave el bordón de la guitarra andaluza.*

Alma (1902)

ADELFOS

Yo soy como las gentes que a mi tierra vinieron
—soy de la raza mora, vieja amiga del Sol—
5 que todo lo ganaron y todo lo perdieron.
Tengo el alma de nardo del árabe español.

Mi voluntad se ha muerto una noche de luna
en que era muy hermoso no pensar ni querer . . .
Mi ideal es tenderme, sin ilusión ninguna . . .
10 De cuando en cuando, un beso y un nombre de
mujer.

En mi alma, hermana de la tarde, no hay
contornos,
y la rosa simbólica de mi única pasión
es una flor que nace en tierras ignoradas   15
y que no tiene aroma, ni forma, ni color.

Besos, ¡pero no darlos! Gloria . . . ¡la que
me deben!
Que todo como un aura se venga para mí!
Que las olas me traigan y las olas me lleven,   20
y que jamás me obliguen el camino a elegir.

¡Ambición!, no la tengo. ¡Amor!, no lo he
  sentido.
No ardí nunca en un fuego de fe ni gratitud.
Un vago afán de arte tuve . . . Ya lo he perdido.
5 Ni el vicio me seduce, ni adoro la virtud.

De mi alta aristocracia, dudar jamás se pudo.
No se ganan, se heredan, elegancia y blasón.
. . . Pero el lema de casa, el mote del escudo,
es una nube vaga que eclipsa un vano sol.

10 Nada os pido. Ni os amo, ni os odio. Con dejarme,
lo que hago por vosotros hacer podéis por mí.
. . . ¡Que la vida se tome la pena de matarme,
ya que yo no me tomo la pena de vivir! . . .

15 Mi voluntad se ha muerto una noche de luna
en que era muy hermoso no pensar ni querer . . .
De cuando en cuando un beso, sin ilusión ninguna.
¡El beso generoso que no he de devolver!

20 CASTILLA

El ciego sol se estrella
en las duras aristas de las armas,
llaga de luz los petos y espaldares
y flamea en las puntas de las lanzas.
25 El ciego sol, la sed y la fatiga.
Por la terrible estepa castellana,
al destierro, con doce de los suyos
—polvo, sudor y hierro—el Cid cabalga.

Cerrado está el mesón a piedra y lodo . . .
30 Nadie responde. Al pomo de la espada
y al cuento de las picas el postigo
va a ceder . . .¡Quema el sol, el aire abrasa!
A los terribles golpes,
de eco ronco, una voz pura, de plata
35 y de cristal, responde . . . Hay una niña
muy débil y muy blanca
en el umbral. Es toda
ojos azules y en los ojos lágrimas.

Oro pálido nimba
40 su carita curiosa y asustada.

—«Buen Cid, pasad . . . El rey nos dará
  muerte,
«arruinará la casa,
«y sembrará de sal el pobre campo
«que mi padre trabaja . . .   45
«Idos. El cielo os colme de venturas . . .
«¡En nuestro mal, oh Cid, no ganáis nada!»
Calla la niña y llora sin gemido . . .
Un sollozo infantil cruza la escuadra
de feroces guerreros,   50
y una voz inflexible grita: «¡En marcha!»

El ciego sol, la sed y la fatiga.
Por la terrible estepa castellana,
al destierro, con doce de los suyos,
—polvo, sudor y hierro—el Cid cabalga.   55

CANTARES

Vino, sentimiento, guitarra y poesía
hacen los cantares de la patria mía . . .
Cantares . . .
Quien dice cantares, dice Andalucía.   60

A la sombra fresca de la vieja parra
un mozo moreno rasguea la guitarra . . .
Cantares . . .
Algo que acaricia y algo que desgarra.

La prima que canta y el bordón que llora . . . 65
Y el tiempo callado se va hora tras hora.
Cantares . . .
Son dejos fatales de la raza mora.

No importa la vida, que ya está perdida,
y después de todo, ¿qué es eso, la vida? . . .   70
Cantares . . .
Cantando la pena, la pena se olvida.

Madre, pena, suerte, pena, madre, muerte,
ojos negros, negros, y negra la suerte . . .
Cantares . . .   75
En ellos el alma del alma se vierte.

Cantares. Cantares de la patria mía;
cantares son sólo los de Andalucía.
Cantares . . .
No tiene más notas la guitarra mía.   80

El mal poema (1909)

YO, POETA DECADENTE

Yo poeta decadente,
español del siglo veinte,
que los toros he elogiado
5   y cantado
las golfas y el aguardiente . . .
y la noche de Madrid,
y los rincones impuros,
y los vicios más obscuros
10 de estos biznietos del Cid[1] . . .,
de tanta canallería
harto estar un poco debo,
ya estoy malo, y ya no bebo
lo que han dicho que bebía.
15   Porque ya
una cosa es la Poesía
y otra cosa lo que está
grabado en el alma mía . . .

   Grabado, lugar común.
20 Alma, palabra gastada.
Mía . . . No sabemos nada.
Todo es conforme y según.

Cante Hondo (1912)

CANTE HONDO

   A todos nos han cantado
25 en una noche de *juerga*
coplas que nos han matado.

   Corazón, calla tu pena,
a todos nos han cantado
en una noche de *juerga*.

30   Malagueñas,[2] soleares[3]
y seguiriyas[4] gitanas.

[1] Spanish epic hero and historical figure (1030 ?–1099).
[2] Songs of Málaga.
[3] Sad songs.
[4] Lively, happy songs of Sevilla.

Historia de mis pesares
y de tus horitas malas.

   Malagueñas, soleares,
y seguiriyas gitanas.   35

   Es el saber popular
que encierra todo el saber:
que es saber sufrir, amar,
morirse y aborrecer.

   Es el saber popular   40
que encierra todo el saber.

ELOGIO DE LA SOLEAR

Canto de soleares,
hondo cantar del corazón,
hondo cantar.   45
Reina de los cantares.
Madre del canto popular.
Llora tu son,
copla sin par.
Y en mi vacío corazón   50
se oye sonar
el *de profundis*[5] del bordón . . .
Llora, cantar.

LA PENA

   Mi pena es muy mala,   55
porque es una pena que yo no quisiera
que se me quitara.

   Vino como vienen,
sin saber de dónde,
el agua a los mares, las flores a Mayo,   60
los vientos al bosque.

   Vino y se ha quedado
en mi corazón,
como el amargo en la corteza verde
del verde limón.   65

[5] Low, bass notes.

Como las raíces
de la enredadera,
se va alimentando la pena en mi pecho
con sangre e[1] mis venas.

5   *Yo no sé por dónde,*
       ni por dónde no,
   se me ha liao esta soguita al cuerpo
       sin saberlo yo.

Sevilla (1920)

CANTAORA

10   «La Lola,
   la Lola se va a los Puertos.
   La Isla se queda sola.»
   Y esta Lola, ¿quién será,
   que así se ausenta, dejando
15   la Isla de San Fernando[2]
   tan sola cuando se va? . . .

   Sevillanas,
   chuflas, tientos, marianas,
   tarantas, «tonás», livianas . . .
20   Peteneras,
   «soleares», «soleariyas»,

polos, cañas, «seguiriyas»,
martinetes, carceleras . . .
Serranas, cartageneras.
Malagueñas, granadinas.[3]   25
Todo el cante de Levante,
todo el cante de las minas,
todo el cante . . .

   que cantó tía Salvaora,
   la Trini, la Coquinera,   30
   la Pastora . . .
   y el Fillo, y el Lebrijano,
   y Curro Pabla, su hermano,
   Proita, Moya, Ramoncillo,
   Tobalo—inventor del polo—,   35
   Silverio, el Chacón, Manolo
   Torres, Juanelo, Maoliyo . . .[4]

   Ni una ni uno
   —cantaora o cantaor—,[5]
   llenando toda la lista,   40
   desde Diego el Picaor
   a Tomás el Papelista
   (ni los vivos ni los muertos),
   cantó una copla mejor
   que la Lola . . .   45
   Esa que se va a los Puertos
   y la Isla se queda sola.

---

[1] *e=de.*
[2] Island near Cádiz, Spain.

[3] *sevillanas . . . granadinas* songs from southern Spain.
[4] *tía Salvaora . . . Maoliyo* famous Flamencan singers.
[5] *cantador* singer of popular songs.

ANTONIO MACHADO
1875-1939

Sevillano, pero no de la Sevilla que cada día se disfraza para ofrecer al forastero la imagen convencional que éste quiere encontrar en ella. Cuantos le conocieron hablaron de su entrañable bondad y de su incorregible transitar por las galerías del alma. Así en su poesía, que a veces, paradójicamente, asciende a la cumbre, según va el poeta sumergiéndose en las veredas sombrías, yéndose muy adentro, a las ciudades interiores, guiado por la voz que le llamó desde el umbral del sueño. Vivió sus Soledades (*1903*) *antes de escribirlas, y cuando canta los parques viejos y los caminos secretos sentimos el estremecimiento que produce el roce del misterio. En su palabra vibra el eco de una experiencia vivida entre las sombras que, de modo penetrante y raro, dominaron alguna vez su corazón. Al reeditar esos versos, suprimiendo, añadiendo y alterando, para hacerlos más suyos y menos al modo de la época, el proceso de interiorización se acentuó.*

En 1907 marchó a Soria, pequeña capital de la meseta castellana, luminosa y alta, para trabajar como profesor de francés en el Instituto de segunda enseñanza. En Soria conoció a Leonor Izquierdo, adolescente casi, y casó con ella en 1909, al cumplir la muchacha 16 años. Dulce y triste amor, pues Leonor enfermó pronto, hallándose en París con su marido, y murió en agosto de 1912, cuando apenas llegaban al pueblito castellano los primeros ejemplares de Campos de Castilla, *libro en donde el poeta cantaba el descubrimiento de la realidad cotidiana, la tierra vieja y las gentes que hicieron la patria.*

Visitado por la muerte, envejecido y solo, Machado abandona Soria y se instala en Baeza, destartalado pueblo andaluz de vida monótona y gris. Años sin color, días iguales, rotos de vez en cuando por un viaje; horas de largas lecturas, cargadas de recuerdos. El poeta busca el consuelo de la filosofía, estudiando intensamente, y el de la poesía, amiga esquiva en esos días. Baeza primero, luego Segovia, otra ciudad castellana inmediata a Madrid, son etapas de un largo intermedio de semi-silencio (esporádicamente algún poema, un artículo, daban fe de vida, en esta revista o aquel diario), roto en 1924 por Nuevas canciones.

Antonio Machado parece revivir, revive: colabora con su hermano Manuel en diversas obras dramáticas. En 1926 estrenan Desdichas de la fortuna o Julianillo Valcárcel; *en 1927,* Las adelfas; *en 1929,* La Lola se va a los puertos . . . *Conoce a su amor tardío, encarnado en una mujer casada, a quien dió el poético nombre de Guiomar. El amor le exalta y exalta su inspiración: en los siguientes años escribió algunas de sus poesías más bellas. Y también prosas: apuntes y recuerdos de Juan de Mairena, el apócrifo profesor, y del imaginario maestro Abel Martín. Prosa singular:*

*directa, sencilla, llena de humor y buen sentido, penetrante y clara a la vez,
prueba de que cualquier tema puede ser expuesto con transparencia. Un
prodigio de equilibrio: después de decirlo todo deja en el oído del lector—y
en su inteligencia—resonancias que son incitaciones a pensar y a prolongar
por cuenta propia los problemas.*

*Machado era liberal, hijo de liberales, discípulo de la Institución Libre
de Enseñanza. Siendo humanista, creía en el poder del hombre para
hacerse a sí mismo. Admirador de Unamuno, sus afinidades intelectuales
con él fueron grandes, y le reconoció como maestro. Le admiró por muchas
razones, sobre todo por aquel osado cabalgar los caminos de España,
«metiendo espuela de oro a su locura, sin miedo de la lengua que malsina».
Al empezar la guerra civil se sintió beligerante y apoyó hasta el final al
gobierno de la República. Su último libro (1937) se tituló La guerra.
Vencidos los republicanos, optó por exilarse. Desesperanzado y enfermo, no
pudo soportar las penalidades del destierro y murió a los pocos días de llegar
a Francia. Allí reposan sus restos, todavía, pero el espíritu, como adivinó
Juan Ramón Jiménez, pasó «por el cielo de tierra», a fundirse con el
corazón de la patria.*

Soledades (1899–1907)

XI

Yo voy soñando caminos
de la tarde. ¡Las colinas
doradas, los verdes pinos,
5 las polvorientas encinas!...
¿Adónde el camino irá?

Yo voy cantando, viajero
a lo largo del sendero...
—la tarde cayendo está—.
10 «En el corazón tenía
la espina de una pasión;
logré arrancármela un día:
ya no siento el corazón.»

Y todo el campo un momento
15 se queda, mudo y sombrío,
meditando. Suena el viento
en los álamos del río.

La tarde más se oscurece;
y el camino que serpea

y débilmente blanquea   20
se enturbia y desaparece.

Mi cantar vuelve a plañir:
«Aguda espina dorada,
quién te pudiera sentir
en el corazón clavada.»   25

XXII

Sobre la tierra amarga
caminos tiene el sueño
laberínticos, sendas tortuosas,
parques en flor y en sombra y en silencio;   30

criptas hondas, escalas sobre estrellas;
retablos de esperanzas y recuerdos.
Figurillas que pasan y sonríen
—juguetes melancólicos de viejo—;

imágenes amigas,   35
a la vuelta florida del sendero,
y quimeras rosadas
que hacen camino... lejos...

XLVIII, LAS MOSCAS

Vosotras, las familiares,
inevitables golosas,
vosotras, moscas vulgares,
5 me evocáis todas las cosas.

¡Oh viejas moscas voraces
como abejas en abril,
viejas moscas pertinaces
sobre mi calva infantil!

10 ¡Moscas del primer hastío
en el salón familiar,
las claras tardes de estío
en que yo empecé a soñar!

Y en la aborrecida escuela,
15 raudas moscas divertidas,
perseguidas
por amor de lo que vuela

—que todo es volar—, sonoras,
rebotando en los cristales
20 en los días otoñales . . .
Moscas de todas las horas,

de infancia y adolescencia,
dé mi juventud dorada;
de esta segunda inocencia,
25 que da en no creer en nada,

de siempre . . . Moscas vulgares,
que de puro familiares
no tendréis digno cantor:
yo sé que os habéis posado

30 sobre el juguete encantado,
sobre el librote cerrado,
sobre la carta de amor,
sobre los párpados yertos
de los muertos.

35 Inevitables golosas,
que ni labráis como abejas,
ni brilláis cual mariposas;
pequeñitas, revoltosas,
vosotras, amigas viejas,
40 me evocáis todas las cosas.

LIX

Anoche cuando dormía
soñé ¡bendita ilusión!
que una fontana fluía
dentro de mi corazón.   45
Dí: ¿por qué acequia escondida,
agua, vienes hasta mí,
manantial de nueva vida
en donde nunca bebí?

Anoche cuando dormía   50
soñé ¡bendita ilusión!
que una colmena tenía
dentro de mi corazón;
y las doradas abejas
iban fabricando en él,   55
con las amarguras viejas,
blanca cera y dulce miel.

Anoche cuando dormía
soñé ¡bendita ilusión!
que un ardiente sol lucía   60
dentro de mi corazón.
Era ardiente porque daba
calores de rojo hogar,
y era sol porque alumbraba
y porque hacía llorar.   65

Anoche cuando dormía
soñé ¡bendita ilusión!
que era Dios lo que tenía
dentro de mi corazón.

Galerías

INTRODUCCIÓN   70

Leyendo un claro día
mis bien amados versos,
he visto en el profundo
espejo de mis sueños
que una verdad divina   75
temblando está de miedo
y es una flor que quiere
echar su aroma al viento.

El alma del poeta
se orienta hacia el misterio.
Sólo el poeta puede
mirar lo que está lejos
5 dentro del alma, en turbio
y mago sol envuelto.

En esas galerías,
sin fondo, del recuerdo,
donde las pobres gentes
10 colgaron cual trofeo
el traje de una fiesta
apolillado y viejo,
allí el poeta sabe
el laborar eterno
15 mirar de las doradas
abejas de los sueños.

Poetas, con el alma
atenta al hondo cielo,
en la cruel batalla
20 o en el tranquilo huerto,
la nueva miel labramos
con los dolores viejos,
la veste blanca y pura
pacientemente hacemos,
25 y bajo el sol bruñimos
el fuerte arnés de hierro.

El alma que no sueña,
el enemigo espejo,
proyecta nuestra imagen
30 con un perfil grotesco.

Sentimos una ola
de sangre, en nuestro pecho,
que pasa . . . y sonreímos,
y a laborar volvemos.

35 XLIV

Desde el umbral de un sueño me llamaron . . .
Era la buena voz, la voz querida.

—Dime: ¿vendrás conmigo a ver el alma? . . .
Llegó a mi corazón una caricia.

—Contigo siempre . . . Y avancé en mi sueño 40
por una larga, escueta galería,
sintiendo el roce de la veste pura
y el palpitar suave de la mano amiga.

LXXVII

Es una tarde ceniciente y mustia,   45
destartalada, como el alma mía;
y es esta vieja angustia
que habita mi usual hipocondría.

La causa de esta angustia no consigo
ni vagamente comprender siquiera;
pero recuerdo, y recordando digo: 50
—Sí, yo era niño, y tú, mi compañera.

★

Y no es verdad, dolor: yo te conozco,
tú eres nostalgia de la vida buena
y soledad de corazón sombrío,   55
de barco sin naufragio y sin estrella.

Como perro olvidado que no tiene
huella ni olfato y yerra
por los caminos, sin camino, como
el niño que en la noche de una fiesta   60

se pierde entre el gentío
y el aire polvoriento y las candelas
chispeantes, atónito, y asombra
su corazón de música y de pena,

así voy yo, borracho melancólico,   65
guitarrista lunático, poeta,
y pobre hombre en sueños,
siempre buscando a Dios entre la niebla.

LXXXVII, RENACIMIENTO

Galerías del alma . . . ¡el alma niña!   70
Su clara luz risueña;
y la pequeña historia,
y la alegría de la vida nueva . . .

¡Ah, volver a nacer, y andar camino,
ya recobrada la perdida senda!   75

Y volver a sentir en nuestra mano,
aquel latido de la mano buena
de nuestra madre . . . Y caminar en sueños
por amor de la mano que nos lleva.

                    *

5   En nuestras almas todo
por misteriosa mano se gobierna.
Incomprensibles, mudas,
nada sabemos de las almas nuestras.

Las más hondas palabras
10 del sabio nos enseñan
lo que el silbar del viento cuando sopla
o el sonar de las aguas cuando ruedan.

Campos de Castilla (1907–1917)

RETRATO

Mi infancia son recuerdos de un patio de
15   Sevilla,
y un huerto claro donde madura el limonero;
mi juventud, veinte años en tierra de Castilla;
mi historia, algunos casos que recordar no
    quiero.

20   Ni un seductor Mañara,[1] ni un Bradomín[2] he
    sido
—ya conocéis mi torpe aliño indumentario—,
mas recibí la flecha que me asignó Cupido,
y amé cuanto ellas pueden tener de hospitalario.

25   Hay en mis venas gotas de sangre jacobina,[3]
pero mi verso brota de manantial sereno;
y, más que un hombre al uso que sabe su
    doctrina,
soy, en el buen sentido de la palabra, bueno.

30   Adoro la hermosura, y en la moderna estética
corté las viejas rosas del huerto de Ronsard;[4]

[1] Don Juan character appearing in drama *Juan de Mañara* by Antonio and Manuel Machado; Mañara existed in real life.
[2] Don Juan hero of Valle-Inclán's series of four *Sonata* novels.
[3] *jacobina* with revolutionary tendencies.
[4] French poet (1524–1585) who drew inspiration from classical Greece and Rome.

mas no amo los afeites de la actual cosmética,
ni soy un ave de esas del nuevo gay-trinar.[5]

Desdeño las romanzas[6] de los tenores huecos
y el coro de los grillos que cantan a la luna.   35
A distinguir me paro las voces de los ecos,
y escucho solamente, entre las voces, una.

¿Soy clásico o romántico? No sé. Dejar
    quisiera
mi verso, como deja el capitán su espada: 40
famosa por la mano viril que la blandiera,
no por el docto oficio del forjador preciada.

Converso con el hombre que siempre va
    conmigo
—quien habla solo espera hablar a Dios un   45
    día—;
mi soliloquio es plática con este buen amigo
que me enseñó el secreto de la filantropía.

Y al cabo, nada os debo; debéisme cuanto he
    escrito.   50
A mi trabajo acudo, con mi dinero pago
el traje que me cubre y la mansión que habito,
el pan que me alimenta y el lecho en donde yago.

Y cuando llegue el día del último vïaje,
y esté al partir la nave que nunca ha de tornar,   55
me encontraréis a bordo, ligero de equipaje,
casi desnudo, como los hijos de la mar.

CAMPOS DE SORIA

VII

¡Colinas plateadas,   60
grises alcores, cárdenas roquedas
por donde traza el Duero[7]
su curva de ballesta
en torno a Soria, oscuros encinares,
ariscos pedregales, calvas sierras,   65
caminos blancos y álamos del río,
tardes de Soria, mística y guerrera,

[5] Sonorous and trivial poetry.
[6] *romanza* operatic aria usually of a simple, tender nature.
[7] River that flows westward in northern Spain into Portugal.

hoy siento por vosotros, en el fondo
del corazón, tristeza,
tristeza que es amor! ¡Campos de Soria
donde parece que las rocas sueñan,
5 conmigo vais! ¡Colinas plateadas,
grises alcores, cárdenas roquedas! . . .

VIII

He vuelto a ver los álamos dorados,
álamos del camino en la ribera
10 del Duero, entre San Polo y San Saturio,[1]
tras las murallas viejas
de Soria—barbacana
hacia Aragón,[2] en castellana tierra—.

Estos chopos del río, que acompañan
15 con el sonido de sus hojas secas
el son del agua cuando el viento sopla,
tienen en sus cortezas
grabadas iniciales que son nombres
de enamorados, cifras que son fechas.

20 ¡Álamos del amor que ayer tuvisteis
de ruiseñores vuestras ramas llenas;
álamos que seréis mañana liras
del viento perfumado en primavera;
álamos del amor cerca del agua
25 que corre y pasa y sueña,
álamos de las márgenes del Duero,
conmigo vais, mi corazón os lleva!

A JOSÉ MARÍA PALACIO

Palacio, buen amigo,
30 ¿está la primavera
vistiendo ya las ramas de los chopos
del río y los caminos? En la estepa
del alto Duero, Primavera tarda,
¡pero es tan bella y dulce cuando llega! . . .

¿Tienen los viejos olmos   35
algunas hojas nuevas?
Aún las acacias estarán desnudas
y nevados los montes de las sierras.
¡Oh mole del Moncayo[3] blanca y rosa,
allá, en el cielo de Aragón, tan bella!   40
¿Hay zarzas florecidas
entre las grises peñas,
y blancas margaritas
entre la fina hierba?
Por esos campanarios   45
ya habrán ido llegando las cigüeñas.
Habrá trigales verdes,
y mulas pardas en las sementeras,
y labriegos que siembran los tardíos
con las lluvias de abril. Ya las abejas   50
libarán del tomillo y el romero.
¿Hay ciruelos en flor? ¿Quedan violetas?
Furtivos cazadores, los reclamos
de la perdiz bajo las capas luengas,
no faltarán. Palacio, buen amigo,   55
¿tienen ya ruiseñores las riberas?
Con los primeros lirios
y las primeras rosas de las huertas,
en una tarde azul, sube al Espino,
al alto Espino donde está su tierra . . .   60

Baeza, 29 abril 1913.

PROVERBIOS Y CANTARES

XXIX

Caminante, son tus huellas
el camino, y nada más;   65
caminante, no hay camino,
se hace camino al andar.
Al andar se hace camino,
y al volver la vista atrás
se ve la senda que nunca   70
se ha de volver a pisar.
Caminante, no hay camino,
sino estelas en la mar.

[1] San Polo and San Saturio, two hermitages on the banks of the Duero.
[2] Region of northeastern Spain.
[3] See Azorín, note 1, p. 277.

PARÁBOLAS

III

Érase de[1] un marinero
que hizo un jardín junto al mar,
5 y se metió a jardinero.
Estaba el jardín en flor,
y el jardinero se fué
por esos mares de Dios.

Nuevas canciones (1917–1930)

IRIS DE LA NOCHE

10   A D. Ramón del Valle-Inclán

Hacia Madrid, una noche,
va el tren por el Guadarrama.
En el cielo, el arco iris
que hacen la luna y el agua.
15 ¡Oh luna de abril, serena,
que empuja las nubes blancas!

La madre lleva a su niño,
dormido, sobre la falda.
Duerme el niño, y todavía,
20 ve el campo verde que pasa,
y arbolillos soleados,
y mariposas doradas.

La madre, ceño sombrío
entre un ayer y un mañana,
25 ve unas ascuas mortecinas
y una hornilla con arañas.

Hay un trágico viajero,
que debe ver cosas raras,
y habla solo y, cuando mira,
30 nos borra con la mirada.

Yo pienso en campos de nieve
y en pinos de otras montañas.

Y tú, Señor, por quien todos
vemos y que ves las almas,
35 dínos si todos, un día,
hemos de verte la cara.

¹ *Érase de* Once upon a time there was.

LOS SUEÑOS DIALOGADOS

II

¿Por qué, decidme, hacia los altos llanos
huye mi corazón de esta ribera,   40
y en tierra labradora y marinera
suspiro por los yermos castellanos?

Nadie elige su amor. Llevóme un día
mi destino a los grises calvijares
donde ahuyenta al caer la nieve fría   45
las sombras de los muertos encinares.

De aquel trozo de España, alto y roquero,
hoy traigo a ti, Guadalquivir[2] florido,
una mata del áspero romero.

Mi corazón está donde ha nacido   50
no a la vida, al amor, cerca del Duero . . .
¡El muro blanco y el ciprés erguido!

SONETOS

IV

Esta luz de Sevilla . . . Es el palacio   55
donde nací, con su rumor de fuente.
Mi padre, en su despacho. —La alta frente,
la breve mosca, y el bigote lacio—.

Mi padre, aún joven. Lee, escribe, hojea
sus libros y medita. Se levanta;   60
va hacia la puerta del jardín. Pasea.
A veces habla solo, a veces canta.

Sus grandes ojos de mirar inquieto
ahora vagar parecen, sin objeto
donde puedan posar, en el vacío.   65

Ya escapan de su ayer a su mañana;
ya miran en el tiempo ¡padre mío!
piadosamente mi cabeza cana.

² River in southern Spain.

ROSA DE FUEGO

Tejidos sois de primavera, amantes,
de tierra y agua y viento y sol tejidos.
La sierra en vuestros pechos jadeantes,
5 en los ojos los campos florecidos,

pasead vuestra mutua primavera,
y aun bebed sin temor la dulce leche
que os brinda hoy la lúbrica pantera,
antes que, torva, en el camino aceche.

10 Caminad, cuando el eje del planeta
se vence hacia el solsticio de verano,
verde el almendro y mustia la violeta,

cerca la sed y el hontanar cercano,
hacia la tarde del amor, completa,
15 con la rosa de fuego en vuestra mano.

De un cancionero apócrifo (1930–1936)

CONSEJOS, COPLAS, APUNTES

IX

La plaza tiene una torre,
la torre tiene un balcón,
20 el balcón tiene una dama,
la dama una blanca flor.
Ha pasado un caballero
—¡quién sabe por qué pasó!—,
y se ha llevado la plaza
25 con su torre y su balcón,
con su balcón y su dama,
su dama y su blanca flor.

CANCIONES A GUIOMAR[1]

I

30 No sabía
si era un limón amarillo,
lo que tu mano tenía,
o el hilo de un claro día,
Guiomar, en dorado ovillo.
35 Tu boca me sonreía.

Yo pregunté: ¿Qué me ofreces?
¿Tiempo en fruto, que tu mano
eligió entre madureces
de tu huerta?

¿Tiempo vano   40
de una bella tarde yerta?
¿Dorada ausencia encantada?
¿Copia en el agua dormida?

¿De monte en monte encendida,
la alborada   45
verdadera?
¿Rompe en sus turbios espejos
amor la devanadera
de sus crepúsculos viejos?

II   50

En un jardín te he soñado,
alto, Guiomar, sobre el río,
jardín de un tiempo cerrado
con verjas de hierro frío.

Un ave insólita canta,   55
en el almez, dulcemente,
junto al agua viva y santa,
toda sed y toda fuente.

En ese jardín, Guiomar,
el mutuo jardín que inventan   60
dos corazones al par,
se funden y complementan
nuestras horas. Los racimos
de un sueño—juntos estamos—
en limpia copa exprimimos,   65
y el doble cuento olvidamos.
(Uno: Mujer y varón,
aunque gacela y león,
llegan juntos a beber.
El otro: No puede ser   70
amor de tanta fortuna:
dos soledades en una,
ni aun de varón y mujer.)

Por ti la mar ensaya olas y espumas,
y el iris, sobre el monte, otros colores,   75
y el faisán de la aurora canto y plumas,
y el buho de Minerva[2] ojos mayores.
Por ti ¡oh, Guiomar! . . .

[1] Guiomar, literary name Machado gave to the woman he fell in love with in his later years.

[2] *buho de Minerva* the owl of the Roman goddess of wisdom.

OTRAS CANCIONES A GUIOMAR

a la manera de Abel Martín
y de Juan de Mairena

II

5   Todo amor es fantasía;
él inventa el año, el día,
la hora y su melodía;
inventa el amante y, más,
la amada. No prueba nada,
10 contra el amor, que la amada
no haya existido jamás.

MUERTE DE ABEL MARTÍN

> *Pensando que no veía*
> *porque Dios no le miraba,*
15 > *dijo Abel cuando moría:*
> *Se acabó lo que se daba.*
>
> JUAN DE MAIRENA: *Epigramas*

I

  Los últimos vencejos revolean
20 en torno al campanario;
los niños gritan, saltan, se pelean.
En su rincón, Martín el solitario.
¡La tarde, casi noche, polvorienta,
la algazara infantil, y el vocerío,
25 a la par de sus doce en sus cincuenta![1]

  ¡Oh alma plena y espíritu vacío,
ante la turbia hoguera
con llama restallante de raíces,
fogata de frontera
30 que ilumina las hondas cicatrices!

  Quien se vive se pierde, Abel decía.
¡Oh distancia, distancia!, que la estrella
que nadie toca, guía.
¿Quién navegó sin ella?
35 Distancia para el ojo—¡oh lueñe nave!—,
ausencia al corazón empedernido,
y bálsamo suave
con la miel del amor, sagrado olvido.

----

[1] *cincuenta* Martín is fifty, and the children's twelve
years remind him of when he was twelve.

¡Oh gran saber del cero, del maduro
fruto sabor que sólo el hombre gusta,   40
agua de sueño, manantial oscuro,
sombra divina de la mano augusta!
Antes me llegue, si me llega, el Día,
la luz que ve, increada,
ahógame esta mala gritería,   45
Señor, con las esencias de tu Nada.

II

  El ángel que sabía
su secreto salió a Martín al paso.
Martín le dió el dinero que tenía.   50
¿Piedad? Tal vez. ¿Miedo al chantaje? Acaso.
Aquella noche fría
supo Martín de soledad; pensaba
que Dios no le veía,
y en su mudo desierto caminaba.   55

III

  Y vió la musa esquiva,
de pie junto a su lecho, la enlutada,
la dama de sus calles, fugitiva,
la imposible al amor y siempre amada.   60
Díjole Abel: Señora,
por ansia de tu cara descubierta,
he pensado vivir hacia la aurora
hasta sentir mi sangre casi yerta.
Hoy sé que no eres tú quien yo creía;   65
mas te quiero mirar y agradecerte
lo mucho que me hiciste compañía
con tu frío desdén.

          Quiso la muerte
sonreír a Martín, y no sabía.   70

IV

  Viví, dormí, soñé y hasta he creado
—pensó Martín, ya turbia la pupila—
un hombre que vigila
el sueño, algo mejor que lo soñado.   75
Mas si un igual destino
aguarda al soñador y al vigilante,
a quien trazó caminos,
y a quien siguió caminos, jadeante,
al fin, sólo es creación tu pura nada,   80
tu sombra de gigante,
el divino cegar de tu mirada.

V

Y sucedió a la angustia la fatiga,
que siente su esperar desesperado,
la sed que el agua clara no mitiga,
5 la amargura del tiempo envenenado.
¡Esta lira de muerte!
                                    Abel palpaba
su cuerpo enflaquecido.
¿El que todo lo ve no le miraba?
10 ¡Y esta pereza, sangre del olvido!
¡Oh, sálvame, Señor!
                                    Su vida entera,
su historia irremediable aparecía
escrita en blanda cera.
15 ¿Y ha de borrarte el sol del nuevo día?
Abel tendió su mano
hacia la luz bermeja
de una caliente aurora de verano,
ya en el balcón de su morada vieja.
20 Ciego, pidió la luz que no veía.
Luego llevó, sereno,
el limpio vaso, hasta su boca fría,
de pura sombra—¡oh, pura sombra!—lleno.

EL «ARTE POÉTICA» DE JUAN DE MAIRENA [1]

25 JUAN DE MAIRENA se llama a sí mismo *el poeta del
tiempo*. Sostenía Mairena que la poesía era un
arte temporal—lo que ya habían dicho muchos
antes que él—y que la temporalidad propia de la
lírica sólo podía encontrarse en sus versos, plena-
30 mente expresada. Esta jactancia, un tanto provinciana, es propia del novato que llega al mundo
de las letras dispuesto a escribir por todos—no
para todos— y, en último término, contra todos.
En su *Arte poética* no faltan párrafos violentos,
35 en que Mairena se adelanta a decretar la estoli-
dez de quienes pudieran sostener una tesis contraria a la suya. Los omitimos por vulgares, y
pasamos a reproducir otros más modestos y de
más sustancia.
40   «Todas las artes—dice Juan de Mairena en la
primera lección de su *Arte poética*—aspiran a
productos permanentes, en realidad, a frutos in-

temporales. Las llamadas artes del tiempo, como
la música y la poesía, no son excepción. El poeta
pretende, en efecto, que su obra trascienda de los 45
momentos psíquicos en que es producida. Pero
no olvidemos que, precisamente, es el tiempo (el
tiempo vital del poeta con su propia vibración) lo
que el poeta pretende intemporalizar, digámoslo
con toda pompa: eternizar. El poema que no 50
tenga muy marcado el acento temporal estará
más cerca de la lógica que de la lírica.

«Todos los medios de que se vale el poeta:
cantidad, medida, acentuación, pausas, rima, las
imágenes mismas, por su enunciación en serie, 55
son elementos temporales. La temporalidad necesaria para que una estrofa tenga acusada la
intención poética está al alcance de todo el
mundo; se aprende en las más elementales pre-
ceptivas. Pero una intensa y profunda impresión 60
del tiempo sólo nos la dan muy contados poetas.
En España, por ejemplo, la encontramos en don
Jorge Manrique,[2] en el Romancero,[3] en Bécquer,
rara vez en nuestros poetas del siglo de oro.

«Veamos—dice Mairena—una estrofa de don 65
Jorge Manrique:

¿Qué se hicieron las damas,
sus tocados, sus vestidos,
sus olores?
¿Qué se hicieron las llamas   70
de los fuegos encendidos
de amadores?
¿Qué se hizo aquel trovar,
las músicas acordadas
que tañían?   75
¿Qué se hizo aquel danzar,
aquellas ropas chapadas
que traían?

«Si comparamos esta estrofa del gran lírico
español—añade Mairena—con otra de nuestro 80
barroco literario, en que se pretenda expresar un
pensamiento análogo: la fugacidad del tiempo y
lo efímero de la vida humana, por ejemplo: el
soneto *A las flores*, que pone Calderón[4] en boca
de su Príncipe Constante, veremos claramente la 85

---

[1] Fictitious person, disciple of Abel Martín (another
fictitious person), expressing an aspect of Machado's
character.

[2] Famous Spanish poet (1440?–1478) of *Coplas a la
muerte de su padre*.
[3] Collection of Spanish ballads.
[4] Calderón de la Barca (1600–1681), one of Spain's
greatest dramatists.

diferencia que media entre la lírica y la lógica rimada.

«Recordemos el soneto de Calderón:

Estas que fueron pompa y alegría,
despertando al albor de la mañana,
a la tarde serán lástima vana
durmiendo en brazos de la noche fría.
    Este matiz que al cielo desafía,
iris listado de oro, nieve y grana,
será escarmiento de la vida humana:
tanto se aprende en término de un día.
    A florecer las rosas madrugaron,
y para envejecerse florecieron.
Cuna y sepulcro en un botón hallaron.
    Tales los hombres sus fortunas vieron:
en un día nacieron y expiraron,
que pasados los siglos, horas fueron.

«Para alcanzar la finalidad intemporalizadora del arte, fuerza es reconocer que Calderón ha tomado un camino demasiado llano: el empleo de elementos de suyo intemporales. Conceptos e imágenes conceptuales—pensadas, no intuídas— están fuera del tiempo psíquico del poeta, del fluir de su propia conciencia. Al *panta rhei* de Heráclito[1] sólo es excepción el pensamiento lógico. Conceptos e imágenes en función de conceptos—sustantivos acompañados de adjetivos definidores, no cualificadores—tienen, por lo menos, esta pretensión: la de ser hoy lo que fueron ayer, y mañana lo que son hoy. El *albor de la mañana* vale para todos los amaneceres; *la noche fría*, en la intención del poeta, para todas las noches. Entre tales nociones definidas se establecen relaciones lógicas, no menos intemporales que ellas. Todo el encanto del soneto de Calderón—si alguno tiene—estriba en su corrección silogística. La poesía aquí no canta, razona, discurre en torno a unas cuantas definiciones. Es —como todo o casi todo nuestro barroco literario—escolástica rezagada.[2]

«En la estrofa de Manrique nos encontramos en un clima espiritual muy otro aunque para el somero análisis que suele llamarse crítica literaria la diferencia pasa inadvertida. El poeta no comienza por asentar nociones que traducir en juicios analíticos, con los cuales construir razonamientos. El poeta no pretende saber nada; pregunta por damas, tocados, vestidos, olores, llamas, amantes . . . El ¿qué se hicieron?, el devenir en interrogante, individualiza ya estas nociones genéricas, las coloca en el tiempo, en un pasado vivo, donde el poeta pretende intuirlas como objetos únicos, las rememora o evoca. No pueden ser ya cualesquiera damas, tocados, fragancias y vestidos, sino aquéllos que, estampados en la placa del tiempo, conmueven —¡todavía!—el corazón del poeta. Y *aquel trovar y el danzar aquel*—aquéllos y no otros—¿qué se hicieron?, insiste en preguntar el poeta, hasta llegar a la maravilla de la estrofa: *aquellas ropas chapadas*, vistas en los giros de una danza, las que traían los caballeros de Aragón—o quienes fueren—, y que surgen ahora en el recuerdo, como escapadas de un sueño, actualizando, materializando casi el pasado, en una trivial anécdota indumentaria. Terminada la estrofa, queda toda ella vibrando en nuestra memoria como una melodía única, que no podrá repetirse ni imitarse, porque para ello sería preciso haberla vivido. La emoción del tiempo es todo en la estrofa de don Jorge; nada, o casi nada, en el soneto de Calderón. La diferencia es más profunda de lo que a primera vista parece. Ella sola explica por qué en don Jorge la lírica tiene todavía un porvenir, y en Calderón—nuestro gran barroco—un pasado abolido, definitivamente muerto.»

Se extiende después Mairena en consideraciones sobre el barroco literario español. Para Mairena, conviene advertirlo, el concepto de lo barroco dista mucho del que han puesto de moda los alemanes en nuestros días, y que —dicho sea de paso—bien pudiera ser falso, aunque nuestra crítica lo acepte, como siempre, sin crítica, por venir de fuera.

«En poesía se define—habla Mairena—como un tránsito de lo vivo a lo artificial, de lo intuitivo a lo conceptual, de la temporalidad psíquica al plano intemporal de la lógica, como un *piétinement sur place*[3] del pensamiento que, in-

---

[1] *panta rhei de Heráclito* Everything flows, the philosophical principle of Heraclitus (576–480 B.C.), Greek philosopher.
[2] *escolástica rezagada* behind-the-times Scholasticism.
[3] (*Fr.*) marking time.

capaz de avanzar sobre intuiciones—en ninguno de los sentidos de esta palabra—, vuelve sobre sí mismo, y gira y deambula en torno a un metaforismo conceptual, ejercicio superfluo y pedante del pensar y del sentir, que pretende asombrar por lo difícil, y cuya oquedad no advierten los papanatas.»

El párrafo es violento, acaso injusto. Encierra, no obstante, alguna verdad. Porque Mairena vió claramente que el tan decantado dinamismo de lo barroco es más aparente que real, y, más que la expresión de una fuerza actuante, el gesto hinchado que sobrevive a un esfuerzo extinguido.

Acaso puede argüirse a Mairena que, bajo la denominación de barroco literario, comprende la corriente culterana[1] y la conceptista,[2] sin hacer de ambas suficiente distinción. Mairena, sin embargo, no las confunde, sino que las ataca en su raíz común. Fiel a su maestro Abel Martín, Mairena no ve en las formas literarias sino contornos más o menos momentáneos de una materia en perpetuo cambio, y sostiene que es esta materia, este contenido, lo que, en primer término, conviene analizar. ¿En qué zona del espíritu del poeta ha sido engendrado el poema, y qué es lo que predominantemente contiene? Sigue un criterio opuesto al de la crítica de su tiempo, que sólo veía en las formas literarias moldes rígidos para rellenos de un mazacote cualquiera, y cuyo contenido, por ende, no interesa. Culteranismo y conceptismo son, pues, para Mairena dos explicaciones de una misma oquedad y cuya concomitancia se explica por un creciente empobrecimiento del alma española. La misma inopia de intuiciones que, incapaz de elevarse a las ideas, lleva al pensamiento conceptista, y de éste a la pura agudeza verbal, crea la metáfora culterana, no menos conceptual que el concepto conceptista, la seca y árida tropología gongorina,[3] arduo trasiego de imágenes genéricas, en el fondo puras definiciones, a un

¹ *culteranismo* an intentionally obscure style using neologisms, syntactical distortions, an abundance of audacious metaphors and mythological references.
² *conceptismo* a style using ingenious figurative language to express the thought in a refined and subtle way.
³ *tropología gongorina* = *culteranismo*.

ejercicio de mera lógica, que sólo una crítica inepta o un gusto depravado puede confundir con la poesía.

«Claro es—añade Mairena, en previsión de fáciles objeciones—que el talento poético de Góngora y el robusto ingenio de Quevedo,[4] Gracián[5] o Calderón son tan patentes como la inanidad estética del culteranismo y el conceptismo.»

El barroco literario español, según Mairena, se caracteriza:

1°. *Por una gran pobreza de intuición.* ¿En qué sentido? En el sentido de experiencia externa o contacto directo con el mundo sensible; en el sentido de experiencia interna o contacto con lo inmediato psíquico, estados únicos de conciencia; en el sentido teórico de enfrontamiento con las ideas, esencias, leyes y valores como objetos de visión mental; y en el resto de las acepciones de esta palabra. «Las imágenes del barroco expresan, disfrazan o decoran conceptos, pero no contienen intuiciones.» «Con ellas—dice Mairena—se discurre o razona, aunque superflua y mecánicamente, pero de ningún modo se canta. Porque se puede razonar, en efecto, por medio de conceptos escuetamente lógicos, por medio de conceptos matemáticos—números y figuras—o por medio de imágenes, sin que el acto de razonar, discurrir entre lo definido, deje de ser el mismo: una función homogeneizadora del entendimiento que persigue igualdades—reales o convenidas—, eliminando diferencias. El empleo de imágenes, más o menos coruscantes, no puede nunca trocar una función esencialmente lógica en función estética, de sensibilidad. Si la lírica barroca, consecuente consigo misma, llegase a su realización perfecta, nos daría un álgebra de imágenes, fácilmente abarcable en un tratado al alcance de los estudiosos, y que tendría el mismo valor estético del álgebra propiamente dicha, es decir, un valor estético nulo.»

2°. *Por su culto a lo artificioso y desdeño de lo natural:* «En las épocas en que el arte es realmente creador—dice Mairena—no vuelve nunca la espalda a la naturaleza, y entiendo por

⁴ Great Spanish satirist (1580–1645).
⁵ Spanish philosophic and moralist writer (1601–1658).

naturaleza todo lo que aún no es arte, incluyendo en ello el propio corazón del poeta. Porque si el artista ha de crear, y no a la manera del dios bíblico, necesita una materia que informar o
5 transformar, que no ha de ser—¡claro está!—el arte mismo. Porque existe, en verdad, una forma de apatía estética que pretende sustituir el arte por la naturaleza misma, se deduce, groserísi- mamente, que el artista puede ser creador pres-
10 cindiendo de ella. Esa abeja que liba en la miel y no en las flores es más ajena a toda labor creadora que el humilde arrimador de docu- mentos reales, o que el consabido espejo de lo real, que pretende darnos por arte la innecesaria
15 réplica de cuanto no lo es.»

3°. *Por su carencia de temporalidad:* En su análisis del verso barroco, señala Mairena la pre- ponderancia del sustantivo y su adjetivo de- finidor sobre las formas temporales del verbo, el
20 empleo de la rima con carácter más ornamental que melódico y el total olvido de su valor mnemónico.

«La rima—dice Mairena—es el encuentro, más o menos reiterado, de un sonido con el re-
25 cuerdo de otro. Su monotonía es más aparente que real, porque son elementos distintos, acaso heterogéneos, sensación y recuerdo, los que en la rima se conjugan; con ellos estamos dentro y fuera de nosotros mismos. Es la rima un buen
30 artificio, aunque no el único, para poner la palabra en el tiempo. Pero cuando la rima se complica con excesivos entrecruzamientos y se distancia, hasta tal punto que ya no se conjugan sensación y recuerdo, porque el recuerdo se ha
35 extinguido cuando la sensación se repite, la rima es entonces un artificio superfluo. Y los que suprimen la rima—esa tardía invención de la métrica—, juzgándola innecesaria, suelen olvi- dar que lo esencial en ella es su función temporal,
40 y que su ausencia les obliga a buscar algo que la sustituya; que la poesía lleva muchos siglos cabalgando sobre asonancias y consonancias, no por capricho de la incultura medieval, sino porque el sentimiento del tiempo, que algunos
45 llaman impropiamente sensación de tiempo, no contiene otros elementos que los señalados en la rima: sensación y recuerdo. Mas en el verso barroco la rima tiene, en efecto, un carácter ornamental. Su primitiva misión de conjugar sensación y recuerdo, para crear así la emoción
50 del tiempo, queda olvidada. Y es que el verso barroco, culterano o conceptista, no contiene elementos temporales, puesto que conceptos e imágenes conceptuales son—habla siempre Mairena—esencialmente ácronos.»
55

4°. *Por su culto a lo difícil artificial y su ignorancia de las dificultades reales:* «La dificultad no tiene por sí misma valor estético, ni de nin- guna otra clase—dice Mairena—. Se aplaude con razón el acto de atacarla y vencerla; pero no es
60 lícito crearla artificialmente para ufanarse de ella. Lo clásico, en verdad, es vencerla, elimi- narla; lo barroco, exhibirla. Para el pensamiento barroco, esencialmente plebeyo, lo difícil es siempre precioso: un soneto valdrá más que una
65 copla en asonante, y el acto de engendrar un chico menos que el de romper un adoquín con los dientes.»

5°. *Por su culto a la expresión indirecta, peri- frástica, como si ella tuviera por sí misma un valor*
70 *estético:* Porque no existe perfecta conmensura- bilidad—dice Mairena—entre el sentir y el ha- blar, el poeta ha acudido siempre a formas indirectas de expresión, que pretenden ser las que directamente expresen lo inefable. Es la
75 manera más sencilla, más recta y más inmediata de rendir lo intuído en cada momento psíquico lo que el poeta busca, porque todo lo demás tiene formas adecuadas de expresión en el lenguaje conceptual. Para ello acude siempre a imágenes
80 singulares, o singularizadas, es decir, a imágenes que no pueden encerrar conceptos, sino intui- ciones, entre las cuales establece relaciones capaces de crear a la postre nuevos conceptos. El poeta barroco, que ha visto el problema pre-
85 cisamente al revés, emplea las imágenes para adornar y disfrazar conceptos, y confunde la metáfora esencialmente poética con el eufemis- mo de negro catedrático. El *oro cano*, el *pino cuadrado*, la *flecha alada*, el *áspid de metal*, son,
90 en efecto, maneras bien estúpidas de aludir a la plata, a la mesa, al ave y a la pistola.

6°. *Por su carencia de gracia:* «La tensión barroca—dice Mairena—, con su fría vehemen-

cia, su aparato de fuerza y falso dinamismo, su
torcer y desmesurar arbitrios—sintaxis hiperbática[1] e imaginería hiperbólica—con su empeño
de desnaturalizar una lengua viva para ajustarla
5 bárbaramente a los esquemas más complicados
de una lengua muerta, con su hinchazón y amaneramiento y superfluo artificio, podrá, en horas
de agotamiento o perversión del gusto, producir
un efecto que, mal analizado, se parezca a una
10 emoción estética. Pero hay algo a que el barroco
ha de renunciar, pues ni la mera apariencia le es
dado contrahacer: la calidad de lo gracioso, que
sólo se produce cuando el arte, de puro maestro,
llega al olvido de sí mismo, y a hacerse perdonar
15 su necesario apartamiento de la naturaleza».

7°. *Por su culto supersticioso a lo aristocrático:*
Hablando de Góngora, dice Juan de Mairena:
«Cuanto hay en él apoyado en *folklore* tiende a
ser, más que lo popular (tan finamente captado
20 por Lope), lo apicarado y grosero. Sin embargo,
lo verdaderamente plebeyo de Góngora es el
gongorismo. Enfrente de Lope, tan íntegramente español como hombre de la corte,
Góngora será siempre un pobre cura provin-
25 ciano.» Y es verdad que la «obsesión de lo distinguido y aristocrático no ha producido en arte
más que ñoñeces.» «El vulgo en arte, es decir, el
vulgo a que suele aludir el artista es, en cierto
modo, una invención de los pedantes, mejor
30 diré: un ente de ficción que el pedante fabrica
con su propia sustancia.» «Ningún espíritu
creador—añade Mairena—en sus momentos
realmente creadores pudo pensar más que en el
hombre, en el hombre esencial que ve en sí mis-
35 mo y que supone en su vecino. Que existe una
masa desatenta, incomprensiva, ignorante, ruda,
el artista no lo ha ignorado nunca. Pero una de
dos: o la obra del artista alcanza y penetra, en
más o en menos, a esa misma masa bárbara, que
40 deja de ser vulgo *ipso facto*[2] para convertirse en
público de arte, o encuentra en ella una completa impermeabilidad, una total indiferencia.
En este caso, el vulgo propiamente dicho no
guarda ya relación alguna con la obra de arte y

no puede ser objeto de obsesión para el artista. 45
Pero el vulgo del culterano, del preciosista, del
pedante, es una masa de papanatas, a la cual se
asigna una función positiva: la de rendir al
artista un tributo de asombro y de admiración
incomprensiva».   50

En suma, Mairena no se chupa el dedo en su
análisis del barroco literario español. Más adelante añade—en previsión de fáciles objeciones—
que él no ignora cómo en toda época, de apogeo
o decadencia, ascendente o declinante, lo que se 55
produce es lo único que puede producirse, y que
aun las más patentes perversiones del gusto,
cuando son realmente actuales, tendrán siempre
una sutil abogacía que defiende sus mayores
desatinos. Y en verdad que esa abogacía no 60
defiende, en el fondo, ni tales perversiones ni
tales desatinos, sino a un espíritu incapaz de producir otra cosa. Lo más inepto contra el culteranismo lo hizo Quevedo, publicando los versos
de fray Luis de León. Fray Luis de León[3] fué 65
todavía un poeta, pero el sentimiento místico,
que alcanzó en él una admirable expresión de
remanso, distaba ya tanto de Góngora como de
Quevedo, era precisamente lo que ya no podía
cantar, algo definitivamente muerto a manos 70
del espíritu jesuítico imperante.[4]

DIÁLOGO ENTRE JUAN DE MAIRENA
Y JORGE MENESES

MAIRENA.—¿ Qué augura usted, amigo Mene-
ses, del porvenir de la lírica ?   75

MENESES.—Pronto el poeta no tendrá más recurso que enfundar su lira y dedicarse a otra
cosa.

MAIRENA.—¿Piensa usted ? . . .

MENESES.—Me refiero al poeta lírico. El senti- 80
miento individual, mejor diré: el polo individual
del sentimiento, que está en el corazón de cada
hombre, empieza a no interesar, y cada día in-
teresará menos. La lírica moderna, desde el
declive romántico hasta nuestros días (los del 85
simbolismo), es acaso un lujo, un tanto abusivo,

---

[1] *hiperbática* using twisted tortuous syntax (from the
Greek figure *hyperbaton*).

[2] (*Lat.*) by the fact itself.

[3] Spanish mystic poet (1537–1591).

[4] *espíritu jesuítico imperante* According to Machado,
who held strong anticlerical views, the Jesuitic tendency toward dissimulation and hypocrisy.

del hombre manchesteriano,[1] del individualismo burgués, basado en la propiedad privada. El poeta exhibe su corazón con la jactancia del burgués enriquecido que ostenta sus palacios,
5 sus coches, sus caballos y sus queridas. El corazón del poeta, tan rico en sonoridades, es casi un insulto a la afonía cordial de la masa, esclavizada por el trabajo mecánico. La poesía lírica se engendra siempre en la zona central de
10 nuestra *psique*, que es la del sentimiento; no hay lírica que no sea sentimental. Pero el sentimiento ha de tener tanto de individual como de genérico, porque aunque no existe un corazón en general, que sienta por todos, sino que cada
15 hombre lleva el suyo y siente con él, todo sentimiento se orienta hacia valores universales o que pretenden serlo. Cuando el sentimiento acorta su radio y no trasciende del yo aislado, acotado, vedado al prójimo, acaba por empobrecerse y, al
20 fin, canta de falsete. Tal es el sentimiento burgués, que a mí me parece fracasado; tal es el fin de la sentimentalidad romántica. En suma, no hay sentimiento verdadero sin simpatía, el mero *pathos* no ejerce función cordial alguna, ni tampoco estética. Un corazón solitario—ha dicho no
25 sé quién, acaso Pero Grullo[2]—no es un corazón; porque nadie siente si no es capaz de sentir con otro, con otros . . . ¿por qué no con todos?
MAIRENA.—¡Con todos! ¡Cuidado, Meneses!
30 MENESES.—Sí, comprendo. Usted, como buen burgués, tiene la superstición de lo selecto, que es la más plebeya de todas. Es usted un cursi.
MAIRENA.—Gracias.
MENESES.—Le parece a usted que sentir con
35 todos es convertirse en multitud, en masa anónima. Es precisamente lo contrario. Pero no divaguemos. Hay una crisis sentimental que afectará a la lírica, y cuyas causas son muy complejas. El poeta pretende cantarse a sí
40 mismo, porque no encuentra temas de comunión cordial, de verdadero sentimiento. Con la ruina de la ideología romántica, toda una sentimentalidad, concomitantemente, se viene abajo. Es

muy difícil que una nueva generación siga escuchando nuestras canciones. Porque lo que a 45 usted le pasa, en el rinconcito de su sentir, que empieza a no ser comunicable, acabará por no ser nada. Una nueva poesía supone una nueva sentimentalidad, y ésta, a su vez, nuevos valores. Un himno patriótico nos conmueve a 50 condición de que la patria sea para nosotros algo valioso; en caso contrario, ese himno nos parecerá vacío, falso, trivial o ramplón. Comenzaremos a diputar insinceros a los románticos, declamatorios, hombres que simulan sentimientos 55 que, acaso, no experimentaban. Somos injustos. No es que ellos no sintieran; es, más bien, que nosotros no podemos sentir con ellos. No sé si esto lo comprende usted bien, amigo Mairena.
MAIRENA.—Sí, lo comprendo. Pero usted ¿no 60 cree en una posible lírica intelectual?
MENESES.—Me parece tan absurda como una geometría sentimental o un álgebra emotiva. Tal vez sea ésta la hazaña de los epígonos del simbolismo francés. Ya Mallarmé[3] llevaba dentro el 65 negro catedrático capaz de intentarla. Pero este camino no lleva a ninguna parte.
MAIRENA.—¿Qué hacer, Meneses?
MENESES.—Esperar a los nuevos valores. Entretanto, como pasatiempo, simple juguete, yo 70 pongo en marcha mi aristón poético o *máquina de trovar*. Mi modesto aparato no pretende sustituir ni suplantar al poeta (aunque puede con ventaja suplir al maestro de retórica), sino registrar de una manera objetiva el estado emotivo, 75 sentimental, de un grupo humano, más o menos nutrido, como un termómetro registra la temperatura o un barómetro la presión atmosférica.
MAIRENA.—¿Cuantitativamente?
MENESES.—No. Mi artificio no registra en 80 cifras, no traduce a lenguaje cuantitativo la lírica ambiente, sino que nos da su expresión objetiva, completamente desindividualizada, en un soneto, madrigal, jácara[4] o letrilla[5] que el aparato compone y recita con asombro y aplauso de la 85

---

[3] Stéphane Mallarmé (1842–1898), French Symbolist poet.
[4] *jácara* a poem in ballad form describing the goings on of tramps and ruffians (in general, low-life people).
[5] *letrilla* simple religious, amorous, or satiric poem with a refrain.

[1] *manchesteriano* liberal, referring to liberal ideas which had their origin in the industrial city of Manchester, England.
[2] See Unamuno, note 1, p. 24.

concurrencia. La canción que el aparato produce la reconocen por suya todos cuantos la escuchan, aunque ninguno, en verdad, hubiera sido capaz de componerla. Es la canción del grupo humano,
5 ante el cual el aparato funciona. Por ejemplo, en una reunión de borrachos, aficionados al cante hondo, que corren una juerga de hombres solos, a la manera andaluza, un tanto sombría, el aparato registra la emoción dominante y la traduce
10 en cuatro versos esenciales, que son su equivalente lírico. En una asamblea política, o de militares, o de usureros, o de profesores, o de *sportsmen*, produce otra canción, no menos esencial. Lo que nunca nos da el aparato es la canción
15 individual, aunque el individuo esté caracterizado muy enérgicamente, por ejemplo: *la canción del verdugo*. Nos da, en cambio, si se quiere, la canción de los aficionados a ejecuciones capitales, etc., etc.
20 MAIRENA.—¿Y en qué consiste el mecanismo de ese aristón poético o máquina de cantar?

MENESES.—Es muy complicado, y, sin auxilio gráfico, sería difícil de explicar. Además, es mi secreto. Bástele a usted, por ahora, conocer su
25 función.

MAIRENA.—¿Y su manejo?

MENESES.—Su manejo es más sencillo que el de una máquina de escribir. Esta especie de piano-fonógrafo tiene un teclado dividido en
30 tres sectores: el positivo, el negativo y el hipotético. Sus fonogramas no son letras, sino palabras. La concurrencia ante la cual funciona el aparato elige, por mayoría de votos, el sustantivo que, en el momento de la experiencia,
35 considera más esencial, por ejemplo: *hombre*, y su correlato lógico, biológico, emotivo, etc., por ejemplo: *mujer*. El verbo siempre en función en las tres zonas del aparato, salvo en caso de sustitución por voluntad del manipulador, es el verbo
40 objetivador, el verbo *ser*, en sus tres formas: *ser, no ser, poder ser*, o bien *es, no es, puede ser*, es decir, el verbo en sus formas positiva u ontológica, negativa o divina, e hipotética o humana. Ya contiene, pues, el aparato elementos muy
45 esenciales para una copla: *es hombre, no es hombre, puede ser hombre, es mujer*, etc., etc. Los vocablos lógicamente rimados son *hombre* y

mujer; los de la rima propiamente dicha: *mujer* y (puede) *ser*. Sólo el sustantivo *hombre* queda huérfano de rima sonora. El manipulador elige 50 el fonograma lógicamente más afín, entre los consonantes a *hombre*, es decir, *nombre*. Con estos ingredientes el manipulador intenta una o varias coplas, procediendo por tanteos, en colaboración con su público. Y comienza así: 55

Dicen (el sujeto suele ser un impersonal) *que el hombre no es hombre.*

Esta proposición esencialmente contradictoria la da mecánicamente el tránsito del sustantivo *hombre* de la primera a la segunda zona del 60 aparato. Mi artificio no es, como el de Lulio,[1] máquina de pensar, sino de anotar experiencias vitales, anhelos, sentimientos, y sus contradicciones no pueden resolverse lógica, sino psicológicamente. Por esta vía ha de resolverla el 65 manipulador, y con los solos elementos de que aún dispone: *hombre* y *mujer*. Y es ahora el sustantivo *nombre* el que entra en función. El manipulador ha de colocarlo en la relación más esencial con *hombre* y *mujer*, que puede ser una 70 de estas dos: *el nombre de un hombre* pronunciado por *una mujer*, o *el nombre de una mujer* pronunciado por *un hombre*. Tenemos ya el esquema de dos coplas posibles para expresar un sentimiento elementalísimo en una tertulia masculina: el sen- 75 timiento de la ausencia de la mujer, que nos da la razón psicológica que explica la contradicción lógica del verso inicial. El hombre no es hombre (lo es insuficientemente) para un grupo humano que define la hombría en función del sexo, bien 80 por carencia de un nombre de mujer, el de la amada, que cada hombre puede pronunciar, bien por ausencia de mujer en cuyos labios suene el nombre de cada hombre.

Para abreviar, pongamos que el aristón nos da 85 esta copla:

Dicen que el hombre no es hombre
mientras que no oye su nombre
de labios de una mujer.
Puede ser. 90

[1] Raimundo Lulio (1232–1315), Medieval Spanish writer and theologian.

Este *puede ser* no es ripio, aditamento inútil o parte muerta de la copla. Está en la zona tercera del teclado, y el manipulador pudo omitirlo. Pero lo hace sonar, a instancias de la concurren-
5 cia, que encuentra en él la expresión de su propio sentir, tras un momento de reflexión autoinspectiva. Producida la copla, puede cantarse en coro.

En el prólogo a sus *Coplas mecánicas* hace
10 Mairena el elogio del artificio de Meneses. Según Mairena, el aristón poético es un medio, entre otros, de racionalizar la lírica, sin incurrir en el barroco conceptual. La sentencia, reflexión o aforismo que sus coplas contienen van
15 necesariamente adheridos a una emoción humana. El poeta, inventor y manipulador del artificio mecánico, es un investigador y colector de sentimientos elementales, un *folklorista*, a su manera, y un creador impasible de canciones
20 populares, sin incurrir nunca en el pastiche de lo popular. Prescinde de su propio sentir, pero anota el de su prójimo y lo reconoce en sí mismo como sentir humano (cuando lo advierte adjetivado en su aparato), como expresión exacta
25 del ambiente cordial que le rodea. Su aparato no ripia ni pedantea, y aun puede ser fecundo en sorpresas, registrar fenómenos emotivos extraños. Claro está que su valor, como el de otros inventos mecánicos, es más didáctico y peda-
30 gógico que estético. La *Máquina de trovar*, en suma, puede entretener a las masas e iniciarlas en la expresión de su propio sentir, mientras llegan los nuevos poetas, los cantores de una nueva sentimentalidad.

35 REFLEXIONES SOBRE LA LÍRICA

I

LA PRIMERA COMPOSICIÓN del libro *Colección* (1924) de José Moreno Villa[1] se titula *Modelos, las montañas*. Leámosla:

[1] Contemporary Spanish poet, (1887–1955).

Así como vosotras, en el mitin   40
de la naturaleza multiforme;
junto al valle de los almendros
y la fresca ladera
y el río y los jardines.
Así como vosotras, en el mitin   45
de nubes y de soles,
sin adornos, sin cambios,
en sobriedad eterna
—un tanto arisca—, lejos
y por encima de nuestros tejados.   50

Es decir, que este fino cantor malagueño, tan hábil para captar los elementos flúidos del paisaje, mira a las montañas, mejor diré, piensa en las montañas para dictarnos una norma estética. Altura y lejanía, solidez y permanencia 55 desea el poeta que, como las montañas, tengan sus creaciones. ¡Las montañas! . . . Lejos estamos aquí de sus formas concretas, lejos también de la pura emoción montesina. Estos montes de Moreno Villa son montes pensados, no intuídos. 60 De ellos saca el poeta conceptos para frenar, ordenar y estructurar emociones.

La segunda composición del libro se titula *Voz madura*. Dice así:

Déjame tu caña verde.   65
Toma mi vara de granado.   —
¿No ves que el cielo está rojo
y amarillo el prado;
que las naranjas saben a rosas
y las rosas a cuerpo humano?   70
¡Déjame tu caña verde!
¡Toma mi vara de granado!

También es aquí fácil descubrir el esquema lógico de la estrofa. Los dos primeros versos expresan, en forma de alegoría, una proposición: 75 todo puede trocarse. Viene, después, la prueba, mediante una experiencia que se nos invita a realizar. Pero en los cuatro versos que constituyen el núcleo vivo del poema, las imágenes no son ya cobertura de conceptos, sino expresión de 80 intuiciones. El cielo rojo y el prado amarillo son momentos de un cielo y un prado que es preciso ver o recordar que se han visto; son imágenes en el tiempo que han conmovido el alma del poeta; no están en la región intemporal de la lógica 85 —sólo la lógica está fuera del tiempo—sino en la

zona sensible y vibrante de la conciencia inmediata. Las naranjas que saben a rosas, y las
rosas que saben a carne, son imágenes que fluyen
y se alcanzan—ondas de río—sin trocarse ni sus-
5 tituirse, como en la metáfora—¿es la metáfora
elemento lírico?—, y responden a una dialéctica
sensorial y emotiva, que nada tiene que ver con
el análisis conceptual que llamamos, propiamente, dialéctica. Por último, los dos primeros
10 versos se repiten entre admiraciones. Esto quiere
decir que han perdido su carácter de alegorías,
símbolos de conceptos, para convertirse—en la
intención del poeta, al menos—en signos de una
idea, de una visión mental, que el poeta re-
15 comienda a nuestra contemplación admirativa.

La lectura de estas dos primeras estrofas del
libro de Moreno Villa me ha hecho pensar en el
valor de las imágenes líricas. A mi juicio, conviene reparar en que la poesía emplea dos clases
20 de imágenes, que se engendran en dos zonas
diferentes del espíritu del poeta: imágenes que
expresan conceptos y no pueden tener sino una
significación lógica, e imágenes que expresan intuiciones, y su valor es preponderantemente
25 emotivo. A veces pueden revestir el mismo indumento verbal, pero, a pesar de ello, sólo un
análisis grosero suele confundirlas. La intención
del poeta, que es preciso descubrir y señalar, las
hace radicalmente distintas. *El prado verde y el*
30 *cielo azul* pueden ser prado y cielo que contempla un niño con ojos maravillados, imágenes
estremecidas por una emotividad singular, y algo
que nada tiene que ver con eso: dos imágenes
genéticas, que envuelven dos definiciones del
35 cielo y del prado y que, si por su calidad de imágenes hablan todavía, aunque débilmente, a la
intuición, su objeto es, no obstante, apartarnos
de ella; están en el proceso de desubjetivación
que va de lo intuído a lo pensado, de lo concreto
40 a lo abstracto. En el primer caso, el adjetivo califica; en el segundo, al señalar lo permanente en
objetos varios, define.

De ambas series de imágenes, o de ambas intenciones en su empleo, necesita la poesía. No
45 obstante, cuando se descubrió que las imágenes
específicamente líricas eran aquéllas que con-
tenían intuiciones—la gloria de este invento se

debe a los poetas simbolistas,[1] tan injustamente
disminuídos hoy—, se llegó a la conclusión
bárbara—tan acreditada en nuestros días—que 50
prohibe a la lírica todo empleo lógico, conceptual de la palabra. El uso del adjetivo definidor,
el adjetivo homérico,[2] era el mayor pecado en
que podía incurrir un poeta. Los simbolistas,
grandes descubridores en poesía, fueron teori- 55
zantes menos que medianos, creían que la
lógica era cosa de mercaderes. *Parler*—decía
Mallarmé—*n'a trait à la réalité des choses que
commercialement.*[3] Por el declive de esta sentencia—en parte verdadera, porque, en efecto, 60
la palabra, como producto de objetivación, tiene
un aspecto de moneda, de instrumento de cambio, de convención entre sujetos—y de otras
análogas, que expresaban verdades a medias,
llegaron los epígonos de los simbolistas a inten- 65
tar la construcción de poemas ayunos de todo
elemento conceptual. Se ignoraba, o se aparen-
taba ignorar, que un poema es—como un cuadro,
una estatua o una catedral—, antes que nada, un
objeto propuesto a la contemplación del prójimo, 70
y que no sería tal objeto, que carecería en absoluto de *existencia*, si no estuviese construído
sobre el esquema del pensar genérico, si care-
ciese de lógica, si no respondiese, de algún
modo, a la común estructura espiritual del 75
múltiple sujeto que ha de contemplarlo. Hasta se
sostenía que el poeta aspiraba a ser el único con-
templador de su obra, que escribía o cantaba
para sí mismo, sin reparar en que, aun admitido
esto, en nada se atenúa la necesaria objetividad 80
del poema. El poema sería ininteligible, inexistente para su propio autor, sin esas mismas leyes
del pensar genérico, pues sólo merced a ellas
puede el poeta captar el íntimo fluir de su conciencia, para convertirlo en objeto de su propio 85
recreo. Mas, satisfecha esta exigencia lógica, sin
lo cual el poema comenzaría por no existir, surge
el problema específico de la lírica. Estos

---

[1] A group of late nineteenth-century French poets
(Verlaine, Mallarmé, Rimbaud) whose influence on
twentieth-century poetry has been enormous.

[2] Homer was wont to use one adjective to describe
characters, e.g., prudent Ulysses.

[3] (*Fr.*) Speaking is related to the reality of things
only commercially.

elementos lógicos, conceptos escuetos o imágenes conceptuales—insisto en llamar así a las que sólo contienen conceptos, juicios, definiciones, y no intuiciones, en ninguno de los sentidos de
5 esta palabra—podrán ser asociados, disociados, barajados, alambicados, trasegados, pintados con todos los colores del iris o abrillantados con toda suerte de charoles, pero nunca alcanzarán por sí mismos un valor emotivo. Son elementos cons-
10 tructivos que pueden y hasta, en rigor, deben estar ocultos, marcando la estructura genética, proporciones y límites. Pero el organismo del poema requiere, además, los elementos flúidos, temporales, intuitivos del alma del poeta, como
15 si dijéramos la carne y sangre de su propio espíritu. No es la lógica lo que el poema canta, sino la vida, aunque no es la vida lo que da estructura al poema, sino la lógica.

Esta verdad, turbiamente vista, o vista a
20 medias, divide todavía a gran parte de los poetas modernos en dos sectas antagónicas: la de aquéllos que pretenden hacer lírica al margen de toda emoción humana, por un juego mecánico de imágenes, lo que no es, en el fondo, sino un
25 arte combinatorio de conceptos hueros, y la de aquéllos otros para quienes la lírica, al prescindir de toda estructura lógica, sería el producto de los estados semicomatosos del sueño. Son dos modos perversos del pensar y del sentir, que
30 aparecen en aquellos momentos en que el arte —un arte—se desintegra o, como dice Ortega y Gasset, se deshumaniza.*

Si preguntamos ahora cuál de estos dos elementos—los lógicos y los intuitivos—llevan el
35 acento predominante en la obra total de Moreno Villa, nos sería difícil contestar de una manera rotunda. Yo creo ver en su lírica una tendencia a la ponderación y al equilibrio. Sin embargo, el hombre de su tiempo, que reacciona justamente
40 contra los excesos de románticos y simbolistas, se acusa en él por una actitud vigilante y una preocupación constructiva que parece inclinarse

más a reforzar el esquema lógico que la corriente emotiva de sus versos.

Pero dejemos esto para volver a ello por otro 45 camino, y recojamos unas palabras del poeta sobre su propia lírica. «He intentado—dice Moreno Villa—decir lo más posible y del modo más directo y más sencillo». Este propósito persiste, en efecto, a través de toda su producción y 50 se acentúa en el último de sus libros. Se buscará en vano, leyendo a Moreno Villa, la novedad escandalosa, lo que el vulgo literario entiende por literatura de vanguardia. Moreno Villa ha resistido a la corriente negativa de su tiempo. Ni 55 siquiera ha perdido la fe en la importancia de su arte. Hizo bien. La poesía es una expresión integral del hombre de cada tiempo. Podrá existir o no, pero nunca ser una actividad subalterna.   60

Entre los nuevos poetas españoles—muchos son, y de mérito indudable—ocupa Moreno Villa una posición firme, que debe ser señalada. Es un poeta actual que no parece interesarse por las modas del día. Se engañará, sin embargo, 65 quien piense que las ignora. Las conoce y no las desdeña. Pero Moreno Villa sabe que los programas literarios, que pretenden fundar escuelas que se anticipen a las obras, son casi siempre desorientadores, si se les interpreta literalmente. 70 No son, como muchos creen, supercherías o ficciones de hombres que buscan notoriedad por caminos fáciles y deshonestos—rechacemos esta calumnia con que tantas veces se ha pretendido denigrar un santo afán de aventura—, pero sue- 75 len responder a visiones unilaterales, incompletas y apresuradas de los problemas que se plantea el arte de cada tiempo. Su valor es grande, pero exclusivamente documental. Sólo la irreflexión o la ignorancia pueden aceptar como revelaciones 80 de una original estética proclamas y manifiestos en que se pretende la total abolición de la tradición artística y la creación *ex nihilo*[1] de un arte nuevo. En los círculos bullangueros, donde todos aspiran a la novedad, nada nuevo se pro- 85 duce todavía. Allí, sin embargo, puede haber entrado lo viejo y caduco en un rápido proceso de desintegración. Ambas cosas conviene saber a

---

* La deshumanización del arte—señalada con profundo tino por Ortega y Gasset—es hoy un hecho indudable, aunque, a mi juicio, no podamos sacar de ella una norma estética. Tampoco creo que fuera ésta la intención del filósofo.

[1] (*Lat.*) coming from nothingness.

quien pretenda descubrir en sí mismo y en torno suyo la humilde palpitación de lo vivo y germinal, en medio de los estrepitosos ruidos de lo inerte.

5 «Poesía desnuda y francamente humana —añade Moreno Villa—he pretendido hacer». Palabras mayores son éstas, que obligan a meditar. Yo me pregunto: ¿qué puede ser lo humano en los días en que Moreno Villa nos ofrece su 10 bello ramo de claveles líricos? El concepto de lo humano no se formó de una vez para siempre, sino que cambia con la fe de cada época, con la metafísica—no asuste la palabra—más o menos consciente o formulada que encierra nuestras 15 creencias últimas. Epocas hay en que es este concepto de lo humano lo que está en crisis. Esto lo expresa el arte, a su manera, por una aparente inseguridad o desorientación.

Los simbolistas—poetas de antes de ayer—, 20 en cuanto mostraron un cierto acuerdo consigo mismos, una cierta congruencia entre sus propósitos y sus realizaciones, dejaban ver cuál era esa fe, esas últimas creencias, esa metafísica que estaba en el fondo de su lírica. Llevaban muy 25 marcado el acento de su tiempo. Hijos de la segunda mitad del siglo que había puesto al sol las raíces del ente de razón cartesiano,[1] hubieran definido al hombre como un ser sensible, sentimental, volente o ciegamente dinámico, y al 30 poeta como un solitario, atento a su melodía interior. La inteligencia había perdido—¿para siempre?—su posición teórica. En el principio era la acción—¿no fué éste el dogma del siglo?—, y la inteligencia, mero y tardío—¿por qué no 35 superfluo?—accidente vital, sólo podía aspirar a un rango inferior, de instrumento pragmático. Los poetas habían de desdeñarla. Esta fe agnóstica creó un arte de ciegos músicos. La pintura misma—el impresionismo—es pintura de ciegos 40 que pretenden palpar la luz. La poesía declara la guerra a lo inteligible y aspira a la expresión pura de lo subconsciente, apelando a las potencias oscuras, a las raíces más soterrañas del ser.

De la musique avant toute chose,[2] había dicho Verlaine. Pero esta música de Verlaine no era la 45 música de Mozart,[3] que tenía aún la claridad, la gracia y la alegría del mundo leibniziano,[4] todo él iluminado y vidente, sino la música de su tiempo, la música de Wagner,[5] el poema sonoro de la total opacidad del ser, cuya letra era la 50 metafísica de Schopenhauer.[6]

Desde entonces acá ha llovido mucho. No puede ser lo humano definido hoy como ayer. Por de pronto, el homúnculo activo que fué todavía a la guerra europea, llevando a Zaratustra[7] 55 en la mochila y su propia definición en términos de ciego dinamismo, parece haber ya cumplido su karma.[8] No ha de ser él quien arrastre a aventuras espirituales. Podrá mañana dominar en las masas, perturbar el mundo, imperar en 60 política, pero nunca en la minoría de conciencias que, en todo tiempo, representan lo actual. ¿Volverá a ser lo humano definido por lo racional? No falta quien lo piense. Sin embargo, la fe racionalista—¿no fué también una honda 65 creencia la que afirmó un día la realidad de las ideas?—necesitaría, para renacer, que la inteligencia recobrase los ojos. La última filosofía que anda por el mundo se llama intuicionismo. Esto quiere decir que otra vez el pensamiento del 70 hombre pretende intuir lo real, anclar en lo absoluto. Pero el intuicionismo moderno más que una filosofía inicial parece el término, una gran síntesis final del antiintelectualismo del pasado siglo. La inteligencia sólo puede pensar—según 75 Bergson[9]—la materia inerte, como si dijéramos las zurrapas del ser, y lo real, que es la vida (*du vécu=de l'absolu*),[10] sólo alcanzarse con ojos que

---

[1] Reference to the logic and order of Descartes' reason.

[2] (*Fr.*) *De la . . . chose* Music above all.
[3] Wolfgang Mozart (1756–1791), famous Austrian composer.
[4] Referring to the German philosopher Gottfried Leibnitz (1646–1716).
[5] Richard Wagner (1813–1883), German composer.
[6] German philosopher (1788–1860), noted for his pessimistic theories.
[7] A reference to Nietzsche's book, *Also Sprach Zarathustra*.
[8] *karma* act of piety or duty. (See note 9, p. 9.)
[9] Henri Bergson (1859–1941), French philosopher whose system is based on intuition.
[10] (*Fr.*) *du vécu=de l'absolu* what is lived is the absolute.

no son los de la inteligencia, sino los de una conciencia vital, que el filósofo pretende derivar del instinto. En el camino hacia abajo del intelectualismo está Bergson, acaso, en el límite. Para
5 refutarlo habrá que volver de algún modo a Platón, a afirmar nuevamente la posición teórica del pensar; porque la inteligencia pragmática no sirve para el caso. Con todo, conviene anotar esto: el hombre actual no renuncia a ver. Busca
10 sus ojos, convencido de que han de estar en alguna parte. Lo importante es que ha perdido la fe en su propia ceguera.

Supongamos por un momento que el hombre actual ha encontrado sus ojos, los ojos para ver
15 lo real, a los que nos referimos. Los tenía en la cara, allí donde ni siquiera pensó en buscarlos. Esto quiere decir que empieza a creer en la realidad de cuanto ve y toca. El mundo como ilusión —piensa—no es más explicable que el mundo
20 como realidad. No será el trabajo de la ciencia el que me obligue a creer en él. Supongamos que es una creencia del Oriente místico, venida a Europa con el opio que mercadean los ingleses; que es una droga, usada allá como narcótico, y
25 que, administrada a la animalidad europea, se convirtió en licor dionisíaco. No soy ya el soñador, el frenético mimo de mi propio sueño. Tampoco el mundo se viste de máscara para que yo lo contemple. Las cosas están allí donde las
30 veo, los ojos allí donde ven. Lo absoluto está hoy para mí tan inabarcable como ayer. Pero mi relación con lo real es real también. ¿No equivaldría esto a un despertar? Sería ello—se dirá—un retorno a la creencia del sentido común,
35 del hombre ingenuo que no hizo nunca del conocer un problema. No. El sentido común, que es común sentir, cambia con los tiempos también: en épocas racionalistas cree, como nuestros abuelos, en la Diosa Razón; en épocas agnósticas
40 tiene otros fetiches. ¿No fué la acción, una acción en principio, una pura nada, el ídolo de nuestros padres? El sentido común puede caer también bajo el maleficio de un sueño, creerse obligado a guerrear entre sombras. Pero este
45 hombre nuevo, si acaso existe y anda por el mundo, pretende haber despertado. Su mundo se ilumina, quiere poblarse, no de fantasmas,

sino de figuras reales. Este hombre no puede ya definirse por el sueño, sino por el despertar.

Todo producto del arte, por humilde que sea, 50 estará siempre dentro de la ideología y de la sentimentalidad de una época. Existen, ciertamente, obras rezagadas y obras actuales; pero que siempre pertenecen a un clima espiritual, que es preciso conocer. No es, pues, arbitrario el 55 que yo pregunte en qué consiste la desnudez y, sobre todo, la humanidad de las canciones de Moreno Villa.

Abriendo el libro *Colección* de Moreno Villa por la página 16, encuentro una composición 60 titulada *Descubrimiento*, cuya primera estrofa dice así:

> Yo he sido ciego:
> tal es mi alegría
> delante de las múltiples   65
> presencias de la vida.

Es decir, que el poeta siente la vida como algo que le sale al paso, como algo que es por sí mismo. Ni siquiera dice que se le aparece, sino que tiene *presencias múltiples*. Enfrente de ellas 70 está el poeta, no menos presente, con su alegría. Y que el poeta es aquí responsable de cuanto dice, lo prueba el resto del poema. En él encontramos, como casi siempre en la lírica de Moreno Villa, su parte interjectiva entre signos 75 de admiración:

> ¡Qué campos me hizo Dios!
> ¡Qué pueblecitos en el campo!
> ¡Qué anímulas errátiles
> y líricas navegan   80
> por el mar invisible
> del aire, sede suya! ...

Surge el asombro del poeta al choque de las cosas—vivas o no—que se le presentan como objetos líricos—de emoción, no de conocimien- 85 to—; pero como tales objetos, que estaban allí, donde el poeta los descubre.

> ¡Maravillosa vista!
> claman los caminantes
> en el descote limpio   90
> de una teta serrana.

Y a esta exclamación, no menos admirativa, de

los caminantes, pone el poeta, después, su correspondiente signo erotemático:

¿Maravillosa vista?

Y contesta con otra exclamación, que tampoco
5 es la última:

¡Ojos maravillosos!

Porque en efecto, son maravillosos los ojos que tanta belleza abarcan. Pero, por si pudiéramos creer que el poeta afirma en definitiva el
10 paisaje como exclusivo milagro de sus ojos, se afinca nuevamente en su posición contemplativa, para exclamar, al fin:

¡Ojos maravillosos,
que asistís al concierto
15 sigiloso del mundo,
mil veces más etéreo
y sutil que la música!

Lejos estamos aquí—acaso más de lo que parece—de la concepción romántico-simbolista
20 del paisaje como mero estado de alma, y de las cosas como símbolos de nuestro sentir. Estas presencias—permítaseme insistir en la palabra— bien pudieran representar una divisoria de dos cuencas líricas distantes: la de los poetas de
25 ayer, cuyo canto era la melodía interior con que hechizaban el húmedo rincón de sus lágrimas, y la de los poetas de mañana, hoy ya en pleno campo, en busca de nuevas canciones.

Toda partida al amanecer tiene su encanto.
30 Sin embargo, los viejos cantores—viejos para los que hoy sean jóvenes—pueden parecer más líricos que los nuevos. El mundo como proyección de nuestro espíritu, como milagro de nuestra sensibilidad, haría de cada hombre un
35 poeta, un creador. Así, pues, como apenas hay ganancia sin pérdida, la nueva fe en las cosas, el concederles, por lo menos, la propiedad de aparecérsenos, de presentársenos antes de que nosotros las soñemos, va en mengua de nuestro
40 orgullo de soñadores. El culto al yo, como única realidad creadora, en función de la cual se daría exclusivamente el arte, comienza a declinar. Se diría que Narciso[1] ha perdido su espejo, con más

[1] Narcissus, a beautiful youth in Greek mythology who fell in love with his own reflection in a fountain.

exactitud que el espejo de Narciso ha perdido su azogue, quiero decir, la fe en la impenetrable
45 opacidad de lo otro, merced a la cual—y sólo por ella—sería el mundo un puro fenómeno de reflexión que nos rindiese nuestro propio sueño, en último término la imagen de nuestro soñador. Pero como tampoco hay renuncia sin provecho,
50 la canción de los nuevos poetas parecerá vibrar en un aire más puro y más claro, donde la luz tornase a su modesto oficio de hacernos más limpio y transitable el camino de los ojos. Si con la sensación estamos en parte en las cosas mismas,
55 o si como seres conscientes ni fingimos ni deformamos nuestro universo; si el soñador despierta, no ya entre fantasmas, sino firmemente anclado en un trozo de lo real, será el respeto cósmico a la ley que nos obliga y afinca en
60 nuestro lugar y en nuestro tiempo, la fuente de una nueva y severa emoción, que podrá tener algún día madura expresión lírica.

Esta emoción se acusa ya en la tonalidad dominante de la nueva lírica y, muy acentuada,
65 en el último libro de Moreno Villa. Acaso lo que distingue a nuestro poeta de otros jóvenes portaliras—cuyas excelencias no son del caso—es la clara conciencia que dicta a su arte la ideología y la sensibilidad de su tiempo. No hay en Moreno
70 Villa la pretensión de que las cosas canten por sí mismas, ni parece creer, como algunos creen —para todo hay creyentes—, que ya no pueden ser el alfabeto más o menos caprichoso de su lenguaje interior, que será preciso reconocer su
75 presencia, trazar fina y justamente su propio contorno.

Leamos en la página 70 de *Colección*:

El cauce del agua,
sobre el cielo nimio
de la tarde fría
80 estaba torcido.

El agua del cauce
no tenía brillo:
era cinta mate
85 con pandos y rizos.

Tres nubes rayaban,
con paralelismo,
el livor celeste.
Lo demás, barrido.
90

Solo, en la llanura
grande, pequeñito,
un guardia civil
estaba en aviso.

5 El recio capote
negro, convulsivo,
hacía en el aire
la mueca del frío.

En el libro de Moreno Villa o, al menos, en sus
10 composiciones más logradas, hay siempre un
fino lápiz que dibuja, y la línea que traza aspira
siempre a la objetividad. El equilibrio que antes
señalé entre lo intuitivo y lo conceptual puede
afirmarse ahora entre el sentir del poeta y el frío
15 contorno de las cosas. Y es esto—dicho sea de
paso—no lo castellano, sino lo andaluz en la
poesía de Moreno Villa.

De la musique avant toute chose

En el sentido que pudo tener en Verlaine, esta
20 sentencia—poco importa lo que él creía decir
con ella—es algo de que hoy protestarían hasta
los músicos. Sin embargo, la afirmación era
valiente, y aparecía en justa reacción contra la
línea parnasiana[1] que pretendía ser, por sí mis-
25 ma, cantora. La línea tampoco puede cantar. No
es éste su oficio. Ni la línea ni el concepto cantan. No pertenecen al mundo sonoro, ni siquiera
al mundo sensible. Nada tienen que ver con lo
inmediato psíquico. Su mayor encanto es el de
30 su frialdad, el de su pureza, el de su alejamiento.
No enturbiarlos ni estremecerlos, a la manera
barroca, es un precepto de elemental buen gusto.
Y nunca pretender, bárbaramente, eliminarlos.
Son tan necesarios en el poema como en la vida
35 misma, a cuya más alta jerarquía, a la conciencia
del hombre, corresponde también la más alta y
desesperada pretensión a lo objetivo.

Muy bellas son las canciones de Moreno Villa.
Creo que ninguno de nosotros las haría mejores.
40 Pero, si alguien me pregunta qué falta al poeta
para alcanzar la perfección de su arte, yo no
sabría, en verdad, responder. He pretendido
señalar lo que hay en Moreno Villa del hombre
que canta en su tiempo, en un tiempo—digá-

moslo también—marcadamente afónico. De lo 45
que puede ser un pleno cantor de mañana, se me
alcanza muy poco; y de un cantor absoluto, intemporal, de un arquetipo de cantores, menos
todavía. La poesía pura, de que oigo hablar a
críticos y poetas, podrá existir, pero yo no la 50
conozco. Creo que más de una vez intentó el
poeta algo parecido y que siempre alcanzó a dar
frutos del tiempo—ni siquiera los mejores—re-
comendables, a última hora, por su impureza.
Cuando se dice que, para gustar la poesía de 55
Dante, es preciso eliminar cuanto puso en ella el
escolástico, el gibelino[2] y el hombre de una determinada historia pasional, se propone, a mi
juicio, un absurdo tan grande como el de sostener que sin Dante mismo se hubiera podido 60
escribir la *Comedia*. Creo, también, que lo peor
para un poeta es meterse en casa con la pureza,
la perfección, la eternidad y el infinito. También
el arte se ahoga entre superlativos. Son musas
estériles, cuando se las confina entre cuatro 65
paredes. Para el que camina por el bajo mundo
tienen, en cambio, un valor de luminarias de
horizonte. Pero nunca están más lejos del poeta
que cuando pretende tenerlas a su servicio. Ni al
poeta mismo le es dado tener un harén de diosas. 70
El propio Júpiter no aspiró a tanto.

¿Consejos a Moreno Villa? No. Lejos de mi
ánimo aconsejar a nadie ni, mucho menos, predicar a convencidos. «Poesía desnuda y francamente humana he pretendido hacer», dice el 75
poeta. Y yo creo que todavía es ése el camino.

Juan de Mairena (1936)

XIII

LOS PRAGMATISTAS—decía Juan de Mairena—
piensan que, a última hora, podemos aceptar
como verdadero cuanto se recomienda por su 80
utilidad; aquello que sería conveniente creer,

---

[1] Parnassian, a school of nineteenth-century French
poets which emphasized form and objectivity.

[2] Ghibelline. Dante belonged to this great political
faction in favor of the German Emperor and opposed to
the Guelfs, who favored the Pope.

porque, creído, nos ayudaría a vivir. Claro es que los pragmatistas no son tan brutos como podríais deducir, sin más, de esta definición. Ellos son, en el fondo, filósofos escépticos que no creen en una
5 verdad absoluta. Creen, con Protágoras,[1] que el hombre es la medida de todas las cosas, y con los nominalistas, en la irrealidad de lo universal. Esto asentado, ya no parece tan ramplón que se nos recomiende elegir, entre las verdades rela-
10 tivas al individuo humano, aquéllas que menos pueden dañarle o que menos conspiran contra su existencia. Los pragmatistas, sin embargo, no han reparado en que lo que ellos hacen es invitarnos a elegir una fe, una creencia, y que el racio-
15 nalismo que ellos combaten es ya un producto de la elección que aconsejan, el más acreditado hasta la fecha. No fué la razón sino la fe en la razón lo que mató en Grecia la fe en los dioses. En verdad, el hombre ha hecho de esta creencia
20 en la razón el distintivo de su especie.

Frente a los pragmatistas escépticos no faltará una secta de idealistas, por razones pragmáticas, que piensen resucitar a Platón, cuando, en realidad, disfrazan a Protágoras. Lo propio de
25 nuestra época es vivir en plena contradicción, sin darse de ello cuenta, o, lo que es peor, ocultándolo hipócritamente. Nada más ruin que un escepticismo inconsciente o una sofística inconfesada que, sobre una negación metafísica
30 que es una fe agnóstica, pretende edificar una filosofía positiva. ¡Bah! Cuando el hombre deja de creer en lo absoluto, ya no cree en nada. Porque toda creencia es creencia en lo absoluto. Todo lo demás se llama pensar.

35 El español suele ser un buen hombre, generalmente inclinado a la piedad. Las prácticas crueles—a pesar de nuestra afición a los toros— no tendrán nunca buena opinión en España. En cambio, nos falta respeto, simpatía, y, sobre to-
40 do, complacencia en el éxito ajeno. Si veis que un torero ejecuta en el ruedo una faena impecable y que la plaza entera bate palmas estrepitosamente, aguardad un poco. Cuando el

[1] Greek philosopher of the fifth century B.C. who taught that man is the measure of all things and that all truth is relative.

silencio se haya restablecido, veréis indefectible-
45 mente, un hombre que se levanta, se lleva dos dedos a la boca, y silba con toda la fuerza de sus pulmones. No creáis que ese hombre silba al torero—probablemente él lo aplaudió también—: silba al aplauso.

50 Yo siempre os aconsejaré que procuréis ser mejores de lo que sois; de ningún modo que dejéis de ser españoles. Porque nadie más amante que yo ni más convencido de las virtudes de nuestra raza. Entre ellas debemos contar con la
55 de ser muy severos para juzgarnos a nosotros mismos, y bastante indulgentes para juzgar a nuestros vecinos. Hay que ser español, en efecto, para decir las cosas que se dicen contra España. Pero nada advertiréis en esto que no sea natural
60 y explicable. Porque nadie sabe de vicios que no tiene, ni de dolores que no le aquejan. La posición es honrada, sincera y profundamente humana. Yo os invito a perseverar en ella hasta la muerte.

65 Los que os hablan de España como de una razón social que es preciso a toda costa acreditar y defender en el mercado mundial, ésos para quienes el reclamo, el jaleo y la ocultación de vicios son deberes patrióticos, podrán merecer,
70 yo lo concedo, el título de buenos patriotas; de ningún modo el de buenos españoles.

Digo que podrán ser hasta buenos patriotas, porque ellos piensan que España es, como casi todas las naciones de Europa, una entidad
75 esencialmente batallona, destinada a jugárselo todo en una gran contienda, y que conviene no enseñar el flaco y reforzar los resortes polémicos, sin olvidar el orgullo nacional, creado más o menos artificialmente. Pero pensar así es pro-
80 fundamente antiespañol. España no ha peleado nunca por orgullo nacional, ni por orgullo de raza, sino por orgullo humano o por amor de Dios, que viene a ser lo mismo. De esto hablaremos más despacio otro día.

85 (Contra la educación física)

Siempre he sido—habla Mairena a sus alumnos de Retórica—enemigo de lo que hoy llamamos, con expresión tan ambiciosa como absurda, *educación física*. Dejemos a un lado a los antiguos griegos, de cuyos gimnasios hablaremos otro día. Vengamos a lo de hoy. *No hay que educar físicamente a nadie*. Os lo dice un profesor de Gimnasia.

Sabido es que Juan de Mairena era, oficialmente, profesor de Gimnasia, y que sus clases de Retórica, gratuitas y voluntarias, se daban al margen del programa oficial del Instituto en que prestaba sus servicios.

Para crear hábitos saludables—añadía—, que nos acompañen toda la vida, no hay peor camino que el de la gimnasia y los deportes, que son ejercicios mecanizados, en cierto sentido abstractos, desintegrados tanto de la vida animal como de la ciudadana. Aun suponiendo que estos ejercicios sean saludables—y es mucho suponer—, nunca han de sernos de gran provecho, porque no es fácil que nos acompañen sino durante algunos años de nuestra efímera existencia. Si lográsemos, en cambio, despertar en el niño el amor a la naturaleza, que se deleita en contemplarla, o la curiosidad por ella, que se empeña en observarla y conocerla, tendríamos más tarde hombres maduros y ancianos venerables, capaces de atravesar la sierra de Guadarrama en los días más crudos del invierno, ya por deseo de recrearse en el espectáculo de los pinos y de los montes, ya movidos por el afán científico de estudiar la estructura y composición de las piedras o de encontrar una nueva especie de lagartijas.

Todo deporte, en cambio, es trabajo estéril, cuando no juego estúpido. Y esto se verá claramente cuando una ola de ñoñez y de americanismo invada a nuestra vieja Europa.

Se diría que Juan de Mairena había conocido a nuestro gran don Miguel de Unamuno, tan antideportivo, como nosotros lo conocemos: *iam senior, sed cruda deo viridisque senectus*;[1] o que había visto al insigne Bolívar,[2] cazando

saltamontes a sus setenta años, con general asombro de las águilas, los buitres y los alcotanes de la cordillera carpetovetónica.[3]

(De teatro)

Hay cómicos que están siempre en escena, como si vivieran la comedia que representan. De éstos se dice, con razón, que son los mejores. Hay otros cuya presencia en el escenario no supone la más leve intervención en la comedia. Ellos están allí, en efecto, pensando en otra cosa tal vez más importante que cuanto se dice en la escena. Estos actores me inspiran cierto respeto, y espero, para juzgarlos, el papel que coincida con sus preocupaciones. Hay otros, en fin, que ya están, ya no están en la comedia, porque en ella entran o de ella salen a cada momento, por razones que sólo conoce el apuntador. De éstos hay poco que esperar: ni dentro ni fuera del teatro parece que hayan de hacer cosa de provecho.

XIV

(De un discurso de Juan de Mairena)

SOLO EN sus momentos perezosos puede un poeta dedicarse a interpretar los sueños y a rebuscar en ellos elementos que utilizar en sus poemas. La oniroscopia[4] no ha producido hasta la fecha nada importante. Los poemas de nuestra vigilia, aun los menos logrados, son más originales y más bellos y, a las veces, más disparatados que los de nuestros sueños. Os lo dice quien pasó muchos años de su vida pensando lo contrario. Pero de sabios es mudar de consejo.

Hay que tener los ojos muy abiertos para ver las cosas como son; aun más abiertos para verlas otras de lo que son; más abiertos todavía para verlas mejores de lo que son. Yo os aconsejo la visión vigilante, porque vuestra misión es ver e imaginar despiertos, y que no pidáis al sueño sino reposo.

---

[1] (*Lat.*) *iam senior . . . senectus* now old, but it is the lusty and vigorous old age of a God. (Virgil: *Aen.* 6. 304).
[2] Ignacio Bolívar y Urrutia, Spanish entomologist, born in 1850.

[3] *cordillera carpetovetónica* mountain range in central Spain.
[4] *oniroscopia* study of dreams.

¡Esta gran placentería
de ruiseñores que cantan!...
Ninguna voz es la mía.

Así cantaba un poeta para quien el mundo
comenzaba a adquirir una magia nueva. «La
gracia de esos ruiseñores—solía decir—consiste
en que ellos cantan sus amores, y de ningún
modo los nuestros». Por muy de Perogrullo que
parezca esta afirmación, ella encierra toda una
metafísica que es, a su vez, una poética nueva.
¿Nueva? Ciertamente, tan nueva como el
mundo. Porque el mundo es lo nuevo por excelencia, lo que el poeta inventa, descubre a
cada momento, aunque no siempre, como
muchos piensan, descubriéndose a sí mismo. El
pensamiento poético, que quiere ser creador, no
realiza ecuaciones, sino diferencias esenciales,
irreductibles; sólo en contacto con lo otro, real
o aparente, puede ser fecundo. Al pensamiento
lógico o matemático, que es pensamiento homo-
geneizador, a última hora pensar de la nada, se
opone el pensamiento poético, esencialmente
heterogeneizador. Perdonadme estos termina-
chos de formación erudita, porque en algo se ha
de conocer que estamos en clase, y porque no
hay cátedra sin un poco de pedantería. Pero todo
esto lo veréis más claro en nuestros ejercicios
—los de Retórica, se entiende—y por ejemplos
más o menos palpables.

(De otro discurso)

Es muy posible que el argumento ontológico
o prueba de la existencia de Dios no haya convencido nunca a nadie, ni siquiera al mismo San
Anselmo,[1] que, según se dice, lo inventó. No
quiero con esto daros a entender que piense yo
que el buen obispo de Canterbury era hombre
descreído, sino que, casi seguramente, no fué
hombre que necesitase de su argumento para
creer en Dios. Tampoco habéis de pensar que
nuestro tiempo sea más o menos descreído porque el tal argumento haya sido refutado alguna
vez, lo cual, aunque fuese cierto, no sería razón
suficiente para *descreer* en cosa tan importante

como es la existencia de Dios. Todo esto es tan
de clavo pasado, que hasta las señoras—como
decía un ateneísta[2]—pueden entenderlo. No es
aquí, naturalmente, adonde yo quería venir a
parar, sino a demostraros que el famoso argumento o prueba venerable de la existencia de
Dios no es, como piensan algunos opositores a
cátedras de Filosofía, una trivialidad, que pueda
ser refutada por el sentido común. Cuando ya la
misma escolástica, que engendró el famoso argumento, creía haberlo aniquilado, resucita en
Descartes, nada menos. Descartes[3] lo hace suyo
y lo refuerza con razones que pretenden ser evi-
dencias. Más tarde Kant,[4] según es fama, le da
el golpe de gracia, como si dijéramos: lo desca-
bella a pulso en la Dialéctica trascendental de su
Crítica de la razón pura. Con todo, el famoso
argumento ha llegado hasta nosotros, atravesando ocho siglos—si no calculo mal—, puesto
que todavía nos ocupamos de él, y en una clase
que ni siquiera es de Filosofía, sino de Retórica.

Permitid o, mejor, perdonad que os lo ex-
ponga brevemente. Y digo *perdonad* porque, en
nuestro tiempo, se puede hablar de la esencia del
queso manchego,[5] pero nunca de Dios, sin que
se nos tache de pedantes. «Dios es el ser in-
superablemente perfecto—*ens perfectissimum*—a
quien nada puede faltarle. Tiene, pues, que
existir, porque si no existiera le faltaría una perfección: la existencia, para ser Dios. De modo
que un Dios inexistente, digamos, mejor, *no
existente*, para evitar equívocos, sería un Dios
que no llega a ser Dios. Y esto no se le ocurre ni
al que asó la manteca.»[6] El argumento es aplastante. A vosotros, sin embargo, no os convence;
porque vosotros pensáis, con el sentido común
—entendámonos: el común sentir de nuestro
tiempo—, que «si Dios existiera, sería, en efecto,
el ser perfectísimo que pensamos de Él; pero de
ningún modo en el caso de no existir». Para

---

[1] Bishop of Canterbury, scholastic theologian (1033–
1109).

[2] *ateneísta* member of the Ateneo, an intellectual club
in Madrid.

[3] Famous French philosopher (1596–1650).

[4] German philosopher (1724–1804).

[5] *manchego* from la Mancha, region of central Spain.

[6] *al que asó la manteca* the biggest fool in the town (for
butter is not roasted).

vosotros queda por demostrar la existencia de
Dios, porque pensáis que nada os autoriza a
inferirla de la definición o esencia de Dios.

Reparad, sin embargo, en que vosotros no
5 hacéis sino oponer una creencia a otra, y en que
los argumentos no tienen aquí demasiada importancia. Dejemos a un lado la creencia de
Dios, la cual no es, precisamente, ninguna de las
dos que intervienen en este debate. El argu-
10 mento ontológico lo ha creado una fe racionalista
de que vosotros carecéis, una creencia en el
poder mágico de la razón para intuir lo real, la
creencia platónica en las ideas, en el ser de lo
pensado. El célebre argumento no es una prue-
15 ba; pretende ser—como se ve claramente en
Descartes—una evidencia. A ella oponéis vosotros una fe agnóstica, una desconfianza de la
razón, una creencia más o menos firme en su
ceguera para lo absoluto. En toda cuestión
20 metafísica, aunque se plantee en el estadio de la
lógica, hay siempre un conflicto de creencias encontradas. Porque todo es creer, amigos, y tan
creencia es el *sí* como el *no*. Nada importante se
refuta ni se demuestra, aunque se pase de creer
25 lo uno a creer lo otro. Platón creía que las cosas
sensibles eran copias más o menos borrosas de
las ideas, las cuales eran, a su vez, los verdaderos
originales. Vosotros creéis lo contrario; para
vosotros lo borroso y descolorido son las ideas;
30 nada hay para vosotros, en cambio, más original
que un queso de bola, una rosa, un pájaro, una
lavativa. Pero daríais prueba de incapacidad
filosófica si pensaseis que el propio Kant ha demostrado nada contra la existencia de Dios, ni
35 siquiera contra el famoso argumento. Lo que
Kant demuestra, y sólo a medias, si se tiene en
cuenta la totalidad de su obra, es que él no cree
en más intuición que la sensible, ni en otra
existencia que la espacio-temporal. Pero ¿cuán-
40 tos grandes filósofos, antes y después de Kant,
no han jurado por la intuición intelectiva, por
la realidad de las ideas, por el verdadero ser de
lo pensado?
—*Universalia sunt nomina.*[1]
45 —En efecto, eso es lo que usted cree.

[1] (*Lat.*) The names are universal.

XVII

EL ESCEPTICISMO pudiera estar o no estar de
moda. Yo no os aconsejo que figuréis en el coro
de sus adeptos ni en el de sus detractores. Yo os
aconsejo, más bien, una posición escéptica frente 50
al escepticismo. Por ejemplo: «Cuando pienso
que la verdad no existe, pienso, además, que
pudiera existir, precisamente por haber pensado
lo contrario, puesto que no hay razón suficiente
para que sea verdad lo que yo pienso, aunque 55
tampoco demasiada para que deje de serlo.» De
ese modo nadáis y guardáis la ropa, dais prueba
de modestia y eludís el famoso argumento contra
escépticos, que lo es sólo contra escépticos
dogmáticos.   60

¿Cuántos reversos tiene un anverso?[2] Seguramente uno. ¿Y viceversa? Uno también.
¿Cuáles serán, entonces los *siete anversos* que
corresponden a «Los siete reversos» a que alude
Mairena en su libro recientemente publicado? 65
Tal fué el secreto que su maestro se llevó a la
fosa. (De *El Faro de Chipiona*.)

Juan de Mairena se preguntó alguna vez si la
difusión de la cultura había de ser necesariamente una degradación, y a última hora, una 70
disipación de la cultura; es decir, si el célebre
principio de Carnot[3] tendría una aplicación
exacta a la energía humana que produce la
cultura. El afirmarlo le parecía temerario. De
todos modos—pensaba él—, nada parece que 75
deba aconsejarnos la defensa de la cultura como
privilegio de casta, considerarla como un depósito de energía cerrado, y olvidar que, a fin de
cuentas, lo propio de toda energía es difundirse
y que, en el peor caso, la entropia o nirvana[4] 80
cultural tendríamos que aceptarla por inevitable.

[2] How many sides (backs) does the back of a coin have?
i.e., How many possibilities of error exist when faced
with the truth?

[3] *el principio de Carnot* a fundamental principle of
thermodynamics that the efficiency of a reversible engine
depends on the temperatures between which it works.
This law was discovered by Nicholas Léonard Sadi
Carnot (1796–1832), French physicist.

[4] *nirvana* In Buddhism, the dying out in the heart of
passion, hatred, and delusion; by extension, oblivion to
care, pain, or external reality.

En el peor caso—añadía Mairena—, porque cabe pensar, de acuerdo con la más acentuada apariencia, que lo espiritual es lo esencialmente reversible, lo que al propagarse ni se degrada ni se disipa, sino que se acrecienta. Digo esto para que no os acongojéis demasiado porque las masas, los pobres desheredados de la cultura, tengan la usuraria ambición de educarse y la insolencia de procurar los medios para conseguirlo.

(Sobre lo apócrifo)

Tenéis—decía Mairena a sus alumnos—unos padres excelentes, a quienes debéis respeto y cariño: pero ¿por qué no inventáis otros más excelentes todavía?

(Mairena examinador)

Mairena era, como examinador, extremadamente benévolo. Suspendía a muy pocos alumnos, y siempre tras exámenes brevísimos. Por ejemplo:

—¿Sabe usted algo de los griegos?

—Los griegos ... los griegos eran unos bárbaros.

—Vaya usted bendito de Dios.

—¿...?

—Que puede usted retirarse.

Era Mairena—no obstante su apariencia seráfica—hombre, en el fondo, de malísimas pulgas. A veces recibió la visita airada de algún padre de familia que se quejaba, no del suspenso adjudicado a su hijo, sino de la poca seriedad del examen. La escena violenta, aunque también rápida, era inevitable.

—¿Le basta a usted ver a un niño para suspenderlo?—decía el visitante, abriendo los brazos con ademán irónico de asombro admirativo.

Mairena contestaba, rojo de cólera y golpeando el suelo con el bastón:—¡Me basta ver a su padre!

(Contra los contrarios)

Nada puede ser—decía mi maestro—lo contrario de lo que es.

Nada que *sea* puede tener su contrario en ninguna parte.

Hay una *esencia rosa*, de que todas las rosas participan, y otra *esencia pepino*, y otra *comadreja*, etc., etc., con idéntica virtud. Dicho de otro modo: todas las rosas son *rosa*, todos los pepinos son *pepino*, etc., etc. Pero ¿dónde encontraréis—ni esencial ni existencialmente—lo contrario de una rosa, de un pepino, de una comadreja? El ser carece de contrario, aunque otra cosa os digan. Porque la Nada, su negación, necesitaría para ser su contrario comenzar por ser algo. Y estaría en el mismo caso de la rosa, del pepino, de la comadreja.

(Siempre en guardia)

Ya os he dicho que el escepticismo pudiera no estar de moda, y para ese caso posible, y aun probable, yo os aconsejo también una posición escéptica. Se inventarán nuevos sistemas filosóficos en extremo ingeniosos, que vendrán, sobre todo, de Alemania, contra nosotros los escépticos o filósofos propiamente dichos. Porque el hombre es un animal extraño que necesita—según él—justificar su existencia con la posesión de alguna verdad absoluta, por modesto que sea lo absoluto de esta verdad. Contra esto, sobre todo, contra lo modesto absoluto, debéis estar absolutamente en guardia.

(Sobre la modestia relativa)

Contaba Mairena que había leído en una placa dorada, a la puerta de una clínica, la siguiente inscripción: «Doctor Rimbombe. De cuatro a cinco, consulta a precios módicos para empleados modestos con blenorragia crónica.» Reparad—observaba Mairena—en que aquí lo modesto no es precisamente el doctor, ni, mucho menos, la blenorragia.

(Sobre el Carnaval)

Se dice que el Carnaval es una fiesta llamada a desaparecer. Lo que se ve—decía Mairena—es que el pueblo, siempre que se regocija, *hace carnaval.* De modo que lo carnavalesco, que es lo específicamente popular de toda fiesta, no lleva trazas de acabarse. Y desde un punto de vista más aristocrático, tampoco el Carnaval desaparece. Porque lo esencial carnavalesco no es ponerse careta, sino quitarse la cara. Y no hay nadie tan bien avenido con la suya que no aspire a estrenar otra alguna vez.

XXII

(Una saeta de Abel Martín)

Abel, solo. Entre sus libros
palpita un grueso roskopf.[1]
Los ojos de un gato negro
—dos uvas llenas de sol—
le miran. Abel trabaja,
al voladizo balcón
de sus gafas asomado:[2]

«Es la que perdona Dios.»
. . . Escrito el verso, el poeta
pregunta: ¿quién me dictó?
¡Estas sílabas contadas,
quebrando el agrio blancor
del papel! . . . ¿Ha de perderse
un verso tan español?

Hay blasfemia que se calla
o se trueca en oración;
hay otra que escupe al cielo,
y es la que perdona Dios.

Supongamos—decía Mairena—que Shakespeare, creador de tantos personajes plenamente humanos, se hubiera entretenido en imaginar el poema que cada uno de ellos pudo escribir en sus momentos de ocio, como si dijéramos, en los entreactos de sus tragedias. Es evidente que el poema de Hamlet[3] no se parecería al de Macbeth;[3] el de Romeo[4] sería muy otro que el de Mercurio.[4] Pero Shakespeare sería siempre el autor de esos poemas y el autor de los autores de estos poemas.

Pero, además, ¿pensáis—añadía Mairena—que un hombre no puede llevar dentro de sí más de un poeta? Lo difícil sería lo contrario, que no llevase más que uno.

El escepticismo de los poetas suele ser el más hondo y el más difícil de refutar. Ellos nos engañan casi siempre con su afición a los superlativos.

Después de la verdad—decía mi maestro—nada hay tan bello como la ficción.

Los grandes poetas son metafísicos fracasados.

Los grandes filósofos son poetas que creen en la realidad de sus poemas.

El escepticismo de los poetas puede servir de estímulo a los filósofos. Los poetas, en cambio, pueden aprender de los filósofos el arte de las grandes metáforas, de esas imágenes útiles por su valor didáctico e inmortales por su valor poético. Ejemplos: *El río de Heráclito,*[5] *la esfera de Parménides,*[6] *la lira de Pitágoras,*[7] *la caverna de Platón,*[8] *la paloma de Kant,*[9] etc., etc.

También de los filósofos pueden aprender los poetas a conocer los callejones sin salida del pensamiento, para salir—por los tejados—de esos mismos callejones; a ver, con relativa claridad, la natural *aporética*[10] de nuestra razón, su

---

[1] *roskopf* brand name of a large pocket watch.

[2] *de sus gafas asomado* peering from behind his glasses.

[3] Hamlet, Macbeth, characters in Shakespearian tragedies of same name.

[4] Romeo, hero of Shakespearian play *Romeo and Juliet*; Mercurio, another character in same play.

[5] Heraclitus, Greek philosopher (fifth century B.C.). "All is flux, nothing is stationary," like the river.

[6] Parmenides, Greek philosopher (fifth century B.C.). He assumed that the only reality was absolute or universal being, and tried to explain the world of appearances by the interaction of light and night.

[7] "The lyre of Pythagoras" is a reference to this sixth century B.C. Greek philosopher's theory of the harmony of the spheres. According to Pythagoras, if the sun, moon, and stars correspond to the fourth, fifth, and octave in music, they must give forth sounds like the tuned strings of the lyre.

[8] "Plato's cave," in *The Republic*, Book VII, Plato metaphorically describes man's existence as an enchainment in a dark cave until, with the study of philosophy, man is able to leave the cave and see the truth in the outside light.

[9] "The dove," symbol of peace, refers to Kant's preoccupation in later years with peace. One of his essays was entitled *Perpetual Peace*.

[10] *aporética* Greek word meaning paradox.

profunda irracionalidad, y a ser tolerantes y respetuosos con quienes la usan del revés como don Julián Sanz del Río[1] usaba su gabán en los días más crudos del invierno, con los forros hacia afuera, convencido de que así abrigaba más.

Juan de Mairena decía a sus alumnos de cuando en cuando frases impresionantes, de cuya inexactitud era él el primer convencido; pero que, a su juicio, encerraban una cierta verdad. Y ahora recordamos una sentencia, muy semejante en forma y apariencia a otra más universal de contenido, pero también desmesurada, del gran Xenius:[2] «En nuestra literatura—decía Mairena—casi todo lo que no es *folklore* es pedantería.»

Con esta frase no pretendía Mairena degradar nuestra gloriosa literatura, como, seguramente, Xenius, cuando afirmaba: *Todo lo que no es tradición es plagio*, no pretendía degradar la tradición hasta ponerla al alcance de los tradicionalistas. Mairena entendía por *folklore*, en primer término, lo que la palabra más directamente significaba: saber popular, lo que el pueblo sabe, tal como lo sabe; lo que el pueblo piensa y siente, tal como lo siente y piensa, y así como lo expresa y plasma en la lengua que él, más que nadie, ha contribuído a formar. En segundo lugar, todo trabajo consciente y reflexivo sobre estos elementos, y su utilización más sabia y creadora.

Es muy posible—decía Mairena—, que, sin libros de caballerías y sin romances viejos que parodiar, Cervantes no hubiese escrito su *Quijote*; pero nos habría dado, acaso, otra obra de idéntico valor. Sin la asimilación y el dominio de una lengua madura de ciencia y conciencia popular, ni la obra inmortal ni nada equivalente pudo escribirse. De esto que os digo estoy completamente seguro.

Mucho me temo, sin embargo, que nuestros profesores de Literatura—dicho sea sin ánimo de molestar a ninguno de ellos—os hablen muy de pasada de nuestro *folklore*, sin insistir ni ahondar en el tema, y que pretendan explicaros nuestra literatura como el producto de una actividad exclusivamente erudita. Y lo peor sería que se crease en nuestras Universidades cátedras de *Folklore*, a cargo de especialistas expertos en la caza y pesca de elementos *folklóricos*, para servidos aparte, como materia de una nueva asignatura. Porque esto, que pudiera ser útil alguna vez, comenzaría por ser desorientador y descaminante. Un *Refranero del Quijote*, por ejemplo, aun acompañado de un estudio, más o menos clasificativo, de toda la paremiografía cervantina,[3] nos diría muy poco de la función de los refranes en la obra inmortal. Recordad lo que tantas veces os he dicho: es el pescador quien menos sabe de los peces, después del pescadero, que sabe menos todavía. No. Lo que los cervantistas nos dirán algún día, con relación a estos elementos *folklóricos* del *Quijote*, es algo parecido a esto:

Hasta qué punto Cervantes los hace suyos; cómo los vive; cómo piensa y siente con ellos; cómo los utiliza y maneja; cómo los crea, a su vez, y cuántas veces son ellos molde del pensar cervantino. Por qué ese complejo de experiencia y juicio, de sentencia y gracia, que es el refrán, domina en Cervantes sobre el concepto escueto o revestido de artificio retórico. Cómo distribuye los refranes en esas conciencias complementarias de Don Quijote y Sancho. Cuándo en ellos habla la tierra, cuándo la raza, cuándo el hombre, cuándo la lengua misma. Cuál es su valor sentencioso y su valor crítico y su valor dialéctico. Esto y muchas cosas más podrían decirnos.

XXVII

ENTRE LOS ROMÁNTICOS españoles—habla Mairena a sus alumnos—, yo elegiría a Espronceda.[4] No porque piense yo que sea Espronceda el más puro de nuestros románticos, sino porque, a mi juicio, fué aquel señorito de Almendralejo[5] quien logró acercar más el romanticismo a la entraña

[1] Julian Sanz del Río, Spanish philosopher (1814–1869).

[2] Pseudonym of Eugenio d'Ors (1882–1954).

[3] *paremiografía cervantina* the writing on Cervantine use of proverbs.

[4] Spanish poet and dramatist (1808–1842).

[5] Almendralejo, town in Extremadura where Espronceda was born.

española, hasta pulsar con dedos románticos, más o menos exangües, nuestra vena cínica, no la estoica, y hasta conmover el fondo demoníaco de este gran pueblo—el español—, donde, como 5 sabemos los *folkloristas*, tanto y tan bien se blasfema.

Es Espronceda—como nos muestra su obra escrita y las anécdotas de su vida que conocemos —un cínico en toda la extensión de la palabra, 10 un socrático imperfecto, en quien el culto a la virtud y a la verdad del hombre se complica con el deseo irreprimible de ciscarse en lo más barrido,[1] como vulgarmente se dice. El cínico, en clima cristiano, llega siempre a la blasfemia, de 15 la cual se abstiene, por principio y por humor, su compadre el estoico.

Es Espronceda el más fuerte poeta español de inspiración cínica, por quien la poesía española es—todavía—creadora. Leed, yo os aconsejo, *El* 20 *estudiante de Salamanca*, su obra maestra. Yo la leí siendo niño—a la edad en que debe leerse casi todo—, y no he necesitado releerlo para evocarlo cuando me place, por la sola virtud de algunos de sus versos; por ejemplo:

25   Yo me he echado el alma, atrás, etc.

Grande, muy grande poeta es Espronceda, y su Don Félix de Montemar,[2] la síntesis, o, mejor, la almendra españolísima de todos los Don Juanes. Después del poema de Espron-30 ceda hay una bella página donjuanesca en Baudelaire, que Espronceda hubiera podido adoptar sin escrúpulo—tanto coincide en lo esencial con su Don Félix—como epílogo o como *ex libris*[3] decorativo de *El estudiante de Salamanca*.

35   *Quand Don Juan descendit vers l'onde*
                    souterraine . . .[4]

Las obras poéticas realmente bellas, decía mi maestro—habla Mairena a sus discípulos—, rara vez tienen un solo autor. Dicho de otro modo:

son obras que se hacen solas, a través de los siglos 40 y de los poetas, a veces a pesar de los poetas mismos, aunque siempre, naturalmente, en ellos. Guardad en la memoria estas palabras, que mi maestro confesaba haber oído a su abuelo, el cual, a su vez, creía haberlas leído en alguna 45 parte. Vosotros meditad sobre ellas.

Aunque Judas no hubiese existido—decía mi maestro—, el Cristo habría sido entregado, primero, y crucificado después. El mismo amor de sus discípulos, la ingenuidad de Pedro . . . 50 ¡Quién sabe! De todos modos, la tragedia divina se habría consumado, porque tal era la voluntad más alta. Os digo esto sin la más leve intención de exculpar o defender a Judas Iscariote. Porque hasta ahí no podemos llegar.   55

Con el título *La chochez de Alcibíades* escribió mi maestro una sátira profética, que he buscado en vano entre sus papeles inéditos.

¡Oh corte, quién te desea! He aquí el verso cortesano por excelencia. Día llegará—decía mi 60 maestro—en que las personas distinguidas vivan todas, sin excepción, en el campo, dejando las grandes urbes para la humanidad de munición; si es que la humanidad de munición no hace imposible la existencia de personas distinguidas. 65

Pero no debemos engañarnos. Nuestro amor al campo es una mera afición al paisaje, a la naturaleza como espectáculo. Nada menos campesino y, si me apuráis, menos natural que un paisajista. Después de Juan Jacobo Rousseau,[5] 70 el ginebrino espíritu ahito de ciudadanía, la emoción campesina, la esencialmente geórgica,[6] de tierra que se labra, la virgiliana[6] y la de nuestro gran Lope de Vega,[7] todavía, ha desaparecido. El campo para el arte moderno es 75 una invención de la ciudad, una creación del

---

[1] *ciscarse . . . barrido* to dirty what is considered most pure.
[2] Protagonist of *El estudiante de Salamanca*.
[3] (*Lat.*) *ex libris* book plate.
[4] When Don Juan descended toward the subterranean wave . . .

[5] Jean-Jacques Rousseau, French writer from Geneva (1712–1778).
[6] *geórgica; virgiliana* references to the Roman poet Vergil's (70–19 B.C.) idealization of the country in his *Georgics*.
[7] Great Spanish dramatist and poet (1562–1635).

tedio urbano y del terror creciente a las aglo-
meraciones humanas.

¿Amor a la naturaleza? Según se mire. El
hombre moderno busca en el campo la soledad,
5 cosa muy poco natural. Alguien dirá que se
busca a sí mismo. Pero lo natural en.el hombre
es buscarse en su vecino, en su prójimo, como
dice Unamuno, el joven y sabio rector de
Salamanca. Más bien creo yo que el hombre
10 moderno huye de sí mismo, hacia las plantas y
las piedras, por odio a su propia animalidad, que
la ciudad exalta y corrompe. Los médicos dicen,
más sencillamente, que busca la salud, lo cual,
bien entendido, es indudable.

15 Pero a quien el campo dicta su mejor lección
es al poeta. Porque, en la gran sinfonía campesina, el poeta intuye ritmos que no se acuerdan
con el fluir de su propia sangre, y que son, en
general, más lentos. Es la calma, la poca prisa del
20 campo, donde domina el elemento planetario, de
gran enseñanza para el poeta. Además el campo
le obliga a sentir las distancias—no a medirlas—
y a buscarles una expresión temporal, como, por
ejemplo:

25   El día dormido
      de cerro en cerro y sombra en sombra yace,

que dice Góngora, el bueno, nada gongorino, el
buen poeta que llevaba dentro el gran pedante
cordobés.[1]

30 Tampoco hemos de olvidar la lección del
campo para nuestro amor propio. Es en la soledad campesina donde el hombre deja de vivir
entre espejos. Cierto que a un solipsismo[2] bien
entendido la apariencia de nuestro prójimo no
35 debe inquietar, pues ella va englobada en nuestra
mónada.[3] Pero prácticamente, nos inquieta, es
una representación inquietante. ¡Tantos ojos
como nos miran, y que no serían ojos si no nos
viesen! Mas todos ellos han quedado lejos. ¡Y
40 esos magníficos pinares, y esos montes de piedra,
que nada saben de nosotros, por mucho que

nosotros sepamos de ellos! Esto tiene su encanto, aunque sea también grave motivo de
angustia.

XXIX   45

SIEMPRE DEJÉ a un lado el tema del amor por
esencialmente poético y, en cierto sentido, ajeno
a nuestra asignatura, y porque, en otro cierto
sentido, de nada como del amor ha usado y
abusado tanto la Retórica. Otrosí: el amor es 50
tema escabrosísimo para tratarlo en clase, y muy
complicado desde que la ciencia lo ha hecho
suyo y los psiquiatras nos han descubierto
muchas cosas desagradables que de él ignorába-
mos y han inventado tantos nombres para 55
mentarlas y definirlas. Item más: las mujeres, y
aun los hombres, no sólo se confiesan ya con los
sacerdotes, sino que también con los médicos, y
han duplicado así, por un lado, el secreto del
amor, y por otro, su malicia; aunque por otro 60
lado—un tercer lado—hayan enriquecido el
tesoro documental del erotismo.

Una cosa terrible, contra muchas ventajas,
tiene el aumento de la cultura por especialización
de la ciencia: que nadie sabe ya lo que se sabe, 65
aunque sepamos todos que de todo hay quien
sepa. La conciencia de esto nos obliga al silencio
o nos convierte en pedantes, en hombres que
hablan, sin saber lo que dicen, de lo que otros
saben. Así, la suma de saberes, aunque no sea en 70
totalidad poseída por nadie, aumenta en todos y
en cada uno, abrumadoramente, el volumen de
la conciencia de la propia ignorancia. Y váyase lo
uno—como decía el otro—por lo otro. Os confieso, además, que no acierto a imaginar cuál 75
sería la posición de un Sócrates moderno, ni en
qué pudiera consistir su ironía, ni cómo podría
aprovecharnos su mayéutica.[4]

Pero ¿y el *nosce te ipsum*, la sentencia délfica?[5]
¿A qué puede obligarnos ya ese imperativo? He 80
aquí lo verdaderamente grave del problema. Si la

---

[1] From Córdoba, city of southern Spain.

[2] Solipsism, the belief that all reality is subjective.

[3] *mónada* monad: philosophical term meaning each one
of the individual beings of which the universe is composed.

[4] *mayéutica* In Socrates' method, *mayéutica* meant to
make the interlocutor's inner thoughts, which he did not
know were there, come out.

[5] Know thyself, what the Delphic oracle said.

ciencia del conocimiento de sí mismo, que Sócrates reputaba única digna del hombre, pasa a saber de especialistas, estamos perdidos. Dicho en otra forma: ¿cómo podrás saber algo
5 de ti mismo, si de esa materia, como de todas las demás, es siempre otro el que sabe algo?

(Apuntes de Mairena. «De un discurso político»)

«Cierto es, señores, que la mitad de nuestro
10 corazón se queda en la patria chica;[1] pero la otra mitad no puede contenerse en tan estrechos límites; con ella invadimos amorosamente la totalidad de nuestra gloriosa España. Y si dispusiéramos de una tercera mitad, la consagra-
15 ríamos íntegramente al amor de la humanidad entera.» Analícese este párrafo desde los puntos de vista lógico, psicológico y retórico.

Todo parece aconsejarnos—sigue hablando Mairena a sus alumnos—, y muy especialmente
20 a nosotros, los españoles, la vuelta a la Sofística.[2] Porque también nosotros hemos sido sofistas a nuestro modo, como los franceses lo fueron al suyo. Pero a nosotros nos falló la fe protagórica[3] en el hombre como medida universal, y no
25 pusimos, hasta la fecha, nuestro robusto ingenio a su servicio. Era una fe demasiado inteligente, que no se recomendaba por el gesto y el talante. Nos apartamos de ella a *medio desdén*, como dice Lope:

30   puesta la mano en la espada

o en el crucifijo, que dicen otros. El ademán garboso nos ha perdido. Yo os aconsejo que habléis siempre con las manos en los bolsillos.

El gran pecado—decía mi maestro Abel
35 Martín—que los pueblos no suelen perdonar es el que se atribuía a Sócrates, con razón o sin ella: el de introducir nuevos dioses. Claro es que entre los dioses nuevos hay que incluir a los viejos, que se tenía más o menos decorosamente

jubilados. Y se comprende bien esta hincha a los
40 nuevos dioses, que lo sean o que lo parezcan, porque no hay novedad de más terribles consecuencias. Los hombres han comprendido siempre que sin un cambio de dioses todo continúa aproximadamente como estaba, y que todo cam-
45 bia, más o menos catastróficamente cuando cambian los dioses.

Pero los dioses cambian por sí mismos, sin que nosotros podamos evitarlo, y se introducen solos, contra lo que pensaba mi maestro, que se
50 jactaba de haber introducido el suyo. Nosotros hemos de procurar solamente verlos desnudos y sin máscara, tales como son. Porque los dioses no pueden decirse lo que se dice de Dios: que se muere quien ve su cara. Los dioses nos acom-
55 pañan en vida, y hay que conocerlos para andar entre ellos. Y nos abandonan silenciosamente en los umbrales de la muerte, de donde ellos, probablemente, no pasan. Trabajemos todos para merecer esa suave melancolía de los dioses, que
60 tan bien expresaron los griegos en sus estelas funerarias.

(*De senectute*)[4]

De la vejez, poco he de deciros, porque no creo haberla alcanzado todavía. Noto, sin em-
65 bargo, que mi cuerpo se va poniendo en ridículo; y esto es la vejez para la mayoría de los hombres. Os confieso que no me hace maldita la gracia.

Hay viejos, sin embargo, de aspecto venerable, que nos recuerdan el verso virgiliano dedicado a
70 Caronte:[5]

iam senior, sed cruda deo viridisque senectus.[6]

Si supiera más latín hablaría de ellos, como ellos se merecen, en esa magnífica lengua de senadores. Pero estos viejos abundan poco. La
75 naturaleza no parece tomar muy en serio a la

---

[1] *patria chica* the town where one was born.
[2] Sophistry, given to fallacious subtleties in teaching.
[3] In the sophist manner of the Greek Protagoras (fifth century).

[4] (*Lat.*) On old age.
[5] The boatman in classical mythology who ferried the souls of the dead across the River Styx to the nether regions.
[6] (*Lat.*) *iam . . . senectus* See note 1 on page 310.

vejez. Lo frecuente es el vejancón, el vejete, o la sedicente persona seria, un personaje cómico que suele empuñar la batuta en casi todas las orquestas.

5   Pero el problema de la vejez se inicia para nosotros, como todos los problemas, cuando nos preguntamos si la vejez existe. Entendámonos: si la vejez existe con independencia del reuma, la arteriosclerosis y otros achaques más o menos 10 aparentes, que contribuyen al progresivo deterioro de nuestro organismo. Porque si la vejez no fuera más que ese proceso de mineralización de nuestras células, no tendría para nosotros interés alguno; y Séneca,[1] y Cicerón,[2] y tantos otros que 15 pretendieron decir algo interesante de ella, habrían perdido su tiempo. Nosotros nos preguntamos si es algo la vejez en nuestro espíritu, o en lo que así llamamos; si es parte esencial de nuestra mónada, algo que en ella se da y 20 cumple, y de lo cual tendríamos alguna noción, aunque careciésemos de espejos, ignorásemos la significación de las canas y arrugas de nuestro prójimo y gozásemos de la más grata y suave cenestesia.[3] La creencia más o menos ingenua en 25 la dualidad de sustancias tiende a contestar esta pregunta negativamente: «El espíritu no envejece, y nada sabría de la vejez sin la vil carroña que lo envuelve.» Pero esta creencia del sentido común no ha de ir necesariamente unida a la fe 30 en la supervivencia. Porque el espíritu pudiera ser aniquilado sin envejecer. Y la más acentuada apariencia de la muerte es la de algo intacto y juvenil que cesa súbita y milagrosamente dentro de un vejestorio. En realidad, es siempre lo que 35 envejece, lo sometido a proceso de deterioro, lo que nunca hemos visto aniquilado.

Otra cosa quiero decir de la vejez—y con esto agoto mi saber de este asunto—, y es que, aun vista desde fuera, ella da origen a los juicios más 40 diversos y encontrados, puesto que algunos la deploran como un daño y otros la encomian y jalean como un bien positivo. Y entre los pocos afectos a la vejez—que no son tantos como sus apologistas y simpatizantes—se da el caso curioso de Leonardo de Vinci,[4] que la ve y juzga 45 contradictoriamente, ya como un decaimiento físico, ya como una exaltación dinámica. Y así nos dice en su *Tratado de la Pintura* cómo conviene figurar a los viejos con tardos y perezosos movimientos, inclinado el cuerpo, dobladas las 50 rodillas, etc., etc. Y en el siguiente párrafo: «Las viejas se representarán atrevidas y prontas, con movimientos impetuosos (casi como los de las Furias[5] infernales), aunque con más viveza en los brazos que en las piernas.» Hay aquí una dis- 55 tinción algo desmesurada entre los viejos y las viejas. Mi maestro, sin embargo, la hizo suya en su *Política de Satanás*, donde se leen estas palabras: «Conviene que la mujer permanezca abacia,[6] carente de voz y voto en la vida pública, 60 no sólo porque la política sea, como algunos pensamos, actividad esencialmente varonil, sino porque la influencia política de la mujer convertiría muy en breve el gobierno de los viejos en gobierno de las viejas, y el gobierno de las viejas, 65 en gobierno de las brujas. Y esto es lo que a toda costa conviene evitar.»

XXX

UNO DE LOS MEDIOS más eficaces para que las cosas no cambien nunca por dentro es renovarlas 70 —o removerlas—constantemente por fuera. Por eso—decía mi maestro—los originales ahorcarían si pudieran a los novedosos, y los novedosos apedrean cuando pueden, sañudamente, a los originales. 75

Porque no hay más lengua viva que la lengua en que se vive y piensa, y ésta no puede ser más que una—sea o no la materna—, debemos contentarnos con el conocimiento externo,

---

[1] Séneca (2–66), famous Roman writer and philosopher.
[2] Famous Roman writer and orator (106–43 B.C.).
[3] Cenesthesis: a psychological term meaning the general mass of sensation as differentiated from specific sensations.

[4] Famous Italian artist and scientist (1452–1519).
[5] Three Roman goddesses who punished man's crimes. Their heads were crowned with serpents and in one hand they carried a torch, in the other, a dagger.
[6] abacia = abasia, a medical term meaning unable to work.

gramatical y literario de las demás. No hay que empeñarse en que nuestros niños hablen más lengua que la castellana, que es la lengua imperial de su patria. El francés, el inglés, el alemán, el italiano, deben estudiarse como el latín y el griego, sin ánimo de *conversarlos*. Un *causeur*[1] español, entre franceses cultos, será siempre algo perfectamente ridículo; vuelto a España al cabo de algunos años, será un hombre intelectualmente destemplado y disminuído, por la dificultad de pensar bien en dos lenguas distintas. ¡Que Dios nos libre de ese hombre que traduce a su propio idioma las muchas tonterías que, necesariamente, hubo de pensar en el ajeno! Y si llega a ministro . . .

Así hablaba mi maestro, un hombre un tanto reaccionario, y no siempre de acuerdo consigo mismo, porque, por otro lado, no podía soportar a los castizos de su propia tierra, y si eran de Valladolid,[2] mucho menos.

Nadie debe asustarse de lo que piensa, aunque su pensar aparezca en pugna con las leyes más elementales de la lógica. Porque todo ha de ser pensado por alguien, y el mayor desatino puede ser un punto de vista de lo real. Que dos y dos sean necesariamente cuatro, es una opinión que muchos compartimos. Pero si alguien sinceramente piensa otra cosa, que lo diga. Aquí no nos asombramos de nada. Ni siquiera hemos de exigirle la prueba de su aserto, porque ello equivaldría a obligarle a aceptar las normas de nuestro pensamiento, en las cuales habrían de fundarse los argumentos que nos convencieran. Pero estas normas y estos argumentos sólo pueden probar nuestra tesis; de ningún modo la suya. Cuando se llega a una profunda disparidad de pareceres, el *onus probandi*[3] no incumbe realmente a nadie.

Ese pintor—tan impresionante—que ve lo vivo muerto y lo muerto vivo, nos pinta unos hombres terrosos en torno de una mesa de mármol, y, sobre ésta, tazas, copas y botellas fulgurantes, que parecen animadas de una extraña inquietud, como si fueran de un momento a otro a saltar en pedazos para incrustarse en el techo. Es un pintor que ha visto la vida donde nosotros no la vemos, y que ha reparado mejor que nosotros en la muerte que llevamos encima. A mí me parece sencillamente un artista genial, puesto que, viendo las cosas como nosotros no las vemos, nos obliga a verlas como él las ve. Discutir con él para demostrarle que un hombre estará siempre más vivo que un sifón de agua seltz, o para que nos pruebe lo contrario, sería completamente superfluo para él y para nosotros.

Que de la esencia no se puede deducir la existencia es para muchos verdad averiguada, después de Kant; que de la existencia tampoco se deduce necesariamente la esencia—lo que el ser es, suponiendo que el ser sea algo—no pueden menos de creerlo cuantos disputan mera apariencia el mundo espacioso-temporal. Si ahondamos en estas dos creencias complementarias, tan fecundas en argumentos de toda laya, nos topamos con la fe inapelable de la razón humana: la fe en el vacío y en las palabras.

¿Y adónde vamos nosotros, aprendices de poeta, con esta fe nihilista de nuestra razón, en el fondo del baúl de nuestra conciencia? Se nos dirá que nuestra posición de poetas debe ser la del hombre ingenuo, que no se plantea ningún problema metafísico. Lo que estaría muy bien dicho si no fuera nuestra ingenuidad de hombres la que nos plantea constantemente estos problemas.

(Acotación a Mairena)

Juan de Mairena era un hombre de otro tiempo, intelectualmente formado en el descrédito de las filosofías románticas, los grandes rascacielos de las metafíscas postkantianas, y no había alcanzado y no tuvo noticia de este moderno resurgir de la fe platónico-escolástica en la realidad de los universales, en la posible intuición de las esencias, la *Wesenschau*[4] de los fenomenó-

---

[1] (*Fr.*) conversationalist.
[2] Machado is mocking here the exaggerated sense of being "*castellano*" as found in the city of Valladolid.
[3] (*Lat.*) the burden of proof.

[4] The vision of what is essential by the phenomenologists of Freiburg, Germany (scientists who describe phenomena without explaining them).

logos de Friburgo. Mucho menos pudo alcanzar las últimas consecuencias del temporalismo bergsoniano,[1] la fe en el valor ontológico de la existencia humana. Porque, de otro modo, hubiera tomado más en serio las fantasías poético-metafísicas de su maestro Abel Martín . . . aquel *existo, luego soy,*[2] con que su maestro pretendía nada menos que enmendar a Descartes, le hubiera parecido algo más que una gedeonada, buena para sus clases de Retórica y de Sofística.

Sostenía mi maestro—sigue hablando Mairena a sus alumnos—que el fondo de nuestra conciencia a que antes aludíamos, no podía ser esa fe nihilista de nuestra razón, y que la razón misma no había dicho con ella la última palabra. Su filosofía, que era una meditación sobre el trabajo poético, le había conducido a muy distintas conclusiones y revelado convicciones muy otras que las ya enunciadas. Pensaba mi maestro que la poesía, aun la más amarga y negativa, era siempre un acto vidente, de afirmación de una realidad absoluta, porque el poeta cree siempre en lo que ve, cualesquiera que sean los ojos con que mire. El poeta y el hombre. Su experiencia vital—¿y qué otra experiencia puede tener el hombre?—le ha enseñado que no hay que vivir sin ver, que sólo la visión es evidencia y que nadie duda de lo que ve, sino de lo que piensa. El poeta—añadía—logra escapar de la zona dialéctica de su espíritu, irremediablemente escéptica, con la convicción de que ha estado pensando en la nada, entretenido con ese hueso que le dió a roer la divinidad para que pudiera pasar el rato y engañar su hambre metafísica. Para el poeta sólo hay *ver y cegar, un ver que se ve*, pura evidencia, que es el ser mismo, y un acto creador, necesariamente negativo, que es la misma nada.

De un modo mítico y fantástico lo expresaba así mi maestro:

> Dijo Dios: «Brote la Nada.»
> Y alzó su mano derecha
> hasta ocultar su mirada.
> Y quedó la Nada hecha.

Anotad esos versos, aunque sólo sea por su valor retórico, como modelo de expresión enfática del pensamiento. Y dejemos para otro día el ahondar algo más en la poética de mi maestro.

XL

A Manos de su Antojo el Tonto Muere.

Me parece que es el maestro fray Luis quien dice esto en su magnífica traducción del libro de Job. ¿Qué opina el oyente de esta sentencia?

—Eso—respondió el oyente—no está mal.

—¿. . . ?

—Quiero decir que no estaría mal.

(Sobre la paternidad calderoniana del «Don Juan», de «Tirso»)

Recordad que «Tirso» da a su Comendador, el de su famosa comedia *El burlador de Sevilla*,[3] una muerte perfectamente calderoniana. Cuando Don Juan, tras su breve faena con doña Ana de Ulloa, pregunta:

> ¿Quién está ahí?

responde Don Gonzalo, definiéndose como víctima del deshonor de su hija:

> La barbacana caída
> de la torre de mi honor,
> que echaste en tierra, traidor,
> donde era alcaide la vida.

Herido por la espada de Don Juan, todavía dialoga con éste. Ya solo y en tierra, cuando Don Juan y Catalinón han huído, muere razonando:

> La sangre fría,
> con el furor aumentaste.
> Muerto soy; no hay bien que aguarde.
> Seguiráte mi furor;
> que eres traidor, y el traidor
> es traidor porque es cobarde.

[1] Philosophy formulated by the Frenchman, Henri Bergson (1859–1941), concerned with the duration of time. Whereas, since Plato, philosophy had regarded time as an illusion, Bergson presented time in its durational aspect.

[2] A reference to Descartes' famous words in Latin, "*cogito, ergo sum*".

[3] Famous play on Don Juan theme by Spanish playwright Tirso de Molina (1571–1648).

La verdad es—añadió Mairena—que todos estos versos, de insuperable barroquismo retórico, son tan calderonianos que nosotros, sin más averiguaciones, no vacilamos en atribuírselos al propio Calderón de la Barca. Y si alguien nos prueba que fué «Tirso» quien los escribió, nosotros sostendremos impertérritos, recordando a los médicos del Zadig volteriano,[1] que fué Calderón quien debió escribirlos.

Vamos a otra cosa. Recordad estos versos con que termina Clotaldo, en *La vida es sueño*,[2] una extensa admonición a Rosaura y a Clarín, sorprendidos en la torre de Segismundo:

> Rendid las armas y vidas,
> o aquesta pistola, áspid
> de metal, escupirá
> el veneno penetrante
> de dos balas, cuyo fuego
> será escándalo del aire.

Un refundidor de nuestros días hubiera dicho: «¡Arriba las manos!» o «¡Al que se mueva, lo abraso!», creyendo haber enmendado la plana a Calderón y que su pistola de teatro era más temible y más eficaz que la del viejo cancerbero calderoniano. Sobre esto habría mucho que hablar. Porque el Clotaldo de Calderón parece estar tan seguro de su retórica como de su pistola. Y aquello de que va a ser el aire lo que se escandalice . . . ¡Ojo a Clotaldo! Porque el perfecto pistolero es el que, como Clotaldo, no necesita disparar.

De todas las máquinas que ha construído el hombre, la más interesante es, a mi juicio, el reloj, artefacto específicamente humano, que la mera animalidad no hubiera inventado nunca. El llamado *homo faber*[3] no sería realmente *homo* si no hubiera fabricado relojes. Y en verdad, tampoco importa mucho que los fabrique; basta con que los use; menos todavía: basta con que

los necesite. Porque el hombre es el animal que mide su tiempo.

Sí; el hombre es el animal que usa relojes. Mi maestro paró el suyo—uno de plata que llevaba siempre consigo—, poco antes de morir, convencido de que en la vida eterna a que aspiraba no había de servirle de mucho, y en la Nada, donde acaso iba a sumergirse, de mucho menos todavía. Convencido también—y esto era lo que más le entristecía—de que el hombre no hubiera inventado el reloj si no creyera en la muerte.

El reloj es, en efecto, una prueba indirecta de la creencia del hombre en su mortalidad. Porque sólo un tiempo finito puede medirse. Esto parece evidente. Nosotros, sin embargo, hemos de preguntarnos todavía para qué mide el hombre el breve tiempo de que dispone. Porque sabemos que lo puede medir; pero ¿para qué lo mide? No digamos que lo mide para aprovecharlo, disponiendo en orden la actividad que lo llena. Porque esto sería una explicación utilitarista que a nosotros, filósofos, nada nos explica. Si lo mide, en efecto, para aprovecharlo, ¿para qué lo aprovecha? Pregunta que sigue llevando implícito el «¿Para qué lo mide?» incontestado. A mi juicio, le guía una ilusión vieja como el mundo: la creencia de Zenón de Elea[4] en la infinitud de lo finito por su infinita divisibilidad. Ni Aquiles, el de los pies ligeros, alcanzará nunca a la tortuga, ni una hora bien contada se acabaría nunca de contar. Desde nuestro punto de mira, siempre metafísico, el reloj es un instrumento de sofística como otro cualquiera. Procurad desarrollar este tema con toda la minuciosidad y toda la pesadez de que seáis capaces.

Como remate, no ya decorativo, sino lógico, del edificio cósmico definía mi maestro al dios aristotélico. «Es un dios lógico por excelencia. ¡Y qué cosa tan absurda—añadía—es la lógica!» Visto desde abajo, ese dios aristotélico es la

---

[1] A reference to Voltaire's short novel, *Zadig* (1747), Chap. I. Eminent doctors are called in to treat Zadig's eye, which was wounded, but they proclaim it lost. Then it heals by itself. Despite this, Dr. Hermes writes a book proving that the eye should not have been saved.
[2] Calderón's most famous play.
[3] (*Lat.*) craftsman.

[4] Greek philosopher (fifth century B.C.), author of the famous argument about Achilles and the tortoise, by which he denied the reality of movement.

quietud que todo lo mueve, o, si os place, la gran quietud a que aspira todo lo que se mueve. Y si preguntáis por qué ese dios que engendra el movimiento por su contacto con el mundo, con la
5 esfera superior de las estrellas fijas, no se mueve a su vez, contestamos: Todo acaba, en cierto modo, allí donde empieza; de suerte que más allá del comienzo del movimiento está la quietud, y a la quietud no hay quien la mueva, porque
10 cesaría *ipso facto* de ser quietud. En suma, que el dios aristotélico no se mueve porque no hay quien le atraiga o le empuje, y no es cosa de que él se empuje o se atraiga a sí mismo. ¿En qué consiste entonces su quieta actividad? En pen-
15 samiento puro, en pura inteligencia: inteligencia de la inteligencia—*nóesis noéseos*—.[1] Dicho de otro modo: Nosotros lo pensamos todo hasta llegar a Dios; en él acaba, porque en él empieza nuestra actividad pensante. Y arriba está Dios
20 pensándose a sí mismo. En verdad, no parece que le quede otro recurso. Todo esto es perfectamente lógico. La lógica es—añadía mi maestro —la gran rueda de molino con que comulga la Humanidad entera[2] a través de los siglos.

25 Las voces interjectivas—palabrotas, tacos y reniegos que truenan superabundantes en el discurso de algunos de nuestros compatriotas—no son, en modo alguno, como las voces expletivas de que aparece empedrada la prosa de los grie-
30 gos: ni mojones o hitos que acotan y limitan el pensar, ni elementos eufónicos del lenguaje, ni gonces lógicos sobre los cuales pueda girar el discurso, ni agujas para cambiarle de vía. Son más bien válvulas de escape de un motor de explo-
35 sión. Ejemplo: «Porque yo, *¡canastos!*,[3] con la impresión, *¡pucheta!*,[3] dije: *¡Concho!*[3] ¿Qué silletero asco de materia fecal es esto? ¡¡¡Redieeez!!!»[3]

Cuando estudiemos más despacio estos fenó-
40 menos de la lengua viva, nos habremos apartado bastante de la literatura; pero no mucho, como acaso pensáis, de la poética.

[1] (*Grk.*) intelligence of intelligence.
[2] *la gran . . . entera* the way all Humanity has been fooling itself.
[3] Bowdlerized exclamations, each one substituting for a strong expression of distaste.

XLIV

EN TODO CAMBIO hay algo que permanece, es decir, que no cambia. Esto es lo que solemos 45 llamar sustancia. Pero si no hay más cambio que los cambios de lugar o movimientos, tendríamos que decir: en todo movimiento hay algo que no se mueve; sustancia es lo inmóvil en el movimiento. Esta proposición es en sí misma 50 contradictoria, y tanto más contradictoria nos aparecerá cuanto más lógicamente la expresemos: sustancia es todo lo que al cambiar de lugar no cambia de lugar, todo lo que al moverse no se mueve. Claro es que los hombres de ciencia se 55 reirán de estas lucubraciones nuestras; porque ellos han licenciado la sustancia y se han quedado con el movimiento. Para ellos no hay inconveniente en pensar el movimiento sin pensar en algo que se mueva. Porque lo que ellos dicen: si 60 hay una entidad subsistente o *subestante*[4] y no la conocemos, es como si no existiera, y no hemos de predicar de ella ni el movimiento ni el reposo; mucho menos en el caso de que la tal entidad no exista. Queda, pues, jubilada la sustancia y, con-65 secuentemente, el movimiento de la sustancia. Pero nos quedamos con el movimiento, un movimiento puro, puro de toda sustancia; un movimiento en que nada se mueve, ni la nada misma. ¡Oh, la nada, naturalmente, menos que 70 nada!

Dejemos para otro día el examen de la definición que hacía mi maestro de la sustancia: «Sustancia es aquello que si se moviera no podría cambiar, y porque cambia constantemente 75 lo encontramos siempre en el mismo sitio.»

Descansemos un poco de nuestra actividad raciocinante, que es, en último término, un análisis corrosivo de las palabras. Hemos de vivir en un mundo sustentado sobre unas cuantas 80 palabras, y si las destruimos, tendremos que sustituirlas por otras. Ellas son los verdaderos atlas del mundo; si una de ellas nos falla antes de tiempo, nuestro universo se arruina.

La inseguridad, la incertidumbre, la descon-85 fianza, son acaso nuestras únicas verdades. Hay

[4] Neologism, meaning something there which we do not see.

que aferrarse a ellas. No sabemos si el sol ha de salir mañana como ha salido hoy, ni en caso de que salga si saldrá por el mismo sitio, porque en verdad tampoco podemos precisar ese sitio con
5 exactitud astronómica, suponiendo que exista un sitio por donde el sol haya salido alguna vez. En último caso, aunque penséis que esas dudas son, de puro racionales, pura pedantería, siempre admitiréis que podamos dudar de que el sol salga
10 mañana para nosotros. La inseguridad es nuestra madre; nuestra musa es la desconfianza. Si damos en poetas es porque, convencidos de esto, pensamos que hay algo que va con nosotros digno de cantarse. O si os place, mejor, porque
15 sabemos qué males queremos espantar con nuestros cantos.

Sin embargo nosotros hemos de preguntarnos todavía, en previsión de preguntas que pudieran hacérsenos, si al declararnos afectados por in-
20 quietudes metafísicas adoptamos una posición realmente sincera. Y nos hacemos esta pregunta para contestarla con un sencillo encogimiento de hombros. Si esta pregunta tuviera algún sentido, tendríamos que hacer de ella un uso, por su ex-
25 tensión, inmoderado. ¿Será cierto que usted, ajedrecista, pierde el sueño por averiguar cuántos saltos puede dar un caballo en un tablero sin tropezar con una torre? ¿Será cierto que a usted, cantor de los lirios del prado, nada le dice el olor
30 de la salchicha frita? ¿Hasta dónde llegaríamos por el camino de estas preguntas? Por debajo de ellas, en verdad, ya cuando se nos hacen, ya cuando nosotros mismos nos las formulamos, hay un fondo cazurro y perverso: la sospecha, y,
35 casi me atreveré a decir, el deseo de que la verdad humana—lo sincero—sea siempre lo más vil, lo más ramplón y zapatero.

Pero nosotros nos inclinamos más bien a creer en la dignidad del hombre, y a pensar que es lo
40 más noble en él el más íntimo y potente resorte de su conducta. Porque esta misma desconfianza de su propio destino y esta incertidumbre de su pensamiento, de que carecen acaso otros animales, van en el hombre unidas a una voluntad
45 de vivir que no es un deseo de perseverar en su propio ser, sino más bien de mejorarlo. El hombre es el único animal que quiere salvarse, sin confiar para ello en el curso de la naturaleza. Todas las potencias de su espíritu tienden a ello, se enderezan a este fin. El hombre quiere
50 ser otro. He aquí lo específicamente humano. Aunque su propia lógica y natural sofística lo encierren en la más estrecha concepción solipsística, su mónada solitaria no es nunca pensada como autosuficiente, sino como nostálgica de lo
55 otro, paciente de una incurable alteridad. Si lográsemos reconstruir la metafísica de un chimpancé o de algún otro más elevado antropoide, ayudándole cariñosamente a formularla, nos encontraríamos con que era esto lo que le faltaba
60 para igualar al hombre: una esencial disconformidad consigo mismo que lo impulse a desear ser otro del que es, aunque, de acuerdo con el hombre, aspire a mejorar la condición de su propia vida: alimento, habitación más o menos
65 arbórea, etc. Reparad en que, como decía mi maestro, sólo el pensamiento del hombre, a juzgar por su misma conducta, ha alcanzado la categoría supralógica del deber ser o *tener que ser lo que no se es*, o esa idea del bien que el divino
70 Platón encarama sobre la del ser mismo y de la cual afirma con profunda verdad que no hay copia en este bajo mundo. En todo lo demás no parece que haya en el hombre nada esencial que lo diferencie de los otros primates (véase Abel
75 Martín: *De la esencial heterogeneidad del ser*).

Otra vez quiero recordaros lo que tantas veces os he dicho: no toméis demasiado en serio nada de cuanto oís de mis labios, porque yo no me creo en posesión de ninguna verdad que pueda
80 revelaros. Tampoco penséis que pretendo enseñaros a desconfiar de vuestro propio pensamiento, sino que me limito a mostraros la desconfianza que tengo del mío. No reparéis en el tono de convicción con que a veces os hablo,
85 que es una exigencia del lenguaje meramente retórica o gramatical, ni en la manera algo *cavalière*[1] o poco respetuosa que advertiréis alguna vez en mis palabras cuando aludo, siempre de pasada, a los más egregios pensadores. Resabios
90

[1] (*Fr.*) cavalier, frivolous.

son éstos de viejo ateneísta, en el más provinciano sentido de la palabra. En ello habéis de seguirme menos que en nada.

Y dicho esto, paso a deciros otra cosa. El árbol de la cultura, más o menos frondoso, en cuyas ramas más altas acaso un día os encaraméis, no tiene más savia que nuestra propia sangre, y sus raíces no habéis de hallarlas sino por azar en las aulas de nuestras escuelas, academias, universidades, etc., y no os digo esto para curaros anticipadamente de la solemne tristeza de las aulas que algún día pudiera aquejaros, aconsejándoos que no entréis en ellas. Porque no pienso yo que la cultura, y mucho menos la sabiduría, haya de ser necesariamente alegre y cosa de juego. Es muy posible que los niños, en quienes el juego parece ser la actividad más espontánea, no aprendan nada jugando; ni siquiera a jugar.

Nunca os jactéis de autodidactos, os repito, porque es poco lo que se puede aprender sin auxilio ajeno. No olvidéis, sin embargo, que este poco es importante y que además nadie os lo puede enseñar.

Zapatero, a tu zapato,[1] os dirán. Vosotros preguntad: «¿Y cuál es mi zapato?» Y para evitar confusiones lamentables, ¿querría usted decirme cuál es el suyo?

Sobre la claridad he de deciros que debe ser vuestra más vehemente aspiración. El solo intento de sacar al sol vuestra propia tiniebla es ya plausible. Luego, como dicen en Aragón: ¡Veremos!

Sigue hablando Mairena (1938)

XLV

NO HAY VERDADES ESTÉRILES—habla Juan de Mairena—ni aun siquiera aquéllas que se dicen mucho después que pudieron decirse; porque nunca para la verdad es tarde. Lo censurable es que se pretenda confundir y abrumar con la verdad rezagada a quienes acertaron a decirla más oportunamente. Esto encierra una cierta injusticia y, en el fondo, falta de respeto a la verdad. Pero dejemos a un lado nuestro amor propio herido de hombres no escuchados a tiempo, y alegrémonos siempre de que la verdad se diga, aunque tardíamente, y aunque parezca dicha en contra nuestra.

Suele vivir el hombre crucificado sobre su propia vanidad, literalmente asado sobre las ascuas de su negra honrilla.[2] Es condición humana este cruel suplicio—añadía Juan de Mairena—y no es justo que pierda totalmente nuestra simpatía quien lo padece. Pero también es condición del hombre el afán de mejorar esta condición, y aun la posibilidad de mejorarla, quiero decir, en este caso, de libertarse un poco de la cruz y las ascuas supradichas. Y nuestra mayor estimación irá hacia aquellos hombres que lo intentan, aunque no siempre lo consigan, a saber, hacia los hombres de espíritu filosófico que suelen pensar más por amor a la verdad que por amor al hombrecillo que todos y cada uno de nosotros llevamos a cuestas.

Reparad—añadía Juan de Mairena—que las filosofías más profundas apenas si persiguen otra finalidad que la total extirpación del amor propio; lo que quiere decir que es meta tan alejada que nadie puede temer alcanzarla. Porque también es el filósofo—digámoslo de pasada—el hombre que no quisiera dar nunca en el blanco hacia el cual dispara, y para ello lo pone más allá del alcance de toda escopeta, o por el contrario (que viene a ser lo mismo) el hombre que se coloca en el blanco a que todos apuntan, convencido de que es allí donde no pueden caer las balas.

Reparemos—decía Juan de Mairena—en que la humanidad produce muy de tarde en tarde hombres profundos, quiero decir hombres que ven un poco más allá de sus narices (Buda, Sócrates, Cristo); los cuales no abusan nunca de la retórica, no predican nunca al convencido, y son, por ello mismo, los únicos hombres que han

---

[1] *Zapatero, a tu zapato* a proverb advising men to judge only what they know well.

[2] *su negra honrilla* his concern for what people will say.

tenido alguna virtud suasoria. Y esto es tan cierto que hasta pudiera probarse con números. Son hombres de buen gusto, dotados siempre de ironía, nunca pedantes—ni siquiera escriben—, rara vez a la moda, y a los cuales, porque nunca pasaron, hay siempre que volver. De cuando en cuando no falta un jabato que se revuelve contra ellos, un bravo novillo que frente a ellos se encampane.

Ladrón de energías, llamaba Nietzsche al Cristo. Y es lástima—añadía Mairena—que no nos haya robado bastante.

Siempre estimé como de gusto deplorable y muestra de pensamiento superficial el escribir contra la divinidad de Jesucristo. Es el afán demoledor de los pigmeos que no admiten más talla que la suya.

No, amigos míos—sigue hablando Mairena a sus alumnos—, no puede el Cristo escapar a la divinidad de su origen o de su destino. Lo he dicho muchas veces y lo repito, aun a riesgo de parecer cargoso. O fué, como muchos piensan, el hijo de Dios, venido al mundo para expiar en la Cruz los pecados del hombre, o, como pensamos los herejes coleccionistas de excomuniones, el hijo del hombre que se hizo Dios para expiar en la Cruz los pecados de la divinidad. En este sentido prometeico y de viva blasfemia parece anunciarse el cristianismo futuro.

Y si el Cristo vuelve, de un modo o de otro, ¿renegaremos de Él porque también lo esperen los sacristanes?

(Mairena expone y comenta sus sueños)

La otra noche soñé, decía Juan de Mairena a sus alumnos—hacia 1909—, que esta clase sin cátedra, reunión de amigos más que otra cosa, iba a ser suprimida de Real Orden. Toda una Real Orden para suprimir una clase voluntaria y gratuita. Se me acusaba de hombre que descuida la clase obligatoria y retribuída de que es titular —vosotros sabéis que no soy oficialmente profesor de Retórica, sino de Gimnasia—en momentos más adecuados para ejercicios físicos que para ejercicios *espirituales*. Siempre he sido un hombre muy atento a los propios sueños, porque ellos nos revelan nuestras más hondas inquietudes, aquellas que no siempre afloran a nuestra conciencia vigilante. Digamos de pasada que esto es una verdad sabida hoy de muchas gentes, y que yo no ignoro desde hace ya muchos años, acaso por haberla leído en algún almanaque. Lo cierto es que se me acusaba como al gran Sócrates—reparad un poco en la vanidad del durmiente—de corruptor de la juventud. La acusación era mantenida por un extraño hombrecillo, con sotana eclesiástica y tricornio de guardia civil. «En los momentos solemnes—la voz del acusador era tonante y campanuda, no obstante lo diminuto de su poseedor—en los momentos solemnísimos en que media Europa se apercibe a trabarse—y no de palabra—con la otra media, abandona usted su clase de Gimnástica o, como decimos ahora, de Ejercicios físicos; el cuidado de fortalecer y agilitar los músculos, de henchir los pulmones a tiempo y compás, de marchar y contramarchar, de erguirse y *encuclillarse*, etc., etc.—reparad en el barroco lenguaje de los sueños—, para iniciar a la juventud en toda suerte de ejercicios sofísticos—que ésta es la palabra: ¡sofísticos!—, para inficionarla del negro virus del escepticismo, aficionándola a lo que usted llama, hipócritamente, el *cultivo de las cabezas*. ¡El cultivo de las cabezas! ¡Ja, ja, ja! En la carcajada del hombrecillo—añadía Mairena—culminaba la estentoreidad de su voz y lo desagradable de mi sueño. Como si el cultivo de las cabezas—proseguía el acusador, con voz más concentrada y declinante—no fuese harto superfluo en las circunstancias actuales, y el más superfluo de todos los cultivos en las que se avecinan.»[1] El acusador hizo un punto grave y con él terminó su discurso y dió fin mi pesadilla.

Mairena y sus alumnos dedicaron la hora de clase a la interpretación y al comentario del sueño. Pensaba Mairena—digámoslo de pasada—que toda fecunda onirocrisia, o arte de interpretar los ensueños, había de basarse en la

[1] *las . . . avecinan* in future circumstances.

observación y estudio de los ensueños propios, y que sólo un *soñador* en el sentido más directo de la palabra, un hombre que sueña frecuentemente—(no despierto, que esto es muy otra cosa, sino mientras duerme)—, dotado no sólo de este hábito más o menos morboso, sino además de atención para estos fenómenos internos y de reflexión para meditar sobre ellos, podrá decirnos algo interesante cuando pretenda juzgar los ajenos soñares sobre testimonios aportados por su vecino. No se ocultaba a Mairena que estos testimonios, por lo demás, eran en gran parte relatos de mujeres histéricas y chismosas, que mienten más que hablan, o confesiones insinceras de hombres curiosos y temerosos de su propia intimidad, de la cual ellos, no obstante, por autoobservación saben más de lo que pueda revelarles su confesor. Era Mairena un tanto rezagado en psicología, escéptico en psicología experimental; de los psiquiatras no habló casi nunca, y de los psicólogos *behavioristas* dijo alguna vez: son los hombres, por excelencia, que debieran dedicarse a otra cosa. Era Mairena un fanático de la psicología autoinspectiva, y de aquella otra complicada con la fantasía creadora, de algunos poetas y novelistas, como Shakespeare o Dostoyevski.

El sueño de Juan de Mairena, muy retocado por la literatura, contenía un vaticinio a corto plazo, en realidad frustrado, porque la guerra europea tardó todavía cinco años en estallar. Hay que reconocer, sin embargo, que ella se estaba hinchando, como la rana de La Fontaine, y que el estallido era ya inevitable. Pero los discípulos de Mairena no repararon demasiado en la profecía. No faltó, en cambio, quien señalase que la inquietud creadora del ensueño, aparecía en él totalmente invertida con aquella Real Orden, que suprimía una cátedra voluntaria y gratuita, y no, precisamente, la otra, que surtía efectos en el estómago de su titular. La observación era menos sutil que maliciosa. Mairena, sin embargo, la escuchó sonriente, pensando que no siempre la malicia se chupa el dedo. «Reconozco, en efecto, que los ensueños pueden estar algo complicados con las funciones digestivas. Habéis de concederme, sin embargo, que un hombre dormido, cuando sueña, es algo más que un estómago desvelado.» La clase asintió en masa a la afirmación del maestro. No faltó tampoco quien hiciese observaciones algo más profundas. «Lo verdaderamente original del ensueño—dijo un joven alumno muy avanzado en la sofística—no puede consistir en la supresión de una cátedra gratuita, para lo cual basta con retribuirla, sino en la supresión de una cátedra voluntaria, que no puede convertirse en obligatoria. Porque ¿quién pone puertas al campo, querido maestro? ¿quién podrá impedir que nos reunamos en su casa de usted, o en alguna de las nuestras, para charlar en ellas como hacemos aquí, sobre lo humano y lo divino? Sólo a un soñador, en efecto, puede ocurrírsele cosa tan peregrina como es la suspensión por Real Orden de una clase como la nuestra.»

Mairena quedó bastante complacido de la breve disertación de su discípulo. «Muy bien, amigo Martínez; ya estudiaremos, en nuestra clase de Retórica, el modo de decir eso en forma más concisa e impresionante. Y ahora—añadió Mairena, después de consultar su reloj—¿querrá decirnos algo el señor oyente?»

Que habría mucho que hablar—respondió el interrogado—sobre lo voluntario. Es problema arduo, litigioso, que pudiéramos dejar para otro día.

En cuanto a la figura del acusador, todos estuvieron de acuerdo en que no había por qué ataviar a la española—con sotana y tricornio—cosa tan universal como es la estupidez humana.

GABRIEL MIRÓ
1879–1930

Levantino meditabundo, vivió apasionadamente su mundo interior.
Caminó incansable, pero siempre los mismos caminos, siempre el país natal,
no lejos del mar civilizado, sintiendo con los cinco sentidos la dulzura del
paisaje. Y este gran sensual aspiró primero, para devolver después, la
fragancia y la luz, el sabor, el rumor y la caricia. Cuanto recibiera pasó a
la palabra, cargada así de olores, ecos, colorido. En El libro de Sigüenza
(1917) y Años y leguas *(1928) describió sus andanzas por tierras*
mediterráneas, con lenguaje recamado, fastuoso.

Contempló el mundo con ojos inocentes y dejó que la maravilla
ininterrumpida de la creación le deslumbrara. Fué de descubrimiento en
descubrimiento: del amor a la crueldad, y todo era nuevo y todo podía ser
entendido. En Nuestro padre San Daniel *(1921) y* El obispo leproso
(1925) noveló historias sencillas y al escribirlas se complació en describir
lo cotidiano; pensaba que allí, y no en las gesticulantes singularidades de la
epopeya, estaba la entraña de la vida. Sin proponérselo, fué intrahistórico
y dijo cómo eran los hombres de cuya existencia no quedaría huella,
escuchando en su silencio. Una exclamación ahogada o un ademán apenas
iniciado podían estimularle y lanzar su imaginación en busca del
sentimiento escondido. Se creía destinado a la muerte total, a perderse en
la nada, y esta idea, lejos de incitarle a la auto-piedad, le llevó a
compadecer con los demás hombres, a sentir como ellos sentían bajo la piel
del alma, ignorantes de que ese sentimiento oscuro era el origen del dolor
(apenas reconocible como tal) que, mezclado a tantas otras cosas, dictaba
aquella exclamación, impulsaba aquel ademán.

Libro de Sigüenza (1917)

UN DOMINGO

SIGÜENZA Y SUS AMIGOS miraron la noche, honda y desoladora de los campos.

Los fanales del tren, esas lamparillas que se
5 van desjugando, y el aceite turbio, espeso y verdoso remansa en el fondo del vidrio cerrado; esas
lamparillas que dejan un penoso claror en las
frentes, en los pómulos, quedando los ojos en
una trágica negrura, y alumbran la risa, la tri-
10 bulación, el bullicio, el cansancio de gentes renovadas que parecen siempre las mismas gentes;
esas lamparillas daban sus cuadros de luz a los
lados del camino, y doraban un trozo, un rasgo
del paisaje: una senda que se quiebra en lo obscuro, un casal todo apagado, un árbol que se 15
tuerce en la orilla de un abismo . . . Todas las
noches reciben la rápida lumbre, y muestran su
soledad, su desamparo.

¿Dónde estarán?, se pregunta Sigüenza asomándose, y busca amorosamente en la noche la 20
senda, la casa y el árbol, todo ya perdido. Y entretanto, siguen los fanales viejecitos del tren
avivando caminos, árboles, majadas, soledades,
que luego se sepultan para siempre.

A lo lejos, tiemblan las luces de un pueblecito del llano. Se apiñan, se van ensartando primorosamente. Se desgranan como chispas y centellas del leño enorme, viejo y renegrido de la tierra.

5 Hace mucho tiempo, cuando estas luces comenzaban a arder, paróse un carro en un portal. Salió un buen hombre con un atadijo, después una mujer ancha y fuerte con una cesta, gritando avisos y mandados a los hijos que se 10 quedaban divirtiéndose con un gorrión de nido; la avecita brincaba por las baldosas de la entrada, pisándose las alas, doblando los piececitos hacia atrás, porque se los lisiaba la pihuela de un hilo gobernado por una rapaza.

15 El matrimonio iba en busca del tren. Se acomodaron en el carro. Era entonces la hora en que van las madres a la tienda para mercar el aceite de la cena, y vuelven los hombres de la labor campesina, y los ganados de pacer, y los 20 leñadores con sus costales frescos y olorosos.

Arribará a la estación cuando todo el lugar duerma. La estación de este pueblo es un edificio ceniciento, menudo, silencioso, perdido en el yermo, bajo un collado remoto.

25 Sigüenza ha visto al pobre matrimonio en los angostos andenillos. Le parece pesaroso, desventurado, rendido; temen grandes males, desconfían del tren, de los viajeros, de los empleados, de todo.

30 El pueblecito sigue exhalando en la noche un vaho, un polvo pálido, luminoso, un temblor de luciérnagas.

Sigüenza y sus amigos fuman contentos y habladores. Viajan sólo para pasar el día si- 35 guiente del domingo en la paz de los campos; no se proponen nada. Les aguarda la emoción de un pueblo y de un paisaje desconocidos. Dormirán en el lugar. Han de recorrer sus calles; de las casas sale la claridad de una alcoba de enfermo 40 o de deleite, de una sala de viejecita que reza y pasa el rosario de sus recuerdos, de un escritorio de hidalgo que cavila en su hacienda empeñada o piensa en el hijo que partióse desgarradamente por ese mundo. Atravesando una fosca rin- 45 conada, verán un muro enrojecido por el hogar de una tahona frontera. Oirán sus pisadas sobre las losas de una calleja donde ruge el agua de una escondida acequia. Llegados a la plaza, les envuelve la espesa negrura de los muros de la iglesia; encima de la torre, en los claros de las 50 espadañas, palpitan limpias, desnuditas y frías las estrellas. ¿No están al pie de los palacios de Aldonza Lorenzo?[1] Y aunque lejos del Toboso,[2] ha de surgir para su mirada la figura larga, cansada, estrecha del valiente y enamorado caba- 55 llero, transido de emociones, guiado por el embuste y bellaquería.

. . . No madrugan Sigüenza y sus amigos como era su intento. Ciegan las calles de blancura, de azul y de sol; zumban de gentes vestidas 60 de domingo. Pero estos hombres venidos de sus besanas y viñales, aunque hablen, bullan y se golpeen alegres, tienen en sus vidas una huella de silencio, de quietud, una rigidez de voluntad que en la holgura del día de fiesta les produce un 65 hastío ciego y triste, y ofrece un contraste que Sigüenza relaciona someramente con el amplio blancor de sus camisas sobre la carne enjuta y torrada.

Los niñitos van mudados, muy alegres, por- 70 que no hay escuela, pero andan encogidos y medrosos dentro de sus galas. Al salir les advirtieron a gritos terribles que no podían correr, ni revolcarse, ni tocarse siquiera, y si comen una confitura, una fruta que les zuma, se miran con 75 espanto sus manos, se tuercen, se doblan para que el gotear caiga en la tierra . . . Esos niños, cuyas morenas mejillas parecen erisipeladas, desolladas por los relumbres del jabón del domingo, se van observando las medias gordas, las 80 gorritas con un áncora bordada, un poco marchita . . ., y hablan de un hermanito muerto, y dejan en el día inmenso y luminoso del domingo un sentimiento de la alegría que nos entristece. 85

Las entradas de los artesanos, apagadas y mudas; las forjas, ciegas; los tornos o telares, en reposo; los comenzados trabajos, en espera y obscuridad; todo paseado por un gato huesudo que sabe y se aprovecha de la soledad de los 90 talleres; todo, hasta la limpieza de precepto del

[1] Real name of Dulcinea del Toboso, with whom Don Quijote was in love.
[2] Town in La Mancha.

sábado, huele a faena, a deber, a semana, un olor que anticipa la visión de las futuras semanas, iguales, ásperas . . . ¡Señor!

Esta es la casa de una vieja que no sabe los 5 dineros que tiene. ¡Millones y millones! Va a misa de alba, y ya no sale más . . .

Las bisagras, cerraduras y armellas de puertas y ventanas son de plata maciza.

Sigüenza y sus amigos se allegan al cancel y 10 tocan la plata calentada de sol. Desde dentro, les acechan los criados de la señora.

. . . Caminan por una callejita retorcida y solitaria. Un lebrel, acostado bajo una reja volada, se lame resignadamente la herida de un 15 brazuelo; las moscas, moscas lugareñas, de una implacable terquedad, vuelan rodeándole la sangre. Un haz glorioso de luz enseña mejor su laceria. Después se queda inmóvil, oye los pasos, se le tienden encima las sombras de aquellos 20 hombres y el perro no les mira; sigue en su quietud solemne y fatal de alimaña de tumba egipcia. Y por esta calle hórrida pasa también el domingo; es como un silencio dentro del silencio.

25 Aparece la grandeza del paisaje, dorado y umbroso, quieto y azul; casales morenos entre frescura de arboleda; caminos blancos; hazas rojizas; los almendros y olivos poblando generosamente el secano y las laderas; las cumbres de 30 la serranía, serenas y rotundas, llenas de la gracia del día. Lejos, un castillo; bajo, la llanada de viñas y frutales, que exhala un vaho que se transparenta rizadamente. Una ondulación de montañas muy remotas. Y todo el campo está en 35 una soledad de descanso. Si pasa y canta un pájaro le parece a Sigüenza que su vuelo y su cántiga tienen en el domingo más pureza, y recuerda la lágrima de luz de la estrella errante . . .

Y Sigüenza y sus amigos caminan prometién- 40 dose un contento, una confianza en la vida; son sencillos y fuertes; han buscado las agrestes hermosuras, los olores de salud. Ríen, gritan, corren creyéndose poseídos del júbilo de la Naturaleza, pero en lo hondo de sus almas pasa una vena 45 sutil que parece dulce y tiene un escondido sabor amargo; es como el silencio del domingo dentro del ancho silencio de siempre en aquellos lugares.

No recuerdan determinadamente nada, no quieren traer el pasado a sus corazones, y he aquí que, de cuando en cuando, les llega un ale- 50 teo, un rancio aroma de otro tiempo, el que ha oreado la frente de alguien que ha muerto y han sentido un alma lejana que, un día, al pasar a su lado, les dejó su tristeza . . . ¡Qué tiene, Señor, el domingo de irremediable, de evocación, de 55 horizonte callado, infinito, de sonrisa resignada de madre!

. . . Después de la comida fueron al castillo. Está en una sierra rubial, a la entrada de un gollizo de montes poderosos. Es el castellar del 60 señor conde de Luna. Le quedan dos torreones de esquinas afiladas que dejan en el azul su línea de oro; le ciñen pedazos de muros de almenas rotas, cavas cegadas de hierbas viciosas donde bizarrea el gallo y a veces se quedan cluecas las 65 gallinas de la ermita. Las prisiones, las salas o cuadras de guardia, los pasadizos y escaleras son de sillares de pedernal en toda su rudeza de trozos de montañas, traídos de las excelsas claridades a la lobreguez. Sólo por las heridas de 70 las aspilleras penetra cansadamente la luz.

Sigüenza y sus amigos suben los peldaños ahondados por los pies de la soldadesca, por pies feroces, pies heroicos; sienten, bajo las bóvedas agobiosas de sepulcro, toda la pesadumbre del 75 recio pasado, y se atropellan por llegar pronto a lo alto, y salen delirantes a la gloria de la tarde.

Los pájaros de las ruinas huyen despavoridos.

¡El domingo, un domingo hecho de palidez y melancolía, parece que se tiende como una nie- 80 bla sobre las soledades, soledades aradas, feraces, raídas, llanas, hoscas!

Ellos se dicen que quizá su mirada es la única mirada que recoge la emoción campesina; y tal vez sus corazones se estremecen de su soledad en 85 la grandeza. Pero mirando descubren el blancor del enjalbiego de la casuca de la ermitaña. La vivienda está labrada en el castillo. La parra levantina cuelga sus guirnaldas, pone su delicioso amparo en el dintel. Enfrente, asomado a 90 una desgarradura del adarve, se perfila el cuerpo menudo, liso y enlutado de una viejecita.

Y Sigüenza y sus amigos bajan de la Historia roquera para acercarse a esta alma del yermo.

Ella les acoge serenamente; les da sillas de esparto. Su habla es frágil; parece que venga de muy lejos. Plega los bracitos encima de su vientre, se acomoda en una almena como en una
5 ventana, y sus ojos grises y gastados caminan por toda la tarde.

Las ropas de luto de la viejecita son también ropas disanteras; las alpargatas, el pañuelo, el delantal, todo es de lo nuevo y guardado para los
10 domingos.

De rato en rato se vuelve y les mira. No serán del pueblo aquellos señores. Vinieron a comer y divertirse por las huertas, ¿verdad?

Los señores alaban la hermosura de aquellos
15 campos.

—¡Una hermosura, una hermosura!...—se queda repitiendo la buena mujer.

Y con una mano seca, tostadita, rugosa, que tiene agarrada una llave enorme, se enjuga los
20 lagrimales.

Luego, sonriéndoles con una sonrisa que no es de ella, una sonrisa fría y sumisa para los señores que pueden venir a holgarse en aquel apartamiento, les convida a ver la ermita.

25 Es una ermita pobre y olvidada. Ella es la ermitaña porque le dan casa y los pegujales de las laderas; cría gallinas, y el marido trabaja en el Molino Nuevo.

Sigüenza le pregunta la razón de sus ropas
30 negras.

La viejecita se las mira y le dice:

—Son por una hija. Va para tres años que falta. La bajaron por el sendero que habrán traído los señores; pasa por aquí abajo. ¿Lo ve?
35 ¡Ese!

Con la llave traza en el azul los repliegues y travesuras del caminito.

—...Allí, a la revuelta del olmo, tuvieron que pararse; era ya una moza de dieciocho años.
40 ¡Me llevaba de alta tanto como esta llave! ¡Qué hija perdimos! Desde esta piedra se ve hasta el cementerio; se ha de ver por fuerza... ¡Aquello!

Y su brazo trémulo señala un lejano cercadillo
45 del hondo, con un ciprés recortado agudamente sobre el fuego del crepúsculo; pero los ojos de la mujer, muy abiertos, mostraban una ansiedad obscura porque no lograban llegar a su deseo.

—...Yo, mientras avío la casa, salgo y me asomo. Por las tardes aquí me siento; después 50 viene mi marido, y aquí nos salen las estrellas...

Sigüenza y sus camaradas hablan de las tardes de los domingos en las ruinas del conde de Luna.

Ella les mira, les mira.

—...Por la tarde la bajaron...¿Ven el 55 camino?

¿No son para esta mujer todas las tardes un domingo eterno?

...Sigüenza y sus amigos se marchan.

Desde la revuelta del olmo alzan los ojos. 60

En la desgarradura del adarve se perfila menudamente la viejecita. Y hay en su silueta la expresión de toda su paz, y en su mano siempre se ve la llave que mide la estatura de la hija muerta... 65

1908

UN ENVIDIADO CABALLERO

LOS OLORES de las huertas y del mar llegaron hasta el corazón de Sigüenza. Miraba y aspiraba este hombre con tanto ímpetu, que llegó a sentir 70 cansancio y dolor en su carne. Y nunca se saciaba, sino que le parecía que le faltaba tiempo para hundir sus ojos en aquellas hermosuras, y recoger toda la vida que se le ofrecía desde el alto camino. 75

Allí estaba el levante frondoso, lleno, regado, alborozado y fecundo. Allí las montañas daban aguas muy delgadas y dulces, y tenían tierras de buena grosura que llevan la sementera, la viña y el olivo; allí el hondo y la solana, todo estaba 80 cuajado de huertas que apretadamente llegaban hasta las arenas de la costa, y los bancales de hortalizas, que siempre viera Sigüenza al amor de la balsa de una vieja noria o chupando la pobre corriente de las ramblas levantinas, los 85 bancales hortelanos de esta comarca se entraban descuidados bajo el gran sol, rezumando de tan viciosos como si siempre acabasen de recibir los dones de la lluvia, y gozosamente se presentaban al Mediterráneo. Por eso se mezclaba el dulce 90 olor de los frutales y verduras, de campos feraces, con la fuerte y deliciosa emanación de las entrañas del mar.

El pueblo comenzaba en la ribera, y se subía por un altozano. Y era muy curioso de ver sus casas de porches abiertos donde se orean las frutas de cuelga; los corrales, con garbas de sarmientos y un dulce sonar de cencerricos de ganado, y las parras desbordando jovialmente de las tapias, y por las bardas de al lado asomaban los remos de algún mástil roto y podrido, las redes tendidas en los balcones, y en el portal, las cañas, los palangres, las nasas de esparto y rimeros de todas las artes de pesca.

Todo lo notaba Sigüenza entusiasmado y gozoso. ¡Haría juramento de quedarse en esta villa labradora y marinera! Bueno; pero esos juramentos los pensaba siempre al pasar por todos los lugares, aunque aquí, en Altea,[1] sentía la ansiedad de poblador con más ahinco. ¡Oh pueblo claro, torrado de sol, nacido delante de las inmensidades de los valles, de las sierras, de la marina; con humos campesinos y nieblas de mar, con gorriones y gaviotas, manzanos, almeces y cerezos, prorrumpiendo de los huertos umbrosos, y barcas reposando en el cantón de una calleja que baja a la playa! ¡Por fuerza había de ser alegre y dichoso!

Y Sigüenza iba pasando toda la primera calle que tiene la sombra de algún olmo centenario, y el bullicio de las diligencias, y largas horas de silencio; entonces nada más resuena la voz de hidalgos aburridos que platican, o el portantillo de una borrica cargada de estiércol o panizo.

Desde la obscuridad y angostura de algunos portales se le quedaban mirando los ojos quietos, profundos y tristes de los hombres levantinos enfermos, impedidos, lisiados. Son viejos enjutos, de mejillas sumidas y fragosas, erizadas de barba corta, espesa y áspera como un terrón de barbecho; de lagrimales devorados por las moscas, y las manos recias como dos cepas clavadas en un cayado de boj muy alto; bajo las faldas mugrientas de su sombrero, el pañuelo de hierbas les cruza el mondo cráneo, fajándoles las sienes. Son hombres jóvenes, flacos, cetrinos, con la demacración de la terciana, y los labios y

[1] Small town in Alicante province.

las encías blancos como la escara de una llaga. Son hombres gordos, blandos, hinchados, tullidos de dolores recogidos en el mar; por sus puños y calcañares desborda la bayeta de un color amarillo de hopa. Hay también algún hombre lisiado de nacimiento, un idiota que babea y aúlla mientras los chicos, todas las tardes, al salir de la escuela, le hacen miedo como a una criatura.

Estas casas huelen a humedad, a pobreza; parecen señaladas por una mano aciaga. Nunca se hacen en sus puertas bailes ni corros de bullicio y divertimientos; y estos solitarios, cuyas frentes estrechas tienen el sello de la malaventura del hogar, pasan la vida mirando siempre el mismo muro frontero, la misma rama de un árbol que se desnuda, que reverdece, presentándole sólo estas mudanzas el tránsito del tiempo, y ven el mismo grupo de mujeres extenuadas que conversan lastimeras y suspiran, porque ellas son la desdicha de la casa . . .

. . . Recibiendo sus miradas llegó Sigüenza a la orilla del mar.

Le aguardaban en una finca que se copiaba toda en la paz de las aguas azules, rodeada espesamente de fronda, de vides, de magnolios y espalderas de circasianas, madreselvas y jazmineros.

Los hacendados del lugar y sus contornos venían por las tardes, y fumaban sentados en la terraza, acompañando al señor de este retiro, un caballero seco y pálido, callado y abatido. De rato en rato alzaba la mirada, tendiéndola en el glorioso horizonte de las azules soledades.

Así le encontró Sigüenza, y recibió con emoción sus nobles manos frías y blancas, porque, ¿acaso no saludaba en aquel momento a un venturoso varón que había recibido todos los dones y gracias de Levante?

Y lo dijo. Y los amigos, los buenos ociosos que acudían a su lado meneaban las morenas cabezas asintiendo. No, no había más cumplido bienestar que el de don Luis: una cabal salud, tierras abundantes, casa alegre y, delante, todo el cielo que pueden apetecer los ojos: mujer sabia y hacendosa, guarda amorosísima de la honestidad y gentileza de una hija artista y dos hijos

más, grandes y celebrados de todas las gentes . . .
El señor don Alonso Quijano[1] y su criado le
hubieran colmado de gustosos elogios y bendi-
ciones poniendo a don Luis por encima de don
5 Diego de Miranda . . .[2]

Y el envidiado caballero sonreía musitando:
¡Levante . . ., Levante . . .!

Quedáronse solos y callados don Luis y
Sigüenza.

10 Ya se iba deshaciendo la tarde. Los montes
tenían un morado color de arcaica pintura; a lo
lejos, el cielo y las aguas se cuajaban tersamente;
había una honda quietud en el aire, y todo estaba
penetrado del ácido perfume de las magnolias.

15 Comenzó Sigüenza una encendida alabanza de
su Levante, de las mañanas doradas y dulces
como el panal, de estos crepúsculos de misticismo y exaltación. Y cuando esta serenidad y esta
belleza hallan un alma levantina propicia a su
20 gracia, entonces surge un artista maravilloso y
elegido . . . Familia de elegidos era la de don
Luis; todos sus hijos «coronados con las hojas
del árbol a quien no ofende el rayo,[3] como en
señal que no han de ser ofendidos de nadie los
25 que con tales coronas ven honradas y adornadas
sus sienes . . .»

Y don Luis seguía profiriendo melancólicamente: ¡Levante! . . . ¡Levante! . . . ¡Señor! . . .

Una hija tenía muy hermosa, artista peregrina
30 de los teatros de América. La madre la acompañaba. Ocho años hacía que no las viera. Un
hijo era concertista; en ruta gloriosa iba caminando diez años. El otro hijo empezaba triunfalmente en Roma las jornadas del Arte.

35 Y entre tanto el padre recorría la solitaria casa.
Venían los hidalgos. Sonaba en un gramófono la
voz de la hija. Todos aplaudían. Llegaba el
correo. Traía noticias de éxitos y agasajos. Todos
encomiaban la suerte del padre.

40 Y el envidiado caballero abatía su frente ante
la grandeza y hermosura levantina . . .

1909

---

[1] *Quijano* = Don Quijote.
[2] Character in *Don Quijote* noted for his discretion and
good sense.
[3] The laurel.

Años y leguas (1928)

TOCAN A MUERTO

¡TOCAN A MUERTO! El claror que pasa por los
postigos todavía tiene la palidez fresca de la 45
madrugada. Pero ¡tocan a muerto!

Y Sigüenza brinca de la cama.

Es viernes; y el lunes, en un atajo, encontró al
barbero del lugar que iba de jornada de quijales,
de masía en masía; y Sigüenza le dijo: 50

—¡Aquí no hay entierros!

—Aquí, sí, señor, que hay; cinco o seis por
año, de los viejos que se van muriendo poco a
poco.

—¿Y cuántos viejos quedan ahora? 55

El barbero se puso a cavilar, y fué recordándo-
los por el apodo y por el mal que padecían.

Pues uno acabaría de morir. Y Sigüenza se
lava y se viste a puñados.

Tocan a muerto. Algunos sones se quedan 60
balbucientes en los labios de las campanas;
otros, vuelan con temblor de murciélagos en
torno de la parroquia; otros, salen anchos,
claros, enteros.

Sigüenza corre rasgando un viento velludito 65
de humedad. No es temprano; es que el día no
puede crecer porque se topa con el techo de un
nublado fosco. Detrás de las sierras rueda la
tronada blandamente, con llantas de nubes hin-
chadas, algodonosas, que, lejos, se deshilan en 70
lluvia perpendicular y azul.

Una larga blancura sube por todo el filo roto
de la cumbre de Bernia.

Bernia es un galeón volcado, con la quilla quebrada a martillo; y entre las púas y rajaduras de 75
esa carena de pedernal se carda, se descrina la
nube;[4] va cayendo torrencial, toda de espuma, y
en la vertiente se parte formando corderos muy
gordos que caminan bajando y subiendo, aprovechándose de la soledad del monte. La soledad 80
de siempre, se significa, se cuaja hoy en un color
morado. Bernia aparece sin rasgo, sin denominación vegetal para los ojos. Su plana de labrantío, de huertas tiernas, de pinar joven; los

---

[4] *se descrina la nube* the cloud bursts through like a
horse's mane.

ramblizos, los breñales de sus laderas, todo está inmóvil, empastado del mismo color; toda la serranía lisa, únicamente morada.

Aun baja más el nublado. Todo el paisaje se
5 cierra en un mismo recinto y en un mismo silencio. El olor del viento, que viene de otros campos embebidos, se desploma en la quietud de aquí.

En el secano, el temporal derribó un almendro que está tendido, descansándose con un codo, y
10 así puede subir la frente de follaje mirando la lejanía. Labra una yunta; va dejando la reja un crujido fresco, el único ruido preciso, pronunciado en la mañana, y entre la tierra roja estalla el oleaje del pedregal nuevo. Se paran las mulas
15 volviéndose a Sigüenza.

—Tocan a muerto. ¿Quién habrá muerto en el pueblo?

Y no lo sabe el labrador.

Ahora el nublado se rebulta, se raja, y camina
20 cayéndose; tiene costas y abismos, blancuras de candeal, bronces, gredas, paños. Se amontona un tránsito de apóstoles de barbas dobladas por el vuelo, de sayales gordos, de vírgenes lisas; de ángeles con las alas rotas; todos los pobladores
25 del cielo venerado en las parroquias pobres, todos han salido como estaban en la obscuridad de los retablos, sin andas, sin luces, sin devotos, y se arremolinan en la media naranja[1] del día; se empujan, se desgarran y aplastan; y en ese
30 tumulto procesional de las nubes sale también el Señor, el Señor en las multiplicadas formas de hombre, de flor, de pastor, de piedra angular, de torre, de carnero, de Abel, de árbol de la vida, de Pontífice; todas las estampas de los nombres
35 que han ido dándole San Justino, San Clemente, San Efrén ... Todo el cielo ha salido revuelto por la tormenta; todo el cielo se ha quedado sin gloria y sin nadie. De pronto, la tronada se desgaja encima de Sigüenza; y le cae una lluvia crujidora,
40 que levanta un humo oloroso del tempero de los bancales. Las campanas doblan emblandecidas, esfumadas detrás del cáñamo recio de agua.

Sigüenza se refugia en el parador de la carretera.

45 Vaho de gente de camino; tartanas[2] forasteras; frailes de San Francisco, ruidosos de rosarios y crucifijos que se golpean contra sus sombrillas empapadas, sus sombrillas de paseo rural. Sigüenza pregunta por el difunto a un hombre corpulento, de chaquetón de pana desollada, que
50 está escurriendo la lluvia de su sombrero de palma de Argel. Pero este hombre se ríe, porque es el *sanaor*, el castrador de cerdos; acaba de llegar bajo la tormenta, y no le importa el difunto.
55

Y es que, además, no hay difunto. No ha muerto nadie. Tocan las campanas al funeral de un novicio que murió aquí, en la heredad de su familia; y hoy se conmemora el aniversario.

Ya se abre más el día. Apariciones de azul des-
60 nudo; glorias de nubes de tabernáculos; el arco iris perfecto desde el mar a Ponoch; debajo de los colores pasa un cuervo; distancias de sol crecido; una respiración mojada y caliente; estruendo recial de las avenidas de los arroyos.
65 Los follajes, los cardos, las bardas, las urdimbres de las arañas se han cristalizado de gotas de lluvia retenida.

Suben los frailes a la Parroquia. En los portales aparecen gentes de luto. Abuelos y mujeres con
70 un brazado de hierba, con una cabra atada, y detrás las crías, que rebotan oblicuas; y de cantón en cantón, sale la tonada de la ocarina del *sanaor* recogiendo los gorrines.

Sigüenza principia la cuesta del cementerio
75 escombrada de muladares. Las hornacinas del *Víacrucis*[3] se han derrumbado sobre plastas y costras de vertedero que hierven de moscardas. La máscara de una quijada entera de macho cabrío se descarna riéndose; su cuerna podrida
80 se estremece de hormigas. Y sobre los hombros de Sigüenza una voz fonda le dice:

—Ahí está tres años; todo está así tres años, desde que se me quedó baldada la mujer.

Es un viejo con el cráneo calzado de pelo duro,
85 y la espalda agobiada, como si le brumase un costal de leña; su osamenta de encina le pliega y le empuja el pellejo; tiene la cara bronca, y una

---

[1] *en la media naranja* metaphor alluding to the color and shape of the sky.

[2] *tartana* two-wheeled, round-topped Valencian carriage.
[3] Niches with images of the Way of the Cross.

sonrisa mansa; y por los brocales de sus órbitas le asoman unos ojos menudos y buenos. Se le para un tábano en la sien, y no se lo siente.

Como Sigüenza se queda mirándole, él se presenta alejado históricamente en tercera persona.

—Es Gasparo Torralba, el que se cuida de lo de arriba—. Y va sacando de las alforjas de su faja la llave oxidada del cementerio—. Antes, yo y la mujer . . .

Y Gasparo pasa el portal refiriendo su vida y su oficio. Pero Gasparo es una promesa para otro día. Ahora, no; ahora la mañana rodea inmediatamente a Sigüenza. Se le aparece el mar, y en seguida le llega su olor; aliento de anchura. Inmóvil, dormido, con una nieve virgen de sol. Las costas nuevas, recién cortadas. Los pueblos de la orilla, con una gracia ligera, fina, gozosa, de vida vegetal que acaba de surgir.

Bernia ya no es un galeón volcado; no parece sino lo que es: una montaña; nace en la claridad del mar; y se interna entre serranías, coordinando y renovando paisajes. Se desdoblan otras cumbres con una fluidez, una movilidad de realces de los cultivos, de las arideces, de piel rosada de bojas; la sierra de Tárbena, de colores maduros; el Chortá gordo y rapado; la crestería sollamada del Serrella.

Al otro lado, Aitana, la sierra madre criadora; sus collados, sus raíces, todos sus ímpetus se paran, de pronto, en las espaldas del Ponoch, que prorrumpe sin preparación de laderas, vertical, encarnado, rebanado a cercén por las sienes.

Gasparo se asoma por el tapial. Le agradaría mostrarle a Sigüenza su huerto de cruces. Sigüenza ha de volver. Conversarán de sepultura en sepultura. Ahora nada más verá la del novicio, imaginándose que así le ve y le conoce antes de su funeral.

Es una casilla, una celda de argamasa, con el portal de hierba. Dentro, en un rincón, se hincha el suelo con un vientre acortezado de ladrillos, como una artesa. Zumban las moscas gordas y azules; corren las cochinillas tropezando despavoridas; se ensortijan y atirantan las lombrices en la frialdad de su suco. El cortezón abollado de adobes es como un lienzo ceñido que

transparenta todo el franciscanito: frágil, menudo, con una pelusa de gramínea en la boca intacta y en la barbilla de almendra, y sus manos anatómicas abiertas sobre su hábito de cartón. Un San Francisco infantil y calcinado de Cimabue.[1]

Allí se siente el pulso de la quietud de fuera.

Sigüenza baja a la Parroquia; y Gasparo Torralba se queda porque aguarda que suban los frailes y la familia del difunto después del oficio. Rezarán, llorarán y le darán limosna.

Acabó la misa; y Sigüenza nada más alcanza el responsorio.[2] El *Réquiem* vibra como un himno de consagración; y hasta el pobre órgano, de resuello cansado, se esfuerza hoy en exclamaciones tan juveniles, tan claras, que parece pasar el sol por todos sus caños como a través de una vidriera de colores. Toda la nave retiembla por un empuje coral de mozos de rondalla; y el chantre, el organista, los artesanos de la música del pueblo, se agrupan sobrecogidos escuchando. Desde las bancas, los abuelos de cráneos ascéticos y cayadas de pastor, miran inmóviles hacia el coro. Las viejecitas, dentro de sus mantos o de la toca de sus mismas haldas, se complacen en su Parroquia y lloran. A veces han de secar sus dulzuras para coger de un puñado a los chicos que se amontonan en el túmulo dejando su olor de escuela. El túmulo parece vestido de mortajas rígidas, con orlas de un galón amarillo como las luces de los hachones y, en medio, una calavera estampada. Allí remansan los frailes con sobrepelliz y estola, con capa pluvial, con dalmáticas negras. Y los dos capellanes del pueblo, los amos de la casa, sirven humildes a los forasteros, dándoles el acetre, el hisopo, el libro, el incensario.

Terminan las preces, rectas, exactas, con un tono triunfal de doxología; y los ojos y los corazones se alzan como si viesen la asunción del frailecito.

Ya sale la gente al sol de la plazuela. La familia de luto recibe el parabién de pésame.

[1] Florentine painter, one of the Italian Primitives (1240–1301).
[2] *alcanza el responsorio* arrives at the end of the mass when the prayers for the dead are being said.

Mediodía magnífico que va embebiéndose los olores húmedos. Los frailes abren sus sombrillas. Andan con reposo de plenitud, de contento afirmativo. Han empujado a su novicio desde lo hondo de la artesa de adobes hasta lo alto de la gloria. Y comerán en la heredad del difunto.

El Cristianismo incorporó a su liturgia funeraria el festín pagano de los ritos de la muerte. La *cena novendialis*;[1] la comida *in memoriam* en torno de la tumba, es un arroz con pollastre en la comarca levantina.

Y a Gasparo Torralba le zumban las moscas gordas y azules de la sepultura de argamasa. Sale al portalillo; mira la cuesta de muladares y escombros.

No sube nadie.

HUERTO DE CRUCES

A MEDIA MAÑANA principia a removerse el entierro de Manihuel por el camino del Calvario. Las piteras están en flor, tortas de flor amarilla y apretada como girasoles. Zumban las avispas. Cantan los gallos en los estercoleros. La máscara de la quijada de cabrón deja su risa entre las revueltas de los escarabajos.

Trae la cruz parroquial un mozo labrador de sotana corta y alpargatas nuevas. Los monacillos alzan los ciriales como follajes frescos, y el sacristán, con gafas de mal lector y cráneo moreno, calvo y español, lleva el acetre de bronce en el brazo como un cesto de fruta; en el puño, el libro de los responsorios, y de su belfo le mana el caño de un Réquiem.

Detrás, en los hombros de cuatro jornaleros, se tuerce el ataúd negro como una barca vieja, hundida en el azul.

Resplandor amarillo de las vestimentas de oro pobre y felpa de luto. El párroco, con antiparras de mendigo, se abre los alones de la capa pluvial y se pisa el alba. El vicario, rojo, sudando bajo su sombrilla, se para, se enjuga, se asoma al valle, un alfoz verde de almendros y de higueras. Y el tercer capellán . . . ¿Quién sería el tercer

capellán ? Sigüenza se queda mirándole, mirándole. Lo recuerda y no lo reconoce.

(Había de ser entierro de tres capellanes, y, por la fiesta de San Pedro y San Pablo, toda la clerecía de la vall[2] estaba obligada a sus parroquias. En el apuro se buscó a un alpargatero que sabe de letra y de solfa, y con la dalmática de subdiácono a cuestas, cantaba y oraba, añudándose mejor el cíngulo como si se apretase la faja.)

La gente va remansando en el portalillo del cementerio. Aparece Gasparo Torralba, y destapa el ataúd.

El sol se aprieta como un jugo en la nariz de Manihuel. Una abuelita arranca la almohada del difunto para llevársela a la familia sin mullir la huella helada de la cabeza. Gasparo, Sigüenza y los jornaleros se quedan solos en el huerto de cruces.

Pasan cuatro cuervos. Parece que abran el azul con el corte de las alas. Se remontan croando. No dan pesar de cementerio. Son pardales[3] de buen mal humor, y en medio de la mañana ahondan y hacen más agreste la soledad.

Gasparo se ríe, llamándoles galopos. Nunca cometieron aquí daño los negros compadres. Se posan en el último tapial mirando las higueras ahora que se regañan las brevas[4] con rajas blancas y huelen de maduras. Acuden de Aitana. Bajo sus ojos redondos van pasando los campos calientes; de algún derrumbadero quizá les sube el husmo de una carroña; en un muladar aldeano puede que fermente el bandullo de una res; en algunas tierras secanas y enjutas hay un rodal de gleba removida, crasa del unto profundo de haber enterrado un jumento. Todo lo adivinan los buenos pardales que se ponen a volar encima redondamente. Pero su regocijo se lo trae el verano con sus higueras verdes, olorosas, de todas las castas mejores que se crían en los bancales tranquilos, escalonados al pie del camposanto. Porque ellos saben que aquello es un camposanto, y que lo cuida Gasparo Torral-

---

[1] Supper which was part of a nine-day ritual celebrated in memory of the dead.

[2] *vall = valle.*

[3] In spite of being crows, noted for their bad humor, here Miró finds them like sparrows (*pardal = gorrión,* sparrow), good-humored.

[4] *se regañan las brevas* the ripe figs burst.

ba, y saben también que es día de fiesta y no hay labriegos en los huertos.

—¡Ay, los galopos!—dice Gasparo.

Los galopos apeonan brincando por las tapias como dueñas que se arregazan el faldellín para sus albricias y carantoñas. Por cuervos jóvenes que sean, parecen viejos. Se asoman; tienden las alas coronando las cruces, graznan como si se asustasen y se fuesen, y, de improviso, se precipitan, y los brevales se abollan y retiemblan. Los pámpanos, las ramas, el tronco, se apiltrafan de brevas rasgadas;[1] todo se impregna de un olor de confitura tibia y agria.

Las moscardas vienen a chupar en la cara de Manihuel. El sol de junio acerca a Sigüenza la impresión del paño de invierno de las ropas duras del difunto. La piel y el hueso de sus pulsos hundidos exhalan un frío mojado bajo la temperatura y el azul estival. A veces llega una respiración salina y le mueve una greña seca a Manihuel y le alborota a Sigüenza su cabello; a los dos.

En el portalillo, los rapaces del pueblo piden que abran. Gasparo se amohina. Un labrador intercede. Está siempre cerrado el cementerio. Hoy no hay escuela, y hay entierro. Es un gozo y una ansiedad que no pueden resistir los chicos. En fin, les abre, y pasan a botes atropellándose, como si saliese una lluecada a picar en un lebrillo de afrecho.

Vuelven los cuervos tan cerca que se les ve el buche gordo de alimento blando y dulce de viejos; y en el filo de los muros se mondan el pico pringoso de la granilla encarnada y pastosa de las brevas.

Los chicos corren apedreándolos desde las tumbas. Y Manihuel sigue fermentando bajo el sol y el campaneo glorioso de San Pedro y San Pablo.

Una mata de pasionarias sube colgando por el nicho donde han de sepultar a Manihuel. En cada flor hay una abeja que late gorda, llenándose de jugo de los clavos del Señor. Gasparo Torralba quiebra con su escardillo la corteza de

yeso y adobes, y saca entre los follajes un ataúd estrecho, blanco y andrajoso. En seguida lo rodean los muchachos para mirar por las rajaduras.

—¡Es Lluiset, es Lluiset!

—Sí que es Lluiset—dice Gasparo—. Lluiset, nieto del difunto, era monaguillo de la parroquia. Un carro de estiércol le chafó una rodilla. La criatura penó mucho para morir. Se enrollaba, y se le quedó la pierna hinchada y horrenda como una pata de buey viejo.

Los chicos le atendían devorando el ataúd con los ojos. Y Sigüenza lo abre.

Está Lluiset con su sotanilla podrida y sobrepelliz que parece de recortes de papeles; un pie, el de la pierna intacta, se le ha caído entero en un rincón y el otro sigue cuajado en la pata deforme de bestia.

Todavía hay que bajar otro ataúd despellejado, muy grande.

—Aquí está la suegra de Manihuel—dice Gasparo Torralba—. Murió a los noventa y siete años.

Los chicos rebotan de gozo por la golosía de mirar.

Es una vieja corpulenta; toda, hasta la mortaja y las calzas plegadas, es de barro cocido. Le cuelga en el seno una bolsica tiesa. Gasparo se la toma, y le descubre un sapo seco, liso, de manecillas primorosamente miniadas.

—Esto lo ponían de remedio contra los aojos—. Y lo deshace entre sus uñas hembras. De súbito, se revuelve, y arroja del hortal a los rapaces, y atranca la puerta.

Riéndose del susto que les dió, se llega a la desenterrada, y principia a catarla con su pulgar remachado desde los hombros a la calavera, que aún tiene en el hueso la mueca de la agonía.

Entran en el nicho la caja de Lluiset; encima, la del abuelo; y han de aupar, en lo último, el ataúd de la vieja. Pero Gasparo mide con el legón el cadáver. Ni destapado ha de caber. Le sobra la calavera, y se la desgaja, llevándose un sartalejo de vértebras de cartón, y la envía rodando al fondo de la sepultura.

A fumar junto a la muerta descabezada, que no parece una muerta. Los bordes del cuello

---

[1] *se apiltrafan . . . rasgadas* are smeared with scraps of burst figs.

tronchado se llenan de sol y de brisa. Lo que menos se le ocurre a Sigüenza es decir lo que todos hemos dicho alguna vez: «¡No somos nada!» Porque «aquello» era precisamente algo
⁵ que no se relacionaba ni con nuestra carne ni con la nada. Carne y nada que nos hacen prorrumpir en exclamaciones ascéticas, «no somos nada, no somos nada», pensándolo, casi siempre, cuando no lo creemos de verdad.

¹⁰ Y se levanta Sigüenza y se asoma a la tapia. Los montes desnudan hoy gloriosamente su forma; forma pensada de la escultura del paisaje. El mar remoto es de piedra azul, y en medio, inmóvil, con las alas rectas arde toda blanca la
¹⁵ anunciación de un falucho. Dentro del hortal suena un ruido fosco, decrépito; después, golpes frescos, joviales, de vendimia. Es que Gasparo y los labradores arrastran el ataúd de la abuela y lo hunden a patadas en el nicho. Se dobla un poco
²⁰ el cadáver contra la bovedilla. Desde un rincón, la calavera se miraba todo su cuerpo, y así para siempre, porque el nicho ya está en colmo. Y lo cierran. Mediodía. Se quedan solos Gasparo y Sigüenza. Plenitud de junio. Se hincha el valle
²⁵ respirando y Sigüenza recibe el olor y el tacto de la calma de los árboles calientes. Campanas de San Pedro. Años y años subirían los campaneos de las fiestas, acostándose quietecitos entre las cruces.

★ ★ ★ ★ ★

³⁰ Sigüenza y Gasparo caminan abriendo con las rodillas el sembrado alto de geranios, de dondiegos, de gramíneas. Y se paran mirando un herbazal tierno que se ondula, se frisa y vuelve a su quietud viva, como si acabase de hollarlo
³⁵ alguien invisible.

Y Gasparo se ríe. Le refiere de su oficio con su habla obscura y abrasada de fumador pobre.

En lo antiguo, aquello que pisaban no era todavía camposanto. El camposanto estaba en las
⁴⁰ últimas peñas y ruinas del castillo de moros. Todo lo nuevo—y Sigüenza lo ve tan viejecito—, todo lo nuevo ha crecido en las manos de Gasparo Torralba; él subió en serones la tierra blanda de los huertos. Habrá dos brazadas en-
⁴⁵ cima del espinazo del cerro.

Van pasando por un callejón de panteones. En medio está el de la familia más hacendada; la hornacina, ciega, sin imagen; el altar, rudo; la lámpara, sin vaso; todo sin acabar, como las mejores casas del pueblo, también sin acabar. Es el ⁵⁰ cansancio de las gentes de la comarca, que principian una obra, fuman, se duermen y, al despertarse, toman otro propósito y se aburren.

Una cuesta entre casillas y jaulas de sepulturas y vertederos.   ⁵⁵

Gasparo coge una piedra, tirándola como un pastor a una cabra zaguera. Allí, donde atinó, en una fosa de escombros, está enterrado un forastero. Amaneció en el hostal. Paseó por el Calvario. Rodeó las paredes del cementerio. Se ⁶⁰ paraba; se asomaba al hondo. Le veían desde todos los portales del pueblo, y él encogióse de un brinco y cayó rebotando en las rocas y piteras. Allí, en la cantonada del muro, lo puso Gasparo, sin ataúd, sin un lienzo que le separe del ⁶⁵ tacto y del peso del pedregal. No tiene ni cruz. Ruedan los años y nadie pregunta por él; y este olvido y este silencio ponen como una lápida lisa encima de muchas leguas profundas de cadáver.

En cambio, arrimada a la tapia, cría musgo ⁷⁰ una lápida de verdad, sin tumba. Sigüenza la vuelve, y lee:

DOÑA SALVADORA PEÑALVA Y MOSCARDÓ

R. I. P.[1]   ⁷⁵

Ya que nos arrebata tu alma hermosa
el Dios de Abraham con su potente mano,
flores prodigarán sobre esta losa
y lágrimas un padre y un hermano.

Nació en Alberique a 25 de diciembre de 1835. ⁸⁰ Falleció en esta villa a 19 de junio de 1858.

Primera meditación de Sigüenza: Salvadora nació en la Navidad de 1835 y murió en junio de 1858. Tenía veintitrés años. Yo he doblado los cuarenta años. Salvadora nació en 1835; en la ⁸⁵ Navidad que viene cumpliría ochenta y siete años. ¡Veintitrés . . . ochenta y siete! . . . Ahora

---

[1] *(Lat.) R.I.P.=Requiescat in pace.* Rest in peace.

quizá habría muerto. Veintitrés . . . ochenta y siete. De modo que ella . . . De modo que yo . . .

Necesita Sigüenza más sutilidad de pensamientos.

Segunda meditación . . .: «El Dios de Abraham con su potente mano» . . . Flores y lágrimas de un padre y de un hermano encima de una losa desde 1835 . . . ¿Dónde está Salvadora Peñalva? Todo tan concreto: «Nació en Alberique a 25 de diciembre de 1835. Falleció en esta villa a 19 de junio de 1858» . . . ¿Un hueso, un andrajo, algo de Salvadora tan concreto como sus fechas?

Y Gasparo Torralba se ríe, lamiendo la goma de su cigarro.

Tampoco se le ocurre a Sigüenza decirse no somos nada. Es de ella de la que no queda nada, porque ni la losa es suya; y han de arrimarla, suelta, contra un muro.

«Al sepulcro también mata la muerte.»

Gasparo enciende con yesca su cigarro, y suelta el humo tupido como una lana, y da con su alpargata un azadonazo en el suelo.

—¡Por ahí está en la tierra!

Pero no hay tierra, sino un osario molido, un entramado de raíces de un bosque de generaciones taladas; y al pisarlo crujen y salen briznas, aristas, siempre menuditas, como si nada más fueran de huesecitos de niños. En todo aquel recinto del cementerio antiguo no había más cadáver conocido que el del suicida forastero.

—Toda esta tierra y las paredes, todo lo acabé de llenar cuando el cólera.—Gasparo dice «colic», y la palabra y la epidemia tienen más filo asiático, más filo convulso.

Entonces faenaba de noche, sin farol, para que las gentes, en acecho, no se sobresaltasen.

Fué con su mulo a recoger dos muertos de una masía: padre y un hijo. Pero llegó muy pronto. Aún vivía el hijo, y se sentó a fumar en el portal hasta que dijeron: «Ya están los dos.» Y los ató juntos en el albardón del macho.

—Cuando vine aquí era la madrugada, y en lo más fondo me salió . . . ¿a que no lo adivina?

Gasparo se ríe subiéndose la faja.

—Me salió una raposa. Se golpeaba de reconcomio. Los dos nos embestimos. Yo con el legón le arranqué una oreja; ella me mordió en el hombro. Yo me cogí de su rabo y tiré; ella se revolvió; se me quedó todo el pelo entre los dedos como si fuese barbas de avena; y la galopa botó en mis costillas y de mis costillas al tapial, y se fué con el muslo desollado y sangrando . . .

Por la brega se olvidó de los dos difuntos; sus cajas resonaban de carreras y chillidos de ratas, y con las ratas dentro tuvo que enterrarlos. Desde lejos las sentía pelearse.

Gasparo no podía remediarlo. No paraba por veredas, por barrancales; de heredad en heredad, con su mulo cargando y descargando muertos.

Bien le preguntaría Sigüenza: «Oiga, Gasparo Torralba, ¿y entre todos esos huesos, ya tan escomidos y frágiles, no los habrá de algún enterrado vivo?» Pero no, no se lo dice porque sería sospechar de su pericia de enterrador.

Gasparo le coge confidencialmente de un codo, y le muestra los herbazales. Entre la frescura va pasando una vibración de lumbre. Otra vez se imagina Sigüenza que se deslicen las pisadas de alguien, de una aparecida invisible.

Y añade Gasparo:

—No había nicho donde no criaran las ratas. Mordían las raíces y los tronchos de los geranios, de las malvas, de las rosas y hasta la leña de las cruces. Una perdición. Yo las acabé sin cepos. Yo tengo mi gato, el único gato que aquí hace bondad. ¡Ahora lo verá!

A brincos se precipita retumbando en el bancal de sepulturas; se sume y escarba en la hierba, y saca de cola una sierpe que se tuerce húmeda y dulce al sol.

—¡No hay animal tan manso y agradecido!

La pone en el muro, y la sierpe vislumbra como un tisú; sin moverse, su latido le va renovando la piel. Hierve fría y multiplicada en la piedra; y la traspasa, la cala, como si la piedra fuese tierna, de esponja, y se la embebiese.

En fin, Sigüenza se decide a preguntar:

—Gasparo, ¿no habrá en el cementerio viejo algún enterrado vivo? En casi todos los camposantos viejos los hubo. Las epidemias traen precipitaciones . . .

Gasparo, sin reparar en esas disculpas, vuelve junto a Sigüenza, y se queda cavilando.

—Yo me creo que a nadie enterré vivo . . .

Pero aquí hay muertos de dos «colics». ¡Yo sé nada más lo que vi cuando abrimos nichos y capillas y paredes para llevar las cajas a lo nuevo! Mire lo que vi . . .

Gasparo se aparta chafando una geología de vértebras, de costillajes combos, de goznes, de nudos y cabezuelas de cal. Se recuesta en un socavón de los derribos acodándose en la argamasa, y entorna los ojos. Adquiere una actitud de elegancia. Tiene un fondo lejano de graciosos oteros con arbolillos finos; nubes blancas, barrocas; y los huesos fosilizados, que revientan bajo sus alpargatas, resultan emblemáticos. Todo semeja un fragmento de una estampa, de un cuadro que no recuerda Sigüenza si es de Víctor Carpaccio.[1]

—Así como me pongo—dice Gasparo—estaba uno, un difunto; así se nos presentó, sentado y entero, cuando volcamos la pared vieja.

Luego busca otra rebanadura del tapial y la palpa muy calmoso.

—Aquí encontramos tres cajas, una encima de otra, y de la de en medio salía un brazo que se agarraba a la tapa de la de arriba.

. . . Ya principia a venir la tarde. La claridad es más azul; el aire más oloroso de campo íntimo, y el cementerio, con reposo, con silencio cerrado de «descansen en paz». Reposo y silencio «para siempre, siempre, siempre», dentro de la permanencia de la vida tan de nosotros, sin nosotros, sin nada de nosotros, como de Salvadora Peñalva.

Y en tanto que lo pensaba Sigüenza, como si lo pronunciase su frente, su frente con sensación de campo, de montes y de mar, iba leyendo lápidas de labradores, de señoras, de hidalgos viejecitos, tendidos desde mil ochocientos . . . ; todos ellos, en ese día ancho de verano, día de San Pedro, saldrían a pasear por sus huertas, con sus mejores ropas, las mismas ropas ya estrujadas detrás de esas lápidas.

Al abrir el portalillo para marcharse se les ofrece bajo todo el pueblo en la falda del alcor.

Desde el pueblo no se puede mirar al cielo sin presentir cada uno su fosa. Las cruces se

[1] Italian painter (1490?–1523?).

clavarán en los ojos, las cruces de los difuntos de cada familia.

Gasparo dice:

—¡No se les clava nada! El camino es un muladar. No quedan cipreses; no queda Calvario. Ni vienen ni miran, y si miran, no ven.

Es verdad. Tienen encima sus muertos; pero la muerte, la muerte está más allá del horizonte de nuestros pensamientos y de nuestros ojos.

EL LUGAR HALLADO

«ACABO DE DESCUBRIR un lugar delicioso dormido entre los años. Ha sido sin querer, como algunos grandes hombres descubren lo que concretamente no esperaban descubrir; pero, al descubrirlo, sienten la legítima alegría de haber acertado con toda su voluntad iluminada. Así yo acerté por la gracia de la revelación. Esa gracia no se recibe sin capacidad de sentir y aprovechar sus efectos, y entonces tan claramente nos pertenece lo hallado que bien podemos decir que se origina de toda nuestra conciencia . . . »

Todo eso casi lo pronunciaba Sigüenza asomándose de puntillas a un jardín de escombros. Nadie. El silencio con el aliento de todo. Cuando llegó, se escaparon los ruiseñores, las golondrinas, los mirlos. Se sentía caer los jazmines, crujir los finos nervios de las plantas, esconderse los grandes lagartos de piel deslumbradora y glacial como una seda húmeda y bordada.

Poco a poco volvieron los pájaros; se asomaron las salamandras al sol verdoso de las piedras; se recalentaron las cigarras; las golondrinas se pusieron a espulgarse en un ciprés seco, y en cada jazmín sonó una abeja . . . Todo, todo lo mismo que cuando vino el forastero. El cual miraba el huerto como si fuese suyo, no por dineros, sino por antigua posesión de linaje y de pensamientos. Lo habría heredado desde mucha distancia de años, desde que todo aquello comenzó a caerse; y ahora visitaba su herencia doliéndose y agradándole el abandono en que dejó lo suyo.

Siete cipreses en hilera, pero nada más quedaban dos con follaje macizo; los otros estaban

descarnados en su leña. Era menester arrancarlos, y de sus troncos se labraría Sigüenza una
mesa, un ropero y un arcón.

Frente al portal, dos adelfos que arriba se
5 juntaban en un techado de hojas duras y de
flores rojas. Dentro de la sombra da un poco de
angustia; nuestra piel se comunica de la amargura que hincha las cortezas del baladre.

Un jazminero cegaba las rejas y la mitad del
10 muro. Lo plantarían cuando edificaran la casa,
hace setenta, noventa, cien años . . . Hace
mucho tiempo también que se derrumbó del
peso de sus sarmientos y biznagas, y sigue verde
y tierno. Es una masa torrencial, inmóvil, de
15 olores virginales. Toda la tierra del contorno
está mullida de nieve de la flor. El aire se cuaja
de un perfume de novia, muy bueno, pero tanto
que la novia se multiplica en un palomar de doncellas que nos ahoga de suavidad. Las sienes y
20 los párpados de Sigüenza se le traspasaban de
olor. Se le precipitó la disnea de beber[1] ese olor
sensual de castidad.

Otro viejo elemento de hermosura de aquel
recinto era un laurel.

25 Sigüenza se recostó en el tronco liso del laurel.
Le parecía tocarlo íntimamente en cada frutilla,
en cada arista de hoja, brote por brote. Todo su
conjunto le latía en su vida, fresco, tierno, definitivo y eterno. Laurel con todos sus méritos de
30 belleza para que un dios lo haga suyo, pero laurel
del todo vegetal, sin predestinaciones a temas
mitológicos y alegóricos. Árbol con todas las
virtudes antes de servir de símbolo de las demás,
antes de servir para nada y sin cuidado de que
35 aproveche a nadie. Se ha criado libre, puro y
bello, sin que se espere de él más que eso: que
viva grande, hermoso y recogido. Y este laurel no
es sólo su tronco y su copa que tienen un paño
húmedo y azulado de umbría, sino que es tam-
40 bién su retoñar a borbollones que hiende la
tierra y sale por la escombra y revienta por el
tapial, multiplicándose barrocamente la planta
sin perder su unidad clásica. Está en sí mismo y
traspasando las losas y trasfundiendo su tono de

serenidad en la convivencia de los cipreses, de 45
los adelfos, del jazminero, y en un bancal escalo-
nado de naranjos con lindes de parras y rosales.
Todo había de acoger en medio, como fondo
suyo, una casa lisa y blanca. Allí tiene Sigüenza
la casa, con sus poyos, pero ya morena de sol y 50
de años, cerrada y muda. Levántase Sigüenza
necesitando tocarla para sentir el tiempo en sus
sillares. Se promete derribarla y obrarse otra;
pero guardará para la nueva las rejas, el herraje
de la cerradura y el aldaboncillo de figura de 55
dragón con las orejitas tiesas como si escuchara
siempre resonar en lo profundo su propio
repique.

Es posible que Sigüenza haya pensado en la
granja de Horacio, tan codiciada por los con- 60
temporáneos del poeta, y desde entonces por todos los poetas del mundo.

Refiere Capmartín de Chaupy que descubrió
la casa horaciana parándose, volviéndose, con-
tradiciéndose en su ruta, saliéndose del camino 65
real, internándose espontáneamente por atajos y
senderos íntimos. Pues lo mismo Sigüenza. Lo
mismo, pero sin buscar, sin indagar, sin proponerse ninguna docta pesquisa.

Sigüenza iba por la carretera que atraviesa 70
rinconadas, planteles y josas, y, de improviso,
pásase del suelo apacible a la quebrada. Surgen
también entre los oteros las encendidas apariciones del Mediterráneo. Y se le presentó una
vereda que se escondía de un brinco y que del 75
ocio criaba hierba. La siguió, y la dejó por otra
más abrupta. Subió unos escalones de hortal con
muros rotos. En el fondo estaba ese jardín de
familia tan abandonado, tan suyo. Nadie.

Pero de repente crujió la seroja que empastaba 80
el suelo, y entre los pilares caídos donde hubo
una verja mostróse un labrador con su azada en
el hombro, que le sonrió a Sigüenza saludándole
con su nombre. ¿Le conocía? Y Sigüenza también le sonrió. En presencia de las realidades que 85
interrumpen la suya, Sigüenza siempre sonríe
un poco por si acaso . . .

—¿Usted es quizá el amo de este huerto que
yo acababa de descubrir?

—¿El amo? Yo soy el jornalero.   90

Cansado y humilde habría visto dormirse los

---

[1] *se le . . . beber* his difficulty in breathing became
greater as he drank in.

años al amor de aquellos árboles. Bien se acomodaría de jornalero con Sigüenza.

—¿El amo? El amo de ahora ni viene ni se acuerda de que todo esto sea suyo. ¡Así se va secando y perdiendo todo! El amo, el de verdad, murió. Hombre de los antiguos que nunca salió de la comarca, ni era menester. Tanta hacienda tenía que caminaba siempre pisando tierra suya. Se encorvaba para recoger un grano de cebada o de trigo que viese en una linde o en una losa del patio, y subía las escaleras para dejarlo en el granero. Se le hundió el desván del peso de muchos quintales de tornillos, de clavos, de bisagras y cerrojos viejos y de herraduras rotas que cogía en las veredas. Buen hombre. A él acudíamos por dinero para ir a segar arroz en la Albufera.[1] Con veinte reales nos bastaba para el camino, y se los pedíamos a él. «¿Quieres un duro?—decía—. ¿Un duro? Aguarda que lo busque.» Y encendía el velón de cuatro llumeneras,[2] abría el escritorio, y del fondo sacaba el cartucho de veinte reales y nos lo daba con mucha ceremonia. Con la misma lo recibía, lo contaba y lo guardaba cuando se lo devolvíamos recién llegados del arrozal. Pues una vez no pude yo traérselo, y a la otra siega le pedí otro duro. «¿Que quieres un duro? ¿Un duro? Aguarda que lo busque...» Y encendió su velón y estuvo mirando en su escritorio. Se puso las antiparras, se santiguó, besando la cruz de sus dos manos juntas. Sobaba las esportillas de sus gavetas, me miraba muy pasmado, y por último me dijo: «¡No está, no está el duro que pides! ¿Es que no me lo devolverías cuando llegaste de la Albufera, y por eso no estará?» Y ya nunca me lo dió ... Este huerto lo tenía para pasar los lutos y las fiestas de la Virgen de Agosto y las de San Francisco, en octubre. La señora de tan gruesa semejaba baldada y no podía subir a sus heredades de la sierra. Aquí llegaba en una borrica muy mansa, con silla y almohadón, y aquí venían las familias principales del pueblo; los domingos de mayo tomaban fresas y cogían rosas, y los domingos de invierno, chocolate con pastas de candeal que amasaba mi madre, y también cogían rosas. Siempre había rosas. Buen amo y buen ama, que rezaban con nosotros. Han muerto muy viejos. Todavía los recordará usted.

—¿Yo?

—Los recordará usted, porque hace muchos años, cuando no había carretera, usted vino aquí una tarde, por una senda, entre las bancaladas...

—¿Yo estuve aquí una tarde?—. Y Sigüenza se vuelve hacia sí mismo preguntándoselo y mirándose con recelo.

Se sosegó diciéndose que, a la postre, había hallado, creado y poseído el lugar que otros no sabían poseer. Pero, de todos modos, Sigüenza no había descubierto nada, como algunos grandes hombres.

---

[1] Lagoon in Valencia province.

[2] *velón de cuatro llumeneras* The word for *light* in Catalán is *llum*. This *velón* is an oil lamp with four wicks which draw from a common oil supply.

RAMÓN PÉREZ DE AYALA
1880-1962

*Nació en Oviedo y estudió en colegios de jesuitas. La descripción de esa
educación antisentimental y del ambiente donde fué sometido a ella se
refleja en A.M.D.G. (1911), novela autobiográfica. El mundo de su ciudad
y de su comarca le atrajo con fuerza, acaso por compensación al temprano
desarraigo y al intelectualismo excesivo. Hijo del siglo, cuando en 1926
resucitó a don Juan, fué para ponerle en ridículo: el don Juan feminoide
de* Tigre Juan *y* El curandero de su honra *es una degradación del mito
a la caricatura. "Èppur si muove."[1] En cambio, la figura del marido burlado,
del cornudo ridículo, se engrandece y pasa de lo grotesco a lo humano.*

*Describió con humor y exactitud el ambiente del Madrid bohemio en los
comienzos del siglo—*Troteras y danzaderas *(1913)—y en* Belarmino y
Apolonio *(1921) contó la historia, sólo en parte ficticia, de aquel prodigioso
remendón ovetense que, como James Joyce y antes que él, descubrió la
fuerza bruja de las palabras e inventó a la chita callando un lenguaje
personal. Escribió versos, mas reservó la poesía para su obra novelesca,
especialmente para las narraciones breves que con razón llamó «novelas
poemáticas»:* Prometeo, Luz de Domingo *y* La caída de los Limones
(1916).

La caída de los Limones *es la parábola de una decadencia simbólica:
asistimos en ella a la desintegración de un cacicato político y a la ruina de
una familia incapaz de vivir en lo presente, perdida en vagos ensueños
y al fin condenada a muerte en la persona del heredero, anormal y degenerado.*

*Alguna vez se dedicó a la crítica teatral; otras, a la política. En los dos
ámbitos sus intervenciones fueron inspiradas por el deseo de combatir un
estado de cosas chabacano e injusto. Con Ortega y Gasset y el Dr. Gregorio
Marañón fundó y dirigió la Agrupación al Servicio de la República. A los
cincuenta años dejó de escribir, y su silencio (pues los artículos de ocasión
publicados por él en los últimos tiempos no tienen suyo sino la firma) es
un enigma que algún día dará que hablar a los investigadores literarios.*

---

[1] (*Ital.*) "*Èppur si muove.*" And yet it moves. Galileo, when forced to retract his
theory that the earth moved around the sun, muttered *èppur si muove.*

La caída de los Limones (1916)

A Enrique de Mesa.

I

Ayer eran dos rosas frescas,
 blancas y bermejas,
5 como leche y fresas.

Hoy son dos pobres rosas secas,
de carne marchita y morena.
Ayer, espinas por defuera,
como adorno y para defensa.
Hoy, en el corazón las llevan
clavadas, como duras flechas.   10

Todos se humillaban a olerlas.
Ahora, todos las pisotean.
¡Ay, las dos pobres rosas secas
que ya todos las pisotean!
5 ¡En qué paró tanta lindeza!

LA HISTORIA que voy a referir acaeció algunos
años ha.[1] Vine en averiguar el curso y circunstancias de ella porque su desenlace, que fué lo
primero que conocí, me interesó poderosamente.
10   Estudiaba yo por entonces el doctorado de la
Facultad de Derecho. Novato en los recovecos y
sinuosidades de la corte madrileña, después de
no pocos y peregrinos alojamientos en hoteles,
fondas, casas de viajeros, casas de huéspedes y
15 otros asilos de la misma calaña, que no bien en
ellos había aposentado me apresuraba a mudar,
cuando por caros, cuando por feos, cuando por
sórdidos, llegué de recalada[2] a casa de doña
Trina, excelente señora alcarreña,[3] de muchas
20 libras, corazón meloso y no mal abastecida
despensa.
     En la mesa redonda solíamos acomodarnos
hasta una treintena de pupilos, muchos de
asiento, los más de paso, todos gente llana y
25 buena pagadora.
     Recuerdo una particularidad de aquella casa.
Y es que nunca faltaba algún enfermo que había
venido a Madrid a que le hiciesen una operación
quirúrgica, o que acababa de salir de ella, con
30 lo cual el vaho de aceite frito, que es el aliento o
husmillo específico de los hogares españoles,
cedía una parte de su soberanía al olor de yodoformo. Y no se sabía qué era peor. También era
harto frecuente la estancia, en viaje de novios, de
35 alguna pareja provinciana, que nos daba coyuntura para la vaya y la envidia.
     Presidía la mesa, por derecho consuetudinario,
un diputado provincial de Colmenar de Oreja,[4]
hombre engreído y tonto si los hay, que alar-
40 deaba de tratar mano a mano con toreros y
políticos, y poseía una nariz que no se cansaba
uno de mirar, porque no encajaba en ninguno de
los patrones o arquetipos comúnmente admiti-
dos en las narices humanas.
     El trato, en la gran mesa redonda, era sobre- 45
manera abierto. No había recién llegado que a
los postres de la comida no picase en el palique
general, dirigiéndose, desde luego, a cada cual
por su correspondiente nombre o apellido. Los
huéspedes volanderos eran, por lo común, gente 50
rústica y simple. Creíanse obligados, de buenas
a primeras, a referir menudamente su vida y con
derecho a escudriñar en la vida de los otros comensales.
     En una ocasión, a la comida del mediodía, 55
aparecieron, promediando uno de los costados
de la mesa, dos mujeres de edad nada moza y
muy semejantes de rasgos. Durante el almuerzo
permanecieron las desconocidas con la cabeza
baja, los ojos abatidos sobre el plato. Comieron 60
con extremada parvedad. No se mezclaron en la
conversación; antes se echaba de ver que la re-
huían. Eran como dos esfinges. Estaban como
ausentes de todas las cosas en torno de ellas. En
vano el jefe del partido republicano de Tara- 65
zona,[5] ciudadano de desparpajo descomunal y
barba ubérrima y bipartita, en forma de teta de
cabra, rompió por tres veces el fuego oratorio
contra las tácitas señoras. Dieron la callada por
respuesta, y el interlocutor quedó corrido. Otro 70
tanto le acaeció a don Raimundo Perejil, canónigo de Atocha,[6] varón manso y oficioso. Con-
secuentemente, la conversación comenzó a
desmayar, como vela sin viento. Sentíanse todos
por vaga manera cohibidos. No cesaban de fisgar 75
en el rostro de las damas, primero con recelo y a
hurtadillas, luego con todo desenfado e insolencia.
     No bien hubo terminado la comida, el que
más y el que menos andaba al retortero[7] de doña 80
Trina, curioseando acerca de las incógnitas
señoras. Caso raro e insólito. Doña Trina, que
era ciertamente admirable en mucho linaje de
virtudes, pero nada discreta, excusóse con respuestas ambiguas y hábiles. Allí había un gran 85
misterio.

---

[1] *algunos años ha* some years ago.
[2] *llegué de recalada* I wound up.
[3] *alcarreña* native of Alcarria, region in central Spain.
[4] *Colmenar de Oreja* town in the province of Madrid.

[5] Town in the province of Zaragoza, Spain.
[6] Basilica in Madrid.
[7] *el que más . . . retortero* all were bustling about.

A la hora de la cena, las desconocidas se mantuvieron en la propia actitud impenetrable. Y lo mismo los días siguientes. Al fin, ya nadie les hacía caso. Pero a mí me seguían inquietando. 5 Me llegaron a preocupar. En la mesa, con tanta cautela como tenacidad, me aplicaba a espiarlas, esperando descubrir alguna clave o cifra con que esclarecer aquel arcano.

Eran de edad indefinida. Estaban entrambas 10 dentro de ese dilatado lapso de tiempo que abarca desde el punto en que la mujer comienza a perder juventud, lozanía e incentivo, hasta el acabamiento de toda gracia de femineidad y hermosura, edad que va de los treinta, y aun menos, 15 a los cincuenta, y aun más, desenvolviéndose con tan sutiles y personales gradaciones que es punto menos que imposible calcularles los años entonces, y a eso suelen acogerse ellas para disimularlos y mermarlos. Aquellas dos mujeres, lo 20 mismo podían llevarse cinco años, que diez, que veinte.[1] Eran muy parecidas. La piel, moreno mate, color corteza de pan. Sin estar flacas, bajo la piel se acusaban enérgicamente los huesos del cráneo. Las cejas rectas, de efigie romana, en-25 sambladas por estrecha zona intermedia de cabellos ralos. Los párpados henchidos, inflados, y de escasa pestaña, tenían hechura de bocas como labios gordezuelos, entreabiertos: esos ojos que conservan, hasta muy tarde, expresión en-30 tornadiza y pueril, y en la edad madura se truecan al pronto en típicos ojos de vejez, rugosos y papandujos. La boca apretada. Vello asaz copioso sobre el labio superior y en la quijada. La diferencia de edad se delataba porque la una 35 estaba más acecinada, más turgente la otra; los párpados de ésta sosteníanse todavía llenos, como tumefactos, así como los de aquélla iban apilongándose[2] ya; el vello, sedeño y vaporoso en un rostro, se correspondía con el vello hirsuto y 40 áspero del otro rostro. El cabello, igual en las dos, partido en la cumbre y adherido a las sienes, adornaba la cabeza con noble austeridad. Eran humildemente dolorosas. Su dolor, cualquiera

que fuese la causa, sugería la idea de un destino mujeril malogrado, algo así como la tristeza de la 45 virginidad vetusta. O, como se dice en el duro lenguaje de cada día, tenían toda la traza de ser dos solteronas. Era evidente que pertenecían a buena familia provinciana y que habían venido en contadas ocasiones a Madrid. Vestían sen-50 cillamente, de color nazareno,[3] y mostraban, por ciertos detalles, ser personas de gusto poco educado.

II

En la campal llanura de los cielos,   55
dos campeones búscanse sin fin.
Uno es el día, el blanco caballero.
Otro es la noche, el negro paladín.
Se persiguen, mas no se encuentran nunca.
Sobre la tierra, cabalgan de paso.   60
Y según pasan los anuncian
las campanas en los campanarios.

El *Angelus* del alba canta:
«La noche huye. La noche ha huido».
«El día se pierde en la distancia».   65
Llora el *Angelus* vespertino.

Talán, talán.
Campana de plata.
Ha nacido un nuevo cristiano.
¡Oh blanco misterio!   70

Talán, talán.
Campana de bronce.
¡Oh negro arcano!
Llevan un hombre al cementerio.

CORRÍA LA primera quincena del mes de mayo. 75 Por las tardes, acostumbraba recluirme en mi aposento a preparar mis asignaturas. Entre lección y lección, buscando unos minutos de descanso y esparcimiento, pasaba al cuarto de costura de doña Trina. A la sazón, la hija única 80 de doña Trina, Mariquita de nombre, casada desde hacía cosa de un año, aguardaba el primer

---

[1] *Aquellas . . . veinte.* There could have been five, ten, or twenty years between those two women.
[2] *iban apilongándose* were getting shriveled.

[3] *color nazareno* purple (from the color of the tunic worn by penitents who take part in Holy Week procession).

fruto de bendición para antes de terminar el
mes. En el cuarto de coser todo era laboriosidad,
algazara y blancura, preparando la canastilla
para el crío. Doña Trina reventaba de gozo, y yo
5 gozaba también viendo y oyendo a la buena
señora.

Era doña Trina eminentemente maternal y
sedentaria. Estas dos salientes características de
su temperamento se patentizaban, a modo de
10 alegoría flagrante, en sendas correspondencias
orgánicas: desaforado busto y asentaderas desa-
foradas. En mitad de aquel maremágnum y
aborrascada muchedumbre de lencerías, granos
de oro, puntillas y tiras bordadas, doña Trina
15 destacaba, majestuosa y sombría, como buque de
gran porte engolfado entre espumas.[1]

Lo único que turbaba el albo reposo[2] eran
ciertas disquisiciones polémicas sobre el sexo de
la criatura. Mariquita quería que fuese niño.
20 Doña Trina no podía consentir esto. Se aducían
argumentos de una y otra parte. Una vez, Mariquita concluyó:

—¡Pues yo quiero que sea niño, ea! ¡Lo
quiero yo, y basta! —E hizo mimosos pucheritos.
25 —Calla, calla, locuela, que no sabes lo que te
dices —respondió doña Trina, con caviloso
entrecejo y acento de severidad.

¿Cavilosa doña Trina? ¿Doña Trina, severa?
Esto era para mí extraordinario y sorprendente.
30 Prosiguió.

—¿Un niño? Es decir, un hombre . . . ¡Qué
horror! ¿No tienes ahí el ejemplo de esas pobres
señoras? ¿Quién nos dice que, siendo hombre,
no va a salir como ése?
35 Doña Trina se dió cuenta que yo estaba
presente. Llevándose la mano a la boca, se
interrumpió.

Una tarde, al entrar en el cuarto de costura,
hallé una novedad que me sobrecogió al pronto.
40 Mezcladas con las piezas de lo blanco había algunas piezas negras de lana y satén. Las dos
señoras desconocidas, acompañadas de una costurera, cortaban en las telas de luto. Doña Trina
y Mariquita cosían con ardimiento los blancos

atavíos, sin reparar en el contraste. De tiempo en
45 tiempo, hablaban con las damas mismas. Por
donde averigüé que la de más edad se llamaba
Fernanda, y la más joven, Dominica. Me acu-
rruqué en un rinconcito, para no distraer.

—Por lo menos dos vestidos, uno para cada
50 una, tienen que estar terminados para el sábado,
a las doce en punto—dijo Dominica.

—Y también para las diez estarán listos—respondió la costurera.

—A las diez, ¿para qué? Ha de ser al medio-
55 día. Al mediodía, Fernanda.

Dominica suspiró.

—Al mediodía, Dominica—repitió Fernanda,
escuetamente.

Hubo un largo silencio. Volví a mi aposento,
60 pero no pude estudiar. No sosegué, hasta que,
tomando aparte a Mariquita, le pregunté:

—Dime, Mariquita: ¿qué quería decir aquello
del mediodía en punto?

—Pues que antes del mediodía no estarán de
65 luto, y desde el mediodía ya estarán de luto.

Yo callaba, meditabundo y acongojado. Mariquita añadió:

—¿No comprende usted? Lo comprenderá
cuando yo le diga que esas pobres señoritas que
70 tanta curiosidad le inspiran son las señoritas de
Limón, de los Limones de Guadalfranco.

III

Vieja ciudad de piedra cincelada
y de barro el más deleznable.   75
Eternidad eternizada
y vanidad de lo mudable.
Nidal en el risco señero
donde un más allá se avizora.
Nidal del arrojado romancero.[3]   80
Nidal de halcones y águilas de otrora.

—¿Por qué en el polvo del sendero
así yaces, buen caballero?
—Apuré hasta las heces mi vino
en el cáliz de mi destino.   85
Dormir, morir. Nada más quiero.

---

[1] *buque . . . espumas* a huge ship engulfed in foam.
[2] *albo reposo* peaceful repose.

[3] *arrojado romancero* stories of daring deeds.

Apreté entre mis ávidas manos
el haz fabuloso y rotundo
que forman los mares livianos
y las tierras firmes del mundo.
5 Y todo fué un fútil empeño—
dijo el hidalgo moribundo.

Están posados en su cabeza
la mariposa del ensueño
y el escorpión de la pereza.

10 GUADALFRANCO es una vieja ciudad española,
capital de la provincia del mismo nombre. La
provincia entera es sierra fragosa, con llanadas de
altura y ríos encañonados, como torrentes. En el
corazón de la fragosa sierra, sobre peñascales
15 cortados en tajo, se alza la vieja ciudad. Aunque
no más de veinte leguas alongada de la corte del
reino, cae, sin embargo, tan fuera de mano, que
para llegar hasta ella es fuerza emplear un día con
su noche; media jornada de fatigoso y asmático
20 ferrocarril, hasta Tendilla de los Burdéganos, y
desde aquí la otra media, de poco diligente
diligencia.

Para pintar hasta qué punto de menosprecio
y oscuridad han caído las un tiempo en todo el
25 mundo renombradas provincia y ciudad de
Guadalfranco, baste trasladar aquí un sucedido,
en donde se revela lo ignoradas que ahora están,
aun de los mismos españoles. Mentóse por ventura en cierta tertulia madrileña la ciudad de
30 Guadalfranco, cuando uno de los del círculo,
persona de famoso donaire, cortó diciendo:

—Alto ahí. Si de Guadalfranco se habla por
burla, puede pasar. Si se me habla en serio, no lo
admito, porque yo soy de los que están en el
35 secreto.

—¿En qué secreto?

—En el secreto de que la provincia de Guadalfranco no existe.

—¿Que no existe?

40 —No, señor, no existe; vamos, que no hay tal
provincia de Guadalfranco. ¿Ha estado usted
alguna vez en la provincia de Guadalfranco?

—Cierto que no; pero tampoco he estado en
Pekín.[1]

—Es que Guadalfranco se supone que está a 45
las puertas de Madrid, como quien dice, y no en
el Celeste Imperio. ¿Conoce usted alguna persona que haya estado en Guadalfranco?

—En este instante no recuerdo . . .

—¿Conoce usted algún natural, hombre o 50
mujer, de Guadalfranco?

—La verdad, que yo sepa . . .

El hombre que estaba en el secreto fué haciendo, uno por uno, a todos los presentes, las
mismas preguntas. Ninguno había estado en 55
Guadalfranco; ninguno conocía a nadie que
hubiera estado allí ni que en Guadalfranco fuera
nacido.

—¿Lo ven ustedes?—prosiguió con la chanza,
muy seriamente—. Guadalfranco no existe. Es 60
una provincia que inventó Sagasta.[2] Es una provincia que tiene existencia en el presupuesto del
Estado, una existencia imaginaria, pero carece
de existencia real. Busquen ustedes en las guías
de ferrocarriles, y verán que ninguna línea pene- 65
tra en la provincia de Guadalfranco, sino que
pasan bordeando sus fronteras. Fronteras imaginarias. Como que no se despachan billetes
para el país de las hadas . . . Sagasta inventó esa
provincia, y el caso fué como sigue: Volviendo 70
una de las veces a gobernar, aplicóse, como es de
rigor, a repartir profusamente entre secuaces,
amigos, paniaguados y familiares, cuantas pre-
bendas y bicocas le brindaba el presupuesto;
pero halló que no tenía bastante que dar a los 75
muchos que le mendigaban, y eran innumerables las quejas y aun amenazas que recibía.
Pero aquél era un gobernante de inagotable
industria y contundente inventiva. En tan ex-
tremado trance, ocurriósele hacer una nueva 80
clasificación territorial de España, añadiéndole
una provincia más, que sacó de su cacumen: la
provincia de Guadalfranco, con su orondo y
tierno obispado, su hospitalario cabildo, su
gobierno civil y delegación de Hacienda, aba- 85
rrotados de empleadillos, etc., etc., con que dejó
satisfechos a los amigos que antes se habían quedado de vacío. Los destinos de la provincia de
Guadalfranco son los más gustosos y holgones,

[1] Capital of China.

[2] Spanish politician, leader of liberals (1827–1903).

porque para ejercerlos no es menester salir de
Madrid. Todos los empleados son como el
obispo de aquella diócesis: burócratas *in partibus
infidelium.*[1]

5   Algunos de los oyentes, poco versados en
geografía, aceptaron esta farsa como verdadera
historia. Se hacían cruces y exclamaban:

—¡Las cosas que pasan en esta desgraciada
nación!

10   ¡Son tantas las ciudades españolas que parecen inventadas por Sagasta!... Ciudades que
un tiempo fueron heroicas, esforzadas, activas y
abundantes, hoy sólo tienen una existencia
imaginaria y soporífera.

15   En un censo que data de Felipe II,[2] consta
que Guadalfranco, la villa, encerraba dentro de
sus muros fuertes cuarenta mil casas con otros
tantos vecinos. Era celebrada en todo el mundo
por sus lanas y paños, el temple de sus aceros y
20 el adobado y ambarado de pieles.[3] Dignatarios
pontificios, señores florentinos, senadores vene-
cianos, nobles franceses, ingleses y tudescos cal-
zaban con ostentación guantes de Guadalfranco.
La agricultura florecía asombrosamente, merced
25 a mil ingeniosos artificios con que los moriscos[4]
regaban y cultivaban la tierra, la cual era fecunda, sobre todo, en alcornoque.[5]

Hoy en día, Guadalfranco no cuenta arriba de
veinte mil moradores. Las industrias de paños,
30 aceros y pieles han desaparecido. La agricultura
está abandonada. Muchas de sus casas están
deshabitadas, ruinosas, y entre ellas bastantes
palacios señoriales y emblasonados. En el recinto
de la ciudad hay sesenta iglesias, la mayor parte
35 retiradas del culto, y más de cien conventos, casi
todos de monjas. De la riqueza y esplendor antiguos no quedan sino los alcornoques.

En Guadalfranco subsisten familias de rancio
linaje; pero venidas tan a menos que, en general,
40 han abdicado todo timbre de hidalguía. Aventa-

jaba a las demás en abolengo y encumbramiento
de sangre la casa de los Uceda, que arranca del
reinado de Don Juan el Segundo.[6] El fundador
del linaje fué un don Eutropio de Uceda, de
dilatada sucesión, ninguna legítima, pues de su 45
mujer, doña Guiomar de los Arcos, no consiguió
tener hijos. Como dama de doña Guiomar, fué
desde Ávila de los Caballeros a Guadalfranco,
Juana Orbaneja, mujer de origen oscuro. Don
Eutropio, sintiendo que se perdiera su línea con 50
él y pasase la casa a la descendencia de sus
hermanos, tuvo amores con Juana Orbaneja,
doblemente adúlteros, por ser en vida de doña
Guiomar y estar desposada la dama con Lope
Peralejo. Fruto de estos amores, nacieron varios 55
hijos que fueron legitimados por mercedes
reales. Durante muchos siglos disfrutó la casa el
privilegio de sepultura en la iglesia de San Bartolomé y Santiago, convertida hoy en establos
del cuartel de la Guardia civil, así como de dos 60
asientos distinguidos en el presbiterio, uno para
el jefe de la casa y otro para su mujer. Esta
noble casa padeció incontables vicisitudes, fué
perdiendo bienes de fortuna, arrastróse en decadencia solapada, encubierta y humillante. En la 65
segunda mitad del pasado siglo, agotada la línea
masculina, no quedaba del linaje sino una
doncella de veinte años, Fernanda de Uceda,
hermosa y de buen porte, que habitaba el viejo
casón solariego en compañía de dos tías ancianas, 70
doña Florentina de Uceda, doncella también, y
doña Amparo Urbina, viuda, sin hijos, de un
Uceda. Las dos viejas y la niña vivían pobre-
mente, con disimulada estrechez, retiradas del
trato de gentes. Las pocas veces que salían era a 75
la iglesia, de matinada.

Sucedió que uno de los socios de cierta empresa corchotaponera[7] hubo de caer en Guadalfranco, a poner en rendimiento los muchos
alcornoques que vegetan por aquellos contornos. 80
Llamábase Enrique Limón. Era joven, de arrogante planta, amigo de meterse en todas partes.
La llegada de Enrique Limón a Guadalfranco, la
caduca ciudad, fué como la apertura de un nuevo
período histórico. Instaló una pequeña fábrica, 85

[1] (*Lat.*) *in...infidelium* with only nominal jurisdic-
tion.
[2] King of Spain (1556–1598), b. 1527.
[3] *el adobado...pieles* the tanning and the nice odor of
the hides.
[4] Descendants of the Moors who remained in Spain;
they were converted to Christianity.
[5] *alcornoque* tree producing cork; *alcornoque* in slang
means fool.

[6] King of Castile (1406–1454).
[7] *empresa corchotaponera* cork stopper industry.

para lo cual tuvo que traer alarifes de otras partes, porque en Guadalfranco se habían olvidado las artes de albañilería y construcción.

Los vecinos de Guadalfranco, desde tiempos añejos, pasaban lo más de la vida alebrados y escondidos en sus madrigueras o covachas. No se conocían espectáculos o diversiones públicas de ninguna laya. Limón lo primero que hizo fué fundar un casino y contaminar a los guadalfranqueños con los deleites del café, las emociones del juego de naipes y los arrebatos de las discusiones políticas. Hizo que vinieran periódicos de Madrid, y hasta una comparsa de faranduleros. Fué elegido diputado por Guadalfranco, y llegó a ser amo y señor de la ciudad y de la provincia.

Un día que Limón salió a la calle muy de mañana, cruzó con las Ucedas, que venían de misa. Era la calle tan angosta que, abriéndose de brazos, se tocaba con las manos entrambas bandas. Limón pudo ver de cerca, a su entero talante y sin pecar de osado, el rostro de Fernanda. En un punto quedó prendado de la niña y se determinó en hacerla su esposa. A su vez, Fernanda se enamoró del forastero. Antes de concertarse la boda hubo grave desavenencia y litigio entre las dos tías, porque una de ellas rechazaba al pretendiente y no le quería admitir en la familia, so pretexto que era de sangre plebeya. Este cerrado y puntilloso criterio lo sostenía doña Amparo, la viuda, que era advenediza y ni más ni menos noble que Limón. Por el contrario, doña Florentina diputaba muy cuerdamente que todo eso de linajes y blasones son zarandajas y ranciedades sin sustancia, y ya que Limón parecía caballero de buenas prendas, apasionado de Fernanda y con dinero bastante para remozar el lustre de la casa, si le daba por ahí,[1] no había por qué rechazarle. Claro está que triunfó doña Florentina.

Casó Fernanda de veintiún años. El marido le sobrepujaba en diez. Era muy bella Fernanda. Su mayor encanto consistía en los ojos, cuya forma y lineamiento recordaban una boca de niño, con ambos párpados gordezuelos y color rosa, a manera de labios. Los entornaba que se dijera que escuchaba con ellos, como si bebiese las palabras y aun el alma, si miraban amorosos.

El matrimonio fué grandemente fecundo. Al primogénito, que fué niña, se le bautizó con el nombre de la madre. Año por año sobrevenía otro hijo. No parecía sino que el linaje de los Uceda apresuraba su extinción con esta tardía abundancia, como acontece con las heridas, que el derrame más copioso trae consigo la muerte. Fernanda, la primogénita, sobrevivió. Sus hermanos morían todos a poco de nacer. Trece fueron muriendo así, hasta que se logró otra niña, llamada Dominica. Tenía entonces la madre cuarenta años. Estaba ya marchita y flaca; no le quedaban sino huesos y pellejo. Enrique Limón, que con el andar de los años se había hastiado de Guadalfranco y del hogar, vivía lo más del tiempo en Madrid, descuidando de mala manera sus negocios. Lo único que atendía y afianzaba más y más era su cacicato. Seis años después de nacer Dominica, y cuando nadie lo esperaba, la señora de Limón tuvo otro hijo, un varón, al cual se le impuso el nombre de Arias, en recuerdo de un antepasado glorioso, conquistador de vastos reinos en las Indias occidentales. La madre murió de sobreparto. La criatura, aunque enclenque y enfermiza, se aferró a vivir.

Y así, los Limones de Guadalfranco quedaron reducidos al padre y los tres hijos.

IV

Albas nacaradas. País de las hadas.
Nadan entre aromas las blancas palomas.
Quimeras rosadas guardan encantadas
los sabios Merlines[2] en limpias redomas.
El príncipe lindo pasea el jardín.
Al diestro, la reina, con gran capirote.
Detrás, la nodriza conduce el mastín,
vestida con túnica de verde anascote.
El señor Jilguero, trovero laureado,
canta mil lisonjas al príncipe real:
«El mundo es un vasto país encantado
y Tú eres del mundo Señor natural».

---

[1] si . . . ahí if he wanted to do it.

[2] Merlin, enchanter who played an important role in novels of chivalry.

Pero, el Mirlo negro, siniestro Doctor
que silba y no adula, un presentimiento
de pronto ha tenido. Exclama: «Señor,
que nunca se rompa este encantamiento».

5 EN EL PUNTO de nacer Arias estaba ya Fernanda
en los veintidós años, sazón casadera. No habían
escaseado pretendientes, en su mayor parte
hacendados lugareños y labradores ricos. Pero,
fuera que no le agradaba la traza, bien que le dis-
10 gustase la baja condición de sus enamorados y
cortejadores, ello es que a todos respondió con
desdén. Su carácter era árido e imperativo.
Usaba de muy pocas palabras. Desde muy niña
acostumbraba asistir a cuantas reuniones cele-
15 braba su padre en la casa, con edecanes, sico-
fantas, mandatarios, subalternos y vicarios del
feudo caciquil.[1] Era un arrapiezo, y nadie paraba
mientes en ella. Agazapada detrás de un mueble,
más que escuchar bebía las palabras, mirando a
20 todos atentamente con sus ojos en forma de boca.
Hasta que un día, siendo ya mujer, se encerró
con su padre a decirle, con ademán seguro y
seco, que lo que había que hacer, en cierto
asunto grave, era tal cosa, y que ella conocía la
25 situación del cacicato mejor que nadie. Así era.
A partir de esta conferencia, el señor Limón
compartió el gobierno de la provincia de Guadalfranco con su hija Fernanda.

La inesperada y tardía llegada al mundo de
30 Arias contrarió a Fernanda. Muerta la madre,
¿cómo llevar con paciencia las incomodidades e
inquietudes que consigo acarrearía la crianza del
esmirriado hermanito? Fernanda hizo venir un
ama, que relegó, junto con Dominica y una
35 criada vieja, a lo más apartado del caserón, en
ciertas estancias traseras, pegadas al huerto, de
manera que la tropa menuda no le hurtase tiempo
ni le fastidiase en quehaceres de gobierno y
afanes caciquiles. Conforme Enrique Limón
40 iba envejeciendo, Fernanda se convertía en la
verdadera cacica. Veía al pequeñuelo de tarde
en tarde, cuando más una vez al día, y a veces
pasaba una semana sin verlo, no por falta de
afecto, sino por lo muy atareada que andaba

siempre. El chiquillo era agraciado, sonriente, 45
dulce y amable en su debilidad. Cuando Fernanda, de raro en raro, le tomaba en brazos y le
besaba, sentía enmollecérsele el corazón. Era la
primera ternura que había experimentado en su
vida. Poco a poco fué encariñándose con él. Le 50
consagró un amor firme, aunque poco palmario
y exterior.

Dominica adoraba a su hermanito. No consentía estar separada de él un minuto. Antes de
dormirse había de tenerlo en el lecho, al lado 55
suyo, asiéndole de la manecita. Su encanto era
cogerlo en brazos, empresa extremadamente
dificultosa, dados los cortos años y fuerzas de la
niña. Arias mostraba de su parte mucha afición
a Dominica. 60

Otro amor de Dominica era un perro ratonero,
cenizoso y lanudo, llamado Delfín. ¡Perro más
marrullero!...[2] Cuando se ponía en dos pies,
semejaba un gnomo barbudo y jocoso.

Al cumplir Arias los dos años, y no hubo 65
manera de destetarlo hasta entonces, la nodriza
quedó a su servicio, como ama seca, y trajo
a vivir al caserón a su hijo, el hermano de
leche de Arias, el cual se había criado en el
campo. Llamábase Bermudo, y reventaba de 70
salud, rusticidad y rubicundez, tanto como Arias
adolecía de flojedad y delicadeza. Bermudo era
bien mandado, sociable, con esa adhesión muda
y constante de algunas especies de animales
domésticos. Seguía por dondequiera detrás de 75
Arias, o se acostaba a sus pies, lo mismo que
Delfín. Arias poseía, sin duda, peregrino
hechizo de su persona. Quienes le rodeaban le
rendían culto. Era como un centro misterioso de
atractiva adoración. 80

Los habitantes de la parte trasera del palacio
gastaban todo el día en el huerto. Esta vida de
aire, sol y descuido parecía convenirle a Arias.
Con el tiempo fué fortaleciéndose.

Así transcurrieron algunos años monótonos. 85
Arias, como un príncipe, hermoso y benigno.
Dominica, la reina madre; madre, a la par que
niña, por gracioso milagro. Bermudo, al modo de

---

[1] *edecanes ... caciquil* aides-de-camp, sycophants, agents, subalterns and vicars of the boss's feudal domain.

[2] *"¡Perro más marrullero!"* You never saw a dog that begged so much!

mastín del príncipe. Además, un gnomo, velludo y riente. Luego la vieja nodriza, y un hada bondadosa y providente, revestida con el pergenio engañoso de criada vieja. Y más allá de aquel mundo quieto, el mundo de las disputas, de los tráfagos, presidido por la adusta Fernanda y el viejo papá, que muy de tarde en tarde caía por Guadalfranco a visitar los estados y dar un beso a los hijos.

V

Todas la olas se deshacen
contra el muro de lo infinito.
En el mar infinito se caen
y se pierden todos los ríos.
Las hazañas y los desmanes
se derriten en el olvido.
En la barca de tus afanes
vas con la corriente del río;
vas aguas abajo,[1] a ahogarte
en la sima de lo infinito.
¡Quiera Dios que no te remanses
sobre la presa del molino!

ARIAS ERA lánguido, desidioso, amigo de soñar gratas quimeras y prodigiosas aventuras. Había aprendido a leer y a escribir muy presto. No se cansaba de leer. Lo que leía y las imaginaciones que fraguaba se las iba contando a su hermana Dominica y a Bermudo. Al caer de la tarde y de la sombra sentábanse los tres al pie de un duraznero del huerto, sobre la hierba. Arias refería fantaseadas aventuras, con palabra inflamada y tan plástica, que, por momentos, Dominica, con voz ronca, interrumpía murmurando:

—¡Qué hermoso es lo que dices, Arias! ¡Y qué verdadero! Parece como si lo viese con mis ojos.

Bermudo nada decía. Escuchaba con los labios apretados. No alcanzaba a entender; pero sentía en el pecho desazón a modo de entusiasmo[2] y bárbaros deseos de aullar y estrechar a Arias entre los brazos, con amor infinito. Por aquel tiempo tenían diez años, Arias y Bermudo.

Luego, Arias comenzó a escribir versos. Cuando los leía, al pie del duraznero, lloraba él y lloraban Dominica y Bermudo.

En una ocasión llegó a manos de Arias una historia de la conquista de la Nueva España. Encendida el alma en generosa audacia, declaró a su hermana y amigo que estaba resuelto en huir de casa a descubrir y conquistar países, para que los gobernasen su hermana Fernanda y el rey de España. Quería oscurecer la fama de los antepasados. Dominica se alarmó. Procuró disuadir a Arias de tan peligrosa empresa. Arias no admitía contradicción. Le irritaba que los demás no se plegasen a sus designios.

—No te pido consejo, ni menos permiso, ni mucho menos que me acompañes—dijo, rabioso. Calló unos momentos. Después, arrepentido de haber tratado duramente a su hermana, la acarició y mimó, pintándole, con palabras llenas de vivacidad y fascinación, la epopeya futura, de la cual ellos habían de ser campeones y héroes señalados. Y Dominica, enterneciéndose, se abandonó sabrosamente al propio desvarío e insensatez de Arias.

—Yo seré como la doña Marina de Hernando Cortés[3]—suspiraba—. Navegaremos por mares de plata, donde dicen que hay grandes peces dorados. Pasaremos la línea del Ecuador, donde están esos pájaros marinos que duermen volando, porque jamás se posan, y, con las alas extendidas, son tan grandes, que tienen tres metros de punta a punta.

Bermudo, que, si bien poseyendo, como cada quisque,[4] la propiedad de la palabra hablada, parecía haber enajenado el usufructo de ella, rompió a hablar, por primera vez, en los conciliábulos del huerto.

—Eso . . . eso . . . Y yo, ¿qué voy a hacer? ¿A mí me dejáis en Guadalfranco?—berreó, con voz como mucilaginosa y en grumos.

—Tú vendrás con nosotros—respondió Arias, imponiéndole, con soñador abandono, la mano sobre el crespo colodrillo, a la manera de

---

[1] *aguas abajo* down the river.
[2] *desazón . . . entusiasmo* restlessness produced by his enthusiasm.

[3] Indian mistress and interpreter of Cortés, conqueror of Mexico. She died about 1530.
[4] *cada quisque* everyone else.

consagración—. Serás mi abanderado y cornetín de órdenes.

Bermudo se puso en pie de un brinco. Comenzó a hacer zapatetas en el aire, emitiendo
5 sofocados gruñidos de alborozo.

—Pero ¿dónde estáis, gandules? ¡Arias! ¡Dominica! ¡Bermudo!—gritó la nodriza, desde una ventana que se abrió en la casa—. Ya es hora de cenar . . .

10 Aquella misma noche, la mozuela y los dos niños huían a conquistar nuevas tierras para el rey y para la adusta Fernanda. Era noche de luna. Descendieron el tajo. Desatracaron una barca, y, como no supieron regirla, la corriente los
15 arrastró aguas abajo unas cuantas leguas, hasta que la barca embarrancó en la presa de un molino, en donde los hallaron al día siguiente.

Ésta fué la primera y última aventura en acción. Las demás fueron aventuras de fantasía,
20 en la penumbra vespertina del huerto. Y, sobre todo, recitaciones de los versos de Arias.

VI

Una vez, érase que se era . . .[1]
    Érase una niña bonita.
25 Le decían todos ternezas
    y le hacían dulces halagos.
    Tenía la niña una muñeca.
    Era la muñeca muy rubia
    y su claro nombre Cordelia.
30 Una vez, érase que se era . . .

    La muñeca, claro, no hablaba,
    nada decía a la chicuela.
    «¿Por qué no hablas como todos
    y me dices palabras tiernas?»
35 La muñeca nada responde.
    La niña, enojada, se altera.
    Tira la muñeca en el suelo
    y la rompe y la pisotea.
    Y habla entonces por un milagro
40 antes de morir, la muñeca:
    «Yo te quería más que nadie,
    aunque decirlo no pudiera.»
    Una vez, érase que se era . . .

[1] *Una . . . era* Once upon a time there was.

UNA SOLA VEZ en la vida se querellaron seriamente Arias y Dominica. La causa fué Delfín, el 45
perro barbudo y travieso como un trasgo o como
un gnomo. Delfín estaba ya viejo, achacoso y
aquejado de reumatismo; pero, lejos de abotagarse y agriarse con la edad, el muy zarramplín
consumaba nuevas picardías[2] e inventaba ma- 50
rrullerías inéditas con que hacerse acariciar y
querer de Dominica. Los dos niños, Arias y
Bermudo, no disimulaban sus sentimientos hostiles hacia el festivo y reumático gnomo. A Bermudo le era simplemente antipático. Veía en 55
Delfín una criatura vanidosa, insolente, adula-
dora, vil y traicionera. Los sentimientos de Arias
eran más complicados. Primero tenía celos del
Delfín, a causa del amor que Dominica le dedicaba. Luego comenzó a experimentar una espe- 60
cie de temor supersticioso. Conforme Delfín se
iba haciendo viejo las barbas le encanecían. No
hay sino un linaje de ancianidad que no sea
venerable: la de los brujos. Los brujos, cuanto
más viejos más repugnantes. Esto lo sabía Arias. 65
Se le figuraba al niño que el perro barbudo
estaba animado de un espíritu consciente y perverso, que era un brujo arteramente enmascarado con inofensiva externidad de perro
ratonero. Los ojos de Delfín, verdes, penetrantes 70
y sarcásticos, hacían temblar a Arias. El temor,
por último, se convirtió en odio.

Delfín, que era muy sagaz, observaba con
meticulosa precaución la táctica de estar siempre
pegado a las faldas de Dominica. Había apren- 75
dido por experiencia que cuando se apartaba de
aquella benigna fortaleza y asilo tutelar, si daba
por caso con Arias, recibía de él el más denodado
puntapié. Y así, Delfín había escogido para sus
picardías y travesuras las ocasiones en que Arias 80
dormía, o bien por hallarse de mucha conversación con Dominica y Bermudo no hacía atención
en otra cosa; que ya el perro barbudo y galopín
había observado atentamente este fenómeno.

Por el modo de mirarse Arias y Delfín, Domi- 85
nica llegó a averiguar que no se llevaban bien. Un
día, el viejo gnomo cayó en el regazo de Dominica, al cabo de rauda y parabólica excursión

[2] *el muy zarramplín . . . picardías* the clumsy creature
got into new mischief.

aérea.[1] Como no es privilegio perteneciente a la naturaleza canina el de volar, Dominica no pudo por menos de pasmarse viendo que Delfín acudía hasta ella por tan sutiles y no acostumbrados derroteros. Por otra parte, Delfín no celebraba con petulantes gañidos su triunfo momentáneo sobre las leyes de la gravitación; antes venía quejándose y doliéndose tristemente, rabo entre piernas. Delfín no había volado por propio esfuerzo o antojo. El motor había sido ajeno a su voluntad e industria. Residía en el pie de Arias. Así que le cayó el perro en el enfaldo, Dominica envió su mirada en la dirección hacia donde espiaban de soslayo los húmedos y afligidos ojos de Delfín, y vió, detrás de unos matorrales de lilas, el rostro de Arias, sonriendo con fruición aviesa.

—¡Arias! ¡Arias! ¿No te avergüenza abusar cobardemente de un pobre animal indefenso?

Habló Dominica, halagando al maltrecho gnomo y poniéndose en pie, ofendida en el amor y alto concepto que a Arias profesaba.

Arias palideció. Adelantóse, rompiendo por entre la mata.

—Es un bicho que me odia, y yo le odio. Terminaré por matarlo.

—¿Qué dices, Arias? No harás tal.

—Sí haré, y ahora mismo.

Arias, embravecido y exasperado, cogió a Delfín por el cerviguillo y lo arrojó contra el muro, con toda su fuerza. El perro dió sobre la pared con la cabeza y se desplomó en tierra quebrantado y como moribundo. Desde el sitio donde yacía inmóvil, miraba a Arias con pupila resignada, amorosa y suplicante, como si le dijese: «No me importa morir. Estoy ya tan viejo... Soy una plepa. Pero, ¿por qué te has ofendido conmigo? ¿Por qué me has maltratado siempre? ¿Por qué me has querido tan mal? Yo siempre te he querido, Arias, hermano de Dominica. Aún recuerdo cuando eras tan pequeño como yo, que no podías andar... y yo te hacía reír, y tú jugabas conmigo.»

Dominica escondió la faz con las manos, gritando:

—¡Apártate, Arias; no quiero verte! ¡Apártate, Arias; no quiero verte!

Arias no escuchaba a Dominica. Arrepentido de su arrebato, corrió a arrodillarse junto a Delfín, y con lágrimas le decía:

—¡Perdóname, Delfín, perdóname todo lo que te he hecho sufrir! ¡Esta mano con que te arrojé me cortaría porque tú vivieras...!

Su acento era tan veraz, que Delfín, reuniendo todas sus energías, movió el rabo y las orejas, significando gratitud y otorgamiento de perdón. Si Delfín perdonaba, ¿cómo no iba a perdonar Dominica? Abrazáronse los dos hermanos llorando, y se inclinaron a abrazar al descalabrado y abrumado perro, que en aquellas terribles circunstancias ya no se le representaba a Arias como un brujo, sino como un santo apóstol y mártir.

Delfín no murió de aquello. Pero quedó muy desencuadernado y rengo. En los últimos meses de su vida fué casi más amigo de Arias que de Dominica.

VII

¡Poder! ¡Poder! ¡Oh vino de divina
borrachera! El más alto de los bienes.
Beleño[2] del olvido, con que ungida
la frente, nacen alas en las sienes.
¡Mando! ¡Poder! ¡Oh monstruo que hasta el cielo
alzas, para robar una gavilla
de estrellas, tus dos brazos altaneros!
Y, sin embargo, son tus pies de arcilla.
¡Loca soberanía! Por lograrte,
por gozarte un instante nada más,
los hombres venden a su propia madre
o dan en prenda el alma a Satanás.
Se te hinojan, los buenos y los malos,
cabe el estribo de tu palafrén.
¡Poder causar al enemigo un daño...!
¡Poder brindar al allegado un bien...!

ARIAS, merced a influencias y recomendaciones de su padre, había hecho por libre el bachillerato[3] y la carrera de letras, sin haber saludado

---

[1] *rauda... aérea* rapid and parabolic (winding about in circles) aerial excursion.

[2] Henbane, plant used as a narcotic that causes one to forget.

[3] *había... bachillerato* had received his degree without attending school, only presenting himself for his final examinations.

un libro de estudio ni haber aprendido cosa de provecho. Perseveraba en sus conatos poéticos. Su ambición era vivir en Madrid y publicar versos en los periódicos. Gran parte del día 5 estaba dentro del casón, tumbado en un sofá, leyendo poesías y novelas, acaso cavilando anhelos imposibles, tal vez emborronando cuartillas. Bermudo, mozarrón fornido y hermético, descansaba en el suelo, hecho un ovillo, junto al 10 sofá. Dominica hacía labor, al lado de la ventana. El culto de Dominica y Bermudo por Arias no había padecido menoscabo ni en un adarme.[1] Hubieran dado la vida por él. Arias no tenía amigos. Cuando salía, cruzaba a buen paso las 15 calles de la ciudad, hasta llegar al campo. Bermudo iba a su zaga, como un can. Sólo por la noche le placía vaguear en poblado. Las ventanas de los pisos bajos estaban abiertas; las moradas, con luz. Se veían los interiores pro- 20 fundos; escenas de familia. Se oía rumoreo de charlas quedas, risas, voces de discordia, el llanto de un niño, un piano, una guitarra, una canción. En vez de una ciudad de piedra y barro, se palpaba una ciudad en carne viva, con el 25 pecho roto y el corazón desnudo. Y toda aquella vida múltiple y recóndita se sustentaba, en alguna manera, de la voluntad de su padre y de su hermana Fernanda. En ellos residía la dispensación del bien y del mal. Y llegaría un día, 30 ya no lejano, en que él, Arias, heredase el feudo paterno y el arbitrio soberano sobre la ciudad de carne y sangre. Los serenos, según pasaba, le saludaban servilmente.

—Buenas noches, don Arias.

35 Pero don Arias, extraviado en la niebla de sus quimeras e imaginaciones, ignoraba que el feudo paternal se agrietaba y desmoronaba. La ciudad y la provincia aborrecían la opresión caciquil. Retemblaban soterradas fuerzas sediciosas, a 40 punto de estallar. Corría impresa una hoja clandestina titulada *La Tía Cacica*, con soeces insultos contra Fernanda. Había muchedumbre de pronósticos que auguraban la caída de los Limones. De esto, Arias nada sabía ni sospechaba.

[1] *no había ... adarme* had not suffered even the slightest damage.

Bermudo, por acompañarle en todo, vivía tam- 45 bién a ciegas. Dominica vislumbraba vagos presagios. Don Enrique y Fernanda abarcaban hasta las más escondidas raíces el alcance del mal, lo de prisa que se propagaba, los daños que traería aparejados. Luchaban a la desesperada, 50 previniendo peripecias de la adversa fortuna. Escapándoseles en Guadalfranco la tierra firme donde pisar, se acogían con redoblado ahinco a las agarraderas de Madrid, y extremaban sobre el feudo, por reducirlo, las muestras de mando. 55 Pero estas agarraderas acaso les faltasen en un instante. Él estaba ya muy viejo. Ella era desvalida mujer. Cuando menos lo pensaban, se les sumó un refuerzo. Próspero Merlo, joven abogado de altaneras miras, inteligencia despejada y 60 lengua flúida, comenzó a visitar con asiduidad la casa de los Limones. Afilióse, desde luego, en el partido, por la cuenta que le tenía y fué en la ciudad y en la comarca el más elocuente y fervoroso vocero de la causa caciquil. Probaba a 65 quien quería oírle lo paternal, saludable y suculento del régimen de cacicato.

Una noche, don Enrique reunió a sus hijos y les habló así:

—Estoy muy viejo, hijos míos. Mi vida toca ya 70 su término. Pronto os abandonaré. Vuestro porvenir me inspira no poco sobresalto. Los bienes que me habéis de heredar son escasos. Fernanda está enterada. Fernanda está enterada siempre de todo. Es una alhaja, una verdadera alhaja. 75 Vosotros, Dominica y Arias, quiero que respetéis su autoridad, no tanto por los años, cuanto por los méritos. Fuí mucho más rico que soy; no porque haya malbaratado mi patrimonio, que también era vuestro, sino porque lo empleé en 80 recabar para vosotros algo que vale más que las mismas riquezas: el poder. Y vale más que las mismas riquezas porque no siempre las riquezas se bastan para dar el poder, en tanto el poder atrae las riquezas cuando se lo propone y las 85 persigue. Si por adquirir poder y mando perdí hacienda, y en teniéndolos no acerté a ganarla, fué porque lo primero necesitaba afirmar el poderío. El usar de él en beneficio propio lo dejo a vuestro cuidado, particularmente al de Fer- 90 nanda. Si os mantenéis unidos, nadie, por más que se obstine y os combata, os derribará del mando. Si os apartáis unos de otros, los Limones dejarán de ser lo que siempre han sido en Guadalfranco, los enemigos se cebarán en vuestra caída, perderéis todo bien de fortuna y mendigaréis de puerta en puerta. Tú, Arias, tienes gran imaginación; te deslumbra y marea desde lejos la gloria artística y el aplauso de los papeles impresos. Pero yo, con largos años de vida y de experiencia, te digo que eso no sirve para llevar el pan a la boca, y que es pura bambolla y mentira. Por tus hermanas y por ti mismo, escúchame. El día que yo falte, ¿Fernanda qué podrá hacer sin un hombre de su casta al lado, que dé la cara,[1] y vaya y venga, y asuma la jefatura visible del partido? Quiero que seas tan heredero de mi acta e influencia como de mi apellido, y confío en Dios que has de empinarte más alto que yo sobre los cimientos que para vosotros asenté. Medra, hijo mío, en alzada política.[2] Y verás cómo los periódicos te publicarán entonces cuanto escribas, aun cuando sean puras sandeces, y te llamarán portento, y serás hasta académico si con tan poco te conformas. No quiero ocultaros que la amistad de Próspero Merlo me parece preciosa, y que yo deseo que se trueque en parentesco.—Aquí Dominica bajó los ojos. Arias se volvió a mirarla con mezcla de asombro y enfado—. ¿Bajas los ojos, Dominica, dulce y buena Dominica? ¿Qué se le ocultará a un padre y más a un padre que es hombre avispado en el comercio con tan diversas gentes? Si bien debo aclarar que en esto, antes de que yo echara de ver nada, el propio Merlo me hizo indicaciones indirectas, pero bastantes explícitas.

—Es que a mí, papá, no me ha dicho aún . . . —balbuceó Dominica.

—Pero te habrá mirado de cierta manera.

Dominica se ruborizó.

—Merlo me parece hombre de elevadas miras y hermosa palabra, lo cual vale tanto como tener el porvenir amarrado por los cabellos.[3] Además,

es, cabalmente, un guapo mozo. De que te quiere, claras son las prendas. ¿Qué más puedes desear para marido? Advierte, dulce e inocente Dominica, que los años vuelan, que no eres una niña, y que otras, a tu edad, han renunciado ya a la esperanza de casarse. Doy por hecho que os casaréis y que yo lo he de ver. De esta suerte, los cuatro unidos en una sola voluntad y buen deseo, seréis acatados y temidos, la prosperidad se os entrará por las puertas y perpetuaréis en Guadalfranco el blando y beneficioso yugo de los Limones.

Silenciosa emoción reinó en la estancia. Bermudo, en la parte de fuera, sentado en el suelo, apoyado en la puerta y escuchando por la rendija, se enjugaba unas lágrimas. ¡Oh, si en tal ocasión hubieran podido ver a don Enrique y a Fernanda, tan decorosos y espetados, tan ostentosos de virtudes familiares y cívicas, los que en la hoja clandestina les llamaban «vampiros del pueblo», «viejo garañón», «tía cacica», «doña Trotaconventos»[4] y peores lindezas! . . .

Cuando quedaron a solas Dominica y Arias, éste se plantó frente a su hermana y la apostrofó, con acento entrecortado, llameando los ojos:

—¿Por qué no me has dicho nada? ¡Ah, hipócrita!

—Yo te juro, Arias—respondió Dominica, quejumbrosa y sumisa, tejiendo los dedos de ambas manos como para la oración—, te juro que nada sabía. Él me mira, sí, me mira, como nadie me había mirado, y cuando me mira no sé qué hacer: toda me desazono. Yo no podía pensar que me amaba. Por mi salvación que jamás me lo había dicho ni dado a entender. ¿Qué te iba a contar yo? ¿Que me miraba? ¿Que estaba enamorado de mí? Me hubieras llamado, y con razón, tonta, presuntuosa, fatua. Ya tengo veintiocho años. Nunca pensé en los hombres, ni esperé casarme. Ahora que papá . . . Bueno; tú ya lo has oído como yo. Pero, si tú no quieres, si Próspero no te gusta, no me casaré; no me casaré, Arias.

---

[1] dé la cara is willing to take responsibilities.
[2] alzada política political rank.
[3] amarrado . . . cabellos right in one's grasp.

[4] Character of medieval Spanish work El libro de buen amor, famed for her artful deceit, corruption, and pandering.

—¿Cómo me ha de gustar? Ni que tuviera telarañas en los ojos.[1] Es un estúpido, un entrometido, un sinvergüenza, que sólo busca hacer carrera. Pero ¿te figuras tú que te quiere ni tanto así?—dijo Arias colérico, manoteando.

—No te enojes, Arias, no te enojes conmigo. Tienes razón—añadió Dominica tristemente—; yo estaba ofuscada. ¿Cómo me ha de querer? No soy joven ni bonita.

—No es eso, Dominica. Eres bonita y eres de sobra joven para casarte. Lo que ocurre es que Merlo es un sinvergüenza, un sinvergüenza, un sinvergüenza.

Y Arias salió a la calle, seguido del silencioso y fiel Bermudo. Volvió ya tarde. Al pasar frente al cuarto de Dominica, vió luz debajo de la puerta. Después de los accesos de furia era obligado que Arias se transportase a un estado de infantil renunciamiento y ternura. Llamó con los nudillos en la puerta de Dominica.

—¿Qué buscas, Arias?—preguntó Dominica. Tenía los ojos enrojecidos.

—Dominica, te he lastimado antes. No sabía lo que decía. Perdóname. Yo sólo deseo que seas venturosa. Lo repentino de la noticia, el temor de perderte, el dolor de separarme de ti, me sacaron de tino.

—Temor de perderme... Dolor de separarnos... Aunque me case no me perderías ni nos separaríamos. Pero no me casaré.

—Te casarás. Si te he dicho que Merlo es un sinvergüenza, ahora me desdigo. Antes no hablaba yo; hablaba en mí un espíritu malicioso que, a veces, me posee, me empuja y me dicta palabras que no están en mi corazón; un demonio que me adueña y me vuelve insensato. Ahora, repuesto, soy yo quien hablo, y hablo con entero juicio.

—No me casaré, Arias. No creo que Merlo sea un sinvergüenza. Pero considero imposible que me quiera. Ya soy vieja y no soy nada guapa.

—¿Quién que te vea y te hable no te ha de querer perdidamente?—exclamó Arias, poniendo las manos en las sienes de Dominica y atrayendo su cabeza para besarla la frente.

[1] *Ni que... ojos.* As if I were blind to what is going on.

Dominica sonrió.

—Ésa es pasión de hermano. Nadie me querrá como yo he soñado.

—Te querrá, Dominica. De seguro te quiere ya, tanto como apeteces. De seguro seréis felices.

Y después de una pausa:

—Y tú, ¿le quieres?

—Yo todavía...—bisbiseó Dominica, con labios trémulos.

Arias se echó a reír. Risa suave y halagüeña, que le manaba de lo más profundo de las entrañas.

—Bueno, bueno. Me parece que esto marcha bien.

La abrazó y besó otra vez en la frente.

—Buenas noches, Dominica.

—Buenas noches, Arias.

VIII

¡Amor! ¡Amor! Antorcha inmarcesible
que un viento huracanado desmelena.
Sin tu insensata luz fuera invisible
cuanto acontece en la mundana escena.
¡Amor, como la tierra viejo!
¡Mozo como la tierra, Amor!

Esta noche es de gran festejo
en el castillo de Elsingor.[2]
El Rey y la Reina, en su silla,
miran a los faranduleros.
Está en pie la camarilla
de cortesanos lisonjeros.
Y está Ofelia, la candorosa,
Ofelia la amante y la pura.
Y Hamlet, de faz tenebrosa
donde se asoma la locura.
Hamlet empuña de repente
la antorcha que alumbra la escena,
y la gira furiosamente,
como una honda con una piedra.

¡Amor! Alumbras, manso o furibundo,
antorcha roja o recogido foco,
la tragicomedia del mundo...
Pero estás en las manos de un loco.

[2] Castle in Denmark where Shakespeare's *Hamlet* takes place.

TODAS LAS TARDES, a eso de las seis, Próspero Merlo acude al casón de los Ucedas, y está de amorosa plática con Dominica, hasta la hora de cenar. La boda se ha acordado para el Otoño, en los comienzos del mes de octubre. Corre ahora el mes de julio. En la provincia de Guadalfranco hace una temporada tórrida. Pero la habitación en donde Próspero y Dominica sustentan sus paliques es fresca, húmeda y sombrosa. Las paredes están encaladas, la techumbre pautada con vigas de madera negruzca; los intersticios de las vigas, abovedados. Las dimensiones de la estancia son espaciosas, señoriales, al modo de cuadra arcaica o salón de respeto. Un ajuar somero, distribuído con raleza. El piso de ladrillos rojos, regados, y algún ruedo de estera. Dos grandes ventanales, con reja, que arrancan del suelo y declaran el espesor de los muros maestros. Macetas floridas al pie de los ventanales. Detrás de la reja, una calle solitaria y angosta, y un muro frontero, pintado de amarillo. Huele a tierra mojada y a malvarrosa. Se oyen las campanas de la catedral y piídos de gorriones.

Próspero y Dominica se sientan en sendas mecedoras, guarecidos en un ángulo oscuro. Autoriza el cortejo con su presencia la vieja nodriza de Arias y madre de Bermudo. No pocas veces se hallan en la estancia don Enrique y Fernanda, que cuchichean sobre negocios de mucha monta. Por raro caso, aparecen Arias y Bermudo. ¿En dónde se meten Arias y su leal y hermético secuaz? Nadie lo sabe. Nadie procura indagarlo. Una rosada y dichosa era se preludia en los anales de los Limones. Para la próxima legislatura don Enrique cuenta con llevar al Parlamento a su hijo Arias y a su presunto yerno. Con los calores, han remitido las palpitaciones sediciosas. La hoja clandestina ha dejado de circular. Se cierne sobre Guadalfranco una paz octaviana.[1] El señor obispo, plácido y cogitabundo; los señores canónigos, contemplativos y canoros; el gobernador civil, ponderoso hidalgo; el gobernador militar, bizarro caudillo; el coronel de la Guardia civil, hombre de mano dura y ceño

de un solo trazo,[2] en suma, todos los puntales de la sociedad son hechura de don Enrique y están por su voluntad sostenidos en equilibrio y ensambladura provisional, como el andamiaje de que usa el arquitecto para erigir su fábrica. Don Enrique y Fernanda se sienten satisfechos. Próspero Merlo se siente satisfecho. A su bufete acuden pleiteantes en romería. Los pleitos se fallan automáticamente en su favor. Será diputado. Pero la más satisfecha es Dominica.

Llega Merlo a la hora consabida y puntual. Viste un traje de dril, color garbanzo; zapatos de lona. Entra con la chaqueta y el cuello de la camisa desabotonados. Por el descote de la camisa asoman negras, flamígeras y culebreantes hebras de cabello, porque el abogado es hombre de pelo en pecho. El sombrero de paja en una mano, en la otra un abanico de enea, semejante a un soplillo, con que se airea el sudoroso rostro. Es más bajo que alto, rudimentariamente trípudo,[3] la tez de un moreno retinto, los mostachos amenazando a Dios y a los hombres, los dientes iguales y blancos, los ojos a propósito para abrasar almas femeninas. Por lo menos a Dominica le ha abrasado el alma, con un fuego inextinguible que lastima y deleita, que anonada y no consume. Cuando Merlo no está en la casa, Dominica no sosiega, va y viene de aposento en aposento, como en busca de algo que se le ha olvidado, sale al huerto, muerde unas hojuelas de hierbabuena, entra de nuevo en casa, se sienta, y al punto se levanta. Tan pronto le dan deseos de reír como de suspirar. Ha perdido el sueño. Cuando Merlo viene, redobla el desasosiego de Dominica. Quisiera mirarle de cerca, de hito en hito, y no osa levantar los ojos del suelo. Si le mira, quisiera apartar los ojos de los de Próspero, por recobrar el aliento que le va faltando, y no puede recoger fuerzas con que retirarlos. Habla Próspero. Próspero habla siempre. Su lengua está dotada de la virtud del movimiento continuo. Es una lengua argentina que tañe sin cesar, como en un vértigo de primavera. Es una Pascua florida inalterable. ¡Y qué

---

[1] Peace as reigned in the Age of Augustus (Caesar Octavius), first emperor of Rome.

[2] *ceño . . . trazo* always scowling.

[3] *rudimentariamente trípudo* with the beginnings of a pot-belly.

cosas le dice a Dominica! Dominica le escucha, como ajenada de los sentidos. Alguna vez, Merlo toma a Dominica de la mano. Dominica la sustrae, con ojos suplicantes, como en un desmayo de agonía, porque teme morir. Y si el noviazgo dura mucho, Dominica se morirá. Ha ido perdiendo carnes y colores, ajándose y desmadejándose. En dos meses ha avejentado varios años.

Pero, en medio de esta transustanciación gloriosa y dolorosa del alma de Dominica, permanece un núcleo de oro incorruptible, el culto de toda su vida, la esencia de su niñez: el amor a Arias. En las horas agitadas de la noche sin sueño, Dominica piensa, por raro accidente: «si Arias se enemistase con Próspero, me matará la pena». Por fortuna para Dominica, Arias estimula alegremente los amores con Merlo. Arias corresponde a la adoración en que Dominica le tiene. También él adora en Dominica. Sólo anhela su felicidad. Por eso, en presencia de Dominica, sonríe, chancea, le propone cábalas para lo porvenir. Pero, estando a solas, Arias sufre mortal angustia.

El espectáculo de los amores de su hermana le ha despertado alma y cuerpo al amor, también a él. Está constantemente enardecido, con el espíritu y la materia en tensión tormentosa, como perturbado. Por eso se esconde. Primero, ha sido un amor inmaterial, absoluto, desencarnado: el amor a la mujer. Erraba desolado por las calles. Creía enamorarse súbitamente de cuantas mujeres veía. Componía versos apasionados y sensuales, tan pronto iracundos como lastimeros. Al cabo, el amor desbocado y a tientas se ha concentrado en una mujer. Arias no sabe quién es. La ha visto tres veces, detrás de una reja. Y ya, desatentadamente enamorado, no se atreve a pasar más por allí. Se encierra en su cuarto. Pasea de arriba abajo. Se mesa los cabellos. Habla solo. Ruge ahogadamente. Bermudo, por de fuera, pegado a la puerta, escucha, aprieta los puños, revuelve los ojos amenazador. ¿Qué podrá hacer el pobre Bermudo por aliviar a Arias? ¿Qué le sucede a Arias? ¿Quién le hace padecer? ¡Oh, si Bermudo agarrase entre sus manazas al culpable que así martiriza a Arias! Pero el pobre Bermudo no acierta a comprender

la tramoya del dramático tinglado. Por fin, Bermudo se decide a hacer uso del don de la palabra, de que tan avaro es.

—¿Qué te sucede, Arias? ¡Por Dios, que me lo digas! ¿Puedo yo hacer algo por ti?

—¿Qué has de poder hacer tú?

—¡Quién sabe!... ¡Por Dios, que me lo digas!

—Estoy enamorado, Bermudo.

—¿De quién?

—¿De quién ha de ser? De una mujer.

—¿Quién es?

—No sé cómo se llama.

—¿Por qué no le dices que estás enamorado? Ella estará también enamorada de ti. ¡Pues no faltaba más!

—No me atrevo, Bermudo; no me atrevo —murmura Arias, arañándose las mejillas.

—Dime dónde vive, y yo la robo y te la traigo aquí ¡Lo juro por mi salud!

—Calla, bárbaro. ¿Qué sabes tú de estas cosas?

—¡Te juro, Arias, que te la traigo aquí cuando tú quieras!

IX

¡Oh noche venenosa! Cada estrella
es una gota de veneno.
Cada estrella es la rubia simiente
de un mal pensamiento.
Matriz lóbrega de los crímenes todos:
del estupro, del adulterio,
del homicidio, del robo,
de la cobardía y del miedo.
Noche enemiga de los humildes,
alcahueta de los perversos.
Origen de todos los males,
porque, acogidos a su seno,
animales y hombres se ayuntan,
y, encendidos de un furor ciego,
perpetúan la vida en la tierra.

Suena la esquila del convento.
Es hora de maitines. Pasan
los santos monjes a sus rezos.
«De los pecados de la noche,
¡líbranos, Señor y Dios nuestro!
¡Que cante el gallo matutino
y caiga Lucifer al infierno!»

Ki-ki-ri-kí.
Amanece otro nuevo día.
Pero alguien ya no podrá verlo.

CONFORME AVANZABA el verano, además del palique de la tarde, Merlo solía venir por la noche a hablar por la reja con Dominica. Una tarde, de las últimas de agosto, en que, por raro caso, se hallaba en el salón toda la familia de los Limones, al tiempo de despedirse dijo Merlo:

—Esta noche, después de cenar tengo que ir a casa de la viuda de Candelero, que ha llegado del campo, con su hija.

—¿Han vuelto?—preguntó don Enrique.

—¿Cuándo han llegado?—preguntó Arias.

La niña de Candelero era la mujer por quien Arias andaba fuera de sí. Había averiguado su nombre poco antes, casualmente.

—Según parece, esta tarde—respondió Merlo—. Me escribió la viuda, citándome con urgencia para esta noche. Es cuestión del pleito que tiene con su hermano. Dice que me trae no sé qué datos y pruebas. Como mujer vieja, es liosa e impaciente.

—Pero es rica, y dispone de más de cien votos —comentó Fernanda.

—Precisamente en tu distrito, Próspero— agregó don Enrique.

—Es rica y avara. Por no gastar, ni criados tiene. Vive sola con su hija.

—¿Solas?—preguntó Arias, con sorpresa y anhelo.

—Completamente solas, a lo que entiendo —respondió Próspero.

—Gracias a la exquisita tutela de los Limones, dos mujeres pueden vivir solas y seguras en Guadalfranco, aunque sean ricas—aseveró don Enrique.

Después de una pausa, añadió:

—Me parece haber oído que la hija es monísima.

—Yo, si les he de ser a ustedes sincero, no he reparado en ella—declaró Merlo, dedicando una ojeada propiciatoria a Dominica.

Se despidió.

Al día siguiente la viuda de Candelero y su hija aparecieron en su casa asesinadas, cosidas a puñaladas. La hija tenía veintisiete heridas, y presentaba señales evidentes de haber sido forzada. En la casa se encontraron el abanico de enea, el bastón y otros objetos que pertenecían a Merlo. El sereno declaró que había visto a Merlo salir de la casa, cerca de la medianoche.

Próspero Merlo fué reducido inmediatamente a prisión; de público se atribuyó al crimen un móvil político. Promovióse en la ciudad una algarada. La muchedumbre se dirigió airadamente al palacio de los Uceda, a los gritos de «¡Abajo los Limones!» «¡Mueran los Limones!» Fué menester guarnecer el palacio con tropas de la Guardia civil.

Dominica cayó enferma. No consentía a nadie a su lado, sino a Arias. Lloraba sin consuelo.

—Pero ¿tú crees, Arias, que es posible? ¿No estoy soñando? ¿No es una terrible pesadilla? ¡Despiértame, Dios mío, aun cuando sea un despertar en la sombra de la muerte!—sollozaba Dominica, con voz desfallecida.

—Estoy cierto que Próspero no ha sido—respondió Arias—. No lo digo por darte ánimos. Estoy cierto que no ha sido. Debe de haber alguna funesta equivocación. Pero no temas. Ya que no descubrirse[1] lo que haya pasado, que esto lo reputo demasiado misterioso, por lo menos todo se arreglará con las influencias de Madrid.

Don Enrique recibió también el golpe en medio del corazón.

—Esto se ha acabado, Fernanda. Se ha acabado todo. He acabado yo, porque este disgusto me quita la vida. Se ha acabado nuestro predominio en Guadalfranco. Se ha acabado todo. ¡Pobres hijos míos; fuerte e inteligente Fernanda, dulce Dominica, Arias, débil y candoroso!

—No, papá, no—repuso Fernanda con entereza—. En último término, ¿qué tenemos nosotros que ver con ese miserable de Merlo? Felizmente no estaba casado con la pobre Dominica. La desgracia es sólo de Dominica, y nuestra, por lo que nos toca en el alma. Pero, catástrofe política, ¿por qué?

Merlo, desde la cárcel, escribió a don Enrique

[1] *Ya que no (pueda) descubrirse.*

una epístola prolija y enfática, donde protestaba
de su inocencia, aguardaba que Dios desenmas-
cararía los verdaderos criminales y, entretanto,
impetraba humildemente el amparo de don Enrique en cuyas manos todopoderosas colocaba su
causa. Don Enrique estrujó la carta con furia,
masticando dicterios contra el astuto y carnicero
Merlo. Arias salió a defenderle, con tanta pasión
y arte, que don Enrique y Fernanda se dejaron
convencer. Don Enrique dijo:

—Concediendo que sea inocente, ¿qué podemos hacer?

—Revolver Roma con Santiago,[1] emplear
toda la influencia de Madrid para echar tierra
sobre el asunto y poner a Merlo en libertad.

—Eso es imposible. Lo primero es descubrir al
criminal.

—No; lo primero es arreglarlo en Madrid.

—Hijo mío, ésa es pretensión superior a mis
fuerzas, que ya me van faltando. Te la encomiendo a ti. Vete a la corte. Usa de cuantos
medios te sugieran tu juventud y tu ingenio. Vas
en mi nombre, y es como si fuera yo en persona.

—¿Yo? No sirvo para eso, papá . . . —replicó
Arias, indeciso, con la cabeza baja.

—Servirás si te lo propones. Alguna vez has
de comenzar. A mí me quedan pocos días de vida.
De ti depende vuestro propio destino, el tuyo y
el de tus hermanas. Piénsalo bien.

Dominica escribió a Merlo que no le creía
homicida y que le amaba más que nunca. Pasaban los días. El juzgado instruía el sumario.
Todas las pruebas estaban en contra de Merlo.
La ciudad bullía con manifiesta exasperación.
Había alborotos frecuentes. Murmurábase que
los Limones urdían cohechar la justicia.

Dominica continuaba en cama, enfermando
más y más. Don Enrique se amilanaba día por
día.[2] El tímido y perezoso Arias dilataba su viaje
a Madrid. Pasaron así tres meses. En esto, don
Enrique falleció.

---

[1] Turn Rome and Santiago upside down; i.e., do
everything possible.
[2] *se amilanaba . . . día* was drawing more into his
shell day by day.

X

En principio era la sombra;
la sombra letárgica y caótica;
un anonadamiento; la nada cóncava.   45
No había colores ni formas.
Surgió el verbo. Surgió la voz maravillosa.
Y con la voz se hizo la luz, aparecieron las cosas,
se desplegó la acción, nació la historia.
Se hizo la luz, con dolientes congojas.   50
Todos los alumbramientos dejan las entrañas rotas.
Se hizo la luz. Se ve la sangre roja
sobre el cuerpo virginal que se desploma.
Y, no obstante, había noche tenebrosa.
Porque la luz era el verbo dentro de la sombra.   55

CAÍA LA TARDE. La sombra iba embebiendo y
saturando la alcoba de Dominica. Como si la
sombra se adensase, cuajándose de improviso,
apareció Arias, silencioso, alterado, estremecido.

—¿Qué tienes, Arias?—preguntó Dominica,   60
incorporándose en su lecho.

Arias se sentó a los pies de la cama.

—Tranquilízate, Dominica. Tranquilízate, y
deja que yo me vaya tranquilizando. Necesito
hablarte. Dame un poco de agua.   65

Dominica ofreció a su hermano un vaso de
agua azucarada, que estaba en la mesa de noche.
Arias prosiguió.

—Dominica, sabes bien cuánto te quiero;
cuánto te he querido siempre. No puedo con-   70
sentir que seas desgraciada. Vas a casarte con
Próspero. Vas a casarte inmediatamente. Le
pondré hoy mismo en libertad.

Dominica escuchaba sin clara conciencia de lo
que oía. No pudo reprimir un movimiento im-   75
paciente. Prosiguió Arias:

—Aguarda unos segundos, y se esclarecerá tu
alma. Desde aquí iré ante el juez, a quien de-
clararé que yo asesiné a la viuda de Candelero y
a su hija.   80

Dominica se inclinó a coger a su hermano por
las muñecas.

—¡Arias! ¡Arias! ¡Arias! ¿Deliras? ¿Estás
loco? ¿Qué vas a hacer, hermano? ¿Quién te
creerá? No acepto tu sacrificio. Yo te desmen-   85
tiré. Todos verán que lo has inventado. ¡Despierta, Arias, despierta!

—Ten calma, Dominica. No es sacrificio. No es invención. Es la verdad.

Se hizo la noche en la alcoba. Arias se había hundido en la oscuridad, una oscuridad que parecía ya eterna. Dominica le oía solamente, como si la voz de Arias llegase desde otros mundos. Su voz ya no era la voz amada y familiar.

—Las asesiné yo, ayudado por Bermudo. El sereno que nos abrió, poco después de haber salido Próspero, confirmará mi declaración. No sé cómo fué. Yo estaba insensato. No era yo mismo. ¿Te acuerdas del pobre Delfín, cuando quise matarlo? Pues lo mismo. Cuando entré en la casa no iba con intención de matarlas. ¡Lo juro por el amor que te tengo! Después, durante todo el primer mes posterior al crimen, me olvidé de que había sido yo. Cuando oía hablar de la cosa horrible, establecía en mi espíritu vagas relaciones, como entre nieblas, o como si lo hubiera soñado. Llegué a pensar que lo había soñado, que el sueño se me imponía como realidad, que mi razón desvariaba ... Tuve miedo. Ayer le pregunté a Bermudo: «¿He soñado, Bermudo?» No le pregunté nada más que esto. Bastaba. Bermudo me dijo que no con la cabeza. Ahora todo se me presenta claro otra vez, como de bulto. ¡Sí, es verdad!—continuó después de una pausa—. Yo estaba enamorado de esa mujer. Enamorado no es la palabra. Más que tú de Merlo. Más, porque tu amor recibía como compensación otro amor semejante al tuyo. Y el mío era un amor imposible. ¿Imposible por qué? ¿Qué sé yo? Era algo superior a mi voluntad. No me atrevía a declarárselo. Intenté escribirle mil cartas, y todas las rompí. Quise mirarla, por dárselo a entender, y no podía, hermana, no podía, no podía. Sólo ante la sospecha de que ella no me quisiese, la sangre se me helaba y luego se me arremolinaba en las sienes, en los ojos, me daba sabor en la lengua. Ni siquiera me atreví a preguntar a los vecinos quién era y cómo se llamaba. A mediados del mes pasado se marchó de Guadalfranco. Entonces fué cuando Bermudo se enteró de que era la hija de la viuda de Candelero. Todas las noches, Dominica, todas las noches he ido a su puerta, y me he echado en tierra a besar el umbral en donde ella pisaba, y he besado las rejas de su casa más veces que estrellas tiene el cielo.

Otra pausa.

—Aquella noche estuvimos espiando que Próspero saliera. Primero pensé llamar con los nudillos en la ventana. En seguida mudé de parecer. Lo mejor era entrar. Pero en tanto me decidía o no, pasó algún tiempo. Nos abrió el sereno. Entramos. Como no conocía la casa ni iba como van los salteadores, encendí una cerilla, seguimos zaguán adelante, y subimos las escaleras. En lo alto asomó ella. Estaba en camisa. Desde donde nosotros estábamos se le veían las piernas. Yo adiviné al punto que Lola (no sé si te he dicho que se llamaba Lola) iba a huir, a salir a la ventana y despertar a los vecinos. «Sujétala», ordené a Bermudo. Le estoy viendo. Bermudo saltó como una alimaña, la trincó por detrás y le tapó la boca. Corrí a sostenerla yo mismo con mis brazos. Era tan suave, tan tibia, tan dulce ... aún se me derriten las entrañas al recordarlo, y siento que todavía la tengo entre mis brazos. La fuí cubriendo de besos, y, porque no gritase, le besaba y le mordía los labios al mismo tiempo. Todo esto era a oscuras. Yo iba perdiendo la razón. No fuí dueño de mí. Requerí la ayuda de Bermudo, y así sacié mi deseo. Apenas me daba cuenta de nada. Desde el fondo de la casa llegó la voz de la madre. Decía, aún la estoy oyendo: «Pero, Lola, ¿qué haces? ¿En dónde estás?» Y como nadie le respondió, vino en seguida. Traía una palmatoria en la mano. Quedóse muda. Cayó la vela al suelo, pero siguió ardiendo. Me vi perdido. El mundo se me echaba encima. Yo mismo saqué la navaja del bolsillo de Bermudo y asesté una puñalada a la vieja. Lola se había incorporado. Estaba como a cosa de tres pasos de mí. Me escupió y se lanzó después sobre mí, como para sacarme los ojos. Todo sin decir palabra. En todo el tiempo no dijo una palabra. Jamás llegué a oír el sonido de su voz. Si hubiera hablado, creo que no la hubiera matado; se hubiera hecho la luz. Pero no habló, no habló. Antes de que me alcanzase, ya tenía la navaja hundida en el pecho ... Y así muchas veces, muchas veces, muchas veces . . .

Y la sombra densa que colmaba el aposento, estaba para Arias y Dominica poblada de visiones.

—Yo nunca he deseado mal a nadie. Mis ambiciones eran generosas, nobles. ¡Cuántas veces me he sentido enfermo porque el corazón no me cabía en el pecho! ¡Me ahogaba este corazón tan grande y violento! He sido perezoso, porque sabía que jamás llegaría a ejecutar acciones tan altas como yo anhelaba. ¿Por qué maté a Lola? ¿Cómo la maté? . . . Salimos Bermudo y yo de la casa. No nos hablamos. Vinimos a acostarnos. Yo dormí como un plomo. Al otro día se me había olvidado todo. Cuando recibí la noticia del crimen, creí recordar confusamente. Dije entre mí: «Luego negarán que los sueños son verdad», creyendo haber tenido en sueños el presentimiento. Y así viví muchos días. Pero todo se ha concluído ya. Adiós, Dominica. Sé feliz. Cásate con Próspero. Adiós, Dominica.

Arias besó en la frente a su hermana, que se hallaba yerta de espanto, y salió corriendo. Dominica quiso arrojarse a detenerlo. Cayó sin sentido al pie del lecho.

Merlo fué puesto en libertad, pero no se casó con Dominica.

Le escribió una esquela que, al pie de la letra, rezaba así:

«Comprenderá usted que, después de lo sucedido, para mí ha dejado usted de existir.— *Próspero Merlo.*»

Frente a tanto infortunio Dominica concentró sus energías y se sobrepuso a la adversidad.

El proceso judicial duró más de un año. Arias y Bermudo fueron condenados a muerte. Al conocer la sentencia, Fernanda y Dominica fueron a la cárcel a ver a su hermano por última vez, y luego se ausentaron de Guadalfranco.

XI

Brilla el sol con un nuevo hechizo.
Tañe la campana argentina.
Es la campana del bautizo.
Llora de gozo la madrina.

De pronto el cielo se ha nublado.
Repica el fúnebre esquilón.
Tañe por un ajusticiado
la campana de la prisión.

Apuremos el vaso colmado
con el vino color de miel.
En el fondo del vaso hay guardado
sabor de cicuta y de hiel.

Tan-tan. Tan-tan.
Las campanas en los campanarios
anuncian al caballero blanco.
¡Oh misterioso arcano!

Tan-tan. Tan-tan.
Las campanas en los cementerios
anuncian al caballero negro.
¡Oh sombrío misterio!

AQUELLA MAÑANA desperté sin que nadie viniera a despertarme. Otros días acostumbraba traerme el desayuno a la cama una de las criadas de doña Trina, la Prisca, moza alcarreña, de rostro esférico, cogote cúbico, torso cilíndrico y faldamento cónico. Con estos calificativos geométricos quiero dar a entender que la Prisca no daba impresión de criatura racional, ni aun irracional, como otros ejemplares que cumplen en los oficios domésticos. Era más bien una cosa en cuya forma aparente se representaban ciertos caracteres simbólicos: la solidez, la exactitud, la fortaleza, la regularidad. Venía a ser como la cristalización de aquellos agentes obscuros, benéficos o irresponsables que hay en la Naturaleza para el servicio del hombre.

Miré el reloj. Era cerca del mediodía. Tenía ordenado que me trajeran el desayuno a las ocho. Tiré con furia del cordón de la campanilla. Acudió la Prisca. En la esfericidad de su rostro se insinuaban algunas arrugas o convulsiones errantes, a manera de rasgos faciales que un sentimiento humano sacudiese. Sin estar seguro de acertar, interpreté las muestras expresivas como manifestación de contento. La novedad disipó mi enfado.

—Explícate, Prisca.

¿Explicarse Prisca ? Pues no pedía yo nada . . .

—Ea, Prisca, ayúdame a entender.

Prisca agitó los brazos, riéndose con acometidas nerviosas y aflautadas. Luego me impuso silencio. Escuché. En el pasillo oíase apresurado taconeo. Prisca llenó el buche de aire y disparó a decir:

—La Mariquita tiene dolores—y rió nuevamente, a su estilo.

—Pues no veo que sea cosa de risa el que tenga dolores la Mariquita.

Pero Prisca persistía en reírse. Me quedé mirándola. No era propiamente una risa de hilaridad. Era una risa cordial, de emoción.

—Te adivino, Prisca, te adivino. Deseas comunicarme que ha llegado el momento en que la Mariquita va a tener un hijo.

Prisca asintió con la cabeza.

Me levanté. Me vestí. Salí al pasillo, en donde crucé con doña Trina, que iba como transfigurada, y no me hizo caso. Salí luego a la calle y no volví hasta la hora del almuerzo. El alumbramiento de Mariquita se presentaba laborioso. La comida de aquel día dejó bastante que desear. Los criados andaban de aquí y acullá, sin punto de vado, a las órdenes de doña Trina, como si no hubiera huéspedes en la casa. Nosotros mismos pusimos la mesa y trajimos las cazuelas de la cocina, y nos servimos, a la usanza de los figones. La charla, naturalmente, versó todo el tiempo sobre el trance en que Mariquita se hallaba. Por este motivo nadie se percató de que las dos enigmáticas señoras no habían acudido al almuerzo.

Mariquita dió a luz un niño, feliz y trabajosamente, a las seis de la tarde. La comida de la noche estuvo mejor atendida. Tampoco aparecieron las señoras enigmáticas, ni se echó de menos su falta. Era un sábado.

Antes de acostarme leí los periódicos de la noche. Todos publicaban, por lo menudo, la muerte en garrote[1] vil de Arias Limón y Uceda y su criado Bermudo. La lectura me transió de horror. Desde tiempo inmemorial no se habían

verificado en Guadalfranco ejecuciones capitales. Hubieron de emplear para el caso un verdugo improvisado e ignorante de sus deberes, un mal aficionado de verdugo, que prolongó la agonía de los reos por espacio de una hora. La población entera cercaba la prisión, en tanto ajusticiaban a los dos reos. Como tardasen en arbolar la bandera negra, signo de que ya estaban muertos, la muchedumbre se amotinó y quiso tomar la cárcel por asalto. Al izar la bandera fúnebre, el motín se agravó. Temían los amotinados que se les hubiera engañado. Recelaban que se hubiera fingido la ejecución, para luego poner en salvo al hijo del aborrecido cacique, procurándole la huída a Portugal. Por cerciorarse, derribaron la puerta de la prisión, y, uno por uno, todos los habitantes de Guadalfranco fueron viendo con sus propios ojos a los dos ahorcados. Quienes los ultrajaban, quienes[2] se mofaban, algunos les escupieron en el rostro.

En el almuerzo del domingo, doña Trina agasajó a sus huéspedes con un principio extraordinario, frutas de sartén,[3] dulces de confitería, vino de Jerez y copitas de cognac. Las dos señoras desconocidas—desconocidas para los demás huéspedes, no para mí—asistieron al almuerzo vestidas de luto. El diputado por Colmenar de Oreja tenía consigo, como invitado, a un novillero catecúmeno,[4] apodado *Huevillos VII*,[5] y se mostraba muy engreído con semejante amistad y compañía. Nos vaticinó, con singular aplomo y jactancia, que, «a la vuelta de muy contados meses, *Huevillos VII* se iba a comer crudos a *Bombita*[6] y al *Machaco*».[6] El jefe del partido republicano de Tarazona, de barba ubérrima y bipartita, como teta de cabra, manifestaba aquel día la susodicha barba particularmente tupida y voluminosa, algo así como una buena ubre momentos antes del ordeño. Todos empinaban el codo con gentil frecuencia. Todos hablaban y reían a un tiempo. Todos hacían

[2] *Quienes . . . quienes* Some . . . others.

[3] Stewed fruits.

[4] *novillero catecúmeno* a young man starting to learn to be a bullfighter.

[5] An imaginary bullfighter.

[6] Famous bullfighters of the turn of the century.

[1] *en garrote* a Spanish mode of execution by strangulation, with an iron collar tightened by a screw.

votos fervientes por la salud y felicidad de Mariquita y el recién nacido. Una vez que doña Trina surgió en el comedor, todos se levantaron a ovacionarla y aclamarla. Todo allí era jubilante,
5 bullicioso y gárrulo.

Pero las dos damas desconocidas no levantaban los ojos del plato y apenas si llevaron bocado a la boca.

De sobremesa hubo un minuto de silencio y
10 fatiga. Don Raimundo Perejil, el canónigo, que estaba en aquellos momentos con el brazo apoyado en la mesa y la frente en la mano, comenzó a hablar, meditabundo:

—Lo que es la vida. Nosotros tan alborozados.
15 Y, sin embargo . . . ¿No han leído ustedes en los periódicos la ejecución en Guadalfranco?

—Ha sido una sanción pistonuda—entró a decir el jefe republicano, con frase nada tribunicia—. Les estuvieron apretando el gañote más
20 de una hora, y los malditos no querían estirar la pata.

Las dos señoras enlutadas se pusieron de pie precipitadamente y salieron con vacilante andar.

Alcanzaron a oír todavía la última frase del hombre de la barba ubérrima: 25

—Por supuesto. Les está bien merecido. Eso es lo que hay que hacer con todos los caciques.

Doña Trina se puso pálida. Comenzó a hablar, tartajeando:

—¿Es que . . . ustedes . . . no sabían . . . que   30 esas señoras son las hermanas de Arias Limón y Uceda?

A todos sobrecogió mortal estupor, menos al republicano, que atizó un puñetazo en la mesa, emboscó entre las cejas los ojos y dijo con feroz 35 acento:

—¿De modo que esa mosca muerta, la más vieja, es la que llaman en los papeles «la Tía cacica», la peor de todos los Limones? ¡Qué lástima, no haberlo sabido antes, para soltarle un   40 ex abrupto![1] Como que a ésa también la debieron ahorcar. Y a la otra mojigata, que, al parecer, era encubridora. ¡En este país no hay justicia!

[1] *soltarle . . . abrupto* to tell her off.

JUAN RAMÓN JIMÉNEZ
1881–1958

Nació en Moguer, pueblo andaluz, cercano al puerto de Palos, de donde salieron las carabelas que al mando de Cristóbal Colón llegaron a las costas del Nuevo Mundo. Su primera vocación fué la pintura, mas para complacer a sus padres ingresó en la Universidad de Sevilla, comenzando la carrera de Leyes. No tardó en fracasar, y estimulado por algunos escritores locales decidió dedicarse a la literatura. Su éxito fué inmediato, y pronto le reconocieron como de los suyos los poetas que en Madrid luchaban por renovar la poesía.

La muerte súbita de su padre le marcó imborrablemente, pues él también se creyó destinado a morir de repente y vivió desde entonces en constante temor al golpe oscuro que en cualquier momento podía serle asestado. En 1900 marchó por vez primera a Madrid, llamado por Villaespesa y Rubén Darío, publicando dos libros, Ninfeas *y* Almas de violeta, *que nunca quiso reimprimir. Poco después se recrudeció el obsesivo terror a la muerte y tuvo que hospitalizarse en el Sanatorio de Le Bouscat, cerca de Burdeos, en Francia; allí permaneció un año y durante ese tiempo escribió una extensa colección de poemas becquerianos, sentimentales y hasta sensibleros (*Rimas, *1902). Vivió una temporada en el campo castellano, otras en un sanatorio madrileño y con el Dr. Simarro, a la vez amigo entrañable y enfermero.*

Los libros siguientes son colecciones de poemas melancólicos, nostálgicos, emocionados, donde aparece ya un tipo de poema breve, fulgurante, expresivo de intuiciones captadas por el poeta a la luz del relámpago. Hasta en los títulos Juan Ramón dejó traslucir su estado de ánimo: Arias tristes, Poemas . . . dolientes, Melancolía.

Casi seis años de vida familiar, en el Moguer natal, si no evitan las crisis depresivas, dejan tiempo para trabajar a gusto, leer con calma, escribir una y otra vez lúcidas páginas de poesía en prosa y verso. Lo pasado y lo presente, lo vivido y lo soñado se funden con intensidad de sentimiento en poemas sucesivamente más desnudos, densos y tersos. La vida cotidiana—pueblo, madre, hermanos, amigos, niños, naturaleza . . . — es el tema de su autobiografía lírica, publicada parcialmente en 1914 bajo el título de Platero y yo. *El poeta descubre cómo es al relacionarse con los otros, y junto a su asnillo entra en la universalidad. Ahondando en lo personal, encuentra las raíces de los sueños colectivos.*

En 1916 vino a Estados Unidos y casó en Nueva York con Zenobia Camprubí. De ese viaje y ese amor nació el libro que señala el comienzo de una nueva época en su obra y en la moderna poesía de lengua española: Diario de un poeta recién casado.

*Desde 1916 a 1936 vivió y trabajó en Madrid: poesía en verso, poemas
en prosa, artículos de crítica, páginas de recuerdos, traducciones. Fue guía
y consejero de los poetas más jóvenes, a quienes acogió en las revistas
efímeras—Índice, Ley, Sí,—que editó por esos años. Al mes de comenzar
la guerra civil salió de España, y nunca regresó. Residió en Puerto Rico,
La Habana, Miami y Riverdale (Maryland). Pronunció conferencias en
esos y otros lugares, y trabajó en varias universidades norteamericanas. En
1949 viajó a Buenos Aires, siendo acogido triunfalmente por los argentinos,
con recepción que suele reservarse para los héroes del cine o del deporte.
De ese otro viaje por mar surgió su libro más hermético y profundo: una
investigación en busca del Dios oscuro, del Dios deseado y deseante,
agazapado en el fondo del corazón. Poco antes había publicado en volumen
una extensa colección de retratos y caricaturas líricas de escritores de tres
mundos: el viejo, el nuevo y la muerte.*

*A partir de 1952 no se movió de Puerto Rico: temporadas de depresión
alternaron con otras de trabajo intenso. En la Universidad profesó cursos
sobre el modernismo literario, pronunció conferencias, cuidó de las páginas
literarias en el periódico estudiantil. En 1956 le concedieron el premio
Nobel de Literatura y días después murió la esposa, compañera de
tantos años, amiga, colaboradora, confidente, secretaria, partícipe en el
ensueño, consuelo duradero y firme. Juan Ramón la sobrevivió hasta 1958,
pero sin interés por nada, ni siquiera por la poesía, pasión y razón de su
vida.*

Platero y yo (1914)

PLATERO

PLATERO ES PEQUEÑO, peludo, suave; tan blando
por fuera, que se diría todo de algodón, que no
lleva huesos. Sólo los espejos de azabache de sus
5 ojos son duros cual dos escarabajos de cristal
negro.

Lo dejo suelto, y se va al prado, y acaricia
tibiamente con su hocico, rozándolas apenas, las
florecillas rosas, celestes y gualdas ... Lo llamo
10 dulcemente: «¿Platero?», y viene a mí con un
trotecillo alegre que parece que se ríe, en no sé
qué cascabeleo ideal ...

Come cuanto le doy. Le gustan las naranjas
mandarinas, las uvas moscateles, todas de ám-
15 bar, los higos morados, con su cristalina gotita de
miel ...

Es tierno y mimoso igual que un niño, que
una niña ...; pero fuerte y seco por dentro,
como de piedra. Cuando paso sobre él, los
domingos, por las últimas callejas del pueblo, los 20
hombres del campo, vestidos de limpio y despa-
ciosos, se quedan mirándolo:

—Tien'asero ...

Tiene acero. Acero y plata de luna, al mismo
tiempo.   25

MARIPOSAS BLANCAS

LA NOCHE CAE, brumosa ya y morada. Vagas claridades malvas y verdes perduran tras la torre de
la iglesia. El camino sube, lleno de sombras, de
campanillas, de fragancia de yerba, de canciones, 30

de cansancio y de anhelo. De pronto, un hombre oscuro, con una gorra y un pincho, roja un instante la cara fea por la luz del cigarro, baja a nosotros de una casucha miserable, perdida entre 5 sacas de carbón. Platero se amedrenta.

—¿Ba argo?[1]

Vea usted . . . Mariposas blancas . . .

El hombre quiere clavar su pincho de hierro en el seroncillo, y no lo evito. Abro la alforja y él 10 no ve nada. Y el alimento ideal pasa, libre y cándido, sin pagar su tributo a los Consumos . . .[2]

EL LOCO

VESTIDO DE LUTO, con mi barba nazarena[3] y mi breve sombrero negro, debo cobrar un extraño 15 aspecto cabalgando en la blandura gris de Platero.

Cuando, yendo a las viñas, cruzo las últimas calles, blancas de cal con sol, los chiquillos gitanos, aceitosos y peludos, fuera de los harapos 20 verdes, rojos y amarillos, las tensas barrigas tostadas, corren detrás de nosotros, chillando largamente:

—¡El loco! ¡El loco! ¡El loco!

. . . Delante está el campo, ya verde. Frente al 25 cielo inmenso y puro, de un incendiado añil, mis ojos—¡tan lejos de mis oídos!—se abren noblemente, recibiendo en su calma esa placidez sin nombre, esa serenidad armoniosa y divina que vive en el sin fin del horizonte . . .

30 Y quedan, allá lejos, por las altas eras, unos agudos gritos, velados finamente, entrecortados, jadeantes, aburridos:

—¡El lo . . . co! ¡El lo . . . co!

EL NIÑO TONTO

35 SIEMPRE QUE VOLVÍAMOS por la calle de San José, estaba el niño tonto a la puerta de su casa, sentado en su sillita, mirando el pasar de los otros. Era uno de esos pobres niños a quienes no llega nunca el don de la palabra ni el regalo de la 40 gracia; niño alegre él y triste de ver; todo para su madre, nada para los demás.

Un día, cuando pasó por la calle blanca aquel mal viento negro, no vi ya al niño en su puerta. Cantaba un pájaro en el solitario umbral, y yo me acordé de Curros, padre más que poeta, que, 45 cuando se quedó sin su niño, le preguntaba por él a la mariposa gallega:

　　Volvoreta d'aliñas douradas . . .[4]

Ahora que viene la primavera, pienso en el niño tonto, que desde la calle de San José se 50 fué al cielo. Estará sentado en su sillita, al lado de las rosas únicas, viendo con sus ojos, abiertos otra vez, el dorado pasar de los gloriosos.

LA FANTASMA

LA MAYOR DIVERSIÓN de Anilla la Manteca, cuya 55 fogosa y fresca juventud fué manadero sin fin de alegrones, era vestirse de fantasma. Se envolvía toda en una sábana, añadía harina al azucenón de su rostro, se ponía dientes de ajo en los dientes, y cuando, ya después de cenar, soñábamos, 60 medio dormidos, en la salita, aparecía ella de improviso por la escalera de mármol, con un farol encendido, andando lenta, imponente y muda. Era, vestida ella de aquel modo, como si su desnudez se hubiese hecho túnica. Sí. Daba 65 espanto la visión sepulcral que traía de los altos oscuros, pero, al mismo tiempo, fascinaba su blancura sola, con no sé qué plenitud sensual . . .

Nunca olvidaré, Platero, aquella noche de setiembre. La tormenta palpitaba sobre el 70 pueblo hacía una hora, como un corazón malo, descargando agua y piedra entre la desesperadora insistencia del relámpago y del trueno. Rebosaba ya el aljibe e inundaba el patio. Los últimos acompañamientos—el coche de las nueve, las 75 ánimas,[5] el cartero—habían ya pasado . . . Fuí, tembloroso, a beber al comedor, y en la verde blancura de un relámpago vi el eucalipto de las

---

[1] *¿Va algo?*

[2] *Consumos* taxes on certain products entering a city.

[3] Nazarene-type beard, very dark.

[4] *volvoreta . . . douradas* golden-winged butterfly (*Galician*).

[5] *ánimas* ringing of bells at sunset for prayers for souls in purgatory.

Velarde—el árbol del cuco, como le decíamos, que cayó aquella noche—, doblado todo sobre el tejado del alpende . . .

De pronto, un espantoso ruido seco, como la sombra de un grito de luz que nos dejó ciegos, conmovió la casa. Cuando volvimos a la realidad, todos estábamos en sitio diferente del que teníamos un momento antes y como solos todos, sin afán ni sentimiento de los demás. Uno se quejaba de la cabeza, otro de los ojos, otro del corazón . . . Poco a poco fuimos tornando a nuestros sitios.

Se alejaba la tormenta . . . La luna, entre unas nubes enormes que se rajaban de abajo a arriba, encendía de blanco en el patio el agua que todo lo colmaba. Fuimos mirándolo todo. *Lord* iba y venía a la escalera del corral, ladrando loco. Lo seguimos . . . Platero; abajo ya, junto a la flor de noche que, mojada, exhalaba un nauseabundo olor, la pobre Anilla, vestida de fantasma, estaba muerta, aún encendido el farol en su mano negra por el rayo.

EL DEMONIO

DE PRONTO, con un duro y solitario trote, doblemente sucio en una alta nube de polvo, aparece, por la esquina del Trasmuro, el burro. Un momento después, jadeantes, subiéndose los caídos pantalones de andrajos, que les dejan fuera las oscuras barrigas, los chiquillos, tirándole rodrigones y piedras . . .

Es negro, grande, viejo, huesudo—otro arcipreste—, tanto, que parece que se le va a agujerear la piel sin pelo por doquiera. Se para, y, mostrando unos dientes amarillos como habones, rebuzna a lo alto ferozmente, con una energía que no cuadra a su desgarbada vejez . . . ¿Es un burro perdido? ¿No lo conoces, Platero? ¿Qué querrá? ¿De quién vendrá huyendo, con ese trote desigual y violento?

Al verlo, Platero hace cuerno, primero, ambas orejas con una sola punta,[1] se las deja luego una en pie y otra descolgada, y se viene a mí, y quiere esconderse en la cuneta, y huir, todo a un tiempo. El burro negro pasa a su lado, le da un

[1] *hace . . . punta* first pricks up both ears to a single point.

rozón, le tira la albarda, lo huele, rebuzna contra el muro del convento y se va trotando, Trasmuro abajo . . .

. . . Es, en el calor, un momento extraño de escalofrío—¿mío, de Platero?—en el que las cosas parecen trastornadas, como si la sombra baja de un paño negro ante el sol ocultase, de pronto, la soledad deslumbradora del recodo del callejón, en donde el aire, súbitamente quieto, asfixia . . . Poco a poco, lo lejano nos vuelve a lo real. Se oye, arriba, el vocerío mudable de la plaza del Pescado, donde los vendedores que acaban de llegar de la Ribera exaltan sus acedías, sus salmonetes, sus brecas, sus mojarras, sus bocas;[2] la campana de vuelta, que pregona el sermón de mañana; el pito del amolador . . .

Platero tiembla aún, de vez en cuando, mirándome, acoquinado, en la quietud muda en que nos hemos quedado los dos, sin saber por qué . . .

—Platero; yo creo que ese burro no es un burro . . .

Y Platero, mudo, tiembla de nuevo todo él de un solo temblor, blandamente ruidoso, y mira, huído,[3] hacia la gavia, hosca y bajamente . . .

LA SANGUIJUELA

—ESPERA. ¿Qué es eso, Platero? ¿Qué tienes?

Platero está echando sangre por la boca. Tose y va despacio, más cada vez. Comprendo todo en un momento. Al pasar esta mañana por la fuente de Pinete, Platero estuvo bebiendo en ella. Y, aunque siempre bebe en lo más claro y con los dientes cerrados, sin duda una sanguijuela se le ha agarrado a la lengua o al cielo de la boca . . .

—Espera, hombre. Enseña . . .

Le pido ayuda a Raposo, el aperador, que baja por allí del Almendral, y entre los dos intentamos abrirle a Platero la boca. Pero la tiene como trabada con hormigón romano. Comprendo con pena que el pobre Platero es menos inteligente de lo que yo me figuro . . . Raposo

[2] *acedías . . . bocas* flounder, surmullets, dace, pintado, spider crabs.

[3] *huído* keeping his distance.

coge un rodrigón gordo, lo parte en cuatro y procura atravesarle un pedazo a Platero entre las quijadas . . . No es fácil la empresa. Platero alza la cabeza al cenit levantándose sobre las patas, huye, se revuelve . . . Por fin, en un momento sorprendido, el palo entra de lado en la boca de Platero. Raposo se sube en el burro y con las dos manos tira hacia atrás de los salientes del palo para que Platero no lo suelte.

Sí, allá adentro tiene, llena y negra, la sanguijuela. Con dos sarmientos hechos tijera se la arranco . . . Parece un costalillo de almagra o un pellejillo de vino tinto; y, contra el sol, es como el moco de un pavo irritado por un paño rojo. Para que no saque sangre a ningún burro más, la corto sobre el arroyo, que un momento tiñe de la sangre de Platero la espumela de un breve torbellino . . .

LA NIÑA CHICA

LA NIÑA CHICA era la gloria de Platero. En cuanto la veía venir hacia él, entre las lilas, con su vestidillo blanco y su sombrero de arroz, llamándolo dengosa: «¡Platero, Plateriiillo!», el asnucho quería partir la cuerda, y saltaba igual que un niño, y rebuznaba loco.

Ella, en una confianza ciega, pasaba una vez y otra bajo él, y le pegaba pataditas, y le dejaba la mano, nardo cándido, en aquella bocaza rosa, almenada de grandes dientes amarillos; o, cogiéndole las orejas, que él ponía a su alcance, lo llamaba con todas las variaciones mimosas de su nombre: «¡Platero! ¡Platerón! ¡Platerillo! ¡Platerete! ¡Platerucho!»

En los largos días en que la niña navegó en su cuna alba, río abajo, hacia la muerte, nadie se acordaba de Platero. Ella, en su delirio, lo llamaba triste ¡Plateriiillo! . . . Desde la casa oscura y llena de suspiros se oía, a veces, la lejana llamada lastimera del amigo. ¡Oh estío melancólico!

¡Qué lujo puso Dios en ti, tarde del entierro! Setiembre, rosa y oro, como ahora, declinaba. Desde el cementerio, ¡cómo resonaba la campana de vuelta en el ocaso abierto, camino de la gloria! . . . Volví por las tapias, solo y mustio, entré en la casa por la puerta del corral y, huyendo de los hombres, me fuí a la cuadra y me senté a pensar, con Platero.

EL CANARIO SE MUERE

MIRA, PLATERO: el canario de los niños ha amanecido hoy muerto en su jaula de plata. Es verdad que el pobre estaba ya muy viejo . . . El invierno último, tú te acuerdas bien, lo pasó silencioso, con la cabeza escondida en el plumón. Y al entrar esta primavera, cuando el sol hacía jardín la estancia abierta y abrían las mejores rosas del patio, él quiso también engalanar la vida nueva, y cantó; pero su voz era quebradiza y asmática, como la voz de una flauta cascada.

El mayor de los niños, que lo cuidaba, viéndolo yerto en el fondo de la jaula, se ha apresurado, lloroso, a decir:

—¡Puej no l'a faltao ná; ni comida, ni agua!

No. No le ha faltado nada, Platero. Se ha muerto porque sí—diría Campoamor,[1] otro canario viejo . . .

Platero, ¿habrá un paraíso de los pájaros? ¿Habrá un vergel verde sobre el cielo azul, todo en flor de rosales áureos, con almas de pájaros blancos, rosas, celestes, amarillos?

Oye: a la noche, los niños, tú y yo bajaremos el pájaro muerto al jardín. La luna está ahora llena, y a su pálida plata el pobre cantor, en la mano cándida de Blanca, parecerá el pétalo mustio de un lirio amarillento. Y lo enterraremos en la tierra del rosal grande.

A la primavera, Platero, hemos de ver al pájaro salir del corazón de una rosa blanca. El aire fragante se pondrá canoro y habrá por el sol de abril un errar encantado de alas invisibles y un reguero secreto de trinos claros de oro puro.

LA PLAZA VIEJA DE TOROS

UNA VEZ MÁS PASA por mí, Platero, en incogible ráfaga, la visión aquella de la plaza vieja de toros

[1] Spanish poet (1817-1901).

que se quemó una tarde . . . de . . . que se quemó, yo no sé cuándo . . .

Ni sé tampoco cómo era por dentro . . . Guardo una idea de haber visto—¿o fué en una estampa de las que venían en el chocolate que me daba Manolito Flórez?—unos perros chatos, pequeños y grises, como de maciza goma, echados al aire por un toro negro . . . Y una redonda soledad absoluta, con una alta yerba muy verde . . . Sólo sé cómo era por fuera, digo, por encima, es decir, lo que no era plaza . . . Pero no había gente . . . Yo daba, corriendo, la vuelta por las gradas de pino, con la ilusión de estar en una plaza de toros buena y verdadera, como las de aquellas estampas, más alto cada vez; y, en el anochecer de agua que se venía encima, se me entró, para siempre, en el alma, un paisaje lejano de un rico verdor negro, a la sombra, digo, al frío del nubarrón, con el horizonte de pinares recortado sobre una sola y leve claridad corrida y blanca, allá sobre el mar . . .

Nada más . . . ¿Qué tiempo estuvo allí? ¿Quién me sacó? ¿Cuándo fué? No lo sé, ni nadie me lo ha dicho, Platero . . . Pero todos me responden, cuando les hablo de ello:

—Sí; la plaza del Castillo, que se quemó . . . Entonces sí que venían toreros a Moguer . . .

LA LLAMA

ACÉRCATE MÁS, Platero. Ven . . . Aquí no hay que guardar etiqueta. El casero se siente feliz a tu lado porque es de los tuyos. Alí, su perro, ya sabes que te quiere. Y yo ¡no te digo nada, Platero! . . . ¡Qué frío hará en el naranjal! Ya oyes a Raposo: ¡Dioj quiá que no je queme nesta noche muchaj naranja![1]

¿No te gusta el fuego, Platero? No creo que mujer desnuda alguna pueda poner su cuerpo con la llamarada. ¿Qué cabellera suelta, qué brazos, qué piernas resistirían la comparación con estas desnudeces ígneas? Tal vez no tenga la naturaleza muestra mejor que el fuego. La casa está cerrada y la noche fuera y sola; y, sin

[1] ¡Dioj . . . naranja! = ¡Dios quiera que no se quemen esta noche muchas naranjas!

embargo, ¡cuánto más cerca que el campo mismo estamos, Platero, de la naturaleza, en esta ventana abierta al antro plutónico! El fuego es el universo dentro de casa. Colorado e interminable, como la sangre de una herida del cuerpo, nos calienta y nos da hierro, con todas las memorias de la sangre.

¡Platero, qué hermoso es el fuego! Mira cómo Alí, casi quemándose en él, lo contempla con sus vivos ojos abiertos. ¡Qué alegría! Estamos envueltos en danzas de oro y danzas de sombras. La casa toda baila, y se achica y se agiganta en juego fácil, como los rusos. Todas las formas surgen de él, en infinito encanto: ramas y pájaros, el león y el agua, el monte y la rosa. Mira; nosotros mismos, sin quererlo, bailamos en la pared, en el suelo, en el techo.

¡Qué locura, qué embriaguez, qué gloria! El mismo amor parece muerte aquí, Platero.

LA CORONA DE PEREJIL

¡A VER QUIÉN llega antes!

El premio era un libro de estampas, que yo había recibido la víspera, de Viena.

—¡A ver quién llega antes a las violetas! . . . A la una . . . A las dos . . . ¡A las tres!

Salieron las niñas corriendo, en un alegre alboroto blanco y rosa al sol amarillo. Un instante, se oyó en el silencio que el esfuerzo mudo de sus pechos abría en la mañana, la hora lenta que daba el reló de la torre del pueblo, el menudo cantar de un mosquitito en la colina de los pinos, que llenaba los lirios azules, el venir del agua en el regato . . . Llegaban las niñas al primer naranjo, cuando Platero, que holgazaneaba por allí, contagiado del juego, se unió a ellas en su vivo correr. Ellas, por no perder, no pudieron protestar ni reírse siquiera . . .

Yo les gritaba: ¡Que gana Platero! ¡Que gana Platero!

Sí, Platero llegó a las violetas antes que ninguna y se quedó allí revolcándose en la arena.

Las niñas volvieron protestando, sofocadas, subiéndose las medias, cogiéndose el cabello:

—¡Eso no vale! ¡Eso no vale! ¡Pues no! ¡Pues no! ¡Pues no, ea!

Les dije que aquella carrera la había ganado Platero y que era justo premiarlo de algún modo. Que bueno, que el libro, como Platero no sabía leer, se quedaría para otra carrera de ellas, pero 5 que a Platero había que darle un premio.

Ellas, seguras ya del libro, saltaban y reían, rojas: ¡Sí! ¡Sí! ¡Sí!

Entonces, acordándome de mí mismo, pensé que Platero tendría el mejor premio en su 10 esfuerzo, como yo en mis versos. Y cogiendo un poco de perejil del cajón de la puerta de la casera hice una corona y se la puse en la cabeza, honor fugaz y máximo, como a un lacedemonio.

LA FÁBULA

15 DESDE NIÑO, Platero, tuve un horror instintivo al apólogo, como a la iglesia, a la guardia civil, a los toreros y al acordeón. Los pobres animales, a fuerza de hablar tonterías por boca de los fabulistas, me parecían tan odiosos como en el 20 silencio de las vitrinas hediondas de la clase de Historia Natural. Cada palabra que decían, digo, que decía un señor acatarrado, rasposo y amarillo, me parecía un ojo de cristal, un alambre de ala, un soporte de rama falsa. Luego, 25 cuando vi en los circos de Huelva y de Sevilla animales amaestrados, la fábula, que había quedado, como las planas y los premios, en el olvido de la escuela dejada, volvió a surgir como una pesadilla desagradable de mi adolescencia.

30 Hombre ya, Platero, un fabulista, Jean de La Fontaine,[1] de quien tú me has oído tanto hablar y repetir, me reconcilió con los animales parlantes; y un verso suyo, a veces, me parecía voz verdadera del grajo, de la paloma o de la cabra. 35 Pero siempre dejaba sin leer la moraleja, ese rabo seco, esa ceniza, esa pluma caída del final.

Claro está, Platero, que tú no eres un burro en el sentido vulgar de la palabra ni con arreglo a la definición del Diccionario de la Academia Es- 40 pañola. Lo eres, sí, como yo lo sé y lo entiendo. Tú tienes tu idioma y no el mío, como no tengo yo el de la rosa ni ésta el del ruiseñor. Así, no temas que vaya yo nunca, como has podido pen-

[1] French poet and fabulist (1621–1695).

sar entre mis libros, a hacerte héroe charlatán de una fabulilla, trenzando tu expresión sonora con 45 la de la zorra o el jilguero, para luego deducir, en letra cursiva, la moral fría y vana del apólogo. No, Platero . . .

LA MUERTE

ENCONTRÉ A PLATERO echado en su cama de paja, 50 blandos los ojos y tristes. Fuí a él, lo acaricié hablándole, y quise que se levantara . . .

El pobre se removió todo bruscamente, y dejó una mano arrodillada . . . No podía . . . Entonces le tendí su mano en el suelo, lo acaricié 55 de nuevo con ternura, y mandé venir a su médico.

El viejo Darbón, así que lo hubo visto, sumió la enorme boca desdentada hasta la nuca y meció sobre el pecho la cabeza congestionada, 60 igual que un péndulo.

—Nada bueno, ¿eh?

No sé qué contestó . . . Que el infeliz se iba . . . Nada . . . Que un dolor . . . Que no sé qué raíz mala . . . La tierra, entre la hierba . . .   65

A mediodía, Platero estaba muerto. La barriguilla de algodón se le había hinchado como el mundo, y sus patas, rígidas y descoloridas, se elevaban al cielo. Parecía su pelo rizoso ese pelo de estopa apolillada de las muñecas viejas, que 70 se cae, al pasarle la mano, en una polvorienta tristeza . . .

Por la cuadra en silencio, encendiéndose cada vez que pasaba por el rayo de sol de la ventanilla, revolaba una bella mariposa de tres 75 colores . . .

MELANCOLÍA

ESTA TARDE HE IDO con los niños a visitar la sepultura de Platero, que está en el huerto de la Piña, al pie del pino redondo y paternal. En 80 torno, abril había adornado la tierra húmeda de grandes lirios amarillos.

Cantaban los chamarices allá arriba, en la cúpula verde, toda pintada de cenit azul, y su trino menudo, florido y reidor, se iba en el aire 85 de oro de la tarde tibia, como un claro sueño de amor nuevo.

Los niños, así que iban llegando, dejaban de gritar. Quietos y serios, sus ojos brillantes en mis ojos, me llenaban de preguntas ansiosas.

—¡Platero, amigo!—le dije yo a la tierra—; si, como pienso, estás ahora en un prado del cielo y llevas sobre tu lomo peludo a los ángeles adolescentes, ¿me habrás, quizá, olvidado? Platero, dime: ¿te acuerdas aún de mí?

Y, cual contestando a mi pregunta, una leve mariposa blanca, que antes no había visto, revolaba insistentemente, igual que un alma, de lirio en lirio . . .

★ ★ ★ ★ ★

Entes y sombras de infancia y juventud[1]

EL ZARATÁN

> A Nicolás Rivero, el noble
> galleguito de Moguer, que cuando
> yo no tenía ya caballos me dejaba
> su potro canelo; si él vive toda-
> vía. Y sinó, a su memoria.

—Tiene un zaratán.

—Lo tiene en el pecho.

—Se la está comiendo viva ese maldito zaratán.

Josefito Figuraciones[2] veía a Cinta Marín con el zaratán en el pecho, entre los pechos, enmedio del pecho blanco, blanco de leche. Porque la mejilla de Cinta, su mano, su muñeca eran blancos mates de leche. Y ella se miraría el zaratán rojo en su pecho blanco, con sus ojos negros.

Sí, Josefito se figuraba el zaratán como un lagarto grana, un cangrejo carmín, un alacrán colorado. Eso es, eso era, un alacrán colorado que estaba pegado allí, vientre con pecho, con sus pinzas, sus uñas, su hocico, su boca, sus dientes, su pico, su lengua, sus patas, su aguijón arqueado eréctil, sus alas frenéticas, en el pecho blanco de Cinta Marín.

Todos, todas miraban a Cinta Marín, recién viuda, con pena o miedo o lástima o repulsión. Pero ninguna, ninguno, nadie podía quitarle el zaratán del pecho. Ni la curandera de Valverde del Camino, que tenía gracia en la lengua, ni los curas ni los médicos de Moguer con sus antí-dotos ni sus mejunjes, ni los mejores y más pedantes médicos de Huelva, de Sevilla, de Cádiz; porque la habían llevado ya a todas partes, a lo mejor de la ciencia, el arte y el milagro, a ver si le quitaba alguien del pecho el zaratán. Aunque todo el pueblo se hubiese puesto a tirar de él, como cuando subieron la campana gorda a la torre mayor de Santa María de la Granada, no hubieran podido despegárselo del pecho.

Y Cinta pasaba de negro riguroso, de doble luto total, muy encobijada en su imposible, muy abrigada, como una monjita escamoteada de cuerpo, con su zaratán en su pecho y sus manos blancas, unos lirios mates, sobre su estameña, su corpiño y su zaratán.

Algunos murmuraban que Cintita Marín no era tan santita como parecía; que estaba condenada, poseída del demonio, perdida, maldita para siempre porque había hecho esto y lo otro. Josefito llegaba a ver el zaratán como un Diablo, un Satanás, un Lucifer, un Belial, un Belzebú, un Luzbel[3] enamorado. Y a lo mejor, ¿quién lo sabía? Ella, Cinta Marín, ¡qué espanto, qué odio, qué asco!, estaba enamorada también del diablo, del demonio del zaratán.

Y Josefito relacionaba entonces el zaratán del demonio con Manolito Laguna, con Isidoro Arnáiz, con Gustavillo Rey, con todos los que se decía por el pueblo que les daban vida arrastrada a las mujeres, que mataban de hambre, de frío, de abandono a sus pobres mujeres lacias,

---

[1] This book was unpublished during Jiménez' lifetime.   Parts are included in *Pájinas escojidas*, 1958.

[2] Jiménez as a child.   An imaginary name.

[3] *Lucifer . . . Luzbel* names of the devil.

desmejoradas, anémicas, vestidas todas de un solo oscuro liso, como Lolita Navarro, como Herminia Picón, como Reposo Neta, como Cinta Marín.

5 En los días de gloria mayor, cuando las campanas de Moguer, ángeles altos morenos con alas de bronce, levantaban el pueblo de sus cimientos rojos, sus montes de escoria, y lo alzaban al mar verdiazul del aire, como una nave 10 blanca y verde, Josefito pensaba más en Cinta Marín. Acaso veía cruzar su endeble sombra escurrida por el sol fijo de las esquinas, tras la gente parada, hombres del campo y señoritos.

Algunas tardes se iba Josefito por el barrio de 15 Cinta Marín, la calle última de lo más alto, la de Los Corales, a ver si la sorprendía sola con el zaratán en su casa de puerta amarilla, abierta siempre al ocaso de par en par para que entrara bien el aire con yodo de los dos ríos, el Tinto y 20 el Odiel, tan bellos en su sosegado derivar por las marismas inmensas. Y a veces la veía entre las dos puertas, recortada, aislada en sí, en su dura muerte casi, por la luz vibrante, sonora, un negro esqueleto fundido, un enjuto ataúd de pie, 25 pero siempre con su borde divino de azucena fantasma en lo negro, su orilla en flor de largo junco blanco.

Cuando los niños salían del colegio de don Joaquín de la Oliva y Lobo hablaban exaltados, 30 calle de La Aceña abajo, de Cinta Marín y del zaratán.

—Es como unas tenazas.

—Ya tú lo dijiste.

—Como unas tenazas. Bueno, éste lo quiere 35 saber todo.

—Es que a mí me lo ha dicho Pastora, Pastorita, que vió un zaratán en el Moro.

—Es un zaratán como el que tuvo también la hija mayor de Lolo Ramos, que decía don 40 Domingo el médico que daba miedo ver el destrozo que le había hecho por la carne.

—Bueno, vámonos a jugar a la Plaza de las Monjas.

Si pasaba Cinta Marín, todos bajaban la voz 45 y se hacían los tontos. Y ella, tan mate, tan delicada, tan airosa, tan centella de plata y de ceniza, los miraba triste y a veces sonriendo con sus ojos

negros hundidos en la sombra picuda de su pañuelo negro de lana.

—¡Vamos a preguntarle cómo es el zaratán! 50

—¿A que no te atreves tú a decirle que nos enseñe el zaratán?

—¡Y que se cree éste que nos lo va a enseñar! ¡Si lo tiene en el pecho, hombre, si lo tiene en el pecho! 55

—Y que se la está comiendo viva . . .

Josefito Figuraciones se representaba el pecho de Cinta Marín como una casilla blanca con todo, así como la casilla del enterrador, zaguán, patio, comedor, galería, sala, corral, 60 dormitorio. Algo como un hormiguero de una sola hormiga, un hormigón; o un panal virgen sin abejas, con el zángano solo.

—Y cuando el zaratán está durmiendo, ¿no se podría cogerlo y matarlo? 65

—Tú te imaginas que el zaratán se va a dormir. ¡Los zaratanes no son tan tontos como tú! ¡Los zaratanes no duermen, hombre! Son como los mochuelos. ¿No has visto tú los mochuelos cómo miran por la noche? Pues así mirará el 70 zaratán.

De modo que, según decía el buenazo de Nicolás Rivero, el noble galleguito, que ya era mayor, el zaratán no dormía. Nicolás debía saberlo, porque tenía detrás de su casa un huerto 75 grande con toda clase de animalillos. Y Josefito, en sus madrugadas de desvelo, pensaba, fijo el pensamiento contra el techo, que el zaratán no dormía, que estaba despierto como el . . . y como Cinta Marín. Porque, entonces, Cinta Marín 80 tampoco dormía. ¿Pues y cómo iba a dormir Cinta Marín con el zaratán despierto sobre su pecho?

Y veía a él sobre ella, colorado, muy colorado en lo blanco, en lo negro, en lo oscuro, colorado 85 fosforescente, con unos ojitos de chispa rubí, esmeralda, turqués, cambiantes como los ojos postizos de don Augusto de Burgos y Mazo, que se compró doce ojos de doce colores distintos cuando lo dejaron tuerto de un tiro una madru- 90 gada. Como una joya viva, blanda y dura, verde y grana revueltos, uno de esos alfileres grandes de pecho de las señoras, sólo que en vez de estar clavado en la ropa sobre la seda, el terciopelo, el encaje, estaba clavado, enquistado, metido en el seno de Cinta Marín. Y ella, tendida, víctima blanca de ojos resignados, del zaratán, de la joya, del alfiler, del diablo.

5   —Pues mi hermano dice que Cinta Marín . . .

—¿A que no nombras tú más a Cinta Marín?

—Josefito es tonto. ¡Pues no se figura que él solo va a poder nombrarla! ¡Ni que fuera el mismo zaratán!

10   —¡Lo que me figuro es que tú no nombras más delante de mí a Cinta Marín!

—¿Es que me la voy acaso a comer? ¡Mira éste, ni que fuera yo el zaratán!

—¡Qué vas tú a ser el zaratán, hombre! ¡Qué
15 vas tú a ser el zaratán! ¡Ojalá que lo fueras! ¡Entonces, ya tú verías!

Aunque Cinta Marín vivía lejos de Josefito y había tanta gente por medio en el pueblo, tantos marineros y tantos hombres del campo y tantos
20 señoritos parados en las esquinas, en todas las esquinas, hasta la última, la de Juanito Betún, él sabía siempre dónde estaba ella, y la veía en todas partes, por todas partes, desde todas partes, bocacalles, portadas, caminos, azoteas,
25 ventanas, tejados, miradores, torres. Y cuando se iba de temporada a los montes la veía mejor y más a todas sus horas, aunque también más pequeñita, con el zaratán más pequeñito, por encima de todo, agua y arena, colinas y cañadas,
30 naranjos y viñas y olivos; por encima del mismo Pino de la Corona, allí en las casas finales de cal del otro lado del pueblo, o contra el vallado largo de tierra amarilla de Las Angustias, o junto al pozo viejo de la Cuesta de la Ribera,
35 donde ella solía sentarse a descansar bajo la higuera cuando subía de los Molinos; o al lado de la otra higuera grande venenosa del Cristo, frente al Odiel violeta y la hermosa puesta del sol sobre el Tinto granate.

40   ¡Qué fantasías se hacía Josefito, solo por los montes desiertos, por los pinares medrosos, contra el zaratán! ¡Si él pudiese arrancárselo del pecho a Cinta Marín y dejarla buena, sana en su blancura, como un nardo sin daño, sin gusano,
45 sin hormiga, cómo se lo agradecería ella! ¡Qué descansada la dejaría, con qué dulzura le sonreiría, con su pecho otra vez entero, repuesto,

liso! Y él estaba seguro de poder con el zaratán, por muy monstruoso que se volviera, y se atrevería entonces mismo a sacárselo, pero aunque 50 llegaba casi hasta ella algunas veces y muy decidido, le daba vergüenza decírselo porque ella tenía más de veinte años y él sólo trece, y a lo mejor, ella se reiría de él. ¡Y eso sí que no, y eso sí que no!   55

¿De dónde habría salido aquel maldito zaratán, de debajo de qué piedra, de qué árbol partido, de qué cueva húmeda, de qué horno abandonado, de qué caño inmundo, de qué chimenea negra, de qué honda poza? ¿Y cómo 60 se metió allí, en el pecho blanco de Cinta Marín? ¡Como no fuese que ella misma le abriera su corpiño, que ella misma lo dejara entrar!

¡Y entonces era a ella a quien él debía matar! ¡A ella, sí; a ella, a ella mismita! Y Josefito se revolvía girando de ira en el sol, como un pequeño 65 ciclón, cortando el aire moreno con el rodrigón que zumbaba igual, ón, ón, ón, que un agrio perro aullante.

¿Sería el zaratán aquel lagarto largo del 70 Camino de los Llanos, que lo miraba al pasar él, de aquel modo tan raro, tan agudo, tan provocativo, sin irse del todo a su agujero? ¿Y cómo podría estar, al mismo tiempo, en el vallado del Camino de los Llanos y en el pecho de Cinta 75 Marín? Sin duda tenía, según él había leído del diablo, el don de la ubicuidad, que él, maldito sea, no tenía; él, Josefito, que valía más que el zaratán. Todos los lagartos, calentureros, gañafotes,[1] escarabajos que se iba encontrando Jose- 80 fito por el campo traspasado del sol último, en una cepa apolillada, bajo una piedra verde, en una dejada ruina, en una verja mohosa abierta a la cizaña, eran presa de su iracundia, de su despecho, de su desesperación. Y los aplastaba con 85 los tacones de las botas de montar, con un pico, con un guijarro, o los quemaba con el encendedor, o les clavaba escalofriado la navajita de los piñones.

Y lleno de despojillos sangrientos que no se 90 podía despegar, de olores vivos animales, vegetales y minerales, se volvía con triste lentitud, ya

---

[1] *calentureros, gañafotes* insects.

por lo oscuro, camino de la casa del pinar, su blanca Fuentepiña. Coronado de rojo final por el crepúsculo, desafiando la inmensa soledad y el secreto profuso de la plana hora baja, Josefito,
5 Persefito[1] ahora por su propia gracia y valor, gozaba su concentración entrañable. Reía, gritaba enloquecido la imposible hazaña de encontrar al monstruo ubicuo, al espantoso zaratán, grande en el crepúsculo como un saurio; de luchar con
10 él, de vencerlo, de estrangularlo, de llevarlo arrastrado por todo el pueblo, como un trofeo, a su pobre y desvalida Cinta Marín.

«¡HERODES!»

LOS CHIQUILLOS—¿veinte, trescientos, siete mil?,
15 ¡la langosta infinita!—hacen de la plaza de la iglesia patio de su casa inexistente; y con gritos, silbidos y pedradas amenazan derribar iglesia, acacias, torre y pueblo circundante.

Por una fatal combinación de esquinas, co-
20 rrientes, bocacalles y simpatías, el escándalo total halla su más grande, sonora y exacta estrella de ecos en el hondo patio de mármol de doña Luisa, la cubanita, que a esta hora, entornado el zaguán, echados toldos y persianas a los cristales
25 de colores de la montera y ventanas del jardín, procura reposar, en bata blanca, su baño, meciéndose suavemente en su balancín entre las flores, abierto sobre el pecho su inmenso abanico de seda negra pintado de rosas reven-
30 tonas, entrehablándole·a su loro, otro ideal de

[1] Persefito = small Perseus. (In Greek mythology Perseus, son of Zeus, slew the Gorgon Medusa.)

los chiquillos, el cual, ¡el tal!, inicia cada tres segundos, verde y amarillito, la Marcha Real.

«Dormir, soñar, morir», etc.—como decía aquel librito raro y feo de don Guillermo Mac-
35 pherson[2] y otro antes, que trajo su hermano de Cádiz y que, por cierto, ahora que se acordaba, se había llevado Juanito Ramón—. «. . . ¡Indinos! ¡Hijos de Satanás! ¡Hijos de la Real!» Y los chiquillos gritan, el millón a la vez, silban como
40 flechas, como locomotoras, corren más, tiran más piedras, una de las cuales, un chino blanco, redondo, precioso, frío, con nostalgia, sin duda, del mármol del patio de doña Luisa, se entra derecho como un torpedo, imprevisto como una
45 estrella errante, por el zaguán, pasa infalible, sillas, plátanos, jaulas, todo, y hace, al fin, añicos un cristal grana de la última cancela.

Doña Luisa se levanta lívida, insultada, trágica, sofocada en blanco, imponente, hen-
50 chida, un globo humano que cabecea torpemente antes de soltarle las amarras, insuficiente su bata tropical de mangas cortas y gran escote, que dejan ver la cruda y mate opulencia de su bien apuntalada cuarentez, a tal acumulada tempes-
55 tad. Viene tropezando, en alas y olas de la ira, hasta el zaguán, abre de par en par, con un arrastre de piedras, la puerta de la calle y, en medio del umbral, en un arranque apocalíptico para el que es grotesco escape su enmelada voz
60 chillona, levanta los brazos gruesos al terrible cielo cobalto y, ante el instantáneo asombro de los chiquillos, risoteo pronto y chunga general, grita ahogándose: «¡Herodes, Herodes! ¿Dónde estás? ¡Ven aquí, buen Herodes!»

[2] Nineteenth century Spanish translator of *Hamlet*.

Olvidos de Granada (1959)

65   EL LADRÓN DE AGUA

CONVENCIDO CADA NOCHE por la antigua media-luna granadí de que es un ladrón, el ladrón de agua retumba, cae, zumba, se yergue, se tumba, se retuerce en tetania[3] infinita, enarcadora de

[3] *tetania* tetany, a disease causing spasms of the muscles of the extremities.

pecho y vientre; y quisiera, con su ilusoria moda
70 de calañés y trabuco metamorfoseables,[4] salirnos al paso. Pero no puede. Está perdiendo constante hechura y voluntad. Pasa, con mente desvanecida de loco, de ladrón a ladrón. Su

[4] *calañés . . . metamorfoseables* form-changing hat (with turned-up brim and low cone-shaped crown) and blunderbuss.

acero trasparente y frío está cogido por cabeza y pies, soltado un instante, cogido de nuevo entre verdes colgantes oscuros. Y su pena renegrida, de espantoso ladrón imposible, es la que le da 5 ese atractivo escalofriante, ese hechizo invariable.

¿Era él? ¿Quién era? ¿Era el cónsul inglés, la gitana pringosa bailadora, el pintor local? Ya se acerca, digo, ya nos acercamos otra vez. Ya 10 se oye otra vez su retumbo, zumbo, tumbo sucesivo: su redondo volcarse la entraña negra; ya se ve el saca y mete de sus infinitas navajas, puñales, facas de fundición constante; su mostrar, en renovados planos distintos, las caras 15 incontables, de frente, oblicuas, cuadradas, de su desesperación; se ve y se oye su darse en la sien, en los riñones, en la espinilla; su fracasar de cualquier modo; su fatiguita sincopante de ahogado repetido; su estrellarse de elemento 20 demente ladrón, que sólo puede sumir, en espejos bruscos, al reino subterráneo la presa deseada de nuestras caras retadoras; su interminable tormento de rueda, que debe volver y no vuelve.

25 Nos acercamos más, condescendientes, confiados. Nos entregamos a él, le decimos que es ladrón, que no es ladrón; le ofrecemos el reló, un duro, la corbata. Los niños, casi llegándole, se mojan en él el dedo y saltan atrás riendo nervio-30 sos. Y entre el alboroto condenado de la caída impotente se le salen de odio irresistible los ojos agrios, bizcos, yertos; se le va la babosa saliva en raudas disolvencias espumosas; se le rompe la mala palabra cóncava, la honda maldición por su 35 venganza encadenada, por su fatal escamoteo; escamoteo, maldición que no tendrán fin ni en el abismo de su líquida imposibilidad total.

LAS TRES DIOSAS BRUJAS DE LA VEGA

ESTABAN ALLÍ, en un banco de la estación grana-40 dina de Málaga; estaban las tres viejas, tapadas casi del todo con sus negros paños; estaban con sus tres cántaros, llenos de agua espejeante hasta la boca destapada, en el suelo, uno ante cada una. Mudas, rígidas como ciegas para fuera,

encentradas en tres y en una, como una trinidad 45 de diosas fatales de las brujas granadíes, estaban allí.

Federico García Lorca y yo nos paseábamos por el andén deslumbrante aún de las cinco de la tarde del verano, aguardando el tren mala-50 gueño en el que llegaría Manuel de Falla[1] («Don Manué», decía Lorca) de vuelta de su mes del año, agosto, en que acostumbraba encerrarse en el habitual hotel marino, para contestar (con esa letra suya chata de plumilla de cuarta) todas 55 sus cartas anuales. Pasando los dos junto a las tres diosas ennegradas, las tres nos ofrecieron al mismo tiempo, en rito evidente, sus cántaros destapados, aquellas bocas como ojos. Yo, como no soy de Granada la supersticiosa, sino de 60 Moguer el tartesio[2] realista, dije la verdad redonda, que yo no tenía sed de agua.

Mi respuesta hizo saltar diez centímetros al banco que la trinidad sacudiera como con una descarga eléctrica. Y se levantó de las diosas una 65 nube negra de corona, que empezó a caminar hacia nosotros, dando al andén una extraña calidad oscura. En la nube, las tres frentes arrugadas, los seis ojos de vista interior de las tres viejas; y relámpagos y rayos; no truenos, 70 palabras: «No tien zé de agua er zeñorito, tenrá zé de anizete. Ze va a envenená er probezito zi bebe de ejta agua. Po mejó zerá que no la cate con eze bigote y eza barba del demontre.»[3]

La nube se ennegrecía más, más. Se veían 75 brazos y manos de ocreante carne amojamada y costrosa, saliendo de los telones negros. Una mano llegó a mi cara a tirarme de la barba, Federico me dió un empujón con el hombro y me dijo seco: «Lo mejó zerá irno, ejto ze 80 ejtá poniendo mu feo. Ya le dije a uzté que eran laj bruja de la Vega.»[4]

---

[1] Spanish composer and pianist (1876–1946).
[2] Of Tartessos, region of ancient Spain.
[3] *"No tiene sed de agua, el señorito; tendrá sed de anisete. Se va a envenenar el pobrecito si bebe de esta agua. Pues mejor será que no la cate con ese bigote y esa barba del demonio."*
[4] *"Lo mejor será irnos, esto se está poniendo muy feo. Ya le dije a usted que eran las brujas de la Vega."*

Pitó el tren en esto, entró jadeante y destartalado; y Falla, dos veces chiquito, apareció en el estribo ya cogido a la portezuela abierta, con su risa de toda la boca, toda la cara, sus ojos infantiles guiñados, sus cortes costrados de sangre de la navaja de afeitar, su sombrerito de paja en la otra mano; Falla, agotado siempre del empuje de su música, su único vicio no medicinal, su única concesión a la muerte. Al momento vió a las viejas y se le torció la risa. Él, que se asustaba de un moscardón, se erguía tembloroso. Pero Lorca dijo: «Menoj má; ya zomo tre dioze contra tre dioza. Noj hemo zarvao. La leyenda dice que zólo el núúúmero imparrrr igualll conjura er rayo sin tronío.»[1]

Entonces las tres viejas volcaron los cántaros y derramaron el agua por el andén. Una gritó por las tres: «¡A la tierra otra vé ejta hija de la grandízima real; que ejtá mardezía!»[2]

[1] "Menos mal; ya somos tres dioses contra tres diosas. Nos hemos salvado. La leyenda dice que sólo el número impar igual conjura el rayo sin trueno."
[2] "A la tierra otra vez esta hija de la grandísima real; que está maldita."

Españoles de tres mundos (1942)

HÉROES ESPAÑOLES

LLAMO HÉROES a los españoles que en España se dedican más o menos decididamente a disciplinas estéticas o científicas.

Ambiente inadecuado, indiferente, hostil como en España no creo que los encuentre el poeta, el filósofo en otro país de este mundo. Acaso esto conviene y corresponde al tan cacareado sentido realista español. Que en España la ciencia haya sido y sea escasa y discontinua, concesionario el arte, se debe a la erizada dificultad que cerca a quien quiere cultivarlos en lo profundo. Ruido, mala temperatura, grito, incomodidad, picos, necesidad de alternación política, falta de respeto, pago escaso, etc., todo contribuye a que el hombre interior español viva triste. (La tristeza que tanto se ha visto en mi obra poética nunca se ha relacionado con su motivo más verdadero: es la angustia del adolescente, el joven, el hombre maduro que se siente desligado, solo, aparte en su vocación bella.) Como en los tiempos de Larra,[3] (lugar común, ¿verdad?, sí, sí, ya lo sé), hoy y en todos los tiempos seguramente, escribir, pintar, filosofar, esculpir, mirar los astros, crear o investigar, en suma, es, en España, llorar.

(¿Qué significa, por ejemplo, en la sociedad general española un astrónomo, un matemático, un filósofo, un poeta? Sus señoras deben sentir vergüenza de responder: «astrónomo, filósofo, poeta, matemático». Todavía un pintor, un escultor hacen ... retratos. El médico puede salvarse moral y materialmente porque se supone que cura esto o lo otro; y aun así, si siente la ilusión de la apartada investigación pura, si no quiere ir en su mula vendiendo salud, vive también en héroe.)

Esta cuarta raza, la heroica, sigue existiendo en la tierra y en gran número, más quizás cada día. Los griegos ofrecían a sus héroes miel, vino, leche, después de muertos, y le sacrificaban el animal negro con la cabeza baja. En el mundo actual, España principalmente, leche, vino, miel debieran ofrecerse en vida a los héroes. El animal negro de cabeza baja puede quedar, con el artículo necrológico y la marcha fúnebre, para el héroe español muerto.

ROSALÍA DE CASTRO
1885

LLUEVE EN toda Galicia. Suelo y cielo están fundidos, el corazón de cuatro cavidades por su fibra interior, por la lluvia. Toda Galicia es el ámbito de un grande, sordo corazón. Las aldeas, iguales iglesias negras, más negras, negrísimas, de un negro primordial sacado por la lluvia, huelen a establo mojado humano. Rosalía de

[3] Spanish satirist (1807-1837).

Castro piensa, de luto en la puerta de su casa, su campo, casa cubo con maíz, uva, hórreo medio, agua corriente cercana. Ve llover en lo verde blando, en la tierra líquida, en el agua terrosa;
5 pasar, entre agua y agua, la vaca constante, el albino adolescente descolorido, el saludador astroso, el peregrino lanudo, el cura mugriento, la niña pecosa débil, el pequeño carro lamentoso. Suenan bajas, ahogadas en aire agua, las cam-
10 panas de Bastabales:

> (*Campanas de Bastabales,*
> *cuando vos oyo tocar*
> *morrome de saudades.*)[1]

Pobreza y soledad. Ansia, congoja, asfixia de
15 tanta soledad y pobreza circundantes. Una boca grande, una simpatía fea, lloran, desesperan, sollozan. Rosalía de Castro, lírica gallega trágica, desesperó, lloró, sollozó siempre, negra de ropa y pena, olvidada de cuerpo, dorada de alma en su
20 pozo propio. ¡Desconsolación de hermosa alma acorralada, aislada, enterrada en vida! La rodean rebaños humanos que son como rebaños no humanos: el mismo cabizbajo pesar, idéntico olor imperdible, igual mansedumbre y sensuali-
25 dad resignada. Y Rosalía de Castro no se cuida, no puede cuidarse. Anda loca con su ritmo interior, fusión de lluvia llanto, de campana corazón. Toda Galicia es un mojado manicomio, donde se tiene encerrada ella misma. Galicia,
30 cárcel de ventanas en condenación de agua, niebla, llanto, por las que Rosalía ve sólo fondos cálidos de su alma.

Niebla en Galicia. Una niebla que flota, redondo algodón, nata salada, cercadora parafina,
35 sobre las rías; que sitia los muros, que se arrolla en las playas, que todo lo hace oscuro entre ella, blancuzca, desentendida. Entran ciegamente los barcos, no entran. Se pierde el hombre escaso en la opaca totalidad melancólica. Lejos, cerca, en
40 su casa, su campo, en la costa desierta, acortadas las distancias patrias, Rosalía de Castro da vueltas largas y lentas, raudas y cortas, alrededor de las cuatro rocas negras, las cuatro paredes caladas. La rodean cerca, lejos, en cada casa

---

[1] *morrome de saudades = me muero de nostalgia.* (From Castro's *Cantares gallegos*, poem V.)

sola, roca sola, tumbas gemelas, llenas o vacías, 45 de una eterna tarde gallega de difuntos, otras pobres Rosalías, más viejas o más jóvenes, «viudas de vivos y muertos, que nadie consolará».

JOSÉ MARTÍ   50
1895

HASTA CUBA, no me había dado cuenta exacta de José Martí. El campo, el fondo. Hombre sin fondo suyo o nuestro, pero con él en él, no es hombre real. Yo quiero siempre los fondos de 55 hombre o cosa. El fondo me trae la cosa o el hombre en su ser y estar verdaderos. Si no tengo el fondo, hago el hombre trasparente, la cosa trasparente.

Y por esta Cuba verde, azul y gris, de sol, agua 60 o ciclón, palmera en soledad abierta o en apretado oasis, arena clara, pobres pinillos, llano, viento, manigua, valle, colina, brisa, bahía o monte, tan llenos todos del Martí sucesivo, he encontrado al Martí de los libros suyos y de los 65 libros sobre él. Miguel de Unamuno y Rubén Darío habían hecho mucho por Martí, porque España conociera mejor a Martí (su Martí, ya que el Martí contrario a una mala España inconciente era el hermano de los españoles con- 70 trarios a esa España contraria a Martí). Darío le debía mucho, Unamuno bastante; y España y la América española le debieron, en gran parte, la entrada poética de los Estados Unidos. Martí, con sus viajes de destierro (Nueva York era a los 75 desterrados cubanos lo que París a los españoles), incorporó los Estados Unidos a Hispanoamérica y España, mejor que ningún otro escritor de lengua española, en lo más vivo y más cierto. Whitman, más americano que Poe, creo 80 yo que vino a nosotros, los españoles todos, por Martí. El ensayo de Martí sobre Whitman, que inspiró, estoy seguro, el soneto de Darío al «Buen viejo», en *Azul*, fué la noticia primera que yo tuve del dinámico y delicado poeta de *Arroyuelos* 85 *de otoño*. (Si Darío había pasado ya por Nueva York, Martí había estado.) Además de su vivir en sí propio, en sí solo y mirando a su Cuba, Martí vive (prosa y verso) en Darío, que reconoció con nobleza, desde el primer instante, el legado. Lo que le dió me asombra hoy que he leído a los dos enteramente. ¡Y qué bien dado y recibido!

Desde que, casi niño, leí unos versos de Martí, no sé ya dónde:

> *Sueño con claustros de mármol*
> *donde en silencio divino*
> *los héroes, de pie, reposan:*
> *¡de noche, a la luz del alma,*
> *hablo con ellos: de noche!,*[1]

«pensé» en él. No me dejaba. Lo veía entonces como alguien raro y distinto, no ya de nosotros los españoles sino de los cubanos, los hispanoamericanos en general. Lo veía más derecho, más acerado, más directo, más fino, más secreto, más nacional y más universal. Ente muy otro que su contemporáneo Julián del Casal[2] (tan cubano, por otra parte, de aquel momento desorientado, lo mal entendido del modernismo, la pega) cuya obra artificiosa nos trajo también a España Darío, luego Salvador Rueda,[3] y Francisco Villaespesa[4] después. Casal nunca fué de mi gusto. Si Darío era muy francés, de lo decadente, como Casal, el profundo acento indio, español, elemental, de su mejor poesía, tan rica y gallarda, me fascinaba. Yo he sentido y expresado, quizás, un preciosismo interior, visión acaso exquisita y tal vez difícil de un proceso psicológico, «paisaje del corazón», o metafísico, «paisaje del cerebro»; pero nunca me conquistaron las princesas exóticas, los griegos y romanos de medallón, las japonerías «caprichosas» ni los hidalgos «edad de oro». El modernismo, para mí, era novedad diferente, era libertad interior. No, Martí fué otra cosa, y Martí estaba, por esa «otra cosa», muy cerca de mí. Y, cómo dudarlo, Martí era tan moderno como los otros modernistas hispanoamericanos.

Poco había leído yo entonces de Martí; lo suficiente, sin embargo, para entenderlo en espíritu y letra. Sus libros, como la mayoría de los libros hispanoamericanos no impresos en París, era raro encontrarlos por España. Su prosa, tan española, demasiado española acaso, con exceso de giro clasicista, casi no la conocía. Es decir, la conocía y la gustaba sin saberlo, porque estaba en la «crónica» de Darío. El *Castelar*[5] de Darío, por ejemplo, podía haberlo escrito Martí. Sólo que Martí no sintió nunca la atracción que Darío por lo español vistoso, que le sobrecogía, fuera lo que fuera, sin considerarlo él mucho, como a un niño provinciano absorto. Darío se quedaba en muchos casos fuera del «personaje», rey, obispo, general o académico, deslumbrado por el rito. Martí no se entusiasmó nunca con el aparato externo ni siquiera de la mujer, tanto para Martí (y para Darío, aunque de modo bien distinto). El único arcaísmo de Martí estaba en la palabra, pero con tal de que significara una idea o un sentimiento justos. (Este paralelo entre Martí y Darío no lo hubiera yo sentido sin venir a Cuba.) Y no pretendo, cuidado, disminuir en lo más mínimo, con esta justicia a Martí, el Darío grande, que por otros lados, y aun a veces por los mismos, tanto admiro y quiero, y que admiró, quiso y confesó tanto (soy testigo de su palabra hablada) a su Martí. La diferencia, además de residir en lo esencial de las dos existencias, estaba en lo más hondo de las dos experiencias, ya que Martí llevaba dentro una herida española que Darío no había recibido de tan cerca.

Este José Martí, este «Capitán Araña»[6] que tendió su hilo de amor y odio nobles entre rosas, palabras y besos blancos, para esperar al destino, cayó en su paisaje, que ya he visto, por la pasión, la envidia, la indiferencia quizás, la fatalidad sin duda, como un caballero andante enamorado, de todos los tiempos y países, pasados, presentes y futuros. Quijote cubano, compendia lo espiritual eterno, y lo ideal español. Hay que escribir, cubanos, el *Cantar* o el *Romancero de José Martí*, héroe más que ninguno de la vida y la muerte, ya que defendía «exquisitamente», con su vida

---

[1] From Martí's *Versos sencillos*, XLV.
[2] Cuban poet (1863–1893).
[3] Spanish poet (1857–1933).
[4] Spanish poet (1877–1936).

[5] Article written at the death of Emilio Castelar, last president of the first Spanish Republic.
[6] "*Capitán Araña*" folkloric figure who incited men to dangerous risks without taking part in them himself.

superior de poeta que se inmolaba, su tierra, su mujer y su pueblo. La bala que lo mató era para él, quién lo duda, y «por eso». Venía, como todas las balas injustas, de muchas partes feas y de
5 muchos siglos bajos, y poco español y poco cubano no tuvieron en ella, aun sin quererlo, un átomo inconciente de plomo. Yo, por fortuna mía, no siento que estuviera nunca en mí ese átomo que, no correspondiéndome, entró en él.
10 Sentí siempre por él y por lo que él sentía lo que se siente en la luz, bajo el árbol, junto al agua y con la flor considerados, comprendidos. Yo soy de lo estático que cree en la gracia perpetua del bien. Porque el bien (y esto lo dijo de otro modo
15 Bruno Walter,[1] el músico poeta, puro y sereno, desterrado libre, hermano de Martí y, perdón por mi egoísmo, mío) lo destrozan «en apariencia» los otros; pero no se destroza «seguramente», como el mal, a sí mismo.

20   FRANCISCO GINER
      1915

IBA Y VENÍA como un fuego con viento. Y se erguía, silbante víbora de luz, y se derramaba y se prendía, chispeante enredadera de ascuas, y
25 se abalanzaba, leonzuelo relampagueante, y se encauzaba, reguero puro de oro; y aparecía, sin unión visible, aquí y allá, por todas partes, delgado, aéreo, inasequible, con la elasticidad libre de la diabólica llama. (¿Qué nombres eran, en-
30 tonces, los que le pusieron, vivo y muerto, a este incendio agudo, esos que tan bien lo desconocieron? ¿Qué fué aquello de «San Francisquito», «Don Francisquito», «Don Paco», «Asís», «Santito», «Paco»? ¡No, no; nada de eso! De ponerle
35 algo más que su nombre y como él se lo ponía, Francisco Giner, o como se lo ponían los más suyos, «Don Francisco», más bien algo de un infierno espiritualizado.)

Bueno, sin duda, mejor que bondadoso;
40 buenísimo; pero por gusto, por embriaguez verdadera, por arranque de enamorado, por dolor y por remordimiento totales. Sí, una alegre llama condenada a la tierra, llena de pensativo y

alerta sentimiento; el espectro sobrecogido, ansioso y dispuesto de la pasión sublimada, seca 45 la materia a fuerza de arder por todo y a cada hora, pero fresca el alma y abundante, fuente de sangre irrestañable en un campo de estío. Y sus lenguas innumerables lo lamían todo (rosa, llaga, estrella) en una caritativa renovación constante. 50 En todo era todo en él: niño en el niño, mujer en la mujer, hombre como cada hombre, el joven, el enfermo, el listo, el peor, el sano, el viejo, el inocente; y árbol en el paisaje, pájaro y flor, y, más que nada, luz, graciosa luz, luz. 55

... La luz fundente que surtía la espada de su quemado ser atravesó el cielo total de norte a sur, de este a oeste, en perenne encandilamiento, añadiendo fulgor al día; llegó al fin de cada sinfín de sus caminos en cruz, y penetró por todos los 60 secretos de su instante. Taló, besó, achicharró, murió, lloró, rió, resucitó con cada persona y con cada cosa. Una noche, como en la leyenda oriental, la luz, que se había ido esta vez ¿a qué? muy lejos, no tuvo tiempo de volver a su espada 65 en el punto exacto; y espada y luz se quedaron solas, aquella tendida (¡qué pavesita azul!) en su vaina de tierra; la luz (triste y como perdida con su dueña libertad) errando ancha, sin bordes en su mecido trigal infinito. 70

RUBÉN DARÍO
1940

5.°, 7.°, 13.°, 17.° Rubén Darío mío. ¡Tanto Rubén Darío en mí; tan vivo siempre, tan igual y tan distinto; siempre tan nuevo! Ninguna de 75 mis siluetas sucesivas (*Mi Rubén Darío, Contra y por Rubén Darío, Rubén Darío español*, etc.) es la siguiente. Y la silueta posible de su muerte me dolía, al querer escribirla, como cuando, yendo yo de España a New York, 1916, febrero crudí- 80 simo, me dolió el radio con la noticia lamentable, frente a Terranova[2] ciego de ciclón blanco en la tarde; en un vano de la ruta que él, un poco vivo aún en sí, había ocupado antes. (Todavía pude tocar en New York ¡con qué emoción! su mano 85 penúltima, aquí y allá, en una mesa de la His-

---

[1] German conductor and pianist (1876–1962).

[2] Newfoundland.

panic Society, sobre todo, donde él dejó su fotografía final con firma aún segura y redonda.)

Hoy, más cerca de su León[1] y su cuerpo deshecho, el capricho de la onda incesante de las
5 figuraciones trae a mi imaginación un Rubén Darío marino, salido quizás de la fotografía que me dió en Madrid, hace años, el bueno y fiel Alfonso Reyes,[2] amigo siempre mejor de Rubén Darío, y contra estos inmensos horizontes
10 lluviosos de la Florida llana y costera, que corre, sudeste abajo, hasta Nicaragua. Un Rubén Darío en uniforme blanco veraniego de ¿capitán de navío?

. . . adonde una tarde caliente y dorada . . .[3]

15 ¡Cuánto he pensado que Rubén Darío era, no un lobo de mar, un raro monstruo humano marino, bárbaro y exquisito a la vez! Siempre fué para mí mucho más ente de mar que de tierra. Al paisaje polvoriento poco lo sorprendí
20 entregado; creo que no sentía bastante lo pedrero; la arena ya le encontraba la planta. En España, lo sentí vivir más por Málaga, por Mallorca.[4] Desde ellas me envió ramos de versos. Madrid lo cerraba y lo enroscaba hipnotizado
25 como una serpiente marina. El posible mar madrileño le abría las narices; sintiéndolo o presintiéndolo olía y gustaba por todos sus poros y todos los puntos de la rosa de los vientos el efluvio de Venus. Lo vi mucho tomando, con su
30 «whiskey», mariscos. Él mismo tenía algo de gran marisco náufrago. Y, sin duda, su instrumento sonoro favorito era el caracol. Su poesía ¿no es una cantata[5] de caracol y lira?

. . . y oigo un rumor de olas y un incógnito acento . . .[6]

35 Mucho mar hay en Rubén Darío, mar pagano. No mar metafísico, ni mar, en él, psicológico.

Mar elemental, mar de permanentes horizontes históricos, mar de ilustres islas. Su misma técnica era marina. Modelaba el verso con plástica de ola: hombro, pecho, cadera de ola; muslo, 40 vientre de ola; le daba empuje, plenitud pleamarinos, altos, llenos de hervoroso espumeo lento de carne contra agua. Sus iris, sus arpas, sus estrellas eran marinos. Todos sus mares, Atlánticos, Pacíficos, Mediterráneos, eran uno: 45 mar de Citeres:

. . . y los faros celestes prendían sus farolas . . .[7]

Rubén Darío andaba siempre mareado de la ola, de la Venus, de la sal, del tónico. No sabía nunca qué hacer, así, con su levita, sus guantes, 50 su sombrero de copa, y menos con su disfraz diplomático. No eran estos sus trajes ni como favorito plenipotenciario de su reina oriental, ni como almirante de su dios Neptuno.[8] El tenía colgado en la percha de su pensión su desnudo 55 mayor. Por eso lo encontraron a veces caído en la acera; se enredaba en el uniforme. Su mole redonda y grasa de pie pequeño, como de tiburón en pie, digo, en cola, no podía con el chaleco. A veces me lo figuro como un sultán delfín fáunico 60 de los corales, entre las sirenas de su harén acuático. No, no, señores; su vaivén rítmico de siempre no era tanto de mareos de Noé como de alzada, batida de océano. Cuando sacaba su reló anacrónico, yo comprendía, por los golpecitos 65 que le daba y por su mirar perdido a los cuatro vientos, bocacalles de lo salado imposible, que lo que lo orientaba era una brújula:

. . . cual si fuera el rudo son . . .[9]

Su patria verdadera fué la isla de los Argo- 70 nautas, de Citeres, de Colón. Su palabra favorita, «archipiélago». Cuando se la decía hacia dentro, parecía que se la estaba engullendo como una docena de ostras, con gula de gigante marino enamorado. Las tierras continentales no tenían 75 otra razón de vida para él que ser paraíso

---

[1] León, city in Nicaragua where Darío lived as a child.
[2] Mexican poet and essayist (1889–1959).
[3] Line from Darío's "Sinfonía en gris mayor" in *Prosas profanas.*
[4] Mallorca, largest of the Balearic islands, where Darío sojourned.
[5] Choral composition dramatically arranged.
[6] Line from "Caracol", poem in Darío's *Cantos de vida y esperanza.*

[7] Line from "Marina", poem in Darío's *Prosas profanas.*
[8] Roman god of the seas.
[9] Line from Darío's "Tarde del trópico" in *Cantos de vida y esperanza.*

accidental de las especies divinas y humanas descendientes de Venus. Siempre Venus, vigilándolo, desde la juventud, mujer isla del espacio verde :

5   *... Venus, desde el abismo, me miraba con triste mirar.*[1]

En su segura transfiguración, Rubén Darío habrá sido destinado por sus divinidades paganas (entre las que asomó Cristo como un curioso de su alma, tierna visita que él agradeció
10 tanto) a una isla esmeralda. Isla verde trasparente, ovalada en el poniente del mar cerúleo, gran joya primera y última, perenne apoteosis tranquila de la esperanza cuajada. Que él vió la eternidad también como isla sinfónica final del
15 poniente cotidiano, y lo inmortal lo esperó como espera al nostálgico navegante. Lo he soñado mucho, capitán de piratas del tesoro marino total, diosas, nubes, corales, constelaciones, sirenas, soles, perlas, vientos. Atesorador de su
20 designio, libre ya de aquel «destierro» de periodista del mar, que era su melancolía, botines de gloria, sin otra utilidad que su belleza parnasiana serán lujo de su casa flotante entre dos espacios, aire y agua. ¡El azul, el doble azul!
25 Rubén Darío, ministro tú, mejor que otro, de los capitanes del viento,

que ensangrientan la seda azul del firmamento
con el rojo pendón de los reyes del mar.[2]

ANTONIO MACHADO

30 ANTONIO MACHADO se dejó desde niño la muerte, lo muerto, podre y quemasdá por todos los rincones de su alma y su cuerpo. Tuvo siempre tanto de muerto como de vivo, mitades fundidas en él por arte sencillo. Cuando me lo encontraba
35 por la mañana temprano, me creía que acababa de levantarse de la fosa. Olía, desde muy lejos, a metamorfosis. La gusanera no le molestaba, le era buenamente familiar. Yo creo que sentía más asco de la carne tersa que de la huesuda carroña,

y que las mariposas del aire libre le parecían casi 40 de tan encantadora sensualidad como las moscas de la casa, la tumba y el tren,

«inevitables golosas»[3]

Poeta de la muerte, y pensado, sentido, preparado hora tras hora para lo muerto, no he 45 conocido otro que como él haya equilibrado estos niveles iguales de altos o bajos, según y cómo; que haya salvado, viviendo muriendo, la distancia de las dos únicas existencias conocidas, paradójicamente opuestas; tan unidas aunque 50 los otros hombres nos empeñemos en separarlas, oponerlas y pelearlas. Toda nuestra vida suele consistir en temer a la muerte y alejarla de nosotros, o mejor, alejarnos nosotros de ella. Antonio Machado la comprendía en sí, se cedía a ella en 55 gran parte. Acaso él fué, más que un nacido, un resucitado. Lo prueba quizás, entre otras cosas, su madura filosofía juvenil. Y dueño del secreto de la resurrección, resucitaba cada día ante los que lo vimos esta vez, por natural milagro 60 poético, para mirar su otra vida, esta vida nuestra que él se reservaba en parte también. A veces pasaba la noche en su casa ciudadana de alquiler, familia o posada. Dormir, al fin y al cabo, es morir, y de noche todos nos tendemos para 65 morir lo que se deba. No quería ser reconocido, por sí o por no, y por eso andaba siempre amortajado, cuando venía de viaje, por los trasmuros, los pasadizos, los callejones, las galerías, las escaleras de vuelta, y, a veces, si se retardaba 70 con el mar tormentoso, los espejos de la estación, los faros abandonados, tumbas en pie.

Visto desde nosotros, observado a nuestra luz medio falsa, era corpulento, un corpachón naturalmente terroso, algo de grueso tocón 75 acabado de sacar; y vestía su tamaño con unos ropones negros, ocres y pardos, que se correspondían a su manera extravagante de muerto vivo, saqué nuevo quizás, comprado de prisa por los toledos,[4] pantalón perdido y abrigo de dos 80 fríos,[5] deshecho todo, equivocado en apariencia;

---

[1] Line from Darío's "Venus" in *Azul*.
[2] From Darío's "Los piratas" in *El canto errante*.

[3] From Machado's poem "Las Moscas" in *Soledades, galerías y otros poemas*.
[4] *toledos* cheap shops on Toledo Street in Madrid.
[5] *abrigo de dos fríos* overcoat with removable lining.

y se cubría con un chapeo de alas desflecadas y caídas, de una época cualquiera, que la muerte vida equilibra modas y épocas. En vez de pasadores de bisutería llevaba en los puños del camisón unas cuerdecitas como larvas, y a la cintura, por correa, una cuerda de esparto, como un ermitaño de su clase. ¿Botones? ¿Para qué? Costumbres todas lógicas de tronco afincado ya en cementerio.

Cuando murió en Soria de Arriba su amor único, que tan bien comprendió su función trascendental de paloma de linde, tuvo su idilio en su lado de la muerte. Desde entonces, dueño ya de todas las razones y circunstancias, puso su casa de novio, viudo para fuera, en la tumba, secreto palomar; y ya sólo venía a este mundo de nuestras provincias a algo muy urgente, el editor, la imprenta, la librería, una firma necesaria... la guerra, la terrible guerra española de tres siglos. «Entonces» abandonó toda su muerte y sus muertos más íntimos y se quedó una temporada eterna en la vida general, por morir otra vez, como los mejores otros, por morir mejor que los otros, que nosotros los más apegados al lado de la existencia que tenemos acotado como vida. Y no hubiera sido posible una última muerte mejor para su extraña vida terrena española; tan mejor que ya Antonio Machado, vivo para siempre en presencia invisible, no resucitará más en genio y figura. Murió del todo en figura, humilde, miserable, colectivamente, res mayor de un rebaño humano perseguido, echado de España, donde tenía todo él, como Antonio Machado, sus palomares, sus majadas de amor, por la puerta falsa. Pasó así los montes altos de la frontera helada, porque sus mejores amigos, los más pobres y más dignos, los pasaron así. Y si sigue bajo tierra con los enterrados allende su amor, es por gusto de estar con ellos, porque yo estoy seguro de que él, conocedor de los vericuetos estrechos de la muerte, ha podido pasar a España por el cielo de debajo de tierra.

Toda esta noche de luna alta, luna que viene de España y trae a España con sus montes y su Antonio Machado reflejados en su espejo melancólico, luna de triste diamante azul y verde en la palmera de rozona felpa morada de mi puer-

tecilla de desterrado verdadero, he tenido en mi fondo de despierto dormido el romance *Iris de la noche*, uno de los más hondos de Antonio Machado y uno de los más bellos que he leído en mi vida:

> Y tú, Señor, por quien todos
> vemos y que ves las almas,
> dinos si todos un día
> hemos de verte la cara.

En la eternidad de esta mala guerra de España, que tuvo comunicada a España de modo grande y terrible con la otra eternidad, Antonio Machado, con Miguel de Unamuno y Federico García Lorca, tan vivos de la muerte los tres, cada uno a su manera, se han ido, de diversa manera lamentable y hermosa también, a mirarle la cara a Dios. Grande sería de ver cómo da la cara de Dios, sol o luna principales, en las caras de los tres caídos, más afortunados quizás que los otros, y cómo ellos le están viendo la cara a Dios.

POEMAS EN PROSA

EL TIEMPO

ESTÁBAMOS HABLANDO hace un instante: «Dentro de 20 años cuando yo tenga 45...» Y de pronto, malestar, menos cuerda,[1] una luz y una sombra que se huyen, la mano por los ojos: y sin saber cómo, nos encontramos diciendo: «Hace 20 años, cuando yo tenía 25...»

Y ¿qué es lo que ha pasado mientras tanto, en ese dudoso, incogible, incomprendido instante? Nada, eso, tiempo.

LA NEGRA Y LA ROSA

NEW YORK, 5 de abril.

(A Pedro Henríquez Ureña.)

La negra va dormida, con una rosa blanca en la mano—*La rosa y el sueño apartan, una superposición mágica, todo el triste atavío de la muchacha:*

---

[1] *cuerda* less time to live (using the expression applied to clocks, *darle cuerda*).

las medias rosas caladas, la blusa verde y tras-parente, el sombrero de paja de oro con amapolas moradas.—Indefensa en el sueño, se sonríe, la rosa blanca en la mano negra.

5   ¡Cómo la lleva! Parece que va soñando con llevarla bien. Inconciente, la cuida—con la seguridad de una sonámbula—y es su delicadeza como si esta mañana la hubiera dado ella a luz, como si ella se sintiera, en sueños, madre del
10 alma de una rosa blanca. —*A veces, se le rinde sobre el pecho, o sobre un hombro, la pobre cabeza de humo rizado, que irisa el sol cual si fuese de oro, pero la mano en que tiene la rosa mantiene su honor, abanderada de la primavera*—.

15 Una realidad invisible anda por todo el sub-terráneo, cuyo estrepitoso negror rechinante, sucio y cálido, apenas se siente. Todos han de-jado sus periódicos, sus gomas y sus gritos; están absortos, como en una pesadilla de can-
20 sancio y de tristeza, en esta rosa blanca que la negra exalta y que es como la conciencia del subterráneo. Y la rosa emana, en el silencio atento, una delicada esencia y eleva como una bella presencia inmaterial que se va adue-
25 ñando de todo, hasta que el hierro, el carbón, los periódicos, todo, huele un punto a rosa blanca, a primavera mejor, a eternidad . . .

CRISTALES MORADOS Y MUSELINAS BLANCAS

¡CRISTALES MORADOS! . . . son como una ejecu-
30 toria de hidalguía. Hay muchos en Boston y algunos en New York, por el barrio viejo de Washington Square, ¡tan grato, tan acogedor, tan silencioso! En la Ciudad-Eje[1] especial-mente, estos cristales bellos perduran y se cuidan
35 con un altivo celo egoísta.

Son de la época colonial. En su fabricación se emplearon sustancias que, con el sol de los años, han ido tornándolos de color de amatista, de pensamiento, de la violeta. Parece que por ellos
40 se viese, entre las dulces muselinas blancas de sus mismas casas en paz, el alma fina y noble de aquellos días de plata y oro verdaderos, sin sonido material.

[1] *Ciudad-Eje* Boston, the hub of the universe.

Como las flores y las piedras que antes dije, los hay que tienen casi imperceptible el tono, y 45 hay que hacer habilidades para vérselo; otros, lo dan vagamente, cuando los pasa el sol, las tardes de ocaso puro, en las muselinas blancas, sus hermanas; otros, en fin, son ya morados del todo, podridos de nobleza. 50

Con ellos sí está mi corazón, América, como una violeta, una amatista o un pensamiento, en-vuelto en la nieve de las muselinas. Te lo he ido sembrando, en reguero dulce, al pie de las mag-nolias que se ven en ellos, para que, cada abril, 55 las flores rosas y blancas sorprendan con aroma el retorno vespertino o nocturno de las sencillas puritanas de traje liso, mirada noble y trenzas de oro gris, que tornen, suaves, a su hogar de aquí, en las serenas horas primaverales de terrena 60 nostalgia.

ENSAYOS

RAMÓN DEL VALLE-INCLÁN
(CASTILLO DE QUEMA)

1899–1925.—1. Valle (entonces se le decía 65 Valle; lo de don Ramón María, Valle-Inclán, don Ramón va viniendo después) está leyendo, declamando, en un número de *La Ilustración Es-pañola y Americana*,[2] los alejandrinos parna-sianos de *Cosas del Cid* de Rubén Darío. J. R. J., 70 17 años, macferlán gris y bombín negro, acaba de entrar con Francisco Villaespesa, empacado a lo d'Annunzio. Casa de Pidoux,[3] ¿calle del Príncipe? Un cuarto estrecho, largo, hondo, con una larga y estrecha mesa de despintado pino, 75 sobre la que vierte melancólica luz una mos-queada bombilla sin pantalla. La mesa no deja sitio casi para las sillas de clase y tamaño distinto, ni, es claro, para las personas, que se acomodan como pueden, ocho, diez, quince (¿quién los 80 recuerda? muertos, lejanos hoy) alrededor. Todo feo, sucio, incómodo. Lo único bueno, al parecer, es el alcohol en sus múltiples destila-ciones y etiquetas. Rubén Darío pide una vez y

[2] Spanish magazine.
[3] A café.

otra «whiskey and soda», coñac Martell tres estrellas. Personajes todos, sin duda, pero J.R.J. sólo se fija en Rubén Darío, que oye estático, y en Valle, que recita metido. Rubén Darío, saqué
5 negro y negro sombrero de media copa, totalidad estropeada, soñolienta, perdida. Valle, pantalón blanco y negro a cuadros, levita café y sombrero humo de tubo, deslucido todo. Rubén Darío estalla sus galas con brillo; a Valle la gala opaca
10 funeral le sobra y le cae por todas partes. Rubén Darío, botarga, pasta, plasta, no dice más que «admirable» y sonríe un poco, linealmente, más con los ojillos mongoles que con la boca fruncida. Valle, liso, hueco, vertical, lee, sonríe abierto,
15 habla, sonríe, grita, sonríe, aspaventa, sonríe, se levanta, sonríe, va y viene, sonríe, entra y sale. Salen. Los demás repiten «admirable, admirable» con vario tono. «Admirable» es la palabra alta de la época; «imbécil», la baja. Con «admi-
20 rable» e «imbécil» se hizo la crítica modernista. Rubén Darío, por ej., admirable; Echegaray,[1] por ej., imbécil. Realmente, el poema de Rubén Darío que había leído Valle era, es y seguirá siendo admirable, digan lo que quieran los im-
25 béciles:

> *Babieca, dezcanzando del huracán guerrero,*
> *tranquilo pace. Mientraz, el bravo caballero*
> *zale a gozar del aire de la eztación florida.*
> *Rie la primavera y el zoplo de la vida*
> 30 *abre lirioz y zueñoz en el jardín del mundo . . .*[2]

Dispersión en la puerta de Pidoux. Valle coge a J.R.J. del brazo y le habla, ya en la noche fría, limpia y estrellada, carrera de San Jerónimo,[3] de Espronceda. Y:

> 35 *Eztá la noche zerena,*
> *de luceroz coronada . . .*[4]

Van a un café de mesas de hierro y mármol helado, duro, sonoro, incómodo tambien, calle de Alcalá, casa de Candela, tal vez. Valle se sienta en la mesa final, saca un número de *Al-* 40 *rededor del Mundo*, revista que publica cuadros clásicos en sus portadas, lo pone sobre una botella de agua y se queda absorto, inefablemente sonreído ante la *Primavera*[5] de Botticelli. Las camareras rodean alegres y francas a Valle, a su 45 más joven amigo y a Botticelli. Tratan a Valle familiarmente. Valle está allí como en su casa. No se va. Las camareras van desertando. J.R.J. se despide. Valle se va quedando solo en el fondo del café más vacío, más yerto cada vez, frente 50 a la *Primavera* y a la botella de agua.—2. Sanatorio del Retraído.[6] Iban a ver a J.R.J., un niño, Gregorio Martínez Sierra,[7] Antonio y Manuel Machado, Francisco Villaespesa, R. Cansinos-Assens,[8] entonces Rafael Cansino; 55 Pedro González Blanco,[9] Julio Pellicer,[9] Viriato Díaz-Pérez,[9] José Ortiz de Pinedo,[9] y a veces, Rubén Darío, Manuel Reina,[10] si pasaban por Madrid, Salvador Rueda y Valle. Que no usa ya sombrero de copa alta ni levita, sino hongo, una 60 castorita, se decía, de ala abierta y plana, ameri- cana y macferlán, todo cubriendo colgado un sarmiento casi crujidor. Valle, echado contra el respaldo de su butaca, recita sonriendo versos de Espronceda: 65

> *Hay una voz zecreta, un dulce canto*
> *que el alma zolo recogida entiende . . .*[11]

Se incorpora, se excita: «Ezto ez poezía . . .» Y dice que el romance de *Rimas*, el librillo que J.R.J. acaba de publicar, viene de ahí. Tiene 70 razón: de ahí, de Bécquer, de Augusto Ferrán,[12] de Rosalía de Castro, de Jacinto Verdaguer,[13] los menos castellanistas entre los españoles, los regionales, los del litoral, y de Musset,[14]

---

[1] Spanish dramatist (1832–1916).
[2] Lines from the poem *Cosas del Cid*. Babieca, the Cid's horse. The *s*'s are all pronounced like Castilian *z*, because Valle-Inclán lisped.
[3] Street in Madrid.
[4] Lines from *El estudiante de Salamanca*, parte segunda.

[5] Well-known painting by this famous Italian artist (1447–1510).
[6] Hospital in Madrid where Juan Ramón Jiménez lived for a while.
[7] Spanish dramatist (1881–1948).
[8] Spanish literary critic (1883-1964).
[9] Spanish writer, contemporary of Juan Ramón Jiménez, now forgotten.
[10] Spanish poet (1856–1905).
[11] Lines from *Canto a Teresa* by Espronceda.
[12] Spanish poet, friend of Bécquer.
[13] Catalan poet (1843-1902).
[14] French poet and dramatist (1810–1857).

Lamartine,[1] Heine,[2] entre los de fuera. El romance de J.R.J. le debe mucho al romance tan justo y fino de Espronceda, tan verdadero y misterioso. Es el momento de la vuelta de J.R.J. a su adolescencia delicada, de su sencilla reacción excesiva contra el agudo y colorista modernismo. Lo que viene luego, en él y en otros, no es ya el modernismo, que era parnasiano, sino, iniciando el camino fiel y ponderado, el simbolismo: Verlaine, Mallarmé, Samain,[3] Laforgue,[3] que los Machado y J.R.J. se han traído de sus viajes a Francia. Y sobre todo Baudelaire. Y Valle influye ya en todos, como Rubén Darío y con Rubén Darío, que tanto influye en él, que él respeta, comunica, contagia tanto:

Peregrinó mi corazón y trajo
de la zagrada zelva la armonía . . .[4]

Se discute, se lee, se grita, se repiten las palabras «imbécil» y «admirable»: Campoamor, por ej., imbécil; Valle, admirable. Cuando sale Valle, las monjas más jóvenes entran muertas de risa en la salita, preguntan cosas de él a J.R.J. y lo imitan con voces y gestos. —3. J.R.J. falta unos años de Madrid. A su vuelta encuentra a Valle en casa de Benavente, el buen amigo. 4 de la tarde. Benavente está almorzando en su camita infantil de madera curvada, con atril para escribir y leer. 5 minutos: una tortilla a la francesa, un bisté a la inglesa y una manzana española. Y Benavente se vuelve a perder bajo el edredón, encendido ya el puro de 15, que no sabe dónde ni cómo poner para que no lo queme todo. En las paredes de la antealcoba, todavía, el cartel de *Interior* de Maeterlinck, que Rusiñol pintó para lo de Sitges.[5] Valle habla, sonríe, aúlla bajo, se exalta, sonríe, se yergue, se sienta. Son los años

de sus estrenos en la Princesa,[6] el momento en que pintores y escritores del prolongado 98 se funden: Anselmo Miguel Nieto, los Baroja, Julio Romero de Torres,[7] los Machado, Zuloaga, Azorín. El momento de Pastora Imperio[8] y la Argentinita[8] con ellos. Nieto, Romero de Torres, Zuloaga representan en la pintura el italianismo, el castellanismo y el andalucismo que Valle, Unamuno, los Machado representan en la poesía. Lo de Azorín es otra cosa, más de crítico que de poeta. Sí, Valle sigue con el renacimiento italiano, «por donde he metido a Anzelmo», y ahora anda con la guerra carlista. Usa borsalino y capa de ala de mosca. Caen alambres canosos de su barba de astrólogo sin capirucho. Es el comienzo de la época mayor de Valle, *Romance de Lobos.* Ya vienen *Cara de plata* y *Divinas Palabras.* —4. J.R.J. va a casa de Valle, calle de Francisco de Rojas, a pedirle, por encargo de una casa editorial, un libro de sus obras escogidas. Valle se mueve por la plenitud de su arte y su vida. Está en un sofá de damasco, alto de tres respaldos, con los huesos de las piernas en ángulo agudo y los pies en los cojines de seda del suelo. Un viso malva vela la luz roja y última de la fábrica de enfrente. Sobre un mueble bajo, la «Bella Desconocida», escayola policroma, y cara al sofá, el retrato de Valle pintado por Nieto. «Ezte interior zería el ideal del pobre Villaezpeza», dice Valle, entre serio e irónico. Se da y no se da cuenta de algunas cosas. Subsiste aún en los que la trajeron a España la cursi decadencia d'annunziana.[9] Valle se sigue moviendo en los fondos del *Epitalamio* y la *Sonata de Otoño,*[10] más d'Annunzio que Barbey[11] o Casanova;[12] sólo que ahora los tiene, los usa, son suyos. Vuelve a hablar, como siempre, de Es-

[1] French poet (1790–1869).
[2] German poet (1797–1856).
[3] Samain, French poet (1858–1900). Laforgue, French Symbolist poet (1860–1887).
[4] Lines from Darío's introductory poem "Yo soy aquel que ayer no más decía" to *Cantos de vida y esperanza.*
[5] Maeterlinck, Belgian poet and dramatist (1862–1949). Sitges, town near Barcelona where modernist festivities were held and where *Interior* was performed.

[6] la Princesa, theater in Madrid.
[7] los Baroja, Pío and his painter brother, Ricardo; Nieto and Romero de Torres, other painters, contemporaries of Pío Baroja.
[8] Famous Spanish dancers.
[9] See Arniches, note 2, p. 154.
[10] Works by Valle-Inclán: *Epitalamio,* collection of stories; *Sonata,* a novel.
[11] Jules Barbey d'Aurevilly (1808–1889), French writer.
[12] Italian adventurer (1725–1798), famed for his love affairs.

pronceda. Saca del tubo, del túnel de su cuerpo tales trozos de *El Estudiante de Salamanca*,[1] donde para él está ya Picasso, todo el cubismo,[2] que él quiere ahora abarcar:

5   Viendo debajo de él, zobre él enhieztoz,
     hombrez, mujerez, todoz confundidoz,
     con zandia pena, con alegrez jeztoz . . .

Dice que él es de alma otro Espronceda; que estuvo a punto de perderse, como Villaespesa, 10 pero que Espronceda, con su españolismo general, lo salvó del d'Annunzio peor en lo interno, no en lo externo. Valle sigue siendo d'annunziano, acaso sin querer, en las ediciones de sus libros, entonces parodias modestas de los 15 de d'Annunzio, con el floripondeo[3] decorativo innecesario de bojes y letreros, la «opera omnia», el «copyright by Mister del Valle-Inclán», los «reales de vellón». Y el «laus deo»,[4] lazo que ata para mí, en España, a Valle, Miró, Pérez de 20 Ayala y Ricardo León[5] en un haz, disímil de calidad, pero de idéntica tendencia retórica. (Unamuno, Baroja y Antonio Machado están atados con tomiza en el otro haz también disímil, del 98, que sigue caído en los surcos castellanos.) 25 Desde 1925, J.R.J. no ve de cerca a Valle. Se escriben algunas cartas y se envían libros.

Ramón del Valle-Inclán era, es un celta auténtico. Como sus contemporáneos los mejores escritores celtas de Irlanda, George Moore, 30 A. E. Synge, Yeats (Bernard Shaw[6] es otro asunto), empieza influído por el simbolismo universal. Es la época amarilla[7] del simbolismo. Casi todos los grandes poetas europeos que se forman o se depuran en esa época, los poetas 35 mágicos, Claudel, Stéphan George, d'Annunzio,

Rilke, Robinson, Yeats, Valéry, Hofmannsthal[8] (Unamuno y Antonio Machado, grandes poetas, no vienen de lo mágico) parten del simbolismo. En Inglaterra se ha comparado a Valle-Inclán con George Moore, pero no se le parece mucho 40 y es muy superior a él. A quienes se parece de veras (no los conocía, lo sé bien, ni a George Moore tampoco, ni casi a d'Annunzio, ni casi a nadie de fuera ni de dentro, con la excepción de Espronceda y Rubén Darío) es a Synge y a 45 Yeats; a Yeats en el verso, a Synge en la prosa. El tema de la rosa, por ej., lo trata Valle-Inclán de la misma manera litúrgica y conceptuosa que Yeats, aunque Yeats suba más alto; la visión de su teatro y el trabajo del diálogo (compárense 50 por ej. *The Well of the Saints*[9] y *Divinas palabras*)[10] es, en su mejor hallazgo, a lo Synge. Esta semejanza se ve en todo, alma y carne. Galicia e Irlanda siguen siendo gemelas. Y, como Irlanda a Yeats, y a Synge sobre todo, Galicia libró a 55 Valle-Inclán del modernismo exotista,[11] que pasó pronto en él, por fortuna para todos, y del castellanista, de tan lamentables y duraderos resultados en algunos. Valle-Inclán fué, sin duda, el que menos se contagió, de los de su genera- 60 ción, del castellanismo. (El título *Ninfeas*, que llevaba en verde uno de mis primeros libros, era de Valle-Inclán y estaba, desde 1899, grabado en una viñeta de Ricardo Baroja que Valle-Inclán aprovechó luego, borrándole el título, para la 65 cubierta violeta de la primera edición de su *Jardín umbrío*.[12] Allí están las ninfeas, nenúfares, nelumbos de Rubén Darío, en el lago de los cisnes, bajo las estatuas. Mi libro no se llamaba más que *Nubes*. Pero, como digo antes, todo 70 esto pasó, de aquel modo, porque otro poeta puede volver a las ninfeas hoy, o a lo que sea, de otro modo, y el castellanismo sigue en el mismo punto, por desgracia. Y lo que le queda

---

[1] Romantic legend in verse by Espronceda.

[2] A phase of abstract art making use of cubes, cones, and geometric figures.

[3] Excessive flowery adornment.

[4] (*Lat.*) God be praised.

[5] León, Spanish novelist (1877–1943).

[6] Moore, Irish novelist (1852–1933); Synge, Irish poet and dramatist (1871–1909); Yeats, Irish poet and dramatist (1865–1939); Shaw, British dramatist (1856–1950).

[7] *amarilla* a reference to the fact that all publications of the French review *Mercure de France* at the end of the nineteenth century had yellow covers.

[8] Paul Claudel, French poet and dramatist (1868–1955); Stéfan George, German Symbolist poet (1868–1933); Rilke, German poet (1875–1926); Edward Arlington Robinson, American poet (1869–1935); Paul Valéry, French poet and philosopher (1871–1945); Hugo von Hofmannsthal, Austrian poet and dramatist (1874–1929).

[9] Drama by Yeats.

[10] Drama by Valle-Inclán.

[11] *exotista* inspired by exotic things, places, and people.

[12] Short stories by Valle-Inclán.

de empaque y de tópico.) Valle-Inclán no era
hombre de ideas ni de sentimientos cultivados;
su «lámpara maravillosa» no tiene aceite, sólo
humo. Era un esteta gráfico de arranque popu-
5 lar. Su estilo, su vocabulario no salieron de
diccionario alguno, sino de la calle, el café, el
camino, de su propia mina, sus entretelas, sus
entrañas. Valle-Inclán se recogía en su lengua,
en la raíz de su lengua, le hacía dar flor y
10 fruto a su lengua. Cada palabra suya era una
lengua, y yo creo que no le importaba nada que
no fuera su lengua buena o mala, deslenguarse.
Era un lenguado (no hay chiste, criticastros) y
un deslenguado, un hombre ignorante fatal que
15 iba, saliendo, sólo con su instinto y su lengua, a
la muerte de cada día, en el río de la multitud o
en el mar de la soledad. Lo ignoto oscuro se abre,
en labios rojos, con los seres y da aquí y allá, por
boca de ellos, un poco de su secreto. Hay seres
20 que roban a lo ignoto más de lo que ello suele
dar en palabra. Valle-Inclán dió, con su instinto,
mucho más de lo que nadie pudiera prever. Su
lengua fué llama, martillo, yema y cincel de lo
ignoto, todo revuelto, sin saber él mismo por
25 qué ni cómo. Una lengua suprema hecha
hombre, un hombre hecho, con su lengua, fabla.
Era el primer fablistán de España, e intentó, en
su obra de madurez sobre todo, un habla total
española que expresara la suma de giros y
30 modismos de las regiones más agudas y agrias de
España (con hispanoamericanismos, también, de
los países que él conocía o adivinaba), lengua
de sintaxis sintética, que fuese como la que se
hubiera formado natural y artificialmente en
35 Galicia, sede eterna, piedra de Santiago, si
hubiese estado en Galicia la Presidencia de las
Españas, la Presidencia de la República inmensa
española (de cuya República él hubiese sido . . .
el Rey o el Pretendiente). Los estilos de Valle-
40 Inclán dejan mucho en los escritores que vienen
tras él: Antonio Machado, Pérez de Ayala,
Gabriel Miró, J.R.J. Después, en Gómez de la
Serna, Basterra,[1] Domenchina,[2] Espina,[3] García
Lorca y Alberti, los más verdes, frondosos,

ricos, con mejor o peor gusto, con mayor equi- 45
librio de los jóvenes de hoy. Verdísimo, frondo-
sísimo, riquísimo era Valle-Inclán. Sensual,
supersticioso e incrédulo (incrédulo de Dios y
crédulo de las hadas y las brujas, como los irlandeses también), daba ancha tierra a sus 50
simientes y un manso cordero negro. Se ha
hablado y escrito mucho de la jactancia, el histrionismo de Valle-Inclán, pero la mayoría de
los escritores de su generación fueron y son más
histriones que él, más jactanciosos sobre todo. 55
(Léanse, si no, las opiniones de algunos de ellos
en la muerte de él.) Creo que Valle-Inclán era
de un orgullo humilde. Tímido, ha dicho Benavente, su fiel amigo, y tiene razón. Yo lo vi
siempre sencillo, grato, correcto, digno, cum- 60
plidor. Alguien que oye esto me dice: «Era un
maldiciente. ¿Usted no sabe lo que decía de
usted? A mí, contesto, no me importa nada lo
que Valle-Inclán maldiciente dijera de mí. Nada
me debía, yo sí a él. Además, Valle-Inclán, 65
llevado al terreno de lo noble, reaccionaba justamente, y en eso está el hombre verdadero.
Quienes indignan con su picarismo, su artería,
su calumnia son los segundones, tercerones,
cuarterones y quintillos,[4] los que debiendo tanto 70
siempre, procuran siempre disminuir cuanto
pueden al envidiado, por los cortes más indignos,
para flotar ellos un poco. Contra éstos, sí, y
aunque el calumniado, el ofendido reconozca los
méritos relativos de los tales, el desprecio más 75
corto, la aguda saeta rápida de Carducci, que no
merecen más tiempo ni espacio. Pero Valle-
Inclán era en esto también un primero, y si
criticaba, no fraguaba su crítica con odio, no la
expresaba con envidia ni ingratitud; y tenía tan- 80
tas razones para el odio . . . Se moría de hambre
algunos años y no lo decía. Yo he pensado luego
muchas veces que aquel día de nieve, aquella
noche de fiesta, aquella tarde de cementerio,
Valle-Inclán andaba con nosotros sin comer. Y 85
yo estaba entonces tan fuera de la realidad, y él
también, estando tan dentro, que ni él ni yo nos
dábamos cuenta de ello. Sus diatribas eran al-
haracas sin filo, cuernos embolados. Lo que le

---

[1] Ramón de Basterra, Spanish poet (1888–1928).
[2] Juan Domenchina, Spanish poet (1898–1960).
[3] Antonio Espina (1894), Spanish writer.

[4] *segundones . . . quintillos*, second, third, fourth, and
fifth rate.

importaba era la sustancia, la calidad de la sentencia, no el fin ni el objeto. Ni Valle-Inclán, ni Rubén Darío, ni Gabriel Miró, entre los grandes muertos, ni Benavente, ni Ortega entre los vivos
5 de esas generaciones, han tenido envidia, la agria envidia amarilla que tanto abunda en los representantes de la chulaponería y el ingenio de esas generaciones y las siguientes. Toda la guerra literaria y no literaria de Valle-Inclán fué
10 chamarasca en guerrillas, una batalla teatral declamada con pólvora sola. Valle-Inclán alzaba el telón en cualquier sitio, se adelantaba al enemigo y al amigo y empezaba a hablar. Lo tenía todo preparado siempre. Hablaba, y se veía que
15 aquello era su amor, su fe, su razón de vida o muerte. Como en los sonetos de ciertos literatos efectistas, todo estaba escrito después del último verso y era sólo su andamiaje, su pedestal, su caja. Era el suyo un creciente magnífico, y en
20 esto también se parecía a los irlandeses, tan mágicos charladores. Y al final de su perorata policroma, musical, plástica, había siempre una frase dinámica, ascensional, de espesa cauda de oro vivo, que subía, subía, subía entre el coreo y
25 el vítor generales y daba en lo más alto de su poder un estallido final, el trueno gordo, como un gran punto redondo, áureo y rojo un instante, negro luego y desvanecido en lo más negro. Valle-Inclán se quedaba abajo enjuto, oscuro,
30 ahumado, en punta a su frase, como un árbol al que un incendio le ha volado la copa, un espantapájaros con rostro de viento, como el castillo quemado de los fuegos de artificio. Todos entonces, camareras, soldados, niños, poetas, que
35 se habían mantenido a distancia por el respeto inconciente al incendio de la belleza, peligro de vida y muerte, se acercaban a él riendo y lo zarandeaban un poco de la manga vacía, mirándole al arriba sin corona, con sombrero nada
40 más. Y todavía caían aquí y allá, de sus ojos irónicos y cansados de prestidigitador, de astrólogo, de mago, de brujo, entre su ceceante sonrisa y los hilos cenizos de su barba de cola de caballo, algunas coloridas, débiles, sordas ben-
45 galas.

(26 enero 1936.)

HENRY A. WALLACE, EL MEJOR

LA POESÍA SOCIAL, dije el otro día, la entiendo más como vida que como escritura. Y no como
50 vida estética, artística, a lo Whitman de sus dos épocas, por ejemplo, sino como autovida emotiva y pensativa.

Me honro en Washington con la buena amistad de un hombre de Iowa que se llama Henry A. Wallace. No conozco en estos Estados Unidos
55 otro que me haya satisfecho más con su costumbre corriente física y moral, ni a quien haya comprendido más pronto y mejor. Cuando estoy con él, me parece que estoy tocando, en persona de carne y hueso, los más nobles Estados Unidos.
60 Henry A. Wallace es de la estirpe que dignificaron hombres tan diversos como Benjamín Franklin, Thomas Jefferson, Henry David Thoreau, Abraham Lincoln, Ralph Waldo Emerson, Robert Frost, por alto ejemplo; todos
65 ellos mezclados, en diversa forma y proporción, de religión y democracia.

Entra brusco y pronto donde sea, con aire de adelantado, moviéndose en escorzos de afectuosa y firme timidez, sin adherirse nunca a la
70 tiesura. Un lado de su cara tiene aún al muchacho inocente y crédulo de la escuela. Lo que cojo primero de él es su risa mezclada con sus ojos, ojos verdipardos emboscados en buena fila de cejas. Desde su llegada es franco o reservado,
75 según; y, rápido y agudo psicólogo, se sitúa en un punto del cual no ha de variar probablemente ya. A veces insinúa una mueca fruncida de disgusto, dificultad propia o ajena no digerida, aspecto de un punzante cólico espiritual; pero lo
80 resuelve pronto en un ladeado reír seco, que pone punto final, por el momento, a lo que fuere. Con esos ojos emboscados, que gradúa como prismáticos y dan chispa de nieve con sol en monte lejano, ve fijo cerca y lejos. Ve las ideas,
85 los sentimientos y las formas, que le gusta siempre situar en espacio y tiempo exactos: «¿Cuándo fué esto, por dónde vino aquello, qué es, qué significa, de qué época?», etc. Y como es hombre completo emplea en hecho y dicho
90 todo su tiempo y llena todo su espacio.

Hombre tan natural no puede ser actor ni

tolerar a los teatrales; a menos que la naturaleza misma no sea un teatro al sol o a la luna, y toda la humanidad una representación general, de la que Henry A. Wallace quisiera, en cada momento, saliéndose al más allá o a lo más alto por el foro, explicarse y explicar el mecanismo auténtico.

Dos preocupaciones fundamentales tiene su vida: la Religión y la Agricultura, y se ocupa en decidirlas de acuerdo con el Capital y la Democracia. Y, entero como es, se gasta todo él en su sentimiento. Es hombre de uso, útil humano en uso, que se da entero durante el día y se rehace entero durante la noche, para seguir hacia adelante con su tesoro moral y material removido y reajustado. Tal compromiso instintivo y conciente con la vida y su vida lo hacen un hombre de honor. La belleza la encuentra en la religión realizada por el camino del honor, que lo lleva a decidir sobre soberbia, humildad y respeto. Otro buen amigo nuestro, americano leal, puritano bostoniense que comprende lo puro de Henry A. Wallace, nos dijo de él: «Pone la otra mejilla porque es un hombre sin yo». Yo añadí que deja su yo en segundo lugar, por la felicidad del yo de su pueblo, ilusión permanente de su existir. Pero la otra mejilla la pone, además, muerto de risa por dentro, porque sabe, como el Inca, que «quien da el golpe no da la verdad». El egoísmo es lo débil; lo fuerte, la generosidad. Cuanto más se acumule, más flaqueza se acumula; cuanto más se derrame, si es por el buen cauce, se derrama más fuerza.

Henry A. Wallace cree, y yo también, que el ideal está siempre cerca y que puede realizarse siempre. Cuanto más grande es el ideal, más cerca está de las realidades, porque indica, con mayor cantidad, mayor ocupación, mayor hermosura y mayor convencimiento. Los sueños de este idealista convencido son despiertos, y en vez de olvidarlos al amanecer como fantasmas, los madura para la noche siguiente, mina constante del descanso iluminado. Y lo que este poeta de la vida hace no es, en suma, sino soñar desde su fe la realidad mejor que puede ser la vida humana. Sin duda es un místico y de la misma raza que los mayores místicos españoles,

Santa Teresa, San Juan de la Cruz[1] y Fray Luis de León. Él, militante como ellos, los ha leído con nosotros en nuestra lengua y los admira. El «Dios anda en los pucheros», de Santa Teresa, es para él «Dios anda en la leche y el maíz»; y en una ocasión decidió vivir, como un experimento, con Dios, maíz y leche solamente, y postre de fresas. Para la «Pascua florida» regala a sus amigos una cajita de grano de su maíz, ese maíz superior que él ha conseguido con tanta emoción y desvelo para que lo sembremos y lo propaguemos en recuerdo suyo.

Una definición directa, profunda, plena y suya de la religión, dice que «es un método mediante el cual el hombre llega a Dios en un esfuerzo por conseguir la fuerza espiritual que necesita para expresar aquí en la tierra, de un modo práctico, la inmanencia divina que encierran Él y todos sus semejantes». Y el sentido que le da a esta religión en lo rural es muy hermoso: «Por los Estados Unidos, muchos labradores de los que 'labran para vivir' no son quizás religiosos a lo eclesiástico, pero bastantes de ellos, si no han sido tratados demasiado duro por las circunstancias, son religiosos con su tierra, sus plantas y sus animales. Puede que sean anticuados y poco científicos, pero a menudo tienen una actitud hacia los productos de la tierra que, en mi opinión, es de una profunda religiosidad. Buena parte de los labradores traficantes tienen tanto terreno y tanta maquinaria moderna que no pueden llegar a ese contacto íntimo con los productos de la tierra, y andan más cerca, en su manera de pensar, de los hombres de negocios de las grandes ciudades. Los labradores que labran para vivir, aunque son algo aparte y pertenecen al pasado, tienen mucho que dar al porvenir». Refiriéndose a una idea de Jefferson, Henry A. Wallace recuerda que este «padre de la patria» no cambió nunca su creencia de que «la agricultura debiera ser el medio principal de vida en los Estados Unidos, si había de sobrevivir la democracia». Pensando en la democracia, dice que «en el mismo corazón de ella está el sentimiento de que cada uno tiene

[1] San Juan de la Cruz, Spanish mystic poet (1542–1591).

dentro de sí su propio dinamismo y la capacidad de dirigir esa fuerza hacia un grande y glorioso concepto». Y detenido ya en el capitalismo y las grandes compañías, añade que «casi todos nos sentimos indefensos ante ellos, en la misma forma en que nuestros abuelos del 'viejo mundo' se sentían indefensos ante sus aristócratas».

Henry A. Wallace, es, pues, un aplicador de la religión definida a la vida considerada. Aquel «así me dice Dios esta música y así tenemos que tocarla» de Arturo Toscanini [1] (y estoy citando a Toscanini al lado de Wallace porque Toscanini es el artista religioso por excelencia) da la medida de Toscanini y los suyos, pero no la de Wallace y los que él desea, porque él no es un «artista por Dios», sino un «artesano hacia Dios», inteligente, culto y dispuesto. Artesano de fibra de luz en la luz abierta y alta, este iowano montaraz, cierto, ecuánime, tranquilo, puede y sabe, puesto a una obra, llevarla plenamente hasta el fin, como Toscanini lleva hasta el fin su interpretación religiosa de la música; con su fuerza material y espiritual los dos y su alerta dominador. De este modo, como Henry A. Wallace vive por y para su ideal, se mantiene libre en el centro de la compostura social ambiente, que corrompe y deshace a otros menos firmes y más oportunistas, por dentro. Por eso su desprecio de la calumnia es reidor; pero no es un bendito Henry A. Wallace; tiene el orgullo de su convicción y es cabeciduro para defenderla a frentazos, hasta brotar en contra y esparcir la semilla más honda. Es curioso ver cómo resiste la adversidad, a lo atleta, con su rubor mezclado de calidad humana; escudo único de los que tienen una vergüenza milenaria en un pensamiento de origen.

En estos días en que tanto se habla de la democracia, sin definirla, él, verdadero demó- crata, es un definidor «a posteriori» de ella, y por eso, porque la puede definir con clarividencia experta, es un verdadero aristócrata de la intem- perie. (Insisto siempre en este tema mío funda- mental.) Pues, como todo verdadero aristócrata, nuestro Quijote americano «del ideal por la cor-

dura», es un hombre bueno, un hombre mejor, no se olvide esto; y porque es bueno y mejor se enfrenta honradamente con las ideas de nuestro tiempo. A mayor progreso, mayor responsabili- dad, ya que siempre es más importante la responsabilidad del progreso que el progreso mismo.

Yo considero profundamente poético a un hombre que ha escrito con sentimiento tan hermoso sobre la existencia mejor de los hom- bres; y, por su concepción subjetivamente lírica de la agricultura, la religión y la economía, lo pongo entre los mejores poetas modernos naturales y sociales de los Estados Unidos. No que yo crea que un poeta, para ser de su patria y de su tiempo, debe escribir versos sociales de su tiempo y de su patria, sino que un hombre como Henry A. Wallace vive y medita en prosa la propia poesía de su pueblo y de su época. Si nuestro gran español Joaquín Costa,[2] otro hom- bre social poético sin verso, dijo «escuela y despensa», Henry A. Wallace recalca (sobre George William Russell,[3] el extraordinario poeta irlandés, soñador en verso y crítico en prosa) «religión, cultivo y agricultura». Está con- vencido de los más perdurables y justos prin- cipios ancestrales, que nunca se han podido poner en práctica en el mundo, y piensa que sus Estados Unidos pueden y deben colocarse en condiciones de ponerlos. Esta es, para mí, su fe y su fuerza mayores, conseguir que su patria ponga en práctica, insisto, los grandes principios tenidos hasta hoy por ideales imposibles. Y esto sí que es ser el ciudadano ejemplar por antono- masia.[4]

El otro día, por una coincidencia casual, me dijeron que este excepcional amigo nuestro que se llama Henry A. Wallace es el Vicepresidente de los Estados Unidos. ¿Era esto posible? Fuí a verlo a su huerto y le dije: «Mr. Wallace, dígame la verdad, ¿usted es el Vicepresidente de los

---

[1] Toscanini, Italian conductor (1867–1957).

[2] Spanish writer (1844–1911).
[3] Russell, Irish poet (1867–1935) whose pseudonym was AE.
[4] *antonomasia*, a rhetorical figure which consists in using an epithet or title instead of a person's name, as Solomon (wise man).

Estados Unidos ?» Él, riéndose estrepitosamente
contra el sol violento, me respondió: «Sí, don
Juan Ramón, lo soy.» Y luego: «Bueno, ¿no le
parecen magníficos estos tomates de mis toma-
teras ? Lléveselos para el almuerzo.»

EN CASAS DE POE
(Boston, 1809; Richmond, Baltimore, 1849)

¿ES EDGAR ALLAN POE un romántico norteameri-
cano «de época»? ¿No lo es? ¿Es un intelectual
romántico?

Los poetas y críticos actuales de estos Estados
Unidos (dominados sin duda por Aldous
Huxley,[1] quien recibió a su vez una opinión
general inglesa) no lo recogen con el un poco
relegado Walt Whitman y la todavía ilesa Emily
Dickinson,[2] con quienes forma el triduo más
saliente de su tiempo, como otro punto de
partida de la poesía moderna norteamericana.
Yo no puedo comprender el misterio de esta
opinión conjunta, y los que la sustentan sabrán
desentrañar mejor que yo lo misterioso de su
criticar. Pero a mí y a los otros europeos y
américohispanos, que hemos considerado
siempre a Poe un romántico intelectual absoluto,
un conciente romántico sensitivo injerto en un
virtuoso sensual, nos parece un romántico
intemporal de los más universales.

Por eso, porque es intemporal, Poe determina
con su verso y prosa (téngase bien presente su
lúcida crítica) la bien conocida influencia evolu-
cionaria en Baudelaire, adelantado francés del
simbolismo desde el parnasianismo, influencia
que continuó viva en Mallarmé y en Valéry (y
que continúa viva hoy en Pound, en Eliot y en
Perse),[3] es decir, en cinco de los más intelectuales de los poetas de nuestra época, super-
finería de lo intelectual lírico. Entonces ¿será
que lo llamado moderno poético no significa en
Europa lo mismo que aquí? Aquí, a pesar del
rebajo en que lo tienen los poetas universitarios

del tipo de *Sewanee Review*,[4] sigue pareciendo
más moderno que el romantiquísimo Whitman,
que ejerció y ejerce tan escasa influencia en los
otros continentes, aunque esté tan traducido, y
sólo alguna en algún mal entendedor suyo de
Américohispania. El romantiquísimo Whitman
dije, porque ningún poeta ha sido tan exacto de
país, tiempo e ideal. Muy difícil es nivelar los
cambios internacionales con sus correspondientes espejismos, ya que cada país tiene
siempre, aparte de sus fatales coincidencias, distinta edad, cultura y nivel.

A mí me parece que este olvido o relevo
actual de Poe por la mayoría de los críticos y
poetas norteamericanos de ahora, es injusto. Poe
influyó directamente (tanto o más que Robert
Browning[5] o Thomas Hardy,[6] ingleses que
siguen siendo actuales) sobre Edwin Arlington
Robinson, el conciente y profundo líricoépico,
casi el único salvado por los bastantes, de la
generación de Robert Frost;[7] y de una manera
indirecta, a través de su gran predominio en
Francia, sobre los imaginistas[8] paralelos de
época al dicho Robinson: Amy Lowell,[9] John
Gould Fletcher, etc. Se me podría argüir que
tanto los imaginistas como el mismo Robinson,
tan respetado por los más exigentes del exigente
hoy, están descansando ahora en una zona de
penumbra. Sí, pero ¿y Eliot, de sustancia
musical intelectiva tan poeana? Es verdad que
ya se le dice aquí, en los periódicos, a Eliot,
«estrella vespertina», y en algunos de los grupos
selectos más avanzados, también.

Claro está que Poe es un esteta de su fantasía
y que hoy se supone fracasado cierto esteticismo
simbolista; pero Emily Dickinson y Whitman,
que siguen más o menos vigentes, son también
estetas, Whitman sobre todo, aunque quizás
más religiosos o más naturales que Poe. Sí,
Emily Dickinson es una solitaria narcisista, una

[4] American literary journal published in Sewanee,
Tennessee since 1892.
[5] English poet (1812–1889).
[6] English poet and novelist (1840–1928).
[7] American poet (1874–1963).
[8] Imagists, a group of poets who composed chiefly in
free verse and expressed their ideas and emotions in a
series of clear, precise images.
[9] Amy Lowell, American poet (1874–1925).

[1] English novelist and critic (1894–1963).
[2] Dickinson, American poet (1830–1886).
[3] Ezra Pound, American poet (1885); T. S. Eliot,
British (American born) poet and critic (1888–1965);
St. John Perse, French poet (1887).

laica Juana Inés,[1] tan parecidas las dos, y que se metió por su gusto en una jaula más o menos dorada; y el yo bullanguero de Whitman, su amplio equívoco narcisista, son tan definidos como el narcisismo heroico del yo secreto de Poe. Whitman fué esteta toda su vida (todos los poetas mayores de sonido lo son más que los reservados), sino que el esteticismo bohemio del donizettista[2] cursi de sus comienzos, del visitador tontaina de salones, del crítico musical de palco vistoso, se convirtió en esteticismo de plebeyo adrede; un cambio de bohemia nada más: del sombrero de copa y la barba peluquerada, a las botas altas y la camisa roja abierta; de la diatriba de representación operática, a la ograda de «a carne humana me huele».[3]

Yo he oído a ese conejito blanco de Carl Sandburg,[4] tan listo, el de *El pueblo, sí*,[5] poeta «vulgar» para los dichos universitarios, y que se sospecha un ampliador de Whitman, recitar sus propios poemas y discursos; pues bien, en la Europa estética, España principalmente, no se aguantaría hoy su modo de recitar tan animalmente amanerado, tan efectista como el de la recitadora más engreída; esteticismo demagógico, también, como aristogógico[6] el del juglar de gardenia en el ojal, pañuelo colgando y raya planchada, el monstruoso payaso «definidor de la cultura» más extendida, Thomas Stearns Eliot.

¿Será que la naturalidad poética, la cantada belleza auténtica no puede conciliarse con la estética; que la belleza verdadera no es arte ni ciencia; que la estética es sólo ciencia y arte? Pues Whitman y Emily Dickinson son tan buenos artistas y científicos de la forma como Poe, aunque de otra forma y con otras maneras, ¿más moderı os y más antiguos, o más nuevos y

más viejos? Más bíblicos quizás (ese profetismo que contagió también a poetas tan artificiales y engolados como Perse) y, por eso ocuparon los dos, y ocupan todavía, a pesar de los profesores poéticos, un lugar mucho más vasto hacia fuera o hacia dentro en la más complicada de las democracias, la norteamericana, que Poe, el esqueleto de armonía, el tuétano de ritmo, el espectro del pie y el número alucinantes.[7] Poe no fué un demócrata a la manera de sus discurseadores Estados Unidos, ni seguramente pensó nunca serlo, ya que era un poeta del sur influído por Francia antes de que él mismo fuera su mayor influyente americano; fué un aristócrata de intemperie física, como Emily Dickinson de intemperie moral. Pero todo romántico (Victor Hugo, Schiller, Shelley, Leopardi, Pushkin,[8] Bécquer) es un semejante de lo que se supone que quiere ser un llamado demócrata. A mí me parece que Poe puede vivir tan señalado entre una supuesta democracia como Whitman, pues si se echa fuera de ella y aparentemente, por su ilusionismo de abstracciones metafísicas como poeta, nunca se ha manifestado contrario de ella como crítico ni como cuentista. Recuérdese *El hundimiento de la casa Usher*,[9] donde la exposición detallada de una decadencia apocalíptica de falsa aristocracia lleva consigo una condenación. Yo pienso que todo romántico verdadero se pone siempre, en el momento decisivo, del lado más humano y quiere coger todo el aire con uno de sus pulmones. Si no se pone de ese lado, no era un romántico, sino un oportunista.

Mientras resuelve todo esto una crítica norteamericana más dependiente de su propia verdad que mi crítica, voy a traducir (como recreo, justicia y tributo de mi conciencia moderna a la de Edgar Allan Poe, hoy metamorfoseada tan clarividentemente ahí cerca de esta casa de Maryland, bajo la piedra de Baltimore que Mallarmé introdujo en su soneto famoso «Tel

---

[1] Sor Juana Inés de la Cruz, Mexican nun famed for her poetry (1648–1695).

[2] In the style of the Italian opera composer, Gaetano Donizetti (1797–1848).

[3] According to fairy tales, the ogre was a giant who fed on human flesh.

[4] American poet (1878).

[5] "The People" by Sandburg.

[6] *aristogógico* one who flatters aristocratic tastes, as opposed to the demagogic, who flatters plebeian tastes.

[7] *espectro . . . alucinantes* the spectre of the hallucinatory metrics.

[8] Schiller, German poet and dramatist (1759–1804); Shelley, English poet (1792–1822); Leopardi, Italian poet (1798–1837); Pushkin, Russian poet (1799–1837).

[9] One of Poe's most famous stories.

qu'en lui-même enfin l'éternité le change»)[1] un fragment de *El vallecillo de la inquietud*. Yo suelo traducir el verso extranjero en mi prosa corriente. ¡Qué prosa la de Mallarmé en su introducción de los poemas de Poe! En traducción quiero ser siempre fiel de idea y sentimiento, y libre de forma con acento interior:

Una vez, un vallecillo tranquilo en donde nadie vivía, sonrió. La gente toda se había ido a la guerra, y dejó confiada a las estrellas de ojos suaves la vigilancia nocturna, desde sus torres azules, de las flores entre las que durante todo el día el rayo de sol yació descuidado.

Esta descripción mágica y leal de un sueño, ¿no la tomaría y la daría por suya cualquier poeta verdadero de hoy? Y este poema que sigue, *Solo*, ¿no tiene, en su sobriedad, su justeza, su límite propio, su idea central, el valor de lo eterno que tienen, por ejemplo, los mejores poemas cortos de Leopardi, nunca olvidado?

Desde mi niñez yo no fuí como los otros; yo no vi como los otros vieron; yo no pude sacar de una fuente común mis pasiones. Yo no he bebido mi pena del mismo manadero, y no podía despertar mi corazón con el mismo son a la alegría. Y todo cuanto amé yo lo amé solo. Entonces, en mi niñez, el alba de la más tormentosa de las vidas, un misterio que me ata todavía salió de la profundidad mayor del bien y del mal: del manantial o del torrente, de la peña roja del monte, del sol que gira alrededor de mí con su tinte otoñal de oro, del relámpago celestial que me roza volando, del trueno y del huracán; y de una nube que tomó, para que mis ojos la vieran cuando el cielo restante estaba azul, la forma de un demonio.

Si no puede ser actual este poema, si no son modernas o no están vivas esta intensidad psicológica, tal dirección del ansia metafísica; si no suena este estilo a perpetuidad entre su hallazgo, si no hay aquí color perenne, mucho menos de hoy serán Baudelaire y Mallarmé; ni es moderno entonces nada que no toque a la burda

sociedad y a la vaga actualidad; ni es moderno el espacio ni el tiempo, los siempre iguales, ni el desnudo, la poesía hacia dentro y hacia lejos. Para mí es moderno este poema, digo, es actual y clásico y eterno porque creo, y lo he dicho muchas veces de distintas maneras, que lo que adelanta el hombre en una dirección, lo adelanta en todas las demás.

Siempre han coexistido en la vida y el arte dos formas de expresión: una más instintiva, natural, directa; otra más artificial, intelectiva, retórica. Poe, en sus Estados Unidos, significa la segunda; Whitman, en gran parte de su obra, la primera; Emily Dickinson está entre los dos. Y estos tres clásicos de la poesía norteamericana romántica son románticos en diverso sentido también, porque hay romanticismo metafísico, espiritual y medio. Indudablemente, Poe fué un romántico más artificial que Emily Dickinson y Whitman, o expresó más artificialmente su romanticismo; pero lo artificial puede ser tan humano y tan espontáneo en un individuo como lo natural. La naturaleza, con su prueba constante evolutiva de minerales, vegetales y animales, ¿no es artificial? Lo importante es la calidad de lo llamado artificial, que, en suma, como acabo de decir, es lo natural; y en Poe la calidad es importante.

Poe depuró el romanticismo, como Baudelaire, de magnitud inútil, y como Bécquer, de exorbitancia charlatana, de neoclasicismo[2] más o menos anacreóntico,[3] vicio general de su época. Sin duda, en muchos poemas norteamericanos actuales por época y carácter, encontraremos líneas parecidas, por la depuración de sustancia, de música, de color, arsenal poético también general, a otras de otros poemas de Poe. Baudelaire, Mallarmé, congregados casi en uno, adelantaron en estilo, en finura analítica, a los románticos tenidos por mayores (más anchos y más largos, y por lo tanto más palabreros); vinieron más acá que ellos. Whitman y Emily

---

[1] (*Fr.*) Such as eternity finally changes him inwardly.

[2] Literary movement dominant in the second half of eighteenth-century Europe that aspired to restore the tastes and norms of classicism.

[3] *anacreóntico* in the style of the Greek poet Anacreon (560–478 B.C.), who wrote light, graceful, amatory lyrics.

Dickinson, estilizados hacia nosotros en otro
sentido (Whitman en sus poemas cortos), son
también, con otro estilo, románticos de «época
interior». Ninguno de los tres fueron románticos
5 plebeyos, aunque Whitman, equivocado en esto,
porque en realidad nunca fué leído por el pueblo
inexistente americano, creyera serlo.

En los Estados Unidos y en Américohispania
el concepto de romanticismo y modernidad es,
10 tiene que ser diferente que en Europa. Pablo
Neruda,[1] considerado hoy por algunos ultra-
modernos fáciles de los que se imaginan que la
poesía se mide por metros y se pesa con bás-
culas, ¿no es, él lo dice a cada paso, un romántico
15 desorbitado en su amaneramiento natural de lo
sucio, lo cursi y lo sonámbulo? Neruda sí es
plebeyo, porque no tiene sobre su desorganiza-
ción utilitaria las alas que llevaban a Whitman a
lo mejor. Y carece de condensación poética y
20 clarividencia crítica para lo suyo y para lo ajeno.
¿No son románticos, con más técnica que Neruda, los europeos Joyce de Irlanda, Pound y
Eliot de los Estados Unidos? Yo creo que es
difícil encontrar un poeta más intelectualista que
25 Poe (*Teoría de la composición*), y lo intelectual es
un eje insustituíble de la poesía moderna que,
como la de todas las épocas, da vueltas por
diferentes órbitas en diferentes ámbitos.

Seguramente Poe es escaso y monótono;
30 baraja en sus poemas un número muy limitado
de ideas y sentimientos: soledad, silencio, dobleser, fantasmas, remordimientos, muerte. Pero
este número limitado puede ser de infinito alcance. En su estética es más amplio en aparien-
35 cia, y en lo que su ensimismamiento no podía
darle. En su poesía es un esteta de aristocracia
convencional, de amanerada interioridad histórica; pero en su crítica es altruista, deseoso,
aristócrata triste de fantasmal intemperie in-
40 comprendida. Edgar Allan Poe tuvo un camino
alto y noble en su corazón y en su entendimiento, que su carácter congénito errante, teatral por odiada presencia inevitable, no le dejó
seguir. Por huir de un teatro vulgar de familia,
45 cayó en otro de trascendental exotismo terreno
y celeste.

[1] Chilean poet (1904).

IDEOLOGÍA LÍRICA

ESTÉTICA Y ÉTICA ESTÉTICA, I

HAY DOS DINAMISMOS: el del que monta una
fuerza libre y se va con ella en suelto galope 50
ciego; el del que coge esa fuerza, se hace con
ella, la envuelve, la circunda, la fija, la redondea,
la domina. El mío es el segundo.

Y añado, con la fuerza removiéndose dentro
de mi abrazo: fuga perdida sin dominio de lo 55
dinámico, es Romanticismo.—Dominio sin
fuerza dentro, Academicismo—. Clasicismo,
dominio retenedor de lo dinámico.

Clasicismo es orden, sí; pero no orden exterior que clasifica, que «coloca» las cosas en su 60
sitio, sino que las «mete en cintura».

Clasicismo: secreto plena y exactamente
revelado.

La inteligencia no sirve para guiar al instinto,
sino para comprenderlo.   65

Poeta puro, «pero» total.

La sintaxis es una cuestión de ortografía.

Yo tengo escondida en mi casa, por su gusto
y por el mío, a la Poesía, como una mujer hermosa; y nuestra relación es la de los apasionados. 70

Lo difícil cansa a los fáciles; lo fácil, a los
difíciles.

Dinamismo, embriaguez, gracia, gloria . . .
¡Poesía mía!

En cada sentido están los otros . . . cinco.   75
Una disciplina . . . caprichosa.

El arte, como el tiempo, está todo dado, y no
tiene, por lo tanto prisa—aunque nos lo parezca
a nosotros, vanos inventores de alfileres, relojes
y batutas—.   80

Inmanencia totalmente justa y exacto dinamismo.

La decadencia de un artista se anuncia casi
siempre con su adopción de la perezosa idea:
«El arte para todos.»   85

Depurar: recrear.

Una obra atraerá tanto tiempo cuanto dure su
secreto revelado.

El mejor nombre que encuentro para mi obra
es Tesoro.   90

Señal de verdadera poesía es el contagio; que
no quiere decir—¡cuidado!—imitación.

Número, acento, rima, nunca están en el verso, sino siempre en el poeta. Por eso no hay formas uniformes, y no es «imprescindible» inventar otras, que: sin poeta de voz y movimiento propios, siempre serán, por diferentes que sean, las mismas; y con poeta pleno, serán equivalentes, siempre, a las normales.

Que inconciencia y conciencia salgan de igual profundidad de nuestro ser.

El placer: ¡qué lucha agridulce entre lo finito y lo infinito!

Mi vocación de eterno está, como en el niño, en mi gran amor a lo presente.

Artista, cuida las maravillosas yemas de tus dedos.

Despreciaría sin cansancio; pero no encuentro ese hermoso tiempo absoluto que exige el perfecto despreciar.

Una poesía dinámica que el éxtasis más prolongado no pueda desvirtuar ni deshacer.

En el conocerse uno mismo, cierta distancia.

Quien me quiera encontrar en la vida—y en la muerte—búsqueme sólo en lo bello.

Poeta cuyo pensamiento no abarque plenamente su sentimiento—siendo éste infinito—, no merece tal omnipotente nombre divino.

Hay, entre otras, tres clases de mal gusto: el que escribe con tinta verde, el que con tinta morada, y el que con roja.

Muy importante es lo que la juventud piense de uno, porque la juventud es para nosotros el principio de la posteridad.

Era casi perfecta. Su mayor encanto estaba en el «casi».

Vigilemos con nuestra inteligencia nuestro instinto; pero dejémosle suficiente libertad para que el niño haga un poco . . . ¡bastante! lo que quiera.

No pensemos nunca en lo que otro—¡otra!—pueda dar a los demás, sino en lo que pueda darnos a nosotros.

Capricho y crisol.

Para mí, no hay otras razones en la vida—ni en la muerte—que las razones estéticas.

Cantor lírico y metafísico; prosista descriptivo y psicólogo; aforista filósofo y crítico.

Todo el que escriba «so el saúz», sea puesta en el acto «bajo el sauce».

Un éxtasis que no mate lo vivo.

Evidente y secreto, como el diamante, como el agua, como el desnudo, como la rosa.

Mi mejor celebración de fiesta es «siempre» la más perfecta normalidad.

Alentar a los jóvenes; exigir, castigar a los maduros; tolerar a los viejos.

La tierra, el agua, el aire, el fuego—no lo olvidemos—, son fuerzas más del olvido que de la memoria.

Mucho he aprendido, ligero y joven M. Marcel Carayon,[1] en Francia; muchísimo más de lo que usted puede figurarse; tanto, que hoy no hay poeta francés que me aventaje. Y si a esto añade usted lo que he aprendido en España, y en el mundo, y, sobre todo, en mí . . .

Mi poesía es siempre continuación de mi poesía:—mi verso, de mi verso; mi prosa de mi prosa—.

¡Pobre detenido del Antes y del Después!

De cualquier cosa mía hago yo una joya.

Hay copleros, de más o menos «inspiración», que son a los verdaderos poetas—conjunto de genio, arte y crítica—lo que los curanderos a los médicos verdaderos. Copleros que, en nombre de la yerbabuena, el cantueso, el tomillo y otras cosas más o menos sencillas, «naturales» y aromáticas, que ellos creen únicamente ¡ay! oler y poseer, se pasan su trashumante vida tabernaria dando patadas con barro—«naturales» también: formación cotidiana de tierra, bota y agua—al arte puro del poeta completo, como los curanderos a la ciencia.

¡Cómo me gusta «eso» que nunca es, todavía, «eso»; entretiempo, fantasía, imagen, sueño, amor!

¡Ay, no, no somos creadores; no somos más que repetidos transeúntes de la belleza, del arte y del placer!

Me imagino mi obra terminada—perfecta, aislada, inconmovible—, como una «Casa de tiempo y de silencio».

[1] French Professor of Spanish Literature.

Yo eterno y las inmortales, bellísimas diosas
estériles.

¡Qué espectáculo el de mi imaginación en
movimiento!

5 Con la belleza hay que vivir—y morir—a
solas.

Las coronas, dentro.

(1914–25)

POEMAS EN VERSO

Segunda antología poética (1922)

10 [¿ SOY YO QUIEN ANDA . . .]

¿Soy yo quien anda, esta noche,
por mi cuarto, o el mendigo
que rondaba mi jardín,
al caer la tarde? . . .

15   Miro
en torno y hallo que todo
es lo mismo y no es lo mismo . . .
¿La ventana estaba abierta?
¿Yo no me había dormido?

20 ¿El jardín no estaba verde
de luna? . . . . . . El cielo era limpio
y azul . . . Y hay nubes y viento
y el jardín está sombrío . . .
Creo que mi barba era

25 negra . . . Yo estaba vestido
de gris . . . Y mi barba es blanca
y estoy enlutado . . . ¿Es mío
este andar? ¿Tiene esta voz,
que ahora suena en mí, los ritmos

30 de la voz que yo tenía?
¿Soy yo, o soy el mendigo
que rondaba mi jardín,
al caer la tarde? . . .
        Miro

35 en torno . . . Hay nubes y viento . . .
El jardín está sombrío . . .
. . . Y voy y vengo . . . ¿Es que yo
no me había ya dormido?
Mi barba está blanca . . . Y todo

40 es lo mismo y no es lo mismo . . .

EL POETA A CABALLO

¡Qué tranquilidad violeta,
por el sendero, a la tarde!
A caballo va el poeta . . .
¡Qué tranquilidad violeta!   45

La dulce brisa del río,
olorosa a junco y agua,
le refresca el señorío . . .
La brisa leve del río . . .

A caballo va el poeta . . .   50
¡Qué tranquilidad violeta!

Y el corazón se le pierde,
doliente y embalsamado,
en la madreselva verde . . .
Y el corazón se le pierde . . .   55

A caballo va el poeta . . .
¡Qué tranquilidad violeta!

Se está la orilla dorando . . .
El último pensamiento
del sol, la deja soñando . . .   60
Se está la orilla dorando . . .

¡Qué tranquilidad violeta,
por el sendero, a la tarde!
A caballo va el poeta . . .
¡Qué tranquilidad violeta!   65

[CON LILAS LLENAS . . .]

Con lilas llenas de agua,
le golpeé las espaldas.

Y toda su carne blanca
se enjoyó de gotas claras.   70

¡Ay, fuga mojada y cándida,
sobre la arena perlada!

—La carne moría, pálida,
entre los rosales granas;
como manzana de plata,   75
amanecida de escarcha—.

Corría, huyendo del agua,
entre los rosales granas.

Y se reía, fantástica.
La risa se le mojaba.   80

Con lilas llenas de agua,
corriendo, la golpeaba . . .

EL VIAJE DEFINITIVO

. . . Y yo me iré. Y se quedarán los pájaros
cantando;
y se quedará mi huerto, con su verde árbol,
5 y con su pozo blanco.

Todas las tardes, el cielo será azul y plácido;
y tocarán, como esta tarde están tocando,
las campanas del campanario.

Se morirán aquéllos que me amaron;
10 y el pueblo se hará nuevo cada año;
y en el rincón aquel de mi huerto florido y
        encalado,
mi espíritu errará, nostálgico . . .

Y yo me iré; y estaré solo, sin hogar, sin árbol
15 verde, sin pozo blanco,
sin cielo azul y plácido . . .
Y se quedarán los pájaros cantando.

A UN POETA,
PARA UN LIBRO NO ESCRITO

20   Creemos los nombres.
Derivarán los hombres.
Luego, derivarán las cosas.
Y sólo quedará el mundo de los nombres,
letra del amor de los hombres,
25 del olor de las rosas.

Del amor y las rosas,
no ha de quedar sino los nombres.
¡Creemos los nombres!

LA COJITA

30   La niña sonríe: «¡Espera,
voy a coger la muleta!»
Sol y rosas. La arboleda
movida y fresca, dardea
limpias luces verdes. Gresca
35 de pájaros, brisas nuevas.
La niña sonríe: «¡Espera,
voy a coger la muleta!»
Un cielo de ensueño y seda,
hasta el corazón se entra.
40 Los niños, de blanco, juegan,
chillan, sudan, llegan:
                            «. . . menaaa!»[1]

[1] *menaaa!* the last two syllables of a word.

La niña sonríe: «¡Espeeera,
voy a coger la muleta!»
Saltan sus ojos. Le cuelga,   45
girando, falsa, la pierna.
Le duele el hombro. Jadea
contra los chopos. Se sienta.
Ríe y llora y ríe: «¡Espera,
voy a coger la muleta!»   50
¡Mas los pájaros no esperan;
los niños no esperan! Yerra
la primavera. Es la fiesta
del que corre y del que vuela . . .
La niña sonríe: «¡Espera,   55
voy a coger la muleta!»

EL NOSTÁLGICO

¿Mar desde el huerto;
huerto desde el mar?
¿Ir con el que pasa cantando;   60
oírlo, desde lejos, cantar?

NADA

A tu abandono opongo la elevada
torre de mi divino pensamiento.
Subido a ella, el corazón sangriento   65
verá la mar, por él empurpurada.

Fabricaré en mi sombra la alborada,
mi lira guardaré del vano viento,
buscaré en mis entrañas mi sustento . . .
Mas ¡ay!, ¿y si esta paz no fuera nada?   70

¡Nada, sí, nada, nada! . . .—O que cayera
mi corazón al agua, y de este modo
fuese el mundo un castillo hueco y frío . . .—

Que tú eres tú, la humana primavera,
la tierra, el aire, el agua, el fuego, ¡todo!, 75
. . . ¡y soy yo sólo el pensamiento mío!

RETORNO FUGAZ

¿Cómo era, Dios mío, cómo era?
—¡Oh corazón falaz, mente indecisa!—
¿Era como el pasaje de la brisa?   80
¿Como la huída de la primavera?

Tan leve, tan voluble, tan ligera
cual estival vilano . . . ¡Sí! Imprecisa
como sonrisa que se pierde en risa . . .
¡Vana en el aire, igual que una bandera!
5   Bandera, sonreír, vilano, alada
primavera de junio, brisa pura . . .
¡Qué loco fué tu carnaval, qué triste!
    Todo tu cambiar trocóse en nada
—¡memoria, ciega abeja de amargura!—
10 ¡No sé cómo eras, yo que sé que fuiste!

OCTUBRE

    Estaba echado yo en la tierra, enfrente
del infinito campo de Castilla,
que el otoño envolvía en la amarilla
15 dulzura de su claro sol poniente.
    Lento, el arado, paralelamente
abría el haza oscura, y la sencilla
mano abierta dejaba la semilla
en su entraña partida honradamente.
20   Pensé arrancarme el corazón, y echarlo,
pleno de su sentir alto y profundo,
al ancho surco del terruño tierno;
    a ver si con romperlo y con sembrarlo,
la primavera le mostraba al mundo
25 el árbol puro del amor eterno.

[SE ENTRÓ MI CORAZÓN . . .]

    Se entró mi corazón en esta nada,
como aquel pajarillo, que, volando
de los niños, se entró, ciego y temblando,
30 en la sombría sala abandonada.
    De cuando en cuando, intenta una escapada
a lo infinito, que lo está engañando
por su ilusión; duda, y se va, piando,
del vidrio a la mentira iluminada.
35   Pero tropieza contra el bajo cielo,
una vez y otra vez, y por la sala
deja, pegada y rota, la cabeza . . .
    En un rincón se cae, al fin, sin vuelo,
ahogándose de sangre, fría el ala,
40 palpitando de anhelo y de torpeza.

SOLEDAD

    En ti estás todo, mar, y sin embargo,
¡qué sin ti estás, qué solo,
qué lejos, siempre, de ti mismo!
    Abierto en mil heridas, cada instante,   45
cual mi frente,
tus olas van, como mis pensamientos,
y vienen, van y vienen,
besándose, apartándose,
en un eterno conocerse,   50
mar, y desconocerse.
    Eres tú, y no lo sabes,
tu corazón te late y no lo siente . . .
¡Qué plenitud de soledad, mar solo!

MADRE   55

    Te digo, al llegar, madre,
que tú eres como el mar; que aunque las olas
de tus años se cambien y te muden,
siempre es igual tu sitio,
al paso de mi alma.   60
    No es preciso medida
ni cálculo para el señalamiento
de ese cielo total;
el color, hora única,
la luz de tu poniente,   65
te sitúan ¡oh madre! entre las olas,
conocida y eterna en su mudanza.

[¡QUE BIEN LE VIENE . . .]

    ¡Qué bien le viene al corazón
su primer nido!   70
¡Con qué alegre ilusión
torna, siempre, volando, a él; con qué descuido
se echa en su fresca ramazón,
rodeado de fe, de paz, de olvido!
    . . . ¡Y con qué desazón   75
vuelve a dejarlo, pobre y desvalido!
Parece que, en un trueque de pasión
el corazón se trae, roto, el nido,
que se queda en el nido, roto el corazón!

[¡INTELIGENCIA, DAME . . .]

¡Inteligencia, dame
el nombre exacto de las cosas!
. . . Que mi palabra sea
5 la cosa misma,
creada por mi alma nuevamente.
Que por mí vayan todos
los que no las conocen, a las cosas;
que por mí vayan todos
10 los que ya las olvidan, a las cosas;
que por mí vayan todos
los mismos que las aman, a las cosas . . .
¡Inteligencia, dame
el nombre exacto, y tuyo,
15 y suyo, y mío, de las cosas!

[VINO, PRIMERO, PURA . . .]

Vino, primero, pura,
vestida de inocencia;
y la amé como un niño.
20 Luego se fué vistiendo
de no sé qué ropajes;
y la fuí odiando, sin saberlo.
Llegó a ser una reina,
fastuosa de tesoros . . .
25 ¡Qué iracundia de yel[1] y sin sentido!
. . . Mas se fué desnudando.
Y yo le sonreía.
Se quedó con la túnica
de su inocencia antigua.
30 Creí de nuevo en ella.
Y se quitó la túnica,
y apareció desnuda toda . . .
¡Oh pasión de mi vida, poesía
desnuda, mía para siempre!

Poesía (1923)

35 DESVELO

Se va la noche, negro toro
—plena carne de luto, de espanto y de misterio—,

---
[1] *yel = hiel.*

que ha bramado terrible, inmensamente,
al temor sudoroso de todos los caídos;   40
y el día viene, niño fresco,
pidiendo confianza, amor y risa
—niño que, allá muy lejos,
en los arcanos donde
se encuentran los comienzos con los fines,   45
ha jugado un momento,
por no sé qué pradera
de luz y sombra,
con el toro que huía—.

[PODER QUE ME UTILIZAS . . .]   50

Poder que me utilizas,
como médium sonámbulo,
para tus misteriosas comunicaciones;
¡he de vencerte, sí,
he de saber qué dices,   55
qué me haces decir, cuando me coges;
he de saber qué digo, un día!

[¿QUÉ LE PASA . . .]

¿Qué le pasa a una música,
cuando deja de sonar; qué   60
a una brisa que deja
de revolar, y qué
a una luz que se apaga?

Muerte, di, ¿y qué eres tú sino silencio,
calma y sombra?   65

[TRAS LA PARED . . .]

Tras la pared ha sonado
su voz.
Sólo una pared
separa el cielo del mundo;   70
pero ¡qué terrible es!
Todos están ahí al lado
¡y no nos podemos ver!

La estación total (1945)

LA COMPAÑA

¿Soledad, y está el pájaro en el árbol,
soledad, y está el agua en las orillas,
soledad, y está el viento con la nube,
5 soledad, y está el mundo con nosotros,
soledad, y estás tú conmigo solos?

CRIATURA AFORTUNADA

Cantando vas, riendo por el agua,
por el aire silbando vas, riendo,
10 en ronda azul y oro, plata y verde,
dichoso de pasar y repasar
entre el rojo primer brotar de abril,
¡forma distinta, de instantáneas
igualdades de luz, vida, color,
15 con nosotros, orillas inflamadas!

¡Qué alegre eres tú, ser,
con qué alegría universal eterna!
¡Rompes feliz el ondear del aire,
bogas contrario el ondular del agua!
20 ¿No tienes que comer ni que dormir?
¿Toda la primavera es tu lugar?
¿Lo verde todo, lo azul todo,
lo floreciente todo es tuyo?
¡No hay temor en tu gloria;
25 tu destino es volver, volver, volver,
en ronda plata y verde, azul y oro,
por una eternidad de eternidades!

Nos das la mano, en un momento
de afinidad posible, de amor súbito,
30 de concesión radiante;
y, a tu contacto cálido,
en loca vibración de carne y alma,
nos encendemos de armonía,
nos olvidamos, nuevos, de lo mismo,
35 lucimos, un instante, alegres de oro.
¡Parece que también vamos a ser
perennes como tú,

que vamos a volar del mar al monte,
que vamos a saltar del cielo al mar,
que vamos a volver, volver, volver   40
por una eternidad de eternidades!
¡Y cantamos, reímos por el aire,
por el agua reímos y silbamos!

¡Pero tú no te tienes que olvidar,
tú eres presencia casual perpetua,   45
eres la criatura afortunada,
el mágico ser solo, el ser insombre,
el adorado por calor y gracia,
el libre, el embriagante robador,
que, en ronda azul y oro, plata y verde,   50
riendo vas, silbando por el aire,
por el agua cantando vas, riendo!

Animal de fondo (1949)

LA TRANSPARENCIA, DIOS, LA
TRANSPARENCIA

Dios del venir, te siento entre mis manos,   55
aquí estás enredado conmigo, en lucha hermosa
de amor, lo mismo
que un fuego con su aire.

No eres mi redentor, ni eres mi ejemplo,
ni mi padre, ni mi hijo, ni mi hermano;   60
eres igual y uno, eres distinto y todo;
eres dios de lo hermoso conseguido,
conciencia mía de lo hermoso.

Yo nada tengo que purgar.
Toda mi impedimenta   65
no es sino fundación para este hoy
en que, al fin, te deseo;
porque estás ya a mi lado,
en mi eléctrica zona,
como está en el amor el amor lleno.   70

Tú, esencia, eres conciencia; mi conciencia
y la de otros, la de todos,
con forma suma de conciencia;
que la esencia es lo sumo,

es la forma suprema conseguible,
y tu esencia está en mí, como mi forma.

    Todos mis moldes, llenos
estuvieron de ti, pero tú, ahora,
5 no tienes molde, estás sin molde; eres la gracia
que no admite sostén,
que no admite corona,
que corona y sostiene siendo ingrave.

    Eres la gracia libre,
la gloria del gustar, la eterna simpatía,   10
el gozo del temblor, la luminaria
del clariver, el fondo del amor,
el horizonte que no quita nada;
la transparencia, dios, la transparencia,
el uno al fin, dios ahora sólito en lo uno mío,   15
en el mundo que yo por ti y para ti he
creado.

EUGENIO D'ORS
1882–1954

*Catalán, escribió en ese idioma sus primeras obras. Cambió al español en
1920 y mudó su residencia de Barcelona a Madrid. Historiador de la
cultura y crítico de arte, fué, sin contradecirse, muy tradicional y muy
moderno. Nadie en España luchó con más inteligencia y perseverancia en
defensa de los artistas contemporáneos y porque se reconociera la
legitimidad de los experimentos. Dedicó un libro a Cézanne (1924), otro
a Picasso (1930). Redactó una guía original, ingeniosa e ilustrativa:* Tres
horas en el museo del Prado *(1923). Viajó sin tregua, sintiéndose en
Europa como en su casa. Y no sólo sintió: se comportó como europeo;
algunas de sus obras aparecieron antes en francés que en español.
Admiraba, más que a nadie, quizá, a Goethe, y se comprende: eran gente
de la misma estirpe espiritual. Hombre de salón, conversador infatigable, el
gusto por los buenos modales fué en él expresión de amor por el orden
clásico, la gracia y la armonía. Antirromántico, nada provinciano,
aristócrata por temperamento, vivió a contrapelo de la minoría intelectual
madrileña y no se preocupó por ello. Creyente en la razón y en el valor del
esfuerzo inteligente y sistemático, detestaba el celtiberismo,[1] la alharaca y
el ruido, «la confusión y el tururú».*

*Inventó el instrumento literario adecuado para desplegar su talento
multiforme y sintético: la glosa, comentario rápido y denso en que, tomando
un acontecimiento cualquiera, lo situaba en el orden de relaciones dentro
del cual tenía sentido. Quería elevar la anécdota a categoría y extraer de
cada hecho su sustancia, integrándolo en el conjunto de fenómenos
culturales que a su juicio hacía falta analizar cuidadosamente para entender
lo pasado, explicar lo presente y prever el futuro.*

[1] *celtiberismo* a boastful attitude, maintaining that one is of pure (Celt-Iberic) race.

Poussin[2] *y El Greco* (1921)

LAS RAZONES DEL CORAZÓN
Y LOS SENTIRES DE LA RAZÓN

«EL CORAZÓN TIENE SUS razones que la razón no
conoce.» Concedámoslo de buena gana a
Pascal[3] . . . Pero que Pascal nos conceda a su vez
que la razón tiene sus sentires en que el corazón
no palpita.

Artista típico de esos sentires de la razón, ex-
clusivos a ella, fué Nicolás Poussin. Al lado de
las de Racine, se encuentra en sus obras la
máxima expresión en belleza del «sentimiento de
racionalidad».

[2] Nicolas Poussin (1594–1665), French painter.
[3] Blaise Pascal (1623–1662), French philosopher.

El extremo opuesto, en la tabla de los valores de la cultura, viene señalado por el Greco. Estamos con él, como con Pascal mismo, en el centro del turbulento dominio en que la irracionalidad enciende sus temblorosas hogueras.

Felicitémonos de que, por fin, gracias a Aureliano de Beruete,[1] el Greco pueda ser desde hoy estudiado, en nuestro Museo de Pinturas, con aislamiento y dignidad ... Pero felicitémonos también, y con más esperanzas de edificación espiritual todavía, de que, por obra de la misma Dirección lúcida, los Poussin del Prado se hayan visto devueltos a aquel simple honor de que hace tiempo les privaba la incuria: al de ser vistos.

LA GRAVITACIÓN DE LAS ARTES

ALGUNA VEZ he llamado *ley de gravitación de las artes* a la que en cada etapa de la cultura las seria diversamente y convierte cada una de ellas en algo así como el ideal de la inmediata.

Hemos conocido la hora de la música. Ayer mismo. Probablemente no había en Europa, al comenzar el último cuarto del XIX, nada en arte que alcanzara la grandeza de Wagner. La poesía quiso pronto no ser más que musical; esto se llamó simbolismo y también otros nombres. La pintura quiso volverse poética: he aquí el impresionismo. La escultura, pictórica, y recoger la luz y el ambiente: Rodín,[2] Medardo Rosso.[3] La arquitectura quiso esculpir.

Un salto en la rosa de los vientos de la cultura. He aquí la disposición invertida. La arquitectura se ha convertido en centro de atracción. La escultura no ambiciona ya sino parecerse a ella. Y la pintura se esfuerza en alcanzar a la escultura. «Cubismo», «planismo», «estructuralismo»[4]— nombres tan impropios, supersticiones tan equívocas, ocasiones tan propicias a la farsa como lo fueron «simbolismo» o «decadentismo» ayer—, no significan, en lo que tienen de serio y fundamental, otra cosa.

[1] Spanish painter and art critic who was director of the Prado Museum in Madrid.
[2] Auguste Rodin (1840–1917), French sculptor.
[3] Italian sculptor (1858–1928).
[4] Other names applied to cubism in art.

Es la hora en que empieza el culto estético de las cosas que se equilibran, preferentemente a las cosas que vuelan.

EL AGUAFUERTE

MUCHO NOS ATRAJO hace algún tiempo el prestigio del aguafuerte, mucho cosquilleó nuestra sensibilidad. Hay que revisar esto. Y, al revisar, conviene, antes que nada, distinguir.

He aquí un grabado de Durero.[5] He aquí un grabado de Rembrandt.[6] Su significado, más que distinto, es ya opuesto. Vale aquél por la soberana precisión. Este, por su profundidad misteriosa. Si en aquél ha mordido el ácido lo que el albedrío preveía, en éste ha roído lo que sólo la subsconciencia adivinó.

Echo por delante el nombre de Rembrandt para mostrar cuán extraña es la cuestión del personal mérito artístico a la presente nota. Pero, en realidad, a quien me importa residenciar hoy es a los artistas modernos, que no sólo aceptan, como Rembrandt, una matización hija de la subsconciencia pura (y esto ya empezaba a ser inmoral y peligroso), sino la del puro azar físico; y de esto sacan el engaño y ventaja de su manera de grabar.

Lo que se llaman «las *sorpresas del aguafuerte*», aquel juego casi casual e infinitamente variado de tintas, medias tintas, cuartos de tinta y esfumaturas,[7] de trazos incisivos mezclados a indecisos vapores, de huellas líquidas o gaseosas en que el trazo naufraga para reaparecer un poco más lejos con rara intensidad, tienen sobre nosotros una sutil influencia de seducción, como ocurre siempre con cuanto balbuce en el mundo. Pero en el mundo no debe balbucirse, sino hablar. En las artes debe hablarse también muy claro, y si es posible muy corto. El aguafuerte moderno es un arte que *balbuce*, como han querido paralela-

[5] Albrecht Dürer (1471–1528), German painter and engraver.
[6] Rembrandt van Rijn (1606–1669), Dutch painter.
[7] *esfumaturas* (*Ital.*) smoky shadows that soften the cheeks, throat, etc. of a subject in painting. These shadows are usually shot through with little pinpoints of light.

mente balbucir en el arte literario un Maeterlinck o un Pascoli.[1] Esto no me parece noble.

Ni digno tampoco del creador artista conceder tanta parte y papel a lo que no es albedrío. Los resultados pueden ser, cuando se obra así, maravillosos para un día; son deleznables ante la eternidad. ¿Qué seducción supera al efecto encantador de esta cerámica policroma y opulenta en reflejos, tan sorprendente como suntuosa, en que como principal artista ha operado el fuego, hermana del aguafuerte, en que como principal artista ha operado el ácido? No obstante, si adquirís una de las piezas de esta cerámica y la introducís en la intimidad de vuestra diaria vida, veréis cómo el prestigio acaba por disiparse y la contemplación del objeto, por fatigaros. Sólo lo claro no cansa; nunca lo arbitrario es claro. Dar demasiado margen a la casualidad, a la fatalidad, *al demonio*, denota satanismo. Y toda misa negra turba durante una media hora; luego, hastía.

Nuestra revisión concluye, por ahora, con el temor de que llegue a hastiarnos la misa negra —o, por lo menos, misa en claroscuro[2]—, del aguafuerte.

LA VICTORIA DE LO SINÓPTICO

SI AHORA, con la preferencia escolástica que les pluguiera, apareciesen aquí, juntos y a la vez, veinte escritores que, rompiendo con aquella tradición, mostrasen vocación de dar al César lo que es del César, quiero decir, diesen a los ojos lo suyo, creo que el panorama de la literatura española se modificaría en mucho y se modificaría bien.

No puede negarse que ciertas notas comunes a los más radicales ensayos de vanguardia ofrecen para ello la más pintada de las ocasiones. La más pintada, lo digo casi sin tropo. ¿No son aquéllos los que muchas veces ligan con lazo tan estrecho poesía y tipografía, que llegan a identificarlas? ¿No han vindicado la primacía de los elementos de presencia sobre los elementos de referencia en la técnica de la literatura? ¿No son ellos los que, subvirtiendo la clasificación pedagógica de las artes, domeñan y castigan las de la palabra, hasta intentar, si no lograr siempre, expresar con ellas un contenido «sinóptico», no ya sucesivo?

Recordemos otra vez la ley de gravitación de las artes. Cada época conoce una a la cual tienden las demás, invadiendo fatalmente el campo de la inmediatamente vecina. Cambia la época, cambia el centro de atracción. El XIX fué, probablemente, insisto en ello, el siglo de la música; la literatura quiso ser musical entonces; la pintura, literaria; la escultura, pictórica; la arquitectura, escultural. Cuando tras del ochocentismo, viene el novecentismo, el orden se invierte; ahora es precisamente la arquitectura la que atrae. Ciego será quien no vea que hoy los poetas están más cerca que nunca de los pintores ... Y ser ciego es cosa que me parece hoy más grave que nunca.

Cuando ya esté tranquilo (1927)

FUENDETODOS

YO TAL VEZ no hubiera erigido aquí el monumento. Tiene, inevitablemente, algo de cosa postiza, algo de intromisión, así como injerencia de tercero en diálogo íntimo ... El diálogo era el inacabable y sordo, mantenido entre este pueblo oscuro, que es casi pura tierra, y este ancho cielo, encima de él, espejo y fanal de todo el universo.

Del uno al otro, de la tierra al cielo, de la Cueva a la Gloria, de Fuendetodos al mundo, salió un día Goya, disparado como una bala de la carabina del Espíritu Santo, para decirlo en el audaz lenguaje de un Max Jacob.[3]

GOYA, EL ARROJADO

SALIÓ INFALIBLE. Esto sorprende, más que nada, en su biografía; esto, la infalibilidad. No

[1] Italian poet (1855–1912).
[2] Chiaroscuro, pictorial art that employs only light and shade.

[3] French writer (1876–1944).

hay desviación en tal vida, no hay rodeo, no hay
casi tanteo. Una trayectoria. En otras ilustres
existencias se adivina siquiera el crecimiento
por oculto empuje de fuerzas interiores; la indecisión—por lo menos aparente, propia de todo
lo orgánico—, la ascensión dentro de una continuidad, que deja imperceptible el cambio entre
dos momentos sucesivos; la elevación, por fin, el
ganar una altura mayor entre otras alturas, así
un árbol en el bosque y un día—sólo para la distracción, de repente—el ser advertido por todo
el mundo como una cumbre . . . En Goya, no.
Como nacido con una imperiosa consigna, Goya
se va derecho a la personalidad y a la paternidad;
es decir, a la consumación de sí mismo.

A Goya, el destino no le impulsa: le arroja.

ECTIPOS, TIPOS, ARQUETIPOS

PERSONALIDAD Y PATERNIDAD, las dos son necesarias para una realización individual plena. He
aquí lo que habló, hace pocos días, Octavio de
Roméu.[1] Era en una estación de ferrocarril, y
alguien de su compañía le trajo del quiosco de
periódicos un folleto, más o menos ruso, más o
menos anarquista, titulado ¿Qué hacer? Y, encarándose imaginariamente con el vago Tolstoi
cualquiera, autor de aquello, gritábale el
Pantarca[2]:

—¿Qué hacer, menguado? Pues que se te
cierren los huesos del cráneo y que se te abran
las fuentes de la vida.

Como la estación del caso caía en tierras
aragonesas—la preparación del centenario de
Goya llevaba a maese Octavio a Fuendetodos—,
la expresión de que se sirvió, mientras a grandes
pasos recorría el andén, por la segunda parte de
la fórmula fué bastante más ruda.

Cerrar un contorno personal. Abrir un nuevo
cauce a la continuidad de las tradiciones in-
memoriales . . . Sí; sí, eso hay que hacer. Eso es
lo que cumple, más claramente que los demás, el
genio. Si en la primera parte de la tarea se falla;
si el contorno personal no queda bien delineado,

[1] Pseudonym of d'Ors.
[2] Greek word meaning "chief of all."

fijo, limpio, duro en su delimitación, la figura
permanece en lo secundario, en lo que llamamos
casi técnicamente el ectipo. Si, con haber ganado
ese contorno, no se derrama, sin embargo, en él;
si no cumple la segunda tarea, de continuación,
de influencia, de ejemplo, de paternidad, otra
falla se produce, y el individuo se queda en tipo,
pequeña situación. A la excelencia, a lo arque-
típico, se llega solamente cuando se ha superado
a la vez a lo ectípico y a lo típico; cuando se es, a
un tiempo mismo, fuerte y fecundo.

Hay que ser arquetipo . . . Como les decía
Carolus Durán[3] a los jóvenes artistas recién
llegados a Villa Médicis:[4] «Mais, mon ami, faites
des chefs d'œuvre!»[5]

PATERNIDAD DE GOYA

LA VOCACIÓN MUNDIAL de Goya, su encumbramiento, en puro arrojo, de Fuendetodos al
mundo, de la Cueva a la Gloria, vuelven difícil
el insertarle en la continuidad de una tradición y
le han hecho parecer aislado, sobre todo respecto
de la sucesión, como si detrás de él no quedara
nadie parecido a él, por lo menos durante un
siglo.

Esto es falso, desde luego, en lo que se refiere
al arte universal. Todo lo que en él, durante
medio siglo, ha ofrecido un carácter de técnica
impresionista, puede recabar y debe sufrir la
atribulación de una calidad filial respecto de
Goya. Mientras más se estudia a los maestros
impresionistas,[6] no sólo a los llegados después de
Manet,[7] discípulo declarado de la pintura
española; pero aun antes, en la hora de los precursores—digamos, para repetir una fórmula ya
conocida, en todo el ciclo comprendido entre
Delacroix[8] y Rouault[9]—, mejor se ve. En este

[3] French painter (1837–1917).
[4] Palace in Rome where French art students stay.
[5] "But, my friend, produce masterpieces!"
[6] impresionistas school of late nineteenth century
painters that flourished in Europe, particularly France.
Their aim was to achieve ever greater naturalism by
exact analysis of tone and color and by trying to render
the play of light on the surface of objects.
[7] Edward Manet (1832–1883), French painter.
[8] Eugène Delacroix (1798–1863), French painter.
[9] Georges Rouault (1871–1958), French painter.

sentido, bien puede afirmarse que Goya es el padre de toda la pintura moderna.

Pero aun por modo más reducido y concreto, disminuyendo la extensión de la exigencia y aumentando su comprensión; aun ciñéndonos a España y al estilo que, estrictamente, cabe llamar goyesco, la fecundidad de Goya, su paternidad, puede mostrarse respecto de todo un grupo de artistas que recorre, aproximadamente, toda la extensión del Ochocientos y llega hasta nuestros contemporáneos. No ya en los Lucas,[1] Alenza[2] y otros mejor conocidos cada día, sino en muchos continuadores y epígonos más oscuros, las huellas de la zarpa de Goya permanecen con un suficiente relieve de modelado para que de escuela se pueda hablar. Para España y en lo inmediato como para el mundo y en lo remoto, Goya ha sido también un arquetipo.

Uno de los pocos aspectos de conmemoración no compartidos en el prospecto oficial que estos días se está delineando para celebración del Centenario, es justamente éste, que llevaría a reunir y estudiar en una exposición y en alguna monografía las obras de los continuadores inmediatos, de los discípulos y de los imitadores de Goya. Sin contar con sus falsificadores y, en general, con los autores de Goya apócrifos, capítulo interesantísimo también... Si la Sociedad de Amigos del Arte se atribuye esa tarea en la conmemoración, haría una buena obra.

FUENDETODOS OTRA VEZ

AHORA, con el alma ya barrida de algunas telarañas ideológicas, abandonemos más ingenuamente la emoción—«el premio de la mayor ciencia es siempre la mayor ingenuidad»—de esta humildad terrosa de Fuendetodos.

Entremos en la nativa casuca y en su cocina sin ventana. Sólo la alumbran las llamas del fuego encendido en el hogar. A las llamas se han echado unas hierbas, en su sequedad olorosa,

[1] Eugenio Lucas y Padilla (1824–1870), Spanish painter, imitator of Goya.
[2] Leonardo Alenza (1807–1845), Spanish painter.

que avivan el fuego y lo embalsaman. Parte de fuera, ¡hace tanto frío! En derredor, ¡andan sueltos o atados tantos problemas!

Nos sentamos en los bajos peldaños junto al fuego. Tendemos al fuego los pies, las palmas de las manos... Recibimos sin amenidad la voz que nos recuerda que hay muchos deberes que cumplir.

Nos hubiera sido dulce el dormir aquí, como nos ha sido dulce el descansar.

«GLOSAS» FRENTE A «ARTÍCULOS»

SOSPECHO en el artículo de un periódico una forma, en sí misma, bastante inepta a los fines concretos de la fecundidad ideal. Demasiado largo, demasiado diluído, en comparación con una «glosa»; demasiado breve, demasiado angosto en parangón con un «tratado», el artículo de periódico, en las dimensiones habituales, no tiene la virtud de la lente que deja pasar, sin intromisión opaca, el rayo de luz que cada entendimiento puede proyectar sobre una materia, ni la otra virtud del juego de espejos, que multiplica esta luz y la hace calor, hasta convertirse en potente artificio ustorio. Adecuada es la «glosa» a la evidencia inmediata de una intuición; propicio el «tratado» a la convincente explanación de una teoría: en el artículo, para la visión, sobra aparato; para la docencia, falta reposo.

No ha de ser demasiado difícil, a pesar de ello, que, entre unos «artículos» y unas «glosas», el diálogo se entable al modo que entre un diserto orador parlamentario y su impaciente interruptor. ¡Que la campanilla no intervenga en la coyuntura! Ya se verá que el ánimo trae aquí colaboración, y no pugna... Me ha parecido útil esta especie de *repaso* de temas que el rico y selecto contenido de la nueva obra me brinda. Recogeré así del enfrente con la opinión ajena —tanto más significativa para mí cuanto influída por las mismas tendencias colectivas del momento y trabajada por experiencias análogas—, vigor nuevo para mis opiniones, en el caso de acuerdo; en el caso de discordancia o contraste, más vigor ... Es el fruto habitual del diálogo; que no sirve tanto, generalmente, para convencer a quien escucha como a quien habla.

5   Aparte de que para el producto intelectual cotidiano, una *mise au point*,[1] de vez en vez, resulta utilísima tarea. Conviene mucho, en ciertos momentos, resumirse, ordenarse, articularse, volverse *el alejandrino de sí mismo*.[2] En espera, en
10   su caso, de aquel postrer capítulo de vida—cuyo espacio me quiera Dios otorgar—, con cierta calma para la confección de unas cuantas tablas sinópticas.

Juliano y San Pablo (1928)

LA NUEVA CRÍTICA DE ARTE

15   DONDE LA MORFOLOGÍA de la cultura habrá producido mayor renovación, ¿es en el terreno de la crítica de arte?

Me figuro que el gran paso que ésta ha venido a dar, y que separa su actual posición de la que
20   ocupó durante todo el siglo XIX, se ha dado bajo un impulso, en que entran, mitad por mitad, la « tectónica» y la «morfología de la cultura». Gracias a la primera, el problema del juicio sobre una obra determinada, sobre una
25   escuela o estilo, ha venido a situarse como estricta cuestión de estructura, como análisis de la distribución de un grupo de líneas, masas y volúmenes dentro de una extensión de espacio. Por obra de la segunda, han podido encontrarse
30   fórmulas generalísimas capaces de técnica y rigurosa aplicación a los dominios más separados y aparentemente más diversos de la producción espiritual.

Con todo ello, el sentido y la objetividad de la
35   crítica artística han llegado a cambiarse en tales términos, que alguna vez he podido decir que, progresos como los realizados por esta disciplina,

en el último cuarto de siglo, no se los podían apuntar, en sus respectivas cuentas de adelanto, ni el automóvil ni la cinematografía.   40

LA CRÍTICA OCHOCENTISTA

DURANTE TODO EL SIGLO XIX, la crítica de arte conservó un carácter permanente de subjetividad, por no decir de capricho. Acordémonos de las figuras principales dentro de aquélla. ¿No 45
serán, acaso, los mejor dotados, entre los críticos ochocentistas, un Fromentin,[3] un Baudelaire, un Burckhardt[4] ... ? No olvidemos las limitaciones de cada uno.

Fromentin, de tan rica sensibilidad y uno de 50
los pocos escritores de arte cuya lectura puede proporcionar tanto provecho y placer a los artistas como a los curiosos, no sigue, con todo, norma alguna que pueda considerarse como objetivamente válida; con decir que subordina la 55
mención y el examen de las obras a las exigencias de un itinerario turístico, hablando de aquéllas que se encuentran en su ruta de viajero, prescindiendo de las demás, ya se ha dicho bastante.   60

En cuanto a Baudelaire, por ventura mejor dotado todavía, sus admirables disposiciones encontrábanse en gran parte inutilizadas por la superstición de que no se curó jamás de la «belleza moderna»; por aquella su creencia en 65
una *novedad*, que su tiempo hubiese traído no sólo respecto del ideal estético, sino del mismo canon de la hermosura; como si el de la estatuaria griega o el de la pintura veneciana hubiese caducado ante las gracias de un 70
Gavarni[5] o los dandysmos de un Constantin Guys.[6]

Por su lado, Burckhardt presenta una inferioridad de otro género. Demasiado probo, metódico en exceso, la obligación de cicerone 75
que se imponía, si dió ancha plaza a su saber, la regateó a su pasión, a la magnífica pasión que le

---

[1] (*Fr.*) clarification.
[2] *volverse ... mismo* to become a self-commentator or maker of résumés and syntheses (in the fashion of Alexandrines).

[3] French painter and art critic (1820–1876).
[4] Swiss historian and archeologist (1818–1897), author of *The Renaissance in Italy*.
[5] French artist and caricaturist (1804–1866).
[6] French painter and caricaturist (1802–1892).

abrasaba y que hizo de él uno de los pocos seres dignos de la amistad de Federico Nietzsche. Forzado a indicarlo todo, a no prescindir de nada, poco lugar dejaba su tarea a la exposición de preferencias personales ...

Y éstos, repito, son los mejores. Nada digamos ya de un Taine[1] ni de tanto sociólogo metido a crítico en la época, y cuyos descubrimientos consistieron en relacionar el arte griego con el dentellado de las costas de la Península helénica o la pintura de los Países Bajos con el hecho de que, invierno y en Amberes[2] o Amsterdam, se esté mejor bajo techado que a la intemperie.

Desde luego, la crítica contemporánea nuestra aspira a mayor concreción y a precisiones más rigurosas.

EL VOCABULARIO DE LA NUEVA CRÍTICA

SIN EMBARGO, jamás el vocabulario empleado en este orden de investigaciones pareció tan libre y tan rico.

Es frecuente, incluso, que los lectores poco versados de algún trabajo en que se apliquen a la crítica de arte los métodos de la morfología de la cultura o el oyente de alguna lección orientada en este mismo sentido, experimenten cierta sorpresa al ver aplicado, por ejemplo, el término «emulsión», al caracterizar uno de los tipos de la técnica que emplea Rembrandt en sus efectos de claroscuro; o bien el término «puchero español», para precisar «tectónicamente» el orden de disposiciones estructurales que Goya emplea. En este caso, la primera sospecha a que la rutina induce las mentes es la sospecha de que se trata de una imagen o de una comparación.

Y no hay tal. Aquellas expresiones están aquí empleadas literalmente, en un sentido directo, propio. Tienen, esto sí, un valor generalísimo, entrando en la región del formalismo extremo. «Emulsión» no alude aquí a una sustancia física cualquiera, sino a un *estado*, el estado en que «un elemento flúido tiene en suspensión dentro de sí corpúsculos de otro elemento flúido, no

[1] French philosopher and critic (1828–1893).
[2] Antwerp, large city in Belgium.

disuelto en él». En cuanto a la propiedad de la expresión «puchero español» u «olla podrida», o bien «paella» u otra semejante, para fijar la tectónica goyesca, sólo se mide con exactitud cuando se tiene en cuenta que las particularidades de la cocina popular son también «instituciones de cultura», donde se revela el peculiar *estilo* de una época o de un país; productos de la espiritualidad colectiva, absolutamente equiparables a los que pertenecen al orden de la música, de la arquitectura o de la decoración. Y explicables, como éstos, por el común denominador de ciertas *formas esquemáticas*, de ciertas estructuras comunes.

NOTAS SOBRE LA NOVELA
—CONTINUIDAD Y DISCONTINUIDAD—

HAY UN ORDEN de novela (prescindamos ahora de si el título genérico puede serle aplicado con mayor o menor propiedad) en que el narrador no recoge y prosigue el hilo de una acción humana, no sorprende el acontecer o «devenir», en su propia y flúida corriente, tendida a través del tiempo; mas, como si captara esa corriente en una serie de vasos distintos y separados, agrupa un conjunto formado por la colección de momentos, en vez de recorrerlos al compás del propio fluir ... En otros términos: aquí el novelista, en realidad, no *narra*; pero ordena un cierto número de cuadros estáticos contemplados con estática complacencia, pero no sorprendidos en su dinámica sucesión. Hay aquí una especie de reproducción, adaptada, de la técnica del pintor o dibujante, lo más lejos posible de la del músico. Esa técnica realízase, entera, en el espacio, con un mínimo de inscripción en el tiempo. Su norma suprema, lejos de ser la continuidad—que no da saltos—, es la discontinuidad, a caballo, a cada momento, sobre el vacío.

Por estos huecos pasan los cables de la inteligencia. Las novelas formadas por una colección de cuadros estáticos son—deben ser—, si no siempre novelas intelectuales, por lo menos, novelas inteligentes.

Esto quiere decir, además, que nada tienen que ver con la moda de la novela rusa.

UN PROSPECTO HIPOTÉTICO

HE IMAGINADO QUE, también con independencia de la novela rusa y hasta con hostilidad hacia ella, una serie de narraciones se anunciaba con
5 estas ofertas en el prospecto:

«El autor de los relatos que se publicarán dentro de esta serie adquiere formal compromiso de no introducir en ellos ningún personaje que sea loco, epiléptico o idiota.»

10 «Todos, al contrario, serán inteligentes y, en su mayor parte, bastante guapos.»

«Lo que hagan, todos sabrán por qué lo hacen; hasta donde es dable a la débil mente humana saber.»

15 «Si tropiezan con el Destino, sabrán, de todos modos, que una cosa es el Destino, y ellos, otra. De donde, justamente, el tropezar.»

«De donde, de más a más—digámoslo en son de paz; pero si fuese necesario, lo sostendríamos
20 en reto de guerra—, el interés.»

«. . . No acumulemos rasgos. Abreviemos la calificación, presentándola en todo su radicalismo. Digamos, de una vez, que en estas narraciones, como en las estatuas griegas canónicas,
25 las figuras humanas tendrán siete cabezas.»

«Si alguna escapa a la normativa proporción, será, precisamente, por la mucha estatura o por llevar coturno . . .»

¿Habrá llegado ya la hora óptima para lanzar,
30 en el mercado literario del mundo, un prospecto así? ¿O será preferible todavía aguardar un rato?

«PERDER EL PUNTO»

HAY LECTORES QUE, al interrumpirse en la lectura
35 de un libro, pierden con dificultad lo que, escolarmente, se llama «el punto». Y aun después de lapsos de semanas o meses, pueden situarse en seguida, al volver a abrir aquél, en la página y línea en que lo dejaron.

40 Uno de esos lectores me confesaba, en cierta ocasión, que sólo dos casos de imposible orientación conocía; dos casos en que el mismo efecto es producido por la razón contraria. Referíase al *Quijote* y a las novelas de Marcel Proust. En estas últimas, por falta de organización, por blando
45 amorfismo, que no deja a la memoria fincarse en una imagen localizada. En Cervantes, al revés, por una organización del relato tan simétrica —tantos capítulos sucesivos, cada uno con su aventura, tan paralelamente dispuestos en su
50 ritmo regular de presentación, ilusión, acometida, crisis, catástrofe, escarmiento—, que ya se trata, en el caso de una vertebración, en disposición vertical y eslabones numéricamente indiscernibles.
55

Si a esto se añade que las aventuras quijotescas son tan famosas que, hasta al niño que lee el texto por primera vez, le proporcionan la sensación de «lo ya leído», la dificultad de orientarse, excepcional para el lector a que me
60 refiero, queda explicada.

Por el instante, no saco de esta observación consecuencia alguna. La inscribo en una ficha, y espero.

DEL DESENLACE
65

TODA NOVELA es conducida por el autor a un desenlace, el cual, a menudo, es, por cierto, un enlace, un «efectuado enlace» . . . Pero en la vida no hay desenlaces. Asoma aquí, de nuevo, la cuestión de la continuidad.
70

Aun los de carácter más dinámico y *musical* entre los autores de novelas; aun quienes alcanzan a conducir su acción a través de episodios más recíprocamente fundidos y por vías menos abruptas, han de *dar un salto*, cuando el
75 final. Han de dar el salto que media entre el escribir y el callarse.

Los otros, los que bautizan de novela una colección o galería de cuadros, son, en su técnica, más lógicos. *Finitos en la extensión*
80 —para decirlo en el lenguaje de la cosmología—, muéstranse también *finitos en la composición*. Mientras que los verdaderamente narrativos, con no poder prescindir del límite en la primera, pretenden eliminarlo de la segunda.
85

No; la vida no conoce desenlaces. Toda solución en ella es, a su vez, un problema. Y toda satisfacción, un deseo.

Apreciemos cuanto en ella introduce la inteligibilidad al introducir la discontinuidad. El sueño, a horas regulares; las vacaciones, los domingos, el reloj y el calendario.

5 ¡Belleza de las vidas que conocen una división en capítulos, con nueva foliación a la cabeza de cada capítulo! Belleza, sobre todo, de aquéllas que tienen un índice al final.

Belleza soberana de aquellas en que jamás «se 10 ha perdido el punto».

IDEAS, SENSACIONES, SENTIMIENTOS

MUY CARACTERÍSTICO, en la literatura reciente, el cambio experimentado por la novela en lo que respecta a las regiones de nuestra espiritualidad 15 que predilectamente capta y pone en juego. Se advierte que las novelas de nuevo estilo contienen más y mejores ideas que lo habitual otrora en la producción literaria de este género. Y que también contienen más y mejores sensaciones. 20 Al cultivar los extremos así, lo que estas novelas suelen dejar vacío es la región intermedia: la del sentimiento.

En punto al manejo de los elementos sensuales, confesemos que, al lado de lo que 25 escriben los novelistas de hoy, parnasianos y coloristas de ayer parecen encontrarse en mantillas. ¡Qué diferencia entre lo logrado, en sus momentos más felices, por los Goncourt,[1] verbigracia, tras del fatigoso afanar de su «estilo 30 artista» y aquello a que hoy alcanza fácilmente, divirtiéndose, cualquier Morand[2] . . .! El resultado de la comparación crece en elocuencia cuando revisamos no ya a los mismos Goncourt, sino a algún autor de los que continúan escri-35 biendo así, con resuellos preciosos, como el mismo D'Annunzio o Gabriel Miró en España.

En el otro cabo, en la región de lo ideológico, tres cuartos de lo mismo. Ayer, aun los mejores, un Zola, un Tolstoi, chapoteaban penosamente, 40 así que salían de la referencia a las pasiones, para entrar en la especulación de las teorías. Hoy

sería difícil encontrar, en el mismo reducto de los filósofos, dialéctica que superase en coherencia y sutilidad (hablo de las puestas en juego en cada momento, no de la calidad de «con-45 secuencia» entre dos momentos biográficos sucesivos) a las de un Meredith,[3] un André Gide[4] o un Montherlant.[5]

En cambio, ya decimos que el campo del sentimiento es el que suele, en estas narraciones, 50 quedar baldío. Por buen gusto, por reserva de pudor, por sequedad, por esterilidad, por lo que sea.

¿Quién hace la historia? (1929)

LA CULTURA DEL XX

IMAGINEMOS A un bacteriólogo de hace medio 55 siglo: Pasteur[6] o el más oscuro de los adeptos de la entonces reciente teoría microbiana, lo mismo da. Imaginemos que en aquellos días alguien le consulta acerca del inmediato porvenir de la higiene . . . Aunque la posición de la pregunta se 60 refiera a un orden exclusivamente práctico, y aunque se dé por entendido que igual carácter había de conservar la contestación, ¿cómo evitar que a la misma trasciendan las preocupaciones y las convicciones teóricas del invitado? ¿Cómo 65 evitar que éste responda, antes que otra cosa alguna: «Señores, el inmediato porvenir de la higiene, su rumbo, sus soluciones, sus conceptos encuéntranse muy estrechamente ligados a ciertas investigaciones con que hoy mis maestros, 70 mis amigos y yo andamos a vueltas en el recogimiento de nuestros laboratorios; investigaciones que se han divulgado escasamente aún, pero a las que no puedo prescindir de aludir, ya que no referir, en un vaticinio sobre las tareas in-75 dividuales y sociales que la defensa de la salud va a imponer mañana mismo a las gentes. Una de las más importantes va a ser, por ejemplo, la

[1] Los Goncourt: Edmond (1822–1896) and his brother Jules (1830–1870), French novelists and collaborators.
[2] Paul Morand (1888), French novelist.

[3] George Meredith (1828–1909), English novelist.
[4] Gide (1869–1951) French novelist.
[5] Henri de Montherlant (1896), French novelist and dramatist.
[6] Louis Pasteur (1822–1895), French scientist.

preservación de los contagios; pero nadie entenderá ahora lo que contagio significa si no empiezo por declarar lo que hoy sabemos unos cuantos relativamente a la germinación y a la infección . . .»

Análogas dificultad y exigencia salen al paso del filósofo de la cultura consultado acerca del carácter de ésta y de su orientación en el siglo XX. Nuestras reflexiones doctrinales sobre la misma; nuestro ahincamiento habitual, casi profesional, en los principios a que este ahincamiento nos ha permitido llegar informarán, por fuerza, el dictamen que demos con referencia al presente o al futuro de las instituciones culturales de la humanidad y a las formas que ellas revistan o vayan a revestir. Nos será imposible, en otros términos—aunque pretendamos ceñirnos a lo descriptivo e histórico—, hacer la historia natural de la Cultura sin decir algo de lo que creemos tener ya sabido en biología de la Cultura.

Nuestra previsión—entre otras—de que la Cultura toma y ha de tomar concreciones progresivamente unitarias sólo adquiere auténtico sentido cuando hemos declarado que aquélla —en sí misma y por definición—ya es unidad.

UNA CIENCIA DE LA CULTURA

LO MÁS IMPORTANTE que dentro de este capítulo se ha producido en los últimos años es el hecho mismo de que tales cuestiones puedan ser hoy tratadas científica y objetivamente en estudios metódicos y precisos—no como antes, según genialidades de intuición o veleidades de deseo—, y en lenguaje técnico y apropiado. Actualmente, la Cultura, el estado de Cultura se puede perfectamente definir, con definición que será objetable como tantas otras de que el saber echa mano, pero que reúne todas las condiciones lógicas y metodológicas requeridas. Actualmente cabe articular una teoría bastante completa de la Cultura en principios rigurosos, susceptibles de afinamiento, desarrollo y rectificación, como lo son también los de la física y aun los de la matemática, sin que tal posibilidad de contradicción

y de adelanto rebaje su categoría ni debilite ante el espíritu verdaderamente filosófico su verdad. Actualmente se puede afirmar sin exageración que en esta nueva sección del saber nuestro conocimiento se encuentra positivamente más avanzado que en otras disciplinas, la estética o la moral; verbigracia: la doctrina relativa a otros valores humanos, la Belleza o el Bien . . .

Algo de que, desde luego, no podemos ya dudar es de la autonomía del valor de la cultura. Como la Belleza, como el Bien—indiferente de la Belleza y el Bien—, la Cultura constituye, a los ojos del pensamiento contemporáneo, un saber que si por un lado puede imponer ciertas normas, por otro lado puede examinarse y elaborarse teóricamente, según ciertos principios. Esa independencia del valor cultural en relación con los valores éticos y estéticos resulta tan manifiesta, que no sólo puede prescindir de los otros valores elaborados por la humanidad más de antiguo, sino contrariarlos y levantarse contra ellos en rebeldía. Una sociedad, un pueblo puede para sí mismo desear la Cultura o bien alabarse de poseerla, aun creyendo que esto lo aparta de una bondad primitiva o teniendo la convicción de que las manifestaciones artísticas tocadas de la inquietud cultural no compensarán estéticamente a los productos espontáneos de un arte inmemorial y popular, candoroso e ingenuo. Puede este pueblo—lo vemos cada día—preferir la generalización del sombrero hongo y del traje de confección a las prendas pintorescas tradicionales, y la implantación de danzas modernas equívocas, en reemplazo a otras antiguas y populares, aromadas de honestidad . . . Entiéndase que nosotros no discutimos, al decir esto, si el tal pueblo, con manifestar esas preferencias, lleva o no razón; lo que sí afirmamos es que en la coyuntura muestra aquél por lo claro conocer una categoría y un valor totalmente distintos de los de hermosura y de bondad.

Ni se crea tampoco que la dirección, en lo del independiente preferir, sea siempre la misma. Habrá quien, al contrario, valore más lo antiguo que lo nuevo: la casaca más que el *pull-over*, la romería más que el *dancing*. Pero que lo valore también, no en función de más lindo aspecto ni de más cordiales costumbres, sino—cabal y exclusivamente—por mérito de tradicionalidad.

Es decir, por un mérito que también depende de la categoría de cultura.

LA CULTURA COMO PROGRESO
Y LA CULTURA COMO CICLO

¿QUIÉN NO RECONOCERÁ, sin embargo, que, en la especie de tanteo con que ha procedido la humanidad antes del hallazgo de la definición doctrinal de la Cultura, el valor de ésta ha sido interpretado, en la mayor parte de las ocasiones y según el sentir más general, como un valor de progreso? «Progreso» y «Cultura» vinieron a ser palabras casi sinónimas en el vocabulario democrático más difundido a lo largo del siglo XIX. «Pueblo cultural» quería así decir «pueblo progresista». La instalación del teléfono en un villorrio o la sustitución del alumbrado de petróleo por el alumbrado de gas han sido tomados como actos y síntomas de cultura. Sólo ciertos espíritus de corte refinado y quizá extravagante; sólo—a las postrimerías de la centuria—ciertos grupos de reacción política o estética atreviéronse a adoptar en este asunto una posición no conformista, negando o dudando que los descubrimientos y cambios de orden técnico representasen necesariamente, ante la valoración espiritual, un verdadero precio. Semejante disconformidad fué siempre calificada, por otra parte, de actitud pesimista. Ha costado mucho elevarse a una concepción ante la cual, el progreso por un lado, la reacción por otro, llegasen a ser considerados como dos direcciones de un mismo valor.

Más fulminante—más grave, desde luego—ha sido, para la interpretación de la Cultura como progreso, la aparición de ciertos puntos de vista teóricos, que, al partir de la tesis de la pluralidad de culturas, han venido a dar el progreso como una cosa vana, puesto que, en este caso, lo que en realidad produce el avance es un acercamiento de las culturas a la decadencia y a la muerte. Algunas, entre estas doctrinas la de

Spengler,[1] por ejemplo, se han visto lo suficientemente divulgadas entre nuestro público para que tengamos que recordar su detalle aquí. Su detalle, además, nos importa ahora menos que su escándalo. Lo que nosotros recogemos de este episodio es su sentido de tanteo, de balbuceo en la rebusca, por la conciencia universal, de una satisfactoria definición de la Cultura.

La Cultura, para el hombre del siglo XIX, fué indefinida evolución. Para el de principios del XX ha estado a punto de ser ciclo cerrado... ¿Qué vendrá a ser, superados ya estos dos puntos de vista, para el hombre de mañana? ¿Qué interpretación le daremos de la Cultura al hombre de mediados del siglo XX para que él, con su esfuerzo, la incorpore y la haga florecer en su vida?

LA CULTURA COMO UNIDAD

DESEMBARAZADAS las mentes de la superstición de la Cultura como un fluir—teoría del progreso—y de la Cultura como un ciclo—teoría de la pluralidad de culturas—, ¿qué solución le queda encontrar para la constitución de una doctrina auténticamente filosófica sobre los hechos culturales? Un día, el pensamiento griego alcanzó a distinguir la varia y diversa opinión, cambiante según los hombres y referente a los fenómenos del saber absoluto; éste fué el principio de la Ciencia en la humanidad. Otro día, los huertos y los caminos polvorientos de Galilea oyeron la palabra de un Redentor dulce, que predicaba no haber ya judíos ni gentiles, sino un Padre común para todos y una fraterna comunidad entre todos; entonces, por encima de los cultos locales, amaneció la Religión verdadera... Pues, de igual modo, para aquel valor nuevo ha de sonar un día—está sonando probablemente ahora mismo—la hora de la unidad: la hora en que, reducidas a relatividad las tradiciones nacionales o raciales, cuya multiplicidad constituye la Historia, se descubra la esencia de una superior tradición unitaria, ante la cual, cualquier posición o conato de

[1] Oswald Spengler (1880–1936), German philosopher.

autonomía o divergencia se defina no como «carácter», sino como rebeldía; no como «originalidad», sino como error.

Siempre—repitiendo nuestro juego normal de símbolos—la superación de Babel por Roma. Contra la Babel de las opiniones, la Roma de la razón. Contra la Babel de las varias creencias, la Roma del catolicismo. Contra la Babel de las naciones, la Roma de la Cultura . . . (Dejando aparte por el momento la cuestión de si estas tres Romas no se funden en unidad a su vez.)

VINDICACIÓN DE LA «PROVINCIA»

HAY UNA PALABRA—con su concepto; mejor dicho, con su idea—que, en relación con la tabla de valores por cuya institución e imposición trabajamos, importa vindicar: la palabra, el concepto, la idea de «Provincia» . . . Para el romántico del siglo XIX, ser «nación» ha significado siempre en sí mismo una buena cosa; ser «provincia», una mala cosa. Pero ya en nuestro mundo espiritual empieza a dibujarse, entre los mejores, una inversión de precios. Ya alcanzamos a sentir y poco a poco a conocer el por qué y el cómo, en los días del Imperio romano, la situación moral de un cordobés o de un tarraconense, por ejemplo, hijos de provincia, era preferible, aun desde el punto de vista de la pura dignidad—sobre todo desde el punto de vista de la dignidad—, a la del bárbaro germano o el éuscaro esquivo, miembros de una suelta nación.

La situación de «provincia» cuando una sensibilidad fina y trabajada la interpreta, incluye cooperación, participación en una superior comunidad, función de servicio . . . Ahora bien: si la servidumbre representa infamia, sólo en el servicio halla el hombre verdaderamente libre la redención. Por algo se dice que el trabajo es nobleza. Porque aquél que trabaja, sirve. Para suelto y desvinculado, el niño; el niño, que no tiene responsabilidad. La edad viril, en cambio, trae las responsabilidades; es decir, las ataduras. Vístese el pequeñuelo de cualquier fantástica y pintoresca guisa: vístese con faldas o a lo

Tudor,[1] o de escocés, o de marinerito, ¿qué importa? Pero toda toga viril tiene algo de uniforme. Y la entrada en el mundo de la virilidad es la entrada en la disciplina de la uniformidad.

Un Tirol[2] independiente, pongamos por caso—para no citar más que autonomías hipotéticas—, se me antoja algo así como un niño vestido de marinero. Metido en un imperio y elevado a condición de provincia, este mismo Tirol sirve, cumple, en cambio, un servicio, ha entrado en milicia, jurando la bandera común. Pero ni siquiera este imperio grande—seguimos en lo hipotético—hallará justificación en sí propio. No será un «fin en sí», sino «algo para algo», algo cuya existencia debe justificarse, algo que debe servir. Como el Tirol le sirve a él; como el Tirol es su «provincia», él, a su vez, servirá a la ecuménica Roma, jurará la bandera de la Cultura universal. No hay más que lo uno que puede ser lo más alto. Y no hay más que lo más alto que valga la pena de vivir.

A la unidad aspira siempre el corazón noble, e irríquito está, mientras en la unidad no reposa. Aquí hay un banquete, y yo no quiero ser excluído del banquete. Quiero estar en la mesa de los mejores, con los mejores; no a la puerta, aunque en la puerta me regalen con los más delicados manjares. Quiero estar en la mesa, con los grandes hombres, con los del pasado como con los del presente; partirme el pan y la sal con el César, y con César oír en el Universal, eterno Simposio, la palabra de Sócrates—la que Sócrates me dice a mí—, y la historieta de Ben Jonson,[3] y el chiste de Voltaire.[4] Y tener derecho al canto de la Malibrán,[5] y a la mirada y a los hombros de nácar de Diana de Poitiers.[6] Y a colgar en mi museo una apoteosis pictórica del Veronés[7] o una minucia sabrosa de Van-

---

[1] Family of English monarchs who held the throne from 1485 to 1603.
[2] Alpine region, part in Switzerland, part in Austria, part in Italy.
[3] English dramatist and poet (1573 ?–1637).
[4] Great French writer (1694–1778).
[5] Singer of Spanish origin, born in Paris (1808–1836).
[6] Diane de Poitiers (1499–1566), the favorite of King Henry II of France.
[7] Paolo Veronese (c. 1528–1588), Italian painter.

Ostade[1] ... Pero ¡si, a su modo, cada pueblo que cuelga en su Museo un Veronés o un Van-Ostade, ya entra—si nos fijamos bien—en la condición de «provincia»! Ya entra en las filas del Buen Servicio; ya jura la bandera de la Cultura, la bandera universal ... Para sueltos, para autónomos, para nacionales, estos pueblos que no tienen Van-Ostades ni Veroneses, sino, en sus museítos tristes, colecciones aburridísimas de paisajitos de la localidad y de cuadritos de artistoides de la localidad ...

¡Un Veronés para mi museo! ¡Un monumento a Homero o a Gutenberg[2] en mi plaza! ¡Una revista extranjera en mi mesa de trabajo! ... ¡Provincia, provincia! Firmes y armas al hombro en las milicias de la Cultura. Y a mucha honra.

LA REPÚBLICA SUPERIOR

VOLVAMOS A LO TEÓRICO. Todo el problema de la Cultura queda iluminado cuando ésta es presentada como unidad, cooperación, sociedad, milicia. Como una suerte de república superior, eterna y universal.

Todos los pueblos, todos los hombres pueden formar parte, provincianamente, de esta república. No todos lo hacen. No todos lo han hecho. Ni siquiera todos los que lo han hecho tienen conciencia de lo que ello significa en nobleza y en responsabilidad.

---

[1] Flemish painter (1610–1684).
[2] German inventor of printing (1400?–1468?).

JOSÉ ORTEGA Y GASSET

1883–1955

*Los ortodoxos de no sé qué grotesca beatería filosófica le niegan, como a
Unamuno, el derecho a llamarse filósofo. Ladran, luego cabalga. El pecado
capital que le reprochan es la claridad. Sus libros, ensayos, artículos,
memorias . . . están escritos en prosa donde se dan de alta las gracias de la
retórica. ¿Y por qué no? Si la retórica es el arte de convencer, su empleo
es inevitable, y lo que importa es la calidad, valorable en términos de
eficacia, de poder suasorio, de aptitud para exponer en forma convincente
temas intrincados. Ortega pensó que ni el más arduo podría resistir el
asedio de la imaginación razonadora, de la razón y la imaginación
asociadas para dilucidar los enigmas (si enigmas había), poniendo al
servicio del empeño mirada lúcida, rigor intelectual y lenguaje expresivo y
sencillo. En España, como él dijo, «para persuadir es menester antes
seducir».*

*Quiso que los españoles, individual y colectivamente, fueran fieles a su
destino, inventándolo, y para eso era preciso descubrir primero el sentido
genuino de la vida (del quehacer de cada uno), cuál era la trayectoria
necesaria de esa vida según el momento y la situación en que se desarrolla.
Yo—dijo—soy yo y mi circunstancia. Vivimos inmersos en una
circunstancia y ella señala, impone la dirección de nuestro esfuerzo, el
perfil de nuestra existencia. Es inútil rebelarse contra esa ley y la esterilidad
es el castigo impuesto a quien trata de esquivarla. Por el contrario,
ajustando la conducta a la situación será posible actuar sobre ésta y
moldearla según el designio.*

*Ortega sintió como imperativo patriótico el deseo de actuar en política,
pues dada la situación de España en su tiempo le pareció inexcusable tratar
de reformar lo que con urgencia debía ser reformado; creyó, con exceso de
optimismo, que el intelectual sería escuchado por los políticos profesionales,
al menos por los accesibles al razonamiento, pero se equivocó. Dirigió la
Revista de Occidente (1923–1936), sin duda la publicación periódica más
prestigiosa que nunca tuvo España; para ensanchar el horizonte mental de
sus compatriotas hizo traducir y publicar libros capitales de la época; fué
profesor de Metafísica en la Universidad de Madrid hasta el comienzo de
la guerra civil y, durante veinte o veinticinco años, guía indiscutible de los
jóvenes españoles, el mejor escuchado y más respetado por ellos.*

*Su filosofía parte de la creencia en que la vida humana es la realidad
radical, insobornable, inesquivable. La razón pura deberá ceder el paso a
la integradora «razón vital»; no al puro vitalismo, sino al raciovitalismo.
Rechaza el racionalismo por su abuso desconsiderado de la razón, y el
irracionalismo, porque la niega. La razón surge de la vida y sirve para
entenderla. Provisto de tan insustituible instrumento, el hombre puede*

*actuar sobre la vida e iluminarla, considerándola tema central de la
filosofía, de una filosofía que, por lo tanto, será ante todo filosofía de la
vida.*

   *En el sistema orteguiano la vida humana no es una cosa; es algo que
acontece, nos acontece; algo que se está haciendo continuamente dentro de
un mundo, de un sistema de relaciones. Es un ser que se origina en el
existir, pues somos lo que hacemos, ni más ni menos. El conjunto de nuestros
actos nos define y nos constituye. Y si el hombre vive en y con su
circunstancia, vivir será entablar diálogo con cuanto nos rodea, tener en
cuenta a los otros y ajustar la conducta a las posibilidades brindadas por
nuestras aptitudes personales en relación con el proyecto vital al que nos
sentimos destinados. A cada instante decidimos qué debemos hacer, cómo
debemos o queremos vivir, pues cada situación implica posibilidad de elegir
y, en consecuencia, necesidad de optar. Ortega tenía el talento de presentar
dramáticamente los problemas. Le servían para ello imaginación y estilo:
la exposición metafórica, las imágenes expresivas y a veces barrocas, el
patetismo en la narración, la aptitud para reducir su pensamiento a
sintéticas y agresivas fórmulas: «la deshumanización del arte», «la
rebelión de las masas», «la barbarie del especialismo», «el señorito
satisfecho», «España invertebrada», «la gran bestia: el Estado». Una
metáfora-clave le sirve para exponer sus ideas con eficacia y brillantez.
En sus obras, como en la novela tradicional, hay un héroe y un villano. Se
comprende cómo, si no siempre logró convencer al reacio lector hispánico,
rara vez dejó de seducirle con su reverberante magia verbal, con su
consumada destreza de escritor.*

La rebelión de la masas (1929)

COMIENZA LA DISECCIÓN
DEL HOMBRE-MASA

¿CÓMO ES ESTE hombre-masa que domina hoy la
vida pública—la vida política y la no política—?
5 ¿Por qué es como es, quiero decir, cómo se ha
producido?

   Conviene responder conjuntamente a ambas
cuestiones, porque se prestan mutuo esclarecimiento. El hombre que ahora intenta ponerse al
10 frente de la existencia europea es muy distinto
del que dirigió al siglo XIX, pero fué producido
y preparado en el siglo XIX. Cualquiera mente
perspicaz de 1820, de 1850, de 1880, pudo, por
un sencillo razonamiento *a priori*, prever la
15 gravedad de la situación histórica actual. Y, en
efecto, nada nuevo acontece que no haya sido
previsto cien años hace. «¡Las masas avanzan!»,

decía, apocalíptico, Hegel.[1] «Sin un nuevo poder
espiritual, nuestra época, que es una época revolucionaria, producirá una catástrofe», anun-   20
ciaba Augusto Comte.[2] «¡Veo subir la pleamar
del nihilismo!», gritaba desde un risco de la
Engadina[3] el mostachudo Nietzsche. Es falso
decir que la historia no es previsible. Innumerables veces ha sido profetizada. Si el porvenir no   25
ofreciese un flanco a la profecía no podría tampoco comprendérsele cuando luego se cumple y
se hace pasado. La idea de que el historiador es
un profeta del revés resume toda la filosofía de la
historia. Ciertamente que sólo cabe anticipar la   30
estructura general del futuro; por eso mismo es

[1] German philosopher (1770–1831).
[2] French philosopher (1798–1857).
[3] Mountain in Swiss Alps.

lo único que, en verdad, comprendemos del pretérito o del presente. Por eso, si quiere usted ver bien su época, mírela usted desde lejos. ¿A qué distancia? Muy sencillo: a la distancia justa que le impida ver la nariz de Cleopatra.

¿Qué aspecto ofrece la vida de ese hombre multitudinario, que con progresiva abundancia va engendrando el siglo XIX? Por lo pronto, un aspecto de omnímoda facilidad material. Nunca ha podido el hombre medio resolver con tanta holgura su problema económico. Mientras en proporción menguaban las grandes fortunas y se hacía más dura la existencia del obrero industrial, el hombre medio de cualquiera clase social encontraba cada día más franco su horizonte económico. Cada día agregaba un nuevo lujo al repertorio de su *standard* vital. Cada día su posición era más segura y más independiente del arbitrio ajeno. Lo que antes se hubiera considerado como un beneficio de la suerte que inspiraba humilde gratitud hacia el destino, se convirtió en un derecho que no se agradece, sino que se exige.

Desde 1900 comienza también el obrero a ampliar y asegurar su vida. Sin embargo, tiene que luchar para conseguirlo. No se encuentra, como el hombre medio, con un bienestar puesto ante él solícitamente por una sociedad y un Estado que son un portento de organización.

A esta facilidad y seguridad económicas añádanse las físicas: el *confort* y el orden público. La vida va sobre cómodos carriles, y no hay verosimilitud de que intervenga en ella nada violento y peligroso.

Situación de tal modo abierta y franca tenía por fuerza que decantar en el estrato más profundo de esas almas medias una impresión vital, que podía expresarse con el giro, tan gracioso y agudo, de nuestro viejo pueblo: «ancha es Castilla». Es decir, que en todos esos órdenes elementales y decisivos la vida se presentó al hombre nuevo *exenta de impedimentos*. La comprensión de este hecho y su importancia surgen automáticamente cuando se recuerda que esa franquía vital faltó por completo a los hombres vulgares del pasado. Fué, al contrario, para ellos la vida un destino premioso—en lo económico y en lo físico—. Sintieron el vivir *a nativitate*[1] como un cúmulo de impedimentos que era forzoso soportar, sin que cupiera otra solución que adaptarse a ellos, alojarse en la angostura que dejaban.

Pero es aún más clara la contraposición de situaciones si de lo material pasamos a lo civil y moral. El hombre medio, desde la segunda mitad del siglo XIX, no halla ante sí barreras sociales ningunas. Es decir, tampoco en las formas de la vida pública se encuentra al nacer con trabas y limitaciones. Nada le obliga a contener su vida. También aquí «ancha es Castilla». No existen los «estados» ni las «castas». No hay nadie civilmente privilegiado. El hombre medio aprende que todos los hombres son legalmente iguales.

Jamás en toda la historia había sido puesto el hombre en una circunstancia o contorno vital que se pareciera ni de lejos al que esas condiciones determinan. Se trata, en efecto, de una innovación radical en el destino humano, que es implantada por el siglo XIX. Se crea un nuevo escenario para la existencia del hombre, nuevo en lo físico y en lo social. Tres principios han hecho posible ese nuevo mundo: la democracia liberal, la experimentación científica y el industrialismo. Los dos últimos pueden resumirse en uno: la técnica. Ninguno de esos principios fué inventado por el siglo XIX, sino que proceden de las dos centurias anteriores. El honor del siglo XIX no estriba en su invención, sino en su implantación. Nadie desconoce esto. Pero no basta con el reconocimiento abstracto, sino que es preciso hacerse cargo de sus inexorables consecuencias.

El siglo XIX fué esencialmente revolucionario. Lo que tuvo de tal no ha de buscarse en el espectáculo de sus barricadas, que, sin más, no constituyen una revolución, sino en que colocó al hombre medio—a la gran masa social—en condiciones de vida radicalmente opuestas a las que siempre le habían rodeado. Volvió del revés la existencia pública. La revolución no es la sublevación contra el orden preexistente, sino la implantación de un nuevo orden que tergiversa el tradicional. Por eso no hay exageración ninguna

[1] (*Lat.*) from birth.

en decir que el hombre engendrado por el siglo
XIX es, para los efectos de la vida pública, un
hombre aparte de todos los demás hombres. El
del siglo XVIII se diferencia, claro está, del
5 dominante en el XVII, y éste del que caracteriza
al XVI, pero todos ellos resultan parientes,
similares y aun idénticos en lo esencial si se confronta con ellos este hombre nuevo. Para el
«vulgo» de todas las épocas, «vida» había signi-
10 ficado, ante todo, limitación, obligación, dependencia; en una palabra, presión. Si se quiere
dígase opresión, con tal que no se entienda por
ésta sólo la jurídica y social, olvidando la cósmica.
Porque esta última es la que no ha faltado nunca
15 hasta hace cien años, fecha en que comienza la
expansión de la técnica científica—física y administrativa—, prácticamente ilimitada. Antes,
aun para el rico y poderoso, el mundo era un
ámbito de pobreza, dificultad y peligro.*
20 El mundo que desde el nacimiento rodea al
hombre nuevo no le mueve a limitarse en ningún sentido, no le presenta veto ni contención
alguna, sino que, al contrario, hostiga sus apetitos, que, en principio, pueden crecer indefinida-
25 mente. Pues acontece—y esto es muy
importante—que ese mundo del siglo XIX y
comienzos del XX no sólo tiene las perfecciones
y amplitudes que de hecho posee, sino que además sugiere a sus habitantes una seguridad
30 radical en que mañana será aún más rico, más
perfecto y más amplio, como si gozase de un
espontáneo e inagotable crecimiento. Todavía
hoy, a pesar de algunos signos que inician una
pequeña brecha en esa fe rotunda, todavía hoy
35 muy pocos hombres dudan de que los automóviles serán dentro de cinco años más confor-
tables y más baratos que los del día. Se cree en
esto lo mismo que en la próxima salida del sol.
El símil es formal. Porque, en efecto, el hombre

* Por muy rico que un individuo fuese en relación
con los demás, como la totalidad del mundo era pobre, la
esfera de facilidades y comodidades que su riqueza podía
proporcionarle era muy reducida. La vida del hombre
medio es hoy más fácil, cómoda y segura que la del más
poderoso en otro tiempo. ¿Qué le importa no ser más
rico que otros, si el mundo lo es y le proporciona
magníficos caminos, ferrocarriles, telégrafo, hoteles,
seguridad corporal y aspirina?

vulgar, al encontrarse con ese mundo técnica y 40
socialmente tan perfecto, cree que lo ha producí-
do la Naturaleza, y no piensa nunca en los
esfuerzos geniales de individuos excelentes que
supone su creación. Menos todavía admitirá la
idea de que todas estas facilidades siguen 45
apoyándose en ciertas difíciles virtudes de los
hombres, el menor fallo de los cuales volatili-
zaría rapidísimamente la magnífica construcción.
Esto nos lleva a apuntar en el diagrama psicológico del hombre-masa actual dos primeros 50
rasgos: la libre expansión de sus deseos vitales,
por tanto, de su persona, y la radical ingratitud
hacia cuanto ha hecho posible la facilidad de su
existencia. Uno y otro rasgo componen la conocida psicología del niño mimado. Y, en efecto, 55
no erraría quien utilice ésta como una cuadrícula[1] para mirar a su través el alma de las masas
actuales. Heredero de un pasado larguísimo y
genial—genial de inspiraciones y de esfuerzos—,
el nuevo vulgo ha sido mimado por el mundo en 60
torno. Mimar no es limitar los deseos, dar la impresión a un ser de que todo le está permitido y
a nada está obligado. La criatura sometida a este
régimen no tiene la experiencia de sus propios
confines. A fuerza de evitarle toda presión en 65
derredor, todo choque con otros seres, llega a
creer efectivamente que sólo él existe, y se
acostumbra a no contar con los demás, sobre todo a no contar con nadie como superior a él.
Esta sensación de la superioridad ajena sólo 70
podía proporcionársela quien, más fuerte que él,
le hubiese obligado a renunciar a un deseo, a reducirse, a contenerse. Así habría aprendido esta
esencial disciplina: «Ahí concluyo yo y empieza
otro que puede más que yo. En el mundo, por lo 75
visto, hay dos: yo y otro superior a mí.» Al
hombre medio de otras épocas le enseñaba cotidianamente su mundo esta elemental sabiduría,
porque era un mundo tan toscamente organizado, que las catástrofes eran frecuentes y no 80
había en él nada seguro, abundante ni estable.
Pero las nuevas masas se encuentran con un
paisaje lleno de posibilidades y además seguro, y
todo ello presto, a su disposición, sin depender

[1] *cuadrícula* squares (as on a squared paper).

de su previo esfuerzo, como hallamos el sol en lo alto sin que nosotros lo hayamos subido al hombro. Ningún ser humano agradece a otro el aire que respira, porque el aire no ha sido fabricado por nadie: pertenece al conjunto de lo que «está ahí», de lo que decimos «es natural», porque no falta. Estas masas mimadas son lo bastante poco inteligentes para creer que esa organización material y social, puesta a su disposición como el aire, es de su mismo origen, ya que tampoco falla, al parecer, y es casi tan perfecta como la natural.

Mi tesis es, pues, ésta: la perfección misma con que el siglo XIX ha dado una organización a ciertos órdenes de la vida, es origen de que las masas beneficiarias no la consideren como organización, sino como naturaleza. Así se explica y define el absurdo estado de ánimo que esas masas revelan: no les preocupa más que su bienestar y al mismo tiempo son insolidarias de las causas de ese bienestar. Como no ven en las ventajas de la civilización un invento y construcción prodigiosos, que sólo con grandes esfuerzos y cautelas se puede sostener, creen que su papel se reduce a exigirlas perentoriamente, cual si fuesen derechos nativos. En los motines que la escasez provoca suelen las masas populares buscar pan, y el medio que emplean suele ser destruir las panaderías. Esto puede servir como símbolo del comportamiento que en más vastas y sutiles proporciones usan las masas actuales frente a la civilización que las nutre.*

* Abandonada a su propia inclinación, la masa, sea la que sea, plebeya o «aristocrática», tiende siempre, por afán de vivir, a destruir las causas de su vida. Siempre me ha parecido una graciosa caricatura de esta tendencia a *propter vitam, vivendi perdere causas*,[1] lo que aconteció en Níjar, pueblo cerca de Almería, cuando, en 13 de septiembre de 1759, se proclamó rey a Carlos III. Hízose la proclamación en la plaza de la villa. «Despúes mandaron traer de beber a todo aquel gran concurso, el que consumió setenta y siete arrobas de Vino y cuatro pellejos de Aguardiente, cuyos espíritus los calentó de tal forma, que con repetidos víctores se encaminaron al pósito, desde cuyas ventanas arrojaron el trigo que en él había y 900 reales de sus Arcas. De allí pasaron al Estanco del Tabaco y mandaron tirar el dinero de la Mesada, y el tabaco. En las tiendas practicaron lo propio, mandando derramar, para más autorizar la función, quantos géneros líquidos y comestibles havia en ellas. El Estado eclesiástico concurrió con igual eficacia, pues a voces indugeron a las

VIDA NOBLE Y VIDA VULGAR,
O ESFUERZO E INERCIA

POR LO PRONTO somos aquello que nuestro mundo nos invita a ser, y las facciones fundamentales de nuestra alma son impresas en ella por el perfil del contorno como por un molde. Naturalmente: vivir no es más que tratar con el mundo. El cariz general que él nos presente será el cariz general de nuestra vida. Por eso insisto tanto en hacer notar que el mundo donde han nacido las masas actuales mostraba una fisonomía radicalmente nueva en la historia. Mientras en el pretérito vivir significaba para el hombre medio encontrar en derredor dificultades, peligros, escaseces, limitaciones de destino y dependencia, el mundo nuevo aparece como un ámbito de posibilidades prácticamente ilimitadas, seguro, donde no se depende de nadie. En torno a esta impresión primaria y permanente se va a formar cada alma contemporánea, como en torno a la opuesta se formaron las antiguas. Porque esta impresión fundamental se convierte en voz interior que murmura sin cesar unas como palabras en lo más profundo de la persona y le insinúa tenazmente una definición de la vida que es, a la vez, un imperativo. Y si la impresión tradicional decía: «Vivir es sentirse limitado y, por lo mismo, tener que contar con lo que nos limita», la voz novísima grita: «Vivir es no encontrar limitación alguna; por tanto, abandonarse tranquilamente a sí mismo. Prácticamente nada es imposible, nada es peligroso y, en principio, nadie es superior a nadie.»

Esta experiencia básica modifica por completo la estructura tradicional, perenne, del hombre-masa. Porque éste se sintió siempre constitutivamente referido a limitaciones materiales y a

Mugeres tiraran cuanto havia en sus casas, lo que egecutaron con el mayor desinterés, pues no quedó en ellas pan, trigo, harina, zebada, platos, cazuelas, almireces, morteros, ni sillas, quedando dicha villa destruída.» Según un papel del tiempo en poder del señor Sánchez de Toca, citado en *Reinado de Carlos III*, por don Manuel Danvila, tomo II, pág. 10, nota 2. Este pueblo, para vivir su alegría monárquica, se aniquila a sí mismo. ¡Admirable Níjar! ¡Tuyo es el porvenir!
[1] (*Lat.*) to lose, on account of life, the reasons for living.

poderes superiores sociales. Esto era, a sus ojos, la vida. Si lograba mejorar su situación, si ascendía socialmente, lo atribuía a un azar de la fortuna, que le era nominativamente favorable. Y cuando no a esto, a un enorme esfuerzo que él sabía muy bien cuánto le había costado. En uno y otro caso se trataba de una excepción a la índole normal de la vida y del mundo; excepción que, como tal, era debida a alguna causa especialísima.

Pero la nueva masa encuentra la plena franquía vital como estado nativo y establecido, sin causa especial ninguna. Nada de fuera la incita a reconocerse límites y, por tanto, a contar en todo momento con otras instancias, sobre todo con instancias superiores. El labriego chino creía, hasta hace poco, que el bienestar de su vida dependía de las virtudes privadas que tuviese a bien poseer el emperador. Por tanto, su vida era constantemente referida a esta instancia suprema de que dependía. *Mas el hombre que analizamos se habitúa a no apelar de sí mismo a ninguna instancia fuera de él.* Está satisfecho tal y como es. Ingenuamente, sin necesidad de ser vano, como lo más natural del mundo, tenderá a afirmar y dar por bueno cuanto en sí halla: opiniones, apetitos, preferencias o gustos. ¿Por qué no, si, según hemos visto, nada ni nadie le fuerza a caer en la cuenta de que él es un hombre de segunda clase, limitadísimo, incapaz de crear ni conservar la organización misma que da a su vida esa amplitud y contentamiento, en los cuales funda tal afirmación de su persona?

Nunca el hombre-masa hubiera apelado a nada fuera de él si la *circunstancia* no le hubiese forzado violentamente a ello. Como ahora la circunstancia no le obliga, el eterno hombre-masa, consecuente con su índole, deja de apelar y se siente soberano de su vida. En cambio, el hombre selecto o excelente está constituído por una íntima necesidad de apelar de sí mismo a una norma más allá de él, superior a él, a cuyo servicio libremente se pone. Recuérdese que, al comienzo, distinguíamos al hombre excelente del hombre vulgar diciendo: que aquél es el que se exige mucho a sí mismo, y éste, el que no se exige nada, sino que se contenta con lo que es y está

encantado consigo.* Contra lo que suele creerse, es la criatura de selección, y no la masa, quien vive en esencial servidumbre. No le sabe su vida si no la hace consistir en servicio a algo trascendente. Por eso no estima la necesidad de servir como una opresión. Cuando ésta, por azar, le falta, siente desasosiego e inventa nuevas normas más difíciles, más exigentes, que le opriman. Esto es la vida como disciplina—la vida noble—. La nobleza se define por la exigencia, por las obligaciones, no por los derechos. *Noblesse oblige.* «Vivir a gusto es de plebeyo: el noble aspira a ordenación y a ley» (Goethe).[1] Los privilegios de la nobleza no son originariamente concesiones o favores, sino, por el contrario, son conquistas. Y, en principio, supone su mantenimiento que el privilegiado sería capaz de reconquistarlas en todo instante, si fuese necesario y alguien se lo disputase.† Los derechos privados o *privi-legios* no son, pues, pasiva posesión y simple goce, sino que representan el perfil adonde llega el esfuerzo de la persona. En cambio, los derechos comunes, como son los «del hombre y del ciudadano», son propiedad pasiva, puro usufructo y beneficio, don generoso del destino con que todo hombre se encuentra, y que no responde a esfuerzo ninguno, como no sea el respirar y evitar la demencia. Yo diría, pues, que el derecho impersonal se tiene y el personal se sostiene.

Es irritante la degeneración sufrida en el vocabulario usual por una palabra tan inspiradora como «nobleza». Porque al significar para muchos «nobleza de sangre» hereditaria, se convierte en algo parecido a los derechos comunes, en una calidad estática y pasiva, que se recibe y transmite como una cosa inerte. Pero el sentido propio, el *etymo*[2] del vocablo «nobleza» es esencialmente dinámico. Noble significa el

---

* Es intelectualmente masa el que ante un problema cualquiera se contenta con pensar lo que buenamente encuentra en su cabeza. Es, en cambio, egregio el que desestima lo que halla sin previo esfuerzo en su mente, y sólo acepta como digno de él lo que aún está por encima de él y exige un nuevo estirón para alcanzarlo.

[1] German poet and dramatist (1749–1832).

† Véase *España invertebrada*, capítulo «Imperativo de selección».

[2] (*Grk.*) origin.

«conocido», se entiende el conocido de todo el mundo, el famoso, que se ha dado a conocer sobresaliendo sobre la masa anónima. Implica un esfuerzo insólito que motivó la fama. Equivale, pues, noble a esforzado o excelente. La nobleza o fama del hijo es ya puro beneficio. El hijo es conocido porque su padre logró ser famoso. Es conocido por reflejo, y, en efecto, la nobleza hereditaria tiene un carácter indirecto, es luz espejada, es nobleza lunar como hecha con muertos. Sólo queda en ella de vivo, auténtico, dinámico, la incitación que produce en el descendiente a mantener el nivel de esfuerzo que el antepasado alcanzó. Siempre, aun en este sentido desvirtuado, *noblesse oblige*. El noble originario se obliga a sí mismo, y al noble hereditario le obliga la herencia. Hay, de todas suertes, cierta contradicción en el traspaso de la nobleza, desde el noble inicial a sus sucesores. Más lógicos, los chinos invierten el orden de la transmisión, y no es el padre quien ennoblece al hijo, sino el hijo quien, al conseguir la nobleza, la comunica a sus antepasados, destacando con su esfuerzo a su estirpe humilde. Por eso, al conceder los rangos de nobleza, se gradúan por el número de generaciones atrás que quedan prestigiadas, y hay quien sólo hace noble a su padre y quien alarga su fama hasta el quinto o décimo abuelo. Los antepasados viven del hombre actual, cuya nobleza es efectiva, actuante; en suma: *es; no fué.*★

La «nobleza» no aparece como término formal hasta el Imperio romano, y precisamente para oponerlo a la nobleza hereditaria, ya en decadencia.

Para mí, nobleza es sinónimo de vida esforzada, puesta siempre a superarse a sí misma, a trascender de lo que ya es hacia lo que se propone como deber y exigencia. De esta manera, la vida noble queda contrapuesta a la vida vulgar e inerte, que, estáticamente, se recluye a sí misma, condenada a perpetua inmanencia, como una fuerza exterior no la obligue a salir de sí. De

★ Como en lo anterior se trata sólo de retrotraer el vocablo «nobleza» a su sentido primordial, que excluye la herencia, no hay oportunidad para estudiar el hecho de que tantas veces aparezca en la historia una «nobleza de sangre». Queda, pues, intacta esta cuestión.

aquí que llamemos masa a este modo de ser hombre—no tanto porque sea multitudinario, cuanto porque es inerte.

Conforme se avanza por la existencia, va uno hartándose de advertir que la mayor parte de los hombres—y de las mujeres—son incapaces de otro esfuerzo que el estrictamente impuesto como reacción a una necesidad externa. Por lo mismo quedan más aislados, y como monumentalizados en nuestra experiencia, los poquísimos seres que hemos conocido capaces de un esfuerzo espontáneo y lujoso. Son los hombres selectos, los nobles, los únicos activos y no sólo reactivos, para quienes vivir es una perpetua tensión, un incesante entrenamiento. Entrenamiento = *áskesis*. Son los ascetas.†

No sorprenda esta aparente digresión. Para definir al hombre-masa actual, que es tan masa como el de siempre, pero quiere suplantar a los excelentes, hay que contraponerlo a las dos formas puras que en él se mezclan: la masa normal y el auténtico noble o esforzado.

Ahora podemos caminar más de prisa, porque ya somos dueños de lo que, a mi juicio, es la clave o ecuación psicológica del tipo humano dominante hoy. Todo lo que sigue es consecuencia o corolario de esa estructura radical que podría resumirse así: el mundo organizado por el siglo XIX, al producir automáticamente un hombre nuevo, ha metido en él formidables apetitos, poderosos medios de todo orden para satisfacerlos—económicos, corporales (higiene, salud media superior a la de todos los tiempos), civiles y técnicos (entiendo por éstos la enormidad de conocimientos parciales y de eficiencia práctica que hoy tiene el hombre medio y de que siempre careció en el pasado)—. Después de haber metido en él todas estas potencias, el siglo XIX lo ha abandonado a sí mismo, y entonces, siguiendo el hombre medio su índole natural, se ha cerrado dentro de sí. De esta suerte, nos encontramos con una masa más fuerte que la de ninguna época, pero, a diferencia de la tradicional, hermetizada en sí misma, incapaz de atender

† Véase *El origen deportivo del Estado*, en *El Espectador*, tomo VII.

a nada ni a nadie, creyendo que se basta—en suma: indócil.* Continuando las cosas como hasta aquí, cada día se notará más en toda Europa—y por reflejo en todo el mundo—que las masas son incapaces de dejarse dirigir en ningún orden. En las horas difíciles que llegan para nuestro continente, es posible que, súbitamente angustiadas, tengan un momento la buena voluntad de aceptar, en ciertas materias especialmente premiosas, la dirección de minorías superiores.

Pero aun esa buena voluntad fracasará. Porque la textura radical de su alma está hecha de hermetismo e indocilidad, porque les falta de nacimiento la función de atender a lo que está más allá de ellas, sean hechos, sean personas. Querrán seguir a alguien, y no podrán. Querrán oír, y descubrirán que son sordas.

Por otra parte, es ilusorio pensar que el hombre-medio vigente, por mucho que haya ascendido su nivel vital en comparación con el de otros tiempos, va a poder regir, por sí mismo, el proceso de la civilización. Digo proceso, no ya progreso. El simple proceso de mantener la civilización actual, es superlativamente complejo y requiere sutilezas incalculables. Mal puede gobernarlo este hombre-medio que ha aprendido a usar muchos aparatos de civilización, pero que se caracteriza por ignorar de raíz los principios mismos de la civilización.

Reitero al lector que, paciente, haya leído hasta aquí, la conveniencia de no entender todos estos enunciados atribuyéndoles, desde luego, un significado político. La actividad política, que es de toda la vida pública la más eficiente y la más visible, es, en cambio, la postrera, resultante de otras más íntimas e impalpables. Así, la indocilidad política no sería grave si no proviniese de una más honda y decisiva indocilidad intelectual y moral. Por eso, mientras no hayamos analizado ésta, faltará la última claridad al teorema de este ensayo.

* Sobre la indocilidad de las masas, especialmente de las españolas, hablé ya en *España invertebrada* (1922), y a lo dicho allí me remito.

POR QUÉ LAS MASAS INTERVIENEN EN TODO Y POR QUÉ SOLO INTERVIENEN VIOLENTAMENTE

QUEDAMOS EN QUE ha acontecido algo sobremanera paradójico, pero que en verdad era naturalísimo: de puro mostrarse abiertos mundo y vida al hombre mediocre, se le ha cerrado a éste el alma. Pues bien: yo sostengo que en esa obliteración de las almas medias consiste la rebeldía de las masas en que, a su vez, consiste el gigantesco problema planteado hoy a la humanidad.

Ya sé que muchos de los que me leen no piensan lo mismo que yo. También esto es naturalísimo y confirma el teorema. Pues aunque resultase en definitiva errónea mi opinión, siempre quedaría el hecho de que muchos de esos lectores discrepantes no han pensado cinco minutos sobre tan compleja materia. ¿Cómo van a pensar lo mismo que yo? Pero al creerse con derecho a tener una opinión sobre el asunto sin previo esfuerzo para forjársela, manifiestan su ejemplar pertenencia al modo absurdo de ser hombre que he llamado «masa rebelde». Eso es precisamente tener obliterada, hermética, el alma. En este caso se trataría de hermetismo intelectual. La persona se encuentra con un repertorio de ideas dentro de sí. Decide contentarse con ellas y considerarse intelectualmente completa. Al no echar de menos nada fuera de sí, se instala definitivamente en aquel repertorio. He ahí el mecanismo de la obliteración.

El hombre-masa se siente perfecto. Un hombre de selección, para sentirse perfecto, necesita ser especialmente vanidoso, y la creencia en su perfección no está consustancialmente unida a él, no es ingenua, sino que le llega de su vanidad, y aun para él mismo tiene un carácter ficticio, imaginario y problemático. Por eso el vanidoso necesita de los demás, busca en ellos la confirmación de la idea que quiere tener de sí mismo. De suerte que ni aun en este caso morboso, ni aun «cegado» por la vanidad, consigue el hombre noble sentirse de verdad completo. En cambio, al hombre mediocre de nuestros días, al nuevo Adán, no se le ocurre dudar de su propia plenitud. Su confianza en sí es, como de Adán, paradisíaca. El hermetismo nato de su alma le impide lo que sería condición previa para descubrir su insuficiencia: compararse con otros seres. Compararse sería salir un rato de sí mismo y trasladarse al prójimo. Pero el alma mediocre es incapaz de transmigraciones—deporte supremo.

Nos encontramos, pues, con la misma diferencia que eternamente existe entre el tonto y el perspicaz. Éste se sorprende a sí mismo siempre a dos dedos de ser tonto; por ello hace un esfuerzo para escapar a la inminente tontería, y en ese esfuerzo consiste la inteligencia. El tonto, en cambio, no se sospecha a sí mismo: se parece discretísimo, y de ahí la envidiable tranquilidad con que el necio se asienta e instala en su propia torpeza. Como esos insectos que no hay manera de extraer fuera del orificio en que habitan, no hay modo de desalojar al tonto de su tontería, llevarle de paseo un rato más allá de su ceguera y obligarle a que contraste su torpe visión habitual con otros modos de ver más sutiles. El tonto es vitalicio y sin poros. Por eso decía Anatole France[1] que un necio es mucho más funesto que un malvado. Porque el malvado descansa algunas veces; el necio, jamas.*

No se trata de que el hombre-masa sea tonto. Por el contrario, el actual es más listo, tiene más capacidad intelectiva que el de ninguna otra época. Pero esa capacidad no le sirve de nada; en rigor, la vaga sensación de poseerla le sirve sólo para cerrarse más en sí y no usarla. De una vez para siempre consagra el surtido de tópicos, prejuicios, cabos de ideas o, simplemente, vocablos hueros que el azar ha amontonado en su interior, y con una audacia que sólo por la ingenuidad se explica, los impondrá dondequiera. Esto es lo que en el primer capítulo enunciaba yo como característico en nuestra época: no que el vulgar crea que es sobresaliente y no

vulgar, sino que el vulgar proclame e imponga el derecho de la vulgaridad, o la vulgaridad como un derecho.

El imperio que sobre la vida pública ejerce hoy la vulgaridad intelectual, es acaso el factor de la presente situación más nuevo, menos asimilable a nada del pretérito. Por lo menos en la historia europea hasta la fecha, nunca el vulgo había creído tener «ideas» sobre las cosas. Tenía creencias, tradiciones, experiencias, proverbios, hábitos mentales, pero no se imaginaba en posesión de opiniones teóricas sobre lo que las cosas son o deben ser—por ejemplo, sobre política o sobre literatura—. Le parecía bien o mal lo que el político proyectaba y hacía; aportaba o retiraba su adhesión, pero su actitud se reducía a repercutir, positiva o negativamente, la acción creadora de otros. Nunca se le ocurrió oponer a las «ideas» del político otra suyas; ni siquiera juzgar las «ideas» del político desde el tribunal de otras «ideas» que creía poseer. Lo mismo en arte y en los demás órdenes de la vida pública. Una innata conciencia de su limitación, de no estar calificado para teorizar,† se lo vedaba completamente. La consecuencia automática de esto era que el vulgo no pensaba, ni de lejos, decidir en casi ninguna de las actividades públicas, que en su mayor parte son de índole teórica.

Hoy, en cambio, el hombre medio tiene las «ideas» más taxativas sobre cuanto acontece y debe acontecer en el universo. Por eso ha perdido el uso de la audición. ¿Para qué oír, si ya tiene dentro cuanto hace falta? Ya no es sazón de escuchar, sino, al contrario, de juzgar, de sentenciar, de decidir. No hay cuestión de vida pública donde no intervenga, ciego y sordo como es, imponiendo sus «opiniones».

Pero ¿no es esto una ventaja? ¿No representa un progreso enorme que las masas tengan «ideas», es decir, que sean cultas? En manera alguna. Las «ideas» de este hombre-medio no son auténticas ideas, ni su posesión es cultura. La idea es un jaque a la verdad. Quien quiera tener ideas necesita antes disponerse a querer la verdad y aceptar las reglas de juego que ella im-

---

[1] French novelist (1844–1924).

* Muchas veces me he planteado la siguiente cuestión: es indudable que desde siempre ha tenido que ser para muchos hombres uno de los tormentos más angustiosos de su vida el contacto, el choque con la tontería de los prójimos. ¿Cómo es posible, sin embargo, que no se haya intentado nunca—me parece—un estudio sobre ella, un *ensayo sobre la tontería*?

† No se pretenda escamotear la cuestión: todo opinar es teorizar.

ponga. No vale hablar de ideas u opiniones donde no se admite una instancia que las regula, una serie de normas a que en la discusión cabe apelar. Estas normas son los principios de la cultura. No me importa cuáles. Lo que digo es que no hay cultura donde no hay normas a que nuestros prójimos puedan recurrir. No hay cultura donde no hay principios de legalidad civil a que apelar. No hay cultura donde no hay acatamiento de ciertas últimas posiciones intelectuales a que referirse en la disputa.* No hay cultura cuando no preside a las relaciones económicas un régimen de tráfico bajo el cual ampararse. No hay cultura donde las polémicas estéticas no reconocen la necesidad de justificar la obra de arte.

Cuando faltan todas esas cosas, no hay cultura; hay, en el sentido más estricto de la palabra, barbarie. Y esto es, no nos hagamos ilusiones, lo que empieza a haber en Europa bajo la progresiva rebelión de las masas. El viajero que llega a un país bárbaro, sabe que en aquel territorio no rigen principios a que quepa recurrir. No hay normas bárbaras propiamente. La barbarie es ausencia de normas y de posible apelación.

El más y el menos de cultura se mide por la mayor o menor precisión de las normas. Donde hay poca, regulan éstas la vida sólo *grosso modo*;[1] donde hay mucha, penetran hasta el detalle en el ejercicio de todas las actividades. La escasez de la cultura intelectual española, esto es, del cultivo o ejercicio disciplinado del intelecto, se manifiesta, no en que se sepa más o menos, sino en la habitual falta de cautela y cuidados para ajustarse a la verdad que suelen mostrar los que hablan y escriben. No, pues, en que se acierte o no—la verdad no está en nuestra mano—, sino en la falta de escrúpulo que lleva a no cumplir los requisitos elementales para acertar. Seguimos siendo el eterno cura de aldea que rebate triun-

fante al maniqueo, sin haberse ocupado antes de averiguar lo que piensa el maniqueo.[2]

Cualquiera puede darse cuenta de que en Europa, desde hace años, han empezado a pasar «cosas raras». Por dar algún ejemplo concreto de estas cosas raras nombraré ciertos movimientos políticos, como el sindicalismo y el fascismo. No se diga que parecen raros simplemente porque son nuevos. El entusiasmo por la innovación es de tal modo ingénito en el europeo, que le ha llevado a producir la historia más inquieta de cuantas se conocen. No se atribuya, pues, lo que estos nuevos hechos tienen de raro a lo que tienen de nuevo, sino a la extrañísima vitola de estas novedades. Bajo las especies de sindicalismo y fascismo aparece por primera vez en Europa un tipo de hombre que *no quiere dar razones ni quiere tener razón*, sino que, sencillamente, se muestra resuelto a imponer sus opiniones. He aquí lo nuevo: el derecho a no tener razón, la razón de la sinrazón. Yo veo en ello la manifestación más palpable del nuevo modo de ser las masas, por haberse resuelto a dirigir la sociedad sin capacidad para ello. En su conducta política se revela la estructura del alma nueva de la manera más cruda y contundente, pero la clave está en el hermetismo intelectual. El hombre-medio se encuentra con «ideas» dentro de sí, pero carece de la función de idear. Ni sospecha siquiera cuál es el elemento sutilísimo en que las ideas viven. Quiere opinar, pero no quiere aceptar las condiciones y supuestos de todo opinar. De aquí que sus «ideas» no sean efectivamente sino apetitos con palabras, como las romanzas musicales.

Tener una idea es creer que se poseen las razones de ella, y es, por tanto, creer que existe una razón, un orbe de verdades inteligibles. Idear, opinar, es una misma cosa con apelar a tal instancia, supeditarse a ella, aceptar su Código y su sentencia, creer, por tanto, que la forma superior de la convivencia es el diálogo en que se discuten las razones de nuestras ideas. Pero el

---

* Si alguien en su discusión con nosotros se desinteresa de ajustarse a la verdad, si no tiene la voluntad de ser verídico, es intelectualmente un bárbaro. De hecho, ésa es la posición del hombre-masa cuando habla, da conferencias o escribe.

[1] (*Lat.*) *grosso modo* in general.

[2] *maniqueo* Manichean, a believer in the doctrines of Manes (216?–276?), a Persian who taught that man's soul, sprung from the Kingdom of Light, seeks escape from the Kingdom of Darkness, the body.

hombre-masa se sentiría perdido si aceptase la discusión, e instintivamente repudia la obligación de acatar esa instancia suprema que se halla fuera de él. Por eso, lo «nuevo» es en Europa «acabar con las discusiones», y se detesta toda forma de convivencia que por sí misma implique acatamiento de normas objetivas, desde la conversación hasta el Parlamento, pasando por la ciencia. Esto quiere decir que se renuncia a la convivencia de cultura, que es una convivencia bajo normas, y se retrocede a una convivencia bárbara. Se suprimen todos los trámites normales y se va directamente a la imposición de lo que se desea. El hermetismo del alma, que, como hemos visto antes, empuja a la masa para que intervenga en toda la vida pública, la lleva también, inexorablemente, a un procedimiento único de intervención: la acción directa.

El día en que se reconstruya la génesis de nuestro tiempo, se advertirá que las primeras notas de su peculiar melodía sonaron en aquellos grupos sindicalistas y realistas franceses de hacia 1900, inventores de la manera y la palabra «acción directa». Perpetuamente el hombre ha acudido a la violencia: unas veces este recurso era simplemente un crimen, y no nos interesa. Pero otras era la violencia el medio a que recurría el que había agotado antes todos los demás para defender la razón y la justicia que creía tener. Será muy lamentable que la condición humana lleve una y otra vez a esta forma de violencia, pero es innegable que ella significa el mayor homenaje a la razón y la justicia. Como que no es tal violencia otra cosa que la razón exasperada. La fuerza era, en efecto, la *ultima ratio*.[1] Un poco estúpidamente ha solido entenderse con ironía esta expresión, que declara muy bien el previo rendimiento de la fuerza a las normas racionales. La civilización no es otra cosa que el ensayo de reducir la fuerza a *ultima ratio*. Ahora empezamos a ver esto con sobrada claridad, porque la «acción directa» consiste en invertir el orden y proclamar la violencia como *prima ratio*;[2] en rigor, como única razón. Es ella la norma que

propone la anulación de toda norma, que suprime todo intermedio entre nuestro propósito y su imposición. Es la *Charta magna* de la barbarie.

Conviene recordar que en todo tiempo, cuando la masa, por uno u otro motivo, ha actuado en la vida pública, lo ha hecho en forma de «acción directa». Fué, pues, siempre el modo de operar natural a las masas. Y corrobora enérgicamente la tesis de este ensayo el hecho patente de que ahora, cuando la intervención directora de las masas en la vida pública ha pasado de casual e infrecuente a ser lo normal, aparezca la «acción directa» oficialmente como norma reconocida.

Toda la convivencia humana va cayendo bajo este nuevo régimen en que se suprimen las instancias indirectas. En el trato social se suprime la «buena educación». La literatura, como «acción directa», se constituye en el insulto. Las relaciones sexuales reducen sus trámites.

¡Trámites, normas, cortesía, usos intermediarios, justicia, razón! ¿De qué vino inventar todo esto, crear tanta complicación? Todo ello se resume en la palabra «civilización», que, al través de la idea de *civis*, el ciudadano, descubre su propio origen. Se trata con todo ello de hacer posible la ciudad, la comunidad, la convivencia. Por eso, si miramos por dentro cada uno de esos trebejos de la civilización que acabo de enumerar, hallaremos una misma entraña en todos. Todos, en efecto, suponen el deseo radical y progresivo de contar cada persona con las demás. Civilización es, antes que nada, voluntad de convivencia. Se es incivil y bárbaro en la medida en que no se cuente con los demás. La barbarie es tendencia a la disociación. Y así todas las épocas bárbaras han sido tiempo de desparramamiento humano, pululación de mínimos grupos separados y hostiles.

La forma que en política ha representado la más alta voluntad de convivencia es la democracia liberal. Ella lleva al extremo la resolución de contar con el prójimo y es prototipo de la «acción indirecta». El liberalismo es el principio de derecho político según el cual el Poder público, no obstante ser omnipotente, se limita a sí mismo y procura, aun a su costa, dejar

---

[1] (*Lat.*) last argument.
[2] (*Lat.*) first argument.

hueco en el Estado que él impera para que puedan vivir los que ni piensan ni sienten como él,
es decir, como los más fuertes, como la mayoría.
El liberalismo—conviene hoy recordar esto—es
5 la suprema generosidad: es el derecho que la
mayoría otorga a las minorías y es, por tanto, el
más noble grito que ha sonado en el planeta.
Proclama la decisión de convivir con el enemigo;
más aún, con el enemigo débil. Era inverosímil
10 que la especie humana hubiese llegado a una
cosa tan bonita, tan paradójica, tan elegante, tan
acrobática, tan antinatural. Por eso, no debe sorprender que prontamente parezca esa misma
especie resuelta a abandonarla. Es un ejercicio
15 demasiado difícil y complicado para que se con-
solide en la tierra.

¡Convivir con el enemigo! ¡Gobernar con la
oposición! ¿No empieza a ser ya incomprensible
semejante ternura? Nada acusa con mayor clari-
20 dad la fisonomía del presente como el hecho
de que vayan siendo tan pocos los países
donde existe la oposición. En casi todos, una
masa homogénea pesa sobre el Poder público
y aplasta, aniquila todo grupo opositor. La masa
25 —¿quién lo diría al ver su aspecto compacto y
multitudinario?—no desea la convivencia con lo
que no es ella. Odia a muerte lo que no es ella.

LA BARBARIE DEL «ESPECIALISMO»

LA TESIS ERA que la civilización del siglo XIX ha
30 producido automáticamente el hombre-masa.
Conviene no cerrar su exposición general sin
analizar, en un caso particular, la mecánica de
esa producción. De esta suerte, al concretarse, la
tesis gana en fuerza persuasiva.
35 Esta civilización del siglo XIX, decía yo,
puede resumirse en dos grandes dimensiones:
democracia liberal y técnica. Tomemos ahora
sólo la última. La técnica contemporánea nace de
la copulación entre el capitalismo y la ciencia
40 experimental. No toda técnica es científica. El
que fabricó las hachas de sílex, en el período
chelense,[1] carecía de ciencia, y, sin embargo,

creó una técnica. La China llegó a un alto grado
de tecnicismo sin sospechar lo más mínimo la
existencia de la física. Sólo la técnica moderna 45
de Europa tiene una raíz científica, y de esa raíz
le viene su carácter específico, la posibilidad de
un ilimitado progreso. Las demás técnicas—
mesopotámica, nilota,[2] griega, romana, oriental
—se estiran hasta un punto de desarrollo que no 50
pueden sobrepasar, y apenas lo tocan comienzan a retroceder en lamentable involución.

Esta maravillosa técnica occidental ha hecho
posible la maravillosa proliferación de la casta
europea. Recuérdese el dato de que tomó su 55
vuelo este ensayo y que, como dije, encierra ger-
minalmente todas estas meditaciones. Del siglo
V a 1800, Europa no consigue tener una población mayor de 180 millones. De 1800 a 1914
asciende a más de 460 millones. El brinco es 60
único en la historia humana. No cabe dudar de
que la técnica—junto con la democracia liberal
—ha engendrado al hombre-masa en el sentido
cuantitativo de esta expresión. Pero estas páginas
han intentado mostrar que también es respon- 65
sable de la existencia del hombre-masa en el
sentido cualitativo y peyorativo del término.

Por «masa»—prevenía yo al principio—no se
entiende especialmente al obrero; no designa
aquí una clase social, sino una clase o modo de 70
ser hombre que se da hoy en todas las clases
sociales, que por lo mismo representa a nuestro
tiempo, sobre el cual predomina e impera.
Ahora vamos a ver esto con sobrada evidencia.

¿Quién ejerce hoy el poder social? ¿Quién im- 75
pone la estructura de su espíritu en la época?
Sin duda, la burguesía. ¿Quién, dentro de esa
burguesía, es considerado como el grupo
superior, como la aristocracia del presente? Sin
duda, el técnico: ingeniero, médico, financiero, 80
profesor, etc., etc. ¿Quién, dentro del grupo
técnico, lo representa con mayor altitud y
pureza? Sin duda, el hombre de ciencia. Si un
personaje astral visitase Europa, y con ánimo de
juzgarla le preguntase por qué tipo de hombre, 85
entre los que la habitan, prefería ser juzgada, no
hay duda de que Europa señalaría, complacida y

---

[1] First period of the paleolithic (stone) age in pre-historic times.

[2] Nilotic, peoples of the Nile basin.

segura de una sentencia favorable, a sus hombres de ciencia. Claro que el personaje astral no preguntaría por individuos excepcionales, sino que buscaría la regla, el tipo genérico «hombre de ciencia», cima de la humanidad europea.

Pues bien: resulta que el hombre de ciencia actual es el prototipo del hombre-masa. Y no por casualidad, ni por defecto unipersonal de cada hombre de ciencia, sino porque la ciencia misma—raíz de la civilización—lo convierte automáticamente en hombre-masa; es decir, hace de él un primitivo, un bárbaro moderno.

La cosa es harto sabida: innumerables veces se ha hecho constar; pero sólo articulada en el organismo de este ensayo adquiere la plenitud de su sentido y la evidencia de su gravedad.

La ciencia experimental se inicia al finalizar el siglo XVI (Galileo),[1] logra constituirse a fines del XVII (Newton)[2] y empieza a desarrollarse a mediados del XVIII. El desarrollo de algo es cosa distinta de su constitución y está sometido a condiciones diferentes. Así, la constitución de la física, nombre colectivo de la ciencia experimental, obligó a un esfuerzo de unificación. Tal fué la obra de Newton y demás hombres de su tiempo. Pero el desarrollo de la física inició una faena de carácter opuesto a la unificación. Para progresar, la ciencia necesitaba que los hombres de ciencia se especializasen. Los hombres de ciencia, no ella misma. La ciencia no es especialista. *Ipso facto*[3] dejaría de ser verdadera. Ni siquiera la ciencia empírica,[4] tomada en su integridad, es verdadera si se la separa de la matemática, de la lógica, de la filosofía. Pero el trabajo en ella sí tiene—irremisiblemente—que ser especializado.

Sería de gran interés, y mayor utilidad que la aparente a primera vista, hacer una historia de las ciencias físicas y biológicas, mostrando el proceso de creciente especialización en la labor de los investigadores. Ello haría ver cómo,

generación tras generación, el hombre de ciencia ha ido constriñéndose, recluyéndose, en un campo de ocupación intelectual cada vez más estrecho. Pero no es esto lo importante que esa historia nos enseñaría, sino más bien lo inverso: cómo en cada generación el científico, por tener que reducir su órbita de trabajo, iba progresivamente perdiendo contacto con las demás partes de la ciencia, con una interpretación integral del universo, que es lo único merecedor de los nombres de ciencia, cultura, civilización europea.

La especialización comienza, precisamente, en un tiempo que llama hombre civilizado al hombre «enciclopédico». El siglo XIX inicia sus destinos bajo la dirección de criaturas que viven enciclopédicamente, aunque su producción tenga ya un carácter de especialismo. En la generación subsiguiente, la ecuación se ha desplazado, y la especialidad empieza a desalojar dentro de cada hombre de ciencia a la cultura integral. Cuando en 1890 una tercera generación toma el mando intelectual de Europa, nos encontramos con un tipo de científico sin ejemplo en la historia. Es un hombre que, de todo lo que hay que saber para ser un personaje discreto, conoce sólo una ciencia determinada, y aun de esa ciencia sólo conoce bien la pequeña porción en que él es activo investigador. Llega a proclamar como una virtud el no enterarse de cuanto quede fuera del angosto paisaje que especialmente cultiva, y llama *dilettantismo* a la curiosidad por el conjunto del saber.

El caso es que, recluído en la estrechez de su campo visual, consigue, en efecto, descubrir nuevos hechos y hacer avanzar su ciencia, que él apenas conoce, y con ella la enciclopedia del pensamiento, que concienzudamente desconoce. ¿Cómo ha sido y es posible cosa semejante? Porque conviene recalcar la extravagancia de este hecho innegable: la ciencia experimental ha progresado en buena parte merced al trabajo de hombres fabulosamente mediocres, y aun menos que mediocres. Es decir, que la ciencia moderna, raíz y símbolo de la civilización actual, da acogida dentro de sí al hombre intelectualmente medio y le permite operar con buen éxito. La

---

[1] Italian astronomer and physicist (1564–1642).
[2] Sir Isaac Newton (1642–1727), English mathematician and natural philosopher.
[3] (Lat.) By its very nature.
[4] empirical=founded on experience or observation, without due regard to theory.

razón de ello está en lo que es, a la par, ventaja
mayor y peligro máximo de la ciencia nueva y de
toda la civilización que ésta dirige y representa:
la mecanización. Una buena parte de las cosas
que hay que hacer en física y en biología es faena
mecánica de pensamiento que puede ser ejecu-
tada por cualquiera, o poco menos. Para los
efectos de innumerables investigaciones es
posible dividir la ciencia en pequeños segmentos,
encerrarse en uno y desentenderse de los demás.
La firmeza y exactitud de los métodos permiten
esta transitoria y práctica desarticulación del
saber. Se trabaja con uno de esos métodos como
con una máquina, y ni siquiera es forzoso para
obtener abundantes resultados poseer ideas
rigorosas sobre el sentido y fundamento de ellos.
Así la mayor parte de los científicos empujan el
progreso general de la ciencia encerrados en la
celdilla de su laboratorio; como la abeja en la
de su panal o como el pachón de asador en su
cajón.

Pero esto crea una casta de hombres sobremanera extraños. El investigador que ha descubierto un nuevo hecho de la Naturaleza tiene por
fuerza que sentir una impresión de dominio y de
seguridad en su persona. Con cierta aparente
justicia se considerará como «un hombre que
sabe». Y, en efecto, en él se da un pedazo de algo
que, junto con otros pedazos no existentes en él,
constituyen verdaderamente el saber. Esta es la
situación íntima del especialista, que en los
primeros años de este siglo ha llegado a su más
frenética exageración. El especialista «sabe» muy
bien su mínimo rincón de universo; pero ignora
de raíz todo el resto.

He aquí un precioso ejemplar de este extraño
hombre nuevo que he intentado, por una y otra
de sus vertientes y haces, definir. He dicho que
era una configuración humana sin par en toda la
historia. El especialista nos sirve para concretar
enérgicamente la especie y hacernos ver todo el
radicalismo de su novedad. Porque antes los
hombres podían dividirse, sencillamente, en
sabios e ignorantes, en más o menos sabios y
más o menos ignorantes. Pero el especialista no
puede ser subsumido bajo ninguna de esas dos
categorías. No es un sabio, porque ignora formalmente cuanto no entra en su especialidad;
pero tampoco es un ignorante, porque es «un
hombre de ciencia» y conoce muy bien su porciúncula de universo. Habremos de decir que es
un sabio-ignorante, cosa sobremanera grave,
pues significa que es un señor el cual se comportará en todas las cuestiones que ignora, no
como un ignorante, sino con toda la petulancia
de quien en su cuestión especial es un sabio.

Y, en efecto, éste es el comportamiento del
especialista. En política, en arte, en los usos
sociales, en las otras ciencias, tomará posiciones
de primitivo, de ignorantísimo; pero las tomará
con energía y suficiencia, sin admitir—y esto es
lo paradójico—especialistas de esas cosas. Al
especializarlo, la civilización le ha hecho hermético y satisfecho dentro de su limitación; pero
esta misma sensación íntima de dominio y valía
le llevará a querer predominar fuera de su especialidad. De donde resulta que, aun en este
caso, que representa un máximum de hombre
cualificado—especialismo—y, por tanto, lo más
opuesto al hombre-masa, el resultado es que se
comportará sin cualificación y como hombre-
masa en casi todas las esferas de la vida.

La advertencia no es vaga. Quien quiera puede
observar la estupidez con que piensan, juzgan y
actúan hoy en política, en arte, en religión y en
los problemas generales de la vida y el mundo los
«hombres de ciencia», y claro es, tras ellos,
médicos, ingenieros, financieros, profesores, etc.
Esa condición de «no escuchar», de no someterse
a instancias superiores que reiteradamente he
presentado como característica del hombre-
masa, llega al colmo precisamente en estos
hombres parcialmente cualificados. Ellos sim-
bolizan, y en gran parte constituyen, el imperio
actual de las masas, y su barbarie es la causa más
inmediata de la desmoralización europea.

Por otra parte, significa el más claro y preciso
ejemplo de cómo la civilización del último siglo,
abandonada a su propia inclinación, ha producido
este rebrote de primitivismo y barbarie.

El resultado más inmediato de este especialismo *no compensado* ha sido que hoy, cuando hay
mayor número de «hombres de ciencia» que
nunca, haya muchos menos hombres «cultos»

que, por ejemplo, hacia 1750. Y lo peor es que con esos pachones del asador científico ni siquiera está asegurado el progreso íntimo de la ciencia. Porque ésta necesita de tiempo en tiempo, como orgánica regulación de su propio incremento, una labor de re-constitución, y, como he dicho, esto requiere un esfuerzo de unificación, cada vez más difícil, que cada vez complica regiones más vastas del saber total. Newton pudo crear su sistema físico sin saber mucha filosofía, pero Einstein[1] ha necesitado saturarse de Kant y de Mach[2] para poder llegar a su aguda síntesis. Kant y Mach—con estos nombres se simboliza sólo la masa enorme de pensamientos filosóficos y psicológicos que han influído en Einstein—han servido para *liberar* la mente de éste y dejarle la vía franca hacia su innovación. Pero Einstein no es suficiente. La física entra en la crisis más honda de su historia, y sólo podrá salvarla una nueva enciclopedia más sistemática que la primera.

El especialismo, pues, que ha hecho posible el progreso de la ciencia experimental durante un siglo, se aproxima a una etapa en que no podrá avanzar por sí mismo si no se encarga una generación mejor de construirle un nuevo asador más poderoso.

Pero si el especialista desconoce la fisiología interna de la ciencia que cultiva, mucho más radicalmente ignora las condiciones históricas de su perduración, es decir, cómo tienen que estar organizados la sociedad y el corazón del hombre, para que pueda seguir habiendo investigadores. El descenso de vocación científica que en estos años se observa—y a que ya aludí—es un síntoma preocupador para todo el que tenga una idea clara de lo que es civilización, la idea que suele faltar al típico «hombre de ciencia», cima de nuestra actual civilización. También él cree que la civilización *está ahí*, simplemente, como la corteza terrestre y la selva primigenia.

[1] American (German born) physicist (1879–1955), inventor of the theory of relativity.
[2] Ernst Mach (1838–1916), Austrian physicist and philosopher.

EL MAYOR PELIGRO, EL ESTADO

EN UNA BUENA ordenación de las cosas públicas, la masa es lo que no actúa por sí misma. Tal es su misión. Ha venido al mundo para ser dirigida, influída, representada, organizada—hasta para dejar de ser masa, o, por lo menos, aspirar a ello—. Pero no ha venido al mundo para hacer todo eso por sí. Necesita referir su vida a la instancia superior, constituída por las minorías excelentes. Discútase cuanto se quiera quiénes son los hombres excelentes; pero que sin ellos—sean unos u otros—la humanidad no existiría en lo que tiene de más esencial, es cosa sobre la cual conviene que no haya duda alguna, aunque lleve Europa todo un siglo metiendo la cabeza debajo del alón, al modo de los estrucios, para ver si consigue no ver tan radiante evidencia. Porque no se trata de una opinión fundada en hechos más o menos frecuentes y probables, sino en una ley de la «física» social, mucho más inconmovible que las leyes de la física de Newton. El día que vuelva a imperar en Europa una auténtica filosofía*—única cosa que puede salvarla—, se volverá a caer en la cuenta de que el hombre es, tenga de ello ganas o no, un ser constitutivamente forzado a buscar una instancia superior. Si logra por sí mismo encontrarla, es que es un hombre excelente; si no, es que es un hombre-masa y necesita recibirla de aquél.

Pretender la masa actuar por sí misma es, pues, rebelarse contra su propio destino, y como eso es lo que hace ahora, hablo yo de la rebelión de las masas. Porque a la postre, la única cosa que sustancialmente y con verdad puede llamarse rebelión es la que consiste en no aceptar cada cual su destino, en rebelarse contra sí mismo. En rigor, la rebelión del arcángel Luzbel no

* Para que la filosofía impere, no es menester que los filósofos imperen—como Platón quiso primero—, ni siquiera que los emperadores filosofen—como quiso, más modestamente, después—. Ambas cosas son, en rigor, funestísimas. Para que la filosofía impere, basta con que la haya; es decir, con que los filósofos sean filósofos. Desde hace casi una centuria, los filósofos son todo menos eso—son políticos, son pedagogos, son literatos o son hombres de ciencia.

lo hubiera sido menos si en vez de empeñarse en ser Dios—lo que no era su destino—se hubiese empecinado en ser el más ínfimo de los ángeles, que tampoco lo era. (Si Luzbel hubiera sido ruso, como Tolstoi, habría acaso preferido este último estilo de rebeldía, que no es más ni menos contra Dios que el otro tan famoso.)

Cuando la masa actúa por sí misma, lo hace sólo de una manera, porque no tiene otra: lincha. No es completamente casual que la ley de Lynch[1] sea americana, ya que América es en cierto modo el paraíso de las masas. Ni mucho menos podrá extrañar que ahora, cuando las masas triunfan, triunfe la violencia y se haga de ella la única *ratio*, la única doctrina. Va para mucho tiempo que hacía yo notar este progreso de la violencia como norma. Hoy ha llegado a su máximo desarrollo, y esto es un buen síntoma, porque significa que automáticamente va a iniciarse su descenso. Hoy es ya la violencia la retórica del tiempo; los retóricos, los inanes, la hacen suya. Cuando una realidad humana ha cumplido su historia, ha naufragado y ha muerto, las olas la escupen en las costas de la retórica, donde, cadáver, pervive largamente. La retórica es el cementerio de las realidades humanas; cuando más, su hospital de inválidos. A la realidad sobrevive su nombre que, aun siendo sólo palabra, es, al fin y al cabo, nada menos que palabra y conserva siempre algo de su poder mágico.

Pero aun cuando no sea imposible que haya comenzado a menguar el prestigio de la violencia como norma cínicamente establecida, continuaremos bajo su régimen, bien que en otra forma.

Me refiero al peligro mayor que hoy amenaza a la civilización europea. Como todos los demás peligros que amenazan a esta civilización, también éste ha nacido de ella. Más aún: constituye una de sus glorias; es el Estado contemporáneo. Nos encontramos, pues, con una réplica de lo que en el capítulo anterior se ha dicho sobre la ciencia: la fecundidad de sus principios la empuja hacia un fabuloso progreso; pero éste impone inexorablemente la especialización, y la especialización amenaza con ahogar a la ciencia.

Lo mismo acontece con el Estado.

Rememórese lo que era el Estado a fines del siglo XVIII en todas las naciones europeas. ¡Bien poca cosa! El primer capitalismo y sus organizaciones industriales, donde por vez primera triunfa la técnica, la nueva técnica, la racionalizada, habían producido un primer crecimiento de la sociedad. Una nueva clase social apareció, más poderosa en número y potencia que las preexistentes: la burguesía. Esta indina burguesía poseía, ante todo y sobre todo, una cosa: talento, talento práctico. Sabía organizar, disciplinar, dar continuidad y articulación al esfuerzo. En medio de ella, como en un océano, navegaba azarosa la «nave del Estado». La nave del Estado es una metáfora reinventada por la burguesía, que se sentía a sí misma oceánica, omnipotente y encinta de tormentas. Aquella nave era cosa de nada o poco más: apenas si tenía soldados, apenas si tenía burócratas, apenas si tenía dinero. Había sido fabricada en la Edad Media por una clase de hombres muy distintos de los burgueses: los nobles, gente admirable por su coraje, por su don de mando, por su sentido de responsabilidad. Sin ellos no existirían las naciones de Europa. Pero con todas esas virtudes del corazón, los nobles andaban, han andado siempre, mal de cabeza. Vivían de la otra víscera. De inteligencia muy limitada, sentimentales, instintivos, intuitivos; en suma, «irracionales». Por eso no pudieron desarrollar ninguna técnica, cosa que obliga a la racionalización. No inventaron la pólvora. Se fastidiaron. Incapaces de inventar nuevas armas, dejaron que los burgueses—tomándolas de Oriente u otro sitio—utilizaran la pólvora, y con ello, automáticamente, ganaran la batalla al guerrero noble, al «caballero», cubierto estúpidamente de hierro, que apenas podía moverse en la lid, y a quien no se había ocurrido que el secreto eterno de la guerra no consiste tanto en los medios de defensa

---

[1] Lynch, an eighteenth-century South Carolina judge, after whom the Law of Lynch was named. This practice consists in the multitude's judging an accused man and promptly executing him.

como en los de agresión (secreto que iba a redescubrir Napoleón).*

Como el Estado es una técnica—de orden público y de administración—, el «antiguo régimen» llega a los fines del siglo XVIII con un Estado debilísimo, azotado de todos lados por una ancha y revuelta sociedad. La desproporción entre el poder del Estado y el poder social es tal en ese momento, que comparando la situación con la vigente en tiempos de Carlomagno,[4] aparece el Estado del XVIII como una degeneración. El Estado carolingio era, claro está, mucho menos pudiente que el de Luis XVI; pero, en cambio, la sociedad que lo rodeaba no tenía fuerza ninguna.† El enorme desnivel entre la fuerza social y la del Poder público hizo posible la Revolución, las revoluciones (hasta 1848).

* Esta imagen sencilla del gran cambio histórico en que se sustituye la supremacía de los nobles por el predominio de los burgueses se debe a Ranke,[1] pero claro es que su verdad simbólica y esquemática requiere no pocos aditamentos para ser completamente verdadera. La pólvora era conocida de tiempo inmemorial. La invención de la carga en un tubo se debió a alguien de la Lombardía.[2] Aun así, no fué eficaz hasta que se inventó la bala fundida. Los «nobles» usaron en pequeñas dosis el arma de fuego, pero era demasiado cara. Sólo los ejércitos burgueses, mejor organizados económicamente, pudieron emplearla en grande. Queda, sin embargo, como literalmente cierto que los nobles, representados por el ejército de tipo medieval de los borgoñones,[3] fueron derrotados de manera definitiva por el nuevo ejército, no profesional, sino de burgueses, que formaron los suizos. Su fuerza primaria consistió en la nueva disciplina y la nueva racionalización de la táctica.

[1] Leopold von Ranke (1795–1886), German historian famed for his *History of the Popes*.

[2] Lombardy, province of northwestern Italy.

[3] Burgundians, inhabitants of large southeastern French province.

[4] Charlemagne (742–814), famous Frankish king and emperor of the West.

† Merecería la pena de insistir sobre este punto y hacer notar que la época de las Monarquías absolutas europeas ha operado con Estados muy débiles. ¿Cómo se explica esto? Ya la sociedad en torno comenzaba a crecer. ¿Por qué, si el Estado lo podía todo—era «absoluto»—, no se hacía más fuerte? Una de las causas es la apuntada: incapacidad técnica, racionalizadora, burocrática, de las aristocracias de sangre. Pero no basta esto. Además de eso aconteció en el Estado absoluto que *aquellas aristocracias no quisieron agrandar el Estado a costa de la sociedad*. Contra lo que se cree, el Estado absoluto respeta instintivamente la sociedad mucho más que nuestro Estado democrático, más inteligente, pero con menos sentido de la responsabilidad histórica.

Pero con la Revolución se adueñó del Poder público la burguesía y aplicó al Estado sus innegables virtudes, y en poco más de una generación creó un Estado poderoso, que acabó con las revoluciones. Desde 1848, es decir, desde que comienza la segunda generación de gobiernos burgueses, no hay en Europa verdaderas revoluciones. Y no ciertamente porque no hubiese motivos para ellas, sino porque no había medios. Se niveló el Poder público con el poder social. *¡Adiós revoluciones para siempre!* Ya no cabe en Europa más que lo contrario: el golpe de Estado. Y todo lo que con posterioridad pudo darse aires de revolución, no fué más que un golpe de Estado con máscara.

En nuestro tiempo, el Estado ha llegado a ser una máquina formidable que funciona prodigiosamente, de una maravillosa eficiencia por la cantidad y precisión de sus medios. Plantada en medio de la sociedad, basta tocar a un resorte para que actúen sus enormes palancas y operen fulminantes sobre cualquier trozo del cuerpo social.

El Estado contemporáneo es el producto más visible y notorio de la civilización. Y es muy interesante, es revelador, percatarse de la actitud que ante él adopta el hombre-masa. Este lo ve, lo admira, sabe que *está ahí*, asegurando su vida; pero no tiene conciencia de que es una creación humana inventada por ciertos hombres y sostenida por ciertas virtudes y supuestos que hubo ayer en los hombres y que puede evaporarse mañana. Por otra parte, el hombre-masa ve en el Estado un poder anónimo, y como él se siente a sí mismo anónimo—vulgo—, cree que el Estado es cosa suya. Imagínese que sobreviene en la vida pública de un país cualquier dificultad, conflicto o problema: el hombre-masa tenderá a exigir que inmediatamente lo asuma el Estado, que se encargue directamente de resolverlo con sus gigantescos e incontrastables medios.

Este es el mayor peligro que hoy amenaza a la civilización: la estatificación de la vida, el intervencionismo del Estado, la absorción de toda espontaneidad social por el Estado; es decir, la anulación de la espontaneidad histórica, que en definitiva sostiene, nutre y empuja los destinos humanos. Cuando la masa siente alguna desventura, o simplemente algún fuerte apetito, es una gran tentación para ella esa permanente y segura posibilidad de conseguirlo todo—sin esfuerzo, lucha, duda ni riesgo—sin más que tocar el resorte y hacer funcionar la portentosa máquina. La masa se dice: «El Estado soy yo», lo cual es un perfecto error. El Estado es la masa sólo en el sentido en que puede decirse de dos hombres que son idénticos porque ninguno de los dos se llama Juan. Estado contemporáneo y masa coinciden sólo en ser anónimos. Pero el caso es que el hombre-masa cree, en efecto, que él es el Estado, y tenderá cada vez más a hacerlo funcionar con cualquier pretexto, a aplastar con él toda minoría creadora que lo perturbe—que lo perturbe en cualquier orden: en política, en ideas, en industria.

El resultado de esta tendencia será fatal. La espontaneidad social quedará violentada una vez y otra por la intervención del Estado; ninguna nueva simiente podrá fructificar. La sociedad tendrá que vivir *para* el Estado; el hombre, *para* la máquina del Gobierno. Y como a la postre no es sino una máquina cuya existencia y mantenimiento dependen de la vitalidad circundante que la mantenga, el Estado, después de chupar el tuétano a la sociedad, se quedará hético, esquelético, muerto con esa muerte herrumbrosa de la máquina, mucho más cadavérica que la del organismo vivo.

Este fué el sino lamentable de la civilización antigua. No tiene duda que el Estado imperial creado por los Julios y los Claudios[1] fué una máquina admirable, incomparablemente superior como artefacto al viejo Estado republicano de las familias patricias. Pero, curiosa coincidencia, apenas llegó a su pleno desarrollo, comienza a decaer el cuerpo social. Ya en los tiempos de los Antoninos[2] (siglo II) el Estado gravita con una antivital supremacía sobre la sociedad. Esta empieza a ser esclavizada, a no poder vivir más que *en servicio del Estado*. La vida toda se burocratiza. ¿Qué acontece? La burocratización de la vida produce su mengua absoluta—en todos los órdenes—. La riqueza disminuye y las mujeres paren poco. Entonces el Estado, para subvenir a sus propias necesidades, fuerza más la burocratización de la existencia humana. Esta burocratización en segunda potencia es la militarización de la sociedad. La urgencia mayor del Estado es su aparato bélico, su ejército. El Estado es, ante todo, productor de seguridad (la seguridad de que nace el hombre-masa, no se olvide). Por eso es, ante todo, ejército. Los Severos,[3] de origen africano, militarizan el mundo. ¡Vana faena! La miseria aumenta, las matrices son cada vez menos fecundas. Faltan hasta soldados. Después de los Severos, el ejército tiene que ser reclutado entre extranjeros.

¿Se advierte cuál es el proceso paradójico y trágico del estatismo? La sociedad, para vivir mejor ella, crea, como un utensilio, el Estado. Luego, el Estado se sobrepone, y la sociedad tiene que empezar a vivir para el Estado.* Pero al fin y al cabo, el Estado se compone aún de los hombres de aquella sociedad. Mas pronto no basta con éstos para sostener el Estado y hay que llamar a extranjeros: primero, dálmatas; luego, germanos. Los extranjeros se hacen dueños del Estado, y los restos de la sociedad, del pueblo inicial, tienen que vivir esclavos de ellos, de gente con la cual no tienen nada que ver. A esto lleva el intervencionismo del Estado: el pueblo se convierte en carne y pasta que alimenta el mero artefacto y máquina que es el Estado. El esqueleto se come la carne en torno a él. El andamio se hace propietario e inquilino de la casa.

Cuando se sabe esto, azora un poco oír que Mussolini pregona con ejemplar petulancia, como un prodigioso descubrimiento hecho ahora en Italia, la fórmula: *Todo por el Estado; nada fuera del Estado; nada contra el Estado.* Bastaría esto para descubrir en el fascismo un típico movimiento de hombres-masa. Mussolini se encontró con un Estado admirablemente

---

[1] Roman Emperors (first century).
[2] Roman Emperors.

[3] Roman Emperors (second and third centuries).
* Recuérdense las últimas palabras de Septimio Severo a sus hijos: *Permaneced unidos, pagad a los soldados y despreciad el resto.*

construído—no por él, sino precisamente por las fuerzas e ideas que él combate: por la democracia liberal—. Él se limita a usarlo incontinentemente; y, sin que yo me permita ahora juzgar el detalle de su obra, es indiscutible que los resultados obtenidos hasta el presente no pueden compararse a los logrados en la función política y administrativa por el Estado liberal. Si algo ha conseguido, es tan menudo, poco visible y nada sustantivo, que difícilmente equilibra la acumulación de poderes anormales que le consienten emplear aquella máquina en forma extrema.

El estatismo es la forma superior que toman la violencia y la acción directa constituídas en norma. Al través y por medio del Estado, máquina anónima, las masas actúan por sí mismas.

Las naciones europeas tienen ante sí una etapa de grandes dificultades en su vida interior, problemas económicos, jurídicos y de orden público sobremanera arduos. ¿Cómo no temer que bajo el imperio de las masas se encargue el Estado de aplastar la independencia del individuo, del grupo, y agostar así definitivamente el porvenir?

Un ejemplo concreto de este mecanismo lo hallamos en uno de los fenómenos más alarmantes de estos últimos treinta años: el aumento enorme en todos los países de las fuerzas de Policía. El crecimiento social ha obligado ineludiblemente a ello. Por muy habitual que nos sea, no debe perder su terrible paradojismo ante nuestro espíritu el hecho de que la población de una gran urbe actual, para caminar pacíficamente y acudir a sus negocios, necesita, sin remedio, una Policía que regule la circulación. Pero es una inocencia de la gentes de «orden»

pensar que estas «fuerzas de orden público», creadas para el orden, se van a contentar con imponer siempre el que aquéllas quieran. Lo inevitable es que acaben por definir y decidir ellas el orden que van a imponer—y que será, naturalmente, el que les convenga.

Conviene que aprovechemos el roce de esta materia para hacer notar la diferente reacción que ante una necesidad pública puede sentir una u otra sociedad. Cuando, hacia 1800, la nueva industria comienza a crear un tipo de hombre—el obrero industrial—más criminoso que los tradicionales, Francia se apresura a crear una numerosa Policía. Hacia 1810 surge en Inglaterra, por las mismas causas, un aumento de la criminalidad, y entonces caen los ingleses en la cuenta de que ellos no tienen Policía. Gobiernan los conservadores. ¿Qué harán? ¿Crearán una Policía? Nada de eso. Se prefiere aguantar, hasta donde se pueda, el crimen. «La gente se resigna a hacer su lugar al desorden, considerándolo como rescate de la libertad.» «En París—escribe John William Ward [1]—tienen una Policía admirable, pero pagan caras sus ventajas. Prefiero ver que cada tres o cuatro años se degüella a media docena de hombres en Ratcliffe Road,[2] que estar sometido a visitas domiciliarias, al espionaje y a todas las maquinaciones de Fouché.»[3]★ Son dos ideas distintas del Estado. El inglés quiere que el Estado tenga límites.

[1] Earl of Dudley (1781–1833), English statesman and writer.
[2] In London.
[3] French minister of Police during Napoleonic period (1763–1820). ★*Véase* Elie Halévy: *Histoire du peuple anglais au XIXe siècle* (tomo I, página 40, 1912).

Meditaciones del Quijote (1914)

EL MITO, FERMENTO DE LA HISTORIA

LA PERSPECTIVA ÉPICA, que consiste, según hemos visto, en mirar los sucesos del mundo desde ciertos mitos cardinales, como desde cimas super-

nas, no muere con Grecia. Llega hasta nosotros. No morirá nunca. Cuando las gentes dejan de creer en la realidad cosmogónica e histórica de sus narraciones ha pasado, es cierto, el buen tiempo de la raza helénica. Mas, descargados los motivos épicos, las simientes míticas de todo valor dogmático no sólo perduran como espléndidos fantasmas insustituíbles, sino que ganan en agilidad y poder plástico. Hacinados en la memoria literaria, escondidos en el subsuelo de la reminiscencia popular, constituyen una levadura poética de incalculable energía. Acercad la historia verídica de un rey, de Antíoco,[1] por ejemplo, o de Alejandro, a estas materias incandescentes. La historia verídica comenzará a arder por los cuatro costados: lo normal y consuetudinario que en ella había perecerá indefectiblemente consumido. Después del incendio os quedará ante los ojos atónitos, refulgiendo como un diamante, la historia maravillosa de un mágico Apolonio,* de un milagroso Alejandro. Esta historia maravillosa, claro es que no es historia: se la ha llamado novela. De este modo ha podido hablarse de la novela griega.

Ahora resulta patente el equívoco que en esta palabra existe. La novela griega no es más que historia corrompida, divinamente corrompida por el mito, o bien, como el viaje al país de los Arímaspes, geografía fantástica, recuerdos de viajes que el mito ha descoyuntado, y luego, a su sabor, recompuesto. Al mismo género pertenece toda la literatura de imaginación, todo eso que se llama cuento, balada, leyenda y libros de caballerías. Siempre se trata de un cierto material histórico que el mito ha dislocado y reabsorbido.

No se olvide que el mito es el representante de un mundo distinto del nuestro. Si el nuestro es el real, el mundo mítico nos parecerá irreal. De todos modos, lo que en uno es posible es imposible en el otro; la mecánica de nuestro sistema planetario no rige en el sistema mítico. La reabsorción de un acontecimiento sublunar por un mito consiste, pues, en hacer de él una imposibilidad física e histórica. Consérvase la materia terrenal, pero es sometida a un régimen tan diverso del vigente en nuestro cosmos, que para nosotros equivale a la falta de todo régimen.

Esta literatura de imaginación prolongará sobre la humanidad hasta el fin de los tiempos el influjo bienhechor de la épica, que fué su madre. Ella duplicará el universo, ella nos traerá a menudo nuevas de un orbe deleitable, donde, si no continúan habitando los dioses de Homero,[2] gobiernan sus legítimos sucesores. Los dioses significan una dinastía, bajo la cual lo imposible es posible. Donde ellos reinan, lo normal no existe; emana de su trono omnímodo desorden. La Constitución que han jurado tiene un solo artículo: *Se permite la aventura.*

LIBROS DE CABALLERÍAS

CUANDO LA VISIÓN del mundo que el mito proporciona es derrocada del imperio sobre las ánimas por su hermana enemiga la ciencia, pierde la épica su empaque religioso y toma a campo traviesa en busca de aventuras. Caballerías quiere decir aventuras: los libros de caballerías fueron el último grande retoñar del viejo tronco épico. El último hasta ahora, no definitivamente el último.

El libro de caballerías conserva los caracteres épicos salvo la creencia en la realidad de lo contado.* También en él se dan por antiguos, de una ideal antigüedad, los sucesos referidos. El tiempo del rey Artús,[3] como el tiempo de Maricastaña,[4] son telones de un pretérito convencional que penden vaga, indecisamente, sobre la cronología.

Aparte los discreteos de algunos diálogos, el instrumento poético en el libro de caballerías es, como en la épica, la narración. Yo tengo que discrepar de la opinión recibida que hace de la narración el instrumento de la novela. Se explica esta opinión por no haber contrapuesto los dos

[1] King of Syria (third and second centuries B.C.).
* La figura de Apolonio está hecha con material mítico tomado a la historia de Antíoco.

[2] Homer (850 B.C. or earlier), famous Greek poet, author of *The Odyssey* and *The Iliad.*
* Aun esto diría yo que, en cierto modo, se conserva. Pero me vería obligado a escribir muchas páginas aquí innecesarias sobre esa misteriosa especie de alucinación que yace, a no dudarlo, en el placer sentido cuando leemos un libro de aventuras.
[3] Arthur (sixth century B.C.), legendary King of Wales, whose adventures gave rise to the Cycle of the Round Table.
[4] Imaginary remote time.

géneros bajo tal nombre confundidos. El libro de imaginación narra; pero la novela describe. La narración es la forma en que existe para nosotros el pasado, y sólo cabe narrar lo que pasó; es decir, lo que ya no es. Se describe, en cambio, lo actual. La épica gozaba, según es sabido, de un pretérito ideal—como el pasado que refiere—que ha recibido en las gramáticas el nombre de aoristo épico o gnómico.

Por otra parte, en la novela nos interesa la descripción, precisamente porque, en rigor, no nos interesa lo descrito. Desatendemos a los objetos que se nos ponen delante para atender a la manera como nos son presentados. Ni Sancho, ni el Cura, ni el barbero, ni el Caballero del Verde Gabán,[1] ni madame Bovary, ni su marido, ni el majadero de Homais[2] son interesantes. No daríamos dos reales por verlos a ellos. En cambio, nos desprenderíamos de un reino en pago a la fruición de verlos captados dentro de los dos libros famosos. Yo no comprendo cómo ha pasado esto desapercibido a los que piensan sobre cosas estéticas. Lo que, faltos de piedad, solemos llamar *lata*, es todo un género literario, bien que fracasado. La *lata* consiste en una narración de algo que no nos interesa.[*] La narración tiene que justificarse por su asunto, y será tanto mejor cuanto más somera, cuanto menos se interponga entre lo acontecido y nosotros.

De modo que el autor del libro de caballerías, a diferencia del novelista, hace gravitar toda su energía poética hacia la invención de sucesos interesantes. Estas son las aventuras. Hoy pudiéramos leer la *Odisea* como una relación de aventuras; la obra perdería sin duda nobleza y significación, pero no habríamos errado por completo su intención estética. Bajo Ulises, el igual a los dioses, asoma Simbad el marino, y apunta, bien que muy lejanamente, la honrada musa burguesa de Julio Verne. La proximidad se funda en la intervención del capricho gobernando los acontecimientos. En la *Odisea* el capricho actúa consagrado por los varios humores de los dioses; en la patraña, en las caballerías ostenta cínicamente su naturaleza. Y si en el viejo poema las andanzas cobran interés levantado por emanar del capricho de un dios—razón al cabo teológica—, es la aventura interesante por sí misma, por su inmanente caprichosidad.

Si apretamos un poco nuestra noción vulgar de realidad, tal vez halláramos que no consideramos real lo que efectivamente acaece, sino una cierta manera de acaecer las cosas que nos es familiar. En este vago sentido es, pues, real, no tanto lo visto como lo previsto; no tanto lo que vemos como lo que sabemos. Y si una serie de acontecimientos toma un giro imprevisto, decimos que nos parece mentira. Por eso nuestros antepasados llamaban al cuento aventurero una patraña.

La aventura quiebra como un cristal la opresora, insistente realidad. Es lo imprevisto, lo impensado, lo nuevo. Cada aventura es un nuevo nacer del mundo, un proceso único. ¿No ha de ser interesante?

A poco que vivimos hemos palpado ya los confines de nuestra prisión. Treinta años cuando más tardamos en reconocer los límites dentro de los cuales van a moverse nuestras posibilidades. Tomamos posesión de lo real, que es como haber medido los metros de una cadena prendida de nuestros pies. Entonces decimos: «¿Esto es la vida? ¿Nada más que esto? ¿Un ciclo concluso que se repite, siempre idéntico?» He aquí una hora peligrosa para todo hombre.

Recuerdo a este propósito un admirable dibujo de Gavarni.[3] Es un viejo socarrón junto a un tinglado de esos donde se enseña el mundo por un agujero. Y el viejo está diciendo: *Il faut montrer à l'homme des images, la réalité l'embête!*[4] Gavarni vivía entre unos cuantos escritores y artistas de París defensores del realismo estético. La facilidad con que el público era atraído por los cuentos de aventuras, le indignaba. Y,

---

[1] Caballero del Verde Gabán, character in Cervantes' novel *Don Quijote*.

[2] Madame Bovary . . . Homais, characters in *Madame Bovary*, famous French novel by Gustave Flaubert (1821–1880).

[*] En un cuaderno de *La Crítica* cita Croce la definición que un italiano da del *latoso*: es, dice, el que nos quita la soledad y no nos da la compañía.

[3] Gavarni: See d'Ors, note 5, p. 408.

[4] (*Fr.*) One must show man images, reality irritates him!

en efecto, razas débiles pueden convertir en un vicio esta fuerte droga de la imaginación, que nos permite escapar al peso grave de la existencia.

5 EL RETABLO DE MAESE PEDRO[1]

CONFORME VA la línea de la aventura desenvolviéndose, experimentamos una tensión emocional creciente, como si, acompañando a aquélla en su trayectoria, nos sintiéramos violentamente 10 apartados de la línea que sigue la inerte realidad. A cada paso da ésta sus tirones, amenazando con hacer entrar el suceso en el curso natural de las cosas, y es necesario que un nuevo envite del poder aventurero lo liberte y empuje hacia 15 mayores imposibles. Nosotros vamos lanzados en la aventura como dentro de un proyectil, y en la lucha dinámica entre éste, que avanza por la tangente, que ya escapa, y el centro de la tierra, que aspira a sujetarlo, tomamos el partido 20 de aquél. Esta parcialidad nuestra aumenta con cada peripecia y contribuye a una especie de alucinación, en que tomamos por un instante la aventura como verdadera realidad.

Cervantes ha representado maravillosamente 25 esta mecánica psicológica del lector de patrañas en el proceso que sigue el espíritu de Don Quijote ante el retablo de maese Pedro.

El caballo de Don Gaiferos, en su galope vertiginoso, va abriendo tras su cola una estela 30 de vacío; en ella se precipita una corriente de aire alucinado que arrastra consigo cuanto no está muy firme sobre la tierra. Y allá va volteando, arrebatada en el vórtice ilusorio, el alma de Don Quijote, ingrávida como un vilano, co- 35 mo una hoja seca. Y allá irá siempre en su seguimiento cuanto quede en el mundo de ingenuo y de doliente.

Los bastidores del retablo que anda mostrando maese Pedro son frontera de dos continentes 40 espirituales. Hacia dentro, el retablo constriñe un orbe fantástico, articulado por el genio de lo

imposible: es el ámbito de la aventura, de la imaginación, del mito. Hacia fuera, se hace lugar un aposento donde se agrupan unos cuantos hombres ingenuos, de estos que vemos a todas 45 horas ocupados en el pobre afán de vivir. En medio de ellos está un mentecato, un hidalgo de nuestra vecindad, que una mañana abandonó el pueblo impelido por una pequeña anomalía anatómica de sus centros cerebrales. Nada nos im- 50 pide entrar en este aposento: podríamos respirar en su atmósfera y tocar a los presentes en el hombro, pues son de nuestro mismo tejido y condición. Sin embargo, este aposento está a su vez incluso en un libro, es decir, en otro como 55 retablo más amplio que el primero. Si entráramos al aposento, habríamos puesto el pie dentro de un objeto ideal, nos moveríamos en la concavidad de un cuerpo estético. (Velázquez, en las *Meninas*, nos ofrece un caso análogo: al tiem- 60 po que pintaba un cuadro de reyes, ha metido su estudio en el cuadro. Y en *Las hilanderas* ha unido para siempre la acción legendaria que representa un tapiz, a la estancia humilde donde se fabricó.) 65

Por el conducto de la simplicidad y la amencia van y vienen efluvios del uno al otro continente, del retablo a la estancia, de ésta a aquél. Diríase que lo importante es precisamente la ósmosis y endósmosis[2] entre ambos. 70

POESÍA Y REALIDAD

AFIRMA CERVANTES que escribe su libro contra los de caballerías. En la crítica de los últimos tiempos se ha perdido la atención hacia este propósito de Cervantes. Tal vez se ha pensado que era 75 una manera de decir, una presentación convencional de la obra, como lo fué la sospecha de ejemplaridad con que cubre sus novelas cortas. No obstante, hay que volver a este punto de vista. Para la estética es esencial ver la obra 80 de Cervantes como una polémica contra las caballerías.

---

[1] Maese Pedro, character in *Don Quijote* who put on a puppet show, and Don Quijote, believing that the puppets were real, attacked them.

[2] (*Physics*) A current from without going in, established when two liquids of distinct density are separated by a membrane.

Si no, ¿cómo entender la ampliación incalculable que aquí experimenta el arte literario? El plano épico donde se deslizan los objetos imaginarios era hasta ahora el único, y podía definirse lo poético con las mismas notas constituyentes de aquél.* Pero ahora el plano imaginario pasa a ser un segundo plano. El arte se enriquece con un término más; por decirlo así, se aumenta en una tercera dimensión, conquista la profundidad estética, que, como la geométrica, supone una pluralidad de términos. Ya no puede, en consecuencia, hacerse consistir lo poético en este peculiar atractivo del pasado ideal ni en el interés que a la aventura presta su proceder, siempre nuevo, único y sorprendente. Ahora tenemos que acomodar en la capacidad poética la realidad actual.

Nótese toda la estringencia del problema. Llegábamos hasta aquí a lo poético merced a una superación y abandono de lo circunstante, de lo actual. De modo que tanto vale decir «realidad actual» como decir lo «no poético». Es, pues, la máxima ampliación estética que cabe pensar.

¿Cómo es posible que sean poéticos esta venta y este Sancho y este arriero y este trabucaire de maese Pedro? Sin duda alguna que ellos no lo son. Frente al retablo significan formalmente la agresión a lo poético. Cervantes destaca a Sancho contra toda aventura, a fin de que al pasar por ella la haga imposible. Esta es su misión. No vemos, pues, cómo pueda sobre lo real extenderse el campo de la poesía. Mientras lo imaginario era por sí mismo poético, la realidad es por sí misma antipoética. *Hic Rhodus, hic salta*,[1] aquí es donde la estética tiene que aguzar su visión. Contra lo que supone la ingenuidad de nuestros almogáraves eruditos, la tendencia realista es la que necesita más de justificación

y explicación, es el *exemplum crucis*[2] de la estética.

En efecto, sería ininteligible si la gran gesticulación de Don Quijote no acertara a orientarnos. ¿Dónde colocaremos a Don Quijote, del lado de allá o del lado de acá? Sería torcido decidirse por uno u otro continente. Don Quijote es la arista en que ambos mundos se cortan formando un bisel.

Si se nos dice que Don Quijote pertenece íntegramente a la realidad, no nos enojaremos. Sólo haríamos notar que con Don Quijote entraría a formar parte de lo real su indómita voluntad. Y esta voluntad se halla henchida de una decisión: es la voluntad de la aventura. Don Quijote, que es real, quiere realmente las aventuras. Como él mismo dice: «Bien podrán los encantadores quitarme la ventura, pero el esfuerzo y el ánimo es imposible.» Por eso con tan pasmosa facilidad transita de la sala del espectáculo al interior de la patraña. Es una naturaleza fronteriza, como lo es, en general, según Platón, la naturaleza del hombre.

Tal vez no sospechábamos hace un momento lo que ahora nos ocurre: que la realidad entra en la poesía para elevar a una potencia estética más alta la aventura. Si esto se confirmara, veríamos a la realidad abrirse para dar cabida al continente imaginario y servirle de soporte, del mismo modo que la venta es esta clara noche un bajel que boga sobre las tórridas llanadas manchegas, llevando en su vientre a Carlomagno y los doce Pares, a Marsilio de Sansueña[3] y la sin par Melisendra.[3] Ello es que lo referido en los libros de caballerías tiene realidad dentro de la fantasía de Don Quijote, el cual, a su vez, goza de una indubitable existencia. De modo que, aunque la novela realista haya nacido como oposición a la llamada novela imaginaria, lleva dentro de sí infartada la aventura.

---

* Desde el principio nos hemos desentendido del lirismo, que es una gravitación estética independiente.

[1] (*Lat.*) Here is Rhodes, leap here. (*Latinized from Æsop, Fab. 203*, "The Boaster".) An athlete boasts of a victory he obtained in Rhodes with a prodigious leap, to which Rhodians can testify. A bystander says: "When a thing is a fact, there is no need to appeal to testimony. Here is Rhodes; leap here!"

[2] (*Lat.*) crucial example.

[3] Marsilio de Sansueña and Melisendra, characters in the history of Maese Pedro who appear in *Don Quijote*, Part II, chap. xxvi. Marsilio is the King of Sansueña (Zaragoza) and Melisendra the wife of Don Gaiferos, character from the Carolingian legends.

LA REALIDAD, FERMENTO DEL MITO

LA NUEVA POESÍA que ejerce Cervantes no puede ser de tan sencilla contextura como la griega y la medieval. Cervantes mira el mundo desde la
5 cumbre del Renacimiento. El Renacimiento ha apretado un poco más las cosas: es una superación integral de la antigua sensibilidad. Galileo da una severa policía al universo con su física. Un nuevo régimen ha comenzado; todo anda
10 más dentro de horma. En el nuevo orden de cosas las aventuras son imposibles. No va a tardar mucho en declarar Leibniz[1] que la simple posibilidad carece por completo de vigor, que sólo es posible lo «*compossibile*», es decir, lo que
15 se halle en estrecha conexión con las leyes naturales.* De este modo lo posible, que en el mito, en el milagro, afirma una arisca independencia, queda infartado en lo real como la aventura en el verismo de Cervantes.
20   Otro carácter del Renacimiento es la primacía que adquiere lo psicológico. El mundo antiguo parece una pura corporeidad sin morada y secretos interiores. El Renacimiento descubre en toda su vasta amplitud el mundo interno, el
25 *me ipsum*,[2] la conciencia, lo subjetivo.
    Flor de este nuevo y grande giro que toma la cultura es el *Quijote*. En él periclita para siempre la épica con su aspiración a sostener un orbe mítico lindando con el de los fenómenos mate-
30 riales, pero de él distinto. Se salva, es cierto, la realidad de la aventura; pero tal salvación envuelve la más punzante ironía. La realidad de la aventura queda reducida a lo psicológico, a un humor del organismo tal vez. Es real en
35 cuanto vapor de un cerebro. De modo que su realidad es, más bien, la de su contrario, la material.
    En verano vuelca el sol torrentes de fuego sobre la Mancha, y a menudo la tierra ardiente produce el fenómeno del espejismo. El agua que vemos no es agua real, pero algo de real hay en
40 ella: su fuente. Y esta fuente amarga, que mana el agua del espejismo, es la sequedad desesperada de la tierra.
    Fenómeno semejante podemos vivirlo en dos direcciones: una, ingenua y rectilínea; entonces
45 el agua que el sol pinta es para nosotros efectiva; otra, irónica, oblicua cuando la vemos como tal espejismo, es decir, cuando a través de la frescura del agua vemos la sequedad de la tierra que la finge. La novela de aventuras, el cuento, la
50 épica son aquella manera ingenua de vivir las cosas imaginarias y significativas. La novela realista es esta segunda manera oblicua. Necesita, pues, de la primera; necesita del espejismo para hacérnoslo ver como tal. De suerte que no
55 es sólo el *Quijote* quien fué escrito contra los libros de caballerías, y, en consecuencia, lleva a éstos dentro, sino que el género literario «novela» consiste esencialmente en aquella intususcepción.[3]
60
    Esto ofrece una explicación a lo que parecía inexplicable: cómo la realidad, lo actual, puede convertirse en substancia poética. Por sí misma, mirada en sentido directo, no lo sería nunca;
65 esto es privilegio de lo mítico. Mas podemos tomarla oblicuamente como destrucción del mito, como crítica del mito. En esta forma la realidad, que es de naturaleza inerte e insignificante, quieta y muda, adquiere un movimiento, se convierte en un poder activo de agresión al orbe
70 cristalino de lo ideal. Roto el encanto de éste, cae en polvillo irisado que va perdiendo sus colores hasta volverse pardo terruño. A esta escena asistimos en toda novela. De suerte que, hablando con rigor, la realidad no se hace poé-
75 tica ni entra en la obra de arte, sino sólo aquel gesto o movimiento suyo en que reabsorbe lo ideal.
    En resolución, se trata de un proceso estrictamente inverso al que engendra la novela de 80

---

[1] See Machado, note 4, p. 305.
    * Para Aristóteles y la Edad Media es posible lo que no envuelve en sí contradicción. Lo «*compossibile*» necesita más. Para Aristóteles es posible el centauro; para un moderno no, porque no lo tolera la biología, la ciencia natural.
[2] (*Lat.*) I myself.

[3] Intussusception, in natural history, a way of growing by assimilating other elements within.

imaginación. Hay, además, la diferencia de que la novela realista describe el proceso mismo, y aquélla sólo el objeto producido: la aventura.

LOS MOLINOS DE VIENTO

5 ES AHORA para nosotros el campo de Montiel[1] un área reverberante e ilimitada, donde se hallan todas las cosas del mundo como en un ejemplo. Caminando a lo largo de él con Don Quijote y Sancho, venimos a la comprensión de que las
10 cosas tienen dos vertientes. Es una el «sentido» de las cosas, su significación, lo que son cuando se las interpreta. Es otra la «materialidad» de las cosas, su positiva substancia, lo que las constituye antes y por encima de toda interpretación.
15 Sobre la línea del horizonte en estas puestas de sol inyectadas de sangre—como si una vena del firmamento hubiera sido punzada—levántanse los molinos harineros de Criptana y hacen al ocaso sus aspavientos. Estos molinos tienen
20 un sentido: como «sentido» estos molinos son gigantes. Verdad es que Don Quijote no anda en su juicio. Pero el problema no queda resuelto porque Don Quijote sea declarado demente. Lo que en él es anormal, ha sido y seguirá siendo
25 normal en la humanidad. Bien que estos gigantes no lo sean; pero . . . ¿y los otros?, quiero decir, ¿y los gigantes en general? ¿De dónde ha sacado el hombre los gigantes? Porque ni los hubo ni los hay *en realidad*. Fuere cuando fuere,[2] la
30 ocasión en que el hombre pensó por vez primera los gigantes no se diferencia en nada esencial de esta escena cervantina. Siempre se trataría de una cosa que no era gigante, pero que mirada desde su vertiente ideal tendía a hacerse
35 gigante. En las aspas giratorias de estos molinos hay una alusión hacia unos brazos briareos.[3] Si obedecemos al impulso de esa alusión y nos dejamos ir según la curva allí anunciada, llegaremos al gigante.

[1] Part of central Castile.
[2] *fuere cuando fuere* whenever it was.
[3] A reference to the mythological giant, Briareus, who had fifty heads and one hundred arms.

También justicia y verdad, la obra toda del 40 espíritu, son espejismos que se producen en la materia. La cultura—la vertiente ideal de las cosas—pretende establecerse como un mundo aparte y suficiente, adonde podamos trasladar nuestras entrañas. Esto es una ilusión, y sólo 45 mirada como ilusión, sólo puesta como un espejismo sobre la tierra, está la cultura puesta en su lugar.

LA POESÍA REALISTA

DEL MISMO MODO que las siluetas de las rocas y 50 de las nubes encierran alusiones a ciertas formas animales, las cosas todas, desde su inerte materialidad, hacen como señas que nosotros interpretamos. Estas interpretaciones se condensan hasta formar una objetividad que viene 55 a ser una duplicación de la primaria, de la llamada real. Nace de aquí un perenne conflicto: la «idea» o «sentido» de cada cosa y su «materialidad» aspiran a encajarse una en otra. Pero esto supone la victoria de una de ellas. Si la «idea» 60 triunfa, la «materialidad» queda suplantada y vivimos alucinados. Si la materialidad se impone, y, penetrado el vaho de la idea, reabsorbe ésta, vivimos desilusionados.

Sabido es que la acción de ver consiste en 65 aplicar una imagen previa que tenemos sobre una sensación ocurrente. Un punto oscuro en la lejanía es visto por nosotros sucesivamente como una torre, como un árbol, como un hombre. Viénese a dar la razón a Platón, que explicaba la 70 percepción como la resultante de algo que va de la pupila al objeto y algo que viene del objeto a la pupila. Solía Leonardo de Vinci poner a sus alumnos frente a una tapia, con el fin de que se acostumbraran a intuir en las formas de las 75 piedras, en las líneas de sus junturas, en los juegos de sombra y claridad, multitud de formas imaginarias. Platónico en el fondo de su ser, buscaba en la realidad Leonardo sólo el paracleto, el despertador del espíritu.   80

Ahora bien, hay distancias, luces e inclinaciones, desde las cuales el material sensitivo de las cosas reduce a un mínimo la esfera de nuestras interpretaciones. Una fuerza de concreción impide el movimiento de nuestras imágenes. La cosa inerte y áspera escupe de sí cuantos «sentidos» queramos darle: está ahí, frente a nosotros, afirmando su muda, terrible materialidad frente a todos los fantasmas. He ahí lo que llamamos realismo: traer las cosas a una distancia, ponerlas bajo una luz, inclinarlas de modo que se acentúe la vertiente de ellas que baja hacia la pura materialidad.

El mito es siempre el punto de partida de toda poesía, inclusive de la realista. Sólo que en ésta acompañamos al mito en su descenso, en su caída. El tema de la poesía realista es el desmoronamiento de una poesía.

Yo no creo que pueda de otra manera ingresar la realidad en el arte que haciendo de su misma inercia y desolación un elemento activo y combatiente. Ella no puede interesarnos. Mucho menos puede interesarnos su duplicación. Repito lo que arriba dije: los personajes de la novela carecen de atractivo. ¿Cómo es posible que su representación nos conmueva? Y, sin embargo, es así: no ellos, no *las* realidades nos conmueven, sino su representación, es decir, la representación de *la* realidad de ellos. Esta distinción es, en mi entender, decisiva: lo poético de la realidad no es la realidad como esta o aquella cosa, sino la realidad como función genérica. Por eso es, en rigor, indiferente qué objetos elija el realista para describirlos. Cualquiera es bueno, todos tienen un halo imaginario en torno. Se trata de mostrar bajo él la pura materialidad. Vemos en ella lo que tiene de instancia última, de poder crítico, ante quien se rinde la pretensión de todo lo ideal, de todo lo querido e imaginado por el hombre a declararse suficiente.

La insuficiencia, en una palabra, de la cultura, de cuanto es noble, claro, aspirante, éste es el sentido del realismo poético. Cervantes reconoce que la cultura es todo eso, pero, ¡ay!, es una ficción. Envolviendo la cultura—como la venta el retablo de la fantasía—yace la bárbara, brutal, muda, insignificante realidad de las cosas. Es triste que tal se nos muestre, ¡pero qué le vamos a hacer!, es real, está ahí: de una manera terrible se basta a sí misma. Su fuerza y su significado único radica en su presencia. Recuerdos y promesas es la cultura, pasado irreversible, futuro soñado.

Mas la realidad es un simple y pavoroso «estar ahí». Presencia, yacimiento, inercia. Materialidad.*

MIMO

CLARO ES QUE Cervantes no inventa *a nihilo*[1] el tema poético de la realidad: simplemente lo lleva a una expansión clásica. Hasta encontrar en la novela, en el *Quijote*, la estructura orgánica que le conviene, el tema ha caminado como un hilillo de agua buscando su salida, vacilante, tentando los estorbos, buscándoles la vuelta, filtrándose dentro de otros cuerpos. De todos modos, tiene una extraña oriundez. Nace en los antípodas del mito y de la épica. En rigor, nace fuera de la literatura.

El germen del realismo se halla en un cierto impulso que lleva al hombre a imitar lo característico de sus semejantes o de los animales. Lo característico consiste en un rasgo de tal valor dentro de una fisonomía—persona, animal o cosa—, que al ser reproducido suscita los demás, pronta y enérgicamente, ante nosotros, los hace presentes. Ahora bien, no se imita por imitar: este impulso imitativo—como las formas más complejas de realismo que quedan descritas—no es original, no nace de sí mismo. Vive de una intención forastera. El que imita, imita para burlarse. Aquí tenemos el origen que buscamos: el mimo.

Sólo, pues, con motivo de una intención cómica parece adquirir la realidad un interés estético. Esto sería una curiosísima confirmación histórica de lo que acabo de decir acerca de la novela.

---

* En pintura se hace más patente aún la intención del realismo. Rafael, Miguel Angel pintan las formas de las cosas. La forma es siempre ideal—una imagen del recuerdo o una construcción nuestra—. Veláquez busca la impresión de las cosas. La impresión es informe y acentúa la materia—raso, terciopelo, lienzo, madera, protoplasma orgánico—de que están hechas las cosas.

[1] (*Lat.*) from nothingness.

Con efecto, en Grecia, donde la poesía exige una distancia ideal a todo objeto para estetizarlo, sólo encontramos temas actuales en la comedia. Como Cervantes, echa mano Aristófanes[1] de las gentes que roza en las plazuelas y las introduce dentro de la obra artística. Pero es para burlarse de ellas.

De la comedia nace, a su vez, el diálogo—un género que no ha podido lograr independencia. El diálogo de Platón también describe lo real y también se burla de lo real. Cuando trasciende de lo cómico es que se apoya en un interés extrapoético—el científico. Otro dato a conservar. Lo real, como comedia o como ciencia, puede pasar a la poesía, jamás encontramos la poesía de lo real como simplemente real.

He aquí los únicos puntos de la literatura griega donde podemos amarrar el hilo de la evolución novelesca.* Nace, pues, la novela llevando dentro el aguijón cómico. Y este genio y esta figura la acompañarán hasta su sepultura. La crítica, la zumba, no es un ornamento inesencial del *Quijote*, sino que forma la textura misma del género, tal vez de todo realismo.

EL HÉROE

MAS HASTA AHORA no habíamos tenido ocasión de mirar con alguna insistencia la faz de lo cómico. Cuando escribía que la novela nos manifiesta un espejismo como tal espejismo, la palabra comedia venía a merodear en torno a los puntos de la pluma como un can que se hubiera sentido llamar. No sabemos por qué, una semejanza oculta nos hace aproximar el espejismo sobre las calcinadas rastrojeras y las comedias en las almas de los hombres.

La historia nos obliga ahora a volver sobre el asunto. Algo nos quedaba en el aire, vacilando entre la estancia de la venta y el retablo de maese Pedro. Este algo era nada menos que la voluntad de Don Quijote.

Podrán a este vecino nuestro quitarle la aven-

[1] Aristophanes (448 ?–380 ? B.C.), Greek dramatist.
* La historia de amor—los *Erotici*—procede de la comedia nueva. Wilamowitz-Moellendorf: *Greek Historical writing* (1908), págs 22–23.

tura, pero el esfuerzo y el ánimo es imposible. Serán las aventuras vahos de un cerebro en fermentación, pero la voluntad de la aventura es real y verdadera. Ahora bien, la aventura es una dislocación del orden material, una irrealidad. En la voluntad de aventuras, en el esfuerzo y en el ánimo nos sale al camino una extraña naturaleza biforme. Sus dos elementos pertenecen a mundos contrarios: la querencia es real, pero lo querido es irreal.

Objeto semejante es ignoto en la épica. Los hombres de Homero pertenecen al mismo orbe que sus deseos. Aquí tenemos, en cambio, un hombre que quiere reformar la realidad. Pero ¿no es él una porción de esa realidad? ¿No vive de ella, no es una consecuencia de ella? ¿Cómo hay modo de que lo que no es—el proyecto de una aventura—gobierne y componga la dura realidad? Tal vez no lo haya, pero es un hecho que existen hombres decididos a no contentarse con la realidad. Aspiran los tales a que las cosas lleven un curso distinto: se niegan a repetir los gestos que la costumbre, la tradición, y, en resumen, los instintos biológicos les fuerzan a hacer. Estos hombres llamamos héroes. Porque ser héroe consiste en ser uno, uno mismo. Si nos resistimos a que la herencia, a que lo circunstante nos impongan unas acciones determinadas, es que buscamos asentar en nosotros, y sólo en nosotros, el origen de nuestros actos. Cuando el héroe quiere, no son los antepasados en él o los usos del presente quienes quieren sino él mismo. Y este querer él ser él mismo es la heroicidad.

No creo que exista especie de originalidad más profunda que esta originalidad «práctica», activa del héroe. Su vida es una perpetua resistencia a lo habitual y consueto. Cada movimiento que hace ha necesitado primero vencer a la costumbre e inventar una nueva manera de gesto. Una vida así es un perenne dolor, un constante desgarrarse de aquella parte de sí mismo rendida al hábito, prisionera de la materia.

INTERVENCIÓN DEL LIRISMO

AHORA BIEN, ante el hecho de la heroicidad—de la voluntad de aventura—, cabe tomar dos posiciones: o nos lanzamos con él hacia el dolor, por parecernos que la vida heroica tiene «sentido», o damos a la realidad el leve empujón que a ésta basta para aniquilar todo heroísmo, como se aniquila un sueño sacudiendo al que lo duerme. Antes he llamado a estas dos direcciones de nuestro interés, la recta y la oblicua.

Conviene subrayar ahora que el núcleo de realidad a que ambas se refieren es uno mismo. La diferencia, pues, proviene del modo subjetivo en que nos acercamos a él. De modo que si la épica y la novela discrepaban por sus objetos—el pasado y la realidad—, aún cabe una nueva división dentro del tema realidad. Mas esta división no se funda ya puramente en el objeto, sino que se origina en un elemento subjetivo, en nuestra postura ante aquél.

En lo anterior se ha abstraído, por completo, del lirismo, que es, frente a la épica, el otro manantial de poesía. No conviene en estas páginas perseguir su esencia ni detenerse a meditar qué cosa pueda ser lirismo. Otra vez llegará la sazón. Baste con recordar lo admitido por todo el mundo: el lirismo es una proyección estética de la tonalidad general de nuestros sentimientos. La épica no es triste ni es alegre: es un arte apolíneo, indiferente, todo él formas de objetos eternos, sin edad, extrínseco e invulnerable.

Con el lirismo penetra en el arte una substancia voluble y tornadiza. La intimidad del hombre varía a lo largo de los siglos, el vértice de su sentimentalidad gravita unas veces hacia Oriente y otras hacia Poniente. Hay tiempos jocundos y tiempos amargos. Todo depende de que el balance que hace el hombre de su propio valer, le parezca, en definitiva, favorable o adverso.

No creo que haya sido necesario insistir sobre lo que va sugerido al comienzo de este breve tratado: que—consista en el pretérito o en lo actual el tema de la poesía—la poesía y todo arte versa sobre lo humano y sólo sobre lo humano. El paisaje que se pinta, se pinta siempre como un escenario para el hombre. Siendo esto así, no podía menos de seguirse que todas las formas del arte toman su origen de la variación en las interpretaciones del hombre por el hombre. Dime lo que del hombre sientes y decirte he qué arte cultivas.

Y como todo género literario, aun dejando cierto margen, es un cauce que se ha abierto una de estas interpretaciones del hombre, nada menos sorprendente que la predilección de cada época por uno determinado. Por eso la literatura genuina de un tiempo es una confesión general de la intimidad humana entonces.

Pues bien: volviendo al hecho del heroísmo, notamos que unas veces se le ha mirado rectamente y otras oblicuamente. En el primer caso, convertía nuestra mirada al héroe en un objeto estético que llamamos lo trágico. En el segundo, hacía de él un objeto estético que llamamos lo cómico.

Ha habido épocas que apenas han tenido sensibilidad para lo trágico, tiempos embebidos de humorismo y comedia. El siglo XIX—siglo burgués, democrático y positivista—se ha inclinado con exceso a ver la comedia sobre la tierra.

La correlación que entre la épica y la novela queda dibujada se repite aquí entre la propensión trágica y la propensión cómica de nuestro ánimo.

LA TRAGEDIA

HÉROE ES, decía, quien quiere ser él mismo. La raíz de lo heroico hállase, pues, en un acto real de voluntad. Nada parecido en la épica. Por esto Don Quijote no es una figura épica, pero sí es un héroe. Aquiles[1] hace la epopeya, el héroe la quiere. De modo que el sujeto trágico no es trágico, y, por tanto, poético, en cuanto hombre de carne y hueso, sino sólo en cuanto que quiere. La voluntad—ese objeto paradoxal que empieza en la realidad y acaba en lo ideal, pues sólo se quiere lo que no es—es el tema trágico; y una época para quien la voluntad no existe, una época determinista y darwiniana, por ejemplo, no puede interesarse en la tragedia.

[1] Achilles, the hero of Homer's *Iliad*, who became the Greek ideal of youthful strength, beauty, and valor.

No nos fijemos demasiado en la griega. Si somos sinceros, declararemos que no la entendemos bien. Aún la filología no nos ha adaptado suficientemente el órgano para asistir a una tragedia griega. Acaso no haya producción más entreverada de motivos puramente históricos, transitorios. No se olvide que era en Atenas un oficio religioso. De modo que la obra se verifica más aún que sobre las planchas del teatro, dentro del ánimo de los espectadores. Envolviendo la escena y el público está una atmósfera extrapoética: la religión. Y lo que ha llegado a nosotros es como el libreto de una ópera cuya música no hemos oído nunca—es el revés de un tapiz, cabos de hilos multicolores que llegan de un envés tejido por la fe. Ahora bien, los helenistas se encuentran detenidos ante la fe de los atenienses, no aciertan a reconstruirla. Mientras no lo logren, la tragedia griega será una página escrita en un idioma de que no poseemos diccionario.

Sólo vemos claro que los poetas trágicos de Grecia nos hablan personalmente desde las máscaras de sus héroes. ¿Cuándo hace esto Shakespeare? Esquilo[1] compone movido por una intención confusa entre poética y teológica. Su tema es tanto, por lo menos, como estético, metafísico y ético. Yo le llamaría *teopoeta*. Le acongojan los problemas del bien y el mal, de la libertad, de la justificación, del orden en el cosmos, del causante de todo. Y sus obras son una serie progresiva de acometidas a estas cuestiones divinas. Su estro parece más bien un ímpetu de reforma religiosa. Y se asemeja, antes que a un *homme de lettres*,[2] a San Pablo o a Lutero. A fuerza de piedad quisiera superar la religión popular, que es insuficiente para la madurez de los tiempos. En otro lugar, esta noción no habría conducido a un hombre hacia los versos; pero en Grecia, por ser la religión menos sacerdotal, más flúida y ambiente, podía el interés teológico andar menos diferenciado del poético, político y filosófico.

Dejemos, pues, el drama griego y todas las teorías que, basando la tragedia en no sé qué fatalidad, creen que es la derrota, la muerte del héroe quien le presta la calidad trágica.

No es necesaria la intervención de la fatalidad, y, aunque suele ser vencido, no arranca el triunfo, si llega, al héroe su heroísmo. Oigamos el efecto que el drama produce al espectador villano. Si es sincero, no dejará de confesarnos que en el fondo le parece un poco inverosímil. Veinte veces ha estado por levantarse de su asiento para aconsejar al protagonista que renuncie a su empeño, que abandone su posición. Porque el villano piensa muy juiciosamente que todas las cosas malas sobrevienen al héroe porque se obstina en tal o cual propósito. Desentendiéndose de él, todo llegaría a buen arreglo, y, como dicen al fin de los cuentos los chinos, aludiendo a su nomadismo antiguo, podría asentarse y tener muchos hijos. No hay, pues, fatalidad, o más bien, lo que fatalmente acaece, acaece fatalmente, porque el héroe ha dado lugar a ello. Las desdichas del *Príncipe Constante*[3] eran fatales desde el punto en que decidió ser constante, pero no es él fatalmente constante.

Yo creo que las teorías clásicas padecen aquí un simple *quid pro quo*,[4] y que conviene corregirlas aprovechando la impresión que el heroísmo produce en el alma del villano, incapaz de heroicidad. El villano desconoce aquel estrato de la vida en que ésta ejercita solamente actividades suntuarias, superfluas. Ignora el rebasar y el sobrar de la vitalidad. Vive atenido a lo necesario, y lo que hace lo hace por fuerza. Obra siempre empujado; sus acciones son reacciones. No le cabe en la cabeza que alguien se meta en andanzas por lo que no le va ni le viene; le parece un poco orate todo el que tenga la voluntad de la aventura, y se encuentra en la tragedia con un hombre forzado a sufrir las consecuencias de un empeño que nadie le fuerza a querer.

Lejos, pues, de originarse en la fatalidad lo trágico, es esencial al héroe querer su trágico destino. Por eso, mirada la tragedia desde la vida vegetativa tiene siempre un carácter ficticio. Todo el dolor nace de que el héroe se resiste a resig-

---

[1] Aeschylus (525–456 B.C.), Greek dramatist.
[2] (Fr.) Man of letters.
[3] Drama by Calderón.
[4] (*Lat.*) "something for something," here meaning an error.

nar un papel ideal, un «rôle» imaginario que ha elegido. El actor en el drama, podría decirse paradójicamente, representa un papel que es, a su vez, la representación de un papel, bien que en serio esta última. De todos modos, la volición libérrima inicia y engendra el proceso trágico. Y este «querer», creador de un nuevo ámbito de realidades que sólo por él son—el orden trágico—, es, naturalmente, una ficción para quien no existe más querer que el de la necesidad natural, la cual se contenta con sólo lo que es.

LA COMEDIA

LA TRAGEDIA no se produce a ras de nuestro suelo; tenemos que elevarnos a ella. Somos asumptos a ella. Es irreal. Si queremos buscar en lo existente algo parecido, hemos de levantar los ojos y posarlos en las cimas más altas de la historia.

Supone la tragedia en nuestro ánimo una predisposición hacia los grandes actos—de otra suerte nos parecerá una fanfarronada. No se impone a nosotros con la evidencia y forzosidad del realismo, que hace comenzar la obra bajo nuestros mismos pies, y sin sentirlo, pasivamente, nos introduce en ella. En cierta manera, el fruir la tragedia pide de nosotros que la queramos también un poco, como el héroe quiere su destino. Viene, en consecuencia, a hacer presa en los síntomas de heroísmo atrofiado que existan en nosotros. Porque todos llevamos dentro como el muñón de un héroe.

Mas una vez embarcados según el heroico rumbo, veremos que nos repercuten en lo hondo los fuertes movimientos y el ímpetu de ascensión que hinchen la tragedia. Sorprendidos hallaremos que somos capaces de vivir a una tensión formidable y que todo en torno nuestro aumenta sus proporciones recibiendo una superior dignidad. La tragedia en el teatro nos abre los ojos para descubrir y estimar lo heroico en la realidad. Así Napoleón, que sabía algo de psicología, no quiso que durante su estancia en Francfort, ante aquel público de reyes vencidos, representara comedias su compañía ambulante y obligó a Talma[1] a que produjera las figuras de Racine[2] y de Corneille.[3]

Mas, en torno al héroe muñón que dentro conducimos, se agita una caterva de instintos plebeyos. En virtud de razones, sin duda suficientes, solemos abrigar una grande desconfianza hacia todo el que quiere hacer usos nuevos. No pedimos justificación al que no se afana en rebasar la línea vulgar, pero la exigimos perentoriamente al esforzado que intenta trascenderla. Pocas cosas odia tanto nuestro plebeyo interior como al ambicioso. Y el héroe, claro está que empieza por ser un ambicioso. La vulgaridad no nos irrita tanto como las pretensiones. De aquí que el héroe ande siempre a dos dedos de caer, no en la desgracia, que esto sería subir a ella, sino de caer en el ridículo. El aforismo: «de lo sublime a lo ridículo no hay más que un paso», formula este peligro que amenaza genuinamente al héroe. ¡Ay de él como no justifique con exuberancia de grandeza, con sobra de calidades, su pretensión de no ser como son los demás, «como son las cosas»! El reformador, el que ensaya nuevo arte, nueva ciencia, nueva política, atraviesa, mientras vive, un medio hostil, corrosivo, que supone en él un fatuo, cuando no un mixtificador. Tiene en contra suya aquello por negar lo cual es él un héroe: la tradición, lo recibido, lo habitual, los usos de nuestros padres, las costumbres nacionales, lo castizo, la inercia omnímoda, en fin. Todo esto, acumulado en centenario aluvión, forma una costra de siete estados a lo profundo. Y el héroe pretende que una idea, un corpúsculo menos que aéreo, súbitamente aparecido en su fantasía, haga explotar tan oneroso volumen. El instinto de inercia y de conservación no lo puede tolerar y se venga. Envía contra él al realismo, y lo envuelve en una comedia.

Como el carácter de lo heroico estriba en la voluntad de ser lo que aún no se es, tiene el personaje trágico medio cuerpo fuera de la realidad. Con tirarle de los pies y volverle a ella por completo, queda convertido en un carácter

[1] French tragedian (1763–1826).
[2] Classical French dramatist (1639–1699).
[3] Classical French dramatist (1606–1684).

cómico. Difícilmente, a fuerza de fuerzas, se
incorpora sobre la inercia real la noble ficción
heroica: toda ella vive de aspiración. Su testimonio es el futuro. La *vis cómica*[1] se limita a
5 acentuar la vertiente del héroe que da hacia la
pura materialidad. Al través de la ficción,
avanza la realidad, se impone a nuestra vista y
reabsorbe el «rôle» trágico* El héroe hacía de
éste su ser mismo, se fundía con él. La reabsor-
10 ción por la realidad consiste en solidificar,
materializar la intención aspirante sobre el
cuerpo del héroe. De esta guisa vemos el
«rôle» como un disfraz ridículo, como una
máscara bajo la cual se mueve una criatura
15 vulgar.

El héroe anticipa el porvenir y a él apela.
Sus ademanes tienen una significación utópica.
El no dice que sea, sino que quiere ser. Así, la
mujer feminista aspira a que un día las mujeres
20 no necesiten ser mujeres feministas. Pero el
cómico suplanta el ideal de las feministas por la
mujer que hoy sustenta sobre su voluntad ese
ideal. Congelado y retrotraído al presente lo que
está hecho para vivir en una atmósfera futura,
25 no acierta a realizar las más triviales funciones
de la existencia. Y la gente ríe. Presencia la
caída del pájaro ideal al volar sobre el aliento de
un agua muerta. La gente ríe. Es una risa útil;
por cada héroe que hiere, tritura a cien mixti-
30 ficadores.

Vive, en consecuencia, la comedia sobre la
tragedia, como la novela sobre la épica. Así
nació históricamente en Grecia, a modo de
reacción contra los trágicos y los filósofos que
35 querían introducir dioses nuevos y fabricar
nuevas costumbres. En nombre de la tradición
popular, de «nuestros padres» y de los hábitos
sacrosantos, Aristófanes produce en la escena
las figuras actuales de Sócrates y Eurípides. Y
40 lo que aquél puso en su filosofía y éste en sus

[1] Comic force.
* Cita Bergson un ejemplo curioso. La reina de Prusia
entra en el cuarto donde está Napoleón. Llega furibunda,
ululante y conminatoria. Napoleón se limita a rogarle
que tome asiento. Sentada la reina, enmudece; el «rôle»
trágico no puede afirmarse en la postura burguesa
propia de una visita, y se abate sobre quien lo lleva. [*Le
rire.* Cap. V.]

versos, lo pone él en las personas de Sócrates y
Eurípides.[2]

La comedia es el género literario de los
partidos conservadores.

De querer ser a creer que se es ya, va la dis- 45
tancia de lo trágico a lo cómico. Este es el paso
entre la sublimidad y la ridiculez. La transfe-
rencia del carácter heroico desde la voluntad a
la percepción causa la involución de la tragedia,
su desmoronamiento, su comedia. El espejismo 50
aparece como tal espejismo.

Esto acontece con Don Quijote cuando, no
contento con afirmar su voluntad de la aventura,
se obstina en creerse aventurero. La novela
inmortal está a pique de convertirse simple- 55
mente en comedia. Siempre va el canto de un
duro,[3] según hemos indicado, de la novela a la
pura comedia.

A los primeros lectores del *Quijote* debió
parecerles tal aquella novedad literaria. En el 60
prólogo de Avellaneda[4] se insiste dos veces
sobre ello: «Como casi es comedia toda la
Historia de Don Quijote de la Mancha», comienza
dicho prólogo, y luego añade: «conténtese con su
Galatea[5] y comedias en prosa, que eso son las 65
más de sus novelas». No quedan suficientemente
explicadas estas frases con advertir que entonces
era comedia el nombre genérico de toda obra
teatral.

LA TRAGICOMEDIA

EL GÉNERO novelesco es, sin duda, cómico. No di- 70
gamos que humorístico, porque bajo el manto
del humorismo se esconden muchas vanidades.
Por lo pronto, se trata simplemente de aprovechar la significación poética que hay en la
caída violenta del cuerpo trágico, vencido por la 75
fuerza de inercia, por la realidad. Cuando se
ha insistido sobre el realismo de la novela,
debiera haberse notado que en dicho realismo

[2] Greek dramatist (480 ?–406 ? B.C.).
[3] *va . . . duro* there is very little difference.
[4] Pseudonym of the unknown author of the false
sequel (published in 1614) to Cervantes' first volume of
Don Quijote.
[5] Pastoral novel by Cervantes (1584).

algo más que realidad se encerraba, algo que permitía a éste alcanzar un vigor de poetización que le es tan ajeno. Entonces se hubiera patentizado que no está en la realidad yacente lo poético del realismo, sino en la fuerza atractiva que ejerce sobre los aerolitos ideales.

La línea superior de la novela es una tragedia; de allí se descuelga la musa siguiendo a lo trágico en su caída. La línea trágica es inevitable, tiene que formar parte de la novela, siquiera sea como el perfil sutilísimo que la limita. Por esto, yo creo que conviene atenerse al nombre buscado por Fernando de Rojas para su *Celestina:* tragicomedia. La novela es tragicomedia. Acaso en la *Celestina* hace crisis la evolución de este género, conquistando una madurez que permite en el *Quijote* la plena expansión.

Claro está que la línea trágica puede engrosar sobremanera y hasta ocupar en el volumen novelesco tanto espacio y valor como la materia cómica. Caben aquí todos los grados y oscilaciones.

En la novela como síntesis de tragedia y comedia se ha realizado el extraño deseo que, sin comentario alguno, deja escapar una vez Platón. Es allá en el Banquete, de madrugada. Los comensales, rendidos por el jugo dionisíaco,[1] yacen dormitando en confuso desorden. Aristodemos despierta vagamente, «cuando ya cantan los gallos»; le parece ver que sólo Sócrates, Agatón y Aristófanes siguen vigilantes. Cree oír que están trabados en un difícil diálogo, donde Sócrates sostiene frente a Agatón, el joven autor de tragedias, y Aristófanes, el cómico, que no dos hombres distintos, sino uno mismo debía ser el poeta de la tragedia y el de la comedia.

Esto no ha recibido explicación satisfactoria; mas siempre al leerlo he sospechado que Platón, alma llena de gérmenes, ponía aquí la simiente de la novela. Prolongando el ademán que Sócrates hace desde el *Symposion*[2] en la lívida claridad del amanecer, parece como que topamos con Don Quijote, el héroe y el orate.

---

[1] Juice of Dionysus, i.e., wine.

[2] *Symposion (Grk.)* In ancient Greece, a banquet or gathering where there was free interchange of ideas.

FLAUBERT, CERVANTES, DARWIN

LA INFECUNDIDAD de lo que ha solido llamarse patriotismo en el pensamiento español, se manifiesta en que los hechos españoles positivamente grandes no han sido bastante estudiados. El entusiasmo se gasta en alabanzas estériles de lo que no es loable y no puede emplearse, con la energía suficiente, allí donde hace más falta.

Falta el libro donde se demuestre al detalle que toda novela lleva dentro, como una íntima filigrana, el *Quijote*, de la misma manera que todo poema épico lleva, como el fruto el hueso, la *Ilíada*.

Flaubert no siente empacho en proclamarlo: «Je retrouve—dice—mes origines dans le livre que je savais par coeur avant de savoir lire: don Quichotte.»[3] Madame Bovary es un Don Quijote con faldas y un mínimo de tragedias sobre el alma. Es la lectora de novelas románticas y representante de los ideales burgueses que se han cernido sobre Europa durante medio siglo. ¡Míseros ideales! ¡Democracia burguesa, romanticismo positivista!

Flaubert se da perfecta cuenta de que el arte novelesco es un género de intención crítica y cómico nervio: «Je tourne beaucoup à la critique—escribe al tiempo que compone la *Bovary*—; *le roman que j'écris m'aiguise cette faculté, car c'est une œuvre surtout de critique ou plutôt d'anatomie.»*[4] Y en otro lugar: «Ah!, ce qui manque à la société moderne ce n'est pas un Christ, ni un Washington, ni un Socrate, ni un Voltaire, *c'est un Aristophane.»*[4]

Yo creo que en achaques de realismo no ha de parecer Flaubert sospechoso y que será aceptado como testigo de mayor excepción.

Si la novela contemporánea pone menos al descubierto su mecanismo cómico, débese a que

---

[3] *Correspondence*, II, 16. "I find my origins again in the book I knew by heart before I knew how to read: *Don Quijote*."

[4] (*Fr.*) "I turn to criticism a great deal . . . the novel I am writing sharpens this faculty, for it is above all a work of criticism or rather of anatomy." "Ah, what is lacking in modern society is not a Christ, a Washington, a Socrates, or a Voltaire, but an Aristophanes." (From *Correspondence*, II, 370 and 159.)

los ideales por ella atacados apenas se distancian de la realidad con que se los combate. La tirantez es muy débil: el ideal *cae* desde poquísima altura. Por esta razón puede augurarse que la novela del siglo XIX será ilegible muy pronto: contiene la menor cantidad posible de dinamismo poético. Ya hoy nos sorprendemos cuando al *caer* en nuestras manos un libro de Daudet[1] o de Maupassant[2] no encontramos en nosotros el placer que hace quince años sentíamos. Al paso que la tensión del *Quijote* promete no gastarse nunca.

El ideal del siglo XIX era el realismo. «Hechos, sólo hechos»—clama el personaje dickensiano de *Tiempos difíciles*.[3] El *cómo*, no el *por qué*; el hecho, no la idea—predica Augusto Comte—. Madame Bovary respira el mismo aire que M. Homais—una atmósfera comtista. Flaubert lee la *Filosofía positiva*[4] en tanto que va escribiendo su novela: «c'est un ouvrage—dice—profondément farce; il faut seulement lire, pour s'en convaincre, l'introduction qui en est le résumé; il y a, pour quelqu'un qui voudrait faire des charges au théâtre *dans le goût aristophanesque*, sur les théories sociales, des californies de rires».[5]

La realidad es de tan feroz genio que no tolera el ideal ni aun cuando es ella misma la idealizada. Y el siglo XIX, no satisfecho con levantar a forma heroica la negación de todo heroísmo, no contento con proclamar la idea de lo positivo, vuelve a hacer pasar este mismo afán bajo las horcas caudinas[6] de la asperísima realidad. Una frase escapa a Flaubert sobradamente característica: «on me croit épris du réel, tandis

que je l'exècre; car c'est en haine du réalisme que j'ai entrepris ce roman».[7]

Estas generaciones de que inmediatamente procedemos habían tomado una postura fatal. Ya en el *Quijote* se vence el fiel de la balanza poética del lado de la amargura, para no recobrarse por completo hasta ahora. Pero este siglo, nuestro padre, ha sentido una perversa fruición en el pesimismo: se ha revolcado en él, ha apurado su vaso y ha comprimido el mundo de manera que nada levantado pudo quedar en pie. Sale de toda esta centuria hacia nosotros como una bocanada de rencor.

Las ciencias naturales basadas en el determinismo habían conquistado durante los primeros lustros el campo de la biología. Darwin cree haber conseguido aprisionar lo vital—nuestra última esperanza—dentro de la necesidad física. La vida desciende a no más que materia. La fisiología a mecánica.

El organismo, que parecía una unidad independiente, capaz de obrar por sí mismo, es inserto en el medio físico, como una figura en un tapiz. Ya no es él quien se mueve, sino el medio en él. Nuestras acciones no pasan de reacciones. No hay libertad, originalidad. Vivir es adaptarse; adaptarse es dejar que el contorno material penetre en nosotros, nos desaloje de nosotros mismos. Adaptación es sumisión y renuncia. Darwin barre los héroes de sobre el haz de la tierra.

Llega la hora del «roman expérimental». Zola[8] no aprende su poesía en Homero ni en Shakespeare, sino en Claudio Bernard.[9] Se trata siempre de hablarnos del hombre. Pero como ahora el hombre no es sujeto de sus actos sino que es movido por el medio en que vive, la novela buscará la representación del medio. El medio es el único protagonista.

---

[1] French novelist (1840–1897).

[2] French short story writer (1850–1893).

[3] *Hard Times*, novel by Charles Dickens (1812–1870).

[4] *Positivist Philosophy*, by Auguste Comte (1798–1857).

[5] (*Fr.*) "It is a profoundly farcical work; one has only to read, in order to be convinced, the introduction which gives a résumé; there is for whoever would like to attack the theatre's social theories like Aristophanes a great richness of laughter." (From *Correspondence*, II, 261.)

[6] *horcas caudinas* humiliating concessions (expression derived from a great defeat the Romans suffered in Caudas at the hands of the Samnites).

[7] (*Fr.*) "people think I am taken by reality, when I hate it; for it is out of hatred of realism that I have undertaken this novel". (From *Correspondence*, III, 67–68.)

[8] French novelist (1840–1902), leader of Naturalistic school. His novels followed a scientific, or "experimental" method.

[9] French physiologist (1813–1878), exponent of experimental science.

Se habla de producir el «ambiente». Se somete el arte a una policía: la verosimilitud. Pero ¿es que la tragedia no tiene su interna, independiente verosimilitud? ¿No hay un *vero*[1] estético—lo bello? ¿Y una similitud a lo bello? Ahí está, que no lo hay, según el positivismo: lo bello es lo verosímil y lo verdadero es sólo la física. La novela aspira a fisiología.

Una noche en el *Père Lachaise*,[2] Bouvard y Pécuchet[3] entierran la poesía—en honor a la verosimilitud y al determinismo.

---

[1] (*Ital.*) true.

[2] Cemetery in Paris.

[3] Characters in Flaubert's novel of the same name.

La Vanguardia

La vanguardia

¿CÓMO DESIGNAR al grupo de poetas y escritores que hacia 1925 se
dió de alta en la literatura española? La palabra «vanguardia» puede
servir para situarlos. Fueron punta de lanza de la renovación ininterrumpida, nueva oleada surgida en el clima de libertad espiritual
y exigencia para consigo mismo suscitado por la enseñanza de Giner
y Ortega y por el ejemplo de Unamuno, Machado y Juan Ramón
Jiménez. A los hombres de este grupo se les ha llamado «generación
de 1925», denominación tan imprecisa como la de «vanguardistas»,
y menos expresiva. La vanguardia empezó en España con el ultraísmo
(ultra: ir más allá, lejos, hasta lo último, en el confín de las tierras
incógnitas) e incluyó movimientos como el creacionismo (fundado,
si cabe decirlo así, por el chileno Vicente Huidobro, quien habló de
«crear un poema como la naturaleza crea un árbol»), el surrealismo
(tentativa de lograr una poesía del inconsciente, sin control racional),
la llamada poesía pura, en donde lo anecdótico desaparece, el neogongorismo,[1] con sus deslumbrantes juegos de palabras y metáforas,
y un neopopularismo tamizado por el refinamiento artístico.

[1] *neogongorismo* a movement inspired by the works of the baroque poet Luis de
Góngora (1561–1627).

La vanguardia sintió la incitación de la aventura y lógicamente fué anticonformista, liberal a su modo y vinculada a lo popular. Ortega y Jiménez fueron sus mentores. La *Revista de Occidente* (1923-1936), dirigida por aquél, y las fugaces publicaciones de éste les facilitaron el contacto con el público. La aversión a «la literatura» que, por oposición a «la poesía», llegó a ser considerada como algo nefando, degradación de las puras esencias líricas, explica las limitaciones y asépticas precauciones de los prosistas, especialmente de los narradores, empeñados en escribir novelas y cuentos sin otra sustancia que la quintaesencia de las sensaciones experimentadas por sus autores. La reacción contra esta superdelicadeza se produjo pronto, y acaso el brutal impacto de la guerra civil sobre la conciencia de los escritores la hizo más rápida, pues, sin abdicar de su aversión al lugar común, los novelistas comprendieron la imposibilidad de permanecer desvinculados de la vida, y mucho menos la de encomendar a sus lacayos la tarea de vivir. La historia, dichosamente, había suprimido los lacayos.

Los poetas maduraron antes que los prosistas, y desde 1924, año en que Rafael Alberti y Gerardo Diego lograron el Premio Nacional de literatura, la vanguardia alcanzó oficialmente el reconocimiento que algunos de sus ilustres mayores le habían otorgado con anterioridad. En los doce años transcurridos desde entonces hasta 1936, jóvenes y maduros contribuyeron con idéntica energía a mantener en primera línea de la literatura europea a la española. Bastará para comprobarlo ordenar algunos títulos y algunas fechas: *Nuevas canciones*, de Antonio Machado, es de 1924; *La agonía del cristianismo*, de Unamuno, y *Versos humanos*, de Gerardo Diego, son de 1925; *El obispo leproso*, de Gabriel Miró, *Tigre Juan*, de Pérez de Ayala y *Tirano Banderas*, de Valle-Inclán, son de 1926; *Los amores tardíos*, de Pío Baroja, de 1927; *Cántico*, de Jorge Guillén, *Romancero gitano*, de García Lorca y *Felix Vargas*, de Azorín, de 1928; *La rebelión de las masas*, de Ortega, *Sobre los ángeles*, de Alberti y *Seguro azar*, de Salinas, de 1929; *San Manuel Bueno*, de Unamuno, de 1933; *Las noches del Buen Retiro*, de Baroja, de 1934; *La destrucción o el amor*, de Vicente Aleixandre, de 1935; y *Canción*, de Juan Ramón Jiménez, de 1936.

Los academizantes pensaron que el ímpetu aventurero y un poco anárquico de los ismos se consumiría sin dejar rastro. Tremendo error. Es la literatura «oficial» la que caducó sin remedio: los Ricardo León, Álvarez Quintero y otras «glorias nacionales» que marchando hacia la inmortalidad quedaron olvidadas, empolvándose en algún perdido almacén de trastos viejos. De los ismos se desvaneció la algarabía, el juvenil estruendo; quedaron, en cambio, las conquistas formales, la renovación temática, los enriquecimientos debidos a las nuevas técnicas, la posibilidad de cantar y contar con libertad e imaginación, en la luz y en la sombra. Las vanguardias abrieron de par en par las puertas del sueño, exploraron sistemáticamente las secretas galerías por donde habían transitado tiempo atrás los románticos, el profundo Antonio Machado y el mágico Juan Ramón Jiménez. Como ellos, descendieron hasta el fondo, volaron alto por las profundidades, y del cielo y el infierno regresaron enriquecidos. Cuando más tarde miraron de nuevo al mundo que les rodeaba y lo vieron, según es, en su natural diversidad, quisieron a la vez preservarlo y transformarlo. Preservar su natural encanto y transformar las estructuras coercitivas de la organización social. La angustia existencial aparece en la fase final del vanguardismo y explica los cambios registrados en quienes militaron en él, pues por su contacto con la realidad, por su penetración en el alma del hombre, pasaron de la aventura estética al compromiso vital (aunque, por supuesto, esa aventura hubiera sido vivida, también, apasionadamente).

RAMÓN GÓMEZ DE LA SERNA
1888–1963

Humorista, revolucionario y rebelde, es el primer franco tirador de la literatura de lengua española. No es casualidad que su libro inicial (escrito a los quince años) se titulara Entrando en fuego, *alusión transparente a su actitud combativa, a su beligerancia contra los defensores del conservadurismo estético. Su táctica fue de guerrillero; su arma, la greguería, es decir, la frase incisiva que trata de definir lo indefinible, decir lo indecible, captar y revelar de modo fulgurante el sentido oculto de las cosas. Se apoya en la metáfora y utilizándola con audacia establece relaciones iluminadoras entre objetos disímiles, entre fenómenos disonantes. Sus libros son cadenas deslumbrantes de agudezas, su prosa chisporrotea en el desorden barroco de la imagen. Toda su obra es una corriente, torrencial a veces, en que, bajo diversas formas—novela, biografía, ensayo, memorias... se revela su genio observador, invencionero y fecundo. En* El doctor inverosímil (1921) *escribió un esperpento alucinante y extraño; en* El torero Caracho (1927) *la parodia de una novela taurina; en* El dueño del átomo (1928) *una sorprendente anticipación de los descubrimientos de la física reciente.*

Familiarizado con la muerte y con los muertos, tituló Automoribundia (1948) *su autobiografía. Nadie, salvo él mismo, podría contar su morir-viviendo en la escritura. Cuanto escribe es ramonismo.[1] Puede escribir «falsas novelas»: rusas, negras, alemanas, norteamericanas, o de las llamadas «super-históricas». Y no son novelas falsas o falsificadas, sino un singularísimo tipo de parodia en donde sintetiza su curiosa aptitud para asimilar las formas de creación literaria que se dirían más ajenas a su espíritu. Cambiará el texto y el pretexto, pero no la forma ni la sustancia. Una y otra son propiedad exclusiva de quien se complace en ser el Ramón por antonomasia[2] de la literatura española.*

[1] *es ramonismo* bears his (Ramón Gómez de la Serna's) personal stamp.
[2] *antonomasia* See Jiménez, note 4, p 391.

Los muertos, las muertas y otras fantasmagorías (1935)

LUCUBRACIONES SOBRE LA MUERTE

Id tomando veneno hasta que os sepa bien. Amad la muerte si queréis ser vivos.

SUHWARADI.[1]

Mors certa, hora incerta.[2]

UN RELOJ.

★ ★ ★

[1] Persian philosopher and mystic (1153–1191).

[2] (*Lat.*) Death is certain, the hour uncertain.

médulas que han gloriosamente ardido,
su cuerpo dejarán, no su cuidado;
serán ceniza, mas tendrán sentido;
polvo serán, mas polvo enamorado.

QUEVEDO.[1]

Olvidar a los muertos es olvidarse a sí mismo.

LAMARTINE.[2]

* * *

LA MUERTE es un valor en crisis.

Quizá esta crisis de la muerte es lo que da más valor a ese intruso y latente comunismo que solivianta la vida actual.

5 Todo el círculo de muerte que rodeaba a la vida y la atirantaba en sentido conminativo sirve ahora de impulsión para desoír los consejos de prudencia y espera.

El signo menos de la muerte se ha convertido 10 en signo positivo, en signo más, y se nota la inquietud vital que causa ese nuevo elemento aportado a la vida.

Parece que hoy día ya no hay muerte, sino sólo sepelios.

15 Lo subconsciente que se dedicaba antes a la muerte ahora sólo se dedica a la vida y se sacan de él fuerzas, intención, tanteos, sed.

Los valores que antes iban a la muerte han comenzado a circular en la vida, como valores 20 excitativos, temerarios, anhelantes, impregnados de una desobediencia contumaz.

¿A qué lanzamientos no se dedicará la vida gracias a ese doble resorte?

Lo que siente de avidez la vida presente se 25 debe a que ha de recompensarse a sí misma porque ha perdido la idea de la muerte.

Más que riquezas, esperan las juventudes y los hombres nuevos, sin el contrapeso de la muerte, combinaciones vitales, resoluciones, ventajas 30 de la libertad, compensación y anchura de la vida. Reintegrarse al engaño si el desengaño llega, rebelarse como en religión de la rebelión.

Al quedarse sin la moral de la muerte la ley es más estricta, la ordenación es fatal, no hay 35 engaño posible, no hay misión, no hay sumisión espontánea, todo tiene que ser sumisión rígida.

Descontada la muerte, el capital de la vida crece y la soltura y la superación del existir aumentan. Lo que excentrificaba antes lo vital, lo concentra ahora y es exigencia y estímulo. 40

A esa cotización de la muerte como valor vital en vez de antivital hay que añadir otros nuevos valores que vienen a congestionar de fuerza nueva la vida actual, así la aleación novísima del tiempo y el espacio. 45

La creación se anima con más rigor que nunca y su palpitación es más convincente porque es como si sucediera mucho tiempo al mismo tiempo y hay infinitos siglos en cada minuto porque la distancia de millares de años de luz alarga con 50 su extensión el mismo tiempo.

Una lumbrarada intensa mueve la época presente y todos están en trance de superación. Los que leíamos sorpresas evidentes de la ciencia presentíamos las transmutaciones de la vida en 55 cuanto estas sorpresas penetraban en el vivir.

La muerte servirá ahora para meditar en la vida, para preparar sus saltos como consejera de futuridad. Se substituye inmediatamente a los que mueren, se recibe toda su carga eléctrica. 60 Las calaveras son como huchas agujereadas de las que se repartió el dinero entre los que siguen viviendo. La muerte se queda en la vida.

Al demostrarse que la muerte no es más que silencio, la vida se desencadenará y hablará con 65 videncia. Las aventuras van a redoblarse.

Tenemos que pensar en la compensación imparcial de la muerte. La idea nueva del espacio unido al tiempo tiene que agradar a nuestra idea de la muerte porque si bien al 70 morir se borrará en nosotros la idea de espacio y tiempo, continuaremos en el espacio y por lo tanto en el tiempo. Quedaremos en la idea de la distancia y de la luz, en una idea máxima del presente, la única idea consoladora, la idea de 75 trayectoria hecha de los dos elementos saciadores

[1] From "Amor constante más allá de la muerte", Sonnet XXXI, in Erato, Fourth Muse, in *El Parnaso español*.

[2] Alphonse de Lamartine (1790–1869), French poet.

de la inquietud, espacio y tiempo, esencialmente unidos, como don satisfaciente del no ser.

La reflexión de la multitud se ha subvertido en su fondo y su subconsciente se ha renovado. Su idea de lo efímero de la vida no la lleva a renunciar, sino a gozar de la vida con más ahinco, a adelantarse al balance final.

Se ha enterado la humanidad de que lo que hay que hacer es vivir por completo. Lo que conviene es ganar la posición de muerto, completar la muerte, y para eso hay que vivir más y usar muchas facultades íntimas que no se usan.

De la nueva y radical idea de la muerte brota el radicalismo actual de la vida.

De influencia de la muerte incorporada como desmoralización de la vida procede la actitud actual. La muerte es lo más corruptor que hay. Entra en las entrañas, en el honor, y lo deshace y perpetra la peor violación.

Ya tiene la materia suficiente con disgregarse, con volver a su sitio, con congregarse de nuevo, para que retenga las credulidades de amor, las combinaciones de recuerdos, las falsedades ideológicas.

El morir es un conflicto para los vivos, ninguno para el muerto. Es un susto que penetra en las galerías más obscuras del ser, que ciega su destino, que le hace dudar de su propia vida. Todo depende en la muerte del pánico mortal de los que siguen viviendo.

Es una idiotez no contar con la muerte y no recoger todas las ternuras por la vida que enciende y realza la muerte.

Milagro si no me enredo con la muerte al meterme en sus enredos, pero yo soy valiente para estos escarceos porque me tengo prevenida la fosa común.

Creo que sólo gracias a la frecuentación de la idea de la muerte, sin temor al sectario ni al material racionalista—dos cosas lejanas a mí—, habrá una esencial moralidad en la vida.

Dice el beato Orozco[1]:

«Dime, hombre, que te prometes largos años de vida y te parece que eres inmortal, ¿qué es de aquella niñez y edad de la inocencia? ¿Qué se

[1] Fray Alonso de Orozco, sixteenth-century Spanish mystic.

hizo aquella flor de tu mocedad? No puedes negar que la sierpe, que traes enroscada en tu cuerpo, te la comió: pues esa misma te consumirá la vejez. *Todos nos estamos muriendo, y como el agua* de los ríos va con ímpetu a la mar, *caminamos, sin detenernos*, para la sepultura, a quien llama *madre* el santo Job, la cual tiene los brazos abiertos para recibirnos. *Con desnudez salí del vientre de mi madre*, dijo este santo varón, *y desnudo tengo de volver a salir de este mundo.*»

Se dice que Platón se trasladó a una ciudad en la que reinaba la peste, para tener más presente la muerte al ver tantos como se zambullían en ella.

La limpieza de conciencia se adquiere en este enfrentarse con ella y sólo gracias a eso se puede esperar que decrezca el rigor cruel, la avaricia, que es la infamia mayor, y la falta de caridad, que es el oprobio máximo del ser humano y usurario.

Hay que meditar en la muerte, logrando quizá así que el terror pesado se convierta en terror leve.

Hay que estar a bien con la muerte, porque ella es la que continúa y perdura, no la vida.

Debemos pensar que nuestra muerte está en la eternidad, entrando en ella al morir. ¡Qué lejos del vivir un instante para estar en el vivir siempre!

La insistencia en la idea de la muerte es una llamada al mayor vivir y el único aviso moral en épocas en que lo religioso duerme en la modorra general.

Hay que pensar que no seremos los vivos sino los muertos, y que la muerte es volver a no haber nacido.

Ya sé que el pensamiento más pavoroso de la vida es pensar que a todas estas gentes que vemos—incluído uno mismo—hay que enterrarlas, y que se precipitará a su alrededor la horrenda farsa de la muerte, la repugnante representación del falso dolor y de los falsos aspavientos. Lo único que saben hacer frente al elevado problema de la muerte y la vida.

¡Qué solo está uno!—piensa uno a veces—, pero más solo va a estar porque va a estar sin estar ni consigo mismo.

Después de todo nada importan las variaciones de nuestro destino porque la medida del féretro va a ser la misma.

La muerte nos ronda, y cometemos la descortesía de hacerla rondar, a veces, demasiados años.

Del estar o no estar en el mundo se desprenden las grandes lecciones de las cosas. Eso ¿qué significará cuando ya no estemos? Era una cosa sencilla, hasta tonta, y sólo se complica por esa absoluta ausencia.

El genio de la muerte es el supremo genio, que lo atisba todo. Tener la genialidad de la muerte sería sobrepasar todas las medidas. ¿Qué prodigioso genio es ése, que se lleva el ánima, la escamotea y no la deja tocar ni encontrar a los mejores detectives?

Es tal la problemática de la muerte que indigna que haya los que no quieren saber nada de ella, «ateos de la muerte», que viendo que ni los más sabios han resuelto su misterio le han encontrado un cínico tranquillo. Cuando hasta el gran matemático Einstein, que ha solucionado tan graves problemas, no ha podido solucionar esa incógnita, agarrándose a Dios en el gran temblor del mundo, hay quienes creen que se pueden hacer los desentendidos.

Sólo gracias al afán de lo incógnito, a este obvio encararse con la muerte, que yo planteo en este libro, se podrá enjugar algo la maldad humana, el atrasarse en el engrandecerse.

Los que han matado hasta la inquietud somera que hay que tener, son sólo asaltantes humanos, más o menos comedidos, según sean más o menos cobardes, y son verdaderos muertos anticipados, muertos incognitales, sin siquiera la inquietud de la incógnita, lo más vivo del hombre bajo ese disfraz.

¿Que podría suprimirse? Dado como es el hombre y sus instintos es completamente necesaria.

Si el hombre no muriese—no hubiese muerto hace muchos siglos—no hubiéramos visto la luz del día, pues haría muchos milenios que los supervivientes en un mundo tan chico hubiesen matado al nacer toda criatura que les viniese a estorbar.

La muerte es tan importante que el asesino es el que queda muerto en el que ha matado, porque ha hecho un ser superior y fulminante del muerto, que es el único que, además, no sabe que es muerto y por qué es un muerto.

¿Que después de todas esas disquisiciones deberíamos desposarnos con la muerte? Desposarse con la muerte es sólo tener enrollado en el anular un gusano como un anillo.

Ni lanzarse a la muerte, que es un designio sólo reservado a Dios, ni rehuir el gran sentido de su advertencia cerrando los ojos a ella, como se cierran los ojos de los muertos para que no nos miren y nos vean en toda nuestra avilantez.

Por lo menos tenemos que pensar que así como el sueño tiene despertar—repugna que el que uno que se ha dormido no se despierte nunca más—, la muerte también lo tendrá.

Se han lanzado pensamientos consoladores de la muerte, aunque ninguno es capaz de consolar bastante.

El misterioso Heráclito dijo: «Los inmortales son mortales, y los mortales inmortales; intercambian la vida y la muerte».

Lucrecio regaló al mundo este par de consuelos: «Ni muertos ni vivos debe concernirnos la muerte: vivos, porque existimos; muertos, porque ya no existiremos.» «Las razas futuras van a seguirnos.»

Por si esto fuera poco, añade el escritor antiguo: «¿No sabéis que la muerte no dejará subsistir otro individuo idéntico a vosotros, que pueda gemir ante vuestra agonía y llorar ante vuestro cadáver?».

Horacio nos quiso también consolar, diciendo: «Imagina que cada día es el último, y así agradecerás el amanecer que ya no esperabas.»

No se sabe quién tiene más razón, si los consoladores o los agravadores; yo me inclino a los agravadores, y aun creo que hay que agravar más la idea de la muerte.

El Eclesiástico dice: «Hombre, no te engañe tu imaginación, acuérdate que la muerte no tarda», y Job, en cambio, que sólo se regodeaba con la muerte, dijo: «Hay unos hombres que esperan la muerte y ella no viene; como quien cava algún tesoro, se gozan en gran manera cuando hallan la sepultura».

San Gregorio[1] llama a la vida «una larga y prolija muerte», y Epicuro[2] dice: «Cada uno de nosotros abandona la vida con la sensación de quien acaba de nacer.»

5   Los escatimadores son los que, como Séneca, dicen: «La hora misma en que nacimos disminuye la duración de la muerte». Yendo más lejos, el que supone que ya antes de la natividad «la muerte ha comido el tiempo de nueve meses

10 a cada uno de los mortales».

En la difícil idea de la muerte hay que saber que al morir no se sigue en el tiempo, sino que sale del tiempo para siempre, pues la mayor equivocación del pasado es creer que lo que

15 compone la inmortalidad tiene algo que ver con lo que compone el tiempo.

Hay que tener la tristeza de morir, pero de eso debe consolar el que también es verdad que se ha nacido, alegría superior, pues reveló que fuimos

20 elegidos por las casualidades entre todo el sistema celular del mundo, entre tierras y mantillos, más todo el légamo del bajo fondo de la tierra que sólo desea florecer como hombre.

La muerte, después de todo, es la única

25 solución contra la locura que se produce en los seres, sino en forma específica, en forma de vanidad, avaricia o paternidad-maternidad absorbente.

La sensatez humana se ha esforzado en dar

30 respuesta a la gran incógnita.

El sabio chino es el que mejor contesta: «¿Qué quieres que sepa de la muerte si no sé nada de la vida?»

Marco Aurelio,[3] como un rey del pensamiento,

35 dice: «El tiempo es como un río cuyo curso rápido arrastra todo lo que es. Tan pronto algo aparece, es arrastrado; y lo que detrás de él viene, es arrastrado a su vez». Y en otra ocasión añade: «Todo se desvanece en un día: la celebridad y lo

40 que es celebrado.»

Séneca dijo: «Necesitamos la vida entera para aprender a vivir, y también—cosa sorprendente —para aprender a morir.»

[1] Italian saint, born about 540, Pope from 590–604.
[2] Greek philosopher (342 ?–270 B.C.).
[3] Marcus Aurelius Antoninus (121–180), Stoic philosopher and Roman emperor (161–180).

Pirro[4] acostumbraba decir:

«No existe diferencia alguna entre la vida y la 45 muerte», y como alguien le preguntase: «¿Por qué no te matas, entonces?», contestó: «Por eso mismo. Porque no existe diferencia.»

En un epigrama epitáfico anónimo de la vieja Grecia, está la actitud pasmada y pasmosa del 50 visitador de cementerios:

Como lo hiciste, mientras existías,
llora, Heráclito, llora
sobre la humana vida:
más miserable aun en nuestras horas . . .   55
    Tú, Demócrito,[5] ríe
más de esta vida que de la de antaño,
pues ella no fué nunca tan risible.
    Yo, al miraros, vacilo . . .
y no sé si llorar, contigo, Heráclito,   60
o si, Demócrito, reír, contigo . . .

¿Por qué ha de ser un estado factible en la vida, el estado de turulato?

Es mucho el desconcierto de la muerte. Quevedo lo supo: 65

Lo que pasó, lo tiene la muerte;
lo que pasa, lo va llevando.

Pero mejor lo dijo, cuando lanzó su más célebre soneto:

REPRESÉNTASE LA BREVEDAD DE LO QUE 70
SE VIVE Y CUÁN NADA PARECE
LO QUE SE VIVIÓ

«¡Ah de la vida! ¿Nadie me responde?
Aquí de los antaños que he vivido;
la Fortuna mis tiempos ha mordido;   75
las Horas mi locura las esconde.

Que ¡sin poder saber cómo ni adónde,
la salud y la edad se hayan huído!
Falta la vida, asisto lo vivido,
y no hay calamidad que no me ronde.   80

Ayer se fué; Mañana no ha llegado;
Hoy se está yendo sin parar un punto:
Soy un Fué, y un Será, y un Es cansado.

[4] Pyrrhus (318 ?–272 B.C.), King of Epirus in ancient Greece.
[5] Greek philosopher (fifth century B.C.), who laughed at human follies, frequently contrasted with Heraclitus, who wept.

En el hoy y mañana y ayer, junto
pañales y mortaja, y he quedado
presentes sucesiones de difunto.»

El español ama la muerte, tanto que en dos
comedias Calderón repite ese llamado que ha
quedado como un soneto trunco:

Ven, muerte tan escondida,
que no te sienta venir,
porque el placer del morir
no me vuelva a dar la vida.[1]

Ercilla[2] con consolación dijo que «ningún mal
hay grande si es postrero».

San Juan de la Cruz, curándose en salud, ya
había dicho: «Para venir a gustar todo, no quieras
tener gusto en nada.»

Más modernamente, Jules Renard[3] ha dicho:
«La muerte es dulce; nos priva de pensar en la
muerte», y Marcel Schwob:[4] «No esperes la
muerte; ella está en ti. Ella es tu camarada, ella
es como tú.»

Gracián, refiriéndose a «La tan temida reina»,
escribió estas palabras inolvidables:

«Pero atended, que entra ya ella misma, si no
en persona, en sombra, y en huesos. ¿En qué lo
conoces? En que comienzan a entrar ya los
Médicos, que son los inmediatos a ella, los más
ciertos Ministros, los que la traen infalible-
mente. No me dejes, Hartazgo mío, que querría
dármelo de curiosidad, demás que estoy ya
temblando de aquel su mal gesto. Pues advierte,
que no le tiene, ni malo, ni bueno, para proceder
más descarada. ¿Con qué ojos nos mirará?
Con ningunos, que no tiene miramiento: ¿qué
mala cara nos hará? Antes no hace, sino que
la deshace. Hablemos bajo, no nos oiga. No hay
que temer, que a nadie escucha, ni oye razón, ni
querella. Entró finalmente la tan temida Reina,
ostentando aquel su tan extraño aspecto, a
media cara, de tal suerte, que era de flores la una
mitad, y la otra de espinas, la una de carne
blanca, y la otra de huesos; muy colorada

aquélla, y fresca, que parecía de cosas entre-
veradas de jazmines; muy seca, y muy marchita
ésta, con tal variedad, que al punto que la
vieron, dijo Andrenio,[5] ¡qué cosa tan fea!
Y Critilo,[6] ¡qué cosa tan bella! ¡Qué monstruo!
¡Qué prodigio! De negro viene vestida: no sino
de verde. Ella parece madrastra; no, sino
esposa. ¡Qué desapacible! ¡Qué agradable!
¡Qué pobre! ¡Qué rica! ¡Qué triste! ¡Qué
risueña! Es, dijo el Ministro que estaba en medio
de ambos, que la miráis por diferentes lados; y
así hace diferentes visos, causando diferentes
efectos, y afectos. Cada día sucede lo mismo, que
a los ricos les parece intolerable, y a los pobres
llevadera, para los buenos viene vestida de verde,
y para los malos de negro, para los poderosos no
hay cosa más triste, ni para los desdichados más
alegre. ¿No habéis visto tal vez un modo de
pinturas, que si las miráis por un lado, os parece
un Angel, y si por el otro un Demonio? Pues así
es la Muerte, haceros heis[7] a su mala cara dentro
de breve rato, que la más mala no espanta, en
haciéndose a ella. Muchos años serán menester,
replicó Andrenio. Sentóse ya en aquel Trono de
cadáveres, en una silla de costillas mondas, con
brazos de canillas secas, y descarnadas, sitial de
esqueletos, y por cojines calaveras, bajo un
deslucido dosel de tres, o cuatro mortajas, con
goteras de lágrimas, y randas al aire de suspiros,
como triunfando de soberanías, de bellezas, de
valentías, de riquezas, de discreciones, y de
todo cuanto vale, y se estima.»

El único orfebrismo contra la muerte es el del
ser espiritual, pues sólo el creador puede decirse
a sí mismo: «no será mío todo esto que forma mi
nariz, mi pecho, mis pies, pero sí será algo
particularmente mío lo que ideé; en ello estaba
mi fórmula».

No hay más allá para los oscuros, y de lo que
sí no me queda cada día ninguna duda, es que no
entrarán en el cielo los avaros y los ricos, o los
que pudieron ejercer caridad y no la ejercieron
por cualquier miserable razón; esos son los
únicos absolutamente desahuciados. Del libro

---

[1] Verses by Santa Teresa de Jesús, not Calderón.
[2] Spanish poet (1533–1594), author of epic poem *La Araucana*, describing the conquest of Chile.
[3] French novelist (1864–1910).
[4] French novelist and short-story writer (1867–1905).
[5] Hero of Gracián's novel, *El criticón*.
[6] Andrenio's mentor in *El criticón*.
[7] *haceros heis = habéis de acostumbraros.*

máximo vuela esta sentencia contra el egoísmo: «El que siembra para la carne, cosechará de la carne la corrupción; mas el que siembra para el espíritu, cosechará del espíritu la vida eterna.»[1]

Si sentimos la muerte con tan profundas lamentaciones, es porque se han diferenciado los seres humanos entre sí sobreponiéndose a lo que tienen de especie animal. No sentimos la muerte de las flores, porque todas son iguales.

Si todos fuésemos iguales, mediocres, mediatizados, oscuros, ¿qué importaría la muerte de uno más si quedaban tantos idénticos? El dolor de la muerte en el hombre es como una secuela de su superación, habiéndose hecho digno, civilizado, bondadoso.

Comprendamos que se ha muerto, pero el muerto no sufre la muerte. Está ya en el más allá. Los que lloran demasiado al muerto agravan malignamente la muerte.

No hay nada que más despierte, que vivir sobre la muerte.

Por eso podemos colocar frente a nosotros la calavera que no tiene arquitectura regular, ni románica, ni gótica y que no por eso es cosa grotesca, ya que su forma es la debida a la afirmación de vivir.

Este producto barroco de la propia vida es el camino de lo supremamente sincero.

Lo ojival sale de las ventanas de la nariz del cráneo calaveral y por eso la ojiva devuelta al mirar humano se refleja en el alma como un puente en un río.

Despertador de la muerte, aunque no es seguro que nos despierte bastante, nos debe recordar que hasta a los aún no nacidos les está aguardando ya la muerte y que todos nos vamos volviendo calavera minuto a minuto.

No quiere decir que al mirar la calavera entremos en la renunciación de la vida, porque morir antes de morir es una aberración. Sólo nos sirve como contraste para darnos mejor cuenta de la vida.

Gracias a la suposición de esta armazón escondida—sub-antifaz del antifaz—, no todo es frivolidad y orgulloso presumir.

De ese tosco pebetero por cuyas rendijas sale

[1] Quotation from the Bible.

el incienso de las compensaciones artísticas, brotaron las formas emotivas del arte, las Piedades, los Cristos doloridos, las Vírgenes llorosas con sus consolaciones y sus esperanzas.

Cuando la humanidad sea infiel a sus grandes símbolos, ese pequeño símbolo la volverá a la razón última y trascendente.

Hecha del barro reapareciente—siempre del barro primero, ya petrificado—, queda la huella de los últimos pensamientos.

La lección de Hamlet[2] ante la calavera de Yorik[3] es que ha descubierto su calavera antes de tiempo y además de la suya es también la de su amigo Horacio.[4] Es una revelación de ellos mismos que es la que hace más humano al príncipe.

Esta contemplación del calaverario es para no estar engañados, para que la muerte no venga tan callando y porque saber algo de la verdad profunda de la vida es haber vivido.

Yo soy también ella—no creáis que me voy a ocultar porque en su difuminación no se me parezca aunque se me parecerá más cuando el cuadro esté acabado.

Brújula de la travesía entre la muerte y la vida, evita que se haya estado muerto y dormido en el pleno vivir. Por ella se excita el hombre para que antes de estar ciego pueda ver todo lo que haya que ver con la no ceguera, en una incitación perentoria.

El español sobre todo no puede vivir sin tener una calavera delante como tintero para su pluma. Reloj de arena y calavera son los complementos de su vivir.

En mi adolescencia ya rodaban por el Rastro[5] madrileño calaveras verdaderas y calaveras de talla, sueltas, desprendidas de su retablo y yo tenía una tremenda, mayor que de tamaño natural, con dientes como almenas, con buracos de conejera.

El cráneo mondo y pelado es una respuesta que el español se da a sí mismo y con la que corrige su vanidad.

[2] Character in Shakespeare's play *Hamlet*.
[3] Person mentioned in *Hamlet*.
[4] Hamlet's friend.
[5] Flea market.

Porque cráneo y no calavera son la mayor parte de las cabezas de hueso que aparecen en el arte y sobre las mesas meditativas, ya que cuando le falta la mandíbula inferior no es calavera sino cráneo, así como se llama sólo calvaria cuando no tiene cara huesal.

Por encima, viéndole desde lo alto, se ve por el dibujo que hacen sus suturas sobre su ovoide que tiene algo de caparazón de escarabajo pálido o de tortuga primitiva.

La caja en que está escondido el pensamiento y que encierra entre sus huesos pares e impares, parece contener residuos, aire del viejo pensar, ya que no fué trepanada por la muerte y conserva intacta su bóveda marfileña, eburneada con esmero.

Para el español esa imagen breve de la muerte, ese espejo de mano que tiene en su mano con valentía, significa que se está mirando con arrepentimiento y llega a creer que es su propia calavera la que tiene delante, que ese sobrante de otra muerte era ya—cuando no había radiografía—su propia radiografía.

Le suplantaba la calavera pero Quevedo iba más allá porque dice haber oído que «la calavera es el muerto y la cara—la cara viva—es la muerte».

El español exalta tanto la idea craneal que le parece el arco último—de triunfo y mengua—por el que pasa el pasajero o si la imagen se mueve, que es un buque de quilla dirigida al más allá ascendente.

Al ver la calavera sufrimos una diplopía extraña, pues nos parece que vemos doble, nuestra calavera y otra.

Bajo la luz se ve lo bien que le entra el sol por la nariz, ¡pero ya no tiene pituitaria!

Ante su signo cariacontecido se ve la semejanza del animal con el hombre, recurriéndose a ángulos y mediciones para desasemejarle.

Al ver el esqueleto se ve que todo en él queda desemparedado y vacío, menos el cerebro que guarda su habitación.

Sólo sucede que están esquirlados los huesos, sobre todo el de la nariz como si fuese tan duro el boxeo de la muerte que en él se astilló la nariz.

Todos los cráneos serán reclamados y correrán hacia sus esqueletos como si llevasen dentro las víboras de los cuentos de Bécquer y Valle-Inclán.

¿Víboras o ratones? Quizá los segundos, porque yo he supuesto que en las órbitas o cuencas vacías de las calaveras se ocultan los ratones de la muerte.

La calavera supera al relieve y da otra dimensión más profunda.

Por eso los artistas que la repetían en sus pinturas y en sus esculturas, es que buscaban el más allá de ese último vacío.

Se estaban mirando en el lago narcísico y se secaba de pronto el agua aparencial, encontrándose con esa imagen en el fondo, como espejo con relieve de bulto hacia afuera y hacia adentro.

El imperio de la calavera—pisapapeles ideal de la vida—significa un deseo de ver desesperado antes de estar ciego. Ver todo lo que se pueda con la no ceguera.

El hueco inmenso del mirar les daba el deseo inmenso de ver y aprendían a mirar el mundo con desinterés y abnegada franqueza.

Sentían la responsabilidad de salvar la forma a la destrucción última. Por eso esa obsesión del pintor y del imaginero ante esta imagen perfecta en su macabrez de la calavera, macabra pero noble, hecha por los picapedreros de la muerte, vaciada con finura de escultor supremo en materia definitiva, como el signo más extraño.

Ante algo tan arbitrario como la muerte todo vividescente debe buscar modelos de instituciones arbitrarias, de vida en paroxismo.

Sólo si viviéramos absolutamente todo lo que nos corresponde, la muerte sería admirable. Pero aun hay secretos reservorios que no tocamos y que son los que se resienten de morir enteros, inéditos, sorprendidos por la muerte.

Sólo dándonos completa cuenta de todo en cada momento, de un modo terreno y allanado, cumplimos bastante la vida en ecuación con la muerte.

Estamos muertos y vivimos. La mayor parte de lo que hay en nosotros es cosa muerta, tan inerte como lo que forma lo inerte.

Sólo somos unos equilibristas que llevamos por unos momentos en vilo y en suspenso lo que sabemos que muy pronto se ha de disgregar.

5 No es la muerte hora de cantar nuestras virtudes ni de deplorar nuestros vicios. Habremos vivido por unos y otros, pero no nos los llevamos a la muerte. Ése sería un envanecimiento que rebajaría nuestras virtudes, y en cuanto a los 10 vicios ya van finiquitados, que la hora de la muerte es hora de entrar en la virtud de la nada, en la neutralidad absoluta.

Hay que sentirse una cosa entre las cosas. Sólo esa preparación inerte es buena para la 15 muerte. Hacer el silencio en uno y quedarse desconceptuado entre las cosas, sintiendo el funcionamiento mecánico de nuestra vida, como si nos hubiéramos ido y se hubiese quedado andando el gramófono solo. Si hubiéramos tenido 20 más confianza con nuestra calidad de aparatos de relojería no nos sentiríamos tan apurados al morir y no nos sentiríamos tan extraños en el muerto que seamos.

La muerte no es ni un sueño. En el sueño hay 25 una saturación de vida, densa, con esperanza de despertar, con pereza que no por no sabida se deja de saber. Pero eso con la comparación de la muerte con el sueño se va también al engaño y se debilita la implacabilidad de la vida.

30 Los paganos llamaban dormitorio a la habitación fúnebre en que velaban a sus muertos, y eso es lo que significa la palabra cementerio (*necrópolis*).

Quevedo, con tanta influencia romana en su 35 vena castellana, decía «hasta el sueño nos recuerda a la muerte retratándola en sí», y la Convención fijó en los cementerios un letrero que decía: «La muerte es el sueño eterno.»

Todas las supersticiones de la muerte son 40 vanas, comenzando por ser falsa la que supone que llevamos grabada en la palma de la mano la letra M, cuando en el alfabeto fenicio, hebraico y en otros tantos alfabetos primitivos la M tenía significación distinta a la que tiene en el griego y 45 latino. ¿Es que el creador escogió los caracteres de las lenguas en que no dictó ni sus evangelios? ¿Por qué la primera inicial de Muerte va a ser

la M que por casualidad del modo de plegarse nuestras manos está en su palma?

50 Destruyamos el sentido que se ha dado a la muerte hasta aquí.

Los griegos la hacían novelesca y los hebreos y los musulmanes la pintaban como un ángel.

San Juan, en el *Apocalipsis*, la hace tétrica. «Miré—dice—y vi un caballo amarillo y el que 55 estaba montado sobre él tenía por nombre Muerte; y el infierno le seguía y le fué dado potestad sobre la cuarta parte de la tierra para matar con cuchillo, con hambre, con mortandad y con las bestias de la tierra.» 60

El término deprimidor que era la muerte es lo que ha perdido sentido. No puede permitirse que con la comparación de la muerte se relaje la vida.

¿Cómo nació la Muerte? La Muerte es an- 65 terior a Adán.

Según la leyenda, Satán, al ser arrojado del cielo, mientras descendía hacia la eterna noche del infierno, tenía la mirada vuelta hacia lo alto y fija en el ángel que le había denunciado, vol- 70 viéndose más horrible su mirada a medida que se abismaba en las simas obscuras, y era una mirada tan agresora que el ángel denunciador empalideció tanto—nunca volvió el rosa a sus mejillas—que quedó convertido en el Ángel de 75 la Muerte, que hubiera sido sólo una alegoría si la serpiente—que fué él mismo—no hubiera tentado a Eva y ella a Adán, pues Dios les había dicho: «En el día que comieras del árbol de la ciencia, del bien y del mal, morirás con muerte.» 80

Todo viene, pues, de ese Ángel pestífero y terrible y la Muerte se pasea por la Historia Sagrada y por fin forma las aleluyas tragicómicas de la Danza Macabra.[1]

La antigüedad romana con sus lápidas en pie 85 al borde de los caminos, en que se leía «Siste, viator» (detente, caminante), propugnaba cierta respetuosa contemplación de la muerte para dar más dignidad a la vida.

En los hipogeos[2] la paz de la muerte era 90

[1] *aleluyas . . . Macabra* rhymed couplets that accompanied sketches of the Dance of Death.
[2] Subterranean vaults where the Greeks and other ancient peoples placed their dead.

grande y aun se permitían ser generosos en las inscripciones con que se dirigían a los vivos:

«Goza del vivir mientras estés vivo: el mañana es muy dudoso».

5 Los vasos de la muerte se parecían así a los vasos de vidrio en los que se leía: «¡Bebed y vivid!»

La inmortalidad que es el sol de los muertos calentaba las tumbas marginales de los caminos.

10 En la antigüedad la muerte tenía más serena y cordial liturgia.

Además de la fiesta individual de la «genesia»,[1] diferente para cada individuo, había en Atenas la costumbre de celebrar una especie de día de los

15 muertos, que se llamaba la Antesteria. Duraba tres días, en que los templos permanecían cerrados y cada familia practicaba en silencio el culto a sus difuntos. La fiesta terminaba con grandes gritos de «Id en paz, almas (Keres); la Antesteria

20 ha terminado». Esta fórmula debía ser muy antigua, pues que la palabra Keres por almas, en lugar de Psique, ya no se empleaba fuera del Ática. La fiesta de la Antesteria demostraba, como tantas otras prácticas, que se creía que

25 los difuntos estaban prontos a vagabundear fuera de la tumba.

Los griegos cubrían al difunto con hojas de mejorana y ponían ramas de ciprés a la puerta para advertir al transeúnte que allí había un

30 muerto.

Se ofrecían a Tánatos—la Muerte—lekitos blancos, ánforas con dibujos alusivos.

¡Qué bellas urnas cinerarias las del pasado!

El muerto se apoyaba en un báculo para que

35 le fuera leve el camino y si tenía familia aparecía despidiéndose de ella, figurando la mujer bella despidiéndose de sus joyas.

Las inscripciones eran, en medio de su grandeza, sobrias, sintéticas, sin perder su orgullo

40 heroico:

«Ceno Pompelo, el Grande, hijo de Ceno, caudillo, que en treinta años de guerra, deshizo, puso en fuga, mató e hizo prisioneros a ochenta y tres mil hombres; hizo cautivas 746 naves, y rindió 1.538 fortalezas, y

45 sujetó y admitió a la obediencia de su poderío todas

[1] Family groups.

las tierras contenidas desde el lago Meocio (Mar Negro) hasta el Mar Rojo».

VETURIAE – SEVERAE
FILIAE – PIISSIMAE – DVLCISSIMAE
VIRGINI   50
QVAE – VIXIT – ANN – XV – MENS – VI – D – XXV
FECERVNT – VETVRIVS – CLAVDIVS –
AC – VETVRIA – FLAVIA
PARENTES – INFELICISSIMI

[*A (la memoria) de Veturia Severa, hija piadosa* 55
y doncella amabilísima, que vivió quince años, seis
meses y veinticinco días, hicieron (este monumento),
Veturio Claudio y Veturia Flavia, sus padres
desdichadísimos.]

Otras eran puramente sencillas como ésta que 60
se encontró en la Mérida[2] española en una tumba de un niño del siglo III:

«¡Oh, tú, que pasas por mi tumba
y lees en su estela! La erigieron
Geina, mi madre, con mi padre, Sóstenes,   65
anegados en llanto. ¡Hermoso niño!
Siete meses de edad cumplir no pude.
Llamábanme Juliano, ¡ay!, caro nombre.
De siete meses no excedió tu vida.
¡Prenda del alma! ¡Lloranlo aún sus padres!»   70

«¿Quieres, viajero, saber
a quién oculta esta losa?
Un joven soy, que aquí posa,
de noble cuna y valer.
Eufrosina[3] fué mi madre;   75
yo, su flor, amanecí.
Brillé. Más pronto morí.
Vive Eurípides, mi padre».

Después vuelven las edades obscuras.

Asustan, en vez de tranquilizar, los grabados 80
de la Danza de la Muerte y el libro clásico titulado «Le mords de la pomme» (La mordedura de la manzana), que apareció a fines del siglo XV. Tampoco consuela, ni mucho menos el manual de morir «Ars Moriendi», que fué 85
libro de cabecera de los medioevales.

[2] City in southwestern Spain.
[3] One of the three Graces, sister goddesses in Greek mythology, who symbolized joy.

El fraile del siglo XVII lanzaba versos deprimentes a la cortesana bien trajeada:

> Esa seda, que relaja
> tus procederes insanos,
> 5 es obra de unos gusanos
> que labraron su mortaja;
> también en la región baja
> la tuya han de devorar.
> ¿Por qué, pues, te has de jactar,
> 10 ni en qué tus glorias consisten
> si unos gusanos te visten
> y otros te han de desnudar?

Atrae al español la muerte como una amistad que se espera:

> 15 Ven muerte, tan escondida
> que no te sienta venir,
> porque el placer de morir
> no me vuelva a dar la vida.[1]

Bajo todo el reconcomio español ante la 20 muerte se puede decir que es esceptizante su idea de la muerte. Se prepara el español con la idea mortuoria a ser ágil y desembarazado, a desinteresarse de todo.

«¿La muerte es una privación de todo senti- 25 miento, un dormir apacible sin soñar, o es un tránsito de lugar donde moran los que han vivido? En el primer caso: ¿Qué mayor bien que la muerte?, porque si al rey más dichoso, después de pasar una noche en sosegado sueño, sin tur- 30 bación alguna, le preguntasen cuántas horas pasó tan felices mientras estuvo despierto, ¡cuán pocas recordará en todo el curso de su vida! Pues si la muerte es dejar las iniquidades de este mundo para ir al reino de los eternos 35 dioses, y ver a los héroes y a los sabios que injustamente padecieron en la tierra, ¿a qué precio no se compra semejante felicidad? Separémonos, pues: yo, para morir, vosotros para vivir. ¿Quién va por mejor camino? Eso 40 nadie lo sabe, sino Dios.»

Cuatro escritores españoles han glosado la palabra *Morirás*.

El primero, nuestro Séneca, raíz sarmentosa de españolidad que ha influído en los mejores clásicos, y que ya dijo *post mortem nihil*.[2] Él 45 escribió:

«*Morirás*. Esto es naturaleza del hombre, no pena. *Morirás*. Con esta condición entré; de salir. *Morirás*. Derecho es de las gentes volver lo que recibiste. *Morirás*. Peregrinación es la vida; 50 cuando hayas caminado mucho es forzoso volver. *Morirás*. Entendí decías alguna cosa nueva. A esto vine, esto hago, a esto me llevan todos los días. La Naturaleza en naciendo me puso este término, ¿qué tengo de poderme quejar? A esto 55 me obligué. *Morirás*. Necedad es temer lo que no puede estorbarse. Esto no lo evita quien lo dilata. *Morirás*. Ni el primero ni el postrero. Muchos murieron antes de mí, todos después. *Morirás*. Este es el fin del oficio humano. 60 ¿Qué soldado viejo se enojó de que le licenciasen? Adonde va el mundo voy yo. ¿Pues ignoro yo que soy animal racional mortal? Con esta condición se engendra todo. Lo que empezó se acaba. *Morirás*. ¿Por qué es molesto lo que se 65 hace una vez? Conozco el caudal por ajeno, no por mío. Finalmente yo hice este concierto con el acreedor de que no puedo quejarme. *Morirás*. Mejor lo hicieron los dioses, pues nadie me puede decir que moriré que no sea mortal.»[3] 70

Don Francisco de Quevedo se vió una vez acompañado de la muerte. En el camino le dice: «Yo no veo señas de la muerte porque allá nos la pintan unos huesos descarnados con su guadaña», y la Muerte se para y le responde: 75 «Eso no es la muerte sino los muertos o lo que queda de los vivos. Esos huesos son el dibujo sobre que se labra el cuerpo del hombre. La muerte no la conocéis, y sois vosotros mismos vuestra muerte; tiene la cara de cada uno de 80 vosotros, y todos sois muertes de vosotros mismos. La calavera es el muerto y la cara es la muerte, y lo que llamáis morir es acabar de morir, y lo que llamáis nacer es empezar a morir, y lo que llamáis vivir es morir viviendo; y los 85

---

[1] From a poem by Santa Teresa.

[2] (*Lat.*) nothing after death.
[3] From *De los remedios de cualquier fortuna*, *Biblioteca de Autores Españoles*, 23, p. 371.

huesos es lo que de vosotros deja la muerte y lo
que le sobra a la sepultura.»[1]

La glosa de Quevedo a Morirás dice así:

«*Morirás*. Fuera verdad entera si dijeras has
muerto y mueres; lo que pasó lo tiene la muerte,
lo que pasa lo va llevando. *Morirás*. Desde que
nací lo sé, por eso lo espero y no lo temo.
Morirás. No dices bien: di que acabaré de morir
y acertarás, pues con la vida empecé la muerte.
Morirás. Dícesme lo que sé y callas lo que no sé,
que es el cuándo. *Morirás*. Con todos hablas y
todos te sacarán verdadero y tu vida a ti propio. *Morirás*. Si he vivido bien, empezaré a
vivir; si mal, empezaré a morir. *Morirás*. No me
alborota hacer lo que todos han hecho, y lo que
todos harán. *Morirás*. Primero me lo dijo la
Naturaleza. *Morirás*. Es vana amenaza, pues
ninguno es tan necio que rehuse lo que hace; no
hay hora que no muera. ¿Por qué he de temer
lo que hago? ¿Por qué he de rehusar llegar
adonde me llevo? *Morirás*. No viviré con
esperanza de descansar, sino esperaré morir.
Morirás. Con el propio contento que quien navega llega al puerto y quien peregrina a su patria.
Morirás. Y los apetitos y vicios, si muero mozo,
y las enfermedades y miserias, si muero viejo.
Morirás. Y si muero dichoso, la envidia que me
tienen, y si desdichado, la que yo tengo. *Morirás*.
Y los cuidados y los desvelos si soy rico, y el desprecio y las calamidades si soy pobre. *Morirás*.
Si hablas con el cuerpo, no lo puedo excusar por
la naturaleza; si con el ánima, te pueden desmentir las virtudes y las gracias. *Morirás*. Si
hubiera alguno a quien no lo pudieras decir, me
entristecieras. *Morirás*. No podré de otra manera seguir a muchos y ser seguido de todos.
Morirás. No hay otro camino para pasar a vida
sin muerte. Mientras lo dijeres a todos no podrás mentir, y no hay en todos uno en quien no
puedas mentir, si le dijeres que vivirá.»[2]

Don Francisco Arias Carrillo[3] repite la mon-

serga con palabras distintas («Palabras distintas»,
la gran distinción de literato castellano).

«*Morirás*. ¡Mira qué lejos está de ser daño el
morir! Si se le concediera a pocos sería privilegio. *Morirás*. No lo escucho como amenaza
terrible, sino como recuerdo saludable; voz
es que me avisa y no grito que amedrenta.
Morirás. Si la vida es destierro, morir no es otra
cosa que cumplirse el destierro de la vida.
Morirás. Aguardaré a morir a la muerte; no
quiero morirme de miedo de la muerte; moriré
de mortal (no de cobarde). *Morirás*. Si no me
quejo de la naturaleza que no me hizo tan veloz
como la onza, tan robusto como el toro, tan
esforzado como el león, ni tan perspicaz como el
lince. ¿Por qué me quejaré de que no me haya
hecho inmortal como el Ángel? *Morirás*.
Deseo fué de muchos. Yo sufriré conforme lo
que otros desearon impacientes. Bien podré
sufrir lo que otros quisieron gozar. *Morirás*. A la
memoria de la muerte me debo conceder, al
temor de la muerte me procuro remitir; éste
desazona la vida; aquélla la corrige: mejor es la
memoria de la muerte que la vida; peor es el
temor de la muerte que la muerte. *Morirás*. No
me ofendo de vivir porque es beneficio; ni me
ofendo de morir, porque no es agravio. *Morirás*.
La muerte no es destrucción, sino partida.
Morirás. Muchas razones tengo para creerlo y
una me socorre casi siempre para no ocultarlo,
¿sabes cuál es? El juzgar que la muerte no es
ruina, sino otra edad del hombre como la adolescencia o la virilidad. *Morirás*. Etc., etc.»

Don Diego de Torres Villarroel[4] es más
humorístico en sus contestaciones al insistente
Morirás. Así escribe:

«*Morirás*. Si es aviso, para los dos es; si consejo, para ti y para mí; si amenaza, para entrambos, y si noticia, para el uno y para el otro; y a
mi conocimiento todo llega tarde, porque desde
que vi el primer difunto me estoy contando con
los muertos, y a la tierra que me sufre la halago
como madre y la miro como tumba. *Morirás*.
Moriré o me matará el médico, un puñal, una

---

[1] From *Visita de los chistes, Biblioteca de Autores Españoles*, 23, p. 335.
[2] From *De los remedios de cualquier fortuna*, p. 371.
[3] Spanish writer (1533–1605).
[4] Spanish writer (1693–1770).

pedrada o un sartenazo. *Morirás.* Todos nos acabamos a un tiempo; yo salgo del mundo y a la misma hora sale todo el mundo de mí. *Morirás.* Esa pesadumbre para el necio que piensa que
5 vive, no para quien asienta su muerte desde el día primero de su vida. *Morirás.* Si es en gracia, angelitos al Cielo; si en pecado, será mi condenación, y entonces podrás decir con verdad que moriré. *Morirás.* Te engañas, que soy mortal,
10 porque yo soy mi alma y no mi cuerpo. Desnudarse de la carne no es morir. *Morirás.* Susténtame entretanto. *Morirás.* Con esa moneda hemos todos de pagar esta posada. *Morirás.* En haciéndolo una vez no me lo volverás a decir
15 otra. *Morirás.* Negarlo es locura; consentirlo, desesperación. *Morirás.* El morir no lo temo, el después me tiene con cuidado. *Morirás.* Para el hereje es pérdida y horror; para mí puede ser gloria y ganancia. *Morirás.* Más me admira lo
20 que vivo que lo que muero. *Morirás.* Los niños tiernos, las doncellas blandas y los reyes regalados, y los Papas venerables se mueren; pues desvergonzada cobardía es temer lo que pasa por los Papas, por los reyes, por las doncellas y por
25 los niños. *Morirás.* Si piensas que lo dudo ofendes a Dios, porque le niegas en mí el discurso que me dió de hombre y su semejanza. *Morirás.* Por no estar conmigo mejoraré de fortuna en la muerte. *Morirás.* Gracias a Dios que oigo una
30 verdad en tu boca. *Morirás.* Muera; para luego es tarde; de cristiano y de curioso deseo morir: de cristiano por empezar a vivir, de curioso porque yo deseo saber cómo se muere. *Morirás.* Y tú también. *Morirás.* Pues por si no nos vol-
35 vemos a ver, adiós, amigo.»

Lo que quiere el español es identificar la vida y la muerte y quitar alcurnia al que se cree inmortal.

Parece tratarse de rebasar el insulto de la
40 muerte diciendo: «Por si acaso, en ti.»

Es muy usual el ducharse con la frase «dentro de cien años todos calvos.»

El español tiene la mosca—la mosca negra— detrás de la oreja.[1]

45 Todo el mundo vive en España como en un

estado preagónico exquisito, como si todos, en medio de su alegría, estuviesen gozando el último día al sentirse por dentro como en plena peritonitis. Así, al preguntarle a Quevedo cuál es el momento más feliz de la vida, respondió:
50 «el penúltimo», y Valle,[2] cuando le preguntan: ¿Usted, qué quisiera ser?, contesta: «difunto». Y en su momento final exclamó: «¡Cómo tarda esto!»

Por eso sólo espera el español morir congra-
55 ciado con la verdad, tener un atisbo último de lo que ha sido la vida de deleznable y la muerte no le amedrenta, pues sabe recibirla como un torero, dándola un pase de pecho, en alegría de ruedo taurino.
60

Gracia sin rictus no es gracia para nosotros. Tiene que hacerse daño el gracioso, que quejarse, que hacernos daño. ¿Qué es eso de la descarada alegría sin aprensiones últimas?

El español siempre está haciendo contra-
65 proposiciones, y es maestro en el *morir habemus*,[3] aunque con tono de Carnaval conteste: «Ya lo sabemos.»

En España sólo se cree en Dios, pero de una manera muy difícil de comprender; tanto, que
70 así como el ateo español dice: «Soy ateo, gracias a Dios», el creyente podría decir: «Creo en Dios, gracias al diablo.»

No hay modas en España, sino el sentido pleno de la raza, y en medio de todo desparpajo y
75 del ludibrio de todo, como única manera de coordinar la realidad y su insolencia, acepta el humor.

España sólo se desfanatiza gracias a Dios.

El humorismo español está dedicado a pasar
80 el trago de la muerte, y de paso para atravesar mejor el trago de la vida. No es para hacer gracias, ni es un juego de enredos.

Es para transitar entre el hambre y la desgracia. Así se aclaran las almas, y no se ponen
85 sobre ellas pesados panteones de trascendencia.

El mayor reactivo de la vida, lo que la ataca en lo entrañable, es este contraste entre la risa y el llanto, entre la vida y la muerte.

---

[1] *tiene . . . oreja* is suspicious.

[2] Valle-Inclán.
[3] (*Lat.*) we have to die.

En China, ante la hora del entierro, todo es algazara y risa, hasta que el pariente más próximo dice: «¡Ha llegado la hora de llorar!», y todos lloran hasta que de nuevo dice: «¡Basta!», y comienzan de nuevo las risas. Con esta escena humorística dedican al muerto toda la gama intensa de la vida y le hacen homenaje de la noble verdad del corazón.

Nuestros velatorios, para dar también todo el sentimiento entrañable al acto, son a menudo juergas, momentos en que toda la vida adquiere sincero ensamble.

El humorismo debe ser esa explosión de realidad inevitable que surge en las fiestas y en los funerales, como comentario definitivo del vivir, como preparando al mundo para bien morir.

El *Fígaro* francés[1] dice: «Me apresuro a reír de todo . . . por temor a verme obligado a llorar por todo.»

Este susto sobre ascuas, este nerviosismo sobresaltado, esta chulería del reír para avasallar el llorar, es lo que se manifiesta de modo álgido en la literatura española.

El éxito del humorismo está en que no brote ni de lo muy cómico ni de lo muy fúnebre, que se mueva en ese trozo de calle que va del teatro a la funeraria.

El gráfico de la danza de la muerte cuando llega a España tiene un gran éxito y se convierte en papel de aleluyas[2] del país, reproduciéndose por todas partes ese baile cómico y macabro que es la venganza contra reyes, obispos y buhoneros.

La gente veía el políptico[3] sonriendo de esa especie de teatro de polichinelas profundos en que la muerte es el polichinela[4] de garrotazo y tente tieso[5] que dispersa las altiveces y arrogancias. Aquellos públicos gozaban al ver convertida en farsa teatral con elementos de auto sacramental la historieta espeluznante y divertida.

Los momentos de supremo humorismo han sido al borde de la tumba. No hay nada que los supere.

Algunos grandes hombres dieron ya ejemplo de esa actitud magna ante la muerte.

Sócrates es el más sereno retozón ante el morir y se acuerda del gallo que debe, y a su esposa, que le llora como a inocente, la replica: «¿Es que hubieras querido que muriese culpable?»

San Bernardo[6] nos habla de un hermano suyo que, al sentirse en el umbral de la agonía, comenzó a cantar.

Santa Catalina de Siena[7] estaba tan impaciente porque no se moría, que en muchas ocasiones desfallecía de congoja. Unas veces halagaba a la muerte, llamándola su hermosura, su querida, convidándola a venir con las palabras más tiernas y cariñosas que podía inventar. Otras veces, como encolerizada, la maltrataba.

En los últimos momentos de su vida, Jaime I *el Conquistador*[8] dió consejos a su hijo, el infante don Pedro. Terminó su sencillo discurso con estas palabras:

«Hijo mío, ya sois rey . . .»

Rabelais[9] dice como sus últimas disposiciones: «¡No tengo nada, debo mucho y . . . el resto se lo dejo a los pobres! ¡Ahora bajad el telón, que el sainete ha terminado!»

Cuando a Molière,[10] moribundo, le anuncian que ha llegado el médico, exclama: «Díganle que estoy muy enfermo y que por eso no le puedo recibir.»

Lafontaine, cuando ya estaba poseído por el hipo final, exclama: «¡Como escape de ésta, vaya una sátira que voy hacer contra el hipo!»

---

[1] Character in two of Beaumarchais' plays, *Le Mariage de Figaro* and *Le Barbier de Seville*.

[2] *papel de aleluyas* two-line jingles under sketches on cheap paper.

[3] Polyptych, an arrangement of more than three panels or sketches.

[4] Punchinello, comic character of Italian farce and pantomime.

[5] *tente tieso* a doll, with a counterweight at its base, which always remains upright, no matter in what direction it is moved.

[6] French saint and writer (1091–1153).

[7] Italian saint (1347–1380).

[8] King of Aragón (1213–1276).

[9] French writer (1494?–1553), author of *Gargantua et Pantagruel*.

[10] French writer of comedies (1622–1673).

Sir Walter Raleigh,[1] examinando el hacha del verdugo: «No me causa miedo. Es una fuerte medicina que va a curarme de todos mis males.»

Góngora dijo al morir:

«¡Ahora que comenzaba a saber algo de la primera letra en el ABC, me llama Dios! Hágase su voluntad.»

Corot[2]: «Espero de todo corazón que se pueda pintar en el cielo.»

Robert Louis Stevenson[3] no podía hablar, y escribió para su esposa: «No tengas miedo. Si esto es morir, es bien fácil.»

Anne De Montmorency:[4] «¿Creéis que quien ha sabido vivir con dignidad ochenta años no va a tenerla un cuarto de hora para morir?»

Pavlova:[5] «Tráiganme el traje de la Danza del Cisne».

En España estos humorismos finales se repiten mucho.

Cuando en el lecho de muerte instaba a Quevedo el vicario de Villanueva para que subsanase un olvido que había en su testamento, no consignando el bastante dinero para que su entierro fuese lujoso y con asistencia de músicos, el gran humorista respondió:

«La música páguela quien la oyere»—y púsose a morir al punto.

El suicidio de Larra es un rasgo de humorismo mudo.

Al gran matemático francés Lagny,[6] al agonizar, se le acercó uno de los presentes y le dijo: «Lagny, ¿cuál es el cuadrado de doce?» «Ciento cuarenta y cuatro»—respondió Lagny. Estaba muerto.

El filósofo Halle,[7] que era médico, se estuvo tomando el pulso hasta el supremo latido: «Amigo mío—dijo a un colega—, la arteria deja de latir.» Estas fueron sus últimas palabras.

Luis Taboada[8]—humorista injustamente olvidado—,cuando llegó la hora de pedir los santos óleos, encargó a quien iba a avisarlos:

«Di que los traigan de los mejorcitos, que son para mí.»

Un escritor farfullero y pícaro de estos tiempos, contaba a los amigos el entierro de su hijo, llevado por él bajo la capa al lejano cementerio del Este, de Madrid, y para explicar su borrachera de vuelta, contaba que era el cadáver del niño que le decía al pasar junto a la puerta de cada taberna: «¡Bebe, papá, bebe!»

Un caballero español de gran ingenio iba a morir cuando llegó a verle un amigo pesadísimo, de ésos que no se van nunca y alargan las visitas con su charla anodina. El moribundo resistió todo lo que pudo, pero hubo un momento final en que le dijo: «¡Con el permiso de usted voy a entrar en el período agónico!»—y se volvió hacia la pared para fallecer.

Un granadino, no hace mucho, al ir a morir, dijo a los presentes: «¡Colorín colorao, este cuento se ha acabao!»[9]

Hay muchos suicidas españoles que se matan porque les «da la gana», según dejan escrito en el papel final. El doctor Marañón[10] me contaba el caso de un tipo perdido de encefalitis letárgica, que cuando él dictaminaba que su muerte sería segura, ante los alumnos que rodeaban al que estaba debajo del sueño fatal, éste respondió, desde el fondo de su sueño: «¡Que te crees tú eso!» y murió al punto.

Verhaeren,[11] en su viaje por España en compañía del pintor Regoyos,[12] ve este contraste entre la vida y la muerte que caracteriza el espíritu de España juerguista sobre esos conceptos, y le choca encontrar que en las funerarias vendan, muchas veces, guitarras.

---

[1] English courtier, navigator and historian (1552?–1618), beheaded during the reign of James I.

[2] French landscape painter (1796–1875).

[3] British novelist (1850–1894).

[4] French Marshal (1493–1567), mortally wounded in a battle with the Calvinists.

[5] Famous Russian ballerina in Tchaikovsky's ballet "Swan Lake."

[6] French mathematician (1660–1734).

[7] Jean-Noel Hallé (1754–1822).

[8] Spanish humorist (1848–1906).

[9] *Colorín . . . acabao* formula used to end stories told to children.

[10] Gregorio Marañón (1887–1960), Spanish doctor, author of many books on biological, historical, and social problems.

[11] Belgian poet and novelist (1855–1916).

[12] Spanish painter who illustrated *La España negra* by Verhaeren.

En realidad, la broma más grande es el morir. Por eso el cantaor,[1] con el humor suficiente y con serena incongruencia, dice en sus cantares:

> Cuando estaba en la agonía
> me dijo mi padre:
> —Cierra la puerta, García.

> El verduguillo apretó,
> mi padre sacó la lengua,
> mi madre se impresionó.

Casi todos los cantares de juerga apelan a la muerte y al cementerio, y, sin embargo, se está cantando para disfrutar, para estar alegre, para beber.

El borracho español siempre está repitiendo la frase del poeta: «Despierta y bebe, que para dormir tienes siglos.»

El español, como sabe que del epigrama salió el epitafio, de vez en cuando hace que del epitafio vuelva a salir el epigrama. He aquí una muestra:

EPITAFIO

—En esta piedra yace un mal cristiano.
    —Sin duda fué escribano.
—No, que fué desdichado en gran manera.
        —Algún hidalgo era.
—No, que tuvo riquezas y algún brío.
        —Sin duda fué judío.
—No, porque fué ladrón y lujurioso.
—Ser ginovés o viudo era forzoso.
—No, que fué menos cuerdo y más parlero.
—Ése que dices era caballero.
—No fué sino poeta el que preguntas,
y en él se hallaron estas partes juntas.

Sólo Hamlet sublimiza este humorismo de la muerte cuando contesta a su padrastro y rey que le pregunta por Polonio, al que acaba de matar el príncipe:

«—Está en un banquete.

«—¿En un banquete?—interroga el rey con insistencia.

Y Hamlet responde estas maravillosas palabras:

«—No donde uno come sino donde es comido.

[1] *cantaor = cantador.*

Cierta asamblea de gusanos está ahora con él. El gusano es el único emperador de la dieta; nosotros cebamos a los animales para engordarnos y nos engordamos a nosotros mismos para cebar a los gusanos. El rey gordo y el mendigo escuálido no son más que servicios distintos, dos platos, pero de una misma mesa; tal es el fin de todo».[2]

¿Qué sería de nosotros sin la muerte? Todo tiene exaltación gracias a la muerte.

Sin la muerte la crueldad de todos aumentaría hasta límites de paroxismo.

El hormiguero humano llenaría plazas y calles. No conmovería el amor, no habría prisa, las estrellas no tendrían luz de inquietud.

No hubiéramos nacido nosotros y unos seres de ideas anticuadas y tenaces llenarían el mundo. Millones de millones de millones de muertos nos han permitido venir a la existencia con nuestra alma propia y progresada.

No podemos quedarnos porque nuevos casos como el de nuestra vida aspiran a algo más que a no morir: aspiran a nacer ¡porque no han nacido aún! La cosa es haber entrado en la vida humana, que el salir no tiene importancia.

No hagamos caso a los que dicen ante la muerte: «¡Para eso mejor hubiera sido no nacer!», porque dicta sus palabras el más ingenuo de los despechos.

Es nuestro dolor un dolor de desarraigo. Estábamos adheridos.

Para toda alma sería mala la supervivencia.

Hay que contar con la muerte como con la solución única de todo. La lápida dice: «¡Oh muerte, los que aún se hallan en el seno de su madre te vuelven ya la cara!»

El Tasso[3] dijo: «Si la muerte no existiera no habría en el mundo un ser más miserable que el hombre.»

La peor maldición que se ha escrito la he leído en la lápida de un sarcófago de catacumba: «Si alguien, impío, profana esta sepultura, que muera el último de todos los suyos.»

La muerte es epílogo amable de la vida, pero hay que reforzar de imperativos la vida.

[2] *Hamlet*, Act IV, scene ii.
[3] Italian poet (1544–1595).

A todo lo relacionado con la muerte se le ha dado un carácter inaudito, así a la resurrección. El resucitado no vería más que una modesta renovación del tiempo, en cuyas variantes se impondría en seguida. Al hablar de sus tiempos no parecería nada más que un profesor de historia.

En verdad que se hace un poco duro volver a vivir mientras la vida no sea más eterna y no se encuentre el camino de divertirse en las estrellas. Mientras no seamos organismos superiores tenemos que morir.

El defecto de definir la muerte está en decir «ha muerto», que crea un concepto inhallable, en vez de decir «ha dejado de vivir». Más vale el circunloquio en evitación de toda una nueva invención.

No puede sugerirse la ida de la muerte porque al quedarse solas las cosas redoblan su propio misterio y los que nos suponemos muertos nos quedamos sin la única clave.

Se hace en nosotros el vacío de los grandes misterios porque la muerte es sorprender a los campos en soledad, sin ser testigos de esa soledad. ¡Una idea desoladora e imposible que da un realce de esfinge a todo lo que nos rodea!

Sólo teniendo la indiferencia cósmica se podría pensar bien sobre la muerte. El hombre no puede llegar a esa indiferencia, pero los valientes tenemos que sondarla.

Pascal dijo con gran orgullo: «El hombre es más grande que el universo que le mata, porque sabe que muere.»

El pueblo moderno parece haber sacado mayor fuerza de esa idea de la muerte, y gracias a que ha reforzado la vida con la muerte tiene el presente ese tipo energuménico y violento.

Se han fundido los dos elementos que sólo estaban mezclados antes en el corazón del héroe, y por eso toda la vida es ahora más temeraria y más indócil.

¡Qué bellos ojos tiene la muerte!

Yo la saludo militarmente con sorna y disciplina siempre que la siento pasar.

En la muerte ha sucedido todo porque no hay nada que pueda suceder. Nada de sentimiento trágico mas que en los vivos.

Siempre ha de costar el mismo aspaviento meter la cabeza debajo de la ola de la nada.

Paul Eluard[1] ha dicho que «la sola invención del hombre es su tumba».

Se puede asegurar con Séneca que «el que aconseja que se piense en la muerte, aconseja la libertad».

Séneca fué un plantado frente a la muerte, y vituperando a los suicidas y a los huidizos dijo: «Lo uno y lo otro es cobardía; querer o no querer morir.»

No comparto la divagación de que vivir es morir, pues vivir es tal milagro en pie que sólo es vivir, pero en este tópico se han escrito cosas tan certeras como la de Vives:[2] «No sin razón muchos de los antiguos dijeron que nuestra vida no es vida, sino muerte; y los griegos llamaron a nuestro cuerpo *soma*, como si dijesen *sema*, que entre ellos significa el sepulcro. Había Dios amenazado a Adán que en cualquier día que comiese del fruto vedado había de morir. Comió, y a la comida se siguió la muerte. Porque ¿qué es esta vida sino una muerte continua, que se perficiona cuando queda el alma del todo libre de este cuerpo? Cuando nacemos, dice un poeta, morimos, y el fin empieza ya desde el principio; porque desde el primer instante que nace el hombre, lucha el alma con el cuerpo, al cual desamparará luego sin duda.»

No soy capaz de escribir un Kempis,[3] sino un mirar trémulo a un lado y a otro como el de la liebre perseguida en fondo de relejes.

En la vida estamos disputándole todo a la muerte, hasta su silencio, porque escribir mucho es disputarle el silencio.

Según Buda, precisamente el sentido de la vida está en el hecho de que pueda cesar de existir. Su sentido de vida en su sentido de muerte.

La muerte ayuda a vivir. Hace que no estemos muertos aun cuando aún vivamos.

«Creemos que los muertos no mueren», como

---

[1] French surrealist poet (1895–1952).
[2] Juan Luis Vives (1492–1540), Spanish humanist and writer.
[3] Thomas à Kempis (1380–1471), German mystic, supposed author of *Imitation of Christ*.

ha dicho Remy de Gourmont[1] sobre ese estado apócrifo y burlón.

La muerte es dejar en casas blancas con ventanas a los que ya están solos, y tienen que encargarse solos del nuevo día.

No se sabe por qué se tendrá una sensación de apaisamiento después de muerto, y cuando los barcos lleguen a la proximidad de los puertos seguirán apareciendo gaviotas.

El morir adviene en un traspiés. Hay mucho azoramiento al final de una vida, dos o tres circunstancias adversas, en vez de tropezar en un escalón, tropezar en tres. Por confusión última suele morir el que muere. ¡Pero qué más da!

Hay que correr al ver la muerte, saltar la barrera con agilidad, porque si no todo mortal queda cogido al fin.

Yo me miro a los espejos sonriendo porque veo a mi calavera fumando la pipa sobre la boca rasgada del cráneo pelado. ¡Con qué suficiencia miraba el espejo ladeando la cabeza para que no le entrase la veta del humo por el ojo vacío!

El temor a los muertos es un rasgo primitivo, y por eso los *tupis*[2] ataban las piernas a los cadáveres para que no saliesen a dar la lata a los parientes y amigos.

Hay que pensar que sucede algo así como cuando en el cinematógrafo antiguo lo que se había visto se perdía al final en una disminución degradada de la visión hasta volver a ver lo invisible en el punto del comienzo de donde brotaba del mismo modo la proyección.

Existe una semejanza extraña entre la célula de la cual nace la vida y el microbio que produce la muerte. Cuando la ciencia penetre en el misterio de la vida, averiguará al mismo tiempo el secreto de la muerte.

Hay quien quiere achacar al amor el origen de la muerte, sólo porque cuando el animal se complica surge ese aparatoso paro y esa descompostura de su complicación.

No importa esa urna cineraria romana en que bajo una escena escabrosa de amor están escritas las palabras «¡Qué me importa!» Eso es que al amor satisfecho no le importa morir en plena gloria.

La causa de la muerte no está en el amor sexual, sino en que la maquinaria es ardua y difícil de lubricar.

Uno de los momentos más límpidos en que se ve la muerte es cuando, sentados en el banco público, nos apoyamos en nuestras rodillas y con el bastón escribimos en la arena un nombre, nombre sobre la puerta de la tierra, y hacemos un semicírculo que es el medio arco de nuestro nicho.

Lo más que frente a las cosas se puede pensar de nuestra muerte es que nos quedaremos como esa silla que está frente a nosotros, sino que en vez de silla de palos seremos silla de huesos.

Se abrirán las puertas con la misma lección de apertura, y los teléfonos volarán a otras casas.

Estatuas yacentes de los escalones, nos anonadaremos en estudios de fotógrafo.

¡La muerte! Agarrados a trenes que se pierden en el mar, el hígado será submarino y los dientes ajos y las miradas burbujas que se desvanecen en la espuma y ayer nunca en el hoy y bastante en el ayer. ¡No nos quejemos! Somos lo inerte, lo perdido, lo disuelto que logró enterarse del vivir. ¡A morir ahitos de fortuna, sin protesta, sin paraguas!

Papanatas que quieren seguir siendo papanatas, no comprenden que el morir es cualquier cosa, una cosa más, un no haber nacido. Como ellos quieren haber nacido se atraviesan el puñal de la muerte, sin saber no haber sido nunca un tenedor que se cayó, sin saber dejar de vagar por puentes ni pensar estaciones. ¡Si lo supieran, la muerte les sería leve!

Muerte es haber asesinado a otro en vez de asesinarse a uno mismo, es haberse dejado de matar, es perdonarse. No oír ningún ruido y no haberlo oído nunca. ¡No tener que jugar a los barquillos más,[3] no saber que hay barquilleras ni que las ruletas ballenean[4] el corazón!

---

[1] French writer (1858–1915).

[2] A group of Indian tribes dwelling in central and northern Brazil.

[3] *¡No tener . . . más* Not to have to play games of chance any more. (Refers to a common roulette-type game; *barquillos* are cones or wafers.)

[4] *ballenear* = clicking made by the whalebone spinner as it whirls around.

Se apagó la luz hasta sus raíces de luz, hasta donde tenía respuestas, hasta las torcidas y los cordones últimos.

Dejamos una huella perdida y casi será la pasión que fué la pasión futura, y ese pensamiento sereno del porvenir será casi nuestro pensamiento. Nada se extinguió y los faroles de la calle llaman a nuestros serenos, como por encima de nosotros, olvidados de nosotros, faros triviales de naufragio último.

«Ya no está», es lo más que se puede decir del muerto.

«Se fué antes que nosotros», es lo menos que se puede pensar.

El corazón se fué rodando por toboganes de silencio, la cabeza se desvaneció en nubes dolicocéfalas, los dedos son ramas que se mueven en un sitio donde no hay árboles, pero hay viento y ya sonaremos en los pianos martirizados y sonreiremos en los clavos que arrancan al ser clavados un poco de pared.

El periódico del vivo que siempre está en plena inestabilidad ya no necesitará el artículo de nuestra vida en su sección.

Los egipcios, que son los que más hurgaron en la muerte y se preocuparon por sus vacíos espacios, nos dejaron una lección resumida de la muerte.

Encontraron un doble de todo para no dejar tan solo al muerto representado por su doble, y teñían de oro los cabellos del muerto para que el indeleble metal se mezclase a su inmortalidad, y colocaron un escapulario de oro para señalar en el pecho el sitio del alma, y previnieron de amuletos y armas al muerto para que se defendiese de los grandes monos que en la ultratumba se dedican a pescar almas.

Vivieron con fino perfil la vida, la engrandecieron por ese respeto a la muerte y en sus festines con danzas de almeas[1] pasearon el trineo de un sarcófago para abrir los ojos de los vivos.

Mientras no haya en la vida ese fondo de muerte no tendrá la vida su augusta creatividad, su inspiración de arte, su noble altivez.

Los chinos también han sabido complicar el sentido de la muerte, y yo tengo una «sapeca», la moneda con que pagar la buena entrada en el más allá, y muñecas de papel de las que se queman en los entierros y han de servirme el té en el otro mundo, como doncellas imitadas.

La India ha encontrado en la muerte una secreta complicación del agua y del fuego.

Las torres del silencio son los monumentos más soberbios del mundo, palomares de muerte, donde los buitres alargan su pelado cuello, esperando la nueva visita. Anfiteatros de muertos que contemplan la aviación de la muerte, duermen en la plaza de toros última en camas ataúdicas que se inclinan sobre un pozo central, depósito de linfas finales.

La antigüedad romana tuvo una cortesía especial con la muerte, y alguien recibía en un beso el último soplo de la boca que despedía su último aliento, como quedándose con dos almas en vez de una.

Todo el ritual de la muerte a través de los pueblos es una mezcla de miedo y de higiene de los muertos mezclada a un deseo de consolar a los vivos.

Todos, al sentirse abrazados por la muerte convulsa, la disuaden por el momento. No aclara nada sobre la muerte la liturgia sobre la muerte; por eso cierro las lucubraciones con mi desengaño de los funerales.

El catafalco y el cenotafio[2] están vacíos del muerto y del sentido de la muerte.

¿Se levanta algún murmullo o algún hálito del moscón que se mata? No.

Queda muerto, convertido en un gurruño de cualquier cosa.

Pues así de sencilla es nuestra caída.

Lo único grave en ella es que somos difíciles de disimular y de desaparecer.

Pero del tránsito no brota ninguna consecuencia. De seres hemos pasado a ser una cosa, un mueble roto y caído, una cortina desprendida de su alzapaños y de su galería. ¡El alma voló!

¡Qué sencillez!

Es decir: qué sencillez, sin admiraciones, para

---

[1] Almehs, Oriental singing and dancing girls.

[2] Cenotaph, an empty tomb or monument erected in honor of a person buried elsewhere.

que la sencillez sea más sencilla y menos enfática.

La gran unanimidad que envuelve giratoriamente a la tierra procede de los muertos. Si viésemos la tierra con unos ojos sensibles a los espectros, veríamos la tenue y numerosa interposición.

Hay que pensar en cómo se vería sin ojos este mundo. Ni veríamos ni dejaríamos de ver nada.

En la muerte nos convertimos en una especie de tortugas muertas o coladores del vivir.

Las células rojas de la sangre, los eritrocitos, se desintegran, ¡adiós!

Si no sabéis morir un poco—lo poco que tenéis que morir más un poco más de propina—, no sabéis vivir.

Tanto inhumar como exhumar es convertirse en humo.

Muerte no es más que materia planetaria en el sidéreo universo.

La muerte es irse a los promontorios desconocidos. Por eso no me gusta ver promontorios antes de morir.

Lo impresionante es pensar en cuándo se ha de morir y cómo y de qué y si durará minutos u horas la agonía.

Estar ante la muerte es como estar ante las olas del mar en ese momento en que se siente su frío, el frío en que va a entrarse de un momento a otro.

Sólo consuela de la muerte el pensar en sus ventajas, las ventajas de no vivir, que son muchas y que aligeran deudas, trabajos y compromisos. ¡Hasta el compromiso de los amores eternos!

Según avanza la Historia, los vivos no ganan más tranquilidad, pero los muertos, sí.

Ante la muerte hay que pensar que la vida merece una sinceridad y un delirio fantásticos porque se puede pasar de un momento a otro a muertos.

Esa desvariación de la vida está consentida porque la muerte es desesperantemente igual a través de los tiempos.

Aprovechemos que aún estamos desenterrados y pensemos lo inaudito.

El viento, que es un acusador de la muerte,

nos dice: «¡Aprovecharos y vivid toda la extensión del presente con deudas o sin deudas, con guerra o sin guerra, porque de todos modos viviendo morís; ya estáis muertos...Ya... ya...ya!»

Si no se puede conseguir la gran verdad, da lo mismo morir a una hora que a otra.

Espectamus Dominum[1]...Parece que los muertos, desde que pasaron a serlo, comienzan a hablar latín y toman ensalada de ciprés.

¿Qué hacer? Seguir la máxima de Rufo:[2] «Vive hoy como si fuese tu último día».

Muertos—concentración de muertos—son todas las piedras, sobre todo esas piedras que se ven en Castilla, esas piedras deformes, con un color amarillento y tostado que forman los tapiales antiguos, los tapiales toscos y sin revoco.

Lápidas de los muertos—pensémoslo cuando vamos mirando al suelo por las calles—son todas las losas de las aceras.

Sólo sintiendo esta conflagración de la muerte, nuestra vida se sentirá llena de cierta certeza, y nos fortalecerá lo bastante en nuestro tránsito un árbol como de platino, un eje metálico y de un metal sufrido y firme. Querer tener una base de ideas suficiente es una vana entelequia;[3] pero intentar por concentración el logro, no de una descripción de lo que puede ser nuestra firmeza, sino de una firmeza íntima y secreta, pero sustentadora, es ya proponerse algo.

En las ideas sobre la muerte hay una voluptuosidad por agotar.

Pero ante los muertos, ante la cifra total—en la que los datos menores son los cuatrillones—, hay un momento en que todo el número se borra, la operación se simplifica y ya no vemos nada sino a nosotros mismos, porque nosotros mismos les representamos a todos. Todos se refunden en uno. Debemos pensar esto sin precipitarnos en la cobardía, manteniéndonos en la serenidad.

Así, pensando esto, aunque por unos momentos hayamos estado abocados a perdernos en los

---

[1] (*Lat.*) We are waiting for the Lord.
[2] Juan Rufo (1547?–1620), Spanish writer.
[3] Entelechy—in Aristotelian philosophy, what is for each being the attainment of his perfection.

números exorbitantes, nos hemos salvado. No insistimos más. Nosotros somos todos los muertos, somos el muerto. Tranquilidad; frotémonos las manos y estiremos las piernas.

Sin elegía hay que pronunciar el morir tenemos.[1] Lo que vuelve pequeña esa idea es la tristeza o la lamentación o el sentido de desprecio por la vida terrena que representa.

No seáis niños. Eso es lo permanente, lo que es en vuestro hueso, lo que os sostiene, lo que tiene más dura personalidad.

Paso tras paso tranquilamente en pos de nuestra muerte. Haceros acompañar de ella por los paseos. Id por ella a vuestra propia casa para salir con ella. Y eso sin ridícula tristeza, porque esa tristeza no podéis figuraros el amaneramiento repugnante y estúpido de vuestra personalidad que es.

Sin necesidad de mataros o de moriros, id con vuestra muerte. Es la compañía prescrita.

Queramos o no queramos estamos preparados. Todo está sin nosotros en el momento presente.

¡No os pongáis, a llorar, cobardes!

Ahora esto está como si corrida la mesa y llevadas lejos las sillas estuviésemos de cuerpo presente. Todos esos seres dispersos que ahora no están aquí con nosotros, estarían a nuestro lado, pero esto estaría igual, igualito, idéntico.

Las cortinas, si mirásemos bien las cosas, son cortinas de luto que penden por nosotros de las paredes; el reloj, si nos fijásemos con sencillez en las cosas, *ya no se oye.*

Cuántas veces he sonreído sin nariz y sin ojos en esta obscuridad de que se llenaba la estancia al darme una ligera cuenta de la evidencia de la muerte.

Yo estoy viendo las cosas siempre por última vez.

El fondo de las habitaciones—la honda sensación de fondo—es lo que más saboreo.

¡Qué grande ha sido el que yo haya podido ver el fondo de las habitaciones, esa perspectiva que es la más constante de las perspectivas! Estoy contento de eso.

Parece que he sido elegido entre los millones

[1] *el morir tenemos = tenemos que morir.*

de piedras, de substancias y de cosas que pueblan la vida. ¡Qué suerte el haber sido nombrado hombre entre las substancias, los extractos y las cosas!

¡Qué isla simple e insignificante resulta uno, si bien se piensa!

No es nada más que uno nada, pero todo es todo y uno está en todo y en este momento en que se ve el todo—aprovechémonos—se es la conciencia que no puede faltar en medio de todo.

Estamos haciendo nuestro servicio obligatorio en la tierra y somos algo así como el levantamiento de la tierra en medio de la tierra para hacer guardia y vigilarla y mirarla con sus propios ojos durante unos días.

Lo que no debemos hacer, para que esta prestación no se convierta en amargura excesiva, es rechazar la idea de la fusión en el gran todo.

Bueno, ¿pero es que es algo ver las cosas y tener idea de sus razones inmediatas y de sus orígenes inmediatos?

Nada. Somos iguales al más sabio y al más ignorante. Nos moriremos después de haber sido lo mismo. «Nuestros ojillos mirones» fueron el todo, podemos decirnos antes de que suceda el óbito y como si nos recordásemos a nosotros mismos.

¡Pobre Ramón!, me he dicho muchas veces. Se nos fué.

En el falso silencio en que no había nadie más que yo, esas palabras resonaron con sinceridad y me vi ido y representado en aquel momento nada más que por el hombre genérico.

«Vamos a pensar en la muerte»—me digo yo a veces, y en vez de coger la cabeza pelada de los anacoretas, entro en el figón y pido unas cuantas cabezas de cordero.

Ante los cráneos de los corderos hago mi meditación. Es mucho más agradable que hacerlo sobre el pelado e incomestible cráneo humano.

Las cabezas de cordero tienen la cosa natural del cráneo calavereño y algo de crimen. Con la antropofagia de abrirlas para buscar el sesillo, la cercioración de la muerte se hace más brutal, más embotada, más consolatriz.

Estoy cansado de la muerte, saltamontes que ni tirándole un sombrero de copa con ancha cinta de luto es posible atrapar.

Morir es no saber qué hacer con uno mismo,
5 dónde esconderse. Si nos evaporásemos, el concepto de la muerte no sería tan abrumador. El despojo mortal es el que compromete la idea de morir.

Si no, sería canto en un árbol lejano, escapado
10 sin saber dónde, grillo mudo buscando salida por agujero remoto, muerte de la prensa del mundo en un suscriptor, inutilidad de trompetas, timo de enterradores,[1] líquenes sobre piedra, violines de huesos, confusión de muletas, tras-
15 torno de ojos, gritos deshinchados, préstamo sin devolución, gesto incurable, unificación y borradura de los retratos, camisa almidonada sin dueño, billete sin vuelta, trasto sin buhardilla, secuestro sin devolución, sorpresa demasiado
20 avisada, juego de bolos derrumbado y sin jugador, desidia de marfiles, ahorro de cumplidos, túmulo de ilusionista, exequias de vanidad.

Morir es no haber muerto ni haber vivido, caer en el planeta planetario, fecundar minerales,
25 huir en ríos, matar sastres, dormir sin palpitar, anidar en los demás hasta que mueran, volar sin alas, no habernos conocido nunca. ¡Qué larga letanía de cosas es la muerte!

Prefiero acabarla y seguir muriendo. Es pre-
30 ferible morir y ahorrarme lucubraciones.

¿Pero qué pasará muriendo?

La primera sensación de muerto no se parecerá ni a los sueños, ni a las pesadillas, ni a los celos. Otra lámina sensible[2] dada a otras sensi-
35 bilizaciones. Nueva percepción sin ni siquiera una memoria irónica y pequeñita de lo que sucedió.

Nada de aniquilamiento. Y si pudiéramos volver a sonreír dedicaríamos la última sonrisa a
40 los que se quedaron temiendo la anonadación.

Todavía muchos grados sin ver a Dios porque a Dios no se le ve sino se le siente alcanzado como un estado sumo y límpido de poesía y amor.

La muerte es un milagro.

No nos enteraremos de que hemos muerto, 45 pues eso sería tan horrible que la eternal piedad ha hecho que así como en el dolor imposible logre la víctima el desmayo de no sentir, en la muerte logre el muerto la anestesia ultratemporal interviniendo el propio cloroformo del 50 alma.

Sólo sabremos alegres[3] y con otra composición esencial y sin mezcla, que estamos en otra vida, a la que apareceremos milagrosamente adaptados como ya viejos en ella, porque la inteligencia 55 esparcida y ambiental nos ayudará a comprenderlo todo en una amenidad sin cansancio. ¡Lo que nos cansaba estará lejos de nosotros!

¿Se acuerda la mariposa de cuando fué gusano? ¿Vuelve siquiera a mirar sus despojos? 60 ¿Cree que dejó unos hijos gusaniles y volverá a verlos? Nada de eso. Es otra cosa que nada tiene que ver con todo eso y que vuela liberada.

Ese principio nuevo de vida, inconsciente del pasado, esa resurrección del soplo vital que no 65 puede perderse, es lo que sucederá.

Siempre creí que a cualquier hora que saliese de este mundo saldría de la noche a la mañana, algo así como cuando al irnos a acostar dejamos claridades de niebla en la vida del panorama y al 70 despertar nos encontramos un día azul y luminoso.

Quedará de mí un gallo muerto que nadie irá a poner en arroz.

Al morir se es otra ventana en otra parte. 75

Se es algo así como el filo de un cuchillo en una luz desconocida.

Metal, alma, luz sin limítrofe obscuridad, luz sin contraluz.

Como en alta mar, al poco rato de salir por 80 primera vez del puerto: otro elemento, otro pánico, otro abismo, ¡pero ya en la muerte la suspensión sin naufragio!

En la placidez de morir, como último contacto con lo que quedó detrás, sólo la felicidad de 85 dejar el mundo de los que quisieron engañarnos.

Entrar en una hermosa vida de pura y grande sinceridad. ¡Entrar en la inmensa sinceridad!

---

[1] *timo de enterradores* a lie about where a supposed treasure is buried, told to get money from the interested party.
[2] *lámina sensible* plaque on which impressions beyond us in life are engraved.

[3] *sabremos alegres = sabremos (estando) alegres.*

Será como haberse tirado por el balcón y en vez de caer y bajar, subir en línea recta u oblicua hacia un horizonte invisible e imprevisible.

Una felicidad en la que al principio habrá apenas un punto negro de tristeza, un vago y desvanecido punto negro.

La descalcez suprema.

El ir a pronunciar un nombre y no poder pronunciarlo y el comprender inmediatamente lo inútil de lo que se iba a decir.

Inauguración de luz y no de mundo sino de cosmos nuevo, libre—porque ya no tendré instintos transgresores y no intentaré robar ninguna belleza al inconmensurable Museo.

Experimentaré una sensación de crecimiento.

Envuelto en la fulguración de Dios después de pasar por un breve arco de sombra, entraré en una intelección en la que todo lo sucedido se volverá tan pequeño que se tornará invisible e irrecordable.

La aureola que todos tenemos, y que es la que comunica su esencia espiritual a la corteza cerebral, se desprenderá libre y buscará nuevos horizontes, otro espacio que el que vemos.

No será primer día de muertos ése de la evasión suprema, sino primer día de siempre.

Esa aureola o halo al que además yo llamo en mi original concepción de la muerte: «disco acusativo», denunciará hasta el último de nuestros secretos pensamientos y todo lo sucedido en nuestra vida.

Era un oprobio achacar a Dios el llevar nota de nuestras mezquindades, idea invalidada con esta suposición del disco total que se revelará automáticamente a la Divinal Inteligencia. (No vaya a creer nadie que se necesitará gramola y agujas nuevas).

Comprobada la grandeza o pequeñez de nuestra alma—nada de menudos pecados—, caeremos o ascenderemos y todo sucederá en menos del tiempo que lleva el saltar por el balcón.

La muerte no es un doble antropomórfico, sino una dilución en lo absoluto en que nos salvamos del último engaño.

Es *otra cosa*, un espectáculo diferente, algo mucho mejor que el mejor amigo, olvido, libertad y el desprecio supremo de saber lo que sucede. ¡Qué pequeños los objetos y los libros!

Como prólogo de esta variedad inacabable, bien estuvieron los libros como consuelo ciego y entretenimiento que nos entretuvo en el fervor y nos sirvió de merecimiento para que se nos concediese la amenidad ilimitada.

De esa afinidad con la Gran Inteligencia no gozarán los espíritus traidores o que se hayan degradado. Como habrán perdido su «calidad» caerán apagados en la «casi nada» y en el tormento.

Extrañeza y benevolencia serán las dos emociones del espíritu bueno al sentirse descerebrado, y onda y no receptor.

Nada de monigotadas porque el monigote se quedó yerto.

¿Y la Amada abandonada?

Si respeta el vacío de la ausencia—molde perfecto de uno mismo—se unirá otra vez a uno—ráfaga espiritual junto a ráfaga espiritual—y si no, nos seremos inencontrables y—como el vacío de mi ausencia habrá arruinado su vida—será de las aureolas caídas en la «casi nada».

Tranquilos pues, si habéis practicado con cierta persistencia el bien y no habéis rebajado vuestra aureola con ambiciones excesivas y tenaces.

Ni trajeados, ni parecidos, sino sólo melenas de aureola, clima primaveral y cinematográfico en que se nos mostraría lo más ignorado de la creación en sorprendente sección continua, en salas sin obscuridad y con espacio inmenso, viendo las películas superpatinando.

Lo importante es que no hayamos malogrado nuestra esencia, que hayamos sido inteligentes, perseverantes y buenos, pues inmediatamente se verificará la absorción con la identidad celestial.

«Amaste mi creación, la copiaste con admiración, buscaste en tu subconsciente mis medusas misteriosas, las asterias inquietantes. Puedes pasar.»

Esa será la supuesta absolución del más allá acogiendo las aureolas o halos pervivientes y libertados.

PEDRO SALINAS
1891–1952

Madrileño por nacimiento y vocación, Salinas, recordado justamente como el gran profesor que fué (en París, Murcia, Sevilla, Madrid; luego en Estados Unidos y Puerto Rico), tenía de su pueblo la simpatía y el ingenio; merced a estos dones, tan poco académicos, sus penetrantes estudios y sus ensayos no son capítulos para la historia literaria sino literatura. Ensayista original y ameno, entendió que la prosa es tanto más estimulante cuanto más personal, es decir, espontánea y alejada de las convenciones y manierismos de cada época. En los ensayos reunidos en El defensor *(1948), combatió, con agudeza e inteligencia, por las causas perdidas: el claro lenguaje, la minoría literaria, la correspondencia espistolar . . . Nostálgico de las buenas maneras, ligeramente anacrónico (y reconociéndose tal), sorprendiéndose y sonriéndose ante las maravillas del progreso material, curiosidad y sorpresa le acompañaron hasta el final.*

Tradujo a Marcel Proust y salió de la aventura con un librito primoroso, Víspera del gozo *(1926), donde por vez primera tanteó sus fuerzas narrativas. Mucho después, en* La bomba increíble *(1950) dejó testimonio de su reacción frente a catástrofes inminentes. Escribió también teatro, curiosa mezcla de gracia popular madrileña y refinamiento intelectual, pero sólo una o dos veces logró ver representadas sus obras dramáticas.*

Tituló Presagios *(1923) su primer libro de poesía, íntima, sosegada, escueta: poemas breves, apretados, reducidos a lo esencial y más entrañable de la intuición. Cantó magistralmente la realidad del amor en* La voz a ti debida *(1933), y* Razón de amor *(1936), libros vividos e inspirados, en los cuales dice lo imperioso y total del sentimiento que colmaba su ser y su existir, embelleciendo el mundo y haciéndolo más digno de ser vivido. Poemas de la plenitud amorosa, y transfiguradora de quien, al sentirse henchido, poseído por la maravillosa emanación, se recrea y reinventa el mundo en el milagro de la poesía.*

Los nuevos analfabetos (1945)

EN EL PRINCIPIO fue el analfabetismo. Poco a poco, siglos arriba, se hizo la luz que hoy, gracias a Dios, nos ilumina: la enseñanza primaria obligatoria. En el consenso de la mayoría de las gentes, y hasta de muchos pedagogos, el alfabetismo, o sea aquel estado en que un ser humano sabe leer, se tiene por una línea fronteriza tan clara y tajante, que divide a la humanidad en dos partes implacablemente distintas.

Aquende esta línea el montón anónimo de los cuitados que no logran penetrar en los misterios de la letra impresa y se quedan en sus bordes, como en los de un mar que los llevaría a maravillosos países, si tuvieran nave en que surcarlo.

Allende esa raya, las legiones de favorecidos por la suerte que alcanzaron ese estado venturoso, en que se sabe, sin vacilar, que c-o, es co; que c-a, es ca, y que gracias a esa sapiencia descifran sin pena los carteles que por doquier nos cantan las palabras mágicas: «Coca Cola».

Yo vengo aquí a confesar a ustedes que abrigo ciertas y graves dudas sobre la estricta realidad de esa división de los humanos en alfabetos y analfabetos, y, muy particularmente, sobre las consecuencias que de ella suelen derivarse para la valoración del hombre.

El no saber leer ni escribir es una cualidad natural; todos nacemos con ella. O poniéndolo en refrán castellano: nadie nace enseñado. Quiere esto decir que el hombre natural es un analfabeto actual, al nacer; pero en cuanto susceptible de aprender a leer es asimismo un alfabeto potencial. Analfabeto *in actu*,[1] pero alfabeto *in potentia*.[2]

Ahora bien, la sociedad, movida por diversos estímulos, que no es del caso reseñar ahora, se propone convertir la potencia en acto; lo potencial, es decir la infusa capacidad del hombre para entender de letra o de leyenda, en actual, es decir en su posesión del arte de leer. Se logra esto mediante un variado proceso que empieza en la cartilla y acaba Dios sabe dónde. Al cabo de esos trabajos, llamados educación primaria, se proclama orgullosamente al que ha sido objeto de ellos, alfabeto. Y desde este momento queda investido de una superior distinción. No hay duda que la posee.

Todo hasta aquí parece claro, como el agua. Pero el saber leer es a su vez una potencialidad. Del mismo modo que todo analfabeto actual es un alfabeto potencial, a su vez todo alfabeto actual es un lector potencial. Sabe leer ya, pero puede leer o puede no leer. Si el alfabeto recién dotado de la capacidad de lectura no la aprovecha, esto es, si no lee, la finalidad misma del alfabetismo se frustra.

Llegamos, pues, a otro grado en este examen del valor real del alfabetismo. Demos por sentado que el lector potencial que es el alfabeto, asciende al grado superior, lee, y se convierte en lector actual. ¿Es que con esto podemos dar por felizmente conclusa la trayectoria del alfabetismo? De ninguna manera. Porque arribados al grado de lector actual, todavía se abre una nueva altura. El analfabeto se volvió alfabeto, el alfabeto se volvió lector, el que sabe leer, lee. Pero ¿qué lee? ¿Cómo lee?

De nuevo se replantea la cuestión: todo simple lector actual, es un *buen* lector potencial. ¿Llegará o no llegará a serlo? En el caso afirmativo, es cuando se cumple cabalmente esa finalidad del alfabetismo: leer bien, de tal manera que lo alfabético se trasmute en espiritual. Que la letra no sea letra muerta, sino viva.

Ahora bien, a nadie se le oculta lo raramente que se perfecciona ese estado del pleno alfabetismo. Y de ahí la necesidad de reconocer y acusar la existencia, como especie, de un tipo que yo denomino el neoanalfabeto, que libertado del tártaro del no saber leer no ha ascendido a las claras esferas del leer y se columpia como el alma de Garibay[3] por los limbos intermedios.

No voy a referirme ahora a los imposibilitados de leer por falta de libros, de bibliotecas, etc. Esta dificultad es de orden material y relativamente fácil de obviar. Los Estados Unidos con su espléndida organización bibliotecaria, título irrefutable a la admiración universal, han demostrado que, materialmente, puede leer todo el que quiera, por pobre que sea. Yo estoy pensando en aquellos alfabetos que no leen, por motivos más hondos y difíciles, que el de no tener un libro a mano.

Propongo modestamente, en este ensayo, que se reconozca existencia a dos tipos de analfabetos.

El uno es el analfabeto puro, el clásico, el analfabeto de *natura*, que, sea por la causa que sea, no sabe leer. Este analfabeto puede ser persona trágica; y es su tragedia que poseyendo, acaso, su alma virtudes innatas bastantes para designarlo como ser de excepción, si el laboreo de las ideas hiciese germinar aquellas virtudes, se queda baldío por carencia de letras y cultivo.

[1] (*Lat.*) in reality.
[2] (*Lat.*) potentially.

[3] Folkloric figure.

Siento por esta clase de analfabetos respeto, simpatía y admiración, en sus casos. Basta andar un poco por las parameras castellanas o los olivares de Andalucía, si de mi tierra se trata, para dar con analfabetos que resultan ser, en cuanto se les conoce, personas tan cabales en su humanidad, tan dignas en su conducta y tan atinadas en su juicio como muchos hombres rebosados de instrucción.

El otro es el analfabeto que convendría titular impuro, contrahecho, artificial, criatura de la educación moderna que se alza, sin darse él cuenta, frente a ella, como el máximo acusador de sus faltas. Dado que sabe leer, y que sin embargo sigue siendo humanamente analfabeto, le denomino el neoanalfabeto.

El neoanalfabeto se encuentra en dos grandes clases: la de los analfabetos totales y los parciales.

El primero es el que después de haber aprendido a leer, porque así se lo enseñaron en la escuela, renuncia al uso de su capacidad lectora, salvo en lo estrictamente indispensable: el correo diario, los programas de cine o espectáculos y la guía de teléfonos. Algunos de ellos se extralimitan y se aventuran diez o quince minutos por las reseñas de deportes, género periodístico benemérito entre todos, porque ha venido a ser el último lazo que une a muchos hombres con el ejercicio de la lectura. Suprímase del periódico esa copiosa sección—y perdóneseme que insinúe siquiera la conjetura de semejante desastre para la humanidad, por fortuna tan poco probable como el fin del mundo en los cien mil años venideros—y millones de personas renunciarán al uso del don de la lectura.

Se me olvidaba añadir, aunque aún se me viene a las mientes a tiempo para descargo de mi conciencia, que este ejemplar de neoalfabeto demora también su mirada, y con extremo cuidado, en las hojas del diario donde se insertan, como mecánicas letanías, las cotizaciones de bolsa. Pero, en verdad, no sé en qué relación está esa clase de lectura, de numerales y no de letras, con alfabetismo y analfabetismo.

Abunda esta variante entre los hombres llamados de acción, prácticos, o aún más bella-mente y a la moderna, con vocablo que reúne las lumbres del griego y de la técnica mecánica, el hombre dinámico. Para éste en el mundo sobran ideas; lo que necesita son hombres activos, audaces, incansables, acometedores, que lanzándose por las tierras y los aires, en aeroplanos, rodeados de secretarios y mecanógrafos, y pendientes sin cesar del cordón umbilical del adulto de nuestros días, el del teléfono, funden empresas, erijan factorías y aumenten la riqueza nacional, desde luego sin perjuicio de la propia. No profesores de tal o cual disciplina intelectual, no. Profesores de energía.

¿Lectura? ¿Para qué? Nunca se ha hecho nada con teorías, afirma el dinámico. Verdadera maestra de la vida, no hay más que una, la experiencia; y tiene escuela abierta para todos. Pasar los años adolescentes vendiendo periódicos, corriendo luego en bicicleta como mensajero, despachando helados con soda, son el verdadero *trivium*[1] y *cuadrivium*[2] de nuestros días, combinados, el septenario del hombre moderno. Véanse las biografías de tanto triunfador de hoy.

Y si a recreo y pasatiempo vamos, ¿cuánto más sano y reparador no es el invertir cinco horas los sábados por la tarde, impulsando brava y vigorosamente una bolita blanca de agujero en agujero sobre las afeitadas praderías del club de campo, que no inmovilizarse en un cuarto cerrado y seguir de renglón en renglón las andanzas de Ulises por los mares de Grecia o de Sherlock Holmes[3] por las veintisiete habitaciones del castillo del crimen?

Este neoanalfabeto entroniza en el sagrario más respetable de su conciencia al dios de la acción, el salvador, opuesto al dios de las ideas. Desde luego, no sabe lo que es acción. Para él pronunció Barrès[4] sus palabras: «La acción no consiste en montar en bicicleta.»

---

[1] Grammar, logic and rhetoric, classified in medieval schools as the lower group of liberal arts.

[2] Arithmetic, music, geometry and astronomy, the four "liberal arts" forming the three years of study between B.A. and M.A. in medieval times.

[3] Fictional detective made famous in a series of novels by the British writer Sir Arthur Conan Doyle (1859–1930).

[4] Maurice Barrès (1862–1923), French writer.

Así como se creyó antaño en lo de la generación espontánea, él cree en la acción como potencia misteriosa que de nada se genera, que no procede de cosa alguna y a la que no hay por qué buscar finalidad más allá de su objetivo inmediato. Tildaría de loco o extravagante al que le quisiera convencer de que Carlos Marx,[1] con las teorías e ideas que acumuló en un libro, ha desencadenado en la tierra un vendaval de acción, de considerables proporciones, como puede testimoniar cualquier hijo de vecino que haya oído hablar de la historia del mundo en los últimos sesenta años.

Consanguíneo del anterior, es otro tipo de neoanalfabeto total para el que propongo el nombre de «enamorado del progreso moderno». Por supuesto, él entiende por progreso el aumento continuo de máquinas, maquinarias y maquinillas, concebidas, manufacturadas y lanzadas al mercado por la técnica mecánica moderna. El tal, llegadas las fiestas de Navidad, nunca pondrá en la próvida media de Santa Claus, el libro de cuentos de los hermanos Grimm,[2] o el inocente juguete gratuito. La llenará de *meccanos*, de cubos de construcción, de equipos de química recreativa, de suerte que el niño se regodee, ya en la ternura de su vida, con estos preludios de su más deseable futuro: ser un técnico.

Las horas de asueto suyas oscilan como un péndulo entre dos puntos: la radio y el cinematógrafo. Con la caja mágica de la primera le basta y aún le sobra para enterarse de las ocurrencias fastas o nefastas que trae cada aurora en su rosado regazo. Si se trata de divertirse y salir un poco, a la puerta está el coche, el cine a la vuelta de la esquina, y la película rodando sin parar por la pantalla.

Antes, cuando no habíamos progresado bastante, todavía era menester leer algo en el cine: los títulos. Hoy día, gracias al cine sonoro, ha quedado eliminado este inconveniente, si no es por los pocos momentos en que desfila por la pantalla la puntual nómina de los veinte o treinta claros varones y damas que han aunado sus gracias y talentos para la creación de la película que se aproxima.

Como por el buen parecer hay que estar suscrito a un diario, este hombre se conforma con la convención. Lo cual, después de todo, no compromete a nada, porque se puede muy bien abrir un periódico en nuestra época, ojearlo con cierto aire de suficiencia y no leer o leer apenas, ya que los grandes diarios modernos, siempre a compás con el progreso, van aumentando día por día el espacio de la sección de tirillas o muñequitos donde el dibujo alivia de casi todo el penoso esfuerzo de la lectura.

Este hombre ha sellado el pacto infernal que le propuso arteramente el demonio de las imágenes: «Entrégame tu facultad de leer, y yo, en canje, te colmaré de seductoras estampas en negro o en color, paradas o en movimiento; que esa es la vida de verdad, vista con tus ojos y no interpretada a través de los embelecos de la letra».

Y así, este neoanalfabeto de lo gráfico se salta diestramente a la torera toda la mole originada en el genio y en el ingenio de Gutenberg, es decir, el mundo de lo impreso; y como su antepasado paleolítico, en Altamira,[3] se atiene a las imágenes. Y si ve, en el escaparate de una librería, algún volumen que le mueve la curiosidad —por ejemplo, *El Banquete*, de Platón—espera confiado el día, de seguro ya a las puertas, en que lo pongan en película, con las mejores estrellas de Hollywood o se lo apropie un dibujante para una nueva serie de «muñequitos».

Pasemos ahora a los neoanalfabetos parciales, es decir, a los que todavía usan sus dotes de leer, pero reduciéndolas a la mayor estrechez. Caben casi todos bajo el generoso manto denominador del especialismo.

Mi primera memoria de la palabra *especialista* se asocia con la refulgencia de una superficie de cobre bien lustrada; porque estrenaron mis ojos esa palabra memorable en la radiante placa que a la puerta de un médico rezaba, con letras

---

[1] Karl Marx (1818–1883), German political philosopher and socialist.
[2] Jacob (1785–1863) and Wilhelm (1786–1859) Grimm, German fairy tale writers.

[3] Caves in Santander, Spain, where drawings of prehistoric man have been preserved.

negras: «Doctor Fulano de Tal. Especialista en garganta, nariz y oídos». Confieso que la leyenda me aterrorizó.

Ya más crecido, entre los años de 1911 y 1915, la palabra saltó de las placas de los facultativos a otros ámbitos, especialmente al académico, y se emitía, con un cierto tono de mística fe, lo mismo por profesores que por estudiantes adelantados.—«¿Y Manolo?» se preguntaba de cualquier amigo.—«Está especializándose en Alta Edad Media». Un dilatado y respetuoso silencio se abría detrás de respuestas semejantes. «Hay que especializarse» fue el equivalente del «¡Santiago y cierra España!»[1] en nuestros días.

A punto fijo nadie sabía lo que era eso. Porque la especialización, que es una gloria indiscutible de la ciencia moderna a la que el hombre debe beneficios innumerables, conlleva, enlazados, dos sentidos.

En el primero, especializar es concentrar un gran volumen de conocimientos, una alta energía intelectual, en un campo o punto problemático, de modo que lo incógnito ceda ante el empuje. Y concentrar presupone, claro está, un vasto poseer. Nunca se le ocurrió a ningún gran capitán batir en brecha una ciudad amurallada sin juntar antes el mayor material posible de potencia ofensiva. Pero especializar lleva asimismo implícita la actitud de restringir, de reducir la aplicación de la actividad pensante a un cierto espacio escogido, huyendo del estéril desparramamiento. Y por aquí se abrió paso un concepto degenerado de la especialización, que quería hacer pasar por tal, no a la seleccionada restricción del campo investigado, sino a la reducción y empobrecimiento de la cultura general del presunto especialista, del que no se exigían además dones sobresalientes de inteligencia. Ser especialista de gran talla, lo pueden muy pocos, ya que requiere facultades y sabiduría no comunes. El gran especialista es ejemplar humano por arriba de lo medio y corriente. Pero ser especialista de menor cuantía, está al alcance de cualquiera.

Millares y millares de cualesquiera se han lanzado sobre ese adulterado concepto, especialización, y han traído sobre él un justo desdoro. Porque este especialista, muy lejos de ser hombre que descuella sobre la medianía, está por debajo de ella; ahí le colocan su parvedad de curiosidad intelectual, la angostura de sus conocimientos, y a la par la fatuidad del que toma el especialismo por pedestal de su insignificancia humana.

Grande es la especialización nutrida de afán integrador, de empuje imaginativo, de superación de limitaciones; y pequeña la que se alimente de exclusiones innecesarias, de renuncias perezosas, de temores a la iniciativa mental.

Me he extendido tanto en esto de la especialización para dejar a salvo de toda sospecha mi respeto sin reservas, mi admiración agradecida al gran especialismo moderno. Otra cosa sería frivolidad sin excusa. Prueba de estima hacia algo es indignarse ante su adulteración. (No hay mejor indicio de la consideración en que tiene el hombre moderno a la moneda que la santa cólera que provoca su falsificación, tan bien reflejada en algunos códigos, y la presteza con que se denuncia y castiga a los monederos falsos.) Pero así como todo cuerpo, da sin querer, a cierto sesgo de los rayos del sol, su sombra grotesca, así como todo contorno lineal contiene latente su caricatura, y todo lo humano lleva dentro su esperpento, como demuestran cumplidamente Jerónimo Bosch,[2] Goya y Valle-Inclán, entre otros, así del especialista de ilustre rango ha ido a salir, por mimesis diminutiva, el tipo de pseudoespecialista. Y aquí sí que reina, en este clima, eterna primavera, constante propensión germinativa, para el neoanalfabeto parcial.

Es el especialista que conoce una técnica de laboratorio, si es químico o biólogo, o que se ha dedicado a estudiar el uso de las preposiciones en el dialecto aragonés, y que cuando uno le habla, por ejemplo, de ir al teatro a ver una tragedia de Ibsen,[3] contesta:—«Mire usted, yo estoy

---

[1] Medieval war cry of Christians in their battles against the Moors. (*cierra España = Atacad, españoles, Santiago está con vosotros.*)

[2] Flemish painter (1488–1516).
[3] Henrik Ibsen (1828–1906), Norwegian dramatist.

siempre metido en *lo mío*. No tengo tiempo para esas cosas». Al decir «esas cosas» nos mira con conmiseración, como a párvulos que aún no alcanzaron plena conciencia.—«Cuando voy al teatro a ver una cosa ligerita, para distraerme.» Y si se le propone la lectura de una novela de Proust[1] o de un ensayo de Santayana,[2] se reviste de un aire de dama virtuosa ante una insinuación vagamente deshonesta:—«No puedo. Yo no leo literatura.» Y en el vocablo literatura condensa él todo lo que no sea tratados, monografías o tiradas aparte de su especialidad. Y lo gracioso es que lo dice con orgullo, pavoneándose de su analfabetismo.

También los hombres de carrera, los que ejercen una profesión de las llamadas liberales, padecen en muchos casos el morbo de confinamiento intelectual en los linderos de su profesión. Leen, sí. Pero, deliberadamente, se abstienen de leer lo que no concierna a su oficio.

Recuerdo, en España a un profesor de literatura, especializado en el estudio del tipo criado en el teatro de Lope de Vega, hombre de simples intenciones, pocas ideas y encarnizado trabajador. Nunca leía periódicos—y esto era allá por el año 16, en plena guerra mundial—fundándose en la discretísima presunción de que eran sumamente escasas las probabilidades de encontrar en sus columnas dato alguno utilizable para su trabajo.

Todos conocemos—yo los he conocido de varias nacionalidades—al médico que sólo permite que franqueen las puertas de su casa dos clases de impresos: los volúmenes graves, encuadernados en pasta, de los tratados magistrales de la ciencia médica, y, por otro lado, las livianas y volanderas revistas de actualidad, en número de seis o siete, que después de ser leídas durante una semana o dos por la familia y dar normas indicativas de las modas de verano a las hijas del facultativo, pasan—y ya no saldrán de allí, mientras sus hojas se mantengan unidas—a la sala de espera para solaz de los pacientes en expectativa de recibo.

También conozco a sociólogos que nunca descenderán de las relativas alturas de Toynbee,[3] Spengler[4] o Paretto,[5] y declaran, con repulgo de los labios, que ellos no leen novelas; precisamente ese género literario que tiene por tema fatal los encuentros, guerras y paces de los hombres en sociedad. Hay otros neoanalfabetos parciales que reducen su lectura, no ya por motivos profesionales, sino por inclinación preferente a una cierta actividad, o por simple afición o gusto individual particularizado.

Tengamos, por ejemplo el político, ya sea de radio local, nacional o internacional. Es consumidor infatigable de artículos de fondo, noticias de actualidad, ensayos sobre problemas del momento y alguno que otro libro de avisados reporteros, que en las tres o cuatro semanas que tardan en dar la vuelta a un continente, se dan el arte de recoger todas las palpitaciones y angustias de sus naciones, y las comunican generosamente al mundo. Las ideas recogidas en sus lecturas son inmediatamente puestas a funcionar en la tertulia, en la mesa del café y echadas a pelear con los vecinos, con tanta furia y valentía como un gallo de lidia.

Los kioscos o puestos de periódicos en plena calle, que suelen adornar muchas ciudades, como París, Berlín o Madrid, vistos a lo lejos, y con ojos entornados, parecen grandes flores de corola multicolor. Las portadas de las revistas y magazines expuestos, traen cada cual su tono, a la rica policromía del conjunto.

Pues bien, así como la abeja revolotea en torno a la pomposa flor, así hay una especie de neoanalfabeto parcial que ronda alrededor de los puestos de prensa y extrae de ellos todos los ingredientes requeridos para labrar la miel de su vida intelectual.

Es el hombre que no lee libros: el fascinado por la variedad de títulos de las revistas, y, dentro de sus sumarios, por la variedad de temas de sus artículos. Neoanalfabeto es éste, digno de simpatía y merecedor de rescate; no ahorra esfuerzo a la lectura, antes lo despilfarra. Lee

---

[1] Marcel Proust (1871–1922), French novelist.
[2] George Santayana (1863–1952), American (Spanish born) poet and philosopher.
[3] Arnold Toynbee (1889), English historian.
[4] See d'Ors, footnote 1, page 413.
[5] Vilfredo Paretto (1848–1923), Italian economist and sociologist.

mucho. El pobre vuelve a su casa con un rollo de revistas bajo el brazo, y gasta horas y horas de la noche en su lectura, sin sacar mucho más de lo que saca el niño que a su lado pugna por juntar piezas del rompecabezas, sin llegar nunca al dibujo total, al cuadro entero donde cada cosa está en su sitio.

Aun se agrava y entenebrece el mundo de este pobre lector, si añade a las revistas originales, la compra y lectura de las revistas digestivas o de rumia, confeccionadas con artículos de aquí y de allá, y que se adornan como con plumas de pavo, con títulos que responden a la idea de selección o antología, espejuelo que atrae a millones de incautos.

La tarea de este lector mueve a compasión. Porque cuanto más lea, más y más se pierde en ese mar sin límites que cada semana crece unos metros en altura y que no tiene litorales discernibles. El lector de un libro sabe dónde empieza y acaba su faena, puede descansar, tomarse vacaciones. El lector de revistas, y más si es suscriptor, se siente perseguido como por nuevas Euménides,[1] por estas terribles criaturas de las semanas, las quincenas y los meses. En cuanto afloje un poco en su ración de lectura se queda atrasado, se le vienen encima los números de la semana próxima, se le acumulan con los de la anterior; y para mantenerse al ritmo de producción de las redacciones y de las imprentas tiene que llegar a sacrificios titánicos. Cien autores escribiendo para veinte revistas le azuzan, le acosan como jauría infatigable tras la liebre, a la que no dan punto de reposo.

De señalar son también los neoanalfabetos artistas. Pintores hay que consideran que la pintura es la sola y única forma de tomar contacto con el mundo, de conocerlo en su realidad y de trasladarlo al arte. Una frase no podrá nunca lo que una pincelada. Tienen la pintura por función autónoma, que nada puede sacar de la cultura del pensamiento. La vida se expresa toda en colores, volúmenes, formas. (Aunque Leonardo[2] dijo que la pintura es cosa mental.)

[1] In Greek mythology, three avenging spirits, snaky-haired women who pursued evildoers and inflicted madness.

[2] Da Vinci.

Hay también el neoanalfabeto poético, masculino y femenino. Considera éste que, si bien es escritor, su modo de escritura es un don celestial, sin parentesco alguno con el ejercicio del discurso intelectual, ni necesidad de más nutrición para el alma, que la que le dispense la providente inspiración.

Tampoco es de recibo para éstos ninguna idea de aprendizaje o modelo, derivada de obras ajenas. A más de uno he oído decir que no quería leer demasiadamente por miedo a perder su personalidad. Cuando es lo cierto que la maestría y originalidad poética se asemejan a la maestría natatoria en que sólo se puede aspirar a ellas sabiendo hundirse y bucear en un medio ajeno, en muchos mares, y salir luego más dueño de sí y de sus movimientos que antes.

Muchos de los analfabetos poéticos condescienden a la lectura de algunas obras de poesía, y hasta una novela que otra. Pero se arredran, con gesto de melindre y desdén, frente a la obra de tonalidad filosófica o social, a la que tienen por totalmente incapaz de relación con nada poético. Como si el alma no lo hiciese todo uno, y como si la flor se negase a ser nutrida de jugos de la tierra y agua del cielo, a pretexto de que no son bastante delicados, y exigiera crecer en terreno abonado con pétalos y regada por agua de perfumería.

Ocúrreseme ahora que algunas damas podrían reprocharme olvido u omisión, en lo que a su género concierne. En mi revista de neoanalfabetos asomaron tipos masculinos, y sólo en una ocasión, al referirme a la encarnación femenina del estro poético, rocé levemente las fronteras del mundo de la feminidad. ¿Querrá eso decir que no se da caso de analfabeta típica, que la mujer disfruta tan sólo de los dos estados, puros, analfabetismo total y alfabetismo perfecto?

Yo no puedo entrar en tan resbaladiza materia, confiado tan sólo en mi parvo conocimiento de esa entidad titulada la mujer moderna. Sí sé que las mujeres han sido lectoras de alto grado, desde la Edad Media. Thibaudet[3] supone que la novela medieval cobró vida merced al entusiasmo de las castellanas. Por el Renaci-

[3] Albert Thibaudet (1874-1936), French critic.

miento nos saltan a la vista testimonios gallardí-
simos de feminidad preclara, tanto en sus atributos físicos como en el extremo cultivo del
espíritu. Los salones literarios, lonja de lecturas,
5 bolsa de opiniones sobre lo leído, los regentaban
hermosas y discretas mujeres. Y no hay duda
de que en la época romántica poesía y novela
llegaron tan alto, empujadas por los suspiros y
emocionados alientos de millones de damiselas.

10 Debe, pues, esperarse que conforme a tan
eximia tradición el sexo femenino se distinga
netamente del otro, y siga usando su aptitud de
leer, con el entusiasmo y sensibilidad de sus
antepasadas.

15 En busca de corroboraciones documentales
me he dirigido a una revista de gran favor entre
las señoras. Y he tenido la suerte de encontrar en
sus páginas un bosquejo del tipo perfecto de la
mujer moderna, que más parece dechado, modelo
20 puesto como mira y ejemplo, que retrato de criatura viva, tan grande es la acumulación de
perfecciones con que se la adorna. Sigue ese
esbozo del modelo de mujer moderna, la consabida receta de «dime lo que haces y te diré
25 quién eres». Esto es, nos relata con precisos
pormenores, cómo llena las horas de un día,
desde las nueve de la mañana hasta la primera
madrugada, este prototipo de la hodierna feminidad.

30 Se publicó el artículo que voy a glosar en una
revista de modas y de vida femenina, tenida por
una de las mejores de su clase en el mundo.
Llamémosla *Excelsior*. La protagonista no lleva
nombre propio; no es un individuo, es un sím-
35 bolo. Se llama, no Juana, Pepa, o Manuela, sino
para indicar su generalidad, «la lectora de *Excelsior*». De ese modo se denota que toda fémina
ideal lee asiduamente la revista, de donde
podría inducirse que acaso las perfecciones de
40 este tipo dimanan de su constancia en la lectura
del periódico, y de su obediencia a los consejos,
avisos y recomendaciones que prodiga a sus
lectoras.

Mistress Excelsior, llamémosla así, no se
45 levanta antes de las nueve. Mientras espera que
le sirvan su desayuno, cuyos componentes se
enuncian con nombres en francés—así «café

au lait»,[1] en vez de «café ordinario»—hace sus
planes para el día que empieza. Convoca al ama
de llaves, aún envuelta en su *negligée*, y dispone 50
las minutas de las comidas del día. A las diez
asiste a una reunión de su sociedad benéfica
favorita. A la vuelta—en su automóvil, por
supuesto—se para en el camino a ver a una
amiga, con la que platica de tres importantes 55
temas: un perfume nuevo, trajes y la decoración
de su gabinete, que pronto va a emprender.
Luego, elección de la presidenta de la Sociedad
para el Fomento de Hogares Obreros. A las doce
despide el coche, para hacer un poco de ejercicio, 60
andando a buen paso por la Quinta Avenida.
Aún hace frío. Sueña en cuándo vendrán los
días que permiten el deporte al aire libre, horas
y horas. Las mujeres que se cruzan con ella
miran envidiosas el corte de su traje sastre. No 65
hay que decir que «la lectora de *Excelsior*» viste
por encima del gusto de todas las demás
mujeres.

A la una, almuerza con dos amigas, en un
restaurante pequeño y elegante. Se habla de 70
trajes. O del último libro de D. H. Lawrence,[2] o
de la última pieza de Somerset Maugham.[3]
También se roza el tema de un posible viaje, en
primavera. Luego, a casa. A cambiar de traje. A
las cinco, visita a la sombrerera, y de allí a casa 75
de otra amiga, también «lectora de *Excelsior*»,
donde transcurre una hora deliciosa de palique.
A las seis, vuelta al hogar. Una hora con los
niños.

Permítaseme señalar que el lector de este 80
retrato, que empezó a seguir los pasos de la
dama desde las nueve de la mañana, no se entera
de la existencia de las susodichas criaturas hasta
las seis de la tarde, hora acaso un poco tardía, en
que los angelitos hacen su primera y única en- 85
trada en la escena de la agitada vida de su señora
madre, ya al mismísimo borde de la hora de irse
a la cama.

Recomendaciones a la institutriz e inspección
de la cena de los niños. Y a las siete, un poco de 90
descanso se impone. La heroína se tiende en su

[1] (*Fr.*) coffee with milk.
[2] English novelist and poet (1885–1930).
[3] English writer of prose fiction and drama (1874).

otomana—¡atención, mucha atención, porque ya va a aparecer nuestro tema!—con un libro en la mano. ¡Por fin! Ha llegado el momento, piensa el incauto lector, de que este dechado de la mujer moderna, reanude el hilo de la tradición de los dechados de la mujer antigua, desde la castellana provenzal del siglo XIII.

Pero la tradición no ha contado con la huéspeda. O, dicho de otro modo, con la fatiga que un día tan repleto de actividades proteicas como éste, ha de imponer a la «lectora de *Excelsior*». Y dice, literalmente, el artículo: «. . . con un libro en la mano. Pero no puede leer». Se lo impiden, de una parte, el cansancio consabido, y de otra, innumerables preocupaciones y pensamientos que se disputan el dominio de su ánimo. El articulista sólo dos especifica: ¿La regalará su marido el collar de perlas, el día del cumpleaños? Hay que telefonear a la pobre Amy, que está enferma, y mandarle flores . . .

Con estas y similares cogitaciones las ocho se echan encima: hora de la cena. Por fortuna no hay más que cuatro huéspedes, y todos de confianza. Se conversa:—«¿Habéis visto el abrigo nuevo de Natalia? ¡Es soberbio!» Un poco más tarde de las nueve, al teatro. Ya han empezado. «La lectora de *Excelsior*» desciende por el pasillo de butacas, entre susurros de admiración y envidia. Terminada la función, a un *dancing*, el más elegante. Orquesta inmejorable de *jazz*, bocadillos de *foie gras*[1] y agua mineral White Rock. Baile, baile, baile . . . Y en esta atmósfera de elegancia perdemos de vista a la mujer moderna, seguida hasta el último momento por oleadas de admiración que rompen a sus pies.

Tal es el retrato, condigno, por la grandeza del carácter del linaje, de La Bruyère.[2] Pocas dudas pueden restar al observador admirativo de «la lectora de *Excelsior*» o parangón de la mujer moderna, en cuanto a la calidad de su alfabetismo. A mí, no obstante, me queda, desde que leí este artículo, una que me punza en sueño y en vigilia. Se nos dijo que a la hora del almuerzo la dama hablaba con dos amigas de las últimas

[1] (*Fr.*) goose liver paté.
[2] French moralist (1645–1696).

obras de D. H. Lawrence. Pero—y ésta es mi duda—¿cuándo diantres las lee, si el único sensacional momento en que toma un libro en la mano es ése de las siete de la tarde, y según el fiel relator de sus obras y su día, no llega a abrirlo de tan transida como está de fatiga? En vista de esta pintura de la mujer moderna, hay que poner todas nuestras esperanzas en las mujeres modernas que no son modernas y no siguen los modelos para ser modernas.

Salgamos de esta incompletísima galería de figuras neoanalfabéticas, camino de algunas conclusiones permisibles. La primera es la necesidad de un alerta constante frente al equívoco que late en la palabra *leer*, y por ende en expresiones como *aprender a leer*, *saber leer*. Palabra de muchos fondos, y difícil de sondeo, nada sería más peligroso que darse por contento con verla por su haz, en su concepto más superficial, o sea simplemente como la capacidad de entender el significado más aparente de la letra escrita. Cierto que la posesión de ese sencillo arte mecánico saca al hombre de su analfabetismo natural, y le habilita para extender su potencialidad humana hasta límites fabulosos. Pero si no se emplea esa aptitud para ensanchar las potencias del alma, para impulsar al individuo hacia la plenitud de su ser espiritual, el que la posea se hallará en una situación paradójica al parecer, por las palabras, pero profundamente cierta: la de ser un analfabeto que sabe leer. Se le ha extraído de su analfabetismo puro, pero por desuso o abandono de la facultad de la lectura y lo que ella acarrea, empieza a funcionar en su naturaleza una fuerza de regresión que le devolverá antes o después al punto de partida: a su analfabetismo espiritual.

Porque la realidad es que existen analfabetos de ida y vuelta. Con saber leer se les dota de una momentánea conciencia de todo lo superior que encubre la letra, ahora accesible para ellos; pero por su impotencia para resistir a la pesantez de lo inferior, de lo vegetativo, que a todos nos llama a su centro, con voz que suena de mil maneras, dejan morir en sí los poderes anagógicos de la lectura, y, alfabetos temporales, retornan al estado de inconsciencia analfabética donde yacían. Pero si esa es la verdad rigurosa, se mantiene para efectos de las estadísticas, y para la convención social, una ficción: y es que estas gentes deben ser contadas como alfabetos, que son del grupo de favorecidos que saben leer. En esto, como en muchas otras cosas, el mundo acepta sin escrúpulos una media verdad, y la saluda con el júbilo debido a la verdad eterna, aunque oscuramente siente que todos son actores, y víctimas, de una vasta empresa de embaucamiento.

Poco a poco se va aumentando esa nueva clase, a la que creo que es ya hora de poner nombre y conceder estado: los neoanalfabetos, mucho más amenazadora y peligrosa que la de los analfabetos puros. Ni están con el diablo en su tenebrosa ignorancia, ni aspiran a Dios, a la claridad de su sapiencia. Todo lo pudieron y a nada se atrevieron. Su puesto se halla allí, junto a los condenados en el Canto III del Infierno:

> *Ed egli a me « Questo misero modo*
> *tengon la anime triste di coloro*
> *che visser senza infamia senza lodo.*
> *Mischiate sono a quel cattivo coro*
> *delli angeli che non furon ribelli*
> *ne fur fedeli a Dio, ma per sè foro.»* [1]

Y otra consecuencia; lo urgente que es acabar con nuestra actitud, idolátrica e hipnótica, frente al titulado «problema del analfabetismo». Hay en la política educativa moderna un fetiche, deidad sangrienta a la que todo se sacrifica sin que ella asegure nada a sus creyentes más fervorosos: la lucha contra el analfabetismo. Esa frase, cuando bota y rebota en los artículos periodísticos, o refulge en las crestas de los discursos políticos, impone sagrado pasmo a todos. De tal autoridad hipnótica goza esa frase, que apenas pronunciada se interrumpe cualquier tentativa crítica y provoca la rendición incondicional de todo libre examen.

---

[1] (*Ital.*) From Dante's *Divine Comedy*:
   And he said to me: "these miserable ways
   The forlorn spirits endure of those who spent
   Life without infamy and without praise.
   They are mingled with that bad group
   Of the angels, who rebelled not, yet avowed
   To God no loyalty, on themselves intent."

Acaso ya empiece a alzarse en el ánimo de algunos de mis lectores la oleada de indignación ante el hereje que se permite hacer distingos con respecto a eso de luchar contra el analfabetismo. Y, sin embargo, si se acepta la veracidad o por lo menos la verosimilitud de mi punto de vista en este ensayo, es decir, que enseñar a leer, sin más, no logra en la mayoría de los casos elevar de su situación básica de pobreza espiritual a los hombres que recibieron ese beneficio—o, como dice T. S. Eliot, que «sólo en un sentido muy restringido se puede decir que la educación produce cultura»—quizá se vea que lo que yo propongo es dar a esa frase, a ese lema, a esa faena, «lucha contra el analfabetismo», una nueva tensión.

No quito importancia a esa tragedia, el analfabetismo; antes se la doy mayor, porque denuncio que hay dos poderes enemigos enfrente nuestro: el conocido de siempre, el que da cara, y al que apuntan todas nuestras baterías pedagógicas, sí; pero a su lado otro, pura máscara, fingido personaje, que se contonea por la sociedad con su antifaz de alfabetismo, engañándonos, haciéndonos creer que él ya no es problema, que él está a nuestro lado, que es uno de los obreros de la ciudad del espíritu, cuando, en verdad es la quinta columna del analfabetismo total, el enemigo jurado, por inerte oposición, a la letra vuelta espíritu.

Hay que entender eso de la lucha contra el analfabetismo con nueva profundidad, con nueva gravedad. Porque hemos descubierto un nuevo adversario.

Y sobre todo que no sea a las estadísticas a las que nos volvamos para saber si la pugna tiene éxito. Son las estadísticas el narcótico que adormece con su numeral canturria al buen ciudadano, que cuando lee que este año hay 30.000 analfabetos menos que el pasado, se hunde en un delicioso sopor de satisfacción cívica, sin preocuparse ya más. Son las estadísticas las que han ido señalando en Alemania la disminución del analfabetismo, mientras que por detrás de las estadísticas se preparaba en las almas envenenadas de los neoalfabetos la gran conspiración para la ruina del presente mundo occidental.

Otros signos hay, otras señas, más delicadas, la mejora de cualidades humanas, no el aumento de cantidades de humanos, las que nos dirán que nuestro esfuerzo es por fin clarividente. Hay que 5 celebrar, sin duda, la noticia de que hogaño se han arrancado al monstruo del analfabetismo tantos miles de criaturas merced a las hazañas de la enseñanza primaria. Pero convendría seguir los pasos a esos niños, tiernos rescatados de la 10 espelunca de lo analfabético, salvados del dragón de la primera ignorancia. Porque una terrible sorpresa nos convencería de la candidez en que estamos viviendo. Esos infantes, a quienes se dió suelta por el mundo, armados de las pri- 15 meras letras, confiadamente, porque ya se había debelado al gran enemigo—la ignorancia pri- maria—, se encontraban, a las pocas vueltas del camino, mucho mayor enemiga, acechándolos.

Una hechicera que, como la arquetípica 20 Circe,[1] los atrae, los trueca en seres de baja naturaleza, los neoanalfabetos, y los pone a vivir tan contentos, en los cómodos corrales de la inconsciencia con todos los adelantos materiales modernos, condenados a perpetuidad a la se- 25 gunda y definitiva ignorancia, y atiborrándolos, no como en Homero de bellotas de la noble encina, sino de cebo sintético, última maravilla del progreso.[2]

La voz a ti debida (1934)

[PARA VIVIR . . .]

30 Para vivir no quiero
islas, palacios, torres.
¡Qué alegría más alta:
vivir en los pronombres!

Quítate ya los trajes,
35 las señas, los retratos;
yo no te quiero así,
disfrazada de otra,
hija siempre de algo.

---

[1] In Homer's *Odyssey*, an island sorceress who turned her victims into beasts.
[2] A reference to the acorns Circe fed to the men she had turned into swine.

Te quiero pura, libre,
irreductible: tú.   40
Sé que cuando te llame
entre todas las gentes
del mundo,
sólo tú serás tú.
Y cuando me preguntes   45
quién es el que te llama,
el que te quiere suya,
enterraré los nombres,
los rótulos, la historia.

Iré rompiendo todo   50
lo que encima me echaron
desde antes de nacer.
Y vuelto ya al anónimo
eterno del desnudo,
de la piedra, del mundo,   55
te diré:
«Yo te quiero, soy yo.»

[AMOR, AMOR . . .]

Amor, amor, catástrofe.
¡Qué hundimiento del mundo!   60
Un gran horror a techos
quiebra columnas, tiempos;
las reemplaza por cielos
intemporales. Andas, ando
por entre escombros   65
de estíos y de inviernos
derrumbados. Se extinguen
las normas y los pesos.
Toda hacia atrás la vida
se va quitando siglos,   70
frenética, de encima;
desteje, galopando,
su curso, lento antes;
se desvive de ansia
de borrarse la historia,   75
de no ser más que el puro
anhelo de empezarse
otra vez. El futuro
se llama ayer. Ayer
oculto, secretísimo,   80
que se nos olvidó

y hay que reconquistar
con la sangre y el alma,
detrás de aquellos otros
ayeres conocidos.
5 ¡Atrás y siempre atrás!
¡Retrocesos, en vértigo,
por dentro, hacia el mañana!
¡Que caiga todo! Ya
lo siento apenas. Vamos,
10 a fuerza de besar,
inventando las ruinas
del mundo, de la mano
tú y yo
por entre el gran fracaso
15 de la flor y del orden.
Y ya siento entre tactos,
entre abrazos, tu piel,
que me entrega el retorno
al palpitar primero,
20 sin luz, antes del mundo,
total, sin forma, caos.

Razón de amor (1936)

[¿SERÁS, AMOR . . .]

¿Serás, amor,
un largo adiós que no se acaba?
25 Vivir, desde el principio, es separarse.
En el primer encuentro
con la luz, con los labios,

el corazón percibe la congoja
de tener que estar ciego y solo un día.
Amor es el retraso milagroso   30
de su término mismo:
es prolongar el hecho mágico
de que uno y uno sean dos, en contra
de la primer condena de la vida.
Con los besos,   35
con la pena y el pecho se conquistan,
en afanosas lides, entre gozos
parecidos a juegos,
días, tierras, espacios fabulosos,
a la gran disyunción que está esperando,   40
hermana de la muerte o muerte misma.
Cada beso perfecto aparta el tiempo,
le echa hacia atrás, ensancha el mundo breve
donde puede besarse todavía.
Ni en el llegar, ni en el hallazgo   45
tiene el amor su cima:
es en la resistencia a separarse
en donde se le siente,
desnudo, altísimo, temblando.
Y la separación no es el momento   50
cuando brazos, o voces,
se despiden con señas materiales:
es de antes, de después.
Si se estrechan las manos, si se abraza,
nunca es para apartarse,   55
es porque el alma ciegamente siente
que la forma posible de estar juntos
es una despedida larga, clara.
Y que lo más seguro es el adiós.

JORGE GUILLÉN
1893–

*Castellano, de Valladolid, estudió Letras; fué profesor de literatura española
en París, Oxford, Murcia y Sevilla. Ha vivido luego en Estados Unidos,
enseñando durante veinte años en Wellesley College. Su poesía, de 1919 a
1950, está recogida en* Cántico, *libro que desde su aparición en 1928
creció armoniosa, orgánicamente, a través de cuatro ediciones, hasta formar
un vasto corpus lírico en donde se registra (ante todo; no exclusivamente)
la exaltación, el puro goce de ser y de vivir, reconociéndose el hombre en
la realidad que le rodea y le constituye.*

A partir de 1950 su obra poética se reparte en dos libros, el primero,
Clamor, *recién concluso. Lo componen tres partes, publicadas en volúmenes
separados:* Maremágnum *(1957), . . .* Que van a dar en la mar *(1960) y*
A la altura de las circunstancias *(1963). Del otro,* Homenaje, *sólo se
publicaron poemas sueltos. Si* Cántico *era «fe de vida»,* Clamor *es «tiempo
de historia». El poeta pasó lentamente de lo personal a lo colectivo, de lo
intemporal a la temporalidad, de la esencia a la existencia. Fórmulas
esquemáticas, útiles para señalar cuál es la línea general de la evolución
guilleniana, pero que deben ser matizadas y no aceptadas en términos
absolutos. Pues esa evolución se produjo poco a poco, con los vaivenes y
rodeos propios de los cambios naturales; por otra parte, en poemas
relativamente tempranos hay ya indicios de la actitud reflejada en los
últimos. Guillén no será nunca el poeta de la desesperación total. En su
poesía, como en su vida, el amanecer es símbolo de la esperanza.*

Cántico (1950)

ADVENIMIENTO

¡Oh luna, cuánto abril,
Qué vasto y dulce el aire!
Todo lo que perdí
5 Volverá con las aves.

Sí, con las avecillas
Que en coro de alborada
Pían y pían, pían
Sin designio de gracia.

10 La luna está muy cerca,
Quieta en el aire nuestro.
El que yo fuí me espera
Bajo mis pensamientos.

Cantará el ruiseñor
En la cima del ansia.   15
Arrebol, arrebol
Entre el cielo y las auras.

¿Y se perdió aquel tiempo
Que yo perdí? La mano
Dispone, dios ligero,   20
De esta luna sin año.

SALVACIÓN DE LA PRIMAVERA

I

Ajustada a la sola
Desnudez de tu cuerpo,   25
Entre el aire y la luz
Eres puro elemento.

¡Eres! Y tan desnuda,
Tan continua, tan simple
Que el mundo vuelve a ser
Fábula irresistible.

5 En torno, forma a forma,
Los objetos diarios
Aparecen. Y son
Prodigios, y no mágicos.

Incorruptibles dichas,
10 Del sol indisolubles,
A través de un cristal
La evidencia difunde

Con todo el esplendor
Seguro en astro cierto.
15 Mira cómo esta hora
Marcha por esos cielos.

II

Mi atención, ampliada,
Columbra. Por tu carne
20 La atmósfera reúne
Términos. Hay paisaje.

Calmas en soledad
Que pide lejanía
Dulcemente a perderse
25 Muy lejos llegarían,

Ajenas a su propia
Ventura sin testigo,
Si ya tanto concierto
No convirtiese en íntimos

30 Esos blancos tan rubios
Que sobre su tersura
La mejor claridad
Primaveral sitúan.

Es tuyo el resplandor
35 De una tarde perpetua.
¡Qué cerrado equilibrio
Dorado, qué alameda!

III

Presa en tu exactitud,
Inmóvil regalándote,   40
A un poder te sometes,
Férvido, que me invade.

¡Amor! Ni tú ni yo,
Nosotros, y por él
Todas las maravillas   45
En que el ser llega a ser.

Se colma el apogeo
Máximo de la tierra.
Aquí está: la verdad
Se revela y nos crea.   50

¡Oh realidad, por fin
Real, en aparición!
¿Qué universo me nace
Sin velar a su dios?

Pesa, pesa en mis brazos,   55
Alma, fiel a un volumen.
Dobla con abandono,
Alma, tu pesadumbre.

IV

Y los ojos prometen   60
Mientras la boca aguarda.
Favorables, sonríen.
¡Cómo intima, callada!

Henos aquí. Tan próximos.
¡Qué oscura es nuestra voz!   65
La carne expresa más.
Somos nuestra expresión.

De una vez paraíso,
Con mi ansiedad completo,
La piel reveladora   70
Se tiende al embeleso.

¡Todo en un solo ardor
Se iguala! Simultáneos
Apremios me conducen
Por círculos de rapto.   75

Pero más, más ternura
Trae la caricia. Lentas,
Las manos se demoran,
Vuelven, también contemplan.

5   V

¡Sí, ternura! Vosotros,
Soberanos, dejadme
Participar del orden:
Dos gracias en contraste,

10 Valiendo, repartiéndose.
¿Sois la belleza o dos
Personales delicias?
¿Qué hacer, oh proporción?

Aunque . . . Brusco y secreto,
15 Un encanto es un orbe.
Obsesión repentina
Se centra, se recoge.

Y un capricho celeste
Cándidamente luce,
20 Improvisa una gloria,
Se va. Le cercan nubes.

Nubes por variación
De azares se insinúan,
Son, no son, sin cesar
25 Aparentes y en busca.

Si de pronto me ahoga,
Te ciega un horizonte
Parcial, tan inmediato
Que se nubla y se esconde,

30 La plenitud en punto
De la tan ofrecida
Naturaleza salva
Su comba de armonía.

¡Amar, amar, amar,
35 Ser más, ser más aún!
¡Amar en el amor,
Refulgir en la luz!

Una facilidad
De cielo nos escoge
Para lanzarnos hacia   40
Lo divino sin bordes.

Y acuden, se abalanzan
Clamando las respuestas.
¿Ya inminente el arrobo?
¡Durase la inminencia!   45

¡Afán, afán, afán,
A favor de dulzura,
Dulzura que delira
Con delirio hacia furia.

Furia aun no, más afán,   50
Afán extraordinario,
Terrible, que sería
Feroz, atroz o . . .! Pasmo.

¿Lo infinito? No. Cesa
La angustia insostenible.   55
Perfecto es el amor:
Se extasía en sus límites.

¡Límites! Y la paz
Va apartando los cuerpos.
Dos yacen, dos. Y ceden,   60
Se inclinan a dos sueños.

¿Irá cruzando el alma
Por limbos sin estorbos?
Lejos no está. La sombra
Se serena en el rostro.   65

VI

El planeta invisible
Gira. Todo está en curva.
Oye ahora a la sangre.
Nos arrastra una altura.   70

Desde arriba, remotos,
Invulnerables, juntos,
A orillas de un silencio
Que es abajo murmullos,

Murmullos que en los fondos
Quedan bajo distancias
Unidas en acorde
Sumo de panorama,

5 Vemos cómo se funden
Con el aire y se ciernen
Y ahondan, confundidos,
Lo eterno, lo presente.

A oscuras, en reserva
10 Por espesor y nudo,
Todo está siendo cifra
Posible, todo es justo.

VII

Nadie sueña y la estancia
15 No resurge habitual.
¡Cuidado! Todavía
Sigue aquí la verdad.

Para siempre en nosotros
Perfección de un instante,
20 Nos exige sin tregua
Verdad inacabable.

¿Yo querré, yo? Querrá
Mi vida. ¡Tanto impulso
Que corre a mi destino
25 Desemboca en tu mundo!

Necesito sentir
Que eres bajo mis labios,
En el gozo de hoy,
Mañana necesario.

30 Nuestro mañana apenas
Futuro y siempre incógnito:
Un calor de misterio
Resguardado en tesoro.

VIII

35 Inexpugnable así
Dentro de la esperanza,
Sintiéndote alentar
En mi voz si me canta,

Me centro y me realizo
Tanto a fuerza de dicha   40
Que ella y yo por fin somos
Una misma energía,

La precipitación
Del ímpetu en su acto
Pleno, ya nada más   45
Tránsito enamorado,

Un ver hondo a través
De la fe y un latir
A ciegas y un velar
Fatalmente—por ti—   50

Para que en ese júbilo
De suprema altitud,
Allí donde no hay muerte,
Seas la vida tú.

IX   55

¡Tú, tú, tú, mi incesante
Primavera profunda,
Mi río de verdor
Agudo y aventura!

¡Tú, ventana a lo diáfano: 60
Desenlace de aurora,
Modelación del día:
Mediodía en su rosa,

Tranquilidad de lumbre:
Siesta del horizonte,   65
Lumbres en lucha y coro:
Poniente contra noche,

Constelación de campo,
Fabulosa, precisa,
Trémula hermosamente,   70
Universal y mía!

¡Tú más aún: tú como
Tú, sin palabras toda
Singular, desnudez
Única, tú, tú sola!   75

JORGE GUILLÉN

EL HONDO SUEÑO

Este soñar a solas . . . ¡Si tu vida
De pronto amaneciese ante mi espera!
¿Por dónde voy cayendo? Primavera,
5 Mientras, en torno mío dilapida

Su olor y se me escapa en la caída.
¡Tan solitariamente se acelera
—Y está la noche ahí, variando fuera—
La gravedad de un ansia desvalida!

10 Pero tanto sofoco en el vacío
Cesará. Gozaré de apariciones
Que atajarán el vergonzante empeño

De henchir tu ausencia con mi desvarío.
¡Realidad, realidad, no me abandones
15 Para soñar mejor el hondo sueño!

BEATO SILLÓN

¡Beato sillón! La casa
Corrobora su presencia
Con la vaga intermitencia
20 De su invocación en masa
A la memoria. No pasa
Nada. Los ojos no ven,
Saben. El mundo está bien
Hecho. El instante lo exalta
25 A marea, de tan alta,
De tan alta, sin vaivén.

LA ROSA

Yo vi la rosa: clausura
Primera de la armonía,
30 Tranquilamente futura.
Su perfección sin porfía
Serenaba al ruiseñor,
Cruel en el esplendor
Espiral del gorgorito.
35 Y al aire ciñó el espacio
Con plenitud de palacio,
Y fué ya imposible el grito.

Maremágnum (1957)

AIRE CON ÉPOCA

El aire en la avenida
Se ensancha hacia un espacio   40
Donde se nos inscriben —fugazmente—
Humos, y serpeando forman letras
Que a todos nos anuncian
Algo con ambición de maravilla.

Comercio, magia, fábula: 45
En los escaparates nos seducen
Nobles metamorfosis.
La luz es tan veloz
Que un rayo poseído
Nos bastaría para llegar a . . .   50

Nada persiste lejos.
Un avión arroja a nuestra oreja
Rumores de motores. ¡Rutas nítidas!
Bajo tales poderes
El Globo es una bola bien jugada.   55
¡Muchos, los juegos! La pasión aprieta
Compacta multitud en ese estadio
Pueril,
Y jugando se asciende hasta las nieves
De blancura feroz   60
Sobre los picos vírgenes.

Nada es ajeno al hombre:
Abrazo planetario.
«La luna está muy cerca . . .»
¿Algún fin de semana en el satélite?   65
¿O en Marte?
Junto a las nubes leo: Todo es ya posible.

Por alta mar, redondo el horizonte,
Van volando triunfantes radiogramas
Sin proeza, sin énfasis.   70
El aire nos trasmite
La historia del minuto.
¡Hoy, hoy!
Un hoy real, muy rico,
Más fuerte que el ayer, de pronto pálido.   75
La existencia se alarga y te saluda,
Ninfa Penicilina,

A la cabeza de tu coro ilustre,
Coro de salvación.

La edad . . .

        ¡Qué joven: sólo cincuenta años!
5 Y en un otoño con las hojas secas
Cayeron ilusiones—y sus barbas.
Rasurados semblantes
Mandan, se nos imponen.
La vida se desnuda. Los agostos
10 Descubren
Playas, pieles gozosamente olímpicas.
Leo sobre las olas:
Airea tu vivir. Posible, todo.

Las olas dicen . . . Algo me proponen
15 Susurrando o gritando alrededor
Infinitos agentes.
Productos y políticas
Me invaden, me obsesionan,
Me aturden
20 Y se me enredan entre pies y oídos.
¡Socorro!
Van fundiéndose en masa
De alelamiento muchos
Inocentes. Y, dóciles,
25 Sonríen,
Dispuestos a comprar, a bien morir.
Creer es siempre dulce.

Se elevan edificios
De casi abstractos bloques,
30 Se vive entre papeles
Con sellos. (Cinco, las fotografías
De cara,
Y cinco de perfil. ¿Soy de los malos?)

Quieren flotar ideas
35 Entre la luz y el viento. Mala suerte:
Se me desploman sobre mis dos hombros.
Tropiezo con un «. . . ismo».
Salientes, más allá,
Otros «ismos» atacan
40 A la vez, importunan,
Estorban. Se me estrechan,
Aunque siempre futuros, los caminos.
Leo en el aire: Nada es imposible.

«Libertad» suena a falso
Con retintín ridículo.   45
Hay dogmas entre bombas. ¡Dogmas, bombas!
Una sola doctrina
Por entre los cadáveres se erige.
Entre las azucenas opiniones
Se mustian, olvidadas.   50
Hay campos dolorosos
En espirales de concentración.

Entrañas estremece,
Ante los impasibles comadrones,
La gesta maternal.   55
Yo espero. Toda afirmación me afirma.

Y mientras, esos átomos . . .
Entre los brillos de la calle vaga
Sin figura un tormento.
¿Qué señas nos esbozan esas nubes?   60
¿Se trata de vivir—o de morir?

. . . Que van a dar en la mar (1960)

AQUELLAS ROPAS CHAPADAS

        "Aquellas ropas chapadas"
            JORGE MANRIQUE

Me puse a recordar. Aquella infancia . . .   65
Infancia tan ajena,
De aquel niño que fué, ya evaporado,
Ahora sólo nube de recuerdo,
Y no arriba, flotante:
Un vapor interior   70
Al alma
Perdura entre las fibras
Que ya son alma y tiemblan.

Un niño
Tiernamente asomado al universo   75
Que responde al saludo «Buenos días».
Un niño a quien esculpen
Con una lentitud autoritaria
Los vocablos de un mundo.
Y todo,   80
Nuevo, descubre forma,
Llega a ser la nombrada realidad.

Eran jardines. Juegos requerían
Boscajes,
Entonces muy remotos.
Y por allí, la Fuente de la Fama,[1]
5 La Alameda de un Príncipe.[1]
Paseos conquistaban San Isidro,

Las Arcas Reales, y entre los dos puentes,
Río famoso por su mansedumbre.
Y las tardes alzaban su amarilla
10 Trasparencia, que el sol
De algún invierno sometía a temple
De otoño.

(¿Era así o la memoria
Lo columbra allá lejos,
15 Éxtasis de linterna en rayo inmóvil?)

Tardes de infancia. Mágica palabra:
Merienda.
(. . . Y también mantecados de Portillo.)[2]

Ilusión convertida en efectivas
20 Fruiciones
Sin casi paladeo, por asaltos
Rapaces.

Aquel niño revive.

(¿Imágenes de espejo
25 Serán
Como al través de sorda
Clausura
Bajo focos de noche iluminada,
Seducción de un acuario?
30 ¿Todo será leyenda?)

La verdad sostenía aquel hechizo,
Entre reales vientos,
Con un calor viviente.

Iglesias. Devociones en capillas.
35 Efusión de ternura prosternada,
Rendida a glorias de radiantes héroes

Piadosos.
Y la inmortalidad es luz sin fin.

[1] Place names in Valladolid, Spain.
[2] A kind of cooky.

Los buenos a la sombra de un amor
Respiraban. El padre y sus trabajos, 40
Jehová que está allí para nosotros.
La madre, verdadera siempre, siempre.
Junto a los hermanillos se convive
La intimidad enorme de la casa.

Y la dulce figura del maestro, 45
Que tan humildemente comunica
Su claridad de santo franciscano.

Infancia. ¿Viva, muerta? Viva y muerta.
Por eso, conmovido, yo la evoco.

Trascurrieron las horas 50
De aquel raudo pasado
Que de pasar no acaba:
Fuera de mi atención se perpetúa.
Y de pronto el recuerdo,
Tal vez por algún roce 55
Casual
Reanimando a difuntos
Como si nada más los despertase,
Me repone en su atmósfera
—Con aquel palpitar 60
Dentro de mí salvado—
Los seres tan perdidos,
La luz de aquellas tardes
De octubre
Que yo contemplo aquí, 65
Nostálgico a su orilla.

Se insinúa una música. La oigo
Como un canto indistinto del silencio
Mientras resurgen, tácitas, ingrávidas,
Aquellas no ya vidas
A la vez en su instante más vivaz 70
—Yo también lo comparto—
Y en un tiempo concluso,
Que esta resurrección devuelve a un aire
Traspasado de sol. El sol me alumbra 75
Lo que vive no siendo en la frontera
Más temporal, muy próxima a las lágrimas.
Ahí
Siento ahora inmortales
A los que sé yacentes. 80

GERARDO DIEGO
1896–

*Misterioso y silencioso, también, este castellano del litoral, este cántabro
callado fué alguna vez portavoz de la estridencia, abanderado de la rebeldía
creadora. Comenzó escribiendo versos de amor—El romancero de la novia
(1920)—, poesías nobles y sentimentales, como los valses de Ravel; en
seguida reflejó la imagen de la aventura creacionista, basada en el principio
enunciado por el chileno Vicente Huidobro de que hay que «crear un poema
como la naturaleza crea un árbol»: Manual de espumas (1924). Y
Gerardo pensó el creacionismo como equivalente poético del cubismo, y
quizá lo es, por cuanto tiene de lúcido, consciente e intelectual. La imagen
liberada, la construcción libre y caprichosa (pero caprichosa por y para
algo), favorecieron el desarrollo de la imaginación hasta extremos literalmente fabulosos.*

*¿Dos poetas, pues, tradicional uno, aventurero otro? Por lo menos tres,
pues hay en él un tercero, lírico anhelante, apasionado, capaz de trasmutar
las palabras en pájaros del alma, poniéndoles música celestial, concertada
armonía de ritmos, sonidos y significaciones que suscita en quien los siente
una nueva visión del mundo. Poesía-revelación, poesía para conducirnos y
alumbrarnos en el mar del sueño. Ángeles de Compostela (1940) y
Alondra de verdad (1941) son los libros donde más luminosamente logró
Diego fundir las dos personas que pugnan por dar a su poesía perfil tan
contradictorio.*

Ángeles de Compostela (1940)

URIEL [1]

Gloria en la excelsitud—techumbre abierta—.
Escorzos de la música que pisa
sus sesgos torbellinos de cornisa,
5 gozo escandido de la planta experta

nos mides, oh Uriel. Franca la puerta
del paraíso está. Y se te irisa
de brasas y vislumbres la sonrisa,
la túnica en tus vueltas se te injerta.

Salta, Uriel, destrenza tus trenzados, 10
brinca en la danza, olvídate en el vuelo.
Tú eres la guía, el adalid del coro.

Que nosotros, a tu ímpetu raptados,
trenzamos ya las sílabas del cielo,
oh serafín del número de oro. 15

---

[1] Stone angel on the portico of the Cathedral in Santiago de Compostela, Spain.

Alondra de verdad (1941)

INSOMNIO

Tú y tu desnudo sueño. No lo sabes.
Duermes. No. No lo sabes. Yo en desvelo,
y tú, inocente, duermes bajo el cielo.
5 Tú por tu sueño y por el mar las naves.

En cárceles de espacio, aéreas llaves
te me encierran, recluyen, roban. Hielo,
cristal de aire en mil hojas. No. No hay vuelo
que alce hasta ti las alas de mis aves.

10 Saber que duermes tú, cierta, segura
—cauce fiel de abandono, línea pura—,
tan cerca de mis brazos maniatados.

Qué pavorosa esclavitud de isleño,
yo insomne, loco, en los acantilados,
15 las naves por el mar, tú por tu sueño.

Amazona (1956)

EL DOBLE ELEGIDO

Qué raro es ser poeta.
Encontrarse de pronto una mañana
con el mundo feliz, recién creado,
20 piando, balbuciendo
para que alguien le bese y le descifre.
Y ese alguien, el llamado
—¿es posible?—soy yo.

Qué extraño es ser amante.
25 Encontrarse una tarde, casi noche,
que la luz de unos ojos,
el temblor de una mano dulce y ciega,
que sí, que era verdad.
Y así—como la ola
30 que al mar le turge, estalla, rompe en dicha
de efervescida espuma—
del abismo oceánico del pecho
nos sube, crece, alumbra a flor de labios
un nombre de mujer
35 y unas alas: «te quiero».

Oh maravilla atónita.
Poesía del amor.
Amor de la poesía.
Y yo el doble elegido, regalado.

La rama (1961)

LA RAMA

40 La vi en la hierba, abandonada, rota
y me la traje a casa. Aquí en la mesa
donde trabajo en sueños, duerme o flota
su torso estilizado de princesa.

Es una rama tierna y quebradiza
45 de leñoso peral. La eterna danza
—mitológica fábula—me hechiza
y me incluye en su rueda de esperanza.

La gracia universal torna y retorna,
savia de luz y sangre de amor puro.
50 Un solo ritmo a la razón soborna
cerrándose en anillo alto y maduro.

Con qué nubilidad la rama tuerce
la línea de su escorzo, interrumpida
55 cuando frente a la norma del alerce
creía en la belleza de la vida.

Y ¿quién sabrá dónde la muerte empieza?
Líquenes, hongos de escritura rúnica
ya recaman, ya estofan su corteza.
60 Reina de Saba no vistió esa túnica.

Y a trechos la piel abre su ceniza
para mostrar desnuda—quién pudiera
pintar de su rubor el ala huidiza—
la carne angelical de la madera.

65 Todo mi cuerpo al contemplar la rama
en su ser vegetal se corrobora
y un recuerdo magnánimo me llama
de cuando fuí ilusión de árbol que llora.

FEDERICO GARCÍA LORCA
1898–1936

*Las fechas de nacimiento y muerte de Federico García Lorca corresponden
con las de las dos grandes derrotas de la historia española reciente: la
sufrida el 1898, en la guerra hispanoamericana; la padecida en la
devastadora guerra civil de 1936–39 que destruyó para mucho tiempo la
precaria y ardua convivencia entre los españoles. Entre ambas catástrofes
vivió el poeta y desde 1918 escribió algunos de los poemas y dramas más
representativos de la época de esperanza y desastre en que le tocó vivir.*

*Andaluz, como los Machado y Juan Ramón, llevó a la poesía los
encontrados rumores de un mundo fragante y terrible. La Andalucía del
llanto se dejó oír desde muy pronto en versos que sonaron con la hondura y
la solemnidad del canto grande. Dibujante fantástico, oído excepcional,
músico intuitivo, visionario fabuloso, dijo en poemas la causa de los
perdidos, la verdad de los humillados, y sin saberlo reflejó en la palabra
poética un destino sombrío, que resultó ser el suyo. Más afortunado que
Antonio Machado, no vivió lo suficiente para presenciar la pulverización
de sus sueños. Mágico y oscuro fué también, y quizá por eso capaz de
revivir lo popular en sus versos, combinándolo con lo artístico en proporción
difícil de precisar. Con mucho de juglar en su persona, dió a conocer parte
de sus poemas recitándolos. Así alcanzó pronta celebridad, primero local,
en Granada (junto a la cual naciera), luego nacional, desde Madrid. El
Romancero gitano (1928) le hizo rápidamente famoso, un vasto sector del
público general (no solamente la minoría lectora de poesía) se rindió al arte
del encantador.*

De 1921 es su primera colección de versos: Libro de poemas, *y el* Poema
del Cante Jondo, *donde ya aparecen algunos de los temas característicos
de su poesía. Según indica el título, éste es el poema del cante profundo, del
cante a través del cual el andaluz dice su dolorido sentir. Nunca sintió
prisa por publicar, y la fecha en que aparecieron sus obras está a veces
alejada del momento en que las escribiera.* Canciones (1927) *incluye
poemas de 1921 y años siguientes. En 1935 publicó* Llanto por Ignacio
Sánchez Mejías, *espléndida elegía donde llora a un amigo íntimo, torero
excepcional, cogido por el toro y muerto en la plaza el verano del año
anterior.*

Desde 1920 en que estrenó en Madrid El maleficio de la mariposa
*sentía la atracción del teatro; su carrera como autor dramático fue rápida y
brillante;* Mariana Pineda, *estrenada en 1927, es todavía una obra
convencional, no muy distinta a las que por entonces escribía don Eduardo
Marquina, pero* La zapatera prodigiosa, Amor de don Perlimplín con
Belisa en su jardín *y, sobre todo, la fragante y tierna* Doña Rosita la
soltera o el lenguaje de las flores *son hitos brillantes en el camino
ascendente que culminó en esa desnuda y humanísima tragedia,* La casa de

Bernarda Alba, *terminada poco antes de comenzar la guerra civil y presentada por su autor como documento fotográfico de la vida andaluza, es mucho más que eso: el drama resultante del choque entre la voluntad de dominio de una madre, celosa definidora y veladora del honor familiar, y las hijas anhelantes de realizarse viviendo. En una casa habitada exclusivamente por mujeres, la presencia del varón desencadena una ola de sospechas, celos y odios que conduce al suicidio de la hija más joven, seducida por el hombre escogido para casarse con la mayor.*

En julio de 1936 García Lorca fué detenido en Granada y fusilado.

La casa de Bernarda Alba*

EL POETA ADVIERTE QUE ESTOS TRES
ACTOS TIENEN LA INTENCIÓN DE UN
DOCUMENTAL FOTOGRÁFICO.

Personajes

BERNARDA	ADELA (hija de Bernarda)	MUJER 2ª
MARÍA JOSEFA (madre de Brda.)	LA PONCIA (criada)	MUJER 3ª
ANGUSTIAS (hija de Bernarda)	CRIADA	MUJER 4ª
MAGDALENA (hija de Bernarda)	PRUDENCIA	MUCHACHA
AMELIA (hija de Bernarda)	MENDIGA	
MARTIRIO (hija de Bernarda)	MUJER 1ª	

MUJERES DE LUTO

ACTO PRIMERO

(*Habitación blanquísima del interior de la casa de* Bernarda. *Muros gruesos. Puertas en arco con cortinas de yute rematadas con madroños y volantes. Sillas de*
5 anea. *Cuadros con paisajes inverosímiles de ninfas o reyes de leyenda. Es verano. Un gran silencio umbroso se extiende por la escena. Al levantarse el telón está la escena sola. Se oyen doblar las campanas.*)

(*Sale la* CRIADA.)

10 CRIADA. Ya tengo el doble de esas campanas metido entre las sienes.

LA PONCIA (*sale comiendo chorizo y pan*). Llevan ya más de dos horas de gori-gori. Han venido

* Esta obra se estrenó el 8 de marzo de 1945 en el «Teatro Avenida», de Buenos Aires, por la compañía de Margarita Xirgu.

curas de todos los pueblos. La iglesia está hermosa. En el primer responso se desmayó la 15 Magdalena.

CRIADA. Es la que se queda más sola.

LA PONCIA. Era la única que quería al padre. ¡Ay! ¡Gracias a Dios que estamos solas un poquito! Yo he venido a comer. 20

CRIADA. ¡Si te viera Bernarda!...

LA PONCIA: ¡Quisiera que ahora, como no come ella, que todas nos muriéramos de hambre! ¡Mandona! ¡Dominanta! ¡Pero se fastidia! Le he abierto la orza de chorizos. 25

CRIADA (*con tristeza ansiosa*). ¿Por qué no me das para mi niña, Poncia?

LA PONCIA. Entra y llévate también un puñado de garbanzos. ¡Hoy no se dará cuenta!

VOZ. (*dentro*). ¡Bernarda! 30

LA PONCIA. La vieja. ¿Está bien cerrada?

CRIADA. Con dos vueltas de llave.

LA PONCIA. Pero debes poner también la tranca. Tiene unos dedos como cinco ganzúas.

5 VOZ. ¡Bernarda!

LA PONCIA (a voces). —¡Ya viene! (A la CRIADA.) Limpia bien todo. Si Bernarda no ve relucientes las cosas me arrancará los pocos pelos que me quedan.

10 CRIADA. ¡Qué mujer!

LA PONCIA. Tirana de todos los que la rodean. Es capaz de sentarse encima de tu corazón y ver cómo te mueres durante un año sin que se le cierre esa sonrisa fría que lleva en su 15 maldita cara. ¡Limpia, limpia ese vidriado!

CRIADA. Sangre en las manos tengo de fregarlo todo.

LA PONCIA. Ella la más aseada, ella la más decente, ella la más alta. ¡Buen descanso ganó 20 su pobre marido! (Cesan las campanas.)

CRIADA. ¿Han venido todos sus parientes?

LA PONCIA. Los de ella. La gente de él la odia. Vinieron a verlo muerto y le hicieron la cruz.

CRIADA. ¿Hay bastantes sillas?

25 LA PONCIA. Sobran. Que se sienten en el suelo. Desde que murió el padre de Bernarda no han vuelto a entrar las gentes bajo estos techos. Ella no quiere que la vean en su dominio. ¡Maldita sea!

30 CRIADA. Contigo se portó bien.

LA PONCIA. Treinta años lavando sus sábanas; treinta años comiendo sus sobras; noches en vela cuando tose; días enteros mirando por la rendija para espiar a los vecinos y llevarle el 35 cuento; vida sin secretos una con otra, y sin embargo, ¡maldita sea! ¡Mal dolor de clavo le pinche en los ojos!

CRIADA. ¡Mujer!

LA PONCIA. Pero yo soy buena perra; ladro 40 cuando me lo dicen y muerdo los talones de los que piden limosna cuando ella me azuza; mis hijos trabajan en sus tierras y ya están los dos casados, pero un día me hartaré.

CRIADA. Y ese día...

45 LA PONCIA. Ese día me encerraré con ella en un cuarto y la estaré escupiendo un año entero. «Bernarda, por esto, por aquello, por lo otro»,

hasta ponerla como un lagarto machacado por los niños, que es lo que es ella y toda su parentela. Claro es que no le envidio la vida. 50 Le quedan cinco mujeres, cinco hijas feas, que quitando Angustias, la mayor, que es la hija del primer marido y tiene dineros, las demás, mucha puntilla bordada, muchas camisas de hilo, pero pan y uvas por toda herencia. 55

CRIADA. ¡Ya quisiera tener yo lo que ellas!

LA PONCIA. Nosotras tenemos nuestras manos y un hoyo en la tierra de la verdad.

CRIADA. Ésa es la única tierra que nos dejan a las que no tenemos nada. 60

LA PONCIA (en la alacena). Este cristal tiene unas motas.

CRIADA. Ni con el jabón ni con bayeta se le quitan. (Suenan las campanas.)

LA PONCIA. El último responso. Me voy a oírlo. 65 A mí me gusta mucho cómo canta el párroco. En el «Pater Noster» subió, subió la voz que parecía un cántaro de agua llenándose poco a poco; claro es que al final dio un gallo; pero da gloria oírlo. Ahora, que nadie como el 70 antiguo sacristán Tronchapinos. En la misa de mi madre, que esté en gloria, cantó. Retumbaban las paredes y cuando decía Amén era como si un lobo hubiese entrado en la iglesia. (Imitándolo.) ¡Amé-é-én! (Se echa a 75 toser.)

CRIADA. Te vas a hacer el gaznate polvo.[1]

LA PONCIA. ¡Otra cosa hacía polvo yo![2] (Sale riendo.)

(La CRIADA limpia. Suenan las campanas.) 80

CRIADA (llevando el canto.) Tin, tin, tan. Tin, tin, tan. ¡Dios lo haya perdonado!

MENDIGA (con una niña). ¡Alabado sea Dios!

CRIADA. Tin, tin, tan. ¡Que nos espere muchos años! Tin, tin, tan. 85

MENDIGA (fuerte y con cierta irritación). ¡Alabado sea Dios!

CRIADA (irritada). ¡Por siempre!

MENDIGA. Vengo por las sobras. (Cesan las campanas.) 90

---

[1] Te vas ... polvo. You are going to ruin your throat.
[2] ¡Otra ... yo! I'd prefer to ruin something else!

CRIADA. Por la puerta se va a la calle. Las sobras de hoy son para mí.

MENDIGA. Mujer, tú tienes quien te gane. ¡Mi niña y yo estamos solas!

CRIADA. También están solos los perros y viven.

MENDIGA. Siempre me las dan.

CRIADA. Fuera de aquí ¿Quién os dijo que entraseis? Ya me habéis dejado los pies señalados.[1] (*Se van.*) (*Limpia.*) Suelos barnizados con aceite, alacenas, pedestales, camas de acero, para que traguemos quina las que vivimos en las chozas de tierra con un plato y una cuchara. Ojalá que un día no quedáramos ni uno para contarlo. (*Vuelven a sonar las campanas.*) Sí, sí, ¡vengan clamores! ¡Venga caja con filos dorados y toalla para llevarla! ¡Que lo mismo estarás tú que estaré yo! Fastídiate, Antonio María Benavides, tieso con tu traje de paño y tus botas enterizas. ¡Fastídiate! ¡Ya no volverás a levantarme las enaguas detrás de la puerta de tu corral! (*Por el fondo, de dos en dos empiezan a entrar mujeres de luto, con pañuelos grandes, faldas y abanicos negros. Entran lentamente hasta llenar la escena.*) (*La* CRIADA, *rompiendo a gritar.*) ¡Ay, Antonio María Benavides, que ya no verás estas paredes ni comerás el pan de esta casa! Yo fui la que más te quiso de las que te sirvieron. (*Tirándose del cabello.*) ¿Y he de vivir yo después de haberte marchado? ¿Y he de vivir?

(*Terminan de entrar las doscientas mujeres y aparece* BERNARDA *y sus cinco hijas.*)

BERNARDA (*a la* CRIADA). ¡Silencio!

CRIADA (*llorando*). ¡Bernarda!

BERNARDA. Menos gritos y más obras. Debías haber procurado que todo estuviera más limpio para recibir al duelo. Vete. No es éste tu lugar. (*La* Criada *se va llorando.*) Los pobres son como los animales; parece como si estuvieran hechos de otras sustancias.

MUJER 1ª Los pobres sienten también sus penas.

[1] *Ya . . . señalados.* You've already made tracks on my floor.

BERNARDA. Pero las olvidan delante de un plato de garbanzos.

MUCHACHA (*con timidez*). Comer es necesario para vivir.

BERNARDA. A tu edad no se habla delante de las personas mayores.

MUJER 1ª Niña, cállate.

BERNARDA. No he dejado que nadie me dé lecciones. Sentarse. (*Se sientan. Pausa. Fuerte.*) Magdalena, no llores; si quieres llorar te metes debajo de la cama. ¿Me has oído?

MUJER 2ª (*a* BERNARDA). ¿Habéis empezado los trabajos en la era?

BERNARDA. Ayer.

MUJER 3ª Cae el sol, como plomo.

MUJER 1ª Hace años no he conocido calor igual. (*Pausa.*) (*Se abanican todas.*)

BERNARDA. ¿Está hecha la limonada?

LA PONCIA. Sí, Bernarda. (*Sale con una gran bandeja llena de jarritas blancas que distribuye.*)

BERNARDA. Dale a los hombres.

LA PONCIA. Ya están tomando en el patio.

BERNARDA. Que salgan por donde han entrado. No quiero que pasen por aquí.

MUCHACHA (*a* ANGUSTIAS). Pepe el Romano estaba con los hombres del duelo.

ANGUSTIAS. Allí estaba.

BERNARDA. Estaba su madre. Ella ha visto a su madre. A Pepe no lo ha visto ella ni yo.

MUCHACHA. Me pareció . . .

BERNARDA. Quien sí estaba era el viudo de Darajalí. Muy cerca de tu tía. A ése lo vimos todas.

MUJER 2ª (*aparte, en voz baja*). ¡Mala, más que mala!

MUJER 3ª (*lo mismo*). ¡Lengua de cuchillo!

BERNARDA. Las mujeres en la iglesia no deben de mirar más hombre que al oficiante y ése porque tiene faldas. Volver la cabeza es buscar el calor de la pana.[2]

MUJER 1ª (*en voz baja*). ¡Vieja lagarta recocida!

LA PONCIA (*entre dientes*). ¡Sarmentosa por calentura de varón!

BERNARDA. ¡Alabado sea Dios!

TODAS (*santiguándose*). Sea por siempre bendito y alabado.

[2] *pana* corduroy, i.e., man (who dresses in corduroy).

BERNARDA.
¡Descansa en paz con la santa compaña de cabecera!¹

TODAS.
5 ¡Descansa en paz!

BERNARDA.
Con el ángel San Miguel
y su espada justiciera.

TODAS.
10 ¡Descansa en paz!

BERNARDA.
Con la llave que todo lo abre
y la mano que todo lo cierra.

TODAS.
15 ¡Descansa en paz!

BERNARDA.
Con los bienaventurados
y las lucecitas del campo.

TODAS.
20 ¡Descansa en paz!

BERNARDA.
Con nuestra santa caridad
y las almas de tierra y mar.

TODAS.
25 ¡Descansa en paz!

BERNARDA. Concede el reposo a tu siervo Antonio María Benavides y dale la corona de tu santa gloria.

TODAS. Amén.

30 BERNARDA (*se pone de pie y canta*). Requiem aeternam donat eis Domine.

TODAS (*de pie y cantando al modo gregoriano*). Et lux perpetua luce ab eis.² (*Se santiguan.*)

MUJER 1ª Salud para rogar por su alma. (*Van 35 desfilando.*)

MUJER 3ª No te faltará la hogaza de pan caliente.

MUJER 2ª Ni el techo para tus hijas. (*Van desfilando todas por delante de* BERNARDA *y saliendo.*) (*Sale* ANGUSTIAS *por otra puerta que da 40 al patio.*)

MUJER 4ª El mismo trigo de tu casamiento lo sigas disfrutando.

---

¹ *de cabecera* at the head of the bed.
² (*Lat.*) Lord, give to them eternal rest.
    And light their way with your perpetual
      light.
(From the *Requiem Mass*.)

LA PONCIA (*entrando con una bolsa*). De parte de los hombres esta bolsa de dineros para responsos. 45

BERNARDA. Dales las gracias y échales una copa de aguardiente.

MUCHACHA (*a* MAGDALENA). Magdalena . . .

BERNARDA (*a* MAGDALENA *que inicia el llanto*). Chisss. (*Salen todas.*) (*A las que se han ido.*) 50 ¡Andad a vuestras casas a criticar todo lo que habéis visto! ¡Ojalá tardéis muchos años en pasar el arco de mi puerta!

LA PONCIA. No tendrás queja ninguna. Ha venido todo el pueblo. 55

BERNARDA. Sí; para llenar mi casa con el sudor de sus refajos y el veneno de sus lenguas.

AMELIA. ¡Madre, no hable usted así!

BERNARDA. Es así como se tiene que hablar en este maldito pueblo sin río, pueblo de pozos, 60 donde siempre se bebe el agua con el miedo de que esté envenenada.

LA PONCIA. ¡Cómo han puesto la solería!

BERNARDA. Igual que si hubiese pasado por ella una manada de cabras. (LA PONCIA *limpia el 65 suelo.*) Niña, dame el abanico.

ADELA. Tome usted. (*Le da un abanico redondo con flores rojas y verdes.*)

BERNARDA (*arrojando el abanico al suelo*). ¿Es éste el abanico que se da a una viuda? Dame 70 uno negro y aprende a respetar el luto de tu padre.

MARTIRIO. Tome usted el mío.

BERNARDA. ¿Y tú?

MARTIRIO. Yo no tengo calor. 75

BERNARDA. Pues busca otro, que te hará falta. En ocho años que dure el luto no ha de entrar en esta casa el viento de la calle. Hacemos cuenta que hemos tapiado con ladrillos puertas y ventanas. Así pasó en casa de mi padre y 80 en casa de mi abuelo. Mientras, podéis empezar a bordar el ajuar. En el arca tengo veinte piezas de hilo con el que podréis cortar sábanas y embozos. Magdalena puede bordarlas. 85

MAGDALENA. Lo mismo me da.³

ADELA (*agria*). Si no quieres bordarlas irán sin bordados. Así las tuyas lucirán más.

---

³ It's all the same to me.

MAGDALENA. Ni las mías ni las vuestras. Sé que yo no me voy a casar. Prefiero llevar sacos al molino. Todo menos estar sentada días y días dentro de esta sala oscura.

5 BERNARDA. Eso tiene ser mujer.

MAGDALENA. Malditas sean las mujeres.

BERNARDA. Aquí se hace lo que yo mando. Ya no puedes ir con el cuento a tu padre. Hilo y aguja para las hembras. Látigo y mula para el varón. Eso tiene la gente que nace con po10 sibles. (*Sale* ADELA.)

VOZ. ¡Bernarda! ¡Déjame salir!

BERNARDA (*en voz alta*). ¡Dejadla ya! (*Sale la* CRIADA.)

15 CRIADA. Me ha costado mucho sujetarla. A pesar de sus ochenta años, tu madre es fuerte como un roble.

BERNARDA. Tiene a quien parecerse. Mi abuelo fue igual.

20 CRIADA. Tuve durante el duelo que taparle varias veces la boca con un costal vacío porque quería llamarte para que le dieras agua de fregar siquiera, para beber, y carne de perro, que es lo que ella dice que tú le das.

25 MARTIRIO. ¡Tiene mala intención!

BERNARDA (*a la* CRIADA). Dejadla que se desahogue en el patio.

CRIADA. Ha sacado del cofre sus anillos y los pendientes de amatista; se los ha puesto, y me 30 ha dicho que se quiere casar. (*Las hijas ríen.*)

BERNARDA. Ve con ella y ten cuidado que no se acerque al pozo.

CRIADA. No tengas miedo que se tire.

BERNARDA. No es por eso . . . Pero desde aquel 35 sitio las vecinas pueden verla desde su ventana. (*Sale la* CRIADA.)

MARTIRIO. Nos vamos a cambiar de ropa.

BERNARDA. Sí, pero no el pañuelo de la cabeza. (*Entra* ADELA.) ¿Y Angustias?

40 ADELA (*con intención*). La he visto asomada a las rendijas del portón. Los hombres se acababan de ir.

BERNARDA. ¿Y tú a qué fuiste también al portón?

ADELA. Me llegué a ver si habían puesto las 45 gallinas.

BERNARDA. ¡Pero el duelo de los hombres habría salido ya!

ADELA (*con intención*). Todavía estaba un grupo parado por fuera.

BERNARDA (*furiosa*). ¡Angustias! ¡Angustias! 50

ANGUSTIAS (*entrando*). ¿Qué manda usted?

BERNARDA. ¿Qué mirabas y a quién?

ANGUSTIAS. A nadie.

BERNARDA. ¿Es decente que una mujer de tu clase vaya con el anzuelo detrás de un hombre 55 el día de la misa de su padre? ¡Contesta! ¿A quién mirabas? (*Pausa.*)

ANGUSTIAS. Yo . . .

BERNARDA. ¡Tú!

ANGUSTIAS. ¡A nadie! 60

BERNARDA (*avanzando y golpeándola*). ¡Suave! ¡Dulzarrona!

LA PONCIA (*corriendo*). ¡Bernarda, cálmate! (*La sujeta.*) (ANGUSTIAS *llora.*)

BERNARDA. ¡Fuera de aquí todas! (*Salen.*) 65

LA PONCIA. Ella lo ha hecho sin dar alcance a lo que hacía, que está francamente mal. Ya me chocó a mí verla escabullirse hacia el patio. Luego estuvo detrás de una ventana oyendo la conversación que traían los hombres, que 70 como siempre no se puede oír.

BERNARDA. A eso vienen a los duelos.[1] (*Con curiosidad.*) ¿De qué hablaban?

LA PONCIA. Hablaban de Paca la Roseta. Anoche ataron a su marido a un pesebre y a ella se la 75 llevaron en la grupa del caballo hasta lo alto del olivar.

BERNARDA. ¿Y ella?

LA PONCIA. Ella, tan conforme. Dicen que iba con los pechos fuera y Maximiliano la llevaba 80 cogida como si tocara la guitarra. ¡Un horror!

BERNARDA. ¿Y qué pasó?

LA PONCIA. Lo que tenía que pasar. Volvieron de día. Paca la Roseta traía el pelo suelto y una corona de flores en la cabeza. 85

BERNARDA. Es la única mujer mala que tenemos en el pueblo.

LA PONCIA. Porque no es de aquí. Es de muy lejos. Y los que fueron con ella son también hijos de forasteros. Los hombres de aquí no 90 son capaces de eso.

BERNARDA. No; pero les gusta verlo y comen-

---

[1] *A eso . . . duelos.* That's why they come to funerals.

tarlo y se chupan los dedos de que esto ocurra.

LA PONCIA. Contaban muchas cosas más.

BERNARDA (*mirando a un lado y otro con cierto temor*). ¿Cuáles?

LA PONCIA. Me da vergüenza referirlas.

BERNARDA. Y mi hija las oyó.

LA PONCIA. ¡Claro!

BERNARDA. Ésa sale a sus tías; blandas y untuosas y que ponían ojos de carnero al piropo de cualquier barberillo. ¡Cuánto hay que sufrir y luchar para hacer que las personas sean decentes y no tiren al monte demasiado![1]

LA PONCIA. ¡Es que tus hijas están ya en edad de merecer! Demasiado poca guerra te dan. Angustias ya debe tener mucho más de los treinta.

BERNARDA. Treinta y nueve justos.

LA PONCIA. Figúrate. Y no ha tenido nunca novio . . .

BERNARDA (*furiosa*). ¡No ha tenido novio ninguna ni les hacía falta! Pueden pasarse muy bien.

LA PONCIA. No he querido ofenderte.

BERNARDA. No hay en cien leguas a la redonda quien se pueda acercar a ellas. Los hombres de aquí no son de su clase. ¿Es que quieres que las entregue a cualquier gañán?

LA PONCIA. Debías haberte ido a otro pueblo.

BERNARDA. Eso. ¡A venderlas!

LA PONCIA. No, Bernarda, a cambiar . . . Claro que en otros sitios ellas resultan las pobres.

BERNARDA. ¡Calla esa lengua atormentadora!

LA PONCIA. Contigo no se puede hablar. ¿Tenemos o no tenemos confianza?

BERNARDA. No tenemos. Me sirves y te pago. ¡Nada más!

CRIADA (*entrando*). Ahí está don Arturo que viene a arreglar las particiones.

BERNARDA. Vamos. (*A la* CRIADA). Tú empieza a blanquear el patio. (*A* LA PONCIA.) Y tú vé guardando en el arca grande toda la ropa del muerto.

LA PONCIA. Algunas cosas las podíamos dar.

BERNARDA. Nada, ¡ni un botón! Ni el pañuelo con que le hemos tapado la cara. (*Sale lenta-*

mente y al salir vuelve la cabeza y mira a sus criadas. Las criadas salen después.*)

(*Entran* AMELIA *y* MARTIRIO.)

AMELIA. ¿Has tomado la medicina?

MARTIRIO. ¡Para lo que me va a servir!

AMELIA. Pero la has tomado.

MARTIRIO. Yo hago las cosas sin fe, pero como un reloj.

AMELIA. Desde que vino el médico nuevo estás más animada.

MARTIRIO. Yo me siento lo mismo.

AMELIA. ¿Te fijaste? Adelaida no estuvo en el duelo.

MARTIRIO. Yo lo sabía. Su novio no la deja salir ni al tranco de la calle. Antes era alegre; ahora ni polvos se echa en la cara.

AMELIA. Ya no sabe una si es mejor tener novio o no.

MARTIRIO. Es lo mismo.

AMELIA. De todo tiene la culpa esta crítica que no nos deja vivir. Adelaida habrá pasado mal rato.

MARTIRIO. Le tiene miedo a nuestra madre. Es la única que conoce la historia de su padre y el origen de sus tierras. Siempre que viene le tira puñaladas en el asunto.[2] Su padre mató en Cuba al marido de su primera mujer para casarse con ella. Luego aquí la abandonó y se fue con otra que tenía una hija y luego tuvo relaciones con esta muchacha, la madre de Adelaida, y se casó con ella después de haber muerto loca la segunda mujer.

AMELIA. Y ese infame, ¿por qué no está en la cárcel?

MARTIRIO. Porque los hombres se tapan unos a otros las cosas de esta índole y nadie es capaz de delatar.

AMELIA. Pero Adelaida no tiene culpa de esto.

MARTIRIO. No. Pero las cosas se repiten. Yo veo que todo es una terrible repetición. Y ella tiene el mismo sino de su madre y de su abuela, mujeres las dos del que la engendró.

AMELIA. ¡Qué cosa más grande!

---

[1] *y no . . . demasiado!* and not get too out of hand!

[2] *le tira . . . asunto* she makes cutting remarks about the matter to her.

MARTIRIO. Es preferible no ver a un hombre nunca. Desde niña les tuve miedo. Los veía en el corral uncir los bueyes y levantar los costales de trigo entre voces y zapatazos y siempre tuve miedo de crecer por temor de encontrarme de pronto abrazada por ellos. Dios me ha hecho débil y fea y los ha apartado definitivamente de mí.

AMELIA. ¡Eso no digas! Enrique Humanas estuvo detrás de ti y le gustabas.

MARTIRIO. ¡Invenciones de la gente! Una vez estuve en camisa detrás de la ventana hasta que fue de día, porque me avisó con la hija de su gañán que iba a venir y no vino. Fue todo cosa de lenguas. Luego se casó con otra que tenía más que yo.

AMELIA. ¡Y fea como un demonio!

MARTIRIO. ¡Qué les importa a ellos la fealdad! A ellos les importa la tierra, las yuntas, y una perra sumisa que les dé de comer.

AMELIA. ¡Ay! (*Entra* MAGDALENA.)

MAGDALENA. ¿Qué hacéis?

MARTIRIO. Aquí.

AMELIA. ¿Y tú?

MAGDALENA. Vengo de correr las cámaras. Por andar un poco. De ver los cuadros bordados de cañamazo de nuestra abuela, el perrito de lanas y el negro luchando con el león, que tanto nos gustaba de niñas. Aquélla era una época más alegre. Una boda duraba diez días y no se usaban las malas lenguas. Hoy hay más finura, las novias se ponen de velo blanco como en las poblaciones y se bebe vino de botella, pero nos pudrimos por el qué dirán.

MARTIRIO. ¡Sabe Dios lo que entonces pasaría!

AMELIA (*a* MAGDALENA). Llevas desabrochados los cordones de un zapato.

MAGDALENA. ¡Qué más da!

AMELIA. Te los vas a pisar y te vas a caer.

MAGDALENA. ¡Una menos!

MARTIRIO. ¿Y Adela?

MAGDALENA. ¡Ah! Se ha puesto el traje verde que se hizo para estrenar el día de su cumpleaños, se ha ido al corral, y ha comenzado a voces: «¡Gallinas! ¡Gallinas, miradme!» ¡Me he tenido que reír!

AMELIA. ¡Si la hubiera visto madre!

MAGDALENA. ¡Pobrecilla! Es la más joven de nosotros y tiene ilusión. Daría algo por verla feliz. (*Pausa*)

(ANGUSTIAS *cruza la escena con unas toallas en la mano.*)

ANGUSTIAS. ¿Qué hora es?

MAGDALENA. Ya deben ser las doce.

ANGUSTIAS. ¿Tanto?

AMELIA. Estarán al caer. (*Sale* ANGUSTIAS.)

MAGDALENA (*con intención*). ¿Sabéis ya la cosa? (*Señalando a* ANGUSTIAS.)

AMELIA. No.

MAGDALENA. ¡Vamos!

MARTIRIO. No sé a qué cosa te refieres...

MAGDALENA. Mejor que yo lo sabéis las dos. Siempre cabeza con cabeza como dos ovejitas, pero sin desahogarse con nadie. ¡Lo de Pepe el Romano!

MARTIRIO. ¡Ah!

MAGDALENA (*remedándola*). ¡Ah! Ya se comenta por el pueblo. Pepe el Romano viene a casarse con Angustias. Anoche estuvo rondando la casa y creo que pronto va a mandar un emisario.

MARTIRIO. Yo me alegro. Es buen hombre.

AMELIA. Yo también. Angustias tiene buenas condiciones.

MAGDALENA. Ninguna de las dos os alegráis.

MARTIRIO. ¡Magdalena! ¡Mujer!

MAGDALENA. Si viniera por el tipo de Angustias, por Angustias como mujer, yo me alegraría, pero viene por el dinero. Aunque Angustias es nuestra hermana, aquí estamos en familia y reconocemos que está vieja, enfermiza, y que siempre ha sido la que ha tenido menos méritos de todas nosotras. Porque si con veinte años parecía un palo vestido, ¡qué será ahora que tiene cuarenta!

MARTIRIO. No hables así. La suerte viene a quien menos la aguarda.

AMELIA. ¡Después de todo dice la verdad! Angustias tiene todo el dinero de su padre, es la única rica de la casa y por eso ahora que nuestro padre ha muerto y ya se harán particiones vienen por ella.

MAGDALENA. Pepe el Romano tiene veinticinco años y es el mejor tipo de todos estos contornos. Lo natural sería que te pretendiera a ti, Amelia, o a nuestra Adela, que tiene veinte años, pero no que venga a buscar lo más oscuro de esta casa, a una mujer que, como su padre, habla con las narices.

MARTIRIO. ¡Puede que a él le guste!

MAGDALENA. ¡Nunca he podido resistir tu hipocresía!

MARTIRIO. ¡Dios me valga! (*Entra* ADELA).

MAGDALENA. ¿Te han visto ya las gallinas?

ADELA. ¿Y qué queríais que hiciera?

AMELIA. ¡Si te ve nuestra madre te arrastra del pelo!

ADELA. Tenía mucha ilusión con el vestido. Pensaba ponérmelo el día que vamos a comer sandías a la noria. No hubiera habido otro igual.

MARTIRIO. Es un vestido precioso.

ADELA. Y que me está muy bien. Es lo mejor que ha cortado Magdalena.

MAGDALENA. ¿Y las gallinas qué te han dicho?

ADELA. Regalarme unas cuantas pulgas que me han acribillado las piernas. (*Ríen.*)

MARTIRIO. Lo que puedes hacer es teñirlo de negro.

MAGDALENA. Lo mejor que puedes hacer es regalárselo a Angustias para la boda con Pepe el Romano.

ADELA (*con emoción contenida*). Pero Pepe el Romano . . .

AMELIA. ¿No lo has oído decir?

ADELA. No.

MAGDALENA. ¡Pues ya lo sabes!

ADELA. ¡Pero si no puede ser!

MAGDALENA. ¡El dinero lo puede todo!

ADELA. ¿Por eso ha salido detrás del duelo y estuvo mirando por el portón? (*Pausa.*) Y ese hombre es capaz de . . .

MAGDALENA. Es capaz de todo. (*Pausa.*)

MARTIRIO. ¿Qué piensas, Adela?

ADELA. Pienso que este luto me ha cogido en la peor época de mi vida para pasarlo.

MAGDALENA. Ya te acostumbrarás.

ADELA (*rompiendo a llorar con ira*). No me acostumbraré. Yo no puedo estar encerrada. No quiero que se me pongan las carnes como a vosotras; no quiero perder mi blancura en estas habitaciones; mañana me pondré mi vestido verde y me echaré a pasear por la calle. ¡Yo quiero salir! (*Entra la* CRIADA.)

MAGDALENA (*autoritaria*). ¡Adela!

CRIADA. ¡La pobre! Cuánto ha sentido a su padre . . . (*Sale.*)

MARTIRIO. ¡Calla!

AMELIA. Lo que sea de una será de todas. (ADELA *se calma.*)

MAGDALENA. Ha estado a punto de oírte la criada. (*Aparece la* CRIADA.)

CRIADA. Pepe el Romano viene por lo alto de la calle (AMELIA, MARTIRIO *y* MAGDALENA *corren presurosas.*)

MAGDALENA. ¡Vamos a verlo! (*Salen rápidas.*)

CRIADA (*a* ADELA.) ¿Tú no vas?

ADELA. No me importa.

CRIADA. Como dará la vuelta a la esquina, desde la ventana de tu cuarto se verá mejor. (*Sale la* CRIADA.)

(ADELA *queda en escena dudando; después de un instante se va también rápida hasta su habitación.*)

(*Salen* BERNARDA *y* LA PONCIA.)

BERNARDA. ¡Malditas particiones!

LA PONCIA. ¡¡Cuánto dinero le queda a Angustias!!

BERNARDA. Sí.

LA PONCIA. Y a las otras bastante menos.

BERNARDA. Ya me lo has dicho tres veces y no te he querido replicar. Bastante menos, mucho menos. No me lo recuerdes más. (*Sale* ANGUSTIAS *muy compuesta de cara.*)

BERNARDA. ¡Angustias!

ANGUSTIAS. Madre.

BERNARDA. ¿Pero has tenido valor de echarte polvos en la cara? ¿Has tenido valor de lavarte la cara el día de la muerte de tu padre?

ANGUSTIAS. No era mi padre. El mío murió hace tiempo. ¿Es que ya no lo recuerda usted?

BERNARDA. Más debes a este hombre, padre de tus hermanas, que al tuyo. Gracias a este hombre tienes colmada tu fortuna.

ANGUSTIAS. ¡Eso lo teníamos que ver!

BERNARDA. Aunque fuera por decencia. ¡Por respeto!

ANGUSTIAS. Madre, déjeme usted salir.

BERNARDA. ¿Salir? Después que te haya quitado esos polvos de la cara. ¡Suavona! ¡Yeyo![1] ¡Espejo de tus tías! (*Le quita violentamente con un pañuelo los polvos.*) ¡Ahora, vete!

LA PONCIA. ¡Bernarda, no seas tan inquisitiva!

BERNARDA. Aunque mi madre esté loca, yo estoy en mis cinco sentidos y sé perfectamente lo que hago. (*Entran todas.*)

MAGDALENA. ¿Qué pasa?

BERNARDA. No pasa nada.

MAGDALENA (*a* ANGUSTIAS). Si es que discuten por las particiones, tú que eres la más rica te puedes quedar con todo.

ANGUSTIAS. Guárdate la lengua en la madriguera.

BERNARDA (*golpeando en el suelo*). No os hagáis ilusiones de que vais a poder conmigo. ¡Hasta que salga de esta casa con los pies delante mandaré en lo mío y en lo vuestro!

(*Se oyen unas voces y entra en escena* MARÍA JOSEFA, *la madre de* BERNARDA, *viejísima, ataviada con flores en la cabeza y en el pecho.*)

MARÍA JOSEFA. Bernarda, ¿dónde está mi mantilla? Nada de lo que tengo quiero que sea para vosotras. Ni mis anillos ni mi traje de moaré. Porque ninguna de vosotras se va a casar. ¡Ninguna! Bernarda, dame mi gargantilla de perlas.

BERNARDA (*a la* CRIADA). ¿Por que la habéis dejado entrar?

CRIADA (*temblando*). ¡Se me escapó!

MARÍA JOSEFA. Me escapé porque me quiero casar, porque quiero casarme con un varón hermoso de la orilla del mar, ya que aquí los hombres huyen de las mujeres.

BERNARDA. ¡Calle usted, madre!

MARÍA JOSEFA. No, no me callo. No quiero ver a estas mujeres solteras, rabiando por la boda, haciéndose polvo el corazón, y yo me quiero ir a mi pueblo. Bernarda, yo quiero un varón para casarme y para tener alegría.

[1] Hypocrite! Painted hussy!

BERNARDA. ¡Encerradla!

MARÍA JOSEFA. ¡Déjame salir, Bernarda!

(*La* CRIADA *coge a* MARÍA JOSEFA.)

BERNARDA. ¡Ayudadla vosotras! (*Todas arrastran a la vieja.*)

MARÍA JOSEFA. ¡Quiero irme de aquí! ¡Bernarda! ¡A casarme a la orilla del mar, a la orilla del mar!

TELÓN RÁPIDO

ACTO SEGUNDO

(*Habitación blanca del interior de la casa de* BERNARDA. *Las puertas de la izquierda dan a los dormitorios. Las hijas de* BERNARDA *están sentadas en sillas bajas cosiendo.* MAGDALENA *borda. Con ellas está* LA PONCIA.)

ANGUSTIAS. Ya he cortado la tercera sábana.

MARTIRIO. Le corresponde a Amelia.

MAGDALENA. Angustias. ¿Pongo también las iniciales de Pepe?

ANGUSTIAS (*seca*). No.

MAGDALENA (*a voces*). Adela, ¿no vienes?

AMELIA. Estará echada en la cama.

LA PONCIA. Ésta tiene algo. La encuentro sin sosiego, temblona, asustada como si tuviese una lagartija entre los pechos.

MARTIRIO. No tiene ni más ni menos que lo que tenemos todas.

MAGDALENA. Todas, menos Angustias.

ANGUSTIAS. Yo me encuentro bien y al que le duela que reviente.

MAGDALENA. Desde luego hay que reconocer que lo mejor que has tenido siempre es el talle y la delicadeza.

ANGUSTIAS. Afortunadamente, pronto voy a salir de este infierno.

MAGDALENA. ¡A lo mejor no sales!

MARTIRIO. Dejar esa conversación.

ANGUSTIAS. Y además, ¡más vale onza en el arca que ojos negros en la cara![2]

[2] *¡más vale . . . cara!* it's better to have money saved up in one's chest than black eyes (beauty).

MAGDALENA. Por un oído me entra y por otro me sale.

AMELIA (*a* LA PONCIA). Abre la puerta del patio a ver si nos entra un poco de fresco. (*La* CRIADA *lo hace.*)

MARTIRIO. Esta noche pasada no me podía quedar dormida por el calor.

AMELIA. Yo tampoco.

MAGDALENA. Yo me levanté a refrescarme. Había un nublo negro de tormenta y hasta cayeron algunas gotas.

LA PONCIA. Era la una de la madrugada y subía fuego de la tierra. También me levanté yo. Todavía estaba Angustias con Pepe en la ventana.

MAGDALENA (*con ironía*). ¿Tan tarde? ¿A qué hora se fue?

ANGUSTIAS. Magdalena, ¿a qué preguntas si lo viste?

AMELIA. Se iría a eso de la una y media.

ANGUSTIAS. ¿Sí? ¿Tú por qué lo sabes?

AMELIA. Lo sentí toser y oí los pasos de su jaca.

LA PONCIA. Pero si yo lo sentí marchar a eso de las cuatro.

ANGUSTIAS. No sería él.

LA PONCIA. Estoy segura.

AMELIA. A mí también me pareció.

MAGDALENA ¡Qué cosa más rara! (*Pausa.*)

LA PONCIA. Oye, Angustias. ¿Qué fue lo que te dijo la primera vez que se acercó a tu ventana?

ANGUSTIAS. Nada. ¡Qué me iba a decir! Cosas de conversación.

MARTIRIO. Verdaderamente es raro que dos personas que no se conocen se vean de pronto en una reja y ya novios.

ANGUSTIAS. Pues a mí no me chocó.

AMELIA. A mí me daría no sé qué.[1]

ANGUSTIAS. No, porque, cuando un hombre se acerca a una reja ya sabe por los que van y vienen, llevan y traen, que se le va a decir que sí.

MARTIRIO. Bueno: pero él te lo tendría que decir.

ANGUSTIAS. ¡Claro!

AMELIA (*curiosa*). ¿Y cómo te lo dijo?

ANGUSTIAS. Pues nada: ya sabes que ando detrás de ti, necesito una mujer buena, modosa y ésa eres tú si me das la conformidad.

AMELIA. ¡A mí me da vergüenza de estas cosas!

ANGUSTIAS. Y a mí, pero hay que pasarlas.

LA PONCIA. ¿Y habló más?

ANGUSTIAS. Sí, siempre habló él.

MARTIRIO. ¿Y tú?

ANGUSTIAS. Yo no hubiera podido. Casi se me salía el corazón por la boca. Era la primera vez que estaba sola de noche con un hombre.

MAGDALENA. Y un hombre tan guapo.

ANGUSTIAS. No tiene mal tipo.

LA PONCIA. Esas cosas pasan entre personas ya un poco instruídas, que hablan y dicen y mueven la mano... La primera vez que mi marido Evaristo el Colín vino a mi ventana... Ja, ja, ja.

AMELIA. ¿Qué pasó?

LA PONCIA. Era muy oscuro. Lo vi acercarse y al llegar me dijo, buenas noches. Buenas noches, le dije yo, y nos quedamos callados más de media hora. Me corría el sudor por todo el cuerpo. Entonces Evaristo se acercó, se acercó que se quería meter por los hierros y dijo con voz muy baja: ¡ven que te tiente! (*Ríen todas.*) (AMELIA *se levanta corriendo y espía por una puerta.*)

AMELIA. ¡Ay! Creí que llegaba nuestra madre.

MAGDALENA. ¡Buenas nos hubiera puesto![2] (*Siguen riendo.*)

AMELIA. Chisss... ¡Que nos van a oír!

LA PONCIA. Luego se portó bien. En vez de darle por otra cosa le dio por criar colorines hasta que se murió. A vosotras que sois solteras os conviene saber de todos modos que el hombre a los quince días de boda deja la cama por la mesa y luego la mesa por la tabernilla y la que no se conforma se pudre llorando en un rincón.

AMELIA. Tú te conformaste.

LA PONCIA. ¡Yo pude con él!

MARTIRIO. ¿Es verdad que le pegaste algunas veces?

LA PONCIA. Sí, y por poco si le dejo tuerto.

---

[1] *A mí... qué.* I'd have felt very strange about it.

[2] *¡Buenas... puesto!* She would have fixed us!

MAGDALENA. ¡Así debían ser todas las mujeres!

LA PONCIA. Yo tengo la escuela de tu madre. Un día me dijo no sé qué cosa y le maté todos los colorines con la mano del almirez. (*Ríen.*)

5 MAGDALENA. Adela, niña, no te pierdas esto.

AMELIA. Adela. (*Pausa.*)

MAGDALENA. Voy a ver. (*Entra.*)

LA PONCIA. Esa niña está mala.

MARTIRIO. Claro, no duerme apenas.

10 LA PONCIA. ¿Pues qué hace?

MARTIRIO. ¡Yo qué sé lo que hace!

LA PONCIA. Mejor lo sabrás tú que yo, que duermes pared por medio.

ANGUSTIAS. La envidia la come.

15 AMELIA. No exageres.

ANGUSTIAS. Se lo noto en los ojos. Se le está poniendo mirar de loca.

MARTIRIO. No habléis de locos. Aquí es el único sitio donde no se puede pronunciar esta

20 palabra. (*Sale* MAGDALENA *con* ADELA.)

MAGDALENA. ¿Pues no estabas dormida?

ADELA. Tengo mal cuerpo.[1]

MARTIRIO (*con intención*). ¿Es que no has dormido bien esta noche?

25 ADELA. Sí.

MARTIRIO. ¿Entonces?

ADELA (*fuerte*). ¡Déjame ya! ¡Durmiendo o velando no tienes por qué meterte en lo mío! ¡Yo hago con mi cuerpo lo que me parece!

30 MARTIRIO. ¡Sólo es interés por ti!

ADELA. Interés o inquisición. ¿No estabais cosiendo? Pues seguir. ¡Quisiera ser invisible, pasar por las habitaciones sin que me preguntarais dónde voy!

35 CRIADA (*entra*). Bernarda os llama. Está el hombre de los encajes. (*Salen.*) (*Al salir,* MARTIRIO *mira fijamente a* ADELA.)

ADELA. ¡No me mires más! Si quieres te daré mis ojos que son frescos y mis espaldas para

40 que te compongas la joroba que tienes, pero vuelve la cabeza cuando yo paso. (*Se va* MARTIRIO.)

LA PONCIA. ¡Que es tu hermana y además la que más te quiere!

45 ADELA. Me sigue a todos lados. A veces se asoma a mi cuarto para ver si duermo. No me deja

[1] *Tengo ... cuerpo.* My body aches.

respirar. Y siempre, «¡qué lástima de cara!, ¡qué lástima de cuerpo, que no vaya a ser para nadie!» ¡Y eso no! Mi cuerpo será de quien yo quiera. 50

LA PONCIA (*con intención y en voz baja*). De Pepe el Romano. ¿No es eso?

ADELA (*sobrecogida*). ¿Qué dices?

LA PONCIA. Lo que digo, Adela.

ADELA. ¡Calla! 55

LA PONCIA (*alto*). ¿Crees que no me he fijado?

ADELA. ¡Baja la voz!

LA PONCIA. ¡Mata esos pensamientos!

ADELA. ¿Qué sabes tú?

LA PONCIA. Las viejas vemos a través de las 60 paredes. ¿Dónde vas de noche cuando te levantas?

ADELA. ¡Ciega debías estar!

LA PONCIA. Con la cabeza y las manos llenas de ojos cuando se trata de lo que se trata. Por 65 mucho que pienso no sé lo que te propones. ¿Por qué te pusiste casi desnuda con la luz encendida y la ventana abierta al pasar Pepe el segundo día que vino a hablar con tu hermana? 70

ADELA. ¡Eso no es verdad!

LA PONCIA. No seas como los niños chicos. ¡Deja en paz a tu hermana y si Pepe el Romano te gusta, te aguantas! (ADELA *llora.*) Además, ¿quién dice que no te puedes casar con él? 75 Tu hermana Angustias es una enferma. Ésa no resiste el primer parto. Es estrecha de cintura, vieja, y con mi conocimiento te digo que se morirá. Entonces Pepe hará lo que hacen todos los viudos de esta tierra, se casará con 80 la más joven, la más hermosa y ésa eres tú. Alimenta esa esperanza, olvídalo, lo que quieras, pero no vayas contra la ley de Dios.

ADELA. ¡Calla!

LA PONCIA. ¡No callo! 85

ADELA. Métete en tus cosas, ¡oledora!, ¡pérfida!

LA PONCIA. Sombra tuya he de ser.

ADELA. En vez de limpiar la casa y acostarte para rezar a tus muertos buscas como una vieja marrana asuntos de hombres y mujeres 90 para babosear en ellos.

LA PONCIA. ¡Velo! Para que las gentes no escupan al pasar por esta puerta.

ADELA. ¡Qué cariño tan grande te ha entrado de pronto por mi hermana!

LA PONCIA. No os tengo ley a ninguna, pero quiero vivir en casa decente. ¡No quiero man-5 charme de vieja!

ADELA. Es inútil tu consejo. Ya es tarde. No por encima de ti que eres una criada, por encima de mi madre saltaría para apagarme este fuego que tengo levantado por piernas y boca. ¿Qué 10 puedes decir de mí? ¿Que me encierro en mi cuarto y no abro la puerta? ¿Que no duermo? ¡Soy más lista que tú! Mira a ver si puedes agarrar la liebre con tus manos.

LA PONCIA. No me desafíes, Adela, no me desa-15 fíes. Porque yo puedo dar voces, encender luces y hacer que toquen las campanas.

ADELA. Trae cuatro mil bengalas amarillas y ponlas en las bardas del corral. Nadie podrá evitar que suceda lo que tiene que suceder.

20 LA PONCIA. ¡Tanto te gusta ese hombre!

ADELA. ¡Tanto! Mirando sus ojos me parece que bebo su sangre lentamente.

LA PONCIA. Yo no te puedo oír.

ADELA. ¡Pues me oirás! Te he tenido miedo. 25 ¡Pero ya soy más fuerte que tú! (*Entra* ANGUSTIAS.)

ANGUSTIAS. ¡Siempre discutiendo!

LA PONCIA. Claro. Se empeña que con el calor que hace vaya a traerle no sé qué de la tienda.

30 ANGUSTIAS. ¿Me compraste el bote de esencia?

LA PONCIA. El más caro. Y los polvos. En la mesa de tu cuarto los he puesto. (*Sale* AN-GUSTIAS.)

ADELA. ¡Y chitón!

35 LA PONCIA. ¡Lo veremos! (*Entran* MARTIRIO, AMELIA *y* MAGDALENA.)

MAGDALENA (*a* ADELA). ¿Has visto los encajes?

AMELIA. Los de Angustias para sus sábanas de novia son preciosos.

40 ADELA (*a* MARTIRIO *que trae unos encajes*). ¿Y éstos?

MARTIRIO. Son para mí. Para una camisa.

ADELA (*con sarcasmo*). Se necesita buen humor.[1]

MARTIRIO (*con intención*). Para verlos yo. No 45 necesito lucirme ante nadie.

---

[1] *Se necesita ... humor.* Don't make me laugh.

LA PONCIA. Nadie le ve a una en camisa.

MARTIRIO (*con intención y mirando a* ADELA). ¡A veces! Pero me encanta la ropa interior. Si fuera rica la tendría de Holanda. Es uno de los pocos gustos que me quedan.   50

LA PONCIA. Estos encajes son preciosos para las gorras de niño, para mantehuelos de cris-tianar. Yo nunca pude usarlos en los míos. A ver si ahora Angustias los usa en los suyos. Como le dé por tener crías vais a estar 55 cosiendo mañana y tarde.

MAGDALENA. Yo no pienso dar una puntada.

AMELIA. Y mucho menos criar niños ajenos. Mira tú cómo están las vecinas del callejón, sacrificadas por cuatro monigotes.   60

LA PONCIA. Ésas están mejor que vosotras. ¡Siquiera allí se ríe y se oyen porrazos!

MARTIRIO. Pues vete a servir con ellas.

LA PONCIA. No. Ya me ha tocado en suerte este convento. (*Se oyen unos campanillos lejanos* 65 *como a través de varios muros.*)

MAGDALENA. Son los hombres que vuelven del trabajo.

LA PONCIA. Hace un minuto dieron las tres.

MARTIRIO. ¡Con este sol!   70

ADELA (*sentándose*). ¡Ay, quién pudiera[2] salir también a los campos!

MAGDALENA (*sentándose*). ¡Cada clase tiene que hacer lo suyo!

MARTIRIO (*sentándose*). ¡Así es!   75

AMELIA (*sentándose*). ¡Ay!

LA PONCIA. No hay alegría como la de los cam-pos en esta época. Ayer de mañana llegaron los segadores. Cuarenta o cincuenta buenos mozos.   80

MAGDALENA. ¿De dónde son este año?

LA PONCIA. De muy lejos. Vinieron de los mon-tes. ¡Alegres! ¡Como árboles quemados! ¡Dando voces y arrojando piedras! Anoche llegó al pueblo una mujer vestida de lenteju-85 las y que bailaba con un acordeón y quince de ellos la contrataron para llevársela al olivar. Yo los vi de lejos. El que la contrataba era un muchacho de ojos verdes, apretado como una gavilla de trigo.   90

AMELIA. ¿Es eso cierto?

---

[2] *quién pudiera* if I could only.

ADELA. ¡Pero es posible!

LA PONCIA. Hace años vino otra de éstas y yo misma di dinero a mi hijo mayor para que fuera. Los hombres necesitan estas cosas.

5 ADELA. Se les perdona todo.

AMELIA. Nacer mujer es el mayor castigo.

MAGDALENA. Y ni nuestros ojos siquiera nos pertenecen. (*Se oye un cantar lejano que se va acercando.*)

10 LA PONCIA. Son ellos. Traen unos cantos preciosos.

AMELIA. Ahora salen a segar.

CORO.   Ya salen los segadores
          en busca de las espigas;
15   se llevan los corazones
          de las muchachas que miran.

(*Se oyen panderos y carrañacas.[1] Pausa. Todas oyen en un silencio traspasado por el sol.*)

AMELIA. ¡Y no les importa el calor!

20 MARTIRIO. Siegan entre llamaradas.

ADELA. Me gustaría segar para ir y venir. Así se olvida lo que nos muerde.

MARTIRIO. ¿Qué tienes tú que olvidar?

ADELA. Cada una sabe sus cosas.

25 MARTIRIO (*profunda*). ¡Cada una!

LA PONCIA. ¡Callar! ¡Callar!

CORO (*muy lejano*).
          Abrir puertas y ventanas
          las que vivís en el pueblo,
30   el segador pide rosas
          para adornar su sombrero.

LA PONCIA. ¡Qué canto!

MARTIRIO (*con nostalgia*).
          Abrir puertas y ventanas
35   las que vivís en el pueblo ...

ADELA (*con pasión*).
          ... el segador pide rosas
          para adornar su sombrero.

(*Se va alejando el cantar.*)

40 LA PONCIA. Ahora dan la vuelta a la esquina.

ADELA. Vamos a verlos por la ventana de mi cuarto.

LA PONCIA. Tener cuidado con no entreabrirla mucho, porque son capaces de dar un empujón para ver quién mira. (*Se van las tres.*) 45

(MARTIRIO *queda sentada en la silla baja con la cabeza entre las manos.*)

AMELIA (*acercándose*). ¿Qué te pasa?

MARTIRIO. Me sienta mal el calor.

AMELIA. ¿No es más que eso? 50

MARTIRIO. Estoy deseando que llegue noviembre, los días de lluvias, la escarcha, todo lo que no sea este verano interminable.

AMELIA. Ya pasará y volverá otra vez.

MARTIRIO. ¡Claro! (*Pausa.*) ¿A qué hora te dor- 55 miste anoche?

AMELIA. No sé. Yo duermo como un tronco. ¿Por qué?

MARTIRIO. Por nada, pero me pareció oír gente en el corral. 60

AMELIA. ¿Sí?

MARTIRIO. Muy tarde.

AMELIA. ¿Y no tuviste miedo?

MARTIRIO. No. Ya lo he oído otras noches.

AMELIA. Debiéramos tener cuidado. ¿No serían 65 los gañanes?

MARTIRIO. Los gañanes llegan a las seis.

AMELIA. Quizá una mulilla sin desbravar.

MARTIRIO (*entre dientes y llena de segunda intención*).[2] Eso, ¡eso!, una mulilla sin des- 70 bravar.

AMELIA. ¡Hay que prevenir!

MARTIRIO. No. No. No digas nada, puede ser un barrunto mío.

AMELIA. Quizá. (*Pausa.*) (AMELIA *inicia el mutis.*) 75

MARTIRIO. Amelia.

AMELIA (*en la puerta*). ¿Qué? (*Pausa.*)

MARTIRIO. Nada. (*Pausa.*)

AMELIA. ¿Por qué me llamaste? (*Pausa.*)

MARTIRIO. Se me escapó. Fue sin darme cuenta. 80 (*Pausa.*)

AMELIA. Acuéstate un poco.

ANGUSTIAS (*entrando furiosa en escena de modo que haya un gran contraste con los silencios anteriores*). ¿Dónde está el retrato de Pepe que 85

---

[1] *carrañacas* (*andalucismo*) a piece of reed with slashes, used as a musical instrument during Carnival time.

[2] *entre ... intención* mumbling and full of double meaning.

tenía yo debajo de mi almohada? ¿Quién de vosotras lo tiene?

MARTIRIO. Ninguna.

AMELIA. Ni que Pepe fuera un San Bartolomé
5   de plata.[1]

ANGUSTIAS. ¿Dónde está el retrato? (*Entran* LA PONCIA, MAGDALENA *y* ADELA.)

ADELA. ¿Qué retrato?

ANGUSTIAS. Una de vosotras me lo ha escondido.

10 MAGDALENA. ¿Tienes la desvergüenza de decir esto?

ANGUSTIAS. Estaba en mi cuarto y ya no está.

MARTIRIO. ¿Y no se habrá escapado a media-noche al corral? A Pepe le gusta andar con la
15 luna.

ANGUSTIAS. ¡No me gastes bromas! Cuando venga yo se lo contaré.

LA PONCIA. ¡Eso no! ¡Porque aparecerá! (*Mirando a* ADELA.)

20 ANGUSTIAS. ¡Me gustaría saber cuál de vosotras lo tiene!

ADELA (*mirando a* MARTIRIO.) ¡Alguna! ¡Todas menos yo!

MARTIRIO (*con intención*). ¡Desde luego!

25 BERNARDA (*entrando*). ¿Qué escándalo es éste en mi casa y en el silencio del peso del calor? Estarán las vecinas con el oído pegado a los tabiques.

ANGUSTIAS. Me han quitado el retrato de mi
30 novio.

BERNARDA (*fiera*). ¿Quién? ¿Quién?

ANGUSTIAS. ¡Éstas!

BERNARDA. ¿Cuál de vosotras? (*Silencio.*) ¡Contestarme! (*Silencio.*) (*A* LA PONCIA.) Registra
35 los cuartos, mira por las camas. Esto tiene no ataros más cortas. ¡Pero me vais a soñar![2] (*A* ANGUSTIAS.) ¿Estás segura?

ANGUSTIAS. Sí.

BERNARDA. ¿Lo has buscado bien?

40 ANGUSTIAS. Sí, madre. (*Todas están de pie en medio de un embarazoso silencio.*)

BERNARDA. Me hacéis al final de mi vida beber

el veneno más amargo que una madre puede resistir. (*A* LA PONCIA.) ¿No lo encuentras?

LA PONCIA (*saliendo*). Aquí está.   45

BERNARDA. ¿Dónde lo has encontrado?

LA PONCIA. Estaba . . .

BERNARDA. Dilo sin temor.

LA PONCIA (*extrañada.*). Entre las sábanas de la cama de Martirio.   50

BERNARDA (*a* MARTIRIO). ¿Es verdad?

MARTIRIO. ¡Es verdad!

BERNARDA (*avanzando y golpeándola*). Mala puñalada te den, ¡mosca muerta! ¡Sembradura de vidrios![3]   55

MARTIRIO (*fiera*). ¡No me pegue usted, madre!

BERNARDA. ¡Todo lo que quiera!

MARTIRIO. ¡Si yo la dejo! ¿Lo oye? ¡Retírese usted!

LA PONCIA. No faltes a tu madre.   60

ANGUSTIAS (*cogiendo a* BERNARDA). Déjela. ¡Por favor!

BERNARDA. Ni lágrimas te quedan en esos ojos.

MARTIRIO. No voy a llorar para darle gusto.

BERNARDA. ¿Por qué has cogido el retrato?   65

MARTIRIO. ¿Es que yo no puedo gastar una broma a mi hermana? ¿Para qué lo iba a querer?

ADELA (*saltando llena de celos*). No ha sido broma, que tú nunca has gustado jamás de juegos.   70 Ha sido otra cosa que te reventaba en el pecho por querer salir. Dílo ya claramente.

MARTIRIO. ¡Calla y no me hagas hablar, que si hablo se van a juntar las paredes unas con otras de vergüenza!   75

ADELA. ¡La mala lengua no tiene fin para inventar!

BERNARDA. ¡Adela!

MAGDALENA. Estáis locas.

AMELIA. Y nos apedreáis con malos pensa-   80 mientos.

MARTIRIO. Otras hacen cosas más malas.

ADELA. Hasta que se pongan en cueros de una vez y se las lleve el río.

BERNARDA. ¡Perversa!   85

ANGUSTIAS. Yo no tengo la culpa de que Pepe el Romano se haya fijado en mí.

---

[1] *Ni que . . . plata.* You'd think that Pepe was a silver image of St. Bartholomew.

[2] *Esto . . . soñar!* This comes of not tying you up with shorter leashes, i.e., being more strict. But I'll be present in your dreams, i.e., I'll show you now!

[3] Allusion to Martirio's harshness and how she can wound.

ADELA. ¡Por tus dineros!

ANGUSTIAS. ¡Madre!

BERNARDA. ¡Silencio!

MARTIRIO. Por tus marjales y tus arboledas.

5 MAGDALENA. ¡Eso es lo justo!

BERNARDA. ¡Silencio digo! Yo veía la tormenta venir, pero no creía que estallara tan pronto. ¡Ay, qué pedrisco de odio habéis echado sobre mi corazón! Pero todavía no soy anciana y
10 tengo cinco cadenas para vosotras y esta casa levantada por mi padre para que ni las hierbas se enteren de mi desolación. ¡Fuera de aquí! (*Salen.* BERNARDA *se sienta desolada.* LA PONCIA *está de pie arrimada a los muros.*
15 BERNARDA *reacciona, da un golpe en el suelo y dice.*) ¡Tendré que sentarles la mano![1] Bernarda: acuérdate que ésta es tu obligación.

LA PONCIA. ¿Puedo hablar?

BERNARDA. Habla. Siento que hayas oído. Nunca
20 está bien una extraña en el centro de la familia.

LA PONCIA. Lo visto, visto está.

BERNARDA. Angustias tiene que casarse en seguida.

25 LA PONCIA. Claro; hay que retirarla de aquí.

BERNARDA. No a ella. ¡A él!

LA PONCIA. Claro. A él hay que alejarlo de aquí. Piensas bien.

BERNARDA. No pienso. Hay cosas que no se
30 pueden ni se deben pensar. Yo ordeno.

LA PONCIA. ¿Y tú crees que él querrá marcharse?

BERNARDA (*levantándose*). ¿Qué imagina tu cabeza?

LA PONCIA. Él, ¡claro!, se casará con Angustias.

35 BERNARDA. Habla, te conozco demasiado para saber que ya me tienes preparada la cuchilla.

LA PONCIA. Nunca pensé que se llamara asesinato al aviso.

BERNARDA. ¿Me tienes que prevenir algo?

40 LA PONCIA. Yo no acuso, Bernarda. Yo sólo te digo: abre los ojos y verás.

BERNARDA. ¿Y verás qué?

LA PONCIA. Siempre has sido lista. Has visto lo malo de las gentes a cien leguas; muchas
45 veces creí que adivinabas los pensamientos. Pero los hijos son los hijos. Ahora estás ciega.

---

[1] *sentarles la mano* let them feel the weight of my hand.

BERNARDA. ¿Te refieres a Martirio?

LA PONCIA. Bueno, a Martirio . . . (*Con curiosidad.*) ¿Por qué habrá escondido el retrato?

BERNARDA (*queriendo ocultar a su hija*). Después 50 de todo, ella dice que ha sido una broma. ¿Qué otra cosa puede ser?

LA PONCIA. ¿Tú lo crees así? (*Con sorna.*)

BERNARDA (*enérgica*). No lo creo. ¡Es así!

LA PONCIA. Basta. Se trata de lo tuyo. Pero si 55 fuera la vecina de enfrente, ¿qué sería?

BERNARDA. Ya empiezas a sacar la punta del cuchillo.

LA PONCIA (*siempre con crueldad*). Bernarda: aquí pasa una cosa muy grande. Yo no te 60 quiero echar la culpa, pero tú no has dejado a tus hijas libres. Martirio es enamoradiza, digas lo que tú quieras. ¿Por qué no la dejaste casar con Enrique Humanas? ¿Por qué el mismo día que iba a venir a la ventana le 65 mandaste recado que no viniera?

BERNARDA. ¡Y lo haría mil veces! ¡Mi sangre no se junta con la de los Humanas mientras yo viva! Su padre fue gañán.

LA PONCIA. ¡Y así te va a ti con esos humos![2] 70

BERNARDA. Los tengo porque puedo tenerlos. Y tú no los tienes porque sabes muy bien cuál es tu origen.

LA PONCIA (*con odio*). No me lo recuerdes. Estoy ya vieja. Siempre agradecí tu protección. 75

BERNARDA (*crecida*). ¡No lo parece!

LA PONCIA (*con odio envuelto en suavidad*). A Martirio se le olvidará esto.

BERNARDA. Y si no lo olvida peor para ella. No creo que ésta sea la «cosa muy grande» que 80 aquí pasa. Aquí no pasa nada. ¡Eso quisieras tú! Y si pasa algún día, estáte segura que no traspasará las paredes.

LA PONCIA. Eso no lo sé yo. En el pueblo hay gentes que leen también de lejos los pensa- 85 mientos escondidos.

BERNARDA. ¡Cómo gozarías de vernos a mí y a mis hijas camino del lupanar!

LA PONCIA. ¡Nadie puede conocer su fin!

BERNARDA. ¡Yo sí sé mi fin! ¡Y el de mis hijas! 90

---

[2] And look where you've gotten in life with those pretensions!

El lupanar se queda para alguna mujer ya difunta.

LA PONCIA. ¡Bernarda, respeta la memoria de mi madre!

BERNARDA. ¡No me persigas tú con tus malos pensamientos!

LA PONCIA (pausa). Mejor será que no me meta en nada.

BERNARDA. Eso es lo que debías hacer. Obrar y callar a todo. Es la obligación de los que viven a sueldo.

LA PONCIA. Pero no se puede. ¿A ti no te parece que Pepe estaría mejor casado con Martirio o . . . ¡sí! con Adela?

BERNARDA. No me parece.

LA PONCIA. Adela. ¡Ésa es la verdadera novia del Romano!

BERNARDA. Las cosas no son nunca a gusto nuestro.

LA PONCIA. Pero les cuesta mucho trabajo desviarse de la verdadera inclinación. A mí me parece mal que Pepe esté con Angustias y a las gentes y hasta al aire.[1] ¡Quién sabe si se saldrán con la suya!

BERNARDA. ¡Ya estamos otra vez![2] . . . Te deslizas para llenarme de malos sueños. Y no quiero entenderte porque si llegara al alcance de todo lo que dices te tendría que arañar.

LA PONCIA. ¡No llegará la sangre al río![3]

BERNARDA. Afortunadamente mis hijas me respetan y jamás torcieron[4] mi voluntad.

LA PONCIA. ¡Eso sí! Pero en cuanto las dejes sueltas se te subirán al tejado.

BERNARDA. ¡Ya las bajaré tirándoles cantos!

LA PONCIA. ¡Desde luego eres la más valiente!

BERNARDA. ¡Siempre gasté sabrosa pimienta![5]

LA PONCIA. ¡Pero lo que son las cosas! A su edad. ¡Hay que ver el entusiasmo de Angustias con su novio! ¡Y él también parece muy picado! Ayer me contó mi hijo mayor que a las cuatro y media de la madrugada que pasó por la calle con la yunta, estaban hablando todavía.

---

[1] A mí . . . aire. For Pepe to be with Angustias seems wrong to me, to others too, even to the wind.

[2] ¡Ya . . . vez! There you go again!

[3] ¡No llegará . . . río! Oh, you are exaggerating!

[4] torcieron went against.

[5] I always had lots of spunk!

BERNARDA. ¡A las cuatro y media!

ANGUSTIAS (saliendo). ¡Mentira!

LA PONCIA. Eso me contaron.

BERNARDA (a ANGUSTIAS). ¡Habla!

ANGUSTIAS. Pepe lleva más de una semana marchándose a la una. Que Dios me mate si miento.

MARTIRIO (saliendo). Yo también lo sentí marcharse a las cuatro.

BERNARDA. ¿Pero lo viste con tus ojos?

MARTIRIO. No quise asomarme. ¿No habláis ahora por la ventana del callejón?

ANGUSTIAS. Yo hablo por la ventana de mi dormitorio.

(Aparece ADELA en la puerta.)

MARTIRIO. Entonces . . .

BERNARDA. ¿Qué es lo que pasa aquí?

LA PONCIA. ¡Cuida de enterarte! Pero desde luego, Pepe estaba a las cuatro de la madrugada en una reja de tu casa.

BERNARDA. ¿Lo sabes seguro?

LA PONCIA. Seguro no se sabe nada en esta vida.

ADELA. Madre, no oiga usted a quien nos quiere perder a todas.

BERNARDA. ¡Yo sabré enterarme! Si las gentes del pueblo quieren levantar falsos testimonios se encontrarán con mi pedernal. No se hable de este asunto. Hay a veces una ola de fango que levantan los demás para perdernos.

MARTIRIO. A mí no me gusta mentir.

LA PONCIA. Y algo habrá.

BERNARDA. No habrá nada. Nací para tener los ojos abiertos. Ahora vigilaré sin cerrarlos ya hasta que me muera.

ANGUSTIAS. Yo tengo derecho de enterarme.

BERNARDA. Tú no tienes derecho más que a obedecer. Nadie me traiga ni me lleve.[6] (A LA PONCIA.) Y tú te metes en los asuntos de tu casa. ¡Aquí no se vuelve a dar un paso sin que yo lo sienta!

CRIADA (entrando). En lo alto de la calle hay un gran gentío y todos los vecinos están en sus puertas.

BERNARDA (a LA PONCIA). ¡Corre a enterarte de lo que pasa!

---

[6] Nadie . . . lleve. Nobody better come telling me tales.

(*Las mujeres corren para salir.*)

¿Dónde vais? Siempre os supe mujeres ventaneras y rompedoras de su luto. ¡Vosotras, al patio!

5 (*Salen y sale* BERNARDA. *Se oyen rumores lejanos. Entran* MARTIRIO *y* ADELA, *que se quedan escuchando y sin atreverse a dar un paso más de la puerta de salida.*)

MARTIRIO. Agradece a la casualidad que no de-
10 saté mi lengua.

ADELA. También hubiera hablado yo.

MARTIRIO. ¿Y qué ibas a decir? ¡Querer no es hacer!

ADELA. Hace la que puede y la que se adelanta.
15 Tú querías, pero no has podido.

MARTIRIO. No seguirás mucho tiempo.

ADELA. ¡Lo tendré todo!

MARTIRIO. Yo romperé tus abrazos.

ADELA (*suplicante*). ¡Martirio, déjame!
20 MARTIRIO. ¡De ninguna!

ADELA. Él me quiere para su casa.

MARTIRIO. ¡He visto cómo te abrazaba!

ADELA. Yo no quería. He sido como arrastrada por una maroma.

25 MARTIRIO. ¡Primero muerta![1]

(*Se asoman* MAGDALENA *y* ANGUSTIAS. *Se siente crecer el tumulto.*)

LA PONCIA (*entrando con* BERNARDA). ¡Bernarda!

BERNARDA. ¿Qué ocurre?
30 LA PONCIA. La hija de la Librada, la soltera, tuvo un hijo no se sabe con quién.

ADELA. ¿Un hijo?

LA PONCIA. Y para ocultar su vergüenza lo mató y lo metió debajo de unas piedras, pero
35 unos perros con más corazón que muchas criaturas, lo sacaron y como llevados por la mano de Dios lo han puesto en el tranco de su puerta. Ahora la quieren matar. La traen arrastrando por la calle abajo, y por las trochas
40 y los terrenos del olivar vienen los hombres corriendo dando unas voces que estremecen los campos.

BERNARDA. Sí, que vengan todos con varas de

---

[1] *¡Primero muerta!* I'll see you dead first!

---

olivo y mangos de azadones, que vengan todos para matarla. 45

ADELA. No, no. Para matarla, no.

MARTIRIO. Sí, y vamos a salir también nosotras.

BERNARDA. Y que pague la que pisotea la decencia.

(*Fuera se oye un grito de mujer y un gran* 50 *rumor.*)

ADELA. ¡Que la dejen escapar! ¡No salgáis vosotras!

MARTIRIO (*mirando a* ADELA). ¡Que pague lo que debe! 55

BERNARDA (*bajo el arco*). ¡Acabar con ella antes que lleguen los guardias! ¡Carbón ardiendo en el sitio de su pecado!

ADELA (*cogiéndose el vientre*). ¡No! ¡No!

BERNARDA. ¡Matadla! ¡Matadla! 60

TELÓN

ACTO TERCERO

(*Cuatro paredes blancas ligeramente azuladas del patio interior de la casa de* BERNARDA. *Es de noche. El decorado ha de ser de una perfecta simplicidad. Las* 65 *puertas iluminadas por la luz de los interiores dan un tenue fulgor a la escena.*)

(*En el centro una mesa con un quinqué, donde están comiendo* BERNARDA *y sus hijas.* LA PONCIA *las sirve.* PRUDENCIA *está sentada aparte.*) 70

(*Al levantarse el telón hay un gran silencio interrumpido por el ruido de platos y cubiertos.*)

PRUDENCIA. Ya me voy. Os he hecho una visita larga. (*Se levanta.*)

BERNARDA. Espérate, mujer. No nos vemos 75 nunca.

PRUDENCIA. ¿Han dado el último toque para el rosario?

LA PONCIA. Todavía no. (PRUDENCIA *se sienta.*)

BERNARDA. ¿Y tu marido cómo sigue? 80

PRUDENCIA. Igual.

BERNARDA. Tampoco le vemos.

PRUDENCIA. Ya sabes sus costumbres. Desde que se peleó con sus hermanos por la herencia no ha salido por la puerta de la calle. Pone una 85 escalera y salta las tapias y el corral.

BERNARDA. Es un verdadero hombre. ¿Y con tu hija? . . .

PRUDENCIA. No la ha perdonado.

BERNARDA. Hace bien.

PRUDENCIA. No sé qué te diga. Yo sufro por esto.

BERNARDA. Una hija que desobedece deja de ser hija para convertirse en una enemiga.

PRUDENCIA. Yo dejo que el agua corra.[1] No me queda más consuelo que refugiarme en la iglesia, pero como estoy quedando sin vista tendré que dejar de venir para que no jueguen con una los chiquillos.

(*Se oye un gran golpe dado en los muros.*)

¿Qué es eso?

BERNARDA. El caballo garañón que está encerrado y da coces contra el muro. (*A voces.*) ¡Trabadlo y que salga al corral! (*En voz baja.*) Debe tener calor.

PRUDENCIA. ¿Vais a echarle las potras nuevas?

BERNARDA. Al amanecer.

PRUDENCIA. Has sabido acrecentar tu ganado.

BERNARDA. A fuerza de dinero y sinsabores.

LA PONCIA (*interrumpiendo*). Pero tiene la mejor manada de estos contornos. Es una lástima que esté bajo de precio.

BERNARDA. ¿Quieres un poco de queso y miel?

PRUDENCIA. Estoy desganada.

(*Se oye otra vez el golpe.*)

LA PONCIA. ¡Por Dios!

PRUDENCIA. ¡Me ha retemblado dentro del pecho!

BERNARDA (*levantándose furiosa*). ¿Hay que decir las cosas dos veces? ¡Echadlo que se revuelque en los montones de paja! (*Pausa, y como hablando con los gañanes.*) Pues encerrad las potras en la cuadra, pero dejadlo libre, no sea que nos eche abajo las paredes. (*Se dirige a la mesa y se sienta otra vez.*) ¡Ay, qué vida!

PRUDENCIA. Bregando como un hombre.

BERNARDA. Así es. (ADELA *se levanta de la mesa.*) ¿Dónde vas?

ADELA. A beber agua.

BERNARDA (*en alta voz*). Trae un jarro de agua fresca. (*A* ADELA.) Puedes sentarte. (ADELA *se sienta.*)

[1] *Yo . . . corra.* I let things take their course.

PRUDENCIA. Y Angustias, ¿cuándo se casa?

BERNARDA. Vienen a pedirla dentro de tres días.

PRUDENCIA. ¡Estarás contenta!

ANGUSTIAS. ¡Claro!

ADELA (*a* MAGDALENA). Ya has derramado la sal.

MAGDALENA. Peor suerte que tienes no vas a tener.

AMELIA. Siempre trae mala sombra.

BERNARDA. ¡Vamos!

PRUDENCIA (*a* ANGUSTIAS). ¿Te ha regalado ya el anillo?

ANGUSTIAS. Mírelo usted. (*Se lo alarga.*)

PRUDENCIA. Es precioso. Tres perlas. En mi tiempo las perlas significaban lágrimas.

ANGUSTIAS. Pero ya las cosas han cambiado.

ADELA. Yo creo que no. Las cosas significan siempre lo mismo. Los anillos de pedida deben ser de diamantes.

PRUDENCIA. Es más propio.

BERNARDA. Con perlas o sin ellas las cosas son como uno se las propone.

MARTIRIO. O como Dios dispone.

PRUDENCIA. Los muebles me han dicho que son preciosos.

BERNARDA. Dieciséis mil reales he gastado.

LA PONCIA (*interviniendo*). Lo mejor es el armario de luna.

PRUDENCIA. Nunca vi un mueble de éstos.

BERNARDA. Nosotras tuvimos arca.

PRUDENCIA. Lo preciso es que todo sea para bien.

ADELA. Que nunca se sabe.

BERNARDA. No hay motivo para que no lo sea.

(*Se oyen lejanísimas unas campanas.*)

PRUDENCIA. El último toque. (*A* ANGUSTIAS.) Ya vendré a que me enseñes la ropa.

ANGUSTIAS. Cuando usted quiera.

PRUDENCIA. Buenas noches nos dé Dios.

BERNARDA. Adiós, Prudencia.

LAS CINCO A LA VEZ. Vaya usted con Dios. (*Pausa. Sale* PRUDENCIA.)

BERNARDA. Ya hemos comido. (*Se levantan.*)

ADELA. Voy a llegarme hasta el portón para estirar las piernas y tomar un poco de fresco.

(MAGDALENA *se sienta en una silla baja retrepada contra la pared.*)

AMELIA. Yo voy contigo.

MARTIRIO. Y yo.

ADELA (*con odio contenido*). No me voy a perder.

AMELIA. La noche quiere compaña. (*Salen.*)

(BERNARDA *se sienta y* ANGUSTIAS *está arreglando la mesa.*)

BERNARDA. Ya te he dicho que quiero que hables con tu hermana Martirio. Lo que pasó del retrato fue una broma y lo debes olvidar.

ANGUSTIAS. Usted sabe que ella no me quiere.

BERNARDA. Cada uno sabe lo que piensa por dentro. Yo no me meto en los corazones, pero quiero buena fachada y armonía familiar. ¿Lo entiendes?

ANGUSTIAS. Sí.

BERNARDA. Pues ya está.

MAGDALENA (*casi dormida*). Además, ¡si te vas a ir antes de nada![1] (*Se duerme.*)

ANGUSTIAS. Tarde me parece.

BERNARDA. ¿A qué hora terminaste anoche de hablar?

ANGUSTIAS. A las doce y media.

BERNARDA. ¿Qué cuenta Pepe?

ANGUSTIAS. Yo lo encuentro distraído. Me habla siempre como pensando en otra cosa. Si le pregunto qué le pasa, me contesta «Los hombres tenemos nuestras preocupaciones.»

BERNARDA. No le debes preguntar. Y cuando te cases, menos. Habla si él habla y míralo cuando te mire. Así no tendrás disgustos.

ANGUSTIAS. Yo creo, madre, que él me oculta muchas cosas.

BERNARDA. No procures descubrirlas, no le preguntes, y, desde luego, que no te vea llorar jamás.

ANGUSTIAS. Debía estar contenta y no lo estoy.

BERNARDA. Eso es lo mismo.

ANGUSTIAS. Muchas veces miro a Pepe con mucha fijeza y se me borra a través de los hierros, como si lo tapara una nube de polvo de las que levantan los rebaños.

BERNARDA. Esas son cosas de debilidad.

ANGUSTIAS. ¡Ojalá!

BERNARDA. ¿Viene esta noche?

ANGUSTIAS. No. Fue con su madre a la capital.

[1] *¡si te . . . nada!* you'll be going in no time!

BERNARDA. Así nos acostaremos antes. ¡Magdalena!

ANGUSTIAS. Está dormida. (*Entran* ADELA, MARTIRIO *y* AMELIA.)

AMELIA. ¡Qué noche más oscura!

ADELA. No se ve a dos pasos de distancia.

MARTIRIO. Una buena noche para ladrones, para el que necesita escondrijo.

ADELA. El caballo garañón estaba en el centro del corral ¡blanco! Doble de grande, llenando todo lo oscuro.

AMELIA. Es verdad. Daba miedo. Parecía una aparición.

ADELA. Tiene el cielo unas estrellas como puños.

MARTIRIO. Ésta se puso a mirarlas de modo que se iba a tronchar el cuello.

ADELA. ¿Es que no te gustan a ti?

MARTIRIO. A mí las cosas de tejas arriba no me importan nada. Con lo que pasa dentro de las habitaciones tengo bastante.

ADELA. Así te va a ti.[2]

BERNARDA. A ella le va en lo suyo como a ti en lo tuyo.[3]

ANGUSTIAS. Buenas noches.

ADELA. ¿Ya te acuestas?

ANGUSTIAS. Sí. Esta noche no viene Pepe. (*Sale.*)

ADELA. Madre. ¿Por qué cuando se corre una estrella o luce un relámpago se dice:

Santa Bárbara bendita
que en el cielo estás escrita
con papel y agua bendita?

BERNARDA. Los antiguos sabían muchas cosas que hemos olvidado.

AMELIA. Yo cierro los ojos para no verlas.

ADELA. Yo no. A mí me gusta ver correr lleno de lumbre lo que está quieto y quieto años enteros.

MARTIRIO. Pero estas cosas nada tienen que ver con nosotros.

BERNARDA. Y es mejor no pensar en ellas.

ADELA. ¡Qué noche más hermosa! Me gustaría quedarme hasta muy tarde para disfrutar el fresco del campo.

[2] *Así . . . ti.* That's the way it is with you.
[3] *A ella . . . tuyo.* She has her ways and you have yours.

BERNARDA. Pero hay que acostarse. ¡Magdalena!

AMELIA. Está en el primer sueño.

BERNARDA. ¡Magdalena!

MAGDALENA (*disgustada*). ¡Dejarme en paz!

5 BERNARDA. ¡A la cama!

MAGDALENA (*levantándose malhumorada*). ¡No la dejáis a una tranquila! (*Se va refunfuñando.*)

AMELIA. Buenas noches. (*Se va.*)

BERNARDA. Andar vosotras también.

10 MARTIRIO. ¿Cómo es que esta noche no viene el novio de Angustias?

BERNARDA. Fue de viaje.

MARTIRIO (*mirando a* ADELA.) ¡Ah!

ADELA. Hasta mañana. (*Sale.*) (MARTIRIO *bebe*
15 *agua y sale lentamente mirando hacia la puerta
del corral.*)

LA PONCIA (*saliendo*). ¿Estás todavía aquí?

BERNARDA. Disfrutando este silencio y sin lograr ver por parte alguna «la cosa tan grande» que
20 aquí pasa según tú.

LA PONCIA. Bernarda, dejemos esa conversación.

BERNARDA. En esta casa no hay un sí ni un no. Mi vigilancia lo puede todo.

LA PONCIA. No pasa nada por fuera. Eso es
25 verdad. Tus hijas están y viven como metidas en alacenas. Pero ni tú ni nadie puede vigilar por el interior de los pechos.

BERNARDA. Mis hijas tienen la respiración tranquila.

30 LA PONCIA. Eso te importa a ti que eres su madre. A mí con servir tu casa tengo bastante.

BERNARDA. Ahora te has vuelto callada.

LA PONCIA. Me estoy en mi sitio y en paz.

35 BERNARDA. Lo que pasa es que no tienes nada que decir. Si en esta casa hubiera hierbas ya te encargarías de traer a pastar las ovejas del vecindario.

LA PONCIA. Yo tapo más de lo que te figuras.

40 BERNARDA. ¿Sigue tu hijo viendo a Pepe a las cuatro de la mañana? ¿Siguen diciendo todavía la mala letanía de esta casa?

LA PONCIA. No dicen nada.

BERNARDA. Porque no pueden. Porque no hay
45 carne donde morder. A la vigilancia de mis ojos se debe esto.

LA PONCIA. Bernarda: yo no quiero hablar

porque temo tus intenciones. Pero no estés segura.

BERNARDA. ¡Segurísima! 50

LA PONCIA. A lo mejor de pronto cae un rayo. A lo mejor, de pronto, un golpe te para el corazón.

BERNARDA. Aquí no pasa nada. Ya estoy alerta contra tus suposiciones. 55

LA PONCIA. Pues mejor para ti.

BERNARDA. ¡No faltaba más!

CRIADA (*entrando*). Ya terminé de fregar los platos. ¿Manda usted algo, Bernarda?

BERNARDA (*levantándose*). Nada. Voy a descansar. 60

LA PONCIA. ¿A qué hora quieres que te llame?

BERNARDA. A ninguna. Esta noche voy a dormir bien. (*Se va.*)

LA PONCIA. Cuando una no puede con el mar lo más fácil es volver las espaldas para no verlo. 65

CRIADA. Es tan orgullosa que ella misma se pone una venda en los ojos.

LA PONCIA. Yo no puedo hacer nada. Quise atajar las cosas, pero ya me asustan demasiado. ¿Tú ves este silencio? Pues hay una tormenta 70
en cada cuarto. El día que estallen nos barrerá a todas. Yo he dicho lo que tenía que decir.

CRIADA. Bernarda cree que nadie puede con ella y no sabe la fuerza que tiene un hombre entre mujeres solas. 75

LA PONCIA. No es toda la culpa de Pepe el Romano. Es verdad que el año pasado anduvo detrás de Adela y ésta estaba loca por él, pero ella debió estarse en su sitio y no provocarlo. Un hombre es un hombre. 80

CRIADA. Hay quien cree que habló muchas veces con Adela.

LA PONCIA. Es verdad. (*En voz baja.*) Y otras cosas.

CRIADA. No sé lo que va a pasar aquí. 85

LA PONCIA. A mí me gustaría cruzar el mar y dejar esta casa de guerra.

CRIADA. Bernarda está aligerando la boda y es posible que nada pase.

LA PONCIA. Las cosas se han puesto ya de- 90
masiado maduras. Adela está decidida a lo que sea y las demás vigilan sin descanso.

CRIADA. ¿Y Martirio también?...

LA PONCIA. Ésa es la peor. Es un pozo de veneno.

Ve que el Romano no es para ella y hundiría el mundo si estuviera en su mano.

CRIADA. ¡Es que son malas!

LA PONCIA. Son mujeres sin hombre, nada más. 5 En estas cuestiones se olvida hasta la sangre. ¡Chisssssss! (*Escucha.*)

CRIADA. ¿Qué pasa?

LA PONCIA (*se levanta*). Están ladrando los perros.

10 CRIADA. Debe haber pasado alguien por el portón. (*Sale* ADELA *en enaguas blancas y corpiño.*)

LA PONCIA. ¿No te habías acostado?

ADELA. Voy a beber agua. (*Bebe en un vaso de la* 15 *mesa.*)

LA PONCIA. Yo te suponía dormida.

ADELA. Me despertó la sed. ¿Y vosotras, no descansáis?

CRIADA. Ahora. (*Sale* ADELA.)

20 LA PONCIA. Vámonos.

CRIADA. Ganado tenemos el sueño. Bernarda no me deja descansar en todo el día.

LA PONCIA. Llévate la luz.

CRIADA. Los perros están como locos.

25 LA PONCIA. No nos van a dejar dormir. (*Salen.*)

(*La escena queda casi a oscuras. Sale* MARÍA JOSEFA *con una oveja en los brazos.*)

MARÍA JOSEFA.

Ovejita, niño mío,
30 vámonos a la orilla del mar.
La hormiguita estará en su puerta,
yo te daré la teta y el pan.

Bernarda,
cara de leoparda.
35 Magdalena,
cara de hiena.
¡Ovejita!
Meee, meee.
Vamos a los ramos del portal de Belén.

40 Ni tú ni yo queremos dormir;
la puerta sola se abrirá
y en la playa nos meteremos
en una choza de coral.

Bernarda,
cara de leoparda. 45
Magdalena,
cara de hiena.
¡Ovejita!
Meee, meee.

Vamos a los ramos del portal de Belén. 50

(*Se va cantando.*)

(*Entra* ADELA. *Mira a un lado y otro con sigilo y desaparece por la puerta del corral. Sale* MAR-TIRIO *por otra puerta y queda en angustioso acecho en el centro de la escena. También va en enaguas.* 55 *Se cubre con un pequeño mantón negro de talle. Sale por enfrente de ella* MARÍA JOSEFA.)

MARTIRIO. ¿Abuela, dónde va usted?

MARÍA JOSEFA. ¿Vas a abrirme la puerta? ¿Quién eres tú? 60

MARTIRIO. ¿Cómo está aquí?

MARÍA JOSEFA. Me escapé. ¿Tú quién eres?

MARTIRIO. Vaya a acostarse.

MARÍA JOSEFA. Tú eres Martirio, ya te veo. Mar-tirio, cara de Martirio. ¿Y cuándo vas a tener 65 un niño? Yo he tenido éste.

MARTIRIO. ¿Dónde cogió esa oveja?

MARÍA JOSEFA. Ya sé que es una oveja. Pero ¿por qué una oveja no va a ser un niño? Mejor es tener una oveja que no tener nada. Bernarda, 70 cara de Leoparda, Magdalena, cara de hiena.

MARTIRIO. No dé voces.

MARÍA JOSEFA. Es verdad. Está todo muy oscuro. Como tengo el pelo blanco crees que no puedo tener crías, y sí, crías y crías y crías. 75 Este niño tendrá el pelo blanco y tendrá otro niño, y éste, otro, y todos con el pelo de nieve, seremos como las olas, una y otra y otra. Luego nos sentaremos todos y todos tendre-mos el cabello blanco y seremos espuma. ¿Por 80 qué aquí no hay espumas? Aquí no hay más que mantos de luto.

MARTIRIO. Calle, calle.

MARÍA JOSEFA. Cuando mi vecina tenía un niño yo le llevaba chocolate y luego ella me lo traía 85 a mí y así siempre, siempre, siempre. Tú ten-drás el pelo blanco, pero no vendrán las vecinas. Yo tengo que marcharme, pero tengo miedo que los perros me muerdan. ¿Me acompañarás tú a salir al campo? Yo quiero campo. Yo quiero casas, pero casas abiertas y las vecinas acostadas en sus camas con sus niños chiquitos y los hombres fuera sentados en sus sillas. Pepe el Romano es un gigante. Todas lo queréis. Pero él os va a devorar porque vosotras sois granos de trigo. No granos de trigo. ¡Ranas sin lengua!

MARTIRIO. Vamos. Váyase a la cama. (*La empuja.*)

MARÍA JOSEFA. Sí, pero luego tú me abrirás, ¿verdad?

MARTIRIO. De seguro.

MARÍA JOSEFA (*llorando.*).

Ovejita, niño mío.
Vámonos a la orilla del mar.
La hormiguita estará en su puerta,
yo te daré la teta y el pan.

(MARTIRIO *cierra la puerta por donde ha salido* MARÍA JOSEFA *y se dirige a la puerta del corral. Allí vacila, pero avanza dos pasos más.*)

MARTIRIO (*en voz baja*). Adela. (*Pausa.*) (*Avanza hasta la misma puerta.*) (*En voz alta.*) ¡Adela!

(*Aparece* ADELA. *Viene un poco despeinada.*)

ADELA. ¿Por qué me buscas?

MARTIRIO. ¡Deja a ese hombre!

ADELA. ¿Quién eres tú para decírmelo?

MARTIRIO. No es ése el sitio de una mujer honrada.

ADELA. ¡Con qué ganas te has quedado de ocuparlo!

MARTIRIO (*en voz alta*). Ha llegado el momento de que yo hable. Esto no puede seguir así.

ADELA. Esto no es más que el comienzo. He tenido fuerza para adelantarme. El brío y el mérito que tú no tienes. He visto la muerte debajo de estos techos y he salido a buscar lo que era mío, lo que me pertenecía.

MARTIRIO. Ese hombre sin alma vino por otra. Tú te has atravesado.

ADELA. Vino por el dinero, pero sus ojos los puso siempre en mí.

MARTIRIO. Yo no permitiré que lo arrebates. Él se casará con Angustias.

ADELA. Sabes mejor que yo que no la quiere.

MARTIRIO. Lo sé.

ADELA. Sabes, porque lo has visto, que me quiere a mí.

MARTIRIO. Sí.

ADELA (*acercándose*). Me quiere a mí. Me quiere a mí.

MARTIRIO. Clávame un cuchillo si es tu gusto, pero no me lo digas más.

ADELA. Por eso procuras que no vaya con él. No te importa que abrace a la que no quiere, a mí tampoco. Ya puede estar cien años con Angustias, pero que me abrace a mí se te hace terrible, porque tú lo quieres tambien, lo quieres.

MARTIRIO (*dramática*). ¡Sí! Déjame decirlo con la cabeza fuera de los embozos.[1] ¡Sí! Déjame que el pecho se me rompa como una granada de amargura. ¡Le quiero!

ADELA (*en un arranque y abrazándola*). Martirio, Martirio, yo no tengo la culpa.

MARTIRIO. ¡No me abraces! No quiero ablandar mis ojos. Mi sangre ya no es la tuya. Aunque quisiera verte como hermana no te miro ya más que como mujer. (*La rechaza.*)

ADELA. Aquí no hay ningún remedio. La que tenga que ahogarse que se ahogue. Pepe el Romano es mío. Él me lleva a los juncos de la orilla.

MARTIRIO. ¡No será!

ADELA. Ya no aguanto el horror de estos techos después de haber probado el sabor de su boca. Seré lo que él quiera que sea. Todo el pueblo contra mí, quemándome con sus dedos de lumbre, perseguida por los que dicen que son decentes, y me pondré la corona de espinas que tienen las que son queridas de algún hombre casado.

MARTIRIO. ¡Calla!

ADELA. Sí. Sí. (*En voz baja.*) Vamos a dormir, vamos a dejar que se case con Angustias, ya no me importa, pero yo me iré a una casita

---

[1] *con la ... embozos.* Without hiding my head, i.e., openly.

sola donde él me verá cuando quiera, cuando le venga en gana.

MARTIRIO. Eso no pasará mientras yo tenga una gota de sangre en el cuerpo.

5 ADELA. No a ti que eres débil. A un caballo encabritado soy capaz de poner de rodillas con la fuerza de mi dedo meñique.

MARTIRIO. No levantes esa voz que me irrita. Tengo el corazón lleno de una fuerza tan 10 mala, que sin quererlo yo, a mí misma me ahoga.

ADELA. Nos enseñan a querer a las hermanas. Dios me ha debido dejar sola en medio de la oscuridad, porque te veo como si no te 15 hubiera visto nunca.

(*Se oye un silbido y* ADELA *corre a la puerta, pero* MARTIRIO *se le pone delante.*)

MARTIRIO. ¿Dónde vas?

ADELA. ¡Quítate de la puerta!

20 MARTIRIO. ¡Pasa si puedes!

ADELA. ¡Aparta! (*Lucha.*)

MARTIRIO (*a voces*). ¡Madre, madre!

(*Aparece* BERNARDA. *Sale en enaguas con un mantón negro.*)

25 BERNARDA. Quietas, quietas. ¡Qué pobreza la mía, no poder tener un rayo entre los dedos!

MARTIRIO (*señalando a* ADELA). ¡Estaba con él! ¡Mira esas enaguas llenas de paja de trigo!

BERNARDA. ¡Ésa es la cama de las mal nacidas!

30 (*Se dirige furiosa hacia* ADELA.)

ADELA (*haciéndole frente*). ¡Aquí se acabaron las voces de presidio! (ADELA *arrebata un bastón a su madre y lo parte en dos.*) Esto hago yo con la vara de la dominadora. No dé usted un 35 paso más. En mí no manda nadie más que Pepe.

MAGDALENA (*saliendo*). ¡Adela!

(*Salen* LA PONCIA *y* ANGUSTIAS.)

ADELA. Yo soy su mujer. (*A* ANGUSTIAS.) Enté-
40 rate tú y ve al corral a decírselo. Él dominará toda esta casa. Ahí fuera está, respirando como si fuera un león.

ANGUSTIAS. ¡Dios mío!

BERNARDA. ¡La escopeta! ¿Dónde está la escopeta? (*Sale corriendo.*) 45

(*Sale detrás* MARTIRIO. *Aparece* AMELIA *por el fondo, que mira aterrada con la cabeza sobre la pared.*)

ADELA. ¡Nadie podrá conmigo! (*Va a salir.*)

ANGUSTIAS (*sujetándola*). De aquí no sales con tu 50 cuerpo en triunfo. ¡Ladrona! ¡Deshonra de nuestra casa!

MAGDALENA. ¡Déjala que se vaya donde no la veamos nunca más!

(*Suena un disparo.*) 55

BERNARDA (*entrando*). Atrévete a buscarlo ahora.

MARTIRIO (*entrando*). Se acabó Pepe el Romano.

ADELA. ¡Pepe! ¡Dios mío! ¡Pepe! (*Sale corriendo.*)

LA PONCIA. ¿Pero lo habéis matado? 60

MARTIRIO. No. Salió corriendo en su jaca.

BERNARDA. No fue culpa mía. Una mujer no sabe apuntar.

MAGDALENA. ¿Por qué lo has dicho entonces?

MARTIRIO. ¡Por ella! Hubiera volcado un río de 65 sangre sobre su cabeza.

LA PONCIA. Maldita.

MAGDALENA. ¡Endemoniada!

BERNARDA. Aunque es mejor así. (*Suena un golpe.*) ¡Adela, Adela! 70

LA PONCIA (*en la puerta*). ¡Abre!

BERNARDA. Abre. No creas que los muros defienden de la vergüenza.

CRIADA (*entrando*). ¡Se han levantado los vecinos!

BERNARDA (*en voz baja como un rugido*). ¡Abre, 75 porque echaré abajo la puerta! (*Pausa. Todo queda en silencio.*) ¡Adela! (*Se retira de la puerta.*) ¡Trae un martillo!

(LA PONCIA *da un empellón y entra. Al entrar da un grito y sale.*) 80

¿Qué?

LA PONCIA (*se lleva las manos al cuello*). ¡Nunca tengamos ese fin!

(*Las hermanas se echan hacia atrás. La* CRIADA *se santigua.* BERNARDA *da un grito y avanza.*) 85

LA PONCIA. ¡No entres!

BERNARDA. No. ¡Yo no! Pepe: tú irás corriendo vivo por lo oscuro de las alamedas, pero otro día caerás. ¡Descolgarla! ¡Mi hija ha muerto virgen! Llevadla a su cuarto y vestirla como una doncella. ¡Nadie diga nada! Ella ha muerto virgen. Avisad que al amanecer den dos clamores las campanas.

MARTIRIO. Dichosa ella mil veces que lo pudo tener.

BERNARDA. Y no quiero llantos. La muerte hay que mirarla cara a cara. ¡Silencio! (*A otra hija.*) ¡A callar he dicho! (*A otra hija.*) ¡Las lágrimas cuando estés sola! Nos hundiremos todas en un mar de luto. Ella, la hija menor de Bernarda Alba, ha muerto virgen. ¿Me habéis oído? ¡Silencio, silencio he dicho! ¡Silencio!

TELÓN

(Día viernes 19 de junio de 1936)

Poema del cante jondo (1921)

SORPRESA

Muerto se quedó en la calle
con un puñal en el pecho.
No lo conocía nadie.
¡Cómo temblaba el farol!
Madre.
¡Cómo temblaba el farolito
de la calle!
Era madrugada. Nadie
pudo asomarse a sus ojos
abiertos al duro aire.
Que muerto se quedó en la calle
que con un puñal en el pecho
y que no lo conocía nadie.

DE PROFUNDIS [1]

Los cien enamorados
duermen para siempre

[1] (*Lat.*) From Out of the Depths.

bajo la tierra seca.
Andalucía tiene
largos caminos rojos.
Córdoba, olivos verdes
donde poner cien cruces,
que los recuerden.
Los cien enamorados
duermen para siempre.

Canciones (1921–24)

NOCTURNOS DE LA VENTANA

*A la memoria de
José de Ciria y Escalante, poeta.*

I

Alta va la luna.
Bajo corre el viento.

(Mis largas miradas,
exploran el cielo.)

Luna sobre el agua.
Luna bajo el viento.

(Mis cortas miradas,
exploran el suelo.)

Las voces de dos niñas
venían. Sin esfuerzo,
de la luna del agua,
me fuí a la del cielo.

II

Un brazo de la noche
entra por mi ventana.

Un gran brazo moreno
con pulseras de agua.

Sobre un cristal azul
jugaba al río mi alma.

Los instantes heridos
por el reloj . . . pasaban.

III

Asomo la cabeza
por mi ventana, y veo
cómo quiere cortarla
5 la cuchilla del viento.

En esta guillotina
invisible, yo he puesto
las cabezas sin ojos
de todos mis deseos.

10 Y un olor de limón
llenó el instante inmenso,
mientras se convertía
en flor de gasa el viento.

IV

15 Al estanque se le ha muerto
hoy una niña de agua.
Está fuera del estanque,
sobre el suelo amortajada.

De la cabeza a sus muslos
20 un pez la cruza, llamándola.
El viento le dice «niña»
mas no pueden despertarla.

El estanque tiene suelta
su cabellera de algas
25 y al aire sus grises tetas
estremecidas de ranas.

Dios te salve. Rezaremos
a Nuestra Señora de Agua
por la niña del estanque
30 muerta bajo las manzanas.

Yo luego pondré a su lado
dos pequeñas calabazas
para que se tenga a flote,
¡ay! sobre la mar salada.

35 Residencia de Estudiantes, 1923.

CANCIÓN DE JINETE

Córdoba.
Lejana y sola.

Jaca negra, luna grande,
y aceitunas en mi alforja. 40
Aunque sepa los caminos
yo nunca llegaré a Córdoba.

Por el llano, por el viento,
jaca negra, luna roja.
La muerte me está mirando 45
desde las torres de Córdoba.

¡Ay qué camino tan largo!
¡Ay mi jaca valerosa!
¡Ay que la muerte me espera,
antes de llegar a Córdoba! 50

Córdoba.
Lejana y sola.

Romancero gitano (1924–27)

ROMANCE DE LA LUNA, LUNA

A Conchita García Lorca.[1]

La luna vino a la fragua 55
con su polisón de nardos.
El niño la mira mira.
El niño la está mirando.
En el aire conmovido
mueve la luna sus brazos 60
y enseña, lúbrica y pura,
sus senos de duro estaño.
—Huye, luna, luna, luna.
Si vinieran los gitanos,
harían con tu corazón 65
collares y anillos blancos.
—Niño, déjame que baile.
Cuando vengan los gitanos,
te encontrarán sobre el yunque
con los ojillos cerrados. 70

[1] The poet's sister.

—Huye, luna, luna, luna,
que ya siento sus caballos.
—Niño, déjame, no pises
mi blancor almidonado.

5   El jinete se acercaba
tocando el tambor del llano.
Dentro de la fragua el niño
tiene los ojos cerrados.

Por el olivar venían,
10 bronce y sueño, los gitanos.
Las cabezas levantadas
y los ojos entornados.

Cómo canta la zumaya,
¡ay, cómo canta en el árbol!
15 Por el cielo va la luna
con un niño de la mano.

Dentro de la fragua lloran,
dando gritos, los gitanos.
El aire la vela, vela.
20 El aire la está velando.

ROMANCE DE LA PENA NEGRA

A José Navarro Pardo.

Las piquetas de los gallos
cavan buscando la aurora,
25 cuando por el monte oscuro
baja Soledad Montoya.
Cobre amarillo su carne,
huele a caballo y a sombra.
Yunques ahumados sus pechos,
30 gimen canciones redondas.
—Soledad, ¿por quién preguntas
sin compaña y a estas horas?
—Pregunte por quien pregunte,
dime: ¿a ti qué se te importa?
35 Vengo a buscar lo que busco,
mi alegría y mi persona.
—Soledad de mis pesares,
caballo que se desboca
al fin encuentra la mar
40 y se lo tragan las olas.

—No me recuerdes el mar,
que la pena negra brota
en las tierras de aceituna
bajo el rumor de las hojas.
—¡Soledad, qué pena tienes!   45
¡Qué pena tan lastimosa!
Lloras zumo de limón
agrio de espera y de boca.
—¡Qué pena tan grande! Corro
mi casa como una loca,   50
mis dos trenzas por el suelo,
de la cocina a la alcoba.
¡Qué pena! Me estoy poniendo
de azabache carne y ropa.
¡Ay, mis camisas de hilo!   55
¡Ay, mis muslos de amapola!
—Soledad, lava tu cuerpo
con agua de las alondras,
y deja tu corazón
en paz, Soledad Montoya.   60

★ ★ ★

Por abajo canta el río;
volante de cielo y hojas.
Con flores de calabaza
la nueva luz se corona.
¡Oh pena de los gitanos!   65
Pena limpia y siempre sola.
¡Oh pena de cauce oculto
y madrugada remota!

Poeta en Nueva York (1929-30)

NORMA Y PARAÍSO DE LOS NEGROS

Odian la sombra del pájaro   70
sobre el pleamar de la blanca mejilla
y el conflicto de luz y viento
en el salón de la nieve fría.

Odian la flecha sin cuerpo,
el pañuelo exacto de la despedida,   75
la aguja que mantiene presión y rosa
en el gramíneo rubor de la sonrisa.

Aman el azul desierto,
las vacilantes expresiones bovinas,
la mentirosa luna de los polos,
la danza curva del agua en la orilla.

5 Con la ciencia del tronco y del rastro
llenan de nervios luminosos la arcilla
y patinan lúbricos por aguas y arenas
gustando la amarga frescura de su milenaria
    saliva.

10 Es por el azul crujiente,
azul sin un gusano ni una huella dormida,
donde los huevos de avestruz quedan eternos
y deambulan intactas las lluvias bailarinas.

Es por el azul sin historia,
15 azul de una noche sin temor de día,
azul donde el desnudo del viento va quebrando
los camellos sonámbulos de las nubes vacías.

Es allí donde sueñan los torsos bajo la gula de
    la hierba.
20 Allí los corales empapan la desesperación de la
    tinta,
los durmientes borran sus perfiles bajo la madeja
    de los caracoles
y queda el hueco de la danza sobre las últimas
25   cenizas.

Llanto por Ignacio Sánchez Mejías
(1935)

LA SANGRE DERRAMADA

¡Que no quiero verla!

Díle a la luna que venga,
que no quiero ver la sangre
30 de Ignacio sobre la arena.

¡Que no quiero verla!

La luna de par en par.
Caballo de nubes quietas,
y la plaza gris del sueño
35 con sauces en las barreras.

¡Que no quiero verla!
Que mi recuerdo se quema.
¡Avisad a los jazmines
con su blancura pequeña!

¡Que no quiero verla!   40

La vaca del viejo mundo
pasaba su triste lengua
sobre un hocico de sangres
derramadas en la arena,
y los toros de Guisando,[1]   45
casi muerte y casi piedra,
mugieron como dos siglos
hartos de pisar la tierra.
No.
¡Que no quiero verla!   50

Por las gradas sube Ignacio
con toda su muerte a cuestas.
Buscaba el amanecer,
y el amanecer no era.
Busca su perfil seguro,   55
y el sueño lo desorienta.
Buscaba su hermoso cuerpo
y encontró su sangre abierta.
¡No me digáis que la vea!
No quiero sentir el chorro   60
cada vez con menos fuerza;
ese chorro que ilumina
los tendidos y se vuelca
sobre la pana y el cuero
de muchedumbre sedienta.   65
¡Quién me grita que me asome!
¡No me digáis que la vea!

No se cerraron sus ojos
cuando vió los cuernos cerca,
pero las madres terribles
levantaron la cabeza.   70
Y a través de las ganaderías,
hubo un aire de voces secretas
que gritaban a toros celestes,
mayorales de pálida niebla.   75

[1] Two stone bulls in Guisando, in Castile.

No hubo príncipe en Sevilla
que comparársele pueda,
ni espada como su espada
ni corazón tan de veras.
5 Como un río de leones
su maravillosa fuerza,
y como un torso de mármol
su dibujada prudencia.
Aire de Roma andaluza
10 le doraba la cabeza
donde su risa era un nardo
de sal y de inteligencia.
¡Qué gran torero en la plaza!
¡Qué gran serrano en la sierra!
15 ¡Qué blando con las espigas!
¡Qué duro con las espuelas!
¡Qué tierno con el rocío!
¡Qué deslumbrante en la feria!
¡Qué tremendo con las últimas
20 banderillas de tiniebla!

Pero ya duerme sin fin.
Ya los musgos y la hierba
abren con dedos seguros
la flor de su calavera.
25 Y su sangre ya viene cantando:
cantando por marismas y praderas,
resbalando por cuernos ateridos,
vacilando sin alma por la niebla,
tropezando con miles de pezuñas
30 como una larga, oscura, triste lengua,
para formar un charco de agonía
junto al Guadalquivir[1] de las estrellas.
¡Oh blanco muro de España!
¡Oh negro toro de pena!
35 ¡Oh sangre dura de Ignacio!
¡Oh ruiseñor de sus venas!
No.
¡Que no quiero verla!
Que no hay cáliz que la contenga,
40 que no hay golondrinas que se la beban,
no hay escarcha de luz que la enfríe,
no hay canto ni diluvio de azucenas,
no hay cristal que la cubra de plata.
No.
45 ¡¡Yo no quiero verla!!

[1] River in Andalusia.

Diván del Tamarit (1936)

GACELA DEL NIÑO MUERTO

Todas las tardes en Granada,
todas las tardes se muere un niño.
Todas las tardes el agua se sienta
a conversar con sus amigos.   50

Los muertos llevan alas de musgo.
El viento nublado y el viento limpio
son dos faisanes que vuelan por las torres
y el día es un muchacho herido.

No quedaba en el aire ni una brizna de   55
     alondra
cuando yo te encontré por las grutas del vino.
No quedaba en la tierra ni una miga de nube
cuando te ahogabas por el río.

Un gigante de agua cayó sobre los montes   60
y el valle fué rodando con perros y con lirios.
Tu cuerpo, con la sombra violeta de mis manos,
era, muerto en la orilla, un arcángel de frío.

CASIDA[2] DEL LLANTO

He cerrado mi balcón   65
porque no quiero oír el llanto,
pero por detrás de los grises muros
no se oye otra cosa que el llanto.

Hay muy pocos ángeles que canten,
hay muy pocos perros que ladren,   70
mil violines caben en la palma de mi mano.

Pero el llanto es un perro inmenso,
el llanto es un ángel inmenso,
el llanto es un violín inmenso,
las lágrimas amordazan al viento,   75
y no se oye otra cosa que al llanto.

[2] *casida* short poem, usually about love, of Arabic
origin.

DÁMASO ALONSO
1898–

*Madrileño, profesor universitario, crítico excelente, autor de magníficos
estudios sobre Góngora, Medrano, San Juan de la Cruz y otros escritores
clásicos y modernos, y maestro indiscutido de filología románica, es, sobre
todo eso y más significativamente, poeta. Los indicios fueron tempranos:*
Poemas puros. Poemillas de la ciudad *son de 1921. Luego un largo
silencio, análogo al que guardó Paul Valéry en Francia durante veinte
años, y en 1944, después de* Oscura noticia, *que sólo oscuramente presagió
lo que venía después, estalló* Hijos de la ira, *expresión de la cólera
refrenada, de la protesta tanto tiempo contenida. El poeta se niega a
cooperar en el coro adormecedor de los líricos ruiseñores que cantan la
herida en el costado, el naufragio del amor o del sueño. Su verso se
encrespa y declara las omisiones culpables, la realidad putrefacta. «Madrid
es una ciudad de más de un millón de cadáveres», grita, y su grito es canto
llano, directo, comunicado en el lenguaje de cada día. El último Caín
contempla el mundo de muertos que le rodea y, apremiado por las sombras,
busca inútilmente un punto en donde refugiarse, huyendo de ellas y de sí
mismo. La soledad de los zarandeados por la vida, de los acosados por la
soledad y el olvido, se refleja en la patética imagen de la mujer con alcuza,
llegada en un tren ciego, a través de la noche larga, y de un túnel que en la
prosa contemporánea tiene su curioso paralelo en el impresionante cuento de
Dürrenmatt.*[1]

[1] Friedrich Dürrenmatt (1921), Swiss author and dramatist.

Hijos de la ira (1944)

INSOMNIO

Madrid es una ciudad de más de un millón de
    cadáveres (según las últimas estadísticas).
A veces en la noche yo me revuelvo y me incor-
5   poro en este nicho en que hace 45 años que
    me pudro,
y paso largas horas oyendo gemir al huracán, o
    ladrar los perros, o fluir blandamente la luz
    de la luna.
10 Y paso largas horas gimiendo como el huracán,
    ladrando como un perro enfurecido, fluyen-
    do como la leche de la ubre caliente de una
    gran vaca amarilla.

Y paso largas horas preguntándole a Dios, pre-
    guntándole por qué se pudre lentamente mi 15
    alma,
por qué se pudren más de un millón de cadá-
    veres en esta ciudad de Madrid,
por qué mil millones de cadáveres se pudren
    lentamente en el mundo.   20
Dime, ¿qué huerto quieres abonar con nuestra
    podredumbre?
¿Temes que se te sequen los grandes rosales del
    día,
las tristes azucenas letales de tus noches?   25

MUJER CON ALCUZA

A Leopoldo Panero.

¿Adónde va esa mujer,
arrastrándose por la acera,
5 ahora que ya es casi de noche,
con la alcuza en la mano?

Acercaos: no nos ve.
Yo no sé qué es más gris,
si el acero frío de sus ojos,
10 si el gris desvaído de ese chal
con el que se envuelve el cuello y la cabeza,
o si el paisaje desolado de su alma.

Va despacio, arrastrando los pies,
desgastando suela, desgastando losa,
15 pero llevada
por un terror
oscuro,
por una voluntad
de esquivar algo horrible.

20 Sí, estamos equivocados.
Esta mujer no avanza por la acera
de esta ciudad,
esta mujer va por un campo yerto,
entre zanjas abiertas, zanjas antiguas, zanjas
25   recientes,
y tristes caballones,
de humana dimensión, de tierra removida,
de tierra
que ya no cabe en el hoyo de donde se sacó,
30 entre abismales pozos sombríos,
y turbias simas súbitas,
llenas de barro y agua fangosa y sudarios hara-
    pientos del color de la desesperanza.

Oh, sí, la conozco.
35 Esta mujer yo la conozco: ha venido en un tren,
en un tren muy largo;
ha viajado durante muchos días
y durante muchas noches:
unas veces nevaba y hacía mucho frío,
40 otras veces lucía el sol y remejía el viento
arbustos juveniles
en los campos en donde incesantemente estallan
    extrañas flores encendidas.

Y ella ha viajado y ha viajado,
mareada por el ruido de la conversación,   45
por el traqueteo de las ruedas
y por el humo, por el olor a nicotina rancia.
¡Oh!:
noches y días,
días y noches,   50
noches y días,
días y noches,
y muchos, muchos días,
y muchas, muchas noches.

Pero el horrible tren ha ido parando   55
en tantas estaciones diferentes,
que ella no sabe con exactitud ni cómo se
    llamaban,
ni los sitios,
ni las épocas.   60

Ella recuerda sólo
que en todas hacía frío,
que en todas estaba oscuro,
y que al partir, al arrancar el tren
ha comprendido siempre   65
cuán bestial es el topetazo de la injusticia abso-
    luta,
ha sentido siempre
una tristeza que era como un ciempiés monstruo-
    so que le colgara de la mejilla,   70
como si con el arrancar del tren le arrancaran el
    alma,
como si con el arrancar del tren le arrancaran
    innumerables margaritas, blancas cual su
    alegría infantil en la fiesta del pueblo,   75
como si le arrancaran los días azules, el gozo de
    amar a Dios y esa voluntad de minutos en
    sucesión que llamamos vivir.
Pero las lúgubres estaciones se alejaban,
y ella se asomaba frenética a las ventanillas,   80
gritando y retorciéndose,
sólo
para ver alejarse en la infinita llanura
eso, una solitaria estación,
un lugar señalado en las tres dimensiones del   85
    gran espacio cósmico
por una cruz
bajo las estrellas.

Y por fin se ha dormido,
sí, ha dormitado en la sombra,
arrullada por un fondo de lejanas conversaciones,
5 por gritos ahogados y empañadas risas,
como de gentes que hablaran a través de mantas
bien espesas,
sólo rasgadas de improviso
por lloros de niños que se despiertan mojados a
10 la media noche,
o por cortantes chillidos de mozas a las que en
los túneles les pellizcan las nalgas,
. . . aún mareada por el humo del tabaco.

Y ha viajado noches y días,
15 sí, muchos días,
y muchas noches.
Siempre parando en estaciones diferentes,
siempre con un ansia turbia, de bajar ella también, de quedarse ella también,
20 ay,
para siempre partir de nuevo con el alma
desgarrada,
para siempre dormitar de nuevo en trayectos
inacabables.

25 . . . No ha sabido cómo.
Su sueño era cada vez más profundo,
iban cesando,
casi habían cesado por fin los ruidos a su alrededor:
30 sólo alguna vez una risa como un puñal que
brilla un instante en las sombras,
algún chillido como un limón agrio que pone
amarilla un momento la noche.
Y luego nada.
35 Sólo la velocidad,
sólo el traqueteo de maderas y hierro
del tren,
sólo el ruido del tren.

Y esta mujer se ha despertado en la noche,
40 y estaba sola,
y ha mirado a su alrededor,
y estaba sola,
y ha comenzado a correr por los pasillos del
tren,
de un vagón a otro,   45
y estaba sola,
y ha buscado al revisor, a los mozos del tren,
a algún empleado,
a algún mendigo que viajara oculto bajo un
asiento,   50
y estaba sola,
y ha gritado en la oscuridad,
y estaba sola,
y ha preguntado en la oscuridad,
y estaba sola,   55
y ha preguntado
quién conducía,
quién movía aquel horrible tren.
Y no le ha contestado nadie,
porque estaba sola,   60
porque estaba sola.
Y ha seguido días y días,
loca, frenética,
en el enorme tren vacío,
donde no va nadie,   65
que no conduce nadie.

. . . Y ésa es la terrible,
la estúpida fuerza sin pupilas,
que aún hace que esa mujer
avance por la acera,   70
desgastando la suela de sus viejos zapatones,
desgastando las losas,
entre zanjas abiertas a un lado y otro,
entre caballones de tierra,
de dos metros de longitud,   75
con ese tamaño preciso
de nuestra ternura de cuerpos humanos.
Ah, por eso esa mujer avanza (en la mano, como
el atributo de una semidiosa, su alcuza),
abriendo con amor el aire, abriéndolo con deli- 80
cadeza exquisita,
como si caminara surcando un trigal en granazón,
sí, como si fuera surcando un mar de cruces, o
un bosque de cruces, o una nebulosa[1] de 85
cruces,
de cercanas cruces,
de cruces lejanas.

[1] *nebulosa* nebula, a kind of celestial structure of
diverse forms and extreme tenuity.

Ella,
en este crepúsculo que cada vez se ensombrece
    más,
se inclina,
5 va curvada como un signo de interrogación,
con la espina dorsal arqueada
sobre el suelo.
¿Es que se asoma por el marco de su propio
    cuerpo de madera,
10 como si se asomara por la ventanilla
de un tren,
al ver alejarse la estación anónima
en que se debía haber quedado?
¿Es que le pesan, es que le cuelgan del cerebro
15 sus recuerdos de tierra en putrefacción,
y se le tensan tirantes cables invisibles
desde sus tumbas diseminadas?
¿O es que como esos almendros
que en el verano estuvieron cargados de dema-
20   siada fruta,
conserva aún en el invierno el tierno vicio,
guarda aún el dulce álabe
de la cargazón y de la compañía,
en sus tristes ramas desnudas, donde ya ni se
25   posan los pájaros?

Hombre y Dios (1955)

LA SANGRE

He viajado por la mitad del mundo.
Desde el avión miraba, insaciable, el mar, la
    tierra.

30 Sólo veía sangre derramada.

Y yo me preguntaba, ¿cómo?, ¿por qué?,
y quería descender, palpar aquella manta roja,
convencerme de que (quizá) no era sangre
(tal vez un meteoro
35 desconocido).

Pero no, que era sangre, sangre, sangre.
Yo gritaba aterrado,
yo quería parar el frío pájaro de níquel gris sin
    alma,
y me retorcía, impotente,   40
colgado allá en la altura,
entre compañeros de viaje que leían su «Life»
y pilotos albinos que no me comprendían.

Hay que bajar, hay que bajar: peligro.
Inmensos Amazonas vierten sangre en los 45
    mares.
Grandes ríos satélites hinchen de roja espuma
    hirvientes Amazonas.
Sutiles riachuelos escarlata avanzan sigilosos
    (como termómetros febriles) sobre los 50
    torvos ríos.
Violáceas torrenteras humeantes rugen y se
    descuelgan buscando riachuelos donde
    aplacar su ira.
Sangre, sangre,   55
inmensa red de sangre riega el mundo.
¿Dónde sus fuentes? Quiero ver las fuentes.

Señores, paren, paren: hay que bajar.
Hay que bajar, ahora mismo.
Porque hay sangre por todo el mundo, 60
y yo necesito saber quién vierte la sangre,
y por qué se vierte y en nombre de qué se vierte.

Dame, oh gran Dios, los ojos de tu justicia.
Porque en el mundo reina la injusticia.
Tú no creaste la injusticia. Alguien ha creado la 65
    injusticia.
Alguien es el injusto, y yo necesito verle la cara
    al injusto.
Porque hay mentira y quiero ver sus fuentes
    ocres.   70
Ojos míos, alerta, alerta:
yo quiero ver qué brazos ahogan la justicia de
    Dios, qué bocas retuercen su verdad.

VICENTE ALEIXANDRE
1898–

*Andaluz trasplantado a Castilla, como tantos otros, pero sin andalucismo
exterior. Sus paisajes van por dentro. A la vanguardia de la vanguardia,
puso el corazón a una carta, comprometiéndose totalmente. Es el poeta
del amor, un rómantico inequívoco, un hijo del siglo que se siente privado
del paraíso.* La destrucción o el amor (*1935*) *declara, desde el título, una
equivalencia en la metáfora, y con ella la creencia en la pasión-llama, en
el amor-dolor. Los mitos eternos reaparecen en su poesía, y el amor es des-
tructor y el mundo destierro y el hombre sombra que lucha por salvarse en
la canción:* Sombra del paraíso (*1944*).

*Y lógicamente, este intenso soñador tenía que buscar la respuesta en
donde tantos, antes que él, la buscaron: en el descenso a los infiernos, en el
subterráneo donde relumbran toscamente las pasiones esquivas. El infierno se
titula subconsciente, y el guía no se llama Virgilio, ni Orfeo, sino Rimbaud
(pero el cambio de nombre no supone cambio de identidad). Y al viajero se
le dice surrealista, pues bajo la corteza de la realidad, más allá de lo
racional, en los abismos del sueño, quiere descubrir el secreto de la vida y
de la muerte. De esta inmersión en lo oscuro regresó Aleixandre enriquecido, misterioso y lúcido a la vez. Sus poemas, como ríos, rodean lentamente,
inexorablemente al lector, y le hacen sentir cuánta fuerza, cuánta vitalidad
chisporrotea bajo la tersa superficie de la palabra.* Historia del corazón
(*1954*) *resume lo esencial de una confidencia, la crónica de un viaje por los
caminos interiores. El protagonista del drama es ahora el hombre y la
aventura desemboca en el reconocimiento de que se vive con y para los otros.*

Sombra del paraíso (1944)

SIERPE DE AMOR

Pero ¿a quién amas, dime?
Tendida en la espesura,
entre los pájaros silvestres, entre las frondas
5   vivas,
rameado tu cuerpo de luces deslumbrantes,
dime a quién amas, indiferente, hermosa,
bañada en vientos amarillos del día.

Si a tu lado deslizo
10 mi oscura sombra larga que te desea;
si sobre las hojas en que reposas yo me arrastro,
    crujiendo

levemente tentador y te espío,
no amenazan tu oído mis sibilantes voces,
porque perdí el hechizo que mis besos tuvieran. 15

El lóbulo rosado donde con diente pérfido
mi marfil incrustara tropical en tu siesta,
no mataría nunca, aunque diera mi vida
al morder dulcemente sólo un sueño de carne.

Unas palabras blandas de amor, no mi saliva, 20
no mi verde veneno de la selva, en tu oído
vertería, desnuda imagen, diosa que regalas tu
    cuerpo
a la luz, a la gloria fulgurante del bosque.

Entre tus pechos vivos levemente mi forma
deslizaría su beso sin fin, como una lengua,
cuerpo mío infinito de amor que día a día
mi vida entera en tu piel consumara.

5   Erguido levemente sobre tu seno mismo,
mecido, ebrio en la música secreta de tu aliento,
yo miraría tu boca luciente en la espesura,
tu mejilla solar que vida ofrece
y el secreto tan leve de tu pupila oculta
10 en la luz, en la sombra, en tu párpado intacto.

Yo no sé qué amenaza de lumbre hay en la
      frente,
cruje en tu cabellera rompiente de resoles,
y vibra y aun restalla en los aires, como un eco
15 de ti toda hermosísima, halo de luz que mata.

Si pico aquí, si hiendo mi deseo, si en tus labios
penetro, una gota caliente
brotará en su tersura, y mi sangre agolpada en
      mi boca,
20 querrá beber, brillar de rubí duro,
bañada en ti, sangre hermosísima, sangre de flor
      turgente,
fuego que me consume centelleante y me aplaca
la dura sed de tus brillos gloriosos.

25 Boca con boca dudo si la vida es el aire
o es la sangre. Boca con boca muero,
respirando tu llama que me destruye.
Boca con boca siento que hecho luz me deshago,
hecho lumbre que en el aire fulgura.

30   MUERTE EN EL PARAÍSO

¿Era acaso a mis ojos el clamor de la selva,
selva de amor resonando en los fuegos
del crepúsculo
lo que a mí se dolía con su voz casi humana?

35 ¡Ah, no! ¿Qué pecho desnudo, qué tibia carne
      casi celeste,
qué luz herida por la sangre emitía
su cristalino arrullo de una boca entreabierta,
trémula todavía de un gran beso intocado?

Un suave resplandor entre las ramas latía   40
como perdiendo luz, y sus dulces quejidos
tenuamente surtían de un pecho transparente.
¿Qué leve forma agotada, qué ardido calor
      humano
me dió su turbia confusión de colores   45
para mis ojos, en un póstumo resplandor
      intangible,
gema de luz perdiendo sus palabras de dicha?

Inclinado sobre aquel cuerpo desnudo,
sin osar adorar con mi boca su esencia,   50
cerré mis ojos deslumbrados por un ocaso de
      sangre,
de luz, de amor, de soledad, de fuego.

Rendidamente tenté su frente de mármol
coloreado, como un cielo extinguiéndose.   55
Apliqué mis dedos sobre sus ojos abatidos
y aún acerqué a su rostro mi boca, porque
      acaso
de unos labios brillantes aún otra luz bebiese.

Sólo un sueño de vida sentí contra los labios   60
ya ponientes, un sueño de luz crepitante,
un amor que, aún caliente,
en mi boca abrasaba mi sed, sin darme vida.

Bebí, chupé, clamé. Un pecho exhausto,
quieto cofre de sol, desvariaba   65
interiormente sólo de resplandores dulces.
Y puesto mi pecho sobre el suyo, grité, llamé,
      deliré,
agité mi cuerpo, estrechando en mi seno sólo un
      cielo estrellado.   70

¡Oh dura noche fría! El cuerpo de mi amante,
tendido, parpadeaba, titilaba en mis brazos.
Avaramente contra mí ceñido todo,
sentí la gran bóveda oscura de su forma lucien-
      te,   75
y si besé su muerto azul, su esquivo amor,
sentí su cabeza estrellada sobre mi hombro aún
      fulgir
y darme su reciente, encendida soledad de la
      noche.   80

Historia del corazón (1954)

MANO ENTREGADA

Pero otro día toco tu mano. Mano tibia.
Tu delicada mano silente. A veces cierro
mis ojos y toco leve tu mano, leve toque
5 que comprueba su forma, que tienta
su estructura, sintiendo bajo la piel alada el duro
          hueso
insobornable, el triste hueso adonde no llega
          nunca
10 el amor. Oh carne dulce, que sí se empapa del
          amor hermoso.

Es por la piel secreta, secretamente abierta,
          invisiblemente entreabierta,
por donde el calor tibio propaga su voz, su
15   afán dulce;
por donde mi voz penetra hasta tus venas
          tibias,
para rodar por ellas en tu escondida sangre,
como otra sangre que sonara oscura, que dulce-
20   mente oscura te besara

por dentro, recorriendo despacio como sonido
          puro
ese cuerpo, que ahora resuena mío, mío poblado
          de mis voces profundas,
oh resonado cuerpo de mi amor, oh poseído 25
          cuerpo, oh cuerpo sólo sonido de mi voz
          poseyéndole.

Por eso, cuando acaricio tu mano, sé que sólo el
          hueso rehusa
mi amor—el nunca incandescente hueso del 30
          hombre—.
Y que una zona triste de tu ser se rehusa,
mientras tu carne entera llega un instante lúcido
en que total flamea, por virtud de ese lento
          contacto de tu mano,   35
de tu porosa mano suavísima que gime,
tu delicada mano silente, por donde entro
despacio, despacísimo, secretamente en tu vida,
hasta tus venas hondas totales donde bogo,
donde te pueblo y canto completo entre tu 40
          carne.

EMILIO PRADOS
1899–1962

Andaluz, hombre de mar abierto y jardín cerrado. Corriente incesante de divagación interior, de pregunta y respuesta, de lírico sonambulismo, caminante en el sueño, en la costumbre de interrogar al habitante de su cuerpo y al elusivo otro de su monodiálogo. Su poesía, su río natural, es el intento de capturar en palabras ese fluir ininterrumpido, y casi podría decirse que desde el principio hasta el fin constituye un poema único, el poema de nunca acabar donde el gran tema se remansa unas veces, para prolongarse otras en previsibles variaciones.

Sus recuerdos—y desde muy joven vivió de ellos—venían de lejos: de otro mundo, en el que vivió antes de nacer a esta existencia terrenal dedicada a reconstruir los vestigios de aquélla. El poema inacabable había de quedar inacabado, pues las melodías llegaban diluídas, apagadas por la distancia, y no era posible reconstruirlas íntegramente. Intentó transfigurar lo invisible, dándole forma en que los ojos pudieran reconocer cómo era su extraña esencia. Desterrado por la guerra civil, le dió al destierro la imagen temporal que mejor convenía a su ser de exilado permanente, de albatros herido sobre la cubierta del barco inmóvil que le llevó de regreso al jardín lejano donde la música sonaba. Dictó su testamento al viento y lo tituló, paradójicamente, La piedra escrita (1961).

Cuerpo perseguido (1928)

«YO NO SÉ SI ESTA MANO . . .

Yo no sé si esta mano
que ahora va por mi frente
como una esponja en la memoria,
5 va por mí y es mi mano
o está cruzando el cielo
o va por los espejos
sin fuerza ni albedrío.
¿Por qué umbral de mi frente
10 ha nacido al crepúsculo?
¿Es que mi cuerpo enciende
su dintel bajo el sueño? . . .
Porque busco mis párpados
y no encuentro sus puertas
15 y todo está cruzando
como una sola sombra.
¿Acaso esté sonámbulo?
¿Quizás aún no he nacido

y esté precisamente
20 naciendo de mi mano?
Yo ya no sé si el mundo
vivirá por su ausencia,
ni si la estrella roba
su carne por mis ojos . . .
25 Ya no sé si la aurora,
la fuente o la tristeza
son mi cuerpo en mi mano,
mi soledad o el agua . . .

Jardín cerrado (1946)

RINCÓN DE LA SANGRE

Tan chico el almoraduj
30 y . . . ¡cómo huele!
Tan chico.

536

De noche, bajo el lucero,
tan chico el almoraduj
y, ¡cómo huele!

Y . . . cuando en la tarde llueve,
5 ¡cómo huele!

Y cuando levanta el sol,
tan chico el almoraduj
¡cómo huele!

Y, ahora, que del sueño vivo
10 ¡cómo huele,
tan chico, el almoraduj!

¡Cómo duele!
Tan chico.

Río natural (1953)

SUEÑO Y CANCIÓN

15 Así me voy caminando:
yo delante y yo detrás.

Si me miro por la espalda
pienso: ¡nada estoy andando!
Entro de prisa en mi espalda
20 y me pierdo . . .
            —¿En dónde estás?,
pregunto en mí.
            Y al callar,
como un espejo en voz baja,
25 me repite:
            «¿En dónde estás?» . . .

Alzo los ojos.
            (Despacio,
otra vez voy caminando
30 delante de mí.)
            Detrás,
también voy yo, sin espalda.

Y otra vez me cruzo y canto:
¿Este cuerpo, será umbral
35 del cielo que estoy buscando? . . .

Delante de mí, mi voz
duerme en mi espalda soñando.

Mi voz sueña que es mi voz,
soñando que he despertado.

¡Canción soy! ¡Canción he sido!   40
¡Y para ser canción vivo!

RUMOR DE ESPEJOS

El cuerpo en que yo vivía
nunca supo de mi cuerpo.
Nada preguntó por él   45
y de mí salió sin verlo.

Llegó a una fuente. En sus aguas
vio la flor azul del cielo:
—Di: ¿cómo te llamas, flor? . . .
—Nombre soy de tu silencio.   50

Nada entendió. Subió al monte
de la soledad. El viento,
se desnudaba en la cumbre
de Dios, todo su misterio.

—Di, viento: ¿cuál es tu nombre? . . .   55
—Nombre soy de tu silencio.
Y dos águilas volaron
resbalando, hasta mi sueño.

Siguió mi cuerpo tras ellas
olvidándose en su vuelo   60
a sí mismo y, nuevamente
entró en mí, sin yo saberlo.

¿Y está en mí?
            (Busco su nombre;
pero al buscarlo, me pierdo   65
dentro del mundo que trajo
mi cuerpo hasta mi silencio.)

«¿Lleno de ti mismo estás
y buscas nombre a tu cuerpo?»,
siento que un rumor me canta,   70
quebrando en mí dos reflejos.

Llamo en él y en él estoy.
Salgo de mí y en él entro . . .
¡Aún no conozco mi nombre,
pero sé que lo navego!   75

GUILLERMO DE TORRE

1900–

Es el crítico de su generación; el más interesado en las literaturas
extranjeras y el mejor informado de las tendencias que se dieron de alta en
ellas. Su erudición es extraordinaria y su gusto seguro. Fue primero el
vigía que advirtió la cercanía de las tierras incógnitas, luego el explorador
que las recorre y registra su flora y su fauna. Escribió el manifiesto del
ultraísmo y el libro más significativo de este movimiento: Hélices (*1923*).
Dos años después publicó Literaturas europeas de vanguardia, *reseña fiel*
de los experimentos literarios entonces en marcha. Fué crítico de El Sol *y*
secretario de La Gaceta literaria, *en Madrid; colaborador asiduo de* La
Nación *y secretario de* Sur, *en Buenos Aires, donde se instaló en 1928.*
Su crítica, fiel a las realidades y a los textos, es esencialmente
autobiográfica, y no solamente por haber sido partícipe en algunos de los
movimientos artísticos y literarios estudiados por él, sino porque su visión
de unos y otros, en vez de aspirar a una inalcanzable objetividad, tiende a
explicar su actitud personal y a justificarla.

Torre se interesa sobre todo en obras que le son afines, en creaciones
donde encuentra el pulso de una época a la que se sabe ligado, a la que se
halla adscrito. Algunos de sus ensayos son excelentes síntesis de temas y
problemas siempre interesantes, pero ahora más cargados de pasión vital
que nunca. Problemática de la literatura (*1951*) *fué escrito para*
restaurar la dignidad de la crítica (y de la razón) frente a las fuerzas
oscuras que, planeando sobre la literatura y el arte, proyectan sombra
hostil en la vida entera del hombre. En Las metamorfosis de Proteo (*1956*)
explicó cómo el crítico deberá ser capaz de mutación acercándose a obras y
autores partiendo de los supuestos en que aquéllas fueron escritas y de las
actitudes vitales de éstos. No por casualidad una extensa antología de su
obra total lleva el significativo título de La aventura estética de nuestra
edad (*1962*), *pues nadie la conoce mejor y nadie la cantó con más*
exactitud y pormenor más preciso.

La aventura y el orden (1943)

LA AVENTURA Y EL ORDEN

Je juge cette longue querelle de la tradition et de l'invention
De l'ordre et de l'aventure

★ ★ ★ ★ ★

Soyez indulgents quand vous nous comparez
A ceux qui furent la perfection de l'ordre
Nous qui quêtons partout l'aventure
Nous ne sommes pas vos ennemis
Nous voulons vous donner de vastes et d'étranges domaines
Où le mystère en fleur s'offre à celui qui veut le cueillir[2]

GUILLAUME APOLLINAIRE: *Calligrammes*

La aventura.

El orden.

En estos dos términos se me antoja ver representados los dos extremos polares de la línea
5 evolutiva trazada por el espíritu innovador durante los últimos lustros, en el lapso interbélico. Línea no recta ni enteriza: curvilínea, en zigzag más bien, ya que el diagrama ideal de su trayectoria se muestra ondulante y aun confuso,
10 ofreciendo a trechos quebraduras que parecen retrocesos.

Declararlo así, aceptar tales fluctuaciones, no equivale—en mi caso—a renegar de nada. Es sólo reconocer paladinamente que el espíritu
15 literario y artístico de una época—por aventurero que nos parezca o que pretendamos tornarlo—no sigue una progresión constante e ininterrumpida. Merced a ello consigue diferenciarse netamente—por su fortuna y para nuestra
20 amenidad—del espíritu científico, el cual sólo admite la línea del progreso continuo, según observó Huizinga.[1] Tan fundamental estimo esta singularidad, que si el curso de uno a otro extremo en la línea antedicha—de la aventura al
25 orden o viceversa—no ofreciera tales saltos o irregularidades, sobrarían nuestros afanes, serían superfluos todos los esclarecimientos criticistas. Aun más: si la literatura y el arte se desen-

volvieran sometidos a un ritmo fijo, predeterminado, en sus evoluciones e involuciones, 30 perderían así una buena parte, la esencial, de su hechizo: ese halo de sorpresa, imprevisión y aventura que imanta e incita a los mejores.

El espíritu de aventura es el espíritu creador por antonomasia.[3] Representa el insaciable afán 35 de virginidad, descubrimiento y variedad que existe en toda alma humana con auténtica vocación descubridora. Es la apetencia ilimitada y matinalmente renovada de un cotidiano rasgamiento auroral que se quisiera impar. Paul 40 Valéry lo entrevió en una fulguración momentánea; aunque luego, asustado quizás ante su resplandor, daba otra derivación a la idea. He aquí expuesto lo esencial, con sus subrayados originales: «Hay en el espíritu yo no sé qué 45

---

[1] Dutch historian (1872–1945).

[2] (*Fr.*) I judge this long quarrel between tradition and
invention
Between order and adventure

★ ★ ★ ★ ★

Be indulgent when you compare us
To those who were the perfection of order.
We who search everywhere for adventure
We are not your enemies.
We wish to give you vast and strange domains.
Where the flowering mystery offers itself to
whomever wishes to gather it

Apollinaire—French poet (1880–1918).

[3] *antonomasia* See Jiménez, note 4, p. 391.

horror (iba a decir *fobia*) *de la repetición. Lo que se repite en nosotros jamás pertenece al propio espíritu.* El espíritu tiende a no repetirse jamás; repugna la reiteración, aunque le acontezca repetirse accidentalmente.»

La aspiración a la originalidad en el arte es de jerarquía tan alta, de esencia tan profunda como el anhelo de absoluto en los místicos. El máximo artista creador de nuestra época, ese «raro ingenio sin segundo»—por decirlo con las palabras que le cuadran, las de Cervantes sobre Góngora—que se llama Picasso, ha expresado así este afán ilimitado: «Yo quisiera que el hombre no pudiera repetirse. Repetirse es ir contra las leyes del espíritu, contra su fuga hacia adelante.»[1]

La aventura es, pues, apetito insaciable de novedad—al menos de repristinización[2]—. No será el único elemento del arte, pero sí uno de sus factores irreemplazables. Baudelaire, sin dejarse arrollar por la ola retrospectiva del espíritu romántico, se atrevía ya a considerar la modernidad, como la mitad del arte. «La modernidad —escribía en *Curiosités esthétiques*—es lo transitorio, lo fugitivo, lo contingente, la mitad del arte, cuya otra mitad es lo eterno y lo inmutable»; y agregaba: «No tenéis derecho a despreciar o a prescindir de este elemento transitorio, fugitivo, cuyas metamorfosis son tan frecuentes. Suprimiéndolo caeréis forzosamente en el vacío de una belleza abstracta e indefinible, como la de la única mujer antes del primer pecado.» Y años más tarde, en un trozo suelto (*Oeuvres posthumes*) remachaba la misma idea: «La irregularidad, es decir, lo inesperado, la *sorpresa*, el asombro, es una parte esencial y característica de la belleza.» Líricamente fue más allá, sin dejarse intimidar tampoco por ninguna sombra, ya que nada le importaba hundirse en el fondo del abismo, infierno o cielo, con tal de encontrar lo *nuevo*, subrayándolo. «*Au fond de l'Inconnu pour trouver du nouveau*»[3] es el

verso famoso—no por repetido menos fragante—que cierra, con intención de último testamento, «Le voyage», su poema quizá más patético, aquél en que canta la avidez y la desilusión del viaje, y con el cual concluye *Les fleurs du mal*.

Después, el teorizante por antonomasia del simbolismo, Rémy de Gourmont, insistía en el citado concepto baudeleriano, subrayándolo con más vehemencia. «Uno de los elementos del arte —se lee en *Le chemin de velours*—es lo nuevo, elemento tan esencial que casi constituye por sí solo el arte entero; tan esencial que sin él, como acontecería con un vertebrado sin vértebras, el arte se desmorona y se licúa en una gelatina de medusa, como la que el reflujo abandona sobre la arena.» Y en nuestros días, Ramón Gómez de la Serna proclamaba (en *Ismos*) que «el deber de lo nuevo es el principal deber de todo artista creador». Y para remachar esta idea sugería: «nada como repetir lo *nuevo* tantas veces como los Bancos repiten su nombre en los cupones».

¿Significa esto predicar la apología de lo fugitivo, dar la primacía a lo perecedero? No; es sólo contar con tal elemento como algo inclinable y fatal, que en última instancia no puede rehuirse, y de cuya íntima trama muchas veces surge lo permanente. Siempre he recordado aquel soneto de Quevedo que comienza:

Buscas en Roma a Roma, ¡oh peregrino!

y concluye así:

¡Oh Roma!; en tu grandeza, en tu hermosura,
huyó lo que era firme, y solamente
lo fugitivo permanece y dura . . .

Sentencia que Unamuno (*La ciudad de Henoc*) apostillaba: «Permanece y dura lo fugitivo, lo huidero; se queda lo que pasa. Lo que fluye, como un río y un soneto vivo, se asienta. El Tíber parece durar más que las ruinas de Roma . . . Los ríos, con altos y bajos, siguen espejando en su cauce, ruinas. El agua pasa, la imagen queda.»

Lo nuevo . . . Parecía que esta marcha instintiva del espíritu hacia metas cada época, cada

---

[1] Author's note: "En unas declaraciones a Christian Zervos, *Cahiers d'Art*, Paris, 1935."

[2] Return to origins.

[3] (*Fr.*) To the depths of the Unknown in order to find something new.

día, diferentes no debiera haber sufrido desánimo ni interrupciones. Y sin embargo ... ¿por qué junto a esa corriente natural, contradiciendo el ímpetu fresco de comenzar, surge desde antiguo la corriente adversa de continuación o retorno?

Quizá la culpa—por llamarla así y excusándome por lo que el término tenga de blasfematorio en este caso—arranque del Renacimiento. Es curioso, haya sido o no observado. Cuando el mundo, en rigor, comienza a vivir con plenitud, cuando sus fronteras se ensanchan y las mentes se manumiten, acontece paradójicamente que el arte y la literatura en vez de extraer su lección y su inspiración del nuevo dintorno,[1] aplícanse a desentrañarlas del pasado. No asombrará demasiado este concepto del cuatrocientos si se recapacita que el espíritu del Renacimiento, junto a su resplandor individualista y su fuga dionisíaca, fue también, o ante todo, en lo literario y estético, una recaída historicista, una empresa de anticuarios y arqueólogos. En vez de fraguar nuevos mitos, resucita la mitología antigua. En lugar de inventar sus modelos estilísticos, apela a los grecolatinos. El Renacimiento vino así a glorificar la imitación. De ahí que en la confusión de conceptos luego desencadenada, y al identificarse, en ciertos aspectos, su idea con el del arte clásico, éste suponga, en sus raíces últimas, la invitación al plagio. No se olvide, por otra parte, que el humanismo intelectual fue originariamente erudición y coleccionismo, y por ello academicismo.

¿Que esta reviviscencia era fatal—en el sentido de necesaria—históricamente y que nos ha legado tesoros de obras preclaras, inmarcesibles? Sin duda. Pero visto en el plano absoluto de las exigencias del espíritu ¿acaso el renacentismo no equivale a una vuelta atrás? Aun más: ¿acaso en el entusiasmo que habitualmente suscita tal época no se reflejará esa pereza, esa tendencia a vivir del pretérito, a escapar por la línea del menor esfuerzo, condición fatal del artista medio? Mas ya hay síntomas de rectificación: ya se osa advertir que el carácter negativo del Renacimiento es más acusado que el positivo y que aquel movimiento, en suma, vino a reemplazar las leyes de la creación por las leyes de la imitación.

Ello no quiere decir que el paso atrás en el tiempo no pueda ser también fructífero. Como que, en puridad, sólo hay dos maneras esenciales de innovar. Merced a su aplicación simultánea o alternada, el espíritu literario creador logra vencer, en la noche de cada época, la mueca del cansancio histórico, retrotrayéndose, más o menos ilusoriamente, a una especie de *status nascendi*.[2] Una de esas maneras consiste en lanzarse aguerrida, temerariamente, hacia lo desconocido, cara al espacio virgen, rompiendo todas las amarras tradicionales, después de haber decretado la abolición de la memoria, ambicionando un neomorfismo[3] total. La segunda se realiza en la actitud opuesta: alzándose con radical negativismo frente a lo inmediatamente anterior y yendo a buscar lo nuevo, con una violenta torsión de retorno a los modelos olvidados, hacia las ocultas fuentes. Las realizaciones felices del primitivismo—caso frecuente en las artes plásticas—lo demuestran. Y, en rigor, la vuelta al orden por ese largo camino, crea el único orden que me parece válido. Lo demás, el plegarse dócilmente y sin discriminación a las normas heredadas, es tradición barata, es conformismo perezoso.

Luego hay un hecho evidente que atempera nuestra predilección personal y nos impide caer en el descrédito de la hipérbole: la aventura no es todo. Sostener apasionadamente lo contrario equivaldría a situarse en un plano semejante —por antitético—al de quienes sostienen que el orden es el único elemento fundamental, que fuera de la tradición no hay nada. Sería incurrir en sofismas de pretensión aforística, como el de cierto glosador pertinaz que en España nos asediaba, día tras día, con la monótona cantilena: «En arte, fuera de la tradición, sólo hay aprendices y plagiarios.» Parodiaba, así, desnaturalizándolo en beneficio de su política, un modelo

---

[1] *dintorno* environment.

[2] (*Lat.*) status of birth.

[3] *neomorfismo* change of forms.

que no citaba nunca, esta frase atinadísima de
Gauguin:[1] «En arte solamente hay revolucionarios y plagiarios.»

No obstante, fuera difícil—al menos por mi
parte—explanar suasoriamente las razones del
concepto adverso, los motivos del orden. En
puridad este último—sin incurrir en recurso
maniqueo—sólo existe, como la sombra por la
luz, en función de la aventura. Y en este punto
las definiciones por antítesis se precipitan solas.
Si la aventura es mocedad, el orden será madurez, cuando no senectud. Si la aventura corresponde a las generaciones innovadoras, a las
épocas eliminatorias y polémicas, el orden será
propio de las generaciones pasivas, de las épocas
acumulativas—empleando la exacta terminología
orteguiana en *El tema de nuestro tiempo*—, de
aquéllas que se limitan a vegetar con el caudal
adquirido por sus ascendientes más arriscados.
Si la aventura es modernidad, el orden será
tradición. Si la primera suele llamarse en la
historia romanticismo—con las desinencias propias de cada época—la segunda cuaja siempre en
el mismo título: clasicismo.

¿Antítesis fácil, correspondencia demasiado
prevista esta última? No tanto, si llegamos al
punto en que pretendiendo superar la oposición
dialéctica entre ambos términos, lo sitúa Herbert
Read.[2] Este, a propósito del superrealismo re-
considera a una nueva luz los conceptos de
clasicismo y romanticismo. Refutando a otro
crítico inglés, Herbert Grierson,[3] quien había
afirmado: «lo clásico y lo romántico son la sístole
y la diástole[4] del corazón humano en la historia»,
Read lo declara un sofisma por medio del cual
dos términos son concebidos como dialéctica-
mente opuestos, cuando en realidad sólo representan tipos de acción y reacción. «Clásico» y
«romántico»—según él—no personifican ninguna contradicción; son meramente la cáscara y
la almendra. «Hay un principio de vida—escribe
Herbert Read—y es el espíritu romántico; hay

un principio de orden, de medida, de represión,
y es el espíritu clásico.» Pero, si al negar la
antítesis, aniquila así la posibilidad de toda
síntesis, es porque sus argumentaciones últimas
apuntan hacia una meta revolucionaria. Por eso
identifica expeditivamente el clasicismo con las
fuerzas de la opresión. «Clasicismo—afirma ya
en la pendiente política—es la dúplica intelectual de la tiranía política. Lo fué en el mundo
antiguo y en los imperios medievales; fué resucitado para expresar las dictaduras del Renacimiento y ha sido desde entonces el credo oficial
del capitalismo . . .» Pendiente tendenciosa,
como se advertirá, y a la que no accederemos a
seguirle.

Tal es el riesgo de atribuir cualidades cerradas
a conceptos tan abiertos y susceptibles de ser tan
inversamente interpretados como éstos de clasicismo y romanticismo. Pueden llegar a derivarse
así equiparaciones no menos caprichosas que
infinitas. Y con todo, la menos arbitraria quizá
sea aquélla que parece más paradójica: si el
romanticismo es nostalgia—dijo Ortega—el
clasicismo será actualidad. Y la intuición teórica
de un lírico—Juan Ramón Jiménez—viene a definir lo clásico únicamente como lo vivo. Por eso
se equivocan radicalmente quienes juzgan
valores antitéticos lo bello y lo actual—así
Julien Benda[5] en un agudo diálogo.[6] En el fondo
de sus desdenes hacia el tiempo no hay tanto
una pura ambición clasicista cuanto un afán impúdico de eternidad—equiparable a la impudicia
de los honores en vida. El espejismo clasicista,
el deslumbramiento del único «ismo» prestigioso
por antonomasia y para la mayoría, puede crear
esta rara fauna, estos «fanfarrones de eternidad»,
según la frase del mismo Benda. Pero la antítesis
entre lo bello y lo actual es un encandilamiento
sofístico.

Quizá no fuera superfluo deshacer, aunque
someramente, mas de una vez para siempre, el
equívoco que habitualmente entraña la noción
del clasicismo. Su significado real, en un sentido

[1] French painter (1848–1903).
[2] English critic and poet (1893).
[3] Grierson (1886–1960).
[4] *sístole . . . diástole* rhythmical expansion and contrac-
tion.

[5] French critic (1867–1950).
[6] *Cléanthis ou du beau et de l'actuel* (Paris: Grasset,
1928).

estricto, es harto más limitado de lo que generalmente se estima. Ante todo, la designación de «clásico», rectamente aplicada, debiera significar un mero límite temporal más que un juicio de
5 valor. Y ese límite tiene originariamente como topes efectivos un lapso y un espacio geográfico muy reducidos. Como que no excede—si hacemos caso a Henri Peyre[1]—de la literatura francesa y del grupo de escritores comprendidos
10 entre 1660 y 1685. Y aun pudiera condensarse en un solo nombre: Racine. Lo que acontece es que el imperialismo ejercido en los últimos siglos por esa literatura contagió de reflejos miméticos, en la manera de valorar, a otras literaturas con otros
15 ideales de perfección muy distintos del raciniano. Con razón y honradamente André Gide[2] ha llegado a advertir que el clasicismo es una invención francesa y que en realidad los grandes autores de otras literaturas prescinden de esa
20 etiqueta. Pero, agregaba, «se honra hoy tanto el término clásico cargándole de tal sentido, que poco falta para que no se llame clásica a toda obra bella. Eso es absurdo. Hay obras enormes que no son clásicas en modo alguno. Esta clasi-
25 ficación sólo tiene razón de ser en Francia; y aun en Francia, ¿quiénes menos clásicos, con frecuencia, que Pascal, Rabelais, Villón?[3] Ni Shakespeare, ni Miguel Ángel, ni Beethoven, ni Dostoievsky, ni Rembrandt, ni siquiera Dante
30 (y sólo cito a los más grandes) son clásicos. Ni Don Quijote, ni los dramas de Calderón son clásicos—ni románticos, sino puramente españoles.»
Por lo demás no debiera olvidarse que tal
35 clasicismo, antes que una integración importa mermas considerables, supone nada menos que la eliminación del tesoro medieval—según señalaba ya, discutiendo el ideal clásico francés, Menéndez Pelayo[4]—, sacrifica las canciones de
40 gesta,[5] abomina de la «barbarie gótica». De

[1] French critic (1901).
[2] The reference is to *Incidences* (Paris: Gallimard, 1924).
[3] François Villon (1431–after 1462), French poet.
[4] Spanish critic and historian (1856–1912); he discusses this in *Historia de las ideas estéticas*, IX.
[5] *canciones de gesta* epic poems.

suerte que si al lanzarnos a la cabeza, como habitualmente sucede, el ideal clásico, no se amplía su contenido, entendiéndose como un ejemplo—más teórico siempre que positivo—de perfección abstracta y de radio casi intemporal, 45 vagamente apoyado en las obras de la antigüedad grecolatina, sepamos que no pasan de referirse a un modelo como cualquier otro, con sus virtudes y sus limitaciones, pero sin fuerza para erigirse en canon único. 50
Ahora bien, la matemática sentimental de Racine o la geometría plástica de Poussin, sigan intactas; no les afecten nuestras flechas. Pues aquello que se perfila en la sombra, aquello que se entredice en la penumbra, cuando habitual- 55 mente parece surgir lo «clásico» en el extremo de una clava amenazante, no es tal: es su contrafigura, es el neoclasicismo. La pedantería del tal, la insolencia de esos movimientos supuestamente restauradores que uncen el prefijo «neo» a los 60 restos averiados de cualquier armatoste pretérito, suele ser más grotesca que aterrorizante. No requieren, pues, tales intentos, mayor esfuerzo en la refutación. Señalaremos únicamente —siguiendo a H. Peyre—que mientras esos 65 fallidos retornos implican, ante todo, una reacción disconforme frente a su época, el clasicismo genuino, el de los siglos áureos, fué antes que otra cosa una aceptación fiel de su tiempo y de su medio. Finalmente, siempre estaremos 70 dispuestos a ver mayores posibilidades de clasicismo en el espíritu aventurero que en el tradicionalista. Porque—escribía también Gide—«el verdadero clasicismo no es tanto conservador, cuanto creador; se desvía del arcaísmo y se niega 75 a creer que todo haya sido ya dicho».

Vivimos inmersos en el presente, pero— ¿cómo negarlo?—aun en los trances estéticos de más rudo antihistoricismo, el pasado tiene un peso, ejerce una influencia. Entra en nuestra 80 sangre, como algo fatalmente biológico, inclusive por encima de nuestra voluntad. La tradición— hablo de la que se manifiesta en forma verdadera y respetable, mediante ejemplos vivos, no de su sombra caricaturesca, proyectada por los 85

falsarios—nos acecha a la vuelta de cada
esquina, de cada recuerdo, de cada libro. ¿Cabría
resistir a sus llamadas ?

5 Durante cierto tiempo, mantenerse y abroque-
larse únicamente en la trinchera de la aventura,
es posible y aun legítimo. Pero perpetuarse en
este difícil reducto exigiría no solamente fuerzas
renovadas, sino inacabables reservas de ingenui-
10 dad. Es lógica, pues, la llegada de un tramo
climatérico—vago y resbaladizo momento psicológico, difícil de caracterizar con palabras
precisas—en la evolución del espíritu juvenil.

Éste, sin perder su dinamismo esencial, tiende
15 empero a hacer un alto en el camino. No tanto
por fatiga, como por necesidad de recapitulación
y ensanchamiento de perspectivas. Vuelve no
sólo hacia atrás, sino también lateralmente, la
vista, tratando de superar los lindes coetáneos o
20 generacionales. Amplía su órbita de intereses en
el tiempo, mientras su visión en el espacio
utiliza otras escalas de medida y acepta normas
de relatividad. En suma, empieza a contar con el
pasado, sin renunciar a los intereses de su tiempo. Y de este primer enlace de compromisos, del
25 naciente pacto brota una exigencia criticista,
cuya expresión—el sentido de la calidad—se
convierte para el artista en acicate tanto como en
torcedor.

¿La novedad . . . la calidad ? ¿Qué deberá
30 preferir en sí y en los demás ? Si el primer factor
le sigue imantando, también comienza a sentir
los llamamientos del segundo. Momento de rigor
autocrítico, de crisis en la muda, umbral de
madurez. Sólo podrá salvarse de la pendulación
35 extrema—evitándole caer, como es tan frecuente,
en el punto muerto del pensamiento beato—y
hacerle entrever la ruta verdadera, el acompaña-
miento de una virtud complementaria a ese crecimiento: la serenidad. Porque ¡ay de él, y del
40 futuro posible de ese espíritu juvenil, si intimi-
dado, anulado por la fuerza coactiva y el
prestigio clásico que posee el factor *calidad*, no se
mantiene fiel a sus orígenes y se deja arrastrar
hasta la negación, la apostasía, del otro principio,
45 la *novedad*! Habrá de contar, pues, en lo sucesivo
con la calidad; exija en sí mismo y en los demás
ahincada, implacablemente, la perfección; pero

exija, ante todo, que esa virtud se muestre en las
obras arduas, aventureras, en aquéllas que con-
tinúen la línea de sus principios insurgentes, y 50
que sin renunciar a éstos puedan incorporarse
un día al friso del orden.

Para que el nuevo elemento cualitativo sea
atendible y resulte fructífero habrá de sobrevenir
en su sazón oportuna. Carácter muy distinto 55
asume cuando pretendiendo atropellar las leyes
del ritmo evolutivo, aspira a imponerse antes de
sazón o por motivos extraños. Debemos, pues,
aguzar nuestra vigilancia, extremar la actitud de
alerta para no confundir su verdadera entrada 60
con la aparición de esas previstas «*vagues de re-
tour*»[1]—dicho en el idioma de las letras y del arte
donde más frecuentemente se da tal fenómeno—
que rompen periódicamente sus alevosas crestas
contra los acantilados de la aventura. Para un 65
caso en que resulten justificadas, en los demás
equivalen a arrepentimientos vergonzantes, a
deseos prematuros de exequias académicas.
Traducen simplemente un conformismo habilidoso. Es, por ejemplo, la vuelta al verso regular, 70
la naturaleza bruta en el lienzo, la fiebre
«scarlattiana»[2] en el pentagrama, el abandono
del funcionalismo y la nostalgia de estilos muertos en la arquitectura . . . «El pájaro regresa a la
jaula abierta de la retórica»; con esta imagen 75
expresó tales involuciones un poeta janicéfalo,[3]
practicante y defensor de los juegos ambidextros.

Pero quien asume en realidad caracteres de
prototipo, aires de monacillo ducho en el arte de
encender alternativamente una vela a Dios y 80
otra al Diablo—es decir, el orden y la aventura
en el altar literario—es Jean Cocteau.[4] Nada tan
divertido intelectualmente como el espectáculo
que fuimos siguiendo estos años penúltimos,
estación tras estación, de los avances y tornavuel- 85
tas cumplidos por su peregrino ingenio, ya que
podrán negársele muchas virtudes, pero no ésa.
Vimos así cuán pronto dobló poéticamente el
cabo de Buena Esperanza (*Le cap de Bonne*

[1] (*Fr.*) returning waves.
[2] Refers to Domenico Scarlatti (1685–1757), Italian
composer, who wrote 550 harpsichord sonatas.
[3] *janicéfalo* two-headed like Janus (Roman god).
[4] French writer (1891–1963).

Espérance, 1919) y deletreó un vocabulario semi-dadaísta[1] (*Vocabulaire*, 1922) para entonar luego compungidamente las rapsodias de un tradicional canto llano (*Plain Chant*, 1923); vimos parejamente, en sus andanzas teóricas, cómo después de un carnaval aforístico (*Le coq et l'arlequin*, 1918), predicaba la compostura (*Le rappel à l'ordre*, 1926). Todo ello, con tal agudeza suasoria, tal garbo y donaire que por momentos nos hacía olvidar sus intenciones últimas. Sin contar asimismo algunas previsiones lúcidas.

Ya en *Carte Blanche* (1920), después de sufrir un deslumbramiento ante los primeros «jazz-band», pronosticaba: «De tales tumultos, siempre se desprende un orden nuevo.» En el mismo libro de crónicas juveniles en un capítulo—dictado por cierta xenofobia más que por rigor crítico—contra el futurismo,[2] y al cotejarlo con el cubismo, entonces dominante, escribía: «Dos tendencias. Siempre las mismas, desde hace siglos . . . Apolo, Dionisos. Cubismo, futurismo. La primera dibuja; la segunda, confunde. Tales desprendimientos de los polos y tales resplandores ecuatoriales son necesarios para que el arte gravite.» Y por último, en el momento de la veleidad catolizante, y en el curso de la *Lettre à Maritain* (1926), remachaba: «El orden después de la crisis, ése es el orden nuevo que yo reclamo.» El orden tras la crisis, tras la aventura. Y, por consiguiente, agreguemos, muy distinto del orden que sólo conocen quienes vivieron siempre encarrilados y se atuvieron a normas heredadas.

Enfocando desde distinto mirador el tema que nos preocupa, Paul Valéry imagina «un Hamlet intelectual europeo que contempla millares de espectros y medita sobre la vida y la muerte de las verdades».[3] «Sueña—agrega—en el fastidio de recomenzar el pasado, en la locura de querer innovar siempre. Oscila entre los dos abismos, pues dos abismos no cesan de amenazar al mundo: el orden y el desorden.» ¿Cómo vencer entonces ese vértigo histórico, cómo superar esos extremos eternos? Porque si el hechizo de lo nuevo—que antes interpreté—es indeclinable, tampoco—como asimismo concedí—somos capaces de rehuir el peso prestigioso de lo histórico. Aunque el encanto del primer elemento, para quien lo sienta con hondura, resulte más apremiante. El mismo Valéry lo comparaba con uno de «esos venenos excitantes que acaban por ser más necesarios que todo alimento, y cuya dosis, si al fin nos señorea, debemos acrecer, so pena de muerte, hasta hacerlo mortal».[4] El autor de *Charmes* define tan bien el hecho de lo nuevo, quizá por lo mismo que no lo experimenta personalmente, y sucumbe de mejor grado ante el peso contrario. Lo revela al proponer esta transacción, al hacer este sacrificio en el altar de la respetabilidad: «Conviene dar a las ideas más nuevas yo no sé qué aire de cosa noble, no precoz, sino madura; no insólita, sino vieja de siglos; no creada y obtenida hoy mismo, sino como olvidada y hallada de nuevo.»

En suma, el espejismo de la pátina museal, el lustre del linaje, el gusto de la solera. ¿Quién dejará de rendirse ante el blasón de esos atributos nobles? Mas, por otra parte, ¿no es un dolor que así sea? ¿Por qué el espíritu no podrá libertarse nunca plenamente de ayeres, manifestarse con plena virginidad ante el mundo? Bajo estas interrogaciones yace una suerte de rebelión cósmica, latente como pura promesa, desde siglos atrás, sin realidad lograda, desde el afán de Herodoto: «Recomenzar siempre.»

Todo fluye y cambia perpetuamente. Nunca podremos bañarnos dos veces en el mismo río. Retornar a estos principios órficos, dar un alcance actual a las máximas de Heráclito, concebir el cambio como la única realidad, supone aproximarnos más al mundo fluyente donde muestran su relatividad, mejor aún, su inanidad, las pretensiones de permanencia e invariabilidad estéticas. Y también supone otorgar su debida primacía al concepto de tiempo, antes en segundo plano. Un modo habitual de valoración, que

---

[1] *semidadaísta* Dada, European literary movement during World War I, deliberately anti-art and anti-sense.
[2] Artistic movement initiated in 1909 by the Italian writer Marinetti who proclaimed that one should sing to locomotives rather than roses.
[3] From *Choses tues* (Paris: N.R.F., 1934).
[4] From *Variété*, I.

consiste en juzgar únicamente la obra «bajo la especie de eternidad», está quizá dañado en su entraña por el gusano sofístico. Pues en realidad, tal punto de mira no suele ser temporal sino espacial. Se incurre estéticamente en un error parejo al denunciado filosóficamente por Bergson. El juicio hecho y mostrenco viene a ser el equivalente del tiempo matemático, homogéneo; mientras el juicio que se va haciendo y reformando equivale a los valores del otro tiempo, concebido como heterogeneidad, cambio y devenir creador. No se mide así la dimensión coetánea de la obra, sino su huella en el espacio, desfigurada por el tiempo. De ahí que suscite tantas resistencias el concepto de cambio, y, por tanto, el de novedad, el de innovación. Pero si adaptásemos—lo que aquí sólo me atrevo a insinuar, brindando la tarea a otros más duchos en los desmenuzamientos filosóficos—las intuiciones heraclitianas sobre el tiempo, frutecidas en Bergson, a la explicación interna de los cambios artísticos, la razón íntima de éstos se iluminaría probablemente con una luz más viva y suasoria. En efecto, si la realidad es cambio, si «la realidad es la movilidad misma»—según frase de Bergson—, si la esencia profunda de la realidad es espíritu creador, entonces no habrá por qué oponer ninguna resistencia lógica a la prioridad del concepto temporal sobre el espacial en las valoraciones estéticas. Ello no significa comulgar con la negación existencialista del tiempo, negar la esencia; es contrariamente reafirmar su duración, la «durée réelle»,[1] no la trascendencia. Es reconocer con Bergson—según sus palabras en L'évolution créatrice—que «para un ser consciente existir consiste en cambiar, cambiar en madurar, madurar en crearse indefinidamente en sí mismo».

Descendiendo desde la altura ambiciosa de ese plano absoluto hasta la relatividad de los hechos y las obras, veremos consoladoramente que entrambos espíritus, el de la aventura y el orden, suelen coexistir imbricados y hasta se muestran como ambivalentes. El enlace se torna visible cuando concebimos el arte no como un islote inmune, sino como un faro de encrucijada, batido por vivas mareas dialécticas. A esta luz advertimos claramente cómo la pleamar de lo nuevo va seguida fatalmente por la bajamar de lo tradicional. Abundan los casos en todas las épocas, pero la ejemplificación será más diáfana si acudimos al panorama literario de la nuestra. Y precisamente, para facilitar la visión de conjunto, nada mejor que algún índice panorámico, alguna antología crítica verdaderamente representativa.

Recomendaría para el caso la compilada por Samuel Putnam, bajo el título The European Caravan.[2] Asomándonos a sus páginas, veremos pasar en revista ante nuestra memoria el papel de los precursores; el nacimiento de Dadá; la revuelta contra la literatura; el ultraísmo; el anhelo de evasión; el nuevo mal del siglo; la crisis del racionalismo; el llamamiento a lo inconciente y la influencia de Freud;[3] la disociación de la personalidad bajo el influjo de Pirandello,[4] y la atomización y reversibilidad del tiempo bajo Proust; el espíritu internacionalista, condensado en el novecentismo de Bontempelli[5] y la campaña de los «straccittadini»[6] italianos; el expresionismo germánico[7] con la tendencia hacia la «neue Sachlichkeit»[8]—desdoblada luego en el espíritu documental y de crítica social que alcanza hasta la «nachkrieg»[9] o pululación de novelas de guerra—; la orientación neotomista;[10] las conversiones, la nostalgia medievalista y los llamamientos de un orden católico; el europeísmo, la corriente internacionalista y viajera que

---

[1] (Fr.) real duration.

[2] A Critical Anthology of the New Spirit in European Literature (Brewer, Warren. Putnam: New York, 1931).
[3] Austrian neurologist and founder of psychoanalysis (1856–1939).
[4] Italian novelist and dramatist (1867–1936).
[5] Italian writer (1878).
[6] Italian literary group that emphasized city life; opposed to the "strapaese" group that emphasized country life.
[7] Expressionism—the search for expressiveness of style by means of exaggerations and distortions, an artistic movement of the twenties.
[8] (Ger.) new reality.
[9] (Ger.) aftermath of the war.
[10] Return to the philosophy of St. Thomas recommended by French writer Jacques Maritain.

diputa como nueva musa a la Geografía; la aparición de un nuevo romanticismo en los últimos rasgos superrealistas; el auge de Valéry y del monólogo interior joyciano;[1] el culto del cuerpo y la literaturización del deporte; el espíritu del proselitismo político-social insuflado en las letras.

He ahí, en suma, enumerados cinematográficamente, con un desorden voluntario, sin rigor cronológico ni distinciones estimativas, algunos de los puntos cruciales, marcados por las idas y venidas del espíritu literario en los años penúltimos. Aunque faltaría incorporar algunos otros movimientos de fecha última, como quiera que éstos apuntan sus intenciones, por lo general, hacia metas extraliterarias, no es imprescindible registrarlos aquí. Pese a ese carácter incompleto de la lista, podrá advertirse en ella un rasgo que fundamentalmente nos interesa subrayar: el predominio de las tendencias imputables en el balance a la columna de la aventura. Aquéllas que podrían adscribirse a la otra columna, aparecen en una innegable minoría. Pero ayudan a la suma global, marcando el contrapunto rítmico necesario.

Un intenso fervor, propio de las épocas germinales, transformadoras, ávidas de originalidad, sube hasta nosotros al otear, rememorando, el panorama. Años inmediatamente posteriores a la otra guerra, coetáneos de nuestra adolescencia y a los cuales quedó prendido con devoción nuestro espíritu. Cierto que en su enfocamiento actual ya tomamos otro ángulo. La nostalgia amorosa no basta para desvirtuar el sentido con que ahora hemos de encararlos y sólo vale para tamizar el nuevo criterio de rigor. Pero de ahí a dar tal época, tales normas y escuelas por rigurosamente prescritas, según pretenden muchos, existe gran distancia. ¿De veras ha desaparecido su esencia vitalizadora y subversiva? ¿Es cierto que sólo podemos considerar existentes las escuelas que evolucionaron y perdieron su amargor, las personalidades que corrieron a guarecerse bajo el palio del orden, las obras que esperan su turno a la puerta de los museos y de las

antologías? Frente al criterio de tantos embalsamadores apresurados, de tantos espíritus pusilánimes que así lo creen, bien pudiéramos sostener—al menos con el derecho que da la réplica en el mismo tono expeditivo—todo lo contrario. Pudiéramos afirmar que una gran parte de aquellos «ismos» aventureros poseen todavía intacto gran parte de su vigor fecundante. Pero si esta apreciación suena como desmesurada, buscaríamos un terreno de concordia, reconociendo que si bien su vigencia terminó, el espíritu renovador que proyectaban aún no fue sustituido por ningún otro de análogo empuje. Fácil sería mostrar cómo de sus rescoldos, ya que no de sus esencias, de aquel lejano ímpetu, están viviendo y nutriéndose algunas de las expresiones poéticas y pictóricas hoy más en favor.

Podrá discutirse esta cálida aseveración, pero lo cierto e innegable es que en las generaciones posteriores europeas y americanas no se ha reproducido el espíritu inventivo que aquéllas poseyeron. ¿Quién que observe y confronte con objetividad ambos tiempos—empero lo difícil que ello resulta, dada su proximidad—podrá negar que en el plano juvenil, en los últimos llegados—dejando el debido margen para alguna excepción felizmente discordante—todo ha adquirido después un aire más calmo, un sesgo más prudente y temeroso, característico de gentes que prefieren seguir huellas ajenas a desflorar caminos arduos?

¿A qué se debe el cambio? El hecho es complejo, las causas variadas y su esclarecimiento cabal nos obligaría a rebasar los límites del plano estrictamente literario que aquí nos hemos acotado. Quede, pues, para otro lugar puntualizarlas exhaustivamente. Aquí señalaremos sólo dos posibles interpretaciones.

La más congruente en un principio, la estrictamente literaria, se formuló así ya hace años: al cesar la «inquietud» surge la «reconstrucción». Benjamín Crémieux, en un libro[2] que pretendía marcar la transición entre ambos límites, registraba ya, hace más de una decena de años, la

---

[1] Joycean, characteristic of James Joyce's famous novels, *Ulysses* and *Finnegan's Wake*.

[2] *Inquiétude et Reconstruction* (Paris: Correa, 1931). Crémieux—French critic killed by the Germans in World War II.

pérdida del sentido de la originalidad, anotando una serie de sustituciones: a la tragedia de la acción reemplazó la tragedia del conocimiento; a ésta la de reconstitución, la afirmación de un nuevo humanismo. «A la busca de la sinceridad —agregaba—se sustituye la de certidumbres; la idea de virtuosismo cede su lugar a la de perfección; la noción de riqueza a las de selección, equilibrio, síntesis, creación. En otros términos, a los valores individuales, subjetivos, suceden los valores colectivos, objetivos. Los productos elaborados de la madurez se adelantan a los productos espontáneos de la adolescencia.»

Aunque esta conclusión parezca un mero efecto verbal de los anteriores escalonamientos, y sea aplicable a todas las épocas, cierto fondo de certeza es evidente. Pero Crémieux no se limitaba sólo al papel de registrador; celebraba y justificaba el cambio, identificando el cese de la «inquietud» con el comienzo de una era de estabilidad favorable a la «reconstrucción». ¡Cuán lejos, sin embargo, estuvimos luego de ella, en años de destrucción total y totalitaria!

La otra explicación es más sencilla en sí, aunque posea implicaciones complejas. El espíritu revolucionario de las nuevas promociones sigue vivo, no se extinguió. Lo que acontece es que su acento ha sufrido una violenta traslación: del plano estético al político. Ello es consecuencia de una crisis radical: la crisis del concepto literario. «Pero esta crisis—explica sagazmente Albert Thibaudet[1]—era todavía una crisis literaria. Al igual que en 1830, en 1850 y en 1885 subsistía (después de la guerra) el viejo concepto de las revoluciones literarias en *ismos*. Hoy —agrega—ya no hay revoluciones literarias, no hay más que literatos revolucionarios; unos, para quienes la revolución está a la derecha; otros, para quienes la revolución está a la izquierda. La entrada imponente del concepto de revolución material, política, social, en la conciencia europea, ha descalificado como un lujo el concepto de revolución literaria, en la República de las letras.»

Por ello, si los conceptos de *aventura* y de *orden* se entendían antes solamente referidos al

dominio del espíritu, ahora cubren un campo más amplio y mezclado. Inciden en el sector candente donde se afrontan—en lo político, lo social y lo económico—conceptos paralelos que luchan sangrientamente por el dominio del mundo.

La aventura, al pasar a este último plano, pierde su hermosa gratuidad, cobra trascendencia y se llama: justicia. El orden, parejamente, pierde su serenidad clásica, se enturbia y adquiere un crudo sobrenombre: indignidad. No hay hipérbole en estas traslaciones de sentido, aunque requiera cierta acomodación visual comprobarlas, ya que históricamente se ofrecen a otra luz. Así los términos de esta cuestión fueron planteados de modo sofístico por Goethe. No es preferible—según él pretendía—la injusticia al desorden, porque si tal injusticia pudo quizá prosperar sin mayor desorden en tiempos embridados, hoy toda injusticia engendra en muy breve plazo el desorden supremo: la revolución sin sentido.

Contrariamente, la justicia cuando es cabal, y pese a sus aires subversivos, no puede engendrar otra cosa que el orden. En su ámbito cabe, sin embargo—y sin paradoja—la aventura.

Correlativamente, la aventura está más cerca del verdadero sentido de la continuidad, de la continuidad viva, que no debe ser confundida con la seca y esterilizada tradición. La tradición viva tiene tanto de herencia como de incorporación continua. Pues «la tradición—se lee en el inventario citado de Benjamín Crémieux—es una bola de nieve; se deshace y muere si no se la enriquece constantemente con nieve nueva».

Ahora bien, la tradición no es una, como pretenden hacernos creer dogmáticamente desde la escuela. Hay dos tradiciones: la tradición del orden y la tradición de la aventura. (No es menos arquetipo Góngora que Herrera,[2] Scève[3] que Boileau,[4] Dostoiewski que Dickens, Picasso que Ingres,[5] Bach que Strawinsky,[6] Bramante[7]

---

[1] *Histoire de la littérature française de 1789 a nos jours* (French critic, 1874–1936).

[2] Fernando de Herrera (1534–1597), Spanish poet.
[3] French poet (?–1562 ?).
[4] French poet and critic (1636–1711).
[5] French painter (1780–1867).
[6] Russian composer (1882).
[7] Italian architect and painter (1444–1514).

que Le Corbusier.)[1] Pero acontece que la primera es la oficialmente vigente y casi la única conocida: gargariza en todas las bocas miméticas, se introduce en los colegios, sube a las academias, infesta los manuales. La segunda es repelida comúnmente, se halla siempre a punto de ser estrangulada en el límite de cada generación que «llega al poder» y sólo se salva, a la postre, mediante el esfuerzo heroico de algunos empecinados «restauradores» al revés, al cabo, los verdaderos, esto es, los revolucionarios.

Con razón Jean Cassou[2] solicitaba, frente a las tendencias de retorno, defendidas generalmente por la crítica y que achacaba al cansancio, «una historia que en la corriente de las formas sólo acepte los puntos extremos».[3] Y agregaba: «Pensándolo bien ¿acaso la única tradición viva no es aquélla que sólo recoge del pasado las cumbres, las superaciones, las diferencias, los ejemplos extremos, en suma, *la cadena de las revoluciones?*»

Pareja confusión de conceptos denunció Bergson en la idea de desorden. En el plano del espíritu ésta no representa nada, aunque en la vida corriente sirva, por mera comodidad de lenguaje, para expresar el desconcierto de quien halla ante sí un orden diferente del que necesita. Lo que se llama desorden—precisa de consiguiente el autor de *L'évolution créatrice*—no es, en el fondo, sino una consecuencia de la confusión de dos órdenes: el orden «voluntario» y el orden automático, el orden vital y el orden geométrico. Sólo el primero nos interesa.

La elipse-serpiente,[4] tras dibujar meandros de sesgo contrario, termina por enroscarse en el sitio donde empezó y se muerde la cola. El resorte de la espiral gira sobre sí mismo; y al retroceder imaginariamente al punto de partida, nos encontramos con el término a la vista. Será siempre más deslumbrante el chispazo que la luz, pero cabe preferir la continuidad de su fulguración. Así, la oposición irreductible de términos anti-téticos es siempre más brillante—produce chispas, no luz continua—que su acuerdo en una síntesis superior. Pero aunque la predilección personal sea una cosa—y ya queda suficientemente marcada—, otra, más fructuosa, es el alcanzar una meta de equilibrio y conciliación. Luego, reconozcamos que entrambos factores, el orden y la aventura, actuando alternativamente y aun entrecruzándose con juego dialéctico, pueden cuando no convivir en un mismo espíritu, sí llegar a ejercer sus específicas y fértiles influencias.

Ya Apollinaire—gran intuitivo, lúcido precursor de muchas cosas—se daba cuenta de ello, cuando en uno de sus más conmovedores poemas trataba de conciliar y conjugar las dos corrientes. Pedía, entre líneas, indulgencia para sus audacias innovadoras, cuando se comparaba con aquéllos que fueron un día «la perfección del orden»; «no somos vuestros enemigos»—agregaba—, sólo queremos abriros «vastos y extraños dominios»; «queremos explorar—terminaba—la belleza, paisaje enorme». La lección fue fértil en su día y lo seguirá siendo para quien acierte a captar su sentido de integración.

No hay, pues, un orden de preferencias; sí de estaciones. Podría marcarse mediante un lema de Schiller, sublimado musicalmente por Beethoven en su novena sinfonía: *Durch Leiden Freude*:[5] a la alegría por el dolor. Esto es: al orden por el camino de la aventura. Pero la primera estación deberá ser azarosa, sin perspectiva de fácil término. Pues para conseguir altura, hay que perder lastre. (Atención, pues, en el joven, a no especular con el crédito de sus mayores.) Sacrificio que también fué previsto por Apollinaire en otros versos memorables (rapsodia remota de la parábola evangélica: «el que quiera salvar su vida la perderá»); en aquellos que aconsejan y prevén:

> *Perdre*
> *Mais perdre vraiment*
> *Pour laisser place à la trouvaille*[6]

---

[1] French architect (1888).
[2] Contemporary French writer and critic.
[3] From *Pour la Poésie* (Paris: Correa, 1935).
[4] Serpent-like windings (ellipse).

[5] (*Ger.*) *Happiness through suffering.*
[6] (*Fr.*) *Lose*
Really lose
To leave room for discovering.

RAFAEL ALBERTI

1902–

Es tan garbosa y cabalmente andaluz que parece inventado para ejemplificar imágenes típicas de su tierra: marinero y torerillo, cante fino y chuflilla, caballista airoso y piropo para la niña. Pero no: siendo todo eso, no lo es a la manera teatral del andaluz profesional, sino por ley de un destino al que se mantiene fiel. Universal, como Juan Ramón Jiménez quiso ser, dice de lo suyo según el temple y según la ocasión. Y lo suyo es—a la vez—el rincón natal, «la espaciosa y triste España», Argentina inmensa, el mundo entero, el universo de la pintura (en donde se encuentra como en casa propia), el cielo y el infierno . . .

Popular y barroco, surrealista e iluminado, retórico y poético. Sí; y mucho más, pues el adjetivo es fácil, si la precisión difícil. Puede ser a la vez vanguardista y muy siglo XVII, como en Cal y canto (1929): «rubios, pulidos senos de Amaranta»; puede apasionarse y decir su pasión «sobre los ángeles» o su ira por la injusticia social, por la sangre derramada. La perfección formal es tanta, la destreza técnica tan segura, que el agua clara de la confidencia se remansa y aquieta. Nadie se engañe: bajo la tersura del verso, disimulado tras la brillantez de las imágenes, fluye incesante el lirismo revelador. Con la madurez, al poeta le llegaron de muy lejos, en tiempo y espacio (pues vive desterrado) el sabor y la dulzura de lo pretérito. Esos Retornos de lo vivo lejano (1948-1956), traídos por el viento de la nostalgia, son acaso lo más hermoso e impresionante de su obra.

Marinero en tierra (1924)

[YO TE HABLABA . . .]

Yo te hablaba con banderas,
hija de la panadera,
la que siempre eras de pan
5 entre la grey marinera.

Me perdí en la tierra,
fuera de la mar.

Yo te hablaba, a los luceros,
con la luna del espejo
10 de una estrella volandera.

Fuera de la mar,
me perdí en la tierra.

550

El alba del alhelí (1926)

EL TONTO DE RAFAEL

(*Autorretrato burlesco*)

Por las calles, ¿quién aquél?   15
¡El tonto de Rafael!

Tonto llovido del cielo,
del limbo, sin un ochavo.
Mal pollito colipavo,
sin plumas, digo, sin pelo.   20
¡Pío-pic!, pica, y al vuelo
todos le pican a él.

¿Quién aquél?
¡El tonto de Rafael!

Tan campante, sin carrera,
no imperial, sí tomatero,
grillo tomatero, pero
sin tomate en la grillera.
5 Canario de la fresquera,
no de alcoba o mirabel.

¿Quién aquél?
¡El tonto de Rafael!

Tontaina, tonto del higo,
10 rodando por las esquinas
bolas, bolindres, pamplinas
y pimientos que no digo.
Mas nunca falta un amigo
que le mendigue un clavel.

15 ¿Quién aquél?
¡El tonto de Rafael!

Patos con gafas, en fila,
lo raptarán tontamente
en la berlina inconsciente
20 de San Jinojito[1] el lila.
¿Qué run-rún, qué retahila
sube el cretino eco fiel?

¡Oh, oh, pero si es aquél
el tonto de Rafael!

Cal y canto (1926–27)

25   AMARANTA

> . . . *calzó de viento*[2] . . .
> GÓNGORA.

Rubios, pulidos senos de Amaranta,
por una lengua de lebrel limados.
30 Pórtico de limones, desviados,
por el canal que asciende a tu garganta.

Rojo, un puente de rizos se adelanta
e incendia tus marfiles ondulados.

[1] Imaginary saint symbolizing innocence.
[2] From *La fábula de Polifemo y Galatea,* 9th strophe.

Muerde, heridor, tus dientes desangrados,
y corvo, en vilo, al viento te levanta.   35

La soledad, dormida en la espesura,
calza su pie de céfiro y desciende
del olmo alto al mar de la llanura.

Su cuerpo en sombra, oscuro, se le enciende,
y gladiadora, como un ascua impura,   40
entre Amaranta y su amador se tiende.

Sobre los ángeles (1928)

TRES RECUERDOS DEL CIELO

> Homenaje a Gustavo Adolfo Bécquer.

Prólogo

No habían cumplido años ni la rosa ni el   45
   arcángel.
Todo, anterior al balido y al llanto.
Cuando la luz ignoraba todavía
si el mar nacería niño o niña.
Cuando el viento soñaba melenas que peinar   50
y claveles el fuego que encender y mejillas
y el agua unos labios parados donde beber.
Todo, anterior al cuerpo, al nombre y al tiempo.

Entonces, yo recuerdo que, una vez, en el
   cielo . . .   55

PRIMER RECUERDO

> . . . *una azucena tronchada*[3] . . .
> G. A. BÉCQUER.

Paseaba con un dejo de azucena que piensa,
casi de pájaro que sabe ha de nacer.   60
Mirándose sin verse a una luna que le hacía
   espejo el sueño
y a un silencio de nieve, que le elevaba los pies.
A un silencio asomada.
Era anterior al arpa, a la lluvia y a las palabras. 65

No sabía.
Blanca alumna del aire,
temblaba con las estrellas, con la flor y los
   árboles.

[3] From Rhyme XIX.

Su tallo, su verde talle.

Con las estrellas mías
que, ignorantes de todo,
por cavar dos lagunas en sus ojos
5 la ahogaron en dos mares.

Y recuerdo . . .

Nada más : muerta, alejarse.

SEGUNDO RECUERDO

. . . rumor de besos y batir de alas[1] *. . .*
G. A. Bécquer.
10
También antes,
mucho antes de la rebelión de las sombras,
de que al mundo cayeran plumas incendiadas
y un pájaro pudiera ser muerto por un lirio.
15 Antes, antes que tú me preguntaras
el número y el sitio de mi cuerpo.
Mucho antes del cuerpo.

En la época del alma.
Cuando tú abriste en la frente sin corona, del
20 cielo,
la primera dinastía del sueño.
Cuando tú, al mirarme en la nada,
inventaste la primera palabra.

Entonces, nuestro encuentro.

25 TERCER RECUERDO

. . . detrás del abanico
de plumas de oro . . .[2]
G. A. Bécquer.

Aún los valses del cielo no habían desposado al
30 jazmín y la nieve,
ni los aires pensado en la posible música de tus
cabellos,
ni decretado el rey que la violeta se enterrara en
un libro.
35 No.
Era la era en que la golondrina viajaba
sin nuestras iniciales en el pico.
En que las campanillas y las enredaderas
morían sin balcones que escalar y estrellas.

[1] From Rhyme X.
[2] From Rhyme XL.

La era 40
en que al hombro de un ave no había flor que
apoyara la cabeza.

Entonces, detrás de tu abanico, nuestra luna
primera.

Retornos de lo vivo lejano (1951)

RETORNOS DE UNA MAÑANA DE OTOÑO 45

Me voy de aquí, me alejo, llorando, sí, llorando
(ya es hora de gritar que estoy llorando, es hora
ya otra vez, nuevamente, de gritar que lo estoy);
me voy de aquí, me alejo
por esta interminable desgracia desoída, 50
con los hombros doblados de abandonadas
hojas
y la frente ya dentro del otoño.

No es difícil llegar hasta ti sin moverse,
ciudad, ni hasta vosotras, alamedas queridas. 55
Me basta el amarillo que me cubre y dispone,
difunto, acompañarme adherido a mis pasos.
Salid. Ya estoy. No pude
tardar esta mañana menos tiempo. Imposible
comparecer más pronto por tus dulces afueras. 60

Río locuaz, mozuelo valiente de los montes,
pardos, nevados aires, oh azules, buenos días.
Aquí vengo, aquí ya me tenéis. Es justo
que primero pongamos el collar más lucido,
la carlanca más grácil en el cuello de Niebla,[3] 65
y que luego, ya exhaustos de tanta luz los
chopos,
le diga a Arturo: Es hora de hablar en los
jardines.

Mejor es, ya venciéndose el sol por las laderas, 70
preferir el dorado de las verdes pendientes,
y mejor todavía,
cuando el alma no puede más de otoño y se
dobla,
dejarse sin dominio llevar por los declives. 75

[3] A dog belonging to Alberti in his youth.

Llego hasta ti, pequeño palacio recogido,
blandos muros de hiladas flores atardecidas,[1]
tácitos muebles, íntimas, silenciosas esteras
por donde las pisadas conducen a un secreto.
5 Deliberadamente he venido a soñarte,
sorda sombra encendida
tras el mínimo blanco corpóreo y fugitivo
de un travieso jazmín, desnudo en los salones.

Pero la luz se afana por hundirse. Y las hojas
10 me pesan de llevarlas a cuestas todo el día.
Saldré, muerto de cedros y de fuentes ocultas,
a descender por ti, mordida escalinata,
a perderme en el juego de las enredaderas
y a buscar en el tiemblo del agua lo que he sido.

15 Me encontrará la noche llorando en esta
umbría,
ya que desde tan lejos me trajo aquí el otoño,
llorando, sí, llorando,
porque llegó el momento de gritar que lo estoy
20 sobre tantas preciosas ruinas sin remedio.

RETORNOS DEL AMOR
EN UNA NOCHE DE VERANO

A tientas el amor, a ciegas en lo oscuro,
tal vez entre las ramas, madura, alguna estrella,

[1] *hiladas . . . atardecidas* delicate twilight flowers.

vuelvo a sentirlo, vuelvo, 25
mojado de la escarcha caliente de la noche,
contra el hoyo de mentas tronchadas y tomillos.

Es él, único, solo, lo mismo que mi mano,
la piel desparramada de mi cuerpo, la sombra
de mi recién salido corazón, los umbrosos 30
centros más subterráneos de mi ser lo querían.

Vuelve único, vuelve
como forma tocada nada más, como llena
palpitación tendida cubierta de cabellos,
como sangre enredada en mi sangre, un latido 35
dentro de otro latido solamente.

Mas las palabras, ¿dónde?
Las palabras no llegan. No tuvieron espacio
en aquel agostado nocturno, no tuvieron
ese mínimo aire que media entre dos bocas 40
antes de reducirse a un clavel silencioso.

Pero un aroma oculto se desliza, resbala,
me quema un desvelado olor a oscura orilla.
Alguien está prendiendo por la yerba un murmullo. 45
Es que siempre en la noche del amor pasa un
río.

LUIS CERNUDA
1904–1963

Sevillano, sin andalucismo visible, su mundo es a la vez mágico y sombrío, reverberante y misterioso, crecido en la frontera entre la realidad y el deseo. Nostálgico, pero de sueños; melancólico, pero de nieblas. Su primer libro, Perfil del aire (1927), *es una delicia. No es todavía el excelente poeta de los siguientes, pero en él canta, admirablemente modulada, una voz personal y apasionada.*

El joven Cernuda busca el becqueriano susurro en el país donde habita el olvido, y del claroscuro, de la incitante media luz en donde se funden imaginación y vida, surgió la figura más singular de su confidencia lírica: El joven marino (1936). *En cualquier parte parece este poeta un desterrado, sombra del paraíso que vaga de un lado a otro buscando la perdida luz, la perfección imposible.*

De ese deambular tras la verdad en la belleza regresó cargado de secreto, y sus poemas coincidieron en expresión, y tal vez en designio, con la corriente creadora que solemos llamar surrealismo. La revulsión bélica acentuó en él la tendencia a utilizar el lenguaje cotidiano y a tomar como punto de arranque para la creación poética intuiciones que, refiriéndose a experiencias entrañables, comunicaban con la experiencia colectiva en su dimensión más profunda.

Publicó sus obras poéticas completas bajo el título La realidad y el deseo *(última edición: 1958) y estudios críticos en que la pasión se oculta a veces tras el velo de la indiferencia.*

Perfil del aire (1927)

QUISIERA ESTAR SOLO EN EL SUR

Quizá mis lentos ojos no verán más el Sur,
de ligeros paisajes dormidos en el aire,
con cuerpos a la sombra de ramas como flores
5 o huyendo en un galope de caballos furiosos.

El Sur es un desierto que llora mientras canta,
y esa voz no se extingue como pájaro muerto.
Hacia el mar encamina sus deseos amargos,
abriendo un eco débil que vive lentamente.

10 En el Sur, tan distante, quiero estar confundido.

La lluvia así no es más que una rosa entreabierta;
su niebla misma ríe blanca en el viento,
su oscuridad, su luz son bellezas iguales.   15

La realidad y el deseo (1936)

NO ES NADA, ES UN SUSPIRO

No es nada, es un suspiro,
pero nunca sació nadie esa nada
ni nadie supo nunca de qué alta roca nace.

Ni puedes tú saberlo, tú, que eres
nuestro afán, nuestro amor,
nuestra angustia de hombres;
palabra que creamos
5 en horas de dolor solitario.

Un suspiro no es nada,
como tampoco es nada
el viento entre los chopos,
la bruma sobre el mar
10 o ese impulso que guía
un cuerpo hacia otro cuerpo.

Nada mi fe, mi llama,
ni este vivir oscuro que la lleva;
su latido o su ardor
15 no son sino un suspiro,
aire triste o risueño
con el viento que escapa.

Sombra, si tú lo sabes, dime;
deja el hondo fluir
20 libre sobre su margen invisible,
acuérdate del hombre que suspira
antes de que la luz vele su muerte,
vuelto él también latir de aire,
suspiro entre tus manos poderosas.

Las nubes (1940)

25   IMPRESIÓN DE DESTIERRO

Fue la pasada primavera,
hace ahora casi un año,
en un salón del viejo Temple, en Londres,
con viejos muebles. Las ventanas daban,
30 tras edificios viejos, a lo lejos,
entre la hierba el gris relámpago del río.
Todo era gris y estaba fatigado
igual que el iris de una perla enferma.

Eran señores viejos, viejas damas,
35 en los sombreros plumas polvorientas;
un susurro de voces allá por los rincones,
junto a mesas con tulipanes amarillos,
retratos de familia y teteras vacías.

La sombra que caía
con un olor a gato,   40
despertaba ruidos en cocinas.

Un hombre silencioso estaba
cerca de mí. Veía
la sombra de su largo perfil algunas veces
asomarse abstraído al borde de la taza,   45
con la misma fatiga
del muerto que volviera
desde la tumba a una fiesta mundana.

En los labios de alguno,
allá por los rincones   50
donde los viejos juntos susurraban,
densa como una lágrima cayendo,
brotó de pronto una palabra: España.
Un cansancio sin nombre
rodaba en mi cabeza.   55
Encendieron las luces. Nos marchamos.

Tras largas escaleras casi a oscuras
me hallé luego en la calle,
y a mi lado, al volverme,
vi otra vez a aquel hombre silencioso,   60
que habló indistinto algo
con acento extranjero,
un acento de niño en voz envejecida.

Andando me seguía
como si fuera solo bajo un peso invisible,   65
arrastrando la losa de su tumba.
Mas luego se detuvo.
«¿España?», dijo. «Un nombre.
España ha muerto». Había
una súbita esquina en la calleja.   70
Le vi borrarse entre la sombra húmeda.

La realidad y el deseo (1958)

NIÑO TRAS UN CRISTAL

Al caer la tarde, absorto
tras el cristal, el niño mira
llover. La luz que se ha encendido

en un farol contrasta
la lluvia blanca con el aire oscuro.

La habitación a solas
le envuelve tibiamente,
5 y el visillo, velando
sobre el cristal, como una nube,
le susurra lunar encantamiento.

El colegio se aleja. Es ahora
la tregua, con el libro
de historias y de estampas   10
bajo la lámpara, la noche,
el sueño, las horas sin medida.

Vive en el seno de su fuerza tierna,
todavía sin deseo, sin memoria,
el niño, y sin presagio   15
que afuera el tiempo aguarda
con la vida, al acecho.

En su sombra la perla ya se forma.

FRANCISCO AYALA
1906–

*Empezó a escribir muy pronto; las primeras narraciones de quien al escribirlas
era un muchacho están dentro de la línea experimental predominante en los
años veinte. Interesado en el estudio de la Ciencia política y la Sociología,
fué profesor de estas materias en las Universidades de Madrid, Buenos
Aires y Puerto Rico. Desde 1957 vive en Estados Unidos, donde enseñó
literatura española en Princeton, Rutgers y Bryn Mawr College; en la
actualidad lo hace en New York University.*

*Ensayista brillante, de inteligencia a la vez capaz de minuciosos análisis
y pulcras síntesis, publicó* El escritor en la sociedad de masas (*1957*),
Tecnología y libertad (*1958*) *y* Experiencia e invención (*1960*), *entre
otros libros, estudiando en ellos una variada gama de temas actuales, desde
puntos de vista siempre personales y justificados. Crítico pesimista de la
sociedad contemporánea, observador de mirada implacable, es también lector
de singular penetración. Su estudio sobre el realismo en la literatura española
es acaso el más luminoso ejemplo de su talento de lector. Escéptico en
cuanto al presente, no ve en él nada que le haga creer en un futuro mejor.*

En sus cuentos y narraciones: Los usurpadores (*1949*), Historia de
macacos (*1955*), *el hombre es con frecuencia abyecto, o ridículo, o ambas
cosas. El tema del poder corruptor y del poder-podredumbre es central en
sus invenciones.* Muertes de perro (*1958*), *y su secuela* El fondo del vaso
(*1962*), *es la crónica de las degradantes tiranías padecidas por los pueblos
hispanoamericanos y al mismo tiempo la novela del miserabilismo y la
cobardía, exposición despiadada de la futilidad y la vileza humana.*

*No se sorprenda el lector. Ayala es, por encima de todo, un moralista.
Su pesimismo, como el de los grandes de su linaje, Mateo Alemán,
Baltasar Gracián, es reflejo de la tendencia moralizante de su personalidad.
Si expone crudamente lacras del carácter y flaquezas del comportamiento
es con el fin de conseguir que la imagen reflejada en el espejo sirva de
saludable aviso para que rectifiquen su conducta quienes se reconozcan en
aquélla.*

El protagonista de El hechizado *es un ingenuo pretendiente en Corte
llegado a Madrid para ver al monarca español, cabeza entonces, y clave,
de un gran imperio. Cuando tras larga y paciente espera logra penetrar en
la cámara real descubre que allí, en el último círculo del poder, no reside la
suma sabiduría encarnada en deslumbrante caudillo, según su imaginación
lo concibiera, sino un pobre imbécil animaleante entre bestezuelas inmundas
e inmundo él mismo en su alhajada y simbólica podredumbre.*

En Un cuento de Maupassant, *crónica de cierto pequeño incidente de
la vida vulgar, el carácter de los personajes se revela con rasgos finos y
matizados, tan cabalmente como pudiera mostrarse en la gesticulante
peripecia de una situación excepcional.*

Los usurpadores (1949)

EL HECHIZADO

DESPUÉS DE HABER pretendido inútilmente en la Corte, el Indio González Lobo—que llegara a España hacia fines de 1679 en la flota de galeones con cuya carga de oro se celebraron las bodas del rey [1]—hubo de retirarse a vivir en la ciudad de Mérida, [2] donde tenía casa una hermana de su padre. Nunca más salió ya de Mérida González Lobo. Acogido con regocijo por su tía doña Luisa Álvarez, que había quedado sola al enviudar poco antes, la sirvió en la administración de una pequeña hacienda, de la que, pasados los años, vendría a ser heredero. Ahí consumió, pues, el resto de su vida. Pasaba el tiempo entre las labranzas y sus devociones, y, por las noches, escribía. Escribió, junto a otros muchos papeles, una larga relación de su viaje, donde, a la vuelta de mil prolijidades, cuenta cómo llegó a presencia del Hechizado. A este escrito se refiere la presente noticia.

No se trata del borrador de un memorial, ni cosa semejante; no parece destinado a fundar o apoyar petición ninguna. Diríase más bien que es un relato del desengaño de sus pretensiones. Lo compuso, sin duda, para distraer las veladas de una vejez toda vuelta hacia el pasado, confinada entre los muros del recuerdo, a una edad en que ya no podían despertar emoción, ni siquiera curiosidad, los ecos—que, por lo demás, llegarían a su oído muy amortiguados—de la guerra civil [3] donde, muerto el desventurado Carlos, se estaba disputando por entonces su corona.

Alguna vez habrá de publicarse el notable manuscrito; yo daría aquí íntegro su texto si no fuera tan extenso como es, y tan desigual en sus partes: está sobrecargado de datos enojosos sobre el comercio de Indias, con apreciaciones críticas que quizás puedan interesar hoy a historiadores y economistas; otorga unas proporciones desmesuradas a un parangón—por otra

[1] Carlos II (1661–1700), el Hechizado.
[2] City in Extremadura, province of western Spain.
[3] War of Succession in which the House of Austria disputed with the House of the Bourbons for the Spanish throne during the early eighteenth century.

parte, fuera de propósito—entre los cultivos del Perú y el estado de la agricultura en Andalucía y Extremadura; abunda en detalles triviales; se detiene en increíbles minucias y se complace en considerar lo más nimio, mientras deja a veces pasar por alto, en una descuidada alusión, la atrocidad de que le ha llegado noticia o la grandeza admirable. En todo caso, no parecería discreto dar a la imprenta un escrito tan disforme sin retocarlo algo, y aliviarlo de tantas impertinentes excrecencias como en él vienen a hacer penosa e ingrata la lectura.

Es digno de advertir que, concluída ésta a costa de no poco esfuerzo, queda en el lector la sensación de que algo le hubiera sido escamoteado; y ello, a pesar de tanto y tan insistido detalle. Otras personas que conocen el texto han corroborado esa impresión mía; y hasta un amigo a quien proporcioné los datos acerca del manuscrito, interesándolo en su estudio, después de darme gracias, añadía en su carta: «Más de una vez, al pasar una hoja y levantar la cabeza, he creído ver al fondo, en la penumbra del Archivo, la mirada negrísima de González Lobo disimulando su burla en el parpadeo de sus ojos entreabiertos.» Lo cierto es que el escrito resulta desconcertante en demasía, y está cuajado de problemas. Por ejemplo: ¿a qué intención obedece?, ¿para qué fué escrito?—Puede aceptarse que no tuviera otro fin sino divertir la soledad de un anciano reducido al solo pasto de los recuerdos. Pero ¿cómo explicar que, al cabo de tantas vueltas, no se diga en él en qué consistía a punto fijo la pretensión de gracia que su autor llevó a la Corte, ni cuál era su fundamento?

Más aún: supuesto que este fundamento no podía venirle sino en méritos de su padre, resulta asombroso el hecho de que no lo mencione siquiera una vez en el curso de su relación. Cabe la conjetura de que González Lobo fuera huérfano desde muy temprana edad y, siendo así, no tuviera gran cosa que recordar de él; pero es lo cierto que hasta su nombre omite—mientras, en cambio, nos abruma con observaciones sobre el clima y la flora, nos cansa inventariando las riquezas reunidas en la iglesia catedral de

Sigüenza[1] . . . Sea como quiera, las noticias anteriores al viaje que respecto de sí mismo consigna son sumarias en extremo, y siempre aportadas por vía incidental. Sabemos del clérigo por cuyas manos recibiera sacramentos y castigos, con ocasión de un episodio aducido para escarmiento de la juventud: pues cuenta que, exasperado el buen fraile ante la obstinación con que su pupilo oponía un callar terco a sus reprimendas, arrojó los libros al suelo y, haciéndole la cruz, lo dejó a solas con Plutarco[2] y Virgilio. Todo esto, referido en disculpa, o mejor, como lamentación moralizante por las deficiencias de estilo que sin duda habían de afear su prosa.

Pero no es ésa la única cosa inexplicable en un relato tan recargado de explicaciones ociosas. Junto a problema de tanto bulto, se descubren otros más sutiles. Lo trabajoso y dilatado del viaje, la demora creciente de sus etapas conforme iba acercándose a la Corte (sólo en Sevilla permaneció el Indio González más de tres años, sin que sus memorias ofrezcan justificación de tan prolongada permanencia en una ciudad donde nada hubiera debido retenerle) contrasta, creando un pequeño enigma, con la prontitud en desistir de sus pretensiones y retirarse de Madrid, no bien hubo visto al rey. Y, como éste, otros muchos.

El relato se abre con el comienzo del viaje, para concluir con la visita al rey Carlos II en una cámara de Palacio. «Su Majestad quiso mostrarme benevolencia—son sus últimas frases—, y me dió a besar la mano; pero antes de que alcanzara a tomársela saltó a ella un curioso monito que alrededor andaba jugando, y distrajo su Real atención en demanda de caricias. Entonces entendí yo la oportunidad, y me retiré en respetuoso silencio.»

Silenciosa es también la escena inicial del manuscrito, en que el Indio González se despide de su madre. No hay explicaciones, ni lágrimas. Vemos las dos figuras destacándose contra el cielo, sobre un paisaje de cumbres andinas, en las horas del amanecer. González ha tenido que hacer un largo trayecto para llegar despuntando el día; y ahora, madre e hijo caminan sin hablarse, el uno junto al otro, hacia la iglesia, poco más grande, poco menos pobre que las viviendas. Juntos oyen la misa. Una vez oída, González vuelve a emprender el descenso por las sendas cordilleranas . . .

Poco más adelante, lo encontraremos en medio del ajetreo del puerto. Ahí su figura menuda apenas se distingue en la confusión bulliciosa, entre las idas y venidas que se enmarañan alrededor suyo. Está parado, aguardando, entretenido en mirar la preparación de la flota, frente al océano que rebrilla y enceguece. A su lado, en el suelo, tiene un pequeño cofre. Todo gira alrededor de su paciente espera: marineros, funcionarios, cargadores, soldados; gritos, órdenes, golpes. Dos horas lleva quieto en el mismo sitio el Indio González Lobo, y otras dos o tres pasarán todavía antes de que las patas innumerables de la primera galera comiencen a moverse a compás, arrastrando su panza sobre el agua espesa del puerto. Luego, embarcará con su cofre. —Del dilatado viaje, sólo esta sucinta referencia contienen sus memorias: *La travesía fué feliz.*

Pero, a falta de incidentes que consignar, y quizás por efecto de expectativas inquietantes que no llegaron a cumplirse, llena folios y folios a propósito de los inconvenientes, riesgos y daños de los muchos filibusteros que infestan los mares, y de los remedios que podrían ponerse en evitación del quebranto que por causa de ellos sufren los intereses de la Corona. Quien lo lea, no pensará que escribe un viajero, sino un político, tal vez un arbitrista: son elucubraciones mejor o peor fundadas, y de cuya originalidad habría mucho que decir. En ellas se pierde; se disuelve en generalidades. Y ya no volvemos a encontrarlo hasta Sevilla.

En Sevilla lo vemos resurgir de entre un laberinto de consideraciones morales, económicas y administrativas, siguiendo a un negro que le lleva al hombro su cofre y que, a través de un laberinto de callejuelas, lo guía en busca de posada. Ha dejado atrás el navío de donde desembarcara. Todavía queda ahí, contoneándose

[1] Town in New Castile.
[2] Greek philosopher and moralist (46 ?–120 ?).

en el río; ahí pueden verse, bien cercanos, sus palos empavesados. Pero entre González Lobo, que ahora sigue al negro con su cofre, y la embarcación que le trajo de América, se encuentra la Aduana. En todo el escrito no hay una sola expresión vehemente, un ademán de impaciencia o una inflexión quejumbrosa: nada turba el curso impasible del relato. Pero quien ha llegado a familiarizarse con su estilo, y tiene bien pulsada esa prosa, y aprendió a sentir el latido disimulado bajo la retórica entonces en uso, puede descubrir en sus consideraciones sobre un mejor arreglo del comercio de Indias y acerca de algunas normas de buen gobierno cuya implantación acaso fuera recomendable, todo el cansancio de interminables tramitaciones, capaces de exasperar a quien no tuviera tan fino temple.

Excedería a la intención de estos apuntes, destinados a dar noticia del curioso manuscrito, el ofrecer un resumen completo de su contenido. Día llegará en que pueda editarse con el cuidado erudito a que es acreedor, anotado en debida forma, y precedido de un estudio filológico donde se discutan y diluciden las muchas cuestiones que su estilo suscita. Pues ya a primera vista se advierte que, tanto la prosa como las ideas de su autor, son anacrónicas para su fecha; y hasta creo que podrían distinguirse en ellas ocurrencias, giros y reacciones correspondientes a dos, y quién sabe si a más estratos; en suma, a las actitudes y maneras de diversas generaciones, incluso anteriores a la suya propia—lo que sería por demás explicable dadas las circunstancias personales de González Lobo. Al mismo tiempo, y tal como suele ocurrir, esa mezcla arroja resultados que recuerdan la sensibilidad actual.

Tal estudio se encuentra por hacer; y sin su guía no parece aconsejable la publicación de semejante libro, que necesitaría también ir precedido de un cuadro geográfico-cronológico donde quedara trazado el itinerario del viaje—tarea ésta no liviana, si se considera cuánta es la confusión y el desorden con que en sus páginas se entreveran los datos, se alteran las fechas, se vuelve sobre lo andado, se mezcla lo visto con lo oído, lo remoto con lo presente, el acontecimiento con el juicio, y la opinión propia con la ajena.

De momento, quiero limitarme a anticipar esta noticia bibliográfica, llamando de nuevo la atención sobre el problema central que la obra plantea: a saber, cuál sea el verdadero propósito de un viaje cuyas motivaciones quedan muy oscuras, si no oscurecidas a caso hecho, y en qué relación puede hallarse aquel propósito con la ulterior redacción de la memoria. Confieso que, preocupado con ello, he barajado varias hipótesis, pronto desechadas, no obstante, como insatisfactorias. Después de darle muchas vueltas, me pareció demasiado fantástico y muy mal fundado el supuesto de que el Indio González Lobo ocultara una identidad por la que se sintiera llamado a algún alto destino, como descendiente, por ejemplo, de quién sabe qué estirpe nobilísima. En el fondo, esto no aclararía apenas nada. También se me ocurrió pensar si su obra no sería una mera invención literaria, calculada con todo esmero en su aparente desaliño para simbolizar el desigual e imprevisible curso de la vida humana, moralizando implícitamente sobre la vanidad de todos los afanes en que se consume la existencia. Durante algunas semanas me aferré con entusiasmo a esta interpretación, por la que el protagonista podía incluso ser un personaje imaginario; pero a fin de cuentas tuve que resignarme a desecharla: es seguro que la conciencia literaria de la época hubiera dado cauce muy distinto a semejante idea.

Mas no es ahora la ocasión de extenderse en cuestiones tales, sino tan sólo de reseñar el manuscrito y adelantar una apuntación ligera de su contenido.

Hay un pasaje, un largo, interminable pasaje, en que González Lobo aparece perdido en la maraña de la Corte. Describe con encarnizado rigor su recorrer el dédalo de pasillos y antesalas, donde la esperanza se pierde y se le ven las vueltas al tiempo; se ensaña en consignar cada una de sus gestiones, sin pasar por alto una sola pisada. Hojas y más hojas están llenas de enojosas referencias y detalles que nada importan, y que es difícil conjeturar a qué vienen. Hojas y más hojas, están llenas de párrafos por el estilo de éste: «Pasé adelante, esta vez sin tropiezo, gracias a ser bien conocido ya del jefe de la conserjería; pero al pie de la gran escalera que arranca del zaguán—se está refiriendo al Palacio del Consejo de Indias, donde tuvieron lugar muchas de sus gestiones—, encontré cambiada la guardia: tuve, pues, que explicar ahí todo mi asunto como en días anteriores, y aguardar que subiera un paje en averiguación de si me sería permitido el acceso. Mientras esperaba, me entretuve en mirar quiénes recorrían las escaleras, arriba y abajo: caballeros y clérigos, que se saludaban entre sí, que se paraban a conversar, o que avanzaban entre reverencias. No poco tiempo tardó en volver mi buen paje con el recado de que sería recibido por el quinto oficial de la tercera Secretaría, competente para escuchar mi asunto. Subí tras de un ordenanza, y tomé asiento en la antesala del señor oficial. Era la misma antesala donde hube de aguardar el primer día, y me senté en el mismo banco donde ya entonces había esperado más de hora y media. Tampoco esta vez prometía ser breve la espera; corría el tiempo; vi abrirse y cerrarse la puerta veces infinitas, y varias de ellas salir y entrar al propio oficial quinto, que pasaba por mi lado sin dar señales de haberme visto, ceñudo y con la vista levantada. Acerquéme, en fin, cansado de aguardar, al ordenanza de la puerta para recordarle mi caso. El buen hombre me recomendó paciencia; pero, porque no la acabara de perder, quiso hacerme pasar de allí a poco, y me dejó en el despacho mismo del señor oficial, que no tardaría mucho en volver a su mesa. Mientras venía o no, estaba yo pensando si recordaría mi asunto, y si acaso no volvería a remitirme con él, como la vez pasada, a la Secretaría de otra Sección del Real Consejo. Había sobre la mesa un montón de legajos, y las paredes de la pieza estaban cubiertas de estanterías, llenas también de carpetas. En el testero de la sala, sobre el respaldo del sillón del señor oficial, se veía un grande y no muy buen retrato del difunto rey don Felipe IV.[1] En una silla, junto a la mesa, otro montón de legajos esperaba su turno. Abierto, lleno de espesa tinta, el tintero de estaño aguardaba también al señor oficial quinto de Secretaría... Pero aquella mañana ya no me fué posible conversar con él, porque entró al fin muy alborotado en busca de

un expediente, y me rogó con toda cortesía que tuviera a bien excusarle, que tenía que despachar con Su Señoría, y que no era libre de escucharme en aquel momento.»

Incansablemente, diluye su historia el Indio González en pormenores semejantes, sin perdonar día ni hora, hasta el extremo de que, con frecuencia, repite por dos, tres, y aun más veces, en casi iguales términos, el relato de gestiones idénticas, de manera tal que sólo en la fecha se distinguen; y cuando el lector cree haber llegado al cabo de una jornada penosísima, ve abrirse ante su fatiga otra análoga, que deberá recorrer también paso a paso, y sin más resultado que alcanzar la siguiente. Bien hubiera podido el autor excusar el trabajo, y dispensar de él a sus lectores, con sólo haber consignado, si tanto importaba a su intención, el número de visitas que tuvo que rendir a tal o cual oficina, y en qué fechas. ¿Por qué no lo hizo así? ¿Le procuraba acaso algún raro placer el desarrollo del manuscrito bajo su pluma con un informe crecimiento de tumor, sentir cómo aumentaba su volumen amenazando cubrir con la longitud del relato la medida del tiempo efectivo a que se extiende? ¿Qué necesidad teníamos, si no, de saber que eran cuarenta y seis los escalones de la escalera del palacio del Santo Oficio, y cuántas ventanas se alineaban en cada una de sus fachadas?

Quien está cumpliendo con probidad la tarea que se impuso a sí propio: recorrer entero el manuscrito, de arriba a abajo, línea por línea y sin omitir un punto, experimenta, no ya un alivio sino emoción verdadera, cuando, sobre la marcha, su curso inicia un giro que nada parecía anunciar y que promete perspectivas nuevas a una atención ya casi rendida al tedio. «Al otro día, domingo, me fuí a confesar con el doctor Curtius», ha leído sin transición ninguna. La frase salta desde la lectura maquinal, como un relumbre en la apagada, gris arena... Pero, si el tierno temblor que irradia esa palabra, *confesión*, alentó un momento la esperanza de que el relato se abriera en vibraciones íntimas, es sólo para comprobar cómo, al contrario, la costra de sus retorcidas premiosidades se autoriza ahora con el secreto del sacramento. Pródigo siempre en detalles, el autor sigue guardando silencio sobre lo

[1] King of Spain (1621–1665).

principal. Hemos cambiado de escenario, pero no de actitud. Vemos avanzar la figura menuda de González Lobo, que sube, despacio, por el centro de la amplísima escalinata, hacia el pórtico de la iglesia; la vemos detenerse un momento, a un costado, para sacar una moneda de su escarcela y socorrer a un mendigo. Más aún: se nos hace saber con exactitud ociosa que se trata de un viejo paralítico y ciego, cuyos miembros se muestran agarrotados en duros vendajes sin forma. Y todavía añade González una larga digresión, lamentándose de no poseer medios bastantes para aliviar la miseria de los demás pobres instalados, como una orla de podredumbre, a lo largo de las gradas ...

Por fin, la figura del Indio se pierde en la oquedad del atrio. Ha levantado la pesada cortina; ha entrado en la nave, se ha inclinado hasta el suelo ante el altar mayor. Luego se acerca al confesionario. En su proximidad, aguarda, arrodillado, a que le llegue el turno. ¿Cuántas veces han pasado por entre las yemas de sus dedos las cuentas de su rosario, cuando, por último, una mano blanca y gorda le hace señas desde lo oscuro para que se acerque al Sagrado Tribunal?

—González Lobo consigna ese gesto fugaz de la mano blanqueando en la sombra; ha retenido igualmente a lo largo de los años la impresión de ingrata dureza que causaron en su oído las inflexiones teutónicas del confesor y, pasado el tiempo, se complace en consignarla también. Pero eso es todo. «Le besé la mano, y me fuí a oír la santa misa junto a una columna.»

Desconcierta—desconcierta e irrita un poco —ver cómo, tras una reserva tan cerrada, se extiende luego a ponderar la solemnidad de la misa: la pureza desgarradora de las voces juveniles que, desde el coro, contestaban «como si, abiertos los cielos, cantasen ángeles la gloria del Resucitado» a los graves latines del altar. Eso, las frases y cantos litúrgicos, el brillo de la plata y del oro, la multitud de las luces, y las densas volutas de incienso ascendiendo por delante del retablo, entre columnatas torneadas y cubiertas de yedra, hacia las quebradas cupulillas, todo eso, no era entonces novedad mayor que hoy, ni ocasión de particular noticia. Con dificultad nos convenceríamos de que el autor no se ha detenido en ello para disimular la omisión de lo que personalmente le concierne, para llenar mediante ese recurso el hiato entre su confesión—donde sin duda alguna hubo de ingerirse un tema profano—y la visita que a la mañana siguiente hizo, invocando el nombre del doctor Curtius, a la Residencia de la Compañía de Jesús. «Tiré de la campanilla—dice, cuando nos ha llevado ante la puerta—, y la oí sonar más cerca y más fuerte de lo que esperaba.»

Es, de nuevo, la referencia escueta de un hecho nimio. Pero tras ella quiere adivinar el lector, enervado ya, una escena cargada de tensión: vuelve a representarse la figura, cetrina y enjuta, de González Lobo, que se acerca a la puerta de la Residencia con su habitual parsimonia, con su triste, lentísimo continente impasible; que, en llegando a ella, levanta despacio la mano hasta el pomo del llamador. Pero esa mano, fina, larga, pausada, lo agarra y tira de él con una contracción violenta, y vuelve a soltarlo en seguida. Ahora, mientras el pomo oscila ante sus ojos indiferentes, él observa que la campanilla estaba demasiado cerca y que ha sonado demasiado fuerte.

Pero, en verdad, no dice nada de esto. Dice: «Tiré de la campanilla, y la oí sonar más cerca y más fuerte de lo que esperaba. Apenas apagado su estrépito, pude escuchar los pasos del portero, que venía a abrirme, y que, enterado de mi nombre, me hizo pasar sin demora.» En compañía suya, entra el lector a una sala, donde aguardará González, parado junto a la mesa. No hay en la sala sino esa mesita, puesta en el centro, un par de sillas, y un mueble adosado a la pared, con un gran crucifijo encima. La espera es larga. Su resultado, éste: «No me fué dado ver al Inquisidor General en persona. Pero, en nombre suyo, fuí remitido a casa de la baronesa de Berlips, la misma señora conocida del vulgo por el apodo de La Perdiz, quien, a mi llegada, tendría información cumplida de mi caso, según me aseguraron. Mas, pronto pude comprobar —añade—que no sería cosa llana entrar a su presencia. El poder de los magnates se mide por el número de los pretendientes que tocan a sus

puertas, y ahí, todo el patio de la casa era antesala.»

De un salto, nos transporta el relato desde la
Residencia jesuítica—tan silenciosa que un cam-
panillazo puede caer en su vestíbulo como una
piedra en un pozo—hasta un viejo palacio, en
cuyo patio se aglomera, bullicioso, un hervidero
de postulantes, afanados en el tráfico de influencias, solicitud de exenciones, compra de
empleos, demanda de gracia o gestión de privi-
legios. «Me aposté en un codo de la galería y,
mientras duraba mi antesala,[1] divertíame en
considerar tanta variedad de aspectos y condiciones como allí concurrían, cuando un soldado,
poniéndome la mano en el hombro, me preguntó
de dónde era venido, y a qué. Antes de que
pudiera responderle nada, se me adelantó a pedir
excusas por su curiosidad, pues que lo dilatado
de la espera convidaba a entretener de alguna
manera el tiempo, y el recuerdo de la patria es
siempre materia de grata plática. Él, por su parte,
me dijo ser natural de Flandes, y que prestaba
servicio al presente en las guardias del Real
Palacio, con la esperanza de obtener para más
adelante un puesto de jardinero en sus depen-
dencias; que esta esperanza se fundaba y sostenía en el valimiento de su mujer, que era enana
del rey y que tenía dada ya más de una muestra
de su tino para obtener pequeñas mercedes. Se
me ocurrió entonces, mientras lo estaba oyendo,
si acaso no sería aquél buen atajo para llegar más
pronto al fin de mis deseos; y así, le manifesté
cómo éstos no eran otros sino el de besar los pies
a Su Majestad; pero que, forastero en la Corte y
sin amigos, no hallaba medio de arribar a su Real
persona. —Mi ocurrencia—agrega—se acreditó
feliz, pues, acercándoseme a la oreja, y después
de haber ponderado largamente el extremo de su
simpatía hacia mi desamparo y su deseo de
servirme, vino a concluir que tal vez su mentada
mujer—que lo era, según me tenía dicho, la
Enana doña Antoñita Núñez, de la Cámara del
Rey—pudiera disponer el modo de introducirme
a su alta presencia; y que sin duda querría hacerlo, supuesto que yo me la supiese congraciar y

[1] *duraba mi antesala* I was cooling my heels in the
antechamber.

moviera su voluntad con el regalo del cintillo que
se veía en mi dedo meñique.»

Las páginas que siguen a continuación son, a
mi juicio, las de mayor interés literario que contiene el manuscrito. No tanto por su estilo, que
mantiene invariablemente todos sus caracteres:
una caída arcaizante, a veces precipitación
chapucera, y siempre esa manera elusiva donde
tan pronto cree uno identificar los circunloquios
de la prosa oficialesca, tan pronto los sobrenten-
didos de quien escribe para propio solaz, sin
consideración a posibles lectores; no tanto por el
estilo, digo, como por la composición, en que
González Lobo parece haberse esmerado. El
relato se remansa aquí, pierde su habitual
sequedad, y hasta parece retozar con destellos de
insólito buen humor. Se complace González en
describir el aspecto y maneras de doña Antoñita,
sus movimientos, sus ademanes, gestos, mohines
y sonrisas, sus palabras y silencios, a lo largo de
la curiosa negociación.

Si estas páginas no excedieran ya los límites de
lo prudente, reproduciría el pasaje íntegro. Pero
la discreción me obliga a limitarme a una muestra
de su temperamento. «En esto—escribe—, dejó
caer el pañuelo y esperó, mirándome, a que lo
alzara. Al bajarme para levantarlo vi reír sus
ojillos a la altura de mi cabeza. Cogió el pañuelo
que yo le entregaba, y lo estrujó entre los dimi-
nutos dedos de una mano adornada ya con mi
cintillo. Dióme las gracias, y sonó su risa como
una chirimía; sus ojos se perdieron y, ahora,
apagado su rebrillo, la enorme frente era dura y
fría como piedra.»

Sin duda, estamos ante un renovado alarde de
minuciosidad; pero ¿no se advierte ahí una inflexión divertida, que, en escritor tan apático,
parece efecto de la alegría de quien, por fin, inesperadamente, ha descubierto la salida del
laberinto donde andaba perdido y se dispone a
franquearla sin apuro? Han desaparecido sus
perplejidades, y acaso disfruta en detenerse en el
mismo lugar de que antes tanto deseaba escaparse.

De aquí en adelante el relato pierde su acos-
tumbrada pesadumbre y, como si replicase al
ritmo de su corazón, se acelera sin descomponer

el paso. Lleva sobre sí la carga del abrumador viaje, y en los incontables folios que encierran sus peripecias, desde aquella remota misa en las cumbres andinas hasta este momento en que va a comparecer ante Su Majestad Católica, parecen incluídas todas las experiencias de una vida.

Y ya tenemos al Indio González Lobo en compañía de la Enana doña Antoñita camino del Alcázar. A su lado siempre, atraviesa patios, cancelas, portales, guardias, corredores, antecámaras. Quedó atrás la Plaza de Armas, donde evolucionaba un escuadrón de caballería; quedó atrás la suave escalinata de mármol; quedó atrás la ancha galería, abierta a la derecha sobre un patio, y adornada a la izquierda la pared con el cuadro de una batalla famosa, que no se detuvo a mirar, pero del que le quedó en los ojos la apretada multitud de las compañías de un tercio que, desde una perspectiva bien dispuesta, se dirigían, escalonadas en retorcidas filas, hacia la alta, cerrada, defendida ciudadela ... Y ahora la enorme puerta cuyas dos hojas de roble se abrieron ante ellos en llegando a lo alto de la escalera, había vuelto a cerrarse a sus espaldas. Las alfombras acallaban sus pasos, imponiéndoles circunspección, y los espejos adelantaban su visita hacia el interior de desoladas estancias sumidas en penumbra.

La mano de doña Antoñita trepó hasta la cerradura de una lustrosa puerta, y sus dedos blandos se adhirieron al reluciente metal de la empuñadura, haciéndola girar sin ruido. Entonces, de improviso, González Lobo se encontró ante el Rey.

«Su Majestad—nos dice—estaba sentado en un grandísimo sillón, sobre un estrado, y apoyaba los pies en un cojín de seda color tabaco, puesto encima de un escabel. A su lado, reposaba un perrillo blanco.» Describe—y es asombroso que en tan breve espacio pudiera apercibirse así de todo, y guardarlo en el recuerdo—desde sus piernas flacas y colgantes hasta el lacio, descolorido cabello. Nos informa de cómo el encaje de Malinas [1] que adornaba su pecho estaba humedecido por las babas infatigables que fluían de sus labios; nos hace saber que eran de plata las hebillas de sus zapatos, que su ropa era de terciopelo negro. «El rico hábito de que Su Majestad estaba vestido—escribe González— despedía un fuerte hedor a orines; luego he sabido la incontinencia que le aquejaba.» Con igual simplicidad imperturbable sigue puntualizando a lo largo de tres folios todos los detalles que retuvo su increíble memoria acerca de la cámara, y del modo como estaba alhajada. Respecto de la visita misma, que debiera haber sido, precisamente, lo memorable para él, sólo consigna estas palabras, con las que, por cierto, pone término a su dilatado manuscrito: «Viendo en la puerta a un desconocido, se sobresaltó el canecillo, y Su Majestad pareció inquietarse. Pero al divisar luego la cabeza de su Enana, que se me adelantaba y me precedía, recuperó su actitud de sosiego. Doña Antoñita se le acercó al oído, y le habló algunas palabras. Su Majestad quiso mostrarme benevolencia, y me dió a besar la mano; pero antes de que alcanzara a tomársela saltó a ella un curioso monito que alrededor andaba jugando, y distrajo su Real atención en demanda de caricias. Entonces entendí yo la oportunidad, y me retiré en respetuoso silencio.»

[1] Mechlin lace.

Historia de macacos (1955)

UN CUENTO DE MAUPASSANT

«HAY SITUACIONES REALES que vienen ya hechas como ‹argumento›, que se nos presentan armadas dentro de su forma literaria correspondiente; y esa forma es un estilo personal: el estilo de determinado escritor, que ha percibido en su tiempo muchas situaciones análogas, para las que su sensibilidad resultaba ser idónea, y a las que ha arrendado su pluma una y otra vez, hasta identificarse su firma con ese estilo que no es, en el fondo, sino reiterada captación de un cierto tipo de experiencias humanas. Cuando uno tiene la ventura—o, mejor, desdicha—de que le salga al paso, y le tiente, algún argumento de esta especie, ¿qué hacer? ¿Aprovecharlo, acaso, violentando el asunto para separarse en la redacción propia de la forma que le sería natural—congénita, diríamos—, pero que ‹pertenece› a Equis autor? ¿O incurrir en el *pastiche*, puesta la confianza en que, a pesar de todo, la personalidad de uno se manifieste siempre como al trasluz? Quizás lo más sensato en casos semejantes sea renunciar al argumento, haciéndose cuenta que ya fué desarrollado por el autor en cuestión (si bien figura entre sus obras hoy perdidas) y dejarlo pasar en la actitud un tanto irritada del menesteroso que contempla las riquezas baldías en el abintestato de un ricachón que no supo o no pudo aprovechar en vida todos sus predios.» Nuestro ilustre amigo sonrió, satisfecho de su tirada; bebió un largo trago de cerveza y chupó su pipa. En seguida se dispuso a continuar; aquello había sido un mero exordio. «Tales argumentos ‹pre-fabricados›—aseveró ligeramente—son el demonio. En cierta ocasión tuve que bregar yo con un tema ‹perteneciente› a Henry James,[1] y puedo asegurarles, señores, que la famosa diferenciación entre fondo y forma no pasa de ser una solemne engañifa. Había tomado los hechos de un sucedido real; pero esta realidad era ya, literalmente hablando, un cuento de Henry James, o no tenía sentido. Y por mucho que insistas en introducir objetos y circunstancias de nuestros días, que James no conoció, el cuento sigue siendo suyo . . .»

Hizo otra pausa, ésta de duración abusiva, manipuló la pipa y, asegurado de nuestra expectación, siguió diciendo, en tono algo reticente: «Pues bien, es el caso que de nuevo me encuentro ahora frente al mismo problema. Pero esta vez los hechos me han ocurrido a mí mismo, y el cuento es de Maupassant.» Luego aclaró que no le habían ocurrido los hechos en calidad de protagonista, sino que se había limitado a participar en ellos como testigo. Y condescendió, tras algunas instancias, a relatarlos.

«Ustedes, todos—empezó diciendo—conocen al gran Antuña, una de las mentes más esclarecidas, reconocidas y acatadas, una de las más respetadas personalidades de nuestro ambiente.» (¡Acabáramos! Se trataba nada menos que de Antuña. Esto le agregaría al cuento sal y pimienta, cualquiera fuese su contenido. Claro que lo conocíamos; ¿quién no iba a conocerle? A Antuña lo conocíamos todos; un poco a la distancia, es cierto, pues él mismo—y era éste uno de los rasgos que más atractiva hacían su figura para nosotros, los jóvenes; aunque tampoco faltaran quienes hablasen de triquiñuela y truco—, él mismo cultivaba su aislamiento, vivía retraído, recatado, usaba la cortina de humo o, en todo caso, evitaba el prodigarse hasta un punto rayano en cicatería. ¿Quién no iba a conocerlo? Adelante, pues.) «Ustedes saben también, creo —prosiguió el ilustre escritor—, que me honro con la amistad de este hombre excepcional desde los tiempos en que ambos teníamos la edad de ustedes y, como ustedes ahora, nos asomábamos al mundo de las letras, con diferentes perspectivas e intereses, pero con augurios parejos. ¡Así se hubieran cumplido; al menos, en cuanto a mí respecta! . . . A esa vieja amistad debo el privilegio, de veras raro, de poder asomarme a los arcanos ‹antuñescos›, que de entonces acá, y sobre todo a partir del casamiento del filósofo, se han ido haciendo cada vez más herméticos, y de —un poco furtivamente a pesar de todo, lo confieso—escrutar en su fondo. Aquel casamiento tiene, por supuesto, bastante que ver con el desarrollo de su carácter y, ciertamente, con el episodio que quiero referirles . . . Señores, les suplico: no incurran ustedes nunca en la vulgar propensión a echar a chacota los aspectos domésticos de las vidas egregias. Cierto es que la rutina cotidiana presta un sesgo cómico al porte de cualquier héroe, presentándolo bajo una luz tanto más falsa cuanto que pretende hacerse pasar por la verdadera. Sí, el contraste entre el pensamiento de Sócrates y el tono de sus disputas con Xantipa[2] ofrecerá siempre un fácil

---

[1] American novelist (1843–1916).

[2] Socrates' wife.

recurso a la burla aristofanesca. Pero ¿no admiten ustedes que puede haber algo de profundamente conmovedor y aun de misterioso en la aceptación, por parte de Sócrates, de ese destino sórdido, en cómo asume de manera plenaria y muy consciente el envilecimiento y, con ello, renuncia a tantas, tantísimas posibilidades brillantes de obra y de vida?»

El ilustre escritor dejó pendiente por un rato la interrogación, para reanudar luego: «Ustedes conocen, todos, a Antuña; pero probablemente no conocen a su mujer. En cuyo caso, no conocen a Antuña tampoco, permítanme que se lo diga. Conocen, sí, al personaje encantador que, con una sonrisa enigmática, elusivo siempre, entre puertas, al salir de un concierto o en el vestíbulo de la Academia de Artes y Ciencias, se deja arrancar media palabra, emite un juicio ambiguo (¡entiéndalo quien pueda!), y con eso abre de pronto una vista magnífica sobre cualquier asunto para negarse en seguida—con amables modos, pero resueltamente—a adelantar un solo paso más, y dejarlos a ustedes, como es natural, pasmados y ávidos de su saber, admirados de esa ‹nonchalance› que, en términos discretos—y, a causa de ello, seductores—reproduce el cinismo de un Diógenes[1] . . . Lejos de mí pretender más auténtica la visión que de él tienen sus vecinos, gente sencilla, alejada de complicaciones intelectuales, para quienes el Sr. Antuña es, no más, el pobre tipo zarandeado por la cónyuge, zascandileando en la compra de las diarias vituallas, y azacaneado en otros diversos menesteres domésticos, hecho, en fin, un Juan Lanas,[2] y sólo capaz de oponer alguna sonrisa irónica a los improperios que ella le rociaba sin recato; el *Pobre señor*, en fin, con que unánimemente lo compadecen. Pero si se omite ese aspecto, su imagen no estará completa. Por otra parte, a mí me ha gustado siempre colocarme un poco en el punto de vista de Xantipa, y buscarle su parte de razón también a ella. Ella, en el presente caso, no es ni mucho menos el monstruo horrible que—lo leo en sus caras—ustedes se están figurando. No, no

estamos ante un prodigio de malvada estupidez. La Sra. de Antuña percibe demasiado bien los quilates del hombre; y las continuas vejaciones que le inflige son, en cierta manera paradójica, un homenaje a su calidad superior. Pero . . .

«¿Qué vería el bueno de nuestro filósofo en aquella doncellona sosa y áspera, que invariablemente repelía con sofiones—verdaderas coces—sus ratimagos, para resolverse a pedir su mano? Nadie se lo explicaba; como no fuera esa misma insipidez del corpachón blancote; o que—a él, tan refinado—le hiciera gracia la entereza arisca de la borrica. El hecho es que, después de haberlo olisqueado un par de veces con displicencia, mordisqueó ella por fin el bien compuesto ramillete de sus amores, y accedió al altar . . . A mí me gusta hacerme cargo de la posición de cada uno, y comprendo cuán insufrible ha de ser el emparejamiento con una persona marca ‹Antuña›. Ustedes saben que en el caso de Antuña el talento no es una cualidad de la que se está dotado o no, como acaso el buen oído para la música; no es que él *tenga* talento en el sentido en que *tiene* ella sus opulentas y desgarbadas caderas. Hasta cabría afirmar que, en tal sentido manifiesto, tangible y palpable, carece de talento (pues ¿qué libros ha escrito, con qué obra puede encandilar a nadie?), o sólo posee dotes mediocres con las cuales ella, que no es nada tonta, está en condiciones de rivalizar. Lo que llamamos el talento de Antuña es una cualidad subjetiva y casi inefable, un efluvio de su personalidad, y el peculiar atributo de su simpatía.

«Ahora bien, esa simpatía gratuita, que no falla, tiene que serle insufrible—comprendámoslo—a quién, compartiendo el pan y el lecho, se siente excluída sin embargo de su poder misterioso, y sólo tolerada por ello, en razón de ser, al fin y al cabo, la compañera de lecho del gran hombre.¡Qué no deberá hacer entonces éste para propiciarse a la irritada Juno,[3] y conseguir que, abandonando la hosquedad de su rincón, se vuelva y consienta en abrirle un crédito de precaria y gruñona benevolencia! ¡A qué humillaciones no estará dispuesto a someterse, por qué

---

[1] Greek Cynic philosopher (412 ?–323 ? B.C.).
[2] Folkloric figure, a fellow who lets himself be bossed by others.

[3] Roman goddess, wife of Jupiter.

horcas caudinas a pasar! [1] ¡Qué abdicaciones no llegarán a hacérsele soportables, o acaso dulces, por tal camino! Su existencia será pronto un sufragio incesante; pues si ‹a secreto agravio, secreta venganza›, ¿cómo podrían satisfacer en la celosa harpía ocultas claudicaciones de alcoba la pública ofensa de una eminencia espiritual tan ostensible? Sólo sacando a la luz del sol los trapos sucios del gran hombre, aireando sus calzoncillos, pregonando sus miserias, rebajándolo de cien mil maneras, hallará lenitivo el amargo sentimiento de una superioridad que no se apoya en méritos positivos, sino que es mera e irritante gracia del cielo... Ustedes, claro está, lo ignoran; pero los vecinos del matrimonio Antuña podrían informarles de cómo él, plegado a la situación, acostumbra adelantarse con torpes gracias de perro amaestrado y concita y acumula el ridículo sobre su cabeza aun antes de que la domadora restalle el látigo. Sí, amigos; Antuña se complace en perpetrar payasadas y simular traspiés, incurre en exageradas inepcias de sabio distraído, con ánimo de calmar la envidia de la diosa. ¡Vano holocausto, después de todo! Puede serse un bufón, y vencer con piruetas; la bufonada se convertirá así en un triunfo más del ingenio, en un juego del que se deriva placer. Y Antuña parece, en efecto, obtener un placer secreto, y quizás muy intenso, de sus pequeñas abyecciones. Pero sobre este terreno prefiero abstenerme de toda conjetura. Si no peligroso, es por lo menos demasiado resbaladizo, y no me gusta hurgar en ciertas cosas.

«Muchas veces me he preguntado, y sé que muchos se lo preguntan igual, a sí mismos y a los otros, en qué demonios emplea Antuña el talento que Dios le ha dado. Resulta fácil hablar de frustración, y cómodo por demás echarle las culpas a la Xantipa de turno; pero lo cierto es que él está defraudando la promesa hecha al mundo con su mero existir—esa gran promesa que había sido él, de joven. Vida disipada llaman a la del libertino; pero ¿hay acaso mayor disipación que este anodino vivir de Antuña, éste su pasarse el tiempo papando moscas,[2] sin emprender nada, sin esforzarse por nada, en el puro vacío? Él, por propia iniciativa, apenas mueve un dedo; y como el molino de su entendimiento no puede dejar de funcionar—¡ah, si pudiera pararlo y suspenderlo, no pensar en cosa alguna!—, pero como eso no puede, ha urdido y adaptado para su uso personal una teoría de la verdad esotérica que le permite esquivar las apreciaciones de la gente y transigir con el error, con la majadería, prestar una sonriente anuencia al disparate, y guardarse para sí sus propias ideas u opiniones. Que en nuestra época es peligroso todo pensamiento, ¡cierto!; y aún, diría yo, el silencio mismo es peligroso. Cierto también que cuanto se salga de los lugares comunes más trillados inquieta a la gente, siembra alarmas y perturba en vano su triste rutina. Pero ¿hay derecho a disimular lo que uno cree verdad al amparo de tan blandengue sofisma, amasado de falsa piedad y efectivo desprecio hacia el prójimo? Esa verdad silenciada, ahogada, se corrompe en su encierro, y termina por desvanecerse, volatilizada como la propia existencia de quien así la cicatea y recata. Jóvenes amigos: eso es lo que le ha pasado al gran Antuña; sírvales de escarmiento. A fuerza de simular que aceptaba los criterios ajenos, sus apreciaciones personales (¿para qué desarrollarlas, si no habían de ser formuladas?) iban quedando reducidas cada vez más a germen y mera posibilidad, hasta, por último, abdicar enteramente de ellas y aceptar por buenas, también para sí mismo, apreciaciones que recibe hechas, o—digámoslo en términos exactos: las apreciaciones que le impone su señora con la manera imperiosa y apabullante que le es propia. Sí, amigos; a ese extremo hemos llegado—y pueden imaginarse cuánto me pesa el reconocerlo—. Aunque parezca mentira, el filósofo, nuestro pobre Sócrates, se traga y hace suyas las perentorias opiniones de su robusta Xantipa, a quien, ¡claro está!, no le falta lucidez ni la sagacidad suficiente para tornárselas potables, aun cuando, ya en esta vía, haya terminado por hacerle comulgar con ruedas de molino.[3]

«Pero vamos a nuestro cuento; o, mejor dicho, al cuento de Maupassant, del que Antuña es

---

[1] *horcas caudinas a pasar* See Ortega, note 6, p. 448.
[2] *papando moscas* gazing into space.
[3] *comulgar ... molino* to bamboozle.

protagonista, y que yo quizás me anime algún día a transcribir como amanuense. ¡Al grano, pues! Quién sabe si les parecerá ahora una tontería, que no vale la pena, después de tanta digresión.

5 «Se trata del incidente que surgió, hará cosa de mes y medio o dos meses, entre Antuña y José Luis Durán, otro de los viejos amigos de nuestro grupo. Ustedes supieron algo entonces, probablemente. Fué en el Teatro Municipal, 10 cuando el estreno del lamentable bodrio que todavía se sostiene en el cartel. La cosa no alcanzó proporciones mayores ni llegó a tomar vuelo, gracias sobre todo a la prudencia de José Luis Durán. José Luis Durán es un buenazo. Seguro 15 estoy (dicho sea entre paréntesis) que alguno de ustedes, jóvenes de hoy, se sorprenderá al saber cómo este apacible burócrata aficionado a las artes que es el Durán actual, este asiduo de estrenos y salas de exposición, y discreto fre- 20 cuentador de corrillos y tertulias, fué en los albores de nuestra generación literaria uno de los hombres mejor cotizados, si no el mejor, y disfrutó de ese prestigio juvenil tanto más imperioso, más irrecusable y fanático, cuanto que se 25 apoya, no en obras tales o cuales, vulnerables siempre, sino en una especie de carta de crédito abierta sobre el porvenir. Gran parte de la consideración que todavía goza es residuo y reflejo de aquella brillantísima promesa curiosamente 30 indefinida, que lo hacía pareja y rival de Antuña en nuestros ambientes de entonces. Si Antuña ha logrado, no sé por qué magia, conservar su autoridad de oráculo, la de Durán, en cambio, se ha ido deteriorando, hasta esfumarse en el halo de 35 consideración personal que todos le disciernen hoy como hombre afable, cortés y económicamente independiente. Desde aquellos días ya un tanto lejanos, la amistad entre estos dos compañeros, como la de ambos conmigo, se había 40 conservado intacta—con un matiz peculiar y por cierto muy amable en lo que a Durán se refiere; pues, habiendo renunciado definitivamente a toda pretensión de actividad intelectual, pero no al gusto por ella, se ha conducido cada vez más 45 frente a nosotros dos un poco a la manera de mecenas fraternal y discreto, invitándonos, por ejemplo, con bastante frecuencia, a comidas y otras reuniones en su casa, sin posible reciprocidad de parte nuestra; pues él dispone de una casa cómoda, holgada y bien servida, según 50 corresponde a un alto funcionario cuya esposa, además, no fué al matrimonio con las manos vacías. Si nuestra situación no hubiera sido también, como lo es, por suerte, decorosa al menos, bien que, en cuanto a mí, reducida a la modestia 55 que nuestro precario mundo literario impone aun al escritor de más éxito, no tengo la menor duda de que Durán hubiera acudido a demostrar su buena voluntad de amigo siempre que un caso de apuro lo hiciera menester. Más aún: sospecho 60 —lo sospecho tan sólo, pues, es claro, ninguno de los dos iba a contarlo; pero pondría la mano al fuego—que Antuña ha recibido de Durán, y no una o dos veces, junto a todas las demás constantes atenciones, apoyos de especie muy 65 efectiva, que yo nunca me he visto en el caso de requerir, gracias a ésta mi vida de cenobita consagrada por entero al arte y sin otras obligaciones que las muy sumarias de un solterón entrado en años. El ser casado le plantea a Antuña muchas 70 más exigencias; pero, por otro lado, su amistad con Durán está duplicada y reforzada con la de las respectivas esposas, camino menos áspero para que el mecenazgo pueda marchar sin tropiezos, y sin la violencia que siempre tienen las 75 dádivas de hombre a hombre. ¡Cómo no había de asombrarme el incidente del Teatro Municipal, por resultas del cual están hoy enojados mis dos amigos!

«Yo no presencié la cosa. Me contaron—y si 80 alguno de ustedes estaba por casualidad presente, que me rectifique—, me contaron que hubo palabras gruesas, gritos, y, a no ser que los separan, aquello termina a puñetazos. La gente arremolinada alrededor percibió que el motivo 85 de la discusión era la ropa de las señoras, y repararon entonces todos, con curiosidad divertida, en que la de Durán y la de Antuña exhibían idéntica toilette, sendos vestidos de satén bordeaux,[1] con iguales escotes cuadrados y los 90 mismos bullones recogidos a lo largo del talle. Así fué que, entre la general expectación, abandonaron cada cual por su lado el teatro, la de

[1] Red color of Bordeaux wine.

Durán medio encogida con el sofocón, secándose los ojos y colgada al brazo de su marido, y la de Antuña, muy pálida y tiesa, abriéndose paso, majestuosa, con su filósofo a la zaga . . . Yo no estaba allí; ustedes saben, mis jóvenes amigos, que no me gusta perder tiempo y dinero con estrenos como los que suelen brindarnos en el Municipal; el espectáculo de la necedad humana me deprime. . . . De modo que cuando al otro día lo supe, me puse en campaña de inmediato para averiguar lo sucedido y buscar remedio, pues se trata de dos viejos compañeros de quienes jamás, ni en sueños, hubiera esperado el escándalo de una pelea en público. Les aseguro a ustedes que estaba alarmado, agitado, sospechando algo grave en el fondo; y me dirigí en busca de Durán—a Antuña, para verlo a solas hay que acechar las oportunidades—, fuí a ver a Durán en su oficina del Ministerio, y por él me informé con algún detalle de lo ocurrido. Durán estaba dolidísimo y, más aún, desconcertado. Me dijo que, al comienzo, cuando Antuña empezó a increparlo a cuenta de los vestidos, no conseguía entender nada, creía que se tratara de una broma, de alguna payasada un poco excesiva de nuestro amigo. En resumidas cuentas—me aseguró—, ésta es la hora en que todavía no había logrado percatarse de por qué le exigía explicaciones y le pedía una reparación en forma tan airada. Al parecer, la esposa de Antuña se había enfurecido viendo, al entrar en su palco el matrimonio Durán, que la señora llevaba un vestido gemelo del suyo. Había tomado eso, quién sabe por qué, como una jugarreta intencionada e intolerable . . . Durán no quería hablar. Se mostraba apesadumbrado y, sobre todo, herido e indignado por la manera perentoria, absurda, estúpida, en que Antuña había provocado el incidente. ¡Aun en el supuesto de que hubiera tenido la más leve sombra de razón! . . . Como yo lo estrechara a preguntas, me precisó Durán que, en efecto, ambos vestidos eran obra de la misma modista, la de su esposa; el hacerlos sobre igual modelo podía ser una maldad o una sandez de la mujer—probablemente, sólo una sandez—, y produjo también muy desagradable impresión a su propia esposa, sin que el asunto, por lo demás,

mereciera tanto ruido. ¿A santo de qué tenía su mujer que presentar excusas a la de Antuña, según ésta pretendía? Era una insensatez. Con igual base hubiera podido pretender él lo contrario. Resultaba increíble . . . Y así por el estilo. José Luis Durán se contenía, no quería desfogar su indignación; estaba refrenándose; prefería no hablar. Pero, al mismo tiempo, con la cólera del manso, se mostró irreductible a todas mis sugestiones de mediación, y rechazó mi intento de quitar importancia al asunto. Yo, que conozco a mi gente, renuncié a ensayar paliativos por ese lado, dispuesto a atacar más bien la cuestión por el lado de Antuña, demasiado lúcido para no tener conciencia de cuán injustamente había tratado a nuestro común amigo. Y cuando, por fin, pude echármelo a la cara, el filósofo me confesó, en efecto, que él también estaba muy apesadumbrado, que el trance le había resultado penosísimo, un trago amargo; pero que, ya se sabe, eran cosas de mujeres, y poniendo los ojos en blanco me felicitó en su tono semihumorístico por haberme sabido mantener en el dichoso estado de celibato. Gestos, frases sentenciosas y elípticas, generalizaciones, iban tejiendo ante mí una red defensiva que, agotada mi paciencia, rompí de un manotazo al pedirle que me contara, en concreto, lo sucedido. Entonces él, con acentos que reclamaban mi comprensión bajo el chantaje de darla ya por supuesta, me refirió—¡cosas de mujeres!—que la de Durán había querido regalarle a la suya («regalos que yo detesto») un vestido para la fecha de su cumpleaños, y la había enviado a su propia modista para que le encargara el que fuese de su antojo. «De esas innecesarias familiaridades vienen luego estos líos», comentó. «Pues bien, cuando la noche de marras estaba tan satisfecha la pobre luciendo en el Teatro Municipal el fruto de su elección, hete aquí que ve aparecer a la otra vestida exactamente igual. Se le sube la sangre a la cabeza, se obceca, a punto estuvo de darle allí mismo un patatús (el filósofo sonreía, entre consternado e irónico), total, que yo, por si fuera poco aguantar la lata del estreno, no tuve más remedio que hacer lo que hice para calmarla» . . . ¡Dijo que no había tenido más remedio!; y, pasando como sobre ascuas, se deslizó en seguida hacia una serie de observaciones perspicaces y un tanto melancólicas, deliciosas en cualquier otra ocasión, acerca de esos vestigios de individualismo en un mundo como éste, tan socializado y uniformado, donde ya la mayoría de las mujeres no podrían entender siquiera el malestar, desazón e ira de estas dos damas al verse, una en presencia de la otra, portadoras ambas de la misma librea, cuando la satisfacción de la gente, su mayor tranquilidad y sosiego, está en reconocer sus gustos, sus ideas, sus amores, sus preferencias, sus trajes, endosados en miles de otros individuos. Etcétera, etcétera. Hasta quiso traer a colación una vieja anécdota, de aquel soldado narcisista que se hizo hacer su uniforme en seda y con detalles de fantasía. De nuevo tuve que acorralarlo para que no se saliera por la tangente. Pero, hombre—le dije—, bien está todo eso; pero tú comprenderás que el pobre José Luis... «Sí—me atajó—, ya te digo que para mí ha sido una cosa bastante penosa, puedes figurártelo. Pero ¿qué querías que hiciera? Me encontraba entre la espada y la pared»... Tratando de sincerarse conmigo, ponderó mucho Antuña los vanos esfuerzos que, antes, había realizado para persuadir a su mujer, traerla a razón, hacerle ver que aquella coincidencia no podía ser sino casual, pues tampoco a la otra había de gustarle, convencerla de que lo mejor sería salirse del teatro con disimulo, bajo promesa firme de luego aclarar enérgicamente si se descubrían malas intenciones por parte de alguien. De nada valieron promesas ni ruegos. Frenética, afirmaba ella, erre que erre, estar segurísima de que se había querido humillarla con una pantomima idiota; que eso era una canallesca trama urdida con la modista, quien ahora comprendía ella por qué tanta insistencia, al mostrarle los modelos, en

que aquél tenía entusiasmada a la Sra. de Durán: era para infundirle astutamente el antojo de encargárselo ... Y de este modo, todas las exhortaciones del filósofo servían tan sólo para encresparla más y más. En una palabra: que Antuña se vió en el trance lamentable de enfrentar a Durán y exigirle pública explicación.

«Les aseguro a ustedes que, al oírlo, me montó al pecho una oleada de indignación—indignación mezclada de lástima, de asco, no sé. Le dije—tratando sin embargo de medir mis palabras—cuanto se me vino a la boca, le afeé su conducta de mil maneras y, por último, con las precauciones del caso, invoqué la tradición literaria a que pertenecen el cuento de don Juan Manuel[1] sobre el mancebo que casó con mujer brava y *La fierecilla domada* de Shakespeare, para concluir, ya en forma imprudente, lo reconozco: ‹Yo que tú,[2] Antuña, antes que dejarme mangonear así por mi mujer, le suelto aunque sea un soplamocos› ... Me quedé callado. Él estaba escrutándome con ojos sumamente irónicos, casi burlescos. Me contestó: «¡ Cómo se ve que tú no te has fijado en sus biceps!»

El ilustre escritor había terminado su cuento. Encendió una vez más la pipa laboriosamente, y la succionó dos o tres veces con afán, con satisfacción. Luego, paseó una mirada de inteligencia alrededor, sobre nosotros todos.

«¿Sabe lo que le digo, maestro?», profirió entonces Calvet, una de nuestras mejores promesas jóvenes. «El cuento será, si usted quiere, de Maupassant; pero el protagonista es un personaje de Dostoiewski.»

(*Buenos Aires Literaria*, 1953)

---

[1] Author of medieval tales *Conde Lucanor*.
[2] *Yo que tú* if I were you in this case.

El Pasado Inmediato

El pasado inmediato

LA GUERRA CIVIL es el hecho generacional paradójicamente aglutinador de los escritores nacidos entre 1907 y 1916, fechas aproximadas. A diferencia de sus mayores, padecieron directamente la guerra y sus consecuencias. Y si, por la inevitable dispersión producida por ella, estos hombres parecen divididos en dos bandos, tal aparencia no se corresponde con la verdad profunda. Les une la solidaridad del fracaso, pues a todos se les privó de participar en la dirección del país, se les sometió a censura y se les impidió disentir públicamente. Coinciden también en la voluntad de recusar la división de los españoles en «vencedores y vencidos» y en el deseo de crear una atmósfera habitable para unos y otros.

No sabemos hasta qué punto sería correcto llamar generación de 1936 a los escritores que en la actualidad cuentan poco más o poco menos de cincuenta años. En cualquier caso, quienes participaron en la guerra, desde uno o el otro lado, se parecen entre sí más que a quienes, por diversas razones, quedaron al margen. Empezaron con un movimiento de retorno a la tradición, y fué *Abril* (1935), de Luis Rosales, el libro que mejor sintetizó la pausa en el experimento y el examen de conciencia estética. Rosales y Hernández iniciaron en la poesía un nuevo período que en la prosa no se abriría hasta más tarde, 1942, con *La familia de Pascual Duarte*, de Cela, obra de signo muy diferente (entre ella y la de Rosales aconteció la tragedia española). La diversidad, dentro de la intención innovadora, no hará sino acentuarse, en el verso y en la prosa, según avance el siglo, y dependerá fundamentalmente de la forma en que poetas y escritores se sientan inclinados a expresarse y de su compromiso con las realidades circundantes. Sienten la presión de nuestro tiempo, pero: ¿cuál es el canto general? ¿quién dice la canción que puede resonar en todos los corazones? El que ayer cantó para la inmensa minoría hoy lo hará para la mayoría, y tal vez los lectores serán los mismos. Pero el cambio de actitud es innegable: el poeta hará coincidir sus secretas galerías con el camino real[1] y las imágenes de su desvelo con las del ensueño y el proyecto colectivo.

El destino de los españoles obsesiona a estos hombres. Nada excepcional entre los intelectuales de aquel país, pues ya vimos cómo Unamuno, Baroja, Ortega y tantos más de los predecesores habían vivido apasionadamente su ser hispánico. Es un indicio revelador de que España sigue siendo vivida como problema, y a desentrañarlo se han aplicado gentes como Laín Entralgo y Aranguren, en el ensayo; Hierro y Otero en la poesía; Matute y Aldecoa en la novela. No es posible recoger en este libro los testimonios que desearíamos aportar, pero el lector puede hallarlos sin dificultad en las antologías monográficas dedicadas al tema.

Llamar realistas a los escritores jóvenes sería decir muy poco; el término resulta cada vez más vago y equívoco. Bastará decir que el mundo y el prójimo se les presentan con genuina consistencia; no son construcciones mentales sino realidades auténticas con las que se debe contar. Lejos de presentarse como «libritos de sensaciones», las novelas recientes ofrecen un aspecto testimonial cada día más acusado.

Por aversión al esteticismo[2] los poetas buscaron deliberadamente lo cotidiano, los incidentes de la vida diaria, y no temieron parecer prosaicos cuando el supuesto prosaísmo resultaba eficaz para ex-

---

[1] *secretas galerías* and *camino real*—contrasting images. In Antonio Machado's words "las secretas galerías del alma" are "los caminos del sueño". El camino real es el gran camino abierto a todas las luces y a todos los vientos, el camino del rey por donde todos transitan. Los poetas simbolistas (y los modernistas en su lado mejor) se perdían en aquellas galerías secretas del sueño individual; los actuales se empeñan en que su sueño y el colectivo (lo que es preciso hacer para mejorar la sociedad) se unan, en hacer de la tarea colectiva sueño individual, y al revés.

[2] *esteticismo* insistence on aesthetic values.

presar el sentimiento. Una retórica de la sencillez, aprendida en los mejores ejemplos de las promociones precedentes, dice la emoción con fidelidad y transparencia.

El teatro sigue siendo más una esperanza que una realidad. Sus enemigos son demasiados, y demasiado poderosos, aunque ninguno lo sea tanto como la indiferencia general. Algunos dramaturgos, el más destacado de los cuales es Antonio Buero Vallejo, luchan por insuflar imaginación y problema en la ramplona escena nacional; luchan por pasar del entretenimiento al arte. Del resultado de estas tentativas depende el futuro de un género en que desde 1936 apenas se registran títulos dignos de recuerdo.

Ya los más jóvenes entre los escritores aquí representados tienen detrás otros todavía más jóvenes abriendo el fuego hacia el futuro.

¿Quién pondrá puertas al canto?[1] Impacientes, se dejan oír nuevas voces y las de ayer suenan con distinto acento. El ininterrumpido proceso de renovación y cambio es alentador. La vida sigue y el final de esta antología no es sino un eslabón en la cadena. Ya el inmediato está a la vista.

[1] *¿Quién . . . canto?* Who will close the doors on what the poets want to say? (Who will deny them the opportunity of singing in a new way?)

LUIS FELIPE VIVANCO
1907–

Castellano, de El Escorial, su gravedad y su silencio disimulan un humor tierno, una socarronería temperada por la bondad, una viveza de ingenio y un humor que pasan inadvertidos para quienes juzgan por la apariencia seria y casi ascética del poeta. Lírico de lo familiar, canta temas elementales con palabra conversacional. Su primer libro, Cantos de primavera (1936), es obra de creyente exaltado por la belleza del mundo.

Hombre de Dios, su visión está impregnada de religiosidad y a la hipocresía dominante opone la fe de quien siembra trigo para cosechar paz, y libertad para abrir el futuro. Quizá la vida—como sugiere en El descampado (1957)—es atravesar un largo espacio vacío, esperando oír en el silencio la voz que habló en la Montaña y acogerse a la caricia providencial del sol; quizá vivir es seguir viviendo diariamente, con la lluvia y el hijo, la castañera de la esquina y en los labios una canción que puede sonar como una plegaria. ¿Sin retórica? ¡Oh, por supuesto que no! Hay una retórica de la ternura, y no por cantar a media voz será el decir menos convincente y alado.

En prosa sencilla y evocadora contó sus años de adolescencia—Los ojos de Toledo (1953)—y el diálogo eterno consigo mismo y con el hijo, continuador de la vida: Lecciones para el hijo (1961). Su Introducción a la poesía española contemporánea (1957) es uno de los libros más lúcidos, justos y comprensivos de la crítica poética actual.

El descampado (1957)

ABURRIMIENTO

A Antonio F. Spencer

Cuanto más aburridas, Señor, tus perspectivas,
más tuyas (y más nuestras) sin malestar de
5   historia,
más de nuestra querencia de estar en otro sitio,
más de un poco de huerto después de tantos
     libros.

Aburrimiento en bloque y en suspiro infinito
10 y en luz del horizonte donde no estamos nunca.
Aburrimiento de árbol (de ciprés o de encina),
de animal en el bosque, de peña y precipicio,

de redil y barbechos, de nubes, de crepúsculos,
de Ti, deletreando tu alfabeto de insectos.

Aburrirme contigo, Señor, y con tus flores   15
junto al mar en las grietas del alto acantilado.

Aburrirme de suelo, de Castilla, de viento,
de Extremadura (en chozas de arcaicos car-
     boneros),
de un cristal de ventana y una tarde de ensueños 20
y aburrirme de idénticas laderas pedregosas.

¡Oh el sol siempre en las piedras de la misma
     ladera!
Tu gran aburrimiento como el sol en mis párpa-
     dos.   25
(Un sol tan aburrido como noche estrellada
donde se aburren tanto como Tú tus estrellas).

Sé lo que inventa el hombre, Señor, para
     perderte

de vista y no aburrirse, pero yo, convencido
desde el primer momento de mis ojos de niño,
sólo busco en el mapa la aridez de otros cerros.

LA MIRADA DEL PERRO

5
A José María Souvirón

De pronto, trabajando, comiendo, paseando, me
      encuentro
la mirada del perro.

Me interrumpe como dos hojas de árbol dentro
10   de una herida,
como llanto infantil de alma que nunca ha sido
      pisada todavía
o esa vieja mujer que friega, en cambio, el
      suelo, de rodillas.
15 De no saber qué hacer resignada, y huidiza,
y suplicante—de no saber que permanece en su
      orilla—,
me deja interrumpido como pequeña iglesia
      románica en un pueblo
20 o esa peña y sus grietas a un lado del atajo
      mientras sigo subiendo.
(Me deja entre mis libros de elemental e ingreso,
naturalmente, estudiosamente unido a Dios en el
      tiempo
25 de la imaginación que aún mezcla sus leyendas
      de Bécquer con insectos).
O me atraviesa con su temor de criatura con-
      fiada y su exceso
de alegría por mí (que soy un poco duro y no me
30   la merezco).

La mirada del perro.

EL DESCAMPADO

A Dámaso Alonso

Tú estás en ese taxi parado, sí, eres Tú
35 —un bulto en el crepúsculo—junto al bordillo
      blanco
donde se acaba el campo de enfrente o descam-
      pado.
(Lo sé, aunque no te he visto y aunque dentro
40   del taxi

no hay nadie.) Está lloviendo con fuerza. Está
      empezando
a oler en la ciudad a campo de muy lejos . . .
Y Tú estás en el taxi como en una capilla
que fuera entre las hazas ermita solitaria.   45
(Lo sé, porque esos trigos que se iluminan,
      lejos . . .
y ese río parado, con sus aguas crecidas
de pronto . . .) Llueve fuerte y estás dentro del
      taxi   50
(tal vez junto a ese chófer fatigado al volante).

Sé que dentro del taxi no hay nadie, pero huele
a lluvia de muy lejos. Suena esa lluvia. Y
      pienso
sin ganas: ser poeta, suspender en el aire   55
laborioso de un día y otro día unas pocas
palabras necesarias, y quitarse de en medio.
Porque uno—su difícil vivir—ya no hace
      falta
si quedan las palabras. Ser poeta: orientarse,   60
como esa luz dudosa cruzando el descampado,
y en vez de una existencia brillante, tener
      alma.

Por eso, algo me quito de en medio: estoy
      viviendo   65
como un taxi parado junto al bordillo blanco
(y hay un cerco de alegres sonrisas y de manos
fieles a sus celestes contactos en la sombra).
Porque Tú, el más activo—y el más ocioso—,
      estabas   70
aquí, junto al farol de luz verde en la noche.
Tú, sin libros. Tú, libre, con brazos, con
      miradas,
estabas sin testigos y medías—ocioso—
mis pasos por mi cuarto (donde caben mis 75
      años).
Y los trigos en éxtasis de Castilla la Vieja,
los ríos llameantes con sus aguas crecidas,
seguían a lo lejos relevándote (mientras
detrás de mis cristales aparece el retraso   80
de ese barro, esos charcos del ancho descampado,
¡yo también descampado, desterrado del cam-
      po!).

LUIS ROSALES

1909–

*Entró en poesía con un libro primaveral—Abril, 1935—distinto, suyo.
Alguien gritó: «¡Dios a la vista!», pues el cántico era continuada acción
de gracias al creador por el don de la existencia, de la alegría, incluso de la
velada tristeza. Su sorprendente habilidad técnica no tardó en ser imitada.
El llamado garcilasismo de la postguerra española procede de ese librito,
aunque tal vez a través de la obra de dos poetas amigos: Germán Bleiberg
y Dionisio Ridruejo. Y de sus estampas navideñas—*Retablo sacro del
nacimiento del Señor, *1940—procede la renovación hacia la sencillez y el
ensueño de un género propicio al lugar común piadoso.*

*La madurez acentuó la connatural tendencia de Rosales a la serenidad y
el reposo, pues este conversador infatigable es hombre que sabe escuchar con
atención; auscultando el corazón herido de nuestra época, descubrió ansias
de paz y una posibilidad de salvación por el amor. Encendió las
luces de su casa y abrió las puertas en espera de la dulzura—hogar:
puerto—que puede dar la vida.* La casa encendida *(1949) es un largo
poema autobiográfico creado por la memoria del corazón: la casa, llena de
recuerdos, es el recinto de la nostalgia, baluarte de lo vivido y lo soñado,
fundidos en la corriente intimista, en la crónica entrañable de la vida
interior. Escribió mil páginas sobre la libertad y don Quijote, lógico
interludio entre rimas, pues al fin su destino es de poeta y la libertad su
tema, ligado a los eternos y únicos. En el mundo español es raro un hombre
como él, tan obstinadamente negado al odio, a la angustia, a la mezquindad.
Un hombre de clara poesía, junto al ventanal que mira al cielo, con la
mano tendida, aguardando . . .*

Retablo sacro del Nacimiento del Señor (1940)

NANA

Duérmete, niño mío,
      flor de mi sangre,
lucero custodiado,
        luz caminante.

Si las sombras se alargan
      sobre los árboles,
detrás de cada tronco
        combate un ángel.

Si las estrellas bajan
      para mirarte,
detrás de cada estrella
        camina un ángel.

Si la nieve descansa
      sobre tu carne,
detrás de cada copo
        solloza un ángel.

Si viene el mar humilde
                    para besarte,
detrás de cada ola
                    dormirá un ángel.

5 ¿Tendrá el sueño en tus ojos
                    sitio bastante?
Duerme, recién nacido,
                    pan de mi carne;

lucero custodiado,
10   luz caminante,
duerme, que calle el viento . . .
                    Dile que calle.

La casa encendida (1949)

[Y PUEDE SER . . .]

Y puede ser que estemos todavía unos dentro de
15   otros,
y puede ser que habitemos aquella casa de la
      infancia
donde el latido del corazón tenía las mismas
      letras que la palabra hermano;
20 y Gerardo . . .
—ya sabéis que Gerardo quería llegar a ser como
      un domingo cuando fuera mayor—,
y aquella casa estaba viva siempre,
estaba ardiendo siempre durante varios años de
25   juego indivisible,
de cielo indivisible,
de cielo con su tiempo indivisible y circular que
      comienza en mañana,
y «quién te cuida, Luis»,
30 y puede ser que aquella casa siga aún creciendo
      sin paredes,
y puede ser que todos nos reunamos en ella,
ardiendo aún dentro de aquella casa,
dentro de aquella infancia,
35 en donde al patio de la sangre le llamábamos
      Pepa,
y en la cual, si llegaba el cansancio, le llamábamos
      noche todavía;
y «quién te cuida, Luis»,
40 y puede ser que yo sea niño

«Pepa, Pepona; ven»,

y Pepona llegaba hacia nosotros con aquel
      alborozo de negra en baño siempre,
con aquella alegría de madre con ventanas
que hablaban todas a la vez, para decirnos   45
que no hay tarde sin sol, ni luz que no caliente
      las mieses y las manos,

«pero, Pepa; Pepona ¿dónde estás?»,

y estaba siempre
tan morena de grasa   50
que parecía como una lámpara
vestida con aquel buen aceite tan pálido de la
      conformidad;
y era tan perezosa,
que sólo con sentarse   55
comenzaba a tener un gesto completamente
      inútil de pañuelo doblado,
de pañuelo de hierbas;
y vosotros recordaréis conmigo
que tenía un cuerpo grande y popular,   60
y una carne remisa y confluente
que le cambiaba de sitio acomodándose con-
      tinuamente a su postura,
como cambian las focas, para poder andar, la
      forma de su cuerpo,   65
y vosotros sabéis que todavía
después de quieta siempre, era tan buena,
tan ingenua de leche confiada,
que muchas veces las avispas se le quedaban
      quietas en las manos,   70
y ahora está en una cama de carne de hospital
con el cuerpo en andrajos,
y vosotros sabéis, y Dios lo sabe, que se llamaba
      Pepa,

«pero, Pepona, ven, ¿cómo no vienes?»   75

y vosotros sabéis
que todos los hermanos hemos vivido dentro de
      ella,
sin encontrar la puerta de salida
durante muchos años,   80
que sus manos han sido las paredes de la primera
      casa que tuvimos
durante muchos años,
hasta que al fin la casa grande,

la casa de la infancia fué cayéndose,
la casa de hora única, con una estancia sola de
        juego indivisible,
de cielo indivisible,
5   se fue cayendo al fin, sobre nosotros, con la
        carne de Pepa,
se fue cayendo como ella, y agrietándose al fin,
        la casa de la infancia,
y dejó de volar el abejorro silabeante que
10   reunía entre sus alas nuestros labios,
y quedó sólo en pie la casa chica,
la casa que tenía
una luz inmediata de mármol en el patio,
la casa verdadera,
15 —con salas y azulejos y penumbra de labio en
        el zaguán—, en donde todos comenzamos
        a tener habitación individual y nombre
        propio,
la casa que también comenzó con nosotros a
20   enterrar a sus muertos,
la adolescencia triste y sin motivo,
la casa con cimiento,
donde se quema aún, donde se está quemando
        el alma sin arder todavía.

Rimas (1951)

LO QUE TÚ LLAMAS «QUIÉREME»   25

Busca un sitio en mi piel que no haya sido
escrito por tu mano, y que no tenga
algún temblor, alguna
luz de tu carne en su memoria ciega;
busca un sitio en mis ojos   30
que no haya sido espejo y que no sienta
cristalizar esa sonrisa tuya
que está aprendiendo a andar sobre la tierra:
lo que tú llamas «niño»
ya en tus manos se quiebra y se azucena,   35
lo que tú llamas «quiéreme» no es sangre
pero late también, lo mismo que ella,
y ¡todo es tuyo!
            y sin embargo, siento
algo que está más cerca   40
de mí que la esperanza, algo que vive
de mi propio vivir, algo que cesa
contigo, amor, y que me hará imposible,
la misma vida que me das entera.

LEOPOLDO PANERO
1909-1962

Castellano viejo; más, leonés de añosa cepa, recordaba en su vigor y su vinculación a la tierra, a las encinas del país natal. Había nacido en una ciudad alta y triste de la meseta, Astorga, y la creó más clara en sus versos. En ellos el sabor es siempre terruñero y sencillo: saben a trigo, a pan caliente, y así fué él en vida y en poesía. Revividos en la memoria, infancia, figuras familiares, tibieza hogareña . . ., cantan en el verso de este hombre, «en el mejor sentido de la palabra, bueno».

Si un momento pareció inclinado a la singularidad metafórica, a las asociaciones verbales desconcertantes (uno de sus primeros poemas se tituló Nuca de río), *no tardó en acogerse a la profundidad de la palabra cotidiana, realzada por el sentimiento, fresca como el agua viva que quiere ser. No hallaremos en él los vocablos-clave de la época, pues, como Vivanco y Rosales, es un pesimista esperanzado y siente la posibilidad de superar la angustia y la desesperación de nuestro tiempo. Por eso, tal vez, podríamos llamarle «poeta maldito», poeta que tal vez sea ignorado adrede por preferir el canto personal al general. Y no, no dramatizó. Vivió largas temporadas en el campo, y la convivencia con la naturaleza, donde respiraba eternidad, concedió a su esperanza un aliento que no llegó, ni puede llegar, a los inmersos en la inevitable vela de armas impuesta al hombre actual.*

Hasta 1949 no reunió sus poemas en volumen: Escrito a cada instante, *y este título expresivo sugiere cuán espontánea y natural le parecía la creación poética: escribir como quien respira. Quizá su fragmento más conocido es la elegía a Federico García Lorca,* España hasta los huesos, *donde dijo la cruel paradoja de que fuera asesinado por «antiespañol» el poeta más hondamente poseído por la tierra y la patria.*

Escrito a cada instante (1949)

EPITAFIO A DOLORES

Dolores, costurera de mi casa,
añosa de mi casa, vieja amiga;
era tu corazón crujiente miga
5 de pan; eran tus ojos lenta brasa

del horno dulce donde Dios amasa
en bondad nuestros huesos, donde abriga

con su insomne calor al que mendiga
la sed de la humildad y el agua escasa.

En noble lienzo blanco entretejiste   10
mi amor y tu costumbre, y ahora siento
la túnica inconsútil de tus manos.

Una mañana, en soledad, dormiste;
aun infantil de risa el pensamiento,
aun negros los cabellos entrecanos.   15

ADOLESCENTE EN SOMBRA

A ti, Juan Panero, mi hermano,
mi compañero y mucho más;
a ti tan dulce y tan cercano;
5 a ti para siempre jamás.

A ti, que fuiste reciamente
hecho de dolor como el roble;
siempre pura y alta la frente,
y la mirada limpia y noble;

10 a ti, nacido en la costumbre
de ser bueno como la encina;
de ser como el agua en la cumbre,
que alegra el cauce y lo ilumina;

a ti, que llenas de abundancia
15 la memoria del corazón;
a ti, ceniza de mi infancia
en las llanuras de León;

desamparada y dura hombría
donde era dulce descansar,
20 como la tarde en la bahía,
desde el colegio, junto al mar;

viejos domingos sin riberas
en la vieja playa de Gros,[1]
cuando quedaban prisioneras
25 las palabras entre los dos;

cuando era suave y silenciosa
la distancia que ya no ves;
los pinares de fuego rosa
y la espuma de nuestros pies;

30 cuando era el alma lontananza
y era tan niña todavía
entre mis huesos la esperanza
que hoy se torna melancolía . . .

Allá en la falda soñolienta
35 del monte azul, en la penumbra
del corazón se transparenta
el hondo mar que Dios alumbra;

y ese dolor que el alma nombra;
¡esa pesadumbre de ser
detrás de los muros en sombra   40
adolescente del ayer!

A ti, valiente en la inocencia;
a ti, secreto en el decir;
y voluntad de transparencia
igual que un ciego al sonreír;   45

a ti el primero, el siempre amigo,
vaya en silencio mi dolor,
como el viento que esponja el trigo
y remeje con él su olor;

vaya en silencio mi palabra,   50
como la nieve al descender
duerme la luz, para que abra
la fe mi sueño y pueda ver.

De tu tristeza sosegada
y de tu camino mortal   55
ya no recuerdo tu mirada;
no sé tu voz o la sé mal.

No llega el eco de la orilla
ni puedo mirarte otra vez,
y mi palabra más sencilla   60
es la misma de la niñez.

A ti, que habitas tu pureza;
a ti, que duermes de verdad;
casi sin voz, el labio reza:
acompaña mi soledad.   65

ESCRITO A CADA INSTANTE

A Pedro Laín Entralgo

Para inventar a Dios, nuestra palabra
busca, dentro del pecho,
su propia semejanza y no la encuentra,   70
como las olas de la mar tranquila,
una tras otra, iguales,
quieren la exactitud de lo infinito
medir, al par que cantan . . .
Y Su nombre sin letras,   75
escrito a cada instante por la espuma,

---

[1] Suburb of San Sebastian, city in northern Spain, where Juan and Leopoldo Panero attended school.

se borra a cada instante
mecido por la música del agua;
y un eco queda sólo en las orillas.

    ¿Qué número infinito
5 nos cuenta el corazón?
                    Cada latido,
otra vez es más dulce, y otra y otra;
otra vez ciegamente desde dentro

va a pronunciar Su nombre.
Y otra vez se ensombrece el pensamiento,   10
y la voz no le encuentra.
Dentro del pecho está.
                  Tus hijos somos,
aunque jamás sepamos
decirte la palabra exacta y Tuya,   15
que repite en el alma el dulce y fijo
girar de las estrellas.

MIGUEL HERNÁNDEZ
1910–1942

*Campesino, nacido en el Levante de idioma castellano. «Cara de patata»,
le dijo Pablo Neruda, y así era: entrañablemente natural y de tierra.
Cierto día corrió por Madrid la inverosímil historia: un fabuloso pastor
había llegado a la corte con sorprendente carga de poesía. Un auto
sacramental—Quien te ha visto y quien te ve y sombra de lo que eras
(1934)—, deslumbrante anacronismo, alarde técnico de primer orden,
exaltó a los poetas, sorprendió al lector común. «El prodigioso muchacho de
Orihuela»,*[1] *le llamó Juan Ramón Jiménez, entonces. Las revistas literarias
aportaron testimonios irrecusables de su talento y poemas insólitos (insólitos
en aquel momento) contribuyeron a la formación de la leyenda. En ellos
se oía una voz popular de singular refinamiento, un hombre entero y
verdadero cuya capacidad expresiva le permitía decir con finas y musicales
modulaciones una canción vigorosa y sutil. No sé qué barroquismo espontáneo coincidía con una emoción que manaba de las capas hondas de
esa misma tierra-pueblo de que el poeta estaba hecho. En una época como
la presente, cuando lo popular es con frecuencia maquillaje de moda, choca
hallarlo encarnado en tan alta gentileza y autenticidad. En 1936 publicó
*El rayo que no cesa, *sonetos del amor y la muerte tras los cuales se
proyectan la sombra de Quevedo y la rebeldía unamuniana contra el
destino.* El hombre acecha (1939) *es el sobrecogedor testimonio de su
protesta contra la crueldad de la guerra. Y de ella—de la guerra civil—
fué víctima Hernández. Preso y condenado a muerte por los vencedores,
murió en la cárcel, asistido hasta el fin por la poesía.* Cancionero y
romancero de ausencias, *escrito entre 1938 y 1941, es su libro más dulce,
amargo y profundo.*

[1] A town in the Mediterranean Spanish province of Alicante.

El rayo que no cesa (1936)

ME LLAMO BARRO . . .

Me llamo barro aunque Miguel me llame.
Barro es mi profesión y mi destino
que mancha con su lengua cuanto lame.

5 Soy un triste instrumento del camino.
Soy una lengua dulcemente infame
a los pies que idolatro desplegada.

Como un nocturno buey de agua y barbecho
que quiere ser criatura idolatrada,

embisto a tus zapatos y a sus alrededores,   10
y hecho de alfombras y de besos hecho
tu talón que me injuria beso y siembro de flores.

Coloco relicarios de mi especie
a tu talón mordiente, a tu pisada,
y siempre a tu pisada me adelanto   15
para que tu impasible pie desprecie
todo el amor que hacia tu pie levanto.

Más mojado que el rostro de mi llanto,
cuando el vidrio lanar del hielo bala,

cuando el invierno tu ventana cierra
bajo a tus pies un gavilán de ala,
de ala manchada y corazón de tierra.
Bajo a tus pies un ramo derretido
5 de humilde miel pataleada y sola,
un despreciado corazón caído
en forma de alga y en figura de ola.

Barro en vano me invisto de amapola,
barro en vano vertiendo voy mis brazos,
10 barro en vano te muerdo los talones,
dándote a malheridos aletazos
sapos como convulsos corazones.

Apenas si me pisas, si me pones
la imagen de tu huella sobre encima,
15 se despedaza y rompe la armadura
de arrope bipartido que me ciñe la boca
en carne viva y pura,
pidiéndote a pedazos que la oprima
siempre tu pie de liebre libre y loca.

20 Su taciturna nata se arracima,
los sollozos agitan su arboleda
de lana cerebral bajo tu paso.
Y pasas, y se queda
incendiando su cera de invierno ante el ocaso,
25 mártir, alhaja y pasto de la rueda.

Harto de someterse a los puñales
circulantes del carro y la pezuña,
teme del barro un parto de animales
de corrosiva piel y vengativa uña.

30 Teme que el barro crezca en un momento,
teme que crezca y suba y cubra tierna,
tierna y celosamente
tu tobillo de junco, mi tormento,
teme que inunde el nardo de tu pierna
35 y crezca más y ascienda hasta tu frente.

Teme que se levante huracanado
del blando territorio del invierno
y estalle y truene y caiga diluviado
sobre tu sangre duramente tierno.

Teme un asalto de ofendida espuma   40
y teme un amoroso cataclismo.

Antes que la sequía lo consuma
el barro ha de volverte de lo mismo.

Cancionero y romancero de ausencias (1938-41)

[EL CEMENTERIO . . .]

El cementerio está cerca   45
de donde tú y yo dormimos,
entre nopales azules,
pitas azules y niños
que gritan vívidamente
si un muerto nubla el camino.   50

De aquí al cementerio, todo
es azul, dorado, límpido.
Cuatro pasos y los muertos.
Cuatro pasos y los vivos.

Límpido, azul y dorado,   55
se hace allí remoto el hijo.

Últimos poemas (1938-41)

VUELO

Sólo quien ama vuela. Pero, ¿quién ama tanto
que sea como el pájaro más leve y fugitivo?
Hundiendo va este odio reinante todo cuanto   60
quisiera remontarse directamente vivo.

Amar . . . Pero, ¿quién ama? Volar . . . Pero,
    ¿quién vuela?
Conquistaré el azul ávido de plumaje,
pero el amor, abajo siempre, se desconsuela   65
de no encontrar las alas que da cierto coraje.

Un ser ardiente, claro de deseos, alado,
quiso ascender, tener la libertad por nido.

Quiso olvidar que el hombre se aleja encade-
    nado.
Donde faltaban plumas puso valor y olvido.

Iba tan alto a veces, que le resplandecía
5 sobre la piel el cielo, bajo la piel el ave.
Ser que te confundiste con una alondra un día,
te desplomaste otro como el granizo grave.

Ya sabes que las vidas de los demás son losas
con que tapiarte: cárceles con que tragar la tuya.
10 Pasa, vida, entre cuerpos, entre rejas hermosas.
A través de las rejas, libre la sangre afluya.

Triste instrumento alegre de vestir: apremiante
tubo de apetecer y respirar el fuego.
Espada devorada por el uso constante.
15 Cuerpo en cuyo horizonte cerrado me despliego.

No volarás. No puedes volar, cuerpo que
    vagas
por estas galerías donde el aire es mi nudo.
Por más que te debatas en ascender, naufragas.
No clamarás. El campo sigue desierto y mudo.   20

Los brazos no aletean. Son acaso una cola
que el corazón quisiera lanzar al firmamento.
La sangre se entristece de debatirse sola.
Los ojos vuelven tristes de mal conocimiento.

Cada ciudad, dormida, despierta, loca, exhala   25
un silencio de cárcel, de sueño que arde y
    llueve
como un élitro ronco de no poder ser ala.
El hombre yace. El cielo se eleva. El aire
    mueve.   30

ILDEFONSO M. GIL
1912–

Sus primeros Borradores (*1932*) *fueron sentimentales y desde entonces le
acompaña una Musa nostálgica y dolorida. No se avergonzó de parecer
sencillo cuando la sencillez se traducía en algunos medios literarios por
pobreza, y la vida le dictó lecciones crueles. Arrancándole del sueño, le
enfrentó muy pronto con realidades siniestras.* La moneda en el suelo
(*1948*) *es la versión al lenguaje novelesco de una página desgarradora. La
frustración del protagonista refleja la sentida por el autor, y quizá no tenía
éste otro medio de superarla que la creación artística, de tan probada
eficacia catártica.*

*Después de escribir esa novela pudo Gil volver al campo natal, a la
naturaleza, y contemplarla sin el velo de amargura que se interpuso ante
los ojos de tantos escritores; pudo, incluso, más tarde, escribir*
Pueblonuevo (*1960*), *novela abierta a la esperanza, si no al optimismo
panglosiano*[1] *de los propagandistas. En ella, el testimonio acusatorio se
filtra diluído en el fluir de los sucesos; la corrupción política no aparece en
primer plano, sino en la discreta media luz donde suele recatarse, y tal vez
por eso, y por ser aceptada con la resignación con que se soporta un
fenómeno cósmico, resulta más impresionante. El final feliz, según en esta
obra acontece, es el símbolo de una reconciliación definitiva que
rubricará la muerte, haciéndola servir para la continuación de la vida.*

[1] In the foolish manner of Dr. Pangloss, a character in Voltaire's *Candide* (1759).

« *Últimas cuentas* » (1961)

SENTÍA UNA TERRIBLE OPRESIÓN en las sienes,
como si unas invisibles tenazas se las estuvieran
aplastando. Cuando era niña, le gustaba acompañar a su padre a la sombrerería; un viejo
maniquí se mostraba soportando en su cabeza un
extraño sombrero de hierro. Resultaba desconcertante que aquel aparato fuese un simple
medidor, cuando su apariencia era de un feroz
instrumento de tortura.

Su padre era un señor muy envarado, muy
empapado en respetabilidad. Lo curioso es que
en aquellas fechas debía de andar por una edad
inferior a la que ella tiene ahora. *Y sin embargo,
ayer mismo yo me creía joven y él me parecía entonces tan mayor* . . . *¿Tiene el tiempo un valor
permanente, casi absoluto, o es algo que solamente
existe dentro de nosotros, amorfo, sin fronteras?*
Ése era su mayor error: haberse obstinado en
luchar contra la realidad implacable de los días
que pasan, de las horas que se precipitan al
mundo vago de los recuerdos.

El tiempo está ahí: en el tubo vacío de veronal
y en este dolor de cabeza. Está ahí, abriendo paso
seguro a la muerte. EN PELIGRO DE MUERTE.

Lo que necesito es un confesor.

En el colegio había confesión general los
sábados por la tarde. Se interrumpía el estudio
una hora antes de lo habitual, y las niñas bajaban
en fila a la iglesia. Estaba casi oscura, con sólo

587

dos velas en el altar mayor y una lámpara de
aceite ante la Virgen del Carmen. Las colegialas,
arrodilladas, esperaban su turno. La penumbra
y la inminente comparecencia ante el confesor
inspiraban un terror que no era de este mundo.
En primavera, las altas ventanas filtraban una
tenue luz que convertía en fantasmales los
colores de las flores. Ella leía, los días de mayo,
las «Flores a María». Había llegado a aprenderse
de memoria todas las oraciones, jaculatorias y
ejemplos piadosos. HUERTO CERRADO. Las ventanas del alma eran los sentidos, pero si se abrían
al mundo la ponían en peligro. En su adolescencia, el temor al pecado tenía fuerza para impedir
que esas ventanas sirvieran para nada. Cuando
leía en voz alta, sabiéndose escuchada por todas
sus compañeras, pensaba que las piadosas palabras se fundían con su propia alma y la dejaban
vestida de luz y de pureza. La santidad estaba
tan cerca de ella como el mismo aire que la envolvía. El aire, el aire . . . El trabajoso esfuerzo
de los pulmones le resuena dentro del pecho con
un pálpito que recordaba, destruyéndolo, el
sobrealiento del deseo, en las vísperas del placer.
Un minero sepultado en una galería, la oscuridad, la seguridad del final inexorable. Es necesario realizar un esfuerzo para mantener vivo el
pensamiento, para evitar que todo se reduzca al
afán del cuerpo que trata de asirse inútilmente a la
vida. Vivir es sólo ya este jadeo de la respiración,
este dolor de cabeza, esta repugnancia del
estómago, a punto de la náusea. Quizá un vómito
pudiera deshacer el camino del envenenamiento.

Un vómito. La primera vez que Ángel se em-
borrachó llevarían casi un año casados. Un poco
más, porque la niña ya había nacido. ¿Fué antes
o después de «aquello»? Con un confesor tendría
que precisar las fechas. Pero el pecado no tiene
justificaciones ni planos de desquite. ¿Fué la be-
bida una causa o un efecto? Ángel no bebía,
Ángel no cometía ninguna clase de excesos.
Luego, a partir del segundo año de matrimonio,
andaba siempre borracho. Unas veces la embriaguez lo arrastraba a la brutalidad, exasperado
de violencia; otras, lo reducía a un estado de en-
vilecedora humillación. Hay una humildad que
envilece, y ella lo sabe bien, lo ha aprendido

tarde, pero muy bien. Lo aprendió la primera
vez que Angelito, su hijo, le habló cínicamente,
poniendo todas las cartas boca arriba, las paredes
y esquinas del mundo con los carteles de los
maravillosos espectáculos, las grandes letras
nombrando a los artistas, formando ahora las
palabras del hijo, haciéndole ver a ella que desde
mucho tiempo antes aceptaba las condescenden-
cias de la madre como un pago vil, como la
moneda con que ella compraba a su propio hijo.
Una venda de vicios y vida fácil, para que los
ojos del hijo no pudieran ver la vida torpe e indigna de la madre, un ciego yendo hacia su
punto fijo, ajeno a todo cuanto no sea el camino
que le va descubriendo su bastón.

¿Cuánto hacía de eso? Días, semanas, meses,
herrumbre de un pasado que se le tornaba ahora
extrañamente lejano. Y las humillaciones sufri-
das ante Pedro, la sonrisa despectiva con que
afirmaba su juventud frente a ella. Un amante,
el último amante, amigo del hijo, casi tan joven
como el hijo. El amor ¿no era otra cosa que ese
alucinante hormigueo de los sentidos? Sólo a un
confesor le podría decir que hasta que la vida no
le había negado sus placeres, había encontrado
justificada su entrega a la pasión, al lujo, a
cualquier gozosa avidez de los sentidos. Nada
podía importar, puesto que la vida no era un
camino recorrido en unidad de tiempo y de
distancia: la vida era cada momento, era el jubiloso fulgor, la hora vivida plenamente. Pero,
¿sólo era eso?

Un tubo de veronal, vacío ya, un ser esperando la muerte, ella, Faustina Banyá, tendida sobre
el lecho, sola en el lecho, vestida para la tumba,
tratando de que su pensamiento se concentre en
una despedida definitiva, en un último ajuste de
cuentas, ella, pensando oscuramente en un confesor, es la prueba rotunda de que la vida era
algo más que lo que ella había estado viviendo,
algo esencialmente distinto. Había que pensar de
prisa, era necesario penetrar la verdad de la vida,
porque en eso podía estar la única salvación
posible. Pero esta inmovilidad del cuerpo, este
aniquilamiento próximo, se iban haciendo niebla
del cerebro. Los recuerdos se confundían, iban
y venían por un tiempo sin jalones, sobre una

tierra de nadie, tierra quemada en unos combates inútiles, sólo el rumor último de las batallas, una mujer que llora, un bordoneo de moscas azules. Una idea se asociaba, por la sola mención de una cosa, con otras ideas que nada tenían que ver con lo que ella quería pensar.

Iba a ser difícil volver a sentir en el recuerdo, poner en pie los viejos muertos, hacer encarnarse a tantos viejos fantasmas. Hay que ordenar el pensamiento, hay que empezar desde el comienzo. La vida . . . Suena el teléfono, está ahí, en la mesilla, a unos centímetros de distancia; está lejos, inalcanzable, situado en un plano físico inaccesible a sus manos. Otra mano ha hecho sonar desde lejos este timbre, una voz y un oído esperan. Quizá sea Pedro y su llamada supondría la resurrección, podría suponer la radiante vuelta a la vida. Pero el timbre suena lejos, débilmente, suena como un adiós cargado de inútiles disculpas. Suena como el llanto de un niño abandonado en una noche inmensa y solitaria.

La noche debe de estar cayendo sobre la ciudad. Brillarán el asfalto y los ojos de las mujeres hermosas. Los transeúntes irán tiñendo su rostro en el baño verde, amarillo, rojo, de los anuncios luminosos. Es primavera y las casas abren sus balcones a los primeros anocheceres tibios. Algunos pianos derramarán su música sobre la calle; siempre habrá un mozalbete que silba una melodía bobamente sentimental; un brazo adolescente que sentirá por vez primera en su piel la presión cálida e insistente de la mano del hombre . . .

Aquel verano de su flamante bachillerato el Mediterráneo tenía una luz, un calor, distintos a los de tantos años anteriores. Y la mano de aquel muchacho—¿Diego? ¿Carlos? No recordaba su nombre, no conseguía rehacer su rostro—al apretarle el brazo había dejado en suspenso todo: el mar, el anochecer, el pudor, la vida entera, se habían detenido en un momento.

La terminación del bachillerato había coincidido con el final del largo luto llevado por su mamá. Doña Faustina Rúdez de Banyá estaba tan empapada en respetabilidad como su importante esposo.

—Mira, es la señora de Banyá con su hija. Son los más ricos de la provincia.

—Usted lo pase bien, doña Faustina.

—Adiós, señora mía.

Los sombreros de los señores parecían querer volar ante la grave opulencia de doña Faustina.

—Cierra la boca, hija; pareces una pueblerina . . . No hables tan fuerte, que eso es ordinariez . . . No cruces las piernas, tienes ya casi quince años . . . No, tú no irás a esa excursión, tú has de estar pegada a mis faldas. Así estuve yo hasta que me casé. Un año entero estuvo tu padre rondando mi balcón, sin conseguir ni una mirada. Cuando seas mayor ya te hablaré de eso . . . Quítate ese jersey, es una indecencia que una mocosa lleve prendas tan ceñidas. Cuando yo tenía tu edad . . . Tina, Tina, no hagas eso, no cantes . . ., no rías tan fuerte . . ., no mires . . . NO, NO, NO . . .

Las negaciones, que habían sido tan eficaces en labios de doña Faustina, servían de muy poco ante aquel muchacho. «No, no, no.» Pero el primer beso había hecho ya nido en sus labios. El primer baile y el primer beso. ¿El primer amor también?

—Sí, ya lo sé, Tina; es injusto, pero en este momento te odio por todos los hombres que ha habido en tu vida. Me has enseñado mucho, te debo mucho, pero me avergüenza tu sabiduría.

Pedro le había dicho eso—¿ayer?, ¿hoy?, ¿en un tiempo remoto?—, rechazando sus caricias, rehusándola, riéndose finalmente de sus lágrimas.

—Ahora ya no sabes ni reír. Tu risa engaña, te rejuvenece. Las lágrimas te echan por la cara los montones de años que ya tienes, por la cara, por el cuello . . .

Ella se doblaba bajo el peso de esas palabras, sentía de pronto un terrible pudor ante su desnudez, ante la desnudez del hombre.

—No me hables así; te quiero, te quiero. Es como si quisiera por vez primera. Te doy todo cuanto valgo, te lo doy todo.

—Sólo puedes darme ya una cosa: la libertad. Pero no eres capaz de dármela. Tendré que cogerla yo.

La libertad. El señor Banyá no podía ocuparse de su hija. Su mundo era el de los números, el de los negocios, el de la intriga política provinciana.

Además, Tina era ya una mujer: diecisiete años, bachillerato; las monjas la habrían educado bien, podría valerse ya por sí sola.

La libertad de los trajes de color, tras dos años de vestir de negro. La libertad del veraneo, lejos de la ciudad, entre caras nuevas, en un mundo asombrosamente nuevo. El señor Banyá había tenido que salir rápidamente a tapar el agujero que se había hecho en el casco de uno de sus negocios.

—Encárgate de la niña, Rosa.

La niña tenía diecisiete años y había asistido a su primer baile, había apoyado contra la pared exterior del jardín el sobresalto del primer beso. La tapia era de menos altura que el deseo de aquel primer amor, pero el sueño de Rosa era mucho más ligero que la brisa nocturna.

—¡Debieras morirte de vergüenza! ¡Granuja, usted váyase o yo misma le rompo la cabeza! ¡Bendito Dios, que me ha sacudido el sueño tan a punto, Dios mío, tan a punto! ¡Levántate, no me mires así, bájate esas faldas, tapa esas puercas piernas! ¡Condenada! ¡Estás condenada! ¡Entrarás en el infierno por la puerta de los asquerosos, por la puerta de la pus y de la sangre!

La llevó al cuarto de baño, la hizo ducharse; ella misma la metió en la cama y se sentó en una silla a mirarla, gozándose en su estupor y en su humillación.

No había tenido tiempo de defenderse del deseo del hombrecillo, ni siquiera de darse cuenta de que aquella profunda turbación era su propio deseo, esa fuerza nueva, devastadora. No había tenido tiempo de levantarse ante la oportuna aparición de la vieja Rosa, ni de reaccionar contra lo uno y lo otro. Ni de defenderse contra los restregones que las manos rabiosas de Rosa daban a su cuerpo, arañándola de tanto apretar la esponja, bajo la ducha, como si lo que no había llegado a pasar pudiera haber dejado huellas afrentosas sobre su piel.

Estaba allí sentada, hablando del infierno, mientras algo muy dulce y cálido volvía a correrle a ella por las venas, y las palabras de la vieja cambiaban su sentido terrible y se iban falseando en una olvidada canción de cuna. Y se había dormido feliz, porque ya sabía que hay algo horriblemente hermoso que deja en suspenso la vida entera, fuera del tiempo y del espacio, para lanzarla a un frenesí que aún no conocía, pero que adivinaba con todas las fuerzas de su cuerpo embutido en el sobrio camisón, entre las sábanas, en la noche de las condenaciones inútiles de la vieja Rosa . . .

CAMILO JOSÉ CELA
1916–

*Gallego, como Valle-Inclán, y como él maestro en la utilización del
idioma castellano. En sus manos el lenguaje conversacional es un instrumento
expresivo de notable plasticidad. Cuanto toca su prosa se convierte en su
presa: cualquiera que sea el tema, la situación o el personaje, contado por
Cela será inequívocamente suyo. Tiene, pues, estilo, sello, y por él se le
reconoció muy pronto.*

Un libro temprano: La familia de Pascual Duarte *(1942) mostró su
implacable vocación por el análisis de lo teratológico, en la cual
diagnosticará el experto su españolismo. España y más aún los españoles le
fascinan; casi toda su obra se refiere a ellos: novelas, narraciones breves,
artículos, crónicas de viaje . . . Recorrió España a pie y el relato de su
caminar errabundo dió lugar a libros admirables:* Viaje a la Alcarria
(1948), Judíos, moros y cristianos *(1955), donde gentes y lugares aparecen
según son en la vida y la palabra cotidiana. Bajo el desgarro y la ironía,
bajo el humor y la burla no es difícil ver el amor que siente por las
víctimas eternas, por los débiles y los incapaces de contraataque, a quienes
la sociedad trata despiadadamente.*

*Si sus libros son crueles es porque la crueldad rezuma sin cesar del
mundo y las oscuras secreciones del alma pueden autointoxicar al hombre
y transformarlo en la alimaña que potencialmente habita en su corazón.
El hombre es lobo, o puede serlo, y Cela, testigo lúcido de nuestro tiempo,
ha sabido enfrentar a sus lectores con las consecuencias de tan obvia y
cruda verdad.* La colmena *(1951), su novela más ambiciosa, refleja la
vida madrileña en el año 1942, y apenas hay en ella sino testimonios de la
miseria humana. Es un cuadro vasto, patético y alucinante, propuesto
como triaca contra las azucaradas versiones oficiales de la España
«imperial». Parcial, sin duda, en el sentido de incompleta, revela, a través
de la desesperación una recatada ternura y la voluntad de esperar «contra
toda esperanza».*

Baraja de invenciones (1953)

LA NARANJA ES UNA FRUTA DE INVIERNO

LA NARANJA es una fruta de invierno. Un sol color
naranja se fue rodando, más allá de los montes,
por los remotos caminos del mundo, por los
5 ignorados y lejanos caminos del mundo.

En la sombra, al pie de una colina de pedernal,
de una colina que marca a chispas veloces la andadura de la caballería, dos docenas de casas se
aprietan contra el campanario. Las casas son
canijas, negruzcas, lisiadas; parecen casas en- 10
fermas con el alma de roña, que va convirtiendo
las carnes en polvo de estiércol. El campanario
—un día esbelto y altanero—, hoy está desmochado y ruinoso, desnudo y pobre como un
héroe en desgracia. El viento, a veces, se distrae 15

en llevarse una piedra del campanario, una piedra que sale volando, como una maldición, contra cualquier tejado, y rompe cien tejas, que después ya no se repondrán jamás. Sobre el cam-
5 panario, el vacío nido de la cigüeña espera los primeros soles rojos de la primavera, los soles que marcarán el retorno de las aves lejanas, de las extrañas aves que conocen el calendario de memoria, como un niño aplicado.

10 El vacío nido de la cigüeña ha echado misteriosas raíces, firmes raíces en la piedra. Al vacío nido de la cigüeña—doce docenas de secos palitos puestos al desgaire—no hay viento de la sierra que lo derribe, no hay rayo de la nube que lo
15 eche al suelo. Sobre el vacío nido de la cigüeña, quizá vuele, como un alto alcotán, la primera sombra de Dios.

Al caserío le van naciendo, con la noche, tenues rendijas de luz en las ventanas que no
20 ajustan del todo, en las ventanas que siempre dejan un resquicio abierto, quién sabe si a la ilusión, al miedo o a la esperanza: como un corazón anhelante, como un corazón que no encuentra consuelo en la soledad.

25 Entornando el mirar, las rendijas de luz semejan flacos fantasmas atados a las sombras, hojas de las peores facas, las facas que tienen luz propia como los ojos de los gatos, como los ojos de los caballos, como los ojos del lobo, que muestra
30 el color del matorral del odio. Y su figura. Y su andar, que nos muerde los nervios de la cabeza, que forman un raro árbol dentro de la cabeza, un árbol que mete sus ramas espantadas por entre las junturas de los sesos.

35 Un vientecillo que pincha baja por la ladera, husmea como un can con hambre por las callejas y se escapa ululando por el olivar del Cura, el olivar que se pinta con el ceniciento color de la plata vieja, la plata de las monedas antiguas, el
40 confuso color del recuerdo.

Al pie del olivar del Cura, conforme se sale hacia el arroyo, una cerca de adobe guarda del lobo negro de la noche las ovejas de Esteban Moragón, alias *Tinto*, mozo que va a casar. La
45 alta barda de adobe se corona de espinas erizadas, de secas y heridoras zarzas, de violentas botellas en pedazos, de alambres agresivos, des-

carados, fríamente implacables. El *Tinto* se guarda lo mejor que puede.

* * * * *

La taberna de Picatel es baja de techo. Picatel 50 es alto. La taberna de Picatel es húmeda y lóbrega. Picatel es seco y tarambana. La taberna de Picatel es negra y rumorosa. Picatel es albino, pero también decidor.

Picatel tiene cincuenta años. Picatel no come. 55 A Picatel le zurra su mujer. Picatel es un haragán. Picatel es un pendón. Picatel es fumador, es bebedor, es jugador. Picatel es faldero. Picatel fué cabo en Africa. En Monte Arruit [1] le pegaron a Picatel un tiro en una pierna. Picatel es cojo. 60 Picatel está picado de viruela. Picatel tose.

Esta es la historia de Picatel.

* * * * *

—¡Así te vea comido de la miseria!

—. . .

—¡Y con telarañas en los ojos!   65

—. . .

—¡Y con gusanos en el corazón!

—. . .

—¡Y con lepra en la lengua!

Picatel estaba sentado detrás del mostrador.   70

—¿Te quieres callar, Segureja?

—¡No me callo porque no me da la gana!

Picatel es un filósofo práctico.

—¿Quieres que te cuente otra vez lo de tu madre, Segureja?   75

Segureja se calló. Segureja es la mujer de Picatel. Segureja es baja y gorda, sebosa y culona, honesta y lenguaraz. Segureja fué garrida de moza, y de rosada color.

Segureja se metió en la cocina. Iba en silencio. 80

* * * * *

El *Tinto* y Picatel no son buenos amigos. La novia del *Tinto* estuvo de criada en casa de Picatel. Según las gentes, Picatel, a veces, entraba en la cocina y le decía a la novia del *Tinto*:

—No te afanes, muchacha; lo mismo te van a 85

[1] Battle in Morocco where the Spaniards suffered a great defeat (1921).

dar. Que trabaje la Segureja, que ya no sirve para nada más.

Según las gentes, un día salió la novia del *Tinto* llorando de casa de Picatel. La Segureja le había pegado una paliza, que a poco más la desloma. La Segureja, según la gente, le decía a la gente:

—Es una guarra y una tía asquerosa, que se metía con Picatel en la cuadra a hacer las bellaquerías.

La gente le preguntaba a la mujer de Picatel:

—Pero, ¿usted los vió, tía Segureja?

Y la mujer de Picatel respondía:

—No; que si los veo, la mato; ¡vaya si la mato!

Desde entonces, el *Tinto* y Picatel no son buenos amigos.

* * * * *

De las vigas de la taberna de Picatel cuelgan unos chorizos y unas tiras de papel engomado que aun guardan las moscas del verano, las moscas zumbadoras y pendencieras de julio y de agosto.

El *Tinto* es un mozo jaquetón y terne, que baila el pasodoble de lado. El *Tinto* lleva gorra de visera. El *Tinto* sabe pescar la trucha con esparavel. El *Tinto* sabe capar puercos, silbando. El *Tinto* sabe poner el lazo en el camino del conejo. El *Tinto* escupe por el colmillo.

Las artes del *Tinto* le vienen de familia. Su padre mató una vez una loba a palos.

—¿Dónde le diste?—le preguntaban los amigos.

—En el alma, muchachos; que si no, no lo cuento.

El padre del *Tinto*, otra vez, por mor de dos cuartillos de vino que iban apostados, entró en una tienda y se comió una perra de todo: una perra de jabón, una perra de sal, una perra de cinta, una perra de clavos, una perra de azúcar, una perra de pimienta, una perra de cola de carpintero, tres piedras de mechero, una carpeta de papel de cartas, una perra de añil, una perra de tocino, una perra de pan de higo, una perra de petróleo, una perra de lija y una perra que sacó el amo del cajón del mostrador. Los seis reales los pagó el de la apuesta.

Después, el padre del *Tinto* se fue a la botica y se tomó una perra entera de bicarbonato.

* * * * *

El *Tinto* entró en la taberna de Picatel.

—Oye, Picatel...

Picatel, ni le miró.

—Llámame Eusebio.

El *Tinto* se sentó en un rincón.

—Oye, Eusebio...

—¿Qué quieres?

—Dame un vaso de blanco. ¿Tienes algo de picar?

—Chorizo, si te hace.[1]

Picatel salió del mostrador con el vaso de blanco.

—También te puedo dar un poco de bacalao.

El *Tinto* estaba recostado en la pared, con dos patas de la banqueta en el aire.

—No. No quiero el bacalao. Ni el chorizo.

El *Tinto* sacó el chisquero, encendió su apagado cigarro y echó una larga bocanada de humo, con la cabeza atrás, casi con deleite.

—Me vas a traer un papel de las moscas. Hoy me da la gana de comerte el papel de las moscas.

Picatel dejó el vaso de blanco sobre la mesa.

—El papel es mío. No lo vendo.

—¿Y las moscas?

—Las moscas también son mías.

—¿Todas?

—Todas, sí. ¿Qué pasa?

* * * * *

Lo que pasó en la taberna de Picatel, nadie lo sabe a ciencia cierta. Y si alguien lo sabe, no lo quiere decir.

Cuando llegó la pareja a la taberna de Picatel, Picatel estaba debajo del mostrador, echando sangre por un tajo que tenía en la cara.

La pareja levantó a Picatel, que estaba blanco como la primer harina.

—¿Qué ha pasado?

Picatel estaba como tonto. La herida de la cara le manaba sangre, lenta y roja como un sueño siniestro. Picatel, en voz baja, repetía y repetía la monótona retahila de su venganza:

[1] *si te hace* if you like.

—Por donde más te ha de doler . . . Te he de pinchar por donde más te ha de doler . . .

Los ojos de Picatel le bizqueaban un poco.

—Por donde más te ha de doler . . . Te he de
5 pinchar por donde más te ha de doler . . .

La pareja se acercó al *Tinto*, que esperaba en su rincón sin mirar para la escena.

—¿Qué comes?

—Nada, papel de moscas. A la guardia civil no
10 se le hace lo que yo coma.

★ ★ ★ ★ ★

La naranja es una fruta de invierno. El sol color naranja aún ha de tardar varias horas en oír la letanía de Picatel:

—Por donde más te ha de doler . . . Te he de
15 pinchar por donde más te ha de doler . . .

La Segureja restañó la herida de Picatel con un pañuelo mojado en anís. Después le puso vinagre en la frente, para que espabilara.

—Por donde más te ha de doler . . . Te he de
20 pinchar por donde más te ha de doler . . .

—Pero, ¿qué dices?

Picatel, con los ojos cerrados, no escuchaba la voz de la Segureja.

—Por donde más te ha de doler . . . Te he de
25 pinchar por donde más te ha de doler . . .

★ ★ ★ ★ ★

En el cuartelillo, el *Tinto* le decía al cabo que él no había querido más que comerse el papel de las moscas.

—Se lo puedo jurar a usted por mi madre,
30 señor cabo. Yo, en comiéndome el papel de las moscas, me hubiera marchado por donde entré.

El cabo estaba de mal humor; la pareja le había levantado de la cama. Cuando la pareja dió dos golpes sobre la puerta de su cuarto, el cabo
35 estaba soñando que un capitán le decía:

—Oiga usted, brigada, se trata de un servicio difícil, de un servicio que tiene que ser prestado por un hombre de mucha confianza.

El cabo no entendía del todo lo del papel de
40 las moscas.

—Pero, bueno, vamos a ver: usted, ¿por qué se quería comer el papel de las moscas?

El *Tinto* buscaba una buena razón, una razón convincente:

—Pues ya ve usted, señor cabo: ¡un capricho! 45

★ ★ ★ ★ ★

La gente, la misma gente que había preguntado a Segureja lo que había pasado entre su marido y la novia del *Tinto*, se agolpó ante la cerca de adobe que hay al pie del olivar del Cura, conforme se sale hacia el arroyo. 50

Una hora antes, Picatel había saltado como un garduño la alta barda de las espinas y las zarzas, de los vidrios y los alambres desgarradores.

Picatel llevaba en la mano una faca de acero brillador, una faca cuya luz semejaba en la noche 55 el temblor de una tenue rendija en la ventana que no ajusta del todo, en la ventana que siempre deja un resquicio abierto, quién sabe si a la venganza, al miedo o a la desesperación.

Picatel llevaba en la boca la temerosa salmodia 60 que le empujó por encima de los adobes del corral del *Tinto*.

Por donde más te ha de doler . . . Te he de pinchar por donde más te ha de doler . . .

Picatel se acercó a las ovejas, tibias y promete- 65 doras, aromáticas y femeniles. Su corazón le andaba a saltos, como cuando se encerraba en la cuadra con la novia del *Tinto*.

Picatel paseó entre las ovejas, celoso como un gallo, rendidamente lujurioso, como un sultán 70 que vaga su veneno por entre las confusas filas de un ejército de esclavas desnudas.[1]

A Picatel se le hizo un nudo en la garganta.

—Por donde más te ha de doler . . . Te he de pinchar por donde más te ha de doler . . . 75

Picatel palpó los lomos a una oveja soltera, a una cordera que miraba como su mujer, de moza, o como la novia del *Tinto* derribada sobre el suelo de estiércol de la cuadra.

A Picatel le empezaron a zumbar las sienes. 80 La cordera se estaba quieta y sobresaltada, como una novia enamorada y obediente.

A Picatel se le nublaron los ojos . . . La cordera también sintió que la mirada se le iba . . .

---

[1] *vaga . . . . . . desnudas* wanders through the confused ranks of an army of naked slave women, exuding his poison (desire).

Fué cosa de un instante. Picatel echó el brazo atrás y descargó un navajazo temeroso en el vientre de la cordera. La cordera se estremeció y se fué contra el suelo del corral.

Una carcajada retumbó por los montes, como el canto de un gallo inmenso y loco.

La gente, la misma gente que decía que entre Picatel y la novia del *Tinto* había más que palabras, seguía, firme y silenciosa, ante el corral que queda al pie del olivar del Cura, conforme se sale del pueblo, camino del arroyo.

La pareja no dejaba arrimar a la gente.

Ese hombre que llega tarde a todos los acontecimientos, preguntó:

—¿Qué ha pasado?

—Nada—le respondieron—; que Picatel despanzurró a las cien ovejas del *Tinto*.

★ ★ ★ ★ ★

Sí; la naranja es una fruta de invierno.

Cuando el sol color naranja llegó rodando, más acá de los montes, por los remotos caminos del mundo, por los lejanos e ignorados caminos del mundo, ya Picatel marchaba, más allá de la colina de duro pedernal, de espaldas a las casas canijas, negruzcas, lisiadas, por aquellos caminos que llevaban al mundo, andando como un sonámbulo, repitiendo a la media voz del remordimiento:

—Por donde más te ha de doler . . . Te he de pinchar por donde más te ha de doler . . .

El sol color naranja alumbraba la escena sin darle una importancia mayor.

Sí; sin duda alguna, la naranja es una fruta de invierno.

El gallego y su cuadrilla (1955)

EL TONTO DEL PUEBLO

EL TONTO de aquel pueblo se llamaba Blas. Blas Herrero Martínez. Antes, cuando aún no se había muerto Perejilondo, el tonto anterior, el hombre que llegó a olvidarse de que se llamaba Hermenegildo, Blas no era sino un muchachito algo alelado, ladrón de peras y blanco de todas las iras y de todas las bofetadas perdidas, pálido y zanquilargo, solitario y temblón. El pueblo no admitía más que un tonto, no daba de sí más que para un tonto porque era un pueblo pequeño, y Blas Herrero Martínez, que lo sabía y era respetuoso con la costumbre, merodeaba por el pinar o por la dehesa, siempre sin acercarse demasiado, mientras esperaba con paciencia a que a Perejilondo, que ya era muy viejo, se lo llevasen, metido en la petaca de tabla, con los pies para delante y los curas detrás. La costumbre era la costumbre y había que respetarla; por el contorno decían los ancianos que la costumbre valía más que el Rey y tanto como la ley, y Blas Herrero Martínez, que husmeaba la vida como el can cazador la rastrojera y que, como el buen can, jamás marraba, sabía que aún no era su hora, hacía de tripas corazón y se estaba quieto. Verdaderamente, aunque parezca que no, en esta vida hay siempre tiempo para todo.

Blas Herrero Martínez tenía la cabeza pequeñita y muy apepinada y era bisojo y algo dentón, calvoroto y pechihundido, babosillo, pecoso y patiseco. El hombre era un tonto conspicuo, cuidadosamente caracterizado de tonto; bien mirado, como había que mirarle, el Blas era un tonto en su papel, un tonto como Dios manda y no un tonto cualquiera de ésos que hace falta un médico para saber que son tontos.

Era bondadoso y de tiernas inclinaciones y sonreía siempre, con una sonrisa suplicante de buey enfermo, aunque le acabasen de arrear un cantazo, cosa frecuente, ya que los vecinos del pueblo no eran lo que se suele decir unos sensitivos. Blas Herrero Martínez, con su carilla de hurón, movía las orejas—una de sus habilidades—y se lamía el golpe de turno, sangrante con una sangrecita aguada, de feble color de rosa, mientras sonreía de una manera inexplicable, quizá suplicando no recibir la segunda pedrada sobre la matadura de la primera.

En tiempos de Perejilondo, los domingos, que eran los únicos días en que Blas se consideraba con cierto derecho para caminar por las calles del pueblo, nuestro tonto, después de la misa cantada, se sentaba a la puerta del café de la Luisita y esperaba dos o tres horas a que la gente, después del vermut, se marchase a sus casas a comer. Cuando el café de la Luisita se quedaba solo o casi solo, Blas entraba, sonreía y se colaba debajo de las mesas a recoger colillas. Había días afortunados; el día de la función de hacía dos años, que hubo una animación enorme, Blas llegó a echar en su lata cerca de setecientas colillas. La lata, que era uno de los orgullos de Blas Herrero Martínez, era una lata hermosa, honda, de reluciente color amarillo con una concha pintada y unas palabras en inglés.

Cuando Blas acababa su recolección, se marchaba corriendo con la lengua fuera a casa de Perejilondo, que era ya muy viejo y casi no podía andar, y le decía:

—Perejilondo, mira lo que te traigo. ¿Estás contento?

Perejilondo sacaba su mejor voz de grillo y respondía:

—Sí..., sí...

Después amasaba las colillas con una risita de avaro, apartaba media docena al buen tuntún y se las daba a Blas.

—¿Me porté bien? ¿Te pones contento?

—Sí..., sí...

Blas Herrero Martínez cogía sus colillas, las desliaba y hacía un pitillo a lo que saliese. A veces salía un cigarro algo gordo y a veces, en cambio, salía una pajita que casi ni tiraba. ¡Mala suerte! Blas daba siempre las colillas que cogía en el café de la Luisita a Perejilondo, porque Perejilondo, para eso era el tonto antiguo, era el dueño de todas las colillas del pueblo. Cuando a Blas le llegase el turno de disponer como amo de todas las colillas, tampoco iba a permitir que otro nuevo le sisase. ¡Pues estaría bueno! En el fondo de su conciencia, Blas Herrero Martínez era un conservador, muy respetuoso con lo establecido, y sabía que Perejilondo era el tonto titular.

El día que murió Perejilondo, sin embargo, Blas no pudo reprimir un primer impulso de alegría y empezó a dar saltos mortales y vueltas de carnero en un prado adonde solía ir a beber. Después se dió cuenta de que eso había estado mal hecho y se llegó hasta el cementerio, a llorar un poco y a hacer penitencia sobre los restos de Perejilondo, el hombre sobre cuyos restos, ni nadie había hecho penitencia, ni nadie había llorado, ni nadie había de llorar. Durante varios domingos le estuvo llevando las colillas al camposanto; cogía su media docena y el resto las enterraba con cuidado sobre la fosa del decano. Más tarde lo fué dejando poco a poco y, al final, ya ni recogía todas las colillas; cogía las que necesitaba y el resto las dejaba para que se las llevase quien quisiese, quien llegase detrás. Se olvidó de Perejilondo y notó que algo raro le pasaba: era una sensación extraña la de agacharse a coger una colilla y no tener dudas de que esa colilla era, precisamente, de uno...

Historias de España (1958)

LOS CIEGOS

I. Cuenta de los ciegos

EL MAL TIEMPO deslució mucho la función. El licenciado Cabrejas García, don Odo, era un miserable al que no le gustaban las mujeres, ni el ballet, ni los desfiles militares. ¿Las mujeres?, ¡qué horror, todas sebosas! ¡Sí, sí, sebosas, ya, ya!, le solían responder sus convecinos. Una vez cayó una chispa en el transformador y al guarda se le quemaron los ojos. Don Odo Cabrejas le consoló: ¡Mala suerte, hermano, al que le toca le toca, ya se sabe! Don Odo había inventado un pesaleches, pero después, como en el fondo era un descuidado, ni lo patentó. Hace ya algún tiempo, un pintor se puso a pintar una acuarela titulada *Amanecer*. Eso de que las acuarelas hay que pintarlas de un tirón, es algo que va en gustos; hay pintores que están una semana, o más, dale que te dale.[1] ¿A usted le parece que reflejo bien la salida de Febo[2] sobre la yerma llanada? ¡Hombre, sí, a mí me parece que la refleja usted bastante bien! El pintor, una mañana, pegó una patada a un avispero. ¡La que se armó![3] Las avispas le comieron los ojos, a poco más lo matan. ¡Mala suerte, hermano, lo

[1] *dale que te dale* painting all the time.
[2] Phœbus, the sun.
[3] *¡La...armó!* Hell broke loose!

único que le queda es tener resignación! ¡Sí, verdaderamente! Don Odo Cabrejas tomaba rapé y llevaba ya varios años leyendo un libro sobre Ceylán. De Ceylán soy el que más sabe en toda la provincia—solía decir—; en esto de Ceylán me pueden echar a pelear con quien sea. El guarda del transformador se llamaba Lorenzo y, sobre ciego, era gordo y dado al vermú. El acuarelista era delgadito y espiritual y se llamaba Hugo Senantes; en su juventud había estudiado para maestro pero después le entró la vocación y se hizo artista pintor. Hugo Senantes era algo culto—tampoco mucho—y amaba la delicada música de Chopin. ¡Oh, los valses y las polonesas! ¡Lará, lalalá! ¡Lo que daría por poder visitar Valldemosa,[1] con el aire impregnado de su recuerdo! ¡Lará, lalalá! Siso Martínez era ciego de nacimiento. Siso Martínez era pobre de solemnidad y, por no tener, no tenía ni ojos. Siso Martínez no gastaba gafas negras. ¿Que los otros ven? ¡Pues que vean! Los ojos de Siso Martínez estaban vacíos y como en una aguanosa carne viva. Don Odo, que a veces era chistoso, decía que en los ojos de Siso Martínez se podía mojar pan. Ya tenemos tres ciegos. A Rómulo Torres, herrero de oficio, lo condenaron a presidio porque cegó a un niño arrimándole un hierro al rojo al mirar. El caso es que Rómulo Torres no tenía malos antecedentes. No sé lo que me pasó—le explicaba al juez—, el muchacho no me hizo nada, ésa es la verdad; lo vi mirando y se conoce que se me fué la mano, yo no lo pude evitar. El niño, al cabo de los años, se hizo hombre. Ahora trabaja en el matadero, vaciando andorgas al tacto e incluso con presteza. Don Odo era miembro correspondiente de la Sociedad Fomento de las Artes, con sede en la capital. Don Odo se afeitaba puntualmente tres veces por semana. El ciego a quien desgració Rómulo Torres se llamaba Tiburcio Cortés Notario y era de aventajada estatura. Don Odo, no; don Odo era más bien bajito. Cuando el mes de julio se mete en agua, no hay quien pare. Don Odo tenía afición a hablar de meteorologías y otras plagas del campo. Hay muchas maneras de quedarse ciego. A Moisés Valverde lo cegó una mula de la coz que le pegó, poco después de la guerra, en la feria de Toro.[2] ¡Qué coz, yo creí que me había reventado la cabeza! Menos mal, ¿verdad usted? En cambio, Carolo Vega, alias *Triquiti*, se fué quedando ciego poco a poco y sin más, se conoce que no tenía fuerza en la vista. Carolo Vega, alias *Triquiti*, era un alfeñique babosillo y tierno como una mariposa, un mírame y no me toques frágil y delicado igual que un grillo de desván. Don Odo solía darle una perra, los domingos. Ya tenemos seis ciegos. Media docena de ciegos bien manejados, pueden dar mucho juego.

II. Lorenzo

Lorenzo, amén de ciego y gordo, era padre de familia. Lorenzo era también aficionado a los toros, y ahora, como no podía verlos, se limitaba a oírlos, agazapado bajo las talanqueras. Su señora se llamaba Raquel Heredia y tenía unos andares poderosos y muy lucidos. La Raquel paría un hijo cada año, menos mal que solían morírsele. Si alguno se me logra—acostumbraba a decir su marido—lo hago torero; yo ya estoy harto de hambres y de calamidades. El único hijo de la Raquel y de Lorenzo que llegó a los veinte años, el Tarsicio, se fué de misionero a la China, a convertir infieles. Lorenzo, en cuanto tenía ocho perras, se las gastaba en vermú; Lorenzo era muy partidario del vermú e incluso sabía distinguir. La Irenita Gallo, que había sido novia de Lorenzo, heredó de su madre la fonda La Mercantil. Eso es ya otra historia. La Irenita Gallo contrajo nupcias con un zángano de bigotito en forma que atendía por[3] Roberto de Juan y que no tenía ni dónde caerse muerto. El Roberto de Juan, en los ratos de ocio, componía letras de zarzuela: coro de espigadores, coro de segadores, dúo de tenor y tiple, duetto cómico, etcétera. El Lorenzo despreciaba con toda su alma a su sucesor en el afecto de la Irenita. Ese tío es un mandria y un holgazán

---

[1] On the island of Majorca where Chopin and the French writer George Sand (Baroness Dudevant) had a famous affair.

[2] City in northwestern Spain.

[3] *que . . . por* whose name was.

—decía con frecuencia—, ese tío es un parásito de la sociedad. El Lorenzo, para lo que hay, era bastante instruído; cogido a tiempo, hubiera podido hacerse de él un hombre de provecho.

III. Hugo Senantes

El acuarelista Hugo Senantes jamás había conseguido una beca de la Diputación Provincial. El acuarelista Hugo Senantes era puro espíritu y sentimiento: las avispas lo cegaron sin un esfuerzo excesivo. Este pintor es un maula; ¿por qué no cerró los ojos con fuerza? ¡A mí, que no me digan! El acuarelista Hugo Senantes tenía los ojos muertos y azules como el sosegado y venenosillo—y también azul y muerto—mar de sus acuarelas. Chopin, en Valldemosa, toca el piano con los dedos del alma. ¡Vaya por Dios! Al acuarelista Hugo Senantes, el avispero lo abocó a la miseria. No temo a la miseria, sino al olvido. Oiga, esa frase, ¿la inventó usted solo? Sí, señor, para expresarla no he tenido sino que escuchar los dictados de mi corazón. ¡Anda, y parecía bobo! El acuarelista Hugo Senantes no vivía ni de milagro y estaba, cada semana, más flaco, más pálido y sin arrestos. El acuarelista Hugo Senantes, en sus tiempos de estudiante de magisterio, tuvo la pleura delicada y echaba sangre por la boca. Después, se conoce que con la edad y el aire libre se fué arreglando un poco; por lo menos, dejó de escupir el bofe, un trocito cada mañana. El acuarelista Hugo Senantes amaba el arte sobre todas las cosas, aunque también, mientras pudo hacerlo, ampliaba e iluminaba retratos de muerto, hieráticas y trágicas fotografías de muertos con cara de muerto, de muertos que llevaban la muerte pintada en el semblante, igual que otros llevan la dicha, la inteligencia o la riqueza.

IV. Siso Martínez

Quien nace ciego es como quien nace príncipe, que no se entera. Siso Martínez, ciego de nación, tenía cara de pardillo y andares de raposo acosado. En los ojos de Siso Martínez, según lenguas, se podía mojar pan igual que en el chocolate. De haberse sabido estar quieto como una piedra, a Siso Martínez hubieran podido nacerle yerbas en los ojos, peludas amapolas, mansos y templados musgos, desabridas ortigas. A Siso Martínez, de niño, lo habían echado a patadas de su casa; su padre, que era hombre ecuánime, pensaba que para comer había que trabajar. El padre de Siso Martínez no admitía excepciones. La muerte—quizás, también, para no salirse de la regla—anda mal repartida. En las casas, la comida que sobra, jamás, hasta que está fría, se pone en la abierta mano del mendigo. Es la costumbre. Las amas de casa, probablemente, piensan que el comer templado es algo que puede acabar enviciando al pobre y empujándole por el mal camino. Siso Martínez estaba harto—es una manera de hablar—de sopa fría, de lentejas frías, de garbanzos fríos. Siso Martínez tenía las manos frías. Siso Martínez, por las noches, se acercaba a la tahona, a coger un poco de calor. ¿Ya estás aquí, ciego de la puñeta? Sí, señor. Miguel Moreno, el panadero, guardaba un puntito de piedad escondido bajo las siete telas del corazón. Anda, échate ahí y no molestes. Siso Martínez, sobre el montón de tomillo, aprovechaba para dormir dos horas. El sueño es como la suerte, algo que hay que saber aprovechar.

V. Tiburcio Cortés Notario

Los niños se pierden por mirar. Niño, ¿qué estás mirando? Nada, ya lo ve usted. Los niños, a veces, se quedan como las lechuzas, horas y horas con los ojos abiertos y pasmados. Niño, ¿qué miras? Nada, no miraba nada. Los niños, hasta los diez o doce años, ven más que los hombres, con más detalle, también con más hondura y con más honradez. Niño, ¿qué estás mirando? Nada, chispas. Entonces, Rómulo Torres, el herrero, le arrimó un hierro al rojo al mirar y lo dejó ciego. No sé lo que me pasó, le juro que fué sin pensar. A Tiburcio Cortés Notario, de la del hierro, le secaron los tiernos odres del llanto, las delicadas bolsitas que se usan para guardar las lágrimas y dejarlas escapar después, poco a poco, cuando hace falta. Tiburcio Cortés Notario es alto y hasta fuerte, saludable y de cumplida proporción. Tiburcio Cortés Notario trabaja en el matadero, por lo que le dan. Tiburcio Cortés Notario, en la función, rasca el guitarrillo y canta, con una seriedad profunda, la ristra sin fin de las ingenuas y obscenas coplas de su minerva. ¡Qué tío, el Tiburcio! ¡Qué humor tiene! Tiburcio Cortés Notario se ajuma los sábados y va a misa los domingos. Tiburcio Cortés Notario es amigo del sacristán y del mancebo de botica. Tiburcio Cortés Notario asiste a bodas y bautizos. Tiburcio Cortés Notario acompaña a los entierros. En el pueblo, la gente quiere bien a Tiburcio Cortés Notario, el hombre que, de niño, se quedó ciego por mirar sin permiso. Tiburcio Cortés Notario es el único ciego de todo el contorno a quien jamás descalabró nadie de una pedrada.

VI. Moisés Valverde

Fué igual que si me hubieran reventado la cabeza, ¡qué coz! Visto y no visto,[1] le doy a usted mi palabra; fué igual que si me hubieran reventado la cabeza. La feria de Toro tiene justa y cumplida fama en toda Castilla. La cabeza de Moisés Valverde, también. La mula—Soberana de nombre; nambí por las orejas; boquidura, empacona y lomienhiesta de condición—entró por la puerta grande en la viva y revuelta historia de la chalanería. ¡Qué coz! Jamás jilmaestre[2] de húsares, ni palafrenero de la regalada real, ni almocrebe manchego, ni nocherniego yacedor,[3] ni mamporrero de la remonta, ni picamulo blasfemo, se paparon una coz ni parecida. Y mire usted que se reparten coces por los caminos, coces para dar y tomar. Moisés Valverde—el que no se consuela es porque no quiere—estaba orgulloso de su coz y solía contar el lance a los forasteros. Fué igual que si me hubieran reventado la cabeza, ¡qué coz! A Moisés Valverde, de la coz que le dieran, le quedó la frente hundida y roma la nariz. Moisés

Valverde, sentado al poyo de la iglesia, gustaba de tomar el sol en sus destrozos. El Paquito Sánchez, nene candelejón, birlaba pitillos a su padre para llevárselos a Moisés Valverde. Al Paquito Sánchez, en su inocencia, le gustaba que Moisés Valverde le cogiera la nuca con gratitud, casi con delicadeza. ¡Ya sabía yo que el Paquito no se olvidaba de este pobre ciego! El Paquito Sánchez, mozo marmolillo, respondía con la voz quebrada. No, señor, no . . . A Moisés Valverde, de como le dejaron la nariz, le salía el humo para arriba en vez de para abajo.

VII. Carolo Vega, alias «Triquiti»

¿Usted sabe la flor de la manzanilla, la varita del junco, los cuernos del caracol? Carolo Vega, alias Triquiti, es de la misma carne, de igual carpintería. Carolo Vega, alias Triquiti, parece que se va a quebrar de tierno, y dengue, y de poquita cosa. Carolo Vega, alias Triquiti, vende caramelos en la plaza, regaliz y chicle americano, altramuces, chufas,[4] pipas de girasol, molinillos de papel de color, bolas de jugar al gua,[5] trompos y peonzas, estampitas de futbolistas, pitillos de anís y garbanzos de pega.[6] El alguacil le cobra la contribución. Carolo Vega, alias Triquiti, da migas de pan—y también cariñosas palabras—a los gorriones; algunos hay que llegan a posársele en el hombro y en la flaca rodilla. A Carolo Vega, alias Triquiti, don Odo solía darle una perra los domingos, después de misa. Carolo Vega, alias Triquiti, se había ido quedando ciego poco a poco, se conoce que no tenía fuerza en la vista. Eso viene de no tomar vitaminas: naranjas, limones, higos y otras frutas. El que no toma vitaminas, ya se sabe: si vive en la ciudad, acaba vendiendo el cupón;[7] si vive en un pueblo, ha de agenciárselas como pueda, mercando en chucherías, sonriendo al raro dadivoso, cantando las alabanzas del santoral, esperando el incierto

---

[1] Visto y no visto It happened so fast, I didn't realize.
[2] jilmaestre man in charge of mules transporting artillery pieces.
[3] nocherniego yacedor herdboy who drives horses out for night grazing.
[4] chufa an edible tuber used in making horchata, a refreshing drink.
[5] gua game using marbles.
[6] garbanzos de pega small balls that pop when thrown on the ground.
[7] vendiendo el cupón lottery ticket sold in Spanish cities by blind people to keep them from begging.

cobre de los días de precepto.[1] Carolo Vega, alias *Triquiti*, como es tan delgadito, casi no necesita nada para ir tirando. Bien mirado, es una verdadera suerte que Carolo Vega, alias *Triquiti*, no sea gordo como el buey, sino fino y esbelto como el sietecolores. A Carolo Vega, alias *Triquiti*, de pequeño le quedó una pata seca, de un paralís que le dió. Lo cierto es que tampoco se le notaba demasiado.

VIII. Don Odo

Entre las nobles artes no figura el ballet, se lo digo por si no lo sabe. En el Fomento de las Artes no damos cabida a incordios ni a zarandajas de tres al cuarto.[2] ¡Pues bueno está lo bueno! Don Odo Cabrejas García, licenciado en farmacia, despachaba entradas de los toros, parapetado tras una mesa del casino, mitad porque lo dejasen entrar de balde y la otra mitad por coba a don Leonardo Montojo, que era el empresario de la plaza y el rico del pueblo y su amo natural. Don Odo, a pesar de todas las apariencias, era un descuidado que ni siquiera había hecho los trámites para patentar el pesaleches. La señora de don Odo era una arpía teñida de rubio que no se había lavado los dientes jamás. ¿Cuál es su gracia, señora? Marcelina, para servirle, Marcelina Baruque de Cabrejas. Bien, servidor de usted. La Marcelina tenía un traje verde, una caja de polvos color teja y un colmillo de oro. ¡Ay, si mi marido hubiera patentado el pesaleches que inventó! Yo no hacía más que decírselo, Odo, que patentes el pesaleches, que te lo van a pisar, Odo, que patentes el pesaleches, que te vas a quedar sin él, pero mi marido no me hizo ni caso, ¡bueno es mi marido para dejarse llevar por consejos ajenos! A él que no lo saquen del arte; lo demás, ni le importa. Don Odo, hace ya muchos años, se había leído un manual de meteorología. El resto de su vasta ciencia se lo había inventado. En las ciencias deductivas, lo más importante es la base, los cimientos. Lo demás, viene solo. Don Odo, a veces, es muy optimista.

[1] *cobre . . . precepto* small coin given to the poor at certain houses on holidays.
[2] *de tres al cuarto* worthless.

IX. *El mal tiempo deslució mucho la función*

Don Leonardo Montojo, que parecía un cuervo, llamó a don Odo Cabrejas, que en aquellos momentos semejaba un pavo, y le invitó a una copita de anís. Don Leonardo y don Odo se pasaron la noche hablándose al oído. ¿De acuerdo? de acuerdo; sí, señor. Don Odo, a la mañana siguiente, apalabró a los ciegos. Cinco duros por barba y un lema para todos: discreción, suerte y al toro, que es una mona.[3] No os puede pasar nada, la organización sólo quiere hacer la caridad y os va a soltar un añojo que no levanta del suelo más que una cabra. Y además, embolado; la organización no quiere sangre, la organización sólo quiere hacer la caridad. Bueno, don Odo, muchas gracias por haberse acordado de nosotros; cinco duros son siempre cinco duros. La organización había previsto hasta los más pequeños detalles. Al choto, para que lo sintáis venir, voy a ordenar que le pongan un cencerro, ¿enterados? Sí, señor, enterados. Bueno, y vosotros, en cuanto que oigáis el cencerro, la emprendéis a palos con la garrota, ¿estamos? Sí, señor, nosotros, en cuanto que nos percatemos del cencerro, tiramos de garrota. Exacto. Esto se lo había dicho don Odo a los ciegos fuertes, a Lorenzo, a Tiburcio Cortés Notario y a Moisés Valverde. A los ciegos débiles —a Hugo Senantes, a Siso Martínez, a Carolo Vega, alias *Triquiti*—don Odo les había dicho: después del paseíllo y para que sepáis por dónde andan los compañeros, voy a mandar que os pongan un cencerro a cada uno, ¿enterados? Sí, señor, enterados. Los ciegos hicieron el paseíllo a los acordes del pasodoble *Gallito*: taratachín, taratachín, taratachín. En el balcón del Ayuntamiento, adornado con la bandera española, las autoridades locales—el alcalde, el cura, el sargento de la Guardia Civil—sonreían, consentidores y ufanos, a la multitud. Fué una lástima que el mal tiempo desluciera la función. Los ciegos del cencerro llevaron una tunda considerable y la gente lo pasó bien y honestamente. El choto, se conoce que asustado de tanto ir y venir de estacazos, dió dos vueltas al trote y se aculó

[3] *al toro . . . mona* go ahead, it isn't as bad as you think.

en chiqueros, a ver hacer.[1] Después empezó a caer agua y los espectadores se fueron a tomar unos blancos.

Cuaderno del Guadarrama (1959)

HISTORIA EN PEÑALARA

5 POR ENCIMA del pico de Peñalara no quedan sino las nubes que ocultan, con su blando rebozo, el cielo azul.

El vagabundo, mientras escala, paciente y resignadamente, las altas cuestas y los duros re-
10 pechos del pico de Peñalara, allá donde las dos Castillas se divorcian, piensa, sin gran rigor, bien es cierto, en la sosegada, en la monótona y siempre resuelta vida de la llanura, el terreno donde las torrenteras se visten de mansos y
15 pausados arroyos y el hombre que va de camino no siente, en la brújula de sus piernas, el bandazo que le anuncia que se va despegando, como un globo sin ancla, de la tierra.

Más allá del pico de Peñalara, en el camino de
20 Rascafría, se esconde el monasterio del Paular, el rincón donde se curan, como en los viejos milagros, los males del mundo, los amables males que se pintan de galanas rosas del camino.

El vagabundo, a media altura aún, no sabe si
25 su vida, aplicada, como la vida del lobo, al errabundaje, se sentiría latir con más firmeza, con más sólido y pausado son, en los callados claustros del Paular que en los silenciosos horizontes del monte.

30 Desde el pico de Peñalara, la historia, esa sombra que queda ahí abajo, se ve dibujada con los amables e imprecisos trazos de los divertimientos, esos escapes que los hombres supieron inventar a tiempo para no sentirse morir con una
35 excesiva desilusión.

La historia de España, la revuelta historia de España, es algo que cuesta mucho trabajo entender desde Peñalara, algo cuya clave queda muchos cientos de varas por debajo.

40 Pero el vagabundo, que es hombre que, quizás por oficio, ha perdido afición a calentarse la cabeza con vanos menesteres, se conforma con

[1] *a ver hacer* to see what was going on.

no entender lo que, de buenas a primeras, no quiere dejarse entender, y se da a mirar el pájaro y a oler la flor que se le brinda, a calentarse al sol 45 y a refrescarse con el vientecillo que se le ofrece tímido y sin estrenar, como una virgen.

Hacia Castilla la Nueva, vuela la cigüeña de aletear mesurado y bíblico. Hacia Castilla la Vieja, navega el alcotán que esconde su nido en 50 las peñas bañadas por las viejas aguas del Arlanzón, allá por donde se perdió el capitán.

El vagabundo, a caballo sobre las dos Castillas, duda entre la judería que le atrae, haciendo sonar su solitaria flauta por las calles de Toledo, o la 55 judería burgalesa de Raquel y Vidas,[2] que también le tienta las carnes y le muestra el brillo relucidor de sus perdidos doblones.

En su indecisión, el vagabundo, como siempre hace, huye por la cuesta arriba porque sabe, y su 60 trabajo le costó aprenderlo, que los hombres, al revés de los lobos y de las culebras, no persiguen a sus víctimas más odiadas sino en la cuesta abajo.

Sí. Por encima del pico de Peñalara no quedan sino las nubes que tapan con su velo de aire el 65 cielo. Y ese azor presumido a quien le espera el castigo de los ángeles soberbios, el castigo cruel que les corta las alas, como a maduros racimos de uvas, y se las tiñe de negro, que es color de las vidas que ardieron, a lo mejor por descuido, 70 como pavesas a quienes el pecado sopló en la diana de la brasa.

El vagabundo, temeroso de haber llegado adonde la discreción se lo hubiera impedido, piensa, vagamente, en la historia de España, de 75 esta España que se ve desde los cuatro vientos de Peñalara, y, por la parte segoviana, por la ladera en la que los infantes de Lara[3] probaron sus fuerzas, que eran tan grandes como las del león, se vuelve en busca del mundo, del alentar de los 80 mesones y de las ventas y del resoplar de las caballerías y de los arrieros, para ver de lavar sus culpas confundiéndose con la misma tierra de donde salió.

[2] Jews from Burgos who loaned money to the Cid when he was exiled from Castile. The episode is recounted in the medieval epic *Poem of the Cid*.
[3] Seven brothers of the Spanish nobility in medieval times; their tragic deaths inspired a famous legend.

Otra vez a mitad de la cuesta, aunque con el mirar ya en las verdinegras copas de los pinos del valle, el vagabundo se siente invadido de una rara felicidad que no sabría explicar; de un

5 acompañador sosiego que tampoco, a lo mejor, querría explicar.

Quizá sea, y él lo ignora, que el vagabundo, a fuerza de creerse vagabundo, se sintió demasiado solo y desamparado allá entre las piedras adonde

10 no llega el lagarto. Después de todo, humano es pasar por momentos de flaqueza y de desesperanza.

El pico de Peñalara, mirado desde el mundo, semeja un alto alférez muerto que no quiere

15 caer. La historia de España, si se quisiese entender de verdad, nos abriría su corazón para mostrarnos ese inmenso cementerio de alféreces muertos y que no quieren caer, que alberga en su remota panza.

20 Pero sobre eso que los grandes escritores llaman los grandes misterios de la historia, el vagabundo, que es hombre de sencillos principios, prefiere pasar como de puntillas.

HUMANIDADES EN EL PAULAR

25 NO ES MAL SITIO, piensa el vagabundo, El Paular para rendir viaje, arropadas en latines las fatigadas carnes, aromando el tomillo las dudas del alma, las impaciencias, las aficiones, los desvelos del alma.

30 En el camino de Rascafría; por las sendas que, salvando el arroyo de Santa Ana, llevan hasta la sierra Retuerta y las ásperas y negras piedras de la Cabrera; bajo los puros cielos donde se adiestra, como el orgulloso paladín que aún no

35 conoce la derrota, el alto pájaro de cetrería, a la orilla del claro regatuelo donde se refrescó los cueros el Arcipreste,[1] en cualquier calurosa mañanica del estío, el vagabundo se topa con el monasterio del Paular, que no huele a incienso,

40 sino a *Chesterfield*; que olvidó sus piernas de carnero y sus albos quesitos serranos por la cocina francesa; que no mancha sus manteles con el morado vino de la tierra, en señal de antigüedad y patriciado, sino con el rubio *whisky* de

las otras tierras, de las tierras que quedan mucho 45 más allá de los montes, en muestra, ¡todo pudiera ser!, de ecumenismo.

Donde la moza fermosa oficiaba de amorosa pastora,[2] juegan hoy a los dados los mecánicos de las agencias de turismo, «todos sabiendo francés 50 e inglés», desobedeciendo las normas del sabio Ordenamiento de las tafurerías. Donde la vaca bíblica y la mula de la caridad segaban la margarita y la amapola, se agolpan hoy, sin orden ni concierto, los automóviles de los viajeros que 55 llegaron de los remotos mundos, *visitez l'Espagne*,[3] infringiendo la prudente ley del Honrado Concejo de la Mesta.[4] Donde el estudiante de Alcalá y el clérigo de Sigüenza cantaban los cantares que para ser cantados compusiera don 60 Pedro López de Ayala[5] acompañándose al salterio, se atropellan hoy, al igual que trasgos bebidos, las duras, las desorbitadas notas de los gramófonos de los veraneantes, *Joe Brown a la corneta*, olvidando los cautos mandamientos de 65 la Congregación de San Juan de los Ministriles,[6] que nació en París, a la sombra de la ciencia cristiana.

Al vagabundo, que es hombre que aún cultiva, en el recoleto jardín de su corazón, la delicada 70 flor de la ingenuidad, le sorprende encontrarse con la civilización donde esperaba haber hallado la cultura: le hiere darse con la humanidad donde pensara, ¡qué raro pensamiento!, haberse hermanado con la dorada soledad que hace 75 posible la granazón de las humanidades.

El vagabundo, que es hombre que, ¡todavía!, se siente desvanecer ante una máquina, que es hombre que, ¡vaya por Dios!, no ama las mecánicas, ni las ópticas, ni las electricidades, por- 80 que piensa, y allá él si se equivoca, que valen mucho más las cosas que nadie quiere, duda entre llorar un poco, como un viejo enfermo bajo la tormenta, o sonreír otro poco, igual que un garzón enfermo ante la horca. 85

[1] *Arcipreste* Juan Ruiz, Archpriest of Hita.

[2] *moza . . . pastora* an allusion to the *serranilla* (mountain girl) in a poem by El Marqués de Santillana (1388–1458). (*fermosa*=archaic form of *hermosa*.)

[3] (*Fr.*) visit Spain.

[4] *Honrado . . . Mesta* the governing board of cattlemen.

[5] Ayala (1332–1407), Spanish chronicler and poet.

[6] Players of reed instruments in churches.

El vagabundo, a la vista de lo que puede hacer, se decide por la sonrisa, que gasta menos y aun que premia más, y se sienta sobre la verde hierba del campo a ver hacer a los demás, que no es mal oficio, y a compadecer a las gentes que creen que lo tienen todo porque ignoran casi todo lo que en los universos sucede. Que no es poco, de cierto.

En El Paular, entre los colores y los olores de la ciudad, ya no tienen su asiento las humanidades, que fueron desbancadas—quien se fué a Sevilla, o a Salamanca, o a Compostela, o adonde fuere, perdió su silla—por las artes cisorias que, en tiempos menos revueltos, solían refugiarse en ventas que ni Don Quijote tomara por castillos fantasmas.

Pero los calendarios andan, como los niños que sueñan argentados paraísos escuchando la bandurria del grillo real, con la cabeza a pájaros, y las gentes que rompen, a lo mejor sin querer, la quieta armonía del Paular, miran casi con compasión e incluso con una compasión bien intencionada, al vagabundo.

—Tome usted, buen hombre.

—Gracias, gentil señora, que no se hizo el desaire para que lo usaran los bien nacidos, pero no son *sandwichs* de *foie-gras*[1] lo que yo busco, noble señora, sino el perdido rastro de las humanidades, aquella lucecita que alumbra por dentro las mejores cabezas, ¿usted recuerda?

La señora sonrió con una hermosísima dulzura.

—No . . .

Su voz semejaba al tierno chasquido del agua cayendo y cayendo sobre el duro pedernal de la fuente.

—Pero tampoco debe usted preocuparse por eso, alta señora, que el mundo rueda, aun sin humanidades, como si tal cosa, ya usted lo sabe.

La sonrisa de la señora cobró unos frágiles y casi alados matices de tristeza.

[1] (*Fr.*) goose liver.

JORGE CAMPOS
1916–

*Nació en Madrid y vivió durante años en Valencia, donde convivió con dos poetas, el malogrado José Luis Hidalgo y José Hierro. Buen conocedor de la literatura de lengua española, especialmente de la época romántica, ha editado las obras completas de Espronceda y Gil y Carrasco, y una extensa antología de las letras hispanoamericanas, a las que dedica con preferencia su atención crítica. Es buen narrador y sus libros de cuentos—*En nada de tiempo *(1948),* El hombre y lo demás *(1953),* Tiempo pasado *(1956)—* son excelentes.*

Escribe con sordina, evitando el trémolo romántico, escondiendo la ternura bajo la sonrisa, dibujando con precisión los pobladores de un mundo extraño que es el suyo—y el nuestro. Los sumisos, los débiles, los ridículos, declaran en los cuentos de Campos su humanidad radical, la posibilidad de vencer por un instante su timidez para garrapatear la verdad a la entrada del pretencioso centro de la mixtificación. ¡Qué poca diferencia entre los unos y los otros! Cada hombre es en el fondo un pobre hombre y la vida algo que sólo en broma podría escribirse con mayúscula. La Vida es una inmensa falacia inventada por los románticos a imagen y semejanza de su exaltación: globito convertido en globazo a fuerza de soplar. Pero es únicamente viento y cuanto más voluminoso, más vulnerable. ¡Tan fácil desinflarlo! Quedan, sí, los hombres y su cotidiano padecer y gozar y aburrirse, luchando por pequeñas cosas: un poco de pan, un poco de amor, olvidarse del casero y el policía ... Casi nada. Y la posibilidad del acontecimiento único, excepcional; de la revelación anticipada—y fútil—del propio destino, envuelta quizá en el sueño premonitorio, a la vez exacto y falaz. La insobornable posibilidad del misterio.

El atentado (1951)

DESCENDIÓ DEL TREN y quedó entumecido durante un momento, por el largo trayecto. Desde la ventanilla había intentado descubrir un rostro familiar en el rápido paso de caras anhe-
5 lantes o alegres. Empujado por una maleta que le golpeaba en las corvas si se detenía, había recorrido el pasillo, y bajado al estribo, querien-do mirar todavía si entre aquellos rostros se destacaba el de su novia. Pero la gente que con-
10 tinuaba saliendo del vagón le empujaba, y tuvo que hacerse a un lado. Permaneció, quieto, al lado de la pared, esperando se disolviesen todos los grupos. Cuando se fué aclarando la muche-dumbre, dejó la maleta adosada a una puerta, y aventuró una exploración. Inútilmente corrió de 15 una a otra punta del tren, vadeando los grupos que se abrazaban o emprendían la marcha entre el vocear de mozos y arrastrar de carretones. Volvió a su lugar de partida, y pudo contemplar cómo apenas un grupito final se iba filtrando por 20 las puertas de salida. Desesperanzado, inició lentamente su camino, cambiándose la maleta de

mano, o deteniéndose en un inconsciente retraso. Maquinalmente apartaba a los mozos que se le ofrecían, y se halló solo en el amplio vestíbulo.

Ya en la calle, quedó indeciso, aturdido, sin saber qué hacer, mirando fijamente el puente que ofrecía su perspectiva ascendente tras una fila de gruesos árboles, esperando apareciese de un momento a otro la silueta de su novia. Mas al correr los minutos y no ocurrir así, buscó un teléfono y marcó su número. Hacía el viaje por verla, y para causarle mayor sorpresa sólo le había avisado en la noche anterior, con un telegrama. Su ausencia era incomprensible, y le causaba una extraña sensación de vacío, al hallarse en una ciudad que sólo conocía por rápidas visitas como ésta. Lo único que ofrecía visos de realidad es que por cualquier extraño acontecer no hubiese recibido el telegrama. Y ya no tenía seguridad de si había escrito la dirección bastante clara, cuando le respondió la voz de una muchacha diciéndole estaban fuera los señores, y no volverían hasta el día siguiente. Así, pues, el telegrama había llegado, pero no había podido ser leído.

Volvió a la calle sumido en vacía indiferencia y se puso en manos de cualquier mozo, que le condujo a una pensión. Se dió un baño, comió, y sintiéndose aliviado de su cansancio salió a dar un paseo por el camino del rompeolas que semicircundaba la ciudad.

Mas a pesar de la pausa con que caminaba, deteniéndose a contemplar el mar que oscilaba en manchas verdes y grises, en movimientos casi imperceptibles, hasta chocar violento en espumeante embate, era aún temprano cuando volvió a penetrar en la avenida central. Movido por un repentino impulso penetró en un establecimiento, y volvió a llamar a su novia, por si cualquier causa imprevista la hubiese hecho volver. Su fracaso le dió una mayor soledad y aburrimiento, renovándosele el cansancio físico de la llegada. Cerca de una hora dejó pasar contemplando indiferente los escaparates de tiendas de modas, y un gran almacén de objetos de música.

Inesperadamente, volvió a la orilla del río, y pensó repetir el paseo a lo largo de la carretera paralela al mar, pero se sentía más cansado a cada paso. Entonces recordó que por allí había un cine y decidió entrar. Sin mirar el programa compró una butaca, y pronto estuvo removiéndose en busca de la postura más sedante. La proyección estaba empezada, y lo que veía de ella no era suficiente para despertar su embotada atención. El cansancio del tren volvía a él, uniéndosele las sensaciones de soledad, aburrimiento, y un vacío temporal que la necesidad de llenar hacía abrumador.

Estaba a un tiempo nervioso y fatigado, deprimido materialmente, y con una excitación que no le había permitido pasar la tarde durmiendo en la pensión, por temor a una noche de insomnio. En la pantalla, una respetable comisión de damas y caballeros de pelo blanco estaban explicando a un sacerdote que su ejemplar establecimiento para regeneración de golfillos tendría que ser cerrado por falta de recursos. Por idéntico motivo, los ojos de Dionisio empezaron también a cerrarse. El cansancio predominaba sobre la inquietud. Al principio intentó mantenerse despierto, prestando atención, pero el argumento, comenzado en su mitad, no lograba dar unidad a los planos de un campo de deportes, en que la cámara, siguiendo los pasos de los muchachos y las trayectorias del balón, contribuyó a que se viera hundido en un sueño profundo. De vez en cuando se sobresaltaba y entreabría los ojos. Y las escenas de una asamblea de colegio, o el Padre, junto a una camilla, animando a un inválido, venían a mezclarse a las borrosas escenas de su sueño que tornaban a situarle en el tren o en el andén de la estación.

El rumor de la gente que se levantaba, y el brotar de una luz rojiza en los ángulos del salón le despertaron. Una diapositiva anunciaba el descanso, y él, pasándose la mano por los párpados y adoptando una postura más vertical, dirigió furtivas miradas a los lados, para descubrir si su sueño había sido advertido.

Pero no le dió tiempo. La sala se entenebreció de nuevo, y unas filas de letras ascendían, desapareciendo, cortadas, en el límite superior de

la pantalla, dando nacimiento a nuevos renglo-
nes, que surgían del linde inferior:

Noticiario Nacional ofrece al público el sensacional y doloroso acontecimiento de esta mañana. El
5 trágico atentado de que dos perturbados han hecho
víctima al Enviado Extraordinario de Egipto ha
causado hondo dolor al país. Noticiario Nacional se
asocia al duelo, lamentando el luctuoso suceso, que
ha sido recogido en sus menores detalles por
10 nuestras cámaras.

Aquello reavivó su interés. Hacía cinco días
que un especial enviado plenipotenciario, llegado desde Egipto para establecer importantísimos
tratados comerciales, según se decía en la
15 prensa, o trascendentales pactos para la política
futura del Mediterráneo, según se rumoreaba en
los cafés y redacciones, recorría la capital. Había
sido llevado a una corrida de toros, al fútbol, a
la Ciudad Universitaria. Había dado tres con-
20 ferencias en la Escuela de Altos Estudios Árabes
—en un francés que no había entendido nadie—
y se le preparaba una visita a la Alhambra,[1]
donde iba a pronunciar otra charla acerca de los
poemas escritos en sus muros. Aparte de eso, se
25 hablaba de sus reuniones con el Ministro del
Exterior, y de que toda aquella actividad externa
no era otra cosa que la tapadera de su efectiva
misión. Su elegante figura, rematada por el
tradicional fez, y su rostro, orlado por corta y
30 romántica barba, se habían popularizado en las
portadas de las revistas ilustradas.

Dionisio prestó atención. La cámara había
recogido una panorámica de la Avenida repleta
de gente. Luego una fachada colmada de bal-
35 cones, donde unas guapas jóvenes sonreían o se
ocultaban ruborosas tras la cabeza de una amiga
ante el enfocar del objetivo. Un árbol había
sentido recubrirse sus ramas de muchachos, que
daban una agitada fronda a su tronco. Por fin,
40 aparecieron cuatro guardias a caballo, con
blancos penachos de gala en los aljofarados
cascos. Después unas compañías de la Milicia
Tradicional, con su banda típica. Luego otros
guardias de gala, y a continuación el automóvil,
45 donde la figura del Enviado Egipcio se reconocía
ya, sonriente, junto a un señor del que sólo se

[1] The medieval palace of the Moorish kings in Granada.

advertía que era calvo y llevaba lentes. El tomavistas comenzaba a girar, siguiendo al coche, que
se acercaba.

El reportaje era mudo, y algo imperfecto, pero 50
había en él una palpitante veracidad que sobre-
salía de la uniforme exposición bidimensional.
Dionisio se sentía interesado, cuando se reflejó
el precipitado desenlace: Una figura, menuda,
con gabardina, rompió el cordón de soldados y 55
se adelantó hacia los caballos que caminaban
ante el coche. Uno de ellos alzó las patas delan-
teras, y el jinete, al refrenarle, le obligó a girar
hacia la derecha, tropezando con el hombrecillo
que perdió el equilibrio, cayendo ante él. El 60
incidente causó un pequeño entorpecimiento que
permitió a otro joven saltar desde los que contemplaban el desfile al estribo del coche, y
disparar repetidamente una pistola sobre los
ocupantes. La maciza figura del egipcio se abatió 65
hacia atrás. Su acompañante abría la portezuela
para salir, cuando desplomándose sobre ella,
cayó en el hueco entreabierto, quedando con la
cabeza pendulante sobre el enarenado piso.
En pocos segundos, se originó un remolino de 70
confusiones. Los jinetes que seguían al coche
caracoleaban, se dirigían hacia la muchedumbre
que retrocedía deformando su línea, o se agolpaban tratando de acercarse al coche. La cámara
indudablemente situada en algún lugar alto 75
emplazado ante el lugar donde se desenvolvía el
hecho, recogía con todo detalle el desconcierto,
en que cada uno obraba por su cuenta. Se vió a
un oficial de a caballo disparar contra el asesino,
que quedó inmóvil sobre sus víctimas, mientras 80
el hombre derribado ante los caballos se ponía
en pie, cruzaba entre dos de ellos dirigiéndose
hacia el coche, luego intentaba huir, y, por fin,
alcanzado a sablazos, se desplomaba y arrugaba
entre los cascos la frágil gabardina que llevaba 85
puesta.

La escena se cortaba aquí, e impresionó a
Dionisio por su punzante realismo. Como ya
había pasado un largo rato, salió a la calle,
dirigiéndose a la pensión. El pavimento brillaba 90
bajo los faroles, las vendedoras de periódicos
gritaban los títulos, que cuidadosamente doblados, sobresalían de sus cestos. Compró uno de

ellos para completar con la descripción perio-
dística la visión general del suceso que tal
impresión le había causado y, sobre todo, por
buscar la explicación de quiénes eran los dos
5 autores y por qué motivos se habían lanzado
al asesinato del ilustre visitante.

Inútilmente abrió y miró el periódico por
todas partes. La primera plana la ocupaba el
reportaje de unas regatas y la colocación de
10 una primera piedra. En la posterior, un hombre
de ciencia extranjero hacía públicas sus
últimas investigaciones. El resto de la página lo
constituían comentarios locales sin apenas importancia. Nada, por ninguna parte, hablaba del
15 trágico atentado.

Le extrañó. Y tanto más porque—sobresaltado desde la neblina de su cansancio y de su
sueño—la evocación tan realista y cercana del
suceso tenía mucho de realidad. Más que
20 espectador de una película, se recordaba con-
templador real, como si hubiese sido una de las
chicas de los balcones o de los involuntarios
protagonistas, el acompañante del Enviado
Egipcio, o un soldado, o quizá más, un ser
25 menos humano e incapaz de vivir la escena totalmente, aunque ligado a ella con los lazos de la
fatalidad, como uno de los caballos de la
escolta.

En la pensión, tras dos o tres frases triviales
30 respecto al tiempo, o su viaje, dió salida a su
extrañeza, preguntando cómo no decía nada el
periódico respecto al atentado, y si se hablaba
mucho de ello en la población. Su intervención
provocó un raro asombro. Nadie sabía nada de
35 tal atentado, lo que confirmaba el silencio de los
diarios. Insistió en hablar de él, y la sonrisa se
hilvanaba en los rostros de los compañeros de
mesa. Entonces contó lo que había visto en el
noticiario, y la respuesta fue absoluta: No sola-
40 mente no se había producido tal atentado, sino
que no tenía el menor viso de posibilidad. El
Enviado no era visita de la ciudad ni se había
sabido semejante proyecto. Y los rostros atentos o burlones respondían a las dos formas de
45 opinión que se habían trazado: Los que le
creían un bromista, o los que dudaban de que
se hallase en sus cabales.

Se calló, bastante confundido, y se dejó caer
en la conversación general, contribuyendo con
alguna que otra frase corta a desvanecer la 50
impresión que le parecía haber causado, y que
no era tanta como la que bullía en sí mismo.
Porque, a pesar de las respuestas negativas no
cesaba de pensar en lo que había presenciado, y,
cuando terminaron de cenar, quedó solo, en un 55
silloncito, fumando y meditando en lo ocurrido.
¿Es que no se quería que la prensa divulgase el
crimen? ¿Hasta tal extremo se habían turbado
las autoridades locales? ¿Era el gobierno central
quien vacilaba ante las consecuencias? Pero tal 60
cosa resultaba una incomprensible política de
avestruz. Sin embargo, el atentado había sucedido. La cámara no miente. Recoge, simplemente, lo que transcurre ante ella. Y el enviado
egipcio había caído ante el ataque de aquellos 65
dos desconocidos. Probablemente la actividad de
los productores del noticiario se había adelantado a las autoridades gubernativas, pero...
¿es que nadie, en una ciudad tan pequeña y
comentadora, había llevado a oídos de los pen- 70
sionistas un acontecimiento que habían presenciado tantas miradas?

Volvió al periódico y le dió vueltas entre sus
manos, releyendo los gruesos titulares que se
dispersaban en noticias insulsas y apacibles. 75

En esto estaba, cuando se le acercó un señor de
rostro oliváceo y profundas bolsas bajo los ojos,
que había sido uno de sus compañeros de mesa.
Le ofreció tabaco y le preguntó si seguía preocupado con la idea de aquel atentado. Después, 80
le sonrió:

—Yo entiendo bastante de estas cosas, y soy
hombre práctico, eminentemente práctico. Estoy
habituado, por mi profesión, a encontrarme con
acontecimientos poco explicables para la mente 85
humana y que a veces se acercan al misterio.
Pero siempre tienen una solución realista y
sencilla.

Encendió su pitillo para continuar:

—Tengo mi teoría sobre lo ocurrido a usted, 90
pero no he querido mostrarla ante los demás por
no azorarle. Usted ha llegado esta mañana, ¿no?
De la capital, ¿no? Ha leído y oído hablar durante
todos estos días del viaje del egipcio, ¿no es eso?

Ha dormido usted poco en el tren . . . Se ha metido en el cine cansado, lleno de hastío . . .

A cada interrupción del desconocido Dionisio contestaba asintiendo con la cabeza, porque el caminar verbal de su interlocutor no le dejaba lugar a más.

—Perdóneme; no quiero ofenderle. Usted ha visto bien. Ha presenciado, casi diría mejor, usted ha vivido el atentado, ¿no?

Nuevo asentimiento, y una pequeña pausa.

—Usted lo ha visto, usted lo ha vivido . . . en sueños.

Dionisio tuvo que reconocer que, en efecto, se habría adormilado, pero estaba seguro que el noticiario, tras el breve descanso le había encontrado bien despierto.

Su interlocutor sonrió. A continuación le explicó que era especialista en enfermedades nerviosas y mentales, y que se hallaba acostumbrado a desvanecer quimeras nacidas de mentes no muy bien equilibradas.

—No es que ahora vaya a llamarle loco o poner en duda la veracidad de su creencia. Mi costumbre clínica me ha hecho fijarme en usted cuando llegó al mediodía. Tan delgado, de movimientos rápidos, casi extenuado por un viaje que no es de suponer excesivamente lejano, venía usted proclamando su debilidad. Además, es usted un tipo asténico, imaginativo. Ha soñado, por eso, con tanto verismo.

Asintió Dionisio con una sonrisa dulce. Casi se sentía convencido por el tono de seguridad profesional con que le hablaban, mas, de pronto, volvió a apoderarse de él la gran duda sobre su sueño, y el doctor debió advertirlo:

—Le propongo una cosa. Nos damos un paseo por la Avenida, que es muy grato a estas horas, y nos acercamos al cine. Así se quedará convencido. De lo contrario, pasará la noche inquieto . . . Y, si aún proyectan ese documental, lo vemos juntos.

Se dejó llevar. Salieron a la calle, y pronto estuvieron ante el cine. La taquillera les aseguró que nada se había proyectado fuera de programa. El doctor, siempre con su sonrisa, preguntó por el gerente, y le improvisó una historia acerca de una película que les habían

dicho se proyectaba fuera de programa. Negó correctamente el interpelado. Los pases de sesión eran rigurosamente iguales. Sin el menor incidente, o por lo menos, sin ninguno que pudiese interesar al público, como un apagón de luz que habían sufrido aquella misma tarde.

Nada más preguntó el doctor. Se despidieron, y éste pudo formular su resumen:

—¿Lo ve? Ese apagón es el que usted ha gozado tan intensamente. Su imaginación le ha fabricado todos los hechos. ¿Es usted periodista o algo parecido?

Nada de eso. Dionisio vendía madera, afanosamente, por la mañana, y por la tarde representaba productos farmacéuticos.

—Pues tiene usted cualidades imaginativas excepcionales. ¿Quiere referirme con el mayor detalle cómo se desarrollaba la escena?

Así lo hizo Dionisio, y con ello llegaron a la pensión. Aún quedaron charlando unos momentos antes de separarse. Aquel caballero era extraordinariamente simpático, y concluyó dándole un comprimido para calmar su sistema nervioso excitado por el viaje, el encuentro con la novia frustrado, el paseo tedioso, la proyección . . .

—Estos días de descanso le van a sentar muy bien, y no le conviene tener por la noche insomnios o nuevas pesadillas. Con esto pasará la noche como un tronco. Es usted un soñador perfecto, un virtuoso del sueño, que no descuida los menores accesorios en lo que fabrica. Sobre todo, es excepcional que recuerde el texto que precedía al noticiario. En los sueños, cuando se lee algo, no se recuerda al despertar. Le repito, tiene usted una imaginación poco común. Debe evitar tomar muchos cafés, fumar tabaco rubio o leer después de la cena, si quiere tener una existencia apacible.

Se dieron la mano, obedeció Dionisio su recomendación, y a poco, durmió profundamente. A la mañana, no tenía ninguna inquietud, ni se acordaba apenas de su preocupación de la víspera. Le sirvieron el desayuno en la habitación, y preguntó por el doctor. Había salido muy temprano según costumbre. Entonces, se entretuvo en mirar el periódico de la noche anterior, mientras sorbía el café, leyendo, sin enterarse apenas, las menudas noticias que hablaban del traspaso de un local, una velada de boxeo, o la formación de un gobierno afgano en el exilio.

Maquinalmente, llegó a la penúltima página, y siguió engullendo los anuncios por palabras— *Piso amueblado, depilación eléctrica, gabardinas y trincheras, perdido caniche martes, frente a La Perla . . .*—mientras el pensamiento elaboraba ya planes: encuentro con la novia, comentario sobre el telegrama, paseo . . . cine . . . ¿Por qué había vuelto con tanta fuerza el recuerdo de la tarde anterior? Por algo que acababa de leer, y que releyó aún una y otra vez antes de darse cuenta de nuevo. Entre dos necrologías y bajo la última columna de anuncios, el ajuste provinciano y rutinario había lanzado un suelto:

Última Hora:

Ya al cerrar la presente edición recibimos la noticia de que el enviado egipcio, Señor Hannid, se dirige camino de Francia, donde ha de celebrar una rápida y urgente entrevista, por lo que no podrá detenerse entre nosotros.

Ha prometido cumplir una visita a su regreso, y dar una conferencia en el Casino. No obstante se han cursado por las autoridades las órdenes oportunas para que las fuerzas a sus órdenes le den escolta desde los límites de la ciudad hasta el Puente Internacional.

Olvidó todo. Sin telefonear corrió a la calle dirigiéndose a la Avenida. Al llegar al final, ya se agolpaba bastante gente, alineándose en ambas aceras. La banda al pasar en busca del Enviado, y quizá los periódicos de la mañana, habían atraído al público que a esa hora hormigueaba en la playa. Todos los rostros se volvían hacia el paseo donde la calle se prolongaba en carretera. Fué caminando, aturdido, porque la extrañeza del día anterior se veía duplicada con la inesperada visita y aquel contemplar en la realidad algo relacionado con su visión en la pantalla. La presencia de una furgoneta gris, con el emblema del Noticiario Nacional, le detuvo.

Estaba frente a él, al otro lado de la calle. Se volvió y pudo reconocer con exactitud los balcones cuajados de muchachas. A su izquierda se erguía un árbol arracimado de chicos. Todo era idéntico a lo presenciado el día anterior, como si el sueño se repitiese, ahora en la realidad. Se hizo la pregunta, ¿sueño?, y le parecía que no, aunque no se atrevería a asegurarlo. Se advertía lleno de acuciamiento y angustia. Se puso la gabardina que llevaba al brazo, para hendir mejor la multitud. Cuando logró llegar a las primeras filas, ya los caballos se adelantaban y se preludiaba la llegada del visitante. La banda se destacaba, si no por su brillante formación, por el estridente sonar de los instrumentos. Nuevos caballos, y el coche majestuoso, donde el egipcio sonreía o cambiaba una frase con su acompañante, un pulcro caballero de gafas y luciente calva. Aquel señor . . . era el mismo. ¡Todo se repetía! Con un impulso tan rápido que no tuvo tiempo de ser pensado, se adelantó hacia ellos para gritar su aviso, y contener lo que le parecía fatal destino, pero su gesto asustó a un caballo que se encabritó. El jinete, al intentar refrenarle se echó sobre él y el encontronazo le hizo caer al suelo. Los cascos del caballo resonando en sus oídos se prolongaron en un crepitar de detonaciones. Luego un torbellino de rumores le rodeó, logró levantarse, y trató de seguir su marcha hacia el coche, cuando pensó que era inútil, todo se habría ya producido, y sin duda tal como lo había contemplado la tarde anterior. Los dos desconocidos habrían realizado el asesinato. Trató de salir de allí, y alejarse para no verse mezclado en el tumulto que seguiría. Volvió la espalda, y corrió hacia la gente que se arremolinaba temerosa. Uno de los jinetes, cargando sobre él le alcanzó con el sable, y la frágil gabardina que le envolvía se desplomó arrugada entre los cascos.

Las bobinas del Noticiario Nacional, sorprendidas ante lo inesperado, giraban vertiginosas.

BLAS DE OTERO
1916–

Español de Bilbao, en el país vasco. Adusto, bronco, apremiado por la urgencia de levantar la voz para ser oído, de hablar en castellano, sin ocultar su indignación en la metáfora, Otero es, a la vez, un maestro en el arte de organizar la imprecación, de revelar en brillantes antítesis su dolor fieramente humano. Como a Quevedo y a su paisano Unamuno (y su poesía hace pensar en ellos por la energía del sentimiento y lo acerbo de la expresión), le duele, en primer término, España, el hombre español privado de libertad, condenado a silencio, sometido a tutela por infatigables protectores.

Su primer libro, Ángel fieramente humano (1950), y el que le siguió inmediatamente, Redoble de conciencia (1951) se centran—como advirtió el autor—sobre dos grandes «temas tradicionales: el amor y la muerte, el hombre en sus relaciones con esos dos problemas». El cambio de la preocupación por lo individual a la pasión por lo colectivo se realizó insensiblemente; quizá el nuevo acento se trasluce en la progresiva eliminación de las gracias retóricas, en el esfuerzo por no interponer «el arte» entre la poesía y el lector.

Como D. H. Lawrence, es partidario de un arte para el hombre, y canta, ha cantado para la inmensa mayoría. Para expresar su oposición a los estetas, a cuantos piensan salvarse perdurando en la obra, afirmó alguna vez que daría todos sus versos por un hombre en paz. Pide, pues, lógicamente la paz y la palabra y en la distancia un sordo rumor llamado a despertar ecos en las conciencias aletargadas. Hay sangre y coraje en su verso, hechos poesía, traspasados a la palabra reveladora, a la palabra que abrirá de un golpe los recintos oscuros, las sombras donde se agazapan el miedo y la cólera y el dulce amor que algún día será posible gozar en silencio.

Ángel fieramente humano (1950)

CANTO PRIMERO

Definitivamente, cantaré para el hombre.
Algún día—*después*—, alguna noche,
me oirán. Hoy van—vamos—sin rumbo,
5 sordos de sed, famélicos de oscuro.

Yo os traigo un alba, hermanos. Surto un agua,
eterna no, parada ante la casa.
Salid a ver. Venid, bebed. Dejadme
que os unja de agua y luz, bajo la carne.

De golpe, han muerto veintitrés millones   10
de cuerpos. Sobre Dios saltan de golpe

—sorda, sola trinchera de la muerte—
con el alma en la mano, entre los dientes

el ansia. Sin saber por qué, mataban;
muerte son, sólo muerte. Entre alambradas
5 de infinito, sin sangre. Son hermanos
nuestros. ¡Vengadlos, sin piedad, vengadlos!

Solo está el hombre. ¿Es esto lo que os hace
gemir? Oh si supieseis que es bastante.
Si supieseis bastaros, ensamblaros.
10 Si supierais ser hombres, sólo humanos.

¿Os da miedo, verdad? Sé que es más cómodo
esperar que Otro—¿quién?—cualquiera, Otro,
os ayude a ser. Soy. Luego es bastante
ser, si procuro ser quien soy. ¡Quién sabe

15 si hay más! En cambio, hay menos: sois sentinas
de hipocresía. ¡Oh, sed, salid al día!
No sigáis siendo bestias disfrazadas
de ansia de Dios. Con ser hombres os basta.

Redoble de conciencia (1951)

DIGO VIVIR

20 Porque vivir se ha puesto al rojo vivo.
(Siempre la sangre, oh Dios, fue colorada.)
Digo vivir, vivir como si nada
hubiese de quedar de lo que escribo.

Porque escribir es viento fugitivo,
25 y publicar, columna arrinconada.
Digo vivir, vivir a pulso; airadamente morir, citar desde el estribo.

Vuelvo a la vida con mi muerte al hombro,
abominando cuanto he escrito: escombro
30 del hombre aquel que fui cuando callaba.

Ahora vuelvo a mi ser, torno a mi obra
más inmortal: aquella fiesta brava
del vivir y el morir. Lo demás sobra.

En castellano (1960)

ANCHAS SÍLABAS

Que mi pie te despierte, sombra a sombra   35
he bajado hasta el fondo de la patria.
Hoja a hoja, hasta dar con la raíz
amarga de mi patria.

Que mi fe te levante, sima a sima
he salido a la luz de la esperanza.   40
Hombro a hombro, hasta ver un pueblo en pie
de paz, izando un alba.

Que mi voz brille libre, letra a letra
restregué contra el aire las palabras.
Ah las palabras. Alguien   45
heló los labios—bajo el sol—de España.

POR CARIDAD

Laura,
paloma amedrentada,
hija del campo, qué existencia esta,   50
dices, con el hijo a cuestas
desde tus veinte años,
tres años en la Maternidad
fregando los suelos,
por caridad   55
(por caridad, te dejan fregar el suelo),
ahora en la calle
y entre mis brazos,
Laura,
te amo directamente,   60
no
por caridad,
estás cansada
de todo,
de sufrir frío,   65
de tu pequeño acordeón
entre las piernas,
del desamor,
pero no olvides
(nunca),   70
yo te amo directamente,
y no
por caridad.

PATO

Quién fuera[1] pato
para nadar, nadar por todo el mundo,
pato para viajar sin pasaporte
5 y repasar, pasar, pasar fronteras,
como quien pasa el rato.
Pato.
Patito vagabundo.
Plata del norte.
10 Oro del sur. Patito danzaderas.

[1] *Quién fuera* **If I were only.**

Permitidme, Dios mío, que sea pato.
¿Para qué tanto lío,
tanto papel,
ni tanta pamplina?
Pato.   15

Mira, como aquel
que va por el río
tocando la bocina . . .

JOSÉ HIERRO

1922—

Soñaba, de niño, demasiado: pájaros, canciones, brisa del mar, poesía . . .
Le despertaron bruscamente y empezó en la cárcel el aprendizaje de la
vida. Buena escuela para distinguir entre las alas de la gaviota y el brazo
del hombre; para refrenar el ansia de vuelo y transferirla a la palabra.
Pues la canción podía saltar los muros del presidio donde le encarcelaron y
hacerle vivir. Tal vez por eso tituló Alegría *(1947) el libro de sus*
experiencias juveniles. Los sueños volvieron luego, pero de otra manera:
poniendo en la realidad los toques invisibles, el halo transfigurador que la
convierte en poesía. Y ese halo nace de la visión poética, del modo
peculiar de enfrentar lo real que caracteriza a este lírico, cuya confidencia
tiembla tras la objetividad de la descripción. Un hombre ha muerto, lejos:
el poeta se limita a referirlo con palabras corrientes, sin exagerar un punto,
sin patetismo; y al cantar la muerte oscura, accidental, de ese hombre
cualquiera, está cantando la suya propia y la del lector, en un mundo
donde cuanto se refiere al individuo perdió sentido.

El oído de Hierro es el más fino de su generación. De ahí que pueda
permitirse con las palabras libertades que en poetas menos sensibles al ritmo
y a la cadencia serían destructoras. No hay tal prosaísmo—dice—, y lo
predica con el ejemplo y demuestra andando[1] *la verdad de su aserto, pues*
el desdén de la palabra «bella» se justifica en la gracia y movimiento del
verso, cargado a la vez de música y de sentimiento. En Quinta del 42
(1952), y Cuanto sé de mí *(1957) se esforzó por fundir la canción y el*
cuento, volviendo a la poesía narrativa. Alguna vez declaró que la poesía
actual debiera ser épica, y quizá la suya lo es, aunque el héroe sea anónimo
y la escena más sórdida de como solía.

[1] *andando* practicing.

Tierra sin nosotros (1947)

CANCIÓN DE CUNA
PARA DORMIR A UN PRESO

La gaviota sobre el pinar.
(La mar resuena.)
5 Se acerca el sueño. Dormirás,
soñarás, aunque no lo quieras.
La gaviota sobre el pinar
goteado todo de estrellas.

Duerme. Ya tienes en tus manos
el azul de la noche inmensa.   10
No hay más que sombra. Arriba, luna.
Peter Pan[1] por las alamedas.
Sobre ciervos de lomo verde,
la niña ciega.
Ya tú eres hombre, ya te duermes,   15
mi amigo, ea . . .

[1] Protagonist of the story by the same name, by James
M. Barrie (1860–1937).

Duerme, mi amigo. Vuela un cuervo
sobre la luna y la degüella.
La mar está cerca de ti,
muerde tus piernas.
5   No es verdad que tú seas hombre;
eres un niño que no sueña.
No es verdad que tú hayas sufrido,
son cuentos tristes que te cuentan.
Duerme. La sombra toda es tuya,
10 mi amigo, ea . . .

Eres un niño que está serio.
Perdió la risa y no la encuentra.
Será que habrá caído al mar,
la habrá comido una ballena.
15 Duerme, mi amigo, que te acunen
campanillas y panderetas,
flautas de caña de son vago
amanecidas en la niebla.

No es verdad que te pese el alma.
20 El alma es aire y humo y seda.
La noche es vasta. Tiene espacios
para volar por donde quieras,
para llegar al alba y ver
las aguas frías que despiertan,
25 las rocas grises, como el casco
que tú llevabas a la guerra.
La noche es amplia, duerme, amigo,
mi amigo, ea . . .

La noche es bella, está desnuda,
30 no tiene límites ni rejas.
No es verdad que tú hayas sufrido,
son cuentos tristes que te cuentan.
Tú eres un niño que está triste,
eres un niño que no sueña.

35 Y la gaviota está esperando
para venir cuando te duermas.
Duerme, ya tienes en tus manos
el azul de la noche inmensa.
Duerme, mi amigo . . .
40   Ya se duerme
mi amigo, ea . . .

Quinta del 42 (1952)

REPORTAJE

Desde esta cárcel podría
verse el mar, seguirse el giro
de las gaviotas, pulsar   45
el latir del tiempo vivo.
Esta cárcel es como una
playa: todo está dormido
en ella. Las olas rompen
casi a sus pies. El estío,   50
la primavera, el invierno,
el otoño, son caminos
exteriores que otros andan;
cosas sin vigencia, símbolos
mudables del tiempo. (El tiempo   55
aquí no tiene sentido.)

Esta cárcel fue primero
cementerio. Yo era niño
y algunas veces pasé
por este lugar. Sombríos   60
cipreses, mármoles rotos.
Pero ya el tiempo podrido
contaminaba la tierra.
La yerba ya no era el grito
de la vida. Una mañana,   65
removieron con los picos
y las palas la frescura
del suelo, y todo—los nichos,
rosales, cipreses, tapias—
perdió su viejo latido.   70

Nuevo cementerio alzaron
para los vivos.

Desde esta cárcel podría
tocarse el mar; mas el mar,
los montes recién nacidos,   75
los árboles que se apagan
entre acordes amarillos,
las playas que abren al alba
grandes abanicos,
son cosas externas, cosas   80
sin vigencia, antiguos mitos,
caminos que otros recorren.

Son tiempo,
y aquí no tiene sentido.

Por lo demás, todo es
terriblemente sencillo
5 El agua matinal tiene
figura de fuente . . .
                    (Grifos
al amanecer. Espaldas
desnudas. Ojos heridos
10 por el alba fría.) Todo
es aquí sencillo,
terriblemente sencillo.

Y así las horas. Y así
los años. Y acaso un tibio
15 atardecer de otoño
(hablan de Jesús) sentimos
parado el tiempo. (Jesús
habló a los hombres, y dijo:
«Bienaventurados los
20 pobres de espíritu.»)

Pero Jesús no está aquí
(salió por la gran vidriera,
corre por un risco,
va en una barca, con Pedro,
25 por el mar tranquilo.)
Jesús no está aquí. Lo eterno
se desvae, y es lo efímero
—una mujer rubia, un día
de niebla, un niño tendido
30 sobre la yerba, una alondra
que rasga el cielo—, es lo efímero,
eso que pasa y que muda,
lo que nos tiene prendidos.
Sed de tiempo, porque el tiempo
35 aquí no tiene sentido.

Un hombre pasa. (Sus ojos
llenos de tiempo.) Un ser vivo.
Dice: «Cuatro, cinco años . . .»,
como si echara los años
40 al olvido.
Un muchacho de los valles
de Liébana.[1] Un campesino.

<hr/>

[1] A region in the province of Santander, Spain.

(Parece oírse la voz
de la madre: «Hijo,
no tardes», ladrar los perros   45
por los verdes pinos,
nacer las flores azules
de abril . . .)
          Dice: «Cuatro, cinco,
seis años . . .», sereno, como   50
si los echase al olvido.

El cielo, a veces, azul,
gris, morado, o encendido
de lumbres. Dorado a veces.
Derramado oro divino.   55

De sobra sabemos quién
derrama el oro, y da al lirio
sus vestiduras, quién presta
su rojo color al vino,
vuela entre nubes, ordena   60
las estaciones . . .
          (Caminos
exteriores que otros andan.)
Aquí está el tiempo sin símbolo,
como agua errante que no   65
modela el río.

Y yo, entre cosas de tiempo,
ando, vengo y voy perdido.
Pero estoy aquí, y aquí
no tiene el tiempo sentido.   70
Deseternizado, ángel
con nostalgia de un granito
de tiempo. Piensan al verme:
«Si estará dormido . . .»

Porque sin una evidencia   75
de tiempo, yo no estoy vivo.
Desde esta cárcel podría
verse el mar—yo ya no pienso
en el mar—. Oigo los grifos
al amanecer. No pienso   80
que el chorro me canta un frío
cantar de fuente. Me labro
mis nuevos caminos.

Para no sentirme solo
por los siglos de los siglos.   85

Cuanto sé de mí (1957)

REQUIEM

Manuel del Río, natural
de España, ha fallecido el sábado
11 de mayo, a consecuencia
5 de un accidente. Su cadáver
está tendido en D'Agostino
Funeral Home. Haskell. New Jersey.
Se dirá una misa cantada
a las 9,30, en St. Francis.

10 Es una historia que comienza
con sol y piedra, y que termina
sobre una mesa, en D'Agostino,
con flores y cirios eléctricos.
Es una historia que comienza
15 en una orilla del Atlántico.
Continúa en un camarote
de tercera, sobre las olas
—sobre las nubes—de las tierras
sumergidas ante Platón.
20 Halla en América su término
con una grúa y una clínica,
con una esquela y una misa
cantada, en la iglesia St. Francis.

Al fin y al cabo, cualquier sitio
25 da lo mismo para morir:
el que se aroma de romero,
el tallado en piedra o en nieve,
el empapado de petróleo.
Da lo mismo que un cuerpo se haga
30 piedra, petróleo, nieve, aroma.
Lo doloroso no es morir
acá o allá . . .

       Requiem aeternam,[1]
Manuel del Río. Sobre el mármol
35 en D'Agostino, pastan toros
de España, Manuel, y las flores
(funeral de segunda, caja
que huele a abetos del invierno),
cuarenta dólares. Y han puesto

[1] (*Lat.*) eternal rest.

unas flores artificiales   40
entre las otras que arrancaron
al jardín . . . *Libera me Domine
de morte aeterna*[2] . . . Cuando mueran
James o Jacob verán las flores
que pagaron Giulio o Manuel . . .   45

Ahora descienden a tus cumbres
garras de águila. *Dies irae.*[3]
Lo doloroso no es morir
Dies illa[4] acá o allá;
sino sin gloria . . .   50
            Tus abuelos
fecundaron la tierra toda,
la empapaban de la aventura.
Cuando caía un español
se mutilaba el universo.   55
Los velaban no en D'Agostino
Funeral Home, sino entre hogueras,
entre caballos y armas. Héroes
para siempre. Estatuas de rostro
borrado. Vestidos aún   60
sus colores de papagayo,
de poder y de fantasía.

Él no ha caído así. No ha muerto
por ninguna locura hermosa.
(Hace mucho que el español   65
muere de anónimo y cordura,
o en locuras desgarradoras
entre hermanos: cuando acuchilla
pellejos de vino derrama
sangre fraterna.) Vino un día   70
porque su tierra es pobre. El mundo
Libera me Domine es patria.
Y ha muerto. No fundó ciudades.
No dió su nombre a un mar. No hizo
más que morir por diecisiete   75
dólares (él los pensaría
en pesetas) *Requiem aeternam.*
Y en D'Agostino lo visitan
los polacos, los irlandeses,
los españoles, los que mueren   80
en el week-end.

[2] (*Lat.*) Deliver me, God, from eternal death.
[3] (*Lat.*) Day of wrath.
[4] (*Lat.*) That (terrible) day.

Requiem aeternam.
Definitivamente todo
ha terminado. Su cadáver
está tendido en D'Agostino
5 Funeral Home. Haskell. New Jersey.
Se dirá una misa cantada
por su alma.

Me he limitado
a reflejar aquí una esquela
de un periódico de New York.   10
Objetivamente. Sin vuelo
en el verso. Objetivamente.
Un español como millones
de españoles. No he dicho a nadie
que estuve a punto de llorar.   15

IGNACIO ALDECOA

1925–

En El fulgor y la sangre (*1954*) *y* Con el viento solano (*1956*), *sus
primeras novelas, aplicó al tratamiento de un tema elemental—la muerte—
una técnica vigorosa en que se advierten reminiscencias de los efectos
conseguidos por los trágicos griegos junto a las conquistas de los narradores
recientes, de Joyce a Faulkner.*

*Hace años viajó al Atlántico en un barquito pesquero para vivir la vida
de los hombres cuya aventura quería cantar. El resultado de esa experiencia
fué una novela,* Gran Sol (*1957*), *premiada por los críticos españoles. El
deseo de impregnación directa, de comunicación personal con la realidad,
se debe en su caso a la creencia de que nada tiene tanta fuerza dramática y
comunicativa como lo real, y por lo tanto que la visión del novelista
consiste fundamentalmente en organizar los datos reales en la forma que
pueda hacerlos más eficaces, sin alteración sustancial. De ahí el estilo denso,
fibroso, que no es el del reportaje sino el de la novela, pues para crear un
microcosmos en donde se refleje la verdad del macrocosmos correspondiente
hace falta eliminar lo superfluo, podar lo insignificante, reducir las
proporciones del conjunto.*

*Más recientemente, Aldecoa vivió en Estados Unidos, mezclado con los
puertorriqueños de Nueva York, para contar la verdad y el sueño de sus
vidas. Así, en alguna medida, narraciones y novelas serán «documentos»,
tendrán valor testimonial y alguien los leerá como si no fueran otra cosa.
Pero no interesan por eso, sino por cuanto tienen de revelación poética, de
sobria creación de un orbe y unas gentes arrancadas a la borrosa niebla
donde se pierden y descubiertas por la imaginación de un observador capaz
de ver en lo trivial el invisible tejido de lo trascendente.*

Los hombres del amanecer (1959)

EL ANDARRÍOS volaba rascando el juncal; daba su grito: «Ui-er, ui-er, ui-er.» Bajaba el agua turbia, rápida, enemiga. En el confín de la mirada el río parecía remansar y ennegrecer.
5 Junto a los árboles quedan las últimas, vagarosas, huellas de la noche huyendo por los caminos trincherados, por los surcos profundos, por el verde túnel de la carretera hacia el oeste.
10 Agua, árboles, pájaros, luz. Dos hombres caminaban muy despacio. En el puente se pararon y quedaron escuchando. Golpeaba el río en los pilares; sonaban sus golpes como una sucesión de palmadas. Glogueaban los remolinos, y en las tollas, donde se fijaba la espuma, el 15 quebrado son del roce de los palos y las ramas arrastradas era vencido por el veloz rumor, como un aire violento de la corriente. Lejano ya el grito del andarríos. Siseantes las hojas de los árboles, movidas por el vientecillo de la amane- 20 cida. La luz, filtrándose a través de las nubes ovilladas, blancas y sucias, también daba en el amanecer su sonido. Un sonido metálico que invadía el campo y lo hacía chirriar.

—Es buena hora—dijo uno de los hombres, y con suerte podremos estar de vuelta antes de las diez.

Después escupió al agua. Continuaron andando. Andaban lentamente. Eran viejos.

—Cristóbal, ¿por qué cuentas los pasos?

—Es mi costumbre, Lino.

Contaba sus pasos. Era su costumbre. La tapia del cementerio, que hacía más de media hora que habían dejado atrás, tenía 1.930 pasos hasta la caseta de arbitrios. Lo sabía muy bien. En pocos podía equivocarse. Perdía la cuenta al saludar al empleado, amodorrado, ojeroso, seguramente con un aliento nocturno como el olor de los perros sin amo. El empleado tiritaba, descompuesto, amañanado. Le habían saludado. Les contestó bruscamente. Luego se dulcificó. «Buena caza», les dijo.

Cuando Cristóbal se levantó para salir al campo la casa estaba en silencio; silencio cuarteado por la fuerte respiración de su mujer. Procuró no despertarla. Llegó a la pequeña cocina y se lavó en el fregadero. Preparó su desayuno. Bostezaba de hambre y sueño. Estuvo esperando a que la leche se calentara, apoyado en la mesa, escalofriándose de vez en vez, dejándose escurrir el sueño, según creía, hasta los pies. Hizo algún ruido. Escuchó la voz de su mujer: «¿Ya te vas, Cristóbal?» «Ya me voy», había contestado. «Que haya suerte.»

Se había encontrado con su amigo Lino bajo la gran farola de tres brazos de la glorieta de su barrio. Lino vivía solo. Al anochecer del día anterior le había dicho Cristóbal: «No te retrases, Lino; no bebas mucho, que mañana hay que tener el ojo listo.» Lino le respondió: «Se hará, se hará.» Luego se metió en la taberna a beberse unos vasos de vino mientras miraba con sus ojillos de pájaro miedoso la fuente de la cerveza y el vermut, que le asombraba con su brillo argentino y su águila herida en la terminación. Se pellizcaba sin cesar las manos, como si estuviese jugando a la pizpirigaña.[1] El tabernero le conocía de antiguo. «¿Qué, Lino, mañana de caza?» «Mañana.»

[1] A game in which children pinch the palms of each other's hands.

Se encontraron bajo la gran farola de tres brazos. Se saludaron. Cristóbal preguntaba por las herramientas: «¿Has traído la azada grande, el saco grande, la caja del agujero pequeño . . .?» Luego echaron a andar. Cristóbal comenzó a contar los pasos. Lino empezó a meditar en la razón por la que su amigo contaría los pasos.

Las calles estaban solitarias. Los pasos resonaban hostiles. La luz de los faroles, distanciados, taraceaba la calle de grandes obleas luminosas y zonas de sombra. Sombras que en las últimas horas de la noche infunden en los callejeantes sensaciones de miedo y desamparo.

En la carretera el bisbiseo de Cristóbal se tornó más claro. «Doscientos veintitrés, doscientos veinticuatro . . .»

Del puente, siguiendo el curso del río, que se enlagunaba cercano, partía un sendero por el que los hombres bajaron. La tierra estaba húmeda. Las huellas de sus pasos se extendían tras ellos. El sendero se estrechaba entre dos filas de espinos. Cristóbal se arañó una mano. Se agachó a coger un poco de barro y con él frotó el arañazo.

—Cicatrizará antes—dijo.

—Seguro.

Continuaron caminando. El sendero se perdía en el juncal. Lino dejó el saco en el suelo y se apoyó en la azada. Cristóbal hablaba. Calculaba que la tormenta del día anterior podía haber hecho que la caza, su caza, se retirase hasta los ribazos altos. Echó un palito en un remanso del río y lo contempló. El palo lentamente comenzó a girar. Está subiendo el agua, pensó; ha debido descargar mucho en la montaña, y todavía puede que esté cayendo; no podremos volver por el vado del Fraile, tendremos que dar la vuelta por el pueblo. Hizo un gesto de desagrado.

No les gustaba acercarse al pueblo. Siempre les preguntaban demasiadas cosas. «¿Qué lleva usted ahí, buen hombre? ¿Qué buscan ustedes en la charca, que se les ve por allí muy ocupados?» Al principio contestaban: «Setas. Se dan unas setas que se venden muy bien.» «¿Setas? ¿En la charca, setas? ¡Qué cosas!»

Lino había puesto nombres raros a los canales en los que se dividía el río. Por eso decía:

—Si nos metemos por el canal de Los Tres Colores saldremos antes al de La Novia del Martín Pescador; de allá podemos tirar hacia los ribazos, asentando el pie.

Se metieron por el canal de Los Tres Colores, salieron al de La Novia del Martín Pescador y subieron a los ribazos. Llevaban los pantalones recogidos sobre las rodillas. Dar un traspiés equivalía a ponerse como una sopa. Lino se puso como una sopa y lo comentó alborozadamente.

—Lino, hay que echar una ojeada con tiento. Nada de espantarlas. Hay que recoger una buena remesa.

La palabra remesa le encantaba a Lino, porque todos los negociantes serios de la ciudad hablaban de remesas.

—Sí, Cristóbal, hay que coger una buena remesa. Hay que sacar un montón de duros. Una remesa nos venía tan bien como la lotería. Los negocios son los negocios.

Comenzaron a buscar. El cielo se iba despejando. Las islas de azul de conformaciones extrañas atraían la atencion de Lino.

—Lino, no te distraigas. Deja el cielo y mira a la tierra, que es donde está el con qué de cada día . . .

—Es que está tan bonito . . .

Lino buscaba entre las piedras. Levantó la voz.

—Aquí hay una. Se ha metido bajo esta piedra. Vente de prisa. Acudió Cristóbal.

—Prepara la caja. Ahora ten calma. Ya no se escapa.

Lino estaba entusiasmado.

—Empezamos bien; hay buena caza.

Cristóbal armó una pequeña horquilla que llevaba envuelta en unos papeles. La operación fué fácil. Estaban muy adiestrados.

A las diez de la mañana se dieron por satisfechos. Habían cogido nueve víboras. Estaban retorciéndose en la caja del agujero pequeño. Se las veía a través de la tela metálica.

—Son muy bonitas, ¿verdad?—dijo Lino.

—A mí me dan asco y no me parecen bonitas; pero su dinero valen. Ya es hora de hospar de aquí. El sol está alto.

—Sí, ya es hora. El agua va creciendo y habrá que tirar para el pueblo.

Lino cargó con la caja de las víboras.

—En el pueblo podemos tomar un trago y almorzar algo, ¿no?

—Sí, hombre.

Por los ribazos, dando a veces saltos demasiado largos para ellos, se encaminaron al pueblo.

El río se extendía más y más. En el pueblo, en el verano no se podía parar de mosquitos. Todos los habitantes eran palúdicos.

—Hay más mosquitos que en el mismísimo infierno. Los hay como puños. Cualquier día se los comen a todos. Fíjate que un día entras en el pueblo y no ves más que el andamiaje de los tíos, porque los mosquitos se han llevado la carne. Tendría su gracia, Cristóbal.

Cristóbal no contestaba. Siempre estaba sumido en operaciones matemáticas. Ahora calculaba lo que podrían darle en el laboratorio por las víboras. Si está don Rafael, ¿cuatro por nueve treinta y seis, y un duro de propina para cada uno. Si el conserje se pone a regatear nos llevamos el género y volvemos al día siguiente, hasta que nos encontremos con don Rafael. Alguna de las víboras se morirá, pero de todas formas saldremos ganando.

Iban llegando al pueblo. Era un pueblo de molinos de agua. Casi la mitad de la población se dedicaba a las labores de la molienda. Les llevaban el grano de todos los pueblos y aldeas de los alrededores. Y vivían de los molinos, de la pesca, de unos ribazos donde cultivaban maíz, y del ganado, inverosímilmente flaco, que pastaba por los alrededores del río.

El pueblo era negro. Las calles siempre estaban embarradas. Por medio pasaba un brazo de agua, que a veces solían secarlo por medio de un juego de compuertas y se hinchaban de coger cangrejos y anguilas. Anguilas gigantes, del grosor del brazo de un hombre, que luchaban con los pescadores rabiosamente, hasta la muerte.

Se habían plantado eucaliptos en los últimos tiempos, y el aroma de éstos, juntamente con el olor del cieno y el de los animales, inundaba las calles en calma y cristalizaba, hasta que al paso de alguna persona se rompía la cristalización y se levantaba de nuevo el hedor diferenciado hasta un inmediato y esperado reposo.

Una vieja estaba sentada en una silla muy pe-
5 queña, pegada al portal de su casa. Junto a ella jugaban unos chiquillos medio desnudos, sucios y moqueantes. La vieja miró a Cristóbal y a Lino con curiosidad, en seguida volvió a su labor. Uno de los chiquillos se rascaba unas
10 costras en una pierna.

—Deja eso, chacho, que te las vas a extender.

—Es que me pica mucho, abuela.

—Más les pica a los que están en el infierno, que es donde tú vas a ir como seas tan desobe-
15 diente.

El chiquillo la miró con temor. Cristóbal y Lino se acercaron a la taberna. Un hombre gordo y amarillo estaba sentado a la puerta fumando tranquilamente.

20 —¿Qué hay de bueno?

—Pónganos un cuartillejo de vino, y si tiene algún pez, nos lo saca con unos cachos de pan, que tenemos hambre.

Lino sonreía. En la taberna ponían los peces
25 de una forma especial: los tostaban mucho y se podían comer hasta las espinas. Así se les quitaba el sabor a barro de la charca. Les sacaron el vino y unos peces del día anterior, refritos. Se disculpó el tabernero.

30 —Todavía no han venido los chicos con la pesca de hoy. Con la crecida los van a coger por arrobas.

Habían dejado la caja de las víboras en un rincón, tapada con el saco. De vez en vez,
35 mientras comían en silencio, Cristóbal le echaba el ojo. Vigilaba y seguía calculando.

Terminaron con los peces, el pan y el vino. Preguntaron cuánto debían. Cada uno puso la mitad del dinero.

40 A la salida del pueblo, el camino cruzaba un puentecillo cubierto totalmente de hiedra. Lino se paró un momento.

—Aquí debe haber caza. Tiene buen aspecto.

Se extendió en un largo monólogo sobre los
45 cazaderos, sobre su flora, sobre los vientos que debían darles.

El campo verde, con los cultivos todavía en bozo, acaba en los límites de la ciudad. Altas chimeneas de fábricas expeliendo un humo denso y negro. Casas primeras de un rojo
50 apagado en los tejados, de blancas fachadas. Remotas las torres de las iglesias. Azuleando la estación del ferrocarril. El paisaje se contemplaba como a través de un cristal.

Avanzaban lentamente. Lino hablaba y
55 hablaba.

—... el viento de la caza ha de ser a medias caliente, a medias fresco, que las haga salir de las cuevas y que las tenga como entumecidas en el campo ...
60

Entraron en la ciudad.

—Tú me esperas—dijo Cristóbal—en la bodeguilla, en tanto yo subo a casa a ponerme una corbata, que da representación.

Se separaron. Cuando se volvieron a encon-
65 trar, Cristóbal parecía un señor. Lino le miró con cierta admiración. Pensó que Cristóbal sabía mucho del arte de negociar.

En el laboratorio, don Rafael les dió una mala noticia.
70

—No necesitamos más víboras en una temporada. Tenéis que traer otra cosa. Ratas, por ejemplo. Las alcantarillas están llenas y es fácil cogerlas. Se pagan muy baratas, pero podéis compensar el precio con la cantidad que os
75 admitiremos. Nada de víboras, ratas, que ahora necesitamos muchas.

—¿Y qué hacemos con la caza de hoy?

—¡No os la puedo comprar! Lo siento. Traedme esta tarde ratas y veré de hacer una
80 cuenta redonda con el trabajo de esta mañana, para que no quedéis descontentos.

Se despidieron. Caminaron en silencio. De pronto Lino dijo:

—¿Ratas? A mí no me gusta cazar ratas; es
85 un oficio asqueroso. Yo no cazaré ratas.

—Pues tendrás que cazarlas. Si le sobran víboras hay que cazar ratas, hay que trabajar. No se puede uno cruzar de brazos. Hay que trabajar; lo mismo da cazar ratas que víboras.
90 Acuérdate cuando nos encargó avispas ...

—Aquello era distinto. Se estaba en el campo. Las alcantarillas no traen más que enfermedades. El aire de las alcantarillas reblandece las telas de dentro del cuerpo, y un día amaneces con algo gordo que no te sale con nada y te mueres.

Lino llevaba la caja de las víboras. Cristóbal contaba sus pasos.

5 —Las ratas—preguntó Lino—, ¿a qué hora se cazan? ¿Hay que madrugar?

—No, las ratas tienen su hora al atardecer. Se cazan al atardecer. Comenzaremos esta tarde en el arroyo de los desagües.

10 Lino pensó en el gris tristísimo de las ratas. En el gris tristísimo de los atardeceres del invierno.

—Ya verás cómo no te pesa—explicó Cristóbal—; las ratas de alcantarilla no son todas 15 iguales. Las hay de muchos colores: grises, blancas, rojas, roanas... Esta tarde lo has de ver.

Lino y Cristóbal se separaron. Lino, con la caja de las víboras, se encaminó hacia el arroyo 20 de los desagües.

Las orillas eran las escombreras de la ciudad. En ellas crecían ortigas y cardos. En el aire, el hedor del arroyo y el de las cercanas fábricas de cola se mezclaba. Lino contempló con tristeza aquellos nuevos cazaderos. Después dejó en 25 libertad a las víboras, que desaparecieron rápidamente entre los escombros.

El sol del mediodía arrancaba en el arroyo de desagües reflejos metálicos, reflejos tristes, reflejos siniestros de su corriente negra, sobre la 30 que no volaba el andarríos dando su grito, ni pájaro alguno. Con la caja vacía, Lino se entró por las primeras calles de la ciudad. Iba pensando que Cristóbal sabía entender bien la vida, que nada le preocupaba, y que por eso, para 35 entretenerse mientras se acercaba el fin, contaba los pasos. Lino comenzó a contar los pasos cuando llegó a la glorieta de su barrio. No pudo contar más que treinta y tres. La taberna estaba a treinta y tres pasos, justamente.   40

ANA MARÍA MATUTE
1926–

Ternura, sí, pero sin sensiblería. Una mirada insobornable que no se deja seducir por la inocencia aparente, por el supuesto candor, por la gracia sin contraste. En la literatura contemporánea nadie analizó con lucidez más incansable los mitos de la infancia, las armas del débil, la vileza incipiente. Sus mejores cuentos tratan de niños, de niños «buenos», de niños tontos; su mejor novela—Primera memoria (1960)—de adolescentes que entran en la vida por la puerta de la cobardía y el engaño. El mundo es un abismo donde fermentan cosas sucias, y nadie deja de hundirse en él, de sentir sobre la piel estremecida el roce de las alimañas. Pues mientras vamos en «carrera desenfrenada hacia el pozo de la vida», nos acechan «insectos, y ratas, y lagartijas, y húmedas lombrices, y rosados gusanos». Y las imágenes no son exageradas, pues han de expresar plásticamente la configuración de las almas ruines, abyectas y miserables con que, en esa novela, se enfrenta la muchacha que abandona, con patético desamparo, la indecisa y ambigua libertad de la infancia.

La guerra civil está presente, sombra lejana e inmensa, maldición para generaciones, tras las ficciones de Ana María Matute, quien en Los hijos muertos *(1959) historió las fútiles tentativas de las jóvenes víctimas para escapar al destino, para romper la crueldad del círculo en donde les encerraron culpas ajenas. Esta es la novela del tiempo vital, en que se forja el individuo, frente al tiempo histórico; de la persona que se esfuerza en ser libre frente a la sociedad que lo destruye. Novela optimista, en definitiva, pues en ella vemos cómo todavía optarán algunos por morir en libertad: rebeldes, solitarios, irreductibles. Y mientras un hombre se sienta vocado a morir sin claudicar, no todo estará perdido. Mientras haya muertes de lobo, habrá esperanza.*

Los niños tontos (1956)

LA NIÑA FEA

LA NIÑA TENÍA la cara oscura y los ojos como endrinas. La niña llevaba el cabello partido en dos mechones, trenzados a cada lado de la cara. 5 Todos los días iba a la escuela, con su cuaderno lleno de letras y la manzana brillante de la merienda. Pero las niñas de la escuela le decían: «Niña fea»; y no le daban la mano, ni se querían poner a su lado, ni en la rueda ni en la comba: 10 «Tú vete, niña fea.» La niña fea se comía su manzana, mirándolas desde lejos, desde las acacias, junto a los rosales silvestres, las abejas de oro, las hormigas malignas y la tierra caliente de sol. Allí nadie le decía: «Vete.» Un día, la tierra le dijo: «Tú tienes mi color.» A la niña 15 le pusieron flores de espino en la cabeza, flores de trapo y de papel rizado en la boca, cintas azules y moradas en las muñecas. Era muy tarde, y todos dijeron: «Qué bonita es.» Pero ella se fué a su color caliente, al aroma escondido, al 20 dulce escondite donde se juega con las sombras alargadas de los árboles, flores no nacidas y semillas de girasol.

POLVO DE CARBÓN

LA NIÑA de la carbonería tenía polvo negro en la frente, en las manos y dentro de la boca. Sacaba la lengua al trozo de espejo que colgó en el pestillo de la ventana, se miraba el paladar, y le parecía una capillita ahumada. La niña de la carbonería abría el grifo que siempre tintineaba, aunque estuviera cerrado, con una perlita tenue. El agua salía fuerte, como chascada en mil cristales contra la pila de piedra. La niña de la carbonería abría el grifo del agua los días que entraba el sol, para que el agua brillara, para que el agua se triplicase en la piedra y en el trocito de espejo. Una noche, la niña de la carbonería despertó porque oyó a la luna rozando la ventana. Saltó precipitadamente del colchón y fué a la pila, donde a menudo se reflejaban las caras negras de los carboneros. Todo el cielo y toda la tierra estaban llenos, embadurnados del polvo negro que se filtra por debajo de las puertas, por los resquicios de las ventanas, mata a los pájaros y entra en las bocas tontas que se abren como capillitas ahumadas. La niña de la carbonería miró a la luna con gran envidia. «Si yo pudiera meter las manos en la luna», pensó. «Si yo pudiera lavarme la cara con la luna, y los dientes, y los ojos.» La niña abrió el grifo, y, a medida que el agua subía, la luna bajaba, bajaba, hasta chapuzarse dentro. Entonces la niña la imitó. Estrechamente abrazada a la luna, la madrugada vió a la niña en el fondo de la tina.

EL NIÑO QUE ERA AMIGO DEL DEMONIO

TODO EL MUNDO, en el colegio, en la casa, en la calle, le decía cosas crueles y feas del demonio, y él le vió en el infierno de su libro de doctrina, lleno de fuego, con cuernos y rabo ardiendo, con cara triste y solitaria, sentado en la caldera. «Pobre demonio—pensó—, es como los judíos, que todo el mundo les echa de su tierra.» Y, desde entonces, todas las noches decía: «Guapo, hermoso, amigo mío», al demonio. La madre, que le oyó, se santiguó y encendió la luz: «Ah, niño tonto, ¿tú no sabes quién es el demonio?» «Sí—dijo él—, sí: el demonio tienta a los malos, a los crueles. Pero yo, como soy amigo suyo, seré bueno siempre, y me dejará ir tranquilo al cielo.»

EL HIJO DE LA LAVANDERA

AL HIJO de la lavandera le tiraban piedras los niños del administrador porque iba siempre cargado con un balde lleno de ropa, detrás de la gorda que era su madre, camino de los lavaderos. Los niños del administrador silbaban cuando pasaba, y se reían mucho viendo sus piernas, que parecían dos estaquitas secas de ésas que se parten con el calor, dando un chasquido. Al niño de la lavandera daban ganas de abrirle la cabeza pelada, como un melón-cepillo, a pedradas; la cabeza alargada y gris, con costurones, la cabeza idiota, que daba tanta rabia. Al niño de la lavandera un día le bañó su madre en el barreño, y le puso jabón en la cabeza rapada, cabeza-sandía, cabeza-pedrusco, cabeza-cabezón-cabezota, que había que partírsela de una vez. Y la gorda le dió un beso en la monda lironda cabezorra, y allí donde el beso, a pedrada limpia le sacaron sangre los hijos del administrador, esperándole escondidos, detrás de las zarzamoras florecidas.

EL ÁRBOL

TODOS LOS DÍAS, cuando volvía del colegio, el niño que soñaba miraba aquella gran ventana del palacio. Dentro de la ventana había un árbol. El niño no lo podía comprender, y ni siquiera en sueños podía explicárselo. Alguna vez le decía a su madre: «En ese palacio, dentro de la habitación, al otro lado del cristal de la ventana, tienen un árbol.» La madre le miraba con ojos serios y fijos. De pronto, parecía que tenía miedo, y le ponía la mano en la cabeza: «No importa, niño», le decía. Pero el recuerdo del árbol perseguía al niño fuera de sus sueños. «Vi el árbol ayer por la mañana y ayer por la tarde, dentro de la habitación. Los de ese palacio tienen un árbol en el centro de la sala. Yo lo he visto. Es el árbol gemelo del que vive en la acera, dentro de su cuadrito de tierra, entre el cemento. Sí, madre, es el árbol gemelo, les vi ayer hacerse muecas con las ramas.» Como no podía ya pensar en otra cosa, hasta sus sueños le abandonaron. Cuando llegaron los días sin mañana, sin tarde, ni noche, cuando la mano de la madre se quedaba mucho rato en su frente, para frenar su pensamiento, el niño buscaba afanosamente en el suelo de su cuartito y debajo de la cama: «Tal vez el árbol me vaya buscando por debajo de la tierra, y vaya empujando la tierra, y me encuentre.» El miedo de la madre le llegaba al niño a la garganta y sus dientes castañeteaban. «No importa, niño.»

Por fin, un día, vino la noche. Entró en el cuarto y se lo llevó todo. «Madre, qué árbol tan grande», dijo el niño, perdido entre sus ramas. Pero ni siquiera oía ya la voz que repetía: «No importa, niño, no importa.»

EL OTRO NIÑO

AQUEL NIÑO era un niño distinto. No se metía en el río, hasta la cintura, ni buscaba nidos, ni robaba la fruta del hombre rico y feo. Era un niño que no amaba ni martirizaba a los perros, ni los llevaba de caza con un fusil de madera. Era un niño distinto, que no perdía el cinturón, ni rompía los zapatos, ni llevaba cicatrices en las rodillas, ni se manchaba los dedos de tinta morada. Era otro niño, sin sueños de caballos, sin miedo de la noche, sin curiosidad, sin preguntas. Era otro niño, otro, que nadie vió nunca, que apareció en la escuela de la señorita Leocadia, sentado en el último pupitre, con su juboncillo de terciopelo malva, bordado en plata. Un niño que todo lo miraba con otra mirada, que no decía nada porque todo lo tenía dicho. Y cuando la señorita Leocadia le vió los dos dedos de la mano derecha unidos, sin poderse despegar, cayó de rodillas, llorando, y dijo:«¡Ay de mí, ay de mí! ¡El niño del altar estaba triste y ha venido a mi escuela!»

EL TÍOVIVO

EL NIÑO que no tenía perras gordas merodeaba por la feria con las manos en los bolsillos, buscando por el suelo. El niño que no tenía perras gordas no quería mirar al tiro al blanco, ni a la noria, ni sobre todo, al tíovivo de los caballos amarillos, encarnados y verdes, ensartados en barras de oro. El niño que no tenía perras gordas, cuando miraba con el rabillo del ojo, decía: «Eso es una tontería, que no lleva a ninguna parte. Sólo da vueltas y vueltas, y no lleva a ninguna parte.» Un día de lluvia, el niño encontró en el suelo una chapa redonda de hojalata; la mejor chapa de la mejor botella de cerveza que viera nunca. La chapa brillaba tanto que el niño la cogió y se fué corriendo al tíovivo, para comprar todas las vueltas. Y aunque llovía y el tíovivo estaba tapado con la lona, en silencio y quieto, subió en un caballo de oro, que tenía grandes alas. Y el tíovivo empezó a dar vueltas, vueltas, y la música se puso a dar gritos por entre la gente, como él no vió nunca. Pero aquel tíovivo era tan grande, tan grande, que nunca terminaba su vuelta, y los rostros de la feria, y los tolditos, a la lluvia, se alejaron de él. «Qué hermoso es no ir a ninguna parte», pensó el niño, que nunca estuvo tan alegre. Cuando el sol secó la tierra mojada, y el hombre levantó la lona, todo el mundo huyó, gritando. Y ningún niño quiso volver a montar en aquel tíovivo.

EL NIÑO QUE NO SABÍA JUGAR

HABÍA UN NIÑO que no sabía jugar. La madre le miraba desde la ventana ir y venir por los caminillos de tierra, con las manos quietas, como caídas a los dos lados del cuerpo. Al niño, los juguetes de colores chillones, la pelota, tan redonda, y los camiones, con sus ruedecillas, no le gustaban. Los miraba, los tocaba, y luego se iba al jardín, a la tierra sin techo, con sus manitas, pálidas, y no muy limpias, pendientes junto al cuerpo como dos extrañas campanillas mudas. La madre miraba inquieta al niño, que iba y venía con una sombra entre los ojos. «Si al niño le gustara jugar yo no tendría frío mirándole ir y venir.» Pero el padre decía, con alegría: «No sabe jugar, no es un niño corriente. Es un niño que piensa.»

Un día la madre se abrigó y siguió al niño, bajo la lluvia, escondiéndose entre los árboles. Cuando el niño llegó al borde del estanque, se agachó, buscó grillitos, gusanos, crías de rana y lombrices. Iba metiéndolos en una caja. Luego, se sentó en el suelo, y uno a uno los sacaba. Con sus uñitas sucias, casi negras, hacía un leve ruidito, ¡crac!, y les segaba la cabeza.

EL NIÑO AL QUE SE LE MURIÓ EL AMIGO

UNA MAÑANA se levantó y fué a buscar al amigo, al otro lado de la valla. Pero el amigo no estaba, y, cuando volvió, le dijo la madre: «El amigo se murió. Niño, no pienses más en él y busca otros para jugar». El niño se sentó en el quicio de la puerta, con la cara entre las manos y los codos en las rodillas. «Él volverá», pensó. Porque no podía ser que allí estuviesen las canicas, el camión y la pistola de hojalata, y el reloj aquel que ya no andaba, y el amigo no viniese a buscarlos. Vino la noche, con una estrella muy grande, y el niño no quería entrar a cenar. «Entra niño, que llega el frío», dijo la madre. Pero, en lugar de entrar, el niño se levantó del quicio y se fué en busca del amigo, con las canicas, el camión, la pistola de hojalata y el reloj que no andaba. Al llegar a la cerca, la voz del amigo no le llamó, ni le oyó en el árbol, ni en el pozo. Pasó buscándole toda la noche. Y fué una larga noche casi blanca, que le llenó de polvo el traje y los zapatos. Cuando llegó el sol, el niño, que tenía sueño y sed, estiró los brazos, y pensó: «Qué tontos y pequeños son esos juguetes. Y ese reloj que no anda, no sirve para nada.» Lo tiró todo al pozo y volvió a la casa, con mucha hambre. La madre le abrió la puerta, y dijo: «Cuánto ha crecido este niño, Dios mío, cuánto ha crecido.» Y le compró un traje de hombre, porque el que llevaba le venía muy corto.

EL JOROBADO

EL NIÑO del guignol[1] estaba siempre muy triste. Su padre tenía muchas voces, muchos porrazos,

[1] (Fr.) puppet theater.

muchos gritos distintos, pero el niño estaba triste, con su joroba a cuestas, porque su padre lo escondía dentro de la lona y le traía juguetes y comida cara, en lugar de ponerle una capa roja con cascabeles encima de la corcova, y sacarlo a la boca del teatrito, con una estaca, para que dijera: «¡Toma, Cristobita, toma, toma!», y que todos se riesen mucho viéndole.

EL NIÑO DE LOS HORNOS

AL NIÑO que hacía hornos con barro y piedras le trajeron un hermano como un conejillo despellejado. Además, lloraba.

El niño que hacía hornos vió las espaldas de todos. La espalda del padre. El padre se inclinaba sobre el nuevo y le decía ternezas. El niño de los hornos quiso tocar los ojos del hermano, tan ciegos y brillantes. Pero el padre le pegó en la mano extendida.

A la noche, cuando todos dormían, el niño se levantó con una idea fija. Fué al rincón oscuro de la huerta, cogió ramillas secas y las hacinó en su hornito de barro y piedras. Luego fué a la alcoba, vió el brazo de la madre largo y quieto sobre la sábana. Sacó de allí al hermano y se lo llevó, en silencio. Prendió su hornito querido y metió dentro al conejo despellejado.

MAR

POBRE NIÑO. Tenía las orejas muy grandes, y, cuando se ponía de espaldas a la ventana, se volvían encarnadas. Pobre niño, estaba doblado, amarillo. Vino el hombre que curaba, detrás de sus gafas. «El mar», dijo; «el mar, el mar.» Todo el mundo empezó a hacer maletas y a hablar del mar. Tenían una prisa muy grande. El niño se figuró que el mar era como estar dentro de una caracola grandísima, llena de rumores, cánticos, voces que gritaban muy lejos, con un largo eco. Creía que el mar era alto y verde.

Pero cuando llegó al mar, se quedó parado. Su piel, ¡qué extraña era allí!—Madre—dijo, porque sentía vergüenza—, quiero ver hasta dónde me llega el mar.

Él, que creyó el mar alto y verde, lo veía blanco, como el borde de la cerveza, cosquilleándole, frío, la punta de los pies.

—¡Voy a ver hasta dónde me llega el mar!—Y anduvo, anduvo, anduvo. El mar, ¡qué cosa rara!, crecía, se volvía azul, violeta. Le llegó a las rodillas. Luego, a la cintura, al pecho, a los labios, a los ojos. Entonces, le entró en las orejas el eco largo, las voces que llaman lejos. Y en los ojos, todo el color. ¡Ah, sí, por fin, el mar era verdad! Era una grande, inmensa caracola. El mar, verdaderamente, era alto y verde.

Pero los de la orilla, no entendían nada de nada. Encima, se ponían a llorar a gritos, y decían: «¡Qué desgracia! ¡Señor, qué gran desgracia!»

SELECTED BIBLIOGRAPHY

TORRES-RIOSECO, ARTURO. *Vida y poesía de Rubén Darío*. Buenos Aires, 1944.

OLIVER, ANTONIO. *Este otro Rubén Darío*. Barcelona, 1960.

REDING, KATHERINE. *The Generation of 98 in Spain*. Northampton, Mass., 1936.

AUB, MAX. *Discurso de la novela española contemporánea*. Méjico, 1945.

LAÍN ENTRALGO, PEDRO. *La generación del noventa y ocho*. Buenos Aires, 1947.

NORA, EUGENIO DE. *La novela española contemporánea*. 3 vols. Madrid, 1958–1962.

TORRENTE BALLESTER, GONZALO. *Panorama de la literatura española contemporánea*. 2 vols. Madrid, 1961.

DEL RÍO, ÁNGEL and BENARDETE, M. J. *El concepto contemporáneo de España*. Buenos Aires, 1946.

SALINAS, PEDRO. *Literatura española. Siglo XX*. Méjico, 1949.

SÁINZ DE ROBLES, FEDERICO CARLOS. *La novela española en el siglo XX*. Madrid, 1957.

LÓPEZ MORILLAS, JUAN. *El krausismo español*. Méjico, 1956.

FERRATER MORA, JOSÉ. *Unamuno, bosquejo de una filosofía*. Buenos Aires, 1944.

TORRE, GUILLERMO DE. *Tríptico del sacrificio*. Buenos Aires, 1948.

BALSEIRO, JOSÉ. *Cuatro individualistas de España*. Chapel Hill, N. C., 1949.

MARÍAS, JULIÁN. *Miguel de Unamuno*. Madrid, 1950.

SÁNCHEZ BARBUDO, ANTONIO. *Estudios sobre Unamuno y Machado*. Madrid, 1959.

BLANCO AGUINAGA, CARLOS. *El Unamuno contemplativo*. Méjico, 1960.

ZUBIZARRETA, ARMANDO. *Unamuno en su nivola*. Madrid, 1960.

SALCEDO, EMILIO. *Vida de don Miguel*. Madrid, 1964.

GULLÓN, RICARDO. *Autobiografías de Unamuno*. Madrid, 1964.

FERNÁNDEZ ALMAGRO, MELCHOR. *Vida y literatura de Valle-Inclán*. Madrid, 1943.

GÓMEZ DE LA SERNA, RAMÓN. *Don Ramón María del Valle-Inclán*. Buenos Aires, 1944.

SÁINZ DE ROBLES, FEDERICO CARLOS. *Jacinto Benavente*. Madrid, 1944.

PÉREZ DE AYALA, RAMÓN. *Las máscaras*. Madrid, 1917–1919.

TORRENTE BALLESTER, GONZALO. *Teatro español contemporáneo*. Madrid, 1957.

Pérez Ferrero, Miguel. *Vida de Pío Baroja: el hombre y el novelista*. Barcelona, 1960.

Baquero Goyanes, Mariano. *Prosistas españoles contemporáneos*. Madrid, 1956.

Alfonso, José. *"Azorín", en torno a su vida y su obra*. Barcelona, 1958.

Martínez Cachero, José María. *Las novelas de "Azorín"*. Madrid, 1960.

Alonso, Dámaso. *Poetas españoles contemporáneos*. Madrid, 1952.

Vivanco, Luis Felipe. *Introducción a la poesía española contemporánea*. Madrid, 1947.

Serrano Poncela, Segundo. *Antonio Machado, su mundo y su obra*. Buenos Aires, 1954.

Zubiría, Ramón. *La poesía de Antonio Machado*. Madrid, 1955.

Gullón, Ricardo. *Las secretas galerías de Antonio Machado*. Madrid, 1958.

Ramos, Vicente. *Vida y obra de Gabriel Miró*. Madrid, 1955.

Sánchez Gimeno, Carlos. *Gabriel Miró y su obra*. Valencia, 1960.

Agustín, Francisco. *Ramón Pérez de Ayala, su vida y obras*. Madrid, 1927.

Urrutia, Norma. *De "Troteras" a "Tigre Juan"*. Madrid, 1960.

Palau de Nemes, Graciela. *Vida y obras de Juan Ramón Jiménez*. Madrid, 1957.

Gicovate, Bernardo. *Juan Ramón Jiménez*. San Juan de Puerto Rico, 1958.

Gullón, Ricardo. *Conversaciones con Juan Ramón*. Madrid, 1958.

Torre, Guillermo de. *Las metamorfosis de Proteo*. Buenos Aires, 1956.

Aranguren, José Luis. *La filosofía de Eugenio d'Ors*. Madrid, 1945.

Ferrater Mora, José. *Ortega y Gasset*. New Haven, 1957.

Marías, Julián. *Ortega y la idea de la razón vital*. Madrid, 1948.

Marías, Julián. *Ortega. Circunstancia y vocación*. Madrid, 1960.

Pérez Ferrero, Miguel. *Vida de Ramón*. Madrid, 1935.

Cardona, Rodolfo. *Ramón: A Study of Gómez de la Serna and his Works*. New York, 1957.

Granjel, Luis S. *Retrato de Ramón*. Madrid, 1963.

González Muela, Joaquín. *El lenguaje poético de la generación Guillén-Lorca*. Madrid, 1955.

Turnbull, Eleanor. *Contemporary Spanish Poetry*. Baltimore, 1945.

Casalduero, Joaquín. *"Cántico", de Jorge Guillén*. Madrid, 1953.

Pleak, Frances. *The Poetry of Jorge Guillén*. Princeton, 1943.

Gil de Biedma, Jaime. *Cántico. El mundo y la poesía de Jorge Guillén*. Barcelona, 1960.

Gallego Morell, Antonio. *Vida y poesía de Gerardo Diego*. Barcelona, 1956.

Del Río, Ángel. *Vida y obra de Federico García Lorca*. Zaragoza, 1952.

Flys, Jaroslaw. *El lenguaje poético de F. García Lorca*. Madrid, 1955.

Correa, Gustavo. *La poesía mítica de Federico García Lorca*. Eugene, Oregon, 1957.

Lima, Robert. *The Theatre of García Lorca*. New York, 1963.

Bousoño, Carlos. *La poesía de Vicente Aleixandre*. Madrid, 1950.

Blanco Aguinaga, Carlos. *Emilio Prados*. New York, 1960.

Proll, E. *Popularismo and Barroquismo in the Poetry of Rafael Alberti*. Liverpool, 1942.

Marra-López, José Ramón. *Narrativa española fuera de España. 1939–1961*. Madrid, 1962.

Pryevalinsky, Olga. *El sistema estético de Camilo José Cela*. Valencia, 1960.

Ilie, Paul. *La novelística de Camilo José Cela*. Madrid, 1962.

Zamora Vicente, Alonso. *Camilo José Cela*. Madrid, 1962.

Guerrero Zamora, Juan. *Miguel Hernández*. Madrid, 1955.

Zardoya, Concha. *Miguel Hernández*. New York, 1956.

Alborg, Juan Luis. *Hora actual de la novela española*. 2 vols. Madrid, 1958–1962.

Cano, José Luis. *Poesía española contemporánea. De Unamuno a Blas de Otero*. Madrid, 1960.

VOCABULARY

THE VOCABULARY does not include words that should already be familiar to students at the intermediate or advanced levels. The following have been omitted: (a) the first 2,000 words of M. A. Buchanan's *A Graded Spanish Word Book* (Toronto, 1936); (b) easily recognizable cognates; (c) cardinal and ordinal numbers; (d) adverbs in *-mente* when the corresponding adjectives are listed; (e) past participles of verbs whose infinitives are listed; (f) common diminutives, augmentatives and superlatives; (g) words and phrases explained in the footnotes. However, we have not hesitated to include deceptive cognates and common words or phrases used in not such common ways.

The gender of nouns does not appear in the case of masculine nouns ending in *-e, -ín, -ista, -l, -o, -ón* (excluding nouns ending in *-azón* and *-ión* which are usually feminine), and *-r*; and feminine nouns ending in *-a, -azón, -dad, -ez, -ión, -tad, -tud,* and *-umbre*. A dash means a repetition of the key word.

The following abbreviations are used: *adj.* adjective; *arch.* architecture; *aug.* augmentative; *bot.* botanical; *cap.* capital letter; *dim.* diminutive; *eccl.* ecclesiastical; *f.* feminine; *Gal.* Galician dialect; *m.* masculine; *mil.* military; *mus.* music; *naut.* nautical; *n.* noun; *phil.* philosophy; *phot.* photography; *pl.* plural; *taur.* taurine (bullfighting); *theat.* theatrical; *Val.* Valencian dialect; *var.* variant.

a to; at; after; **— que** in order that; I'll bet; ¿**— qué?** for what reason? why?
abad, *m.* abbot
abadesa abbess
abadía abbey
abajo below, under; down with!

abalanzar to balance; to hurl; to spring at
abanderado standard bearer
abanico fan
abarcable containable
abarcar to include, to embrace
abarrotado overstocked

abastecido provided
abate priest
abatido dejected; lowered
abatirse to slump
abeja bee
abejorro bumblebee
abertura opening
abeto fir
abintestado settlement of an intestate estate
abismático abysmal; unfathomable
abismo abyss
abnegado self-sacrificing; abnegating
abocado imminent; — **a** on the point of
abocar to bring near
abofetear to slap
abogacía law; practicing law
abogado lawyer
abogar to plead; to intercede
abolengo ancestry
abolir to abolish
abollado pleated; fluted
abollar to stun; to bruise
abonar to fertilize
aborrascado stormy
aborrascar to whip about
aborrecimiento hatred
abotagarse to get bloated
abovedado vaulted, arched
abracadabrante full of mumbo-jumbo
abrasar to burn
abrigar to shelter; to cherish; to protect
abrigo overcoat; shelter; *naut.* harbor
abroquelar to shield
abrumado oppressed
abrumador overwhelming
abrumar to crush, to overwhelm
ábside apse; projecting part of church
absoluto absolute; **en** — absolutely
abultado bulky; massive
abur bye-bye! so long!
aburrición boredom
abyección abjectness; degradation
abyecto abject
académico member of an academy
academizante with academic tendencies
acaecer to happen
acalorar to inflame
acallar to hush
acantilado escarpment; cliff; precipitousness
acarrear to bring; to cause; to entail

acatamiento reverence
acatar to respect; to revere
acatarrar to catch a cold
acceso attack
accesorio accessory detail
acecinado dried up
acechar to spy on
aceitoso oily, greasy
aceituna olive
acelerar to accelerate
acendrado pure; spotless
acentuar to accent; to accentuate; —**se** to become marked
aceña water-driven flour mill
acequia canal; drain; irrigation ditch
acera sidewalk
acerado steely; sharp; cutting
acero steel
acertar (ie) to hit upon; to find easily
acertijo riddle
acetre holy water font or vessel
aciago unlucky; ill-fated
acicalamiento dressiness
acicalar to primp
acicate spur; incentive
aclarar to clarify; —**se** to clear away
acobardar to intimidate, frighten
acochar to bed with
acodarse to rest one's elbows
acogedor welcoming; kindly
acogerse a to take refuge in
acogida welcome
acometedor aggressive; enterprising
acometer to attack
acometida attack
acomodo lodging
acompasado rhythmic
acongojarse to be distressed
acontecer to happen
acontecimiento event
acoquinar to intimidate; to frighten
acordar (ue) to agree; to decide; —**se de** to remember
acorde in accord; harmonious; chord
acorralar to corral; to intimidate
acorrer to hasten; to come; to help
acortar to cut down, to reduce
acortezado crusted
acosar to pursue, to hound
acotación marginal note

acotado limited

acotar to survey; to mark; to annotate; to mark out

acre severe; biting

acrecentar to increase; to foster

acrecer to increase

acreditar to credit; to give a reputation to

acreedor creditor

acribillar to riddle

acrisolado pure; honest

acritud bitterness

ácrono timeless

acta official document (as of election returns)

actuación acting

actuante active; acting

acuarela water color painting

acuarelista, *m. & f.* water-colorist

acuciamiento inner urge to press on

acuciar to urge; to hasten

acuidad acuity; acuteness

acuitar to grieve

acular to back up

acullá there

acunar to rock in a cradle

acurrucar(se) to squat; to huddle

acusado sharply outlined

acusar to show; to accuse; to reveal

achacar to attribute; to impute

achacoso sickly

achaparrado stunted

achaque ailment; matter

achicar to diminish; to bail; to make smaller; — **la frente** to raise the eyebrows

achicharrar to scorch; to roast

achisparse to get tipsy

adalid, *m.* leader

adarve walk behind parapet on top of the wall

adelantado leader of a group

adelfa oleander

adensar to thicken

aderezo finery; set of jewels

adiestrar to train; to lead

adinerado moneyed, wealthy

aditamento addition

adivinar to read (one's thoughts); to guess

adjetivado described by an adjective

adjudicar to grant

adobar to stew; to pickle

adolecer to become ill; — **de** to suffer from

adoquín paving block

adormecer to slumber; to lull

adormilar to doze

adosado against

adosar to lean; to adjoin

adrede on purpose

adscribir to assign

aduana customs

aducir to adduce; to allege

adueñar to take possession

adustez grimness

adusto stern; grim; gloomy

advenedizo newcomer; upstart

advenir (ie) to come; to happen

advertir (ie, i) to notice, to heed

aerolito aerolite; meteorite

aerostación aeronautics

afán, *m.* zeal; worry

afanar to work eagerly; to seize; —**se por** to strive to

afear to make ugly; to deform

afecto affection

afectuoso affectionate

afeitado shaved; trimmed; smooth

afeitar to shave

afeite adornment; make-up

afeminamiento effeminacy

aferrar to grasp; to seize; —**se con** to stick to

afgano Afghan (*referring to Afghanistan*)

afianzar to support; —**se** to clamp

aficionado amateur

aficionarse to become fond of

afín related; like

afinamiento refining

afincar to rest; to take a stand

aflautado high-pitched

aflojar to slacken

afonía lack of voice

afónico aphonic, lacking voice or sound

aforista writer of aphorisms, maxims

afrancesar to Frenchify; to Gallicize

afrecho bran

afrentoso insulting

africano African; Moorish

agachar to stoop

agarradera protection

agarrar to seize; to take; to fasten upon

agarrotar to garrote; to bind

agasajar to regale; to entertain royally

agasajo gift; lionization

agazapar to crouch; to squat; to hide

agenciarse   to get along, to manage
agigantarse   to become gigantic
aglutinador   cementing together
agobioso   oppressive
agolpar   to crowd; to throng
agorero   fortune teller
agostar   to parch; to burn up; to kill untimely
agotamiento   exhaustion
agraciado   charming
agrandar   to enlarge; — **la voz** to make louder
agravante, *f.*   aggravating condition
agravar   to aggravate; to make worse
agravio   grievance
agredir   to attack; to insult
agregar   to add
agreste   rustic; wild
agriarse   to get sour
agridulce   bittersweet
agrietador   cracking
agrietar   to crack
agrio   sour; uneven
aguador   water carrier; water vendor
aguafuerte, *f.*   etching
aguardar   to wait for; to expect
aguardiente   brandy; intoxicating liquor
agudeza   sharpness
agüero   omen
aguerrido   inured, hardened
aguijón   stinger; sting; goad
aguijonear   to goad; to incite
águila   eagle
aguileño   hawknosed, aquiline
aguinaldo   New Year's or Christmas present
aguja   needle; compass
agujerear   to pierce
agujero   hole
aguzar   to sharpen
ahí   there; **de — que** with the result that; that is why
ahijado   godchild
ahilar   to form a line
ahincamiento   earnestness
ahinco   zeal; earnestness
ahito   stuffed; full; surfeited; disgusted
ahogadamente   without making much noise
ahondar   to deepen; to sink; to go deep into
ahorcar   to hang
ahorrar   to save; to spare
ahorro   economy; saving
ahumado   smoke cured; smoky
ahumar   to smoke

ahuyentar   to flee; to scare or drive away
aínda   *Gal.* still; besides
airado   angry
airear   to air
airón   head ornament of plumes; great air
airoso   airy; light
aislamiento   isolation
aislar   to isolate
ajar   to rumple; to fade; **—se** to become emaciated
ajedrecista   chess player
ajedrez, *m.*   chess
ajedrezado   checkered
ajenado   enraptured
ajeno   alien, foreign
ajetreo   bustle
ajimez, *m.*   mullioned window
ajo   garlic
ajuar   furnishings; trousseau
ajumarse   to get drunk
ajuste   make-up; newspaper arrangement; adjustment
ajusticiado   executed criminal
ajusticiar   to execute
álabe   drooping tree branch
alacena   cupboard
alacrán, *m.*   scorpion
alado   winged
alambicar   to distill
alambrada   wire fence; barbed wire
alambre   wire
alambrera   screen
alameda   poplar grove; tree-lined walk
álamo   poplar
alarde   ostentation; **hacer — de** to boast of; display
alardear   to boast; to show off
alargar   to extend
alarido   howl
alarife   architect; builder
alba   dawn; alb (priest's white robe)
albañilería   masonry
albarda   packsaddle
albear   to whiten
albedrío   free will; fancy
albergar   to lodge; to shelter
albergue   shelter; lodging
albo   snow white
albor   dawn
alborada   dawn
alborotar   to ruffle; to disturb; to excite
alboroto   disturbance; confusion; whirl

alborozado cheerful
alborozo joy
albricias, *pl.* rewards; joy; ¡—! good news!
alcacel green barley
alcahueto *or* **alcahuete** procurer, panderer; schemer; go-between
alcaide governor or warden of a castle
alcaller potter
alcance significance; reach; range
alcantarilla drain, sewer
alcanzar to reach; to succeed in
alcarraza unglazed, porous jar
alcoba bedroom
alcor hill
alcornoque cork oak
alcotán, *m.* lanner falcon
alcurnia lineage
alcuza olive oil can
aldabón door knocker
aldabonazo knock
aldeanería rusticity, being countrified
aldeano villager
aleación alloy
alebrar to cower; to crouch
aleccionar to coach; to teach
aledaño border
alegato summing up
alegrón sudden, intense joy
alejamiento distance; withdrawal
alejandrino alexandrine, 14 syllable verse
alelado stupefied
alelamiento stupidity
alentador encouraging
alentar to encourage; to breathe hard; to throb; to thrill; to pant; *n.* breath (of life)
alerce larch
alero eaves
aletargar to fall into a lethargy
aletazo blow with a wing; flapping
aletear to flutter; to flap the wings
aleteo fluttering; flapping; beating
alevoso treacherous
alfabetismo literacy
alfar potter
alféizar window splay: embrasure
alfeñique sugar paste; delicate person
alférez, *m.* second lieutenant
alfiler, *m.* pin
alfiletero pincushion; needlecase
alforja saddle bag; knapsack
alfoz, *m.* narrow mountain pass

alga *bot.* alga
algarabía clamor; uproar
algarada din, outcry
algazara tumult; racket
álgido cold; most intense; decisive
algodón cotton
algodonar to stuff with cotton
algodonoso cottony
alhaja jewel
alhajar to bejewel; to furnish
alharaca fuss, ballyhoo; clamor
alhelí, *m.* gillyflower, stock
aliento breath; odor
aligerar to lighten; to ease; to hasten
alijo contraband
alimaña predatory animal; varmint
alimentar to nourish; to maintain
alinde quicksilver; steel
aliño preparation; care
alivio alleviation
aljibe cistern; reservoir
aljofarado pearl-inlaid
almacén, *m.* store; storeroom
almacenar to store; to hoard
almagra red ochre
almazara oil press
almazarrón red ochre
almena merlon, embrasure between battlements of a castle
almenado battlemented; *n.* battlement
almenar to line
almendra almond; kernel
almendral almond grove
almendro almond tree
almez, *m.* lotus tree; hackberry
almidonar to starch
almirante admiral
almirez, *m.* metal mortar; brass mortar
almocrebe muleteer
almogárave commando
almohada pillow
almoraduj, *m.* sweet marjoram
alojamiento lodging
alojería mead shop
alón wing (without feathers)
alondra lark
alpargata sandal
alpargatero sandalmaker or seller
alpende toolshed
alpiste canary grass; birdseed
alquería farmhouse

alquiler   rent; **de —** for rent
altanero   haughty
alterarse   to get irritated
alteridad   desire to be another
altivez   haughtiness; arrogance
altivo   haughty
alto   high; stop; *n.* height
altozano   hillock; knoll; hilly part of town
altramuz, *m.*   lupine seed
alucinado   deluded
alucinar   to dazzle; to enthrall
alumbramiento   birth; childbirth; accouche-
  ment
alumbrar   to light
aluvión, *m.*   alluvion; deposits; of unknown origin
alzacuello   stock (kind of cravat)
alzada   swell
alzapaño   curtain hook
allá   there; **más —** beyond; **un más —** a life
  beyond death; ¡**— él!** that's his affair
allanado   simple
allanarse   to yield
allegado   relative; partisan
allegar   to approve; to arrive
allende   beyond; in addition to
ama   housekeeper; wet nurse; mistress; **— de**
  llaves housekeeper
amaestrar   to tame; to train
amagar   to threaten
amanecer   to dawn
amanerado   affected, mannered
amaneramiento   affectation
amanuense, *m. & f.*   scribe
amañanado   half-awake
amapola   poppy
amargar   to embitter
amarillento   yellowish
amarillez   yellowness
amarra   cable; mooring line; *pl.* support; protection
amarrar   to tie
amartillar   to cock (a gun)
amasar   to knead; to prepare; to arrange
amatista   amethyst
ambiental   environmental
ambiente   atmosphere; environment
ámbito   contour; limit; scope
amedrentar   to frighten
amén: — de   besides
amenaza   threat
amencia   dementia

ameno   pleasant
americana   coat; suit coat
ametralladora   machine gun
aminorar   to diminish
amodorrado   drowsy
amodorrarse   to get drowsy
amohinar   to irritate
amojamar   to wither
amolador   grinder; sharpener
amonestar   to admonish
amontonar(se)   to pile up
amor   love; **al — de** with the current of; near
amoratado   livid
amorcillado   sausage-like
amordazar   to muzzle
amorfo   amorphous, shapeless
amorío   love affair
amoroso   loving
amortajar   to shroud
amortecer   to deaden
amortiguar   to muffle
amotinar   to riot
amparar   to protect; to shelter
amparo   shelter; protection
ampliación   extension; enlargement
ampliador   amplifier
ampliar   to amplify; to enlarge
amueblado   furnished
amurallado   walled
anaco   *Gal.* bit; stub
anacoreta, *m.*   anchorite; hermit
anagógico   anagogic, having divine rapture
anales, *m. pl.*   annals
analfabeto   illiterate
anaranjado   orange-colored
anascote   serge-like woolen material
anca   haunch
ancla   anchor
anclar   to anchor
áncora   anchor
anchura   width; extension
andalucismo   Andalusianism
andaluz   Andalusian
andamiaje   scaffolding
andamio   scaffold
andanza   fate; act; *pl.* running about; wanderings
andar   to walk; **— fuera de sí** to be beside oneself; *n.* passing; *pl.* way of walking; movements
andarríos, *m.*   wagtail (bird)
andas, *pl.*   litter, stretcher; bier with shafts
andén, *m.*   railway platform

andino   Andean
andorga   belly
andrajo   rag
anea   cattail
anecdotario   collection of anecdotes
anegar   to flood; to drown
anfitrión, *m.*   host
ánfora   amphora, two-handled jar
angarillas, *pl.*   handbarrow; panniers; stretcher
angosto   narrow
angostura   narrowness
anguarina   heavy sleeveless coat
anguila   eel
anhelante   yearning
anhelar   to crave, to long for
anheloso   yearning; eager; breathless
anidar   to take shelter; to nestle
anillo   ring; — **de pedida** engagement ring
animadversión   disapproval
anímico   psychic
animaleante   animal-like
anímula   little animal
aniquilar   to annihilate
anís, *m.*   anise, liquor made of anise
anisete   anisette, a liqueur flavored with anise
anochecer   to become dark; *n.* nightfall
anodino   anodyne; insignificant
anonadación   annihilation
anonadamiento   annihilation; nothingness
anonadar   to overwhelm; **—se** to become nothing
anquilosar   to ankylose; to be stiff
ansión, *aug. of* ansia   anxiety; longing
antagónico   antagonistic
antaño   of long ago
antealcoba   antechamber
antepalco   *theat.* small antechamber to a box
antepasado   ancestor
anteponer   to place ahead; to prefer
anterioridad: con —   previously
antes   rather; before; **cicatrizar —** to heal quickly
antesala   antechamber
antifaz, *m.*   mask
antigüedad   antiquity
antiparras, *f. pl.*   spectacles
antípodas, *m. pl.*   antipodes; direct opposites
antojarse   to imagine; **—le (a uno)** to take a notion to
antojo   fancy, whim
antólogo   anthologist
antorcha   torch

antro   cavern, grotto
antropofagia   cannibalism
antropomórfico   anthropomorphic, attributing human form to God
anubarrado   cloudy
anudar   to unite
anuencia   consent
anular   ring finger
anzuelo   fishhook; lure
añagaza   decoy; trap
añejo   old
añicos, *pl.*   bits; **hacer —** to break or tear to smithereens
añil   indigo blue
añojo   yearling calf
añorar   to long for
añoso   old, aged
añudar   to knot
aojo   evil eye
aoristo   aorist, indefinite past time
apabullante   squelching
apacentar   to pasture; to feed; to feast
apacible   peaceful; smooth
apadrinado   man who acts as a second in a duel
apagón   blackout; **— de luz** light failure
apaisamiento   in a horizontal position
apalabrar   to discuss; to come to an agreement
apalancar   to pry
apalear   to cane; to horsewhip
apañar   to seize; to pilfer; **—se** to be handy; to manage
aparatoso   ostentatious
aparejar   to prepare; to threaten; *naut.* to rig; to harness
aparencial   feigned
aparente   apparent; suitable
apartamiento   separation; remote spot
apartar   to separate; **—se** to withdraw, to go away
aparte   new paragraph
apasionado   passionate; tender
apático   apathetic
apeadero   wayside station
apearse   to dismount
apedrear   to stone
apegar   to be fond of
apego   fondness
apelmazar   to compress, to squeeze together
apelotonar   to form into a ball
apellido   surname
apenado   grieving
apeonar   to walk or run swiftly (birds)

apepinado elongated
aperador farmer; foreman
apercibir to provide
apesadumbrado sorrowful
apesumbrado grieved
apetecer to crave
apetecible appetizing; desirable
apetencia appetite; desire
apianar to diminish (sounds)
apicarado roguish; impudent
apiñar to squeeze together
aplacar to appease; to calm
aplanador overwhelming
aplanamiento apathy
aplanar to level; to discourage
aplastante overwhelming
aplastar to smash; to flatten
aplicado studious; industrious
aplomar to plumb
apócrifo apocryphal; unauthentic; spurious
apodar to nickname
apodo nickname
apogeo apogee, highest point
apolillado moth-eaten
apolíneo pertaining to Apollo
apólogo apologue, fable
aportar to provide; to contribute; to go; to
bring
aporte contribution
aposentar to lodge
apostar (ue) to bet; to post; to station
apostasía apostasy; desertion
apostillar to annotate
apostrofar to scold
apoteosis, *f.* apotheosis, deification
apremiante urgent
apremio pressure, compulsion
aprendiz, *m.* apprentice
aprendizaje apprenticeship
apretado tight; compact
apretar (ie) to clench; to tighten; to squeeze;
— **con** to close in on
aprobar (ue) to approve; to pass
apuesta wager
apuesto elegant
apuntador prompter
apuntalar to prop; to be firm
apuntar to begin to appear; to hint; to note
apunte note; sketch
apurar to drain; to hasten; to push; to hurry;
—**se** to worry

aquejar to afflict; to grieve; to harass
aquende on this side of
aquí here; **he —** behold; **de — que** that is why
ara altar
arado plow
aragonés Aragonese
arandela disk to catch candle drippings
araña spider
arañar to scratch
arañazo scratch
arbitrio will; free will; bond; excise tax
arbitrista cure-all politician; wild-eyed dreamer
arbolar to hoist; to run up
arbóreo arboreal, pertaining to trees
arca chest; ark
arcaizante using archaisms
arcano secret; mystery
arcaz, *m.* large chest; bin
arcilla clay
arcipreste archpriest
arco arc, arch; **— iris** rainbow
arcón large chest; bin
archimensajero archmessenger
ardid, *m.* trick
ardimiento zeal
arenal sandy ground
arenisco sandy
arenoso sandy
argamasa mortar
argentado silvery
argolla large iron ring
arisco rough; shy
arista edge; beard of grain; splinter
aristofanesco Aristophanic
aristón device; hand organ
aristotélico Aristotelian
arlequín harlequin
armar to arm; to adjust; to stir up
armario wardrobe; **— de luna** large wardrobe
with mirror
armatoste cumbersome piece of furniture or
thing
armazón frame, framework
armella screw eye, eyebolt
armiño ermine
armonio harmonium
árnica arnica, pungent herb
aromar to be fragrant; **aromado de** reeking
with
arpa harp
arquear to arch

arquitectónico architectural

arrabal suburb

arracimado de loaded down with

arracimarse to cluster

arraigar to settle; to take root

arramblar to sweep away

arrancar (de) to date; to come from, to rise from; to tear out, to wrench from

arranque fit; outburst; impulse (of passion, charity, etc.)

arrapiezo whippersnapper

arrasar to fill to the brim

arrastrado miserable

arrastrar to drag

arrastre scattering

arrayán, *m.* myrtle

¡arrea! Heavens!

arrear to urge on; to get moving; to goad

arrebañar to glean, to gather

arrebato fury; rapture; rage; fit; — **de sangre** stroke

arrebol red (of sunset and sunrise); red sky or clouds

arrecaudar to make safe; to huddle for safety

arreciente chilling

arrecife reef

arrecir to grow stiff with cold

arredrar to shrink

arregazar to tuck up

arremolinar to whirl; to churn; to crowd

arrendador tenant

arrendar (ie) to lend

arreo decoration; *pl.* harness

arresto spirit; enterprise

arriar *naut.* to lower; to slacken

arribar to arrive

arriero muleteer

arriesgar to risk

arrimador researcher

arrimar to bring close

arrinconar to put away in a corner; to shelve

arriscado bold; enterprising

arroas, *m., var. of* **arroaz** dolphin

arroba weight of about 25 pounds

arrobo ecstasy

arrodillar to kneel; to bend under

arrogar to arrogate; to usurp

arrollar to roll; to coil; to rout

arropar to wrap up

arrope syrup; shackle

arroz, *m.* rice; **sombrero de —** rice-straw hat

arrozal rice field

arruga wrinkle

arrugar to wrinkle; to crumple; to be crumpled up

arrullar to coo; to sing to sleep; to lull

arrullo cooing; lullaby

artejo knuckle

artería cunning; rascality

artero cunning; artful

artesa trough

artesonado caissoned ceiling

articulado articulate

artillero artilleryman

artistoide pseudo-artist; fifth-rate artist

as, *m.* ace

asa handle

asador spit

asar to roast

asaz quite

ascensional ascending

asco loathing, disgust

ascua coal, ember

asechanza trap

asediar to besiege; to make love to

asemejar to resemble

asendereado beaten; hackneyed

asentaderas, *pl.* buttocks

asentar (ie) to establish; to place; to fix; to place on something solid

asentimiento assent

asentir (ie, i) to assent

asequible accessible; available

aserto assertion

asestar to deal (a blow)

aseverar to asseverate, to affirm

así thus; — **que** so then; — **como —** anyhow; just like that

asiduo assiduous; frequent; frequenter

asignatura course; subject (of study)

asimismo likewise

asir to seize; to hold on

asnillo little donkey

asnucho little donkey

asombroso astonishing

aspa vane (of windmill)

aspaventar (ie) to fuss; to get excited; to frighten

aspaviento fuss; excitement

asperges, *m.* sprinkling

áspero rough; harsh

áspid, *m.* asp

aspillera embrasure

aspirante aspiring; *n.* one who aspires
asta spear; mast; **a media —** at half-mast
asténico asthenic, physically weak
asteria starfish
astilla chip
astillar to splinter
astro star
astroso unfortunate; shabby; ragged
asueto holiday, vacation
asumpto elevated
asustadizo scary, skittish
atadijo loose package
atadura bond
atajar to cut short, to interrupt
atajo shortcut
atalayar to spy on; to gaze at
atar to tie, to bind
atareado busy; toiling
ataúd, *m.* coffin
ataúdico coffin-like
ataviar to dress; to adorn
atavío adornment; finery
atediado weary
atemperar to temper; to cool
Atenas Athens
atenazado clinging to
atender (ie) to attend to; to pay attention to
atendible worthy of attention
ateneísta member of a literary society
atener(se) (ie) to rely on; **—se a** to stick to
ateniense Athenian
atentado crime
atenuar to attenuate; to lessen
ateo atheist
aterciopelado velvety
aterecido shivering cold
aterir to become stiff with cold
aterrar to terrify
aterrizar to land
atesorador treasurer; possessor
atezar to tan
atiborrar to stuff
atildar to adorn
atinado wise; keen
atinar to hit the mark; to succeed
atiplado high-pitched (voice)
atirantar to make taut
atisbar to spy
atizar to stir; to give (a blow); **¡atiza!** watch out!
atolondrar to bewilder

atonía atony, lack of vitality
atónito astonished
atontamiento stupidity; confusion
atopar to find
atrabiliario ill-tempered
atracadero landing, wharf
atracar to moor
atractivo attractive; *n.* attractiveness; attraction
atragantar to choke
atrancar to bolt
atrasado late; behind
atrasar to lag behind
atravesar (ie) to cross; **—se** to intrude
atril lectern
atropelladamente tumultuously; helter skelter
atuendo pomp
aturdir to stun; to bewilder
aturullar to bewilder
atusar to smooth (the hair)
auge culmination; apogee
aula classroom
aullante howling
aullar to howl
aullido depression; howl
aumento increase
aunar to join; to assemble
aupar to hoist up
aura gentle breeze
áureo golden
auroral (pertaining to) dawn
auscultar to ausculate, to listen to
auto: — sacramental short religious play
autodidacto self-taught person
autoinspectivo introspective; self-examining
auto-piedad self-pity
autorretrato self portrait
autovida one's own life
auxilio aid
avaro stingy; greedy
avasallador enslaver
avasallar to enslave; to subdue
avejentar to age
avena oat
avenida flood; avenue
avenir (ie) to reconcile; **—se a** to agree to
aventajado advantageous; superior
aventajar to be ahead of; to excel; to better
aventar (ie) to winnow (grain)
avergonzar (ue) to shame
avería breakdown
averiar to damage

averiguación   inquiry
avestruz, *m.*   ostrich
aviar   to prepare; — la casa   to do the housework
avieso   perverse
avilantez   insolence; meanness
avisado   prudent; wise
avispa   wasp
avispado   wide-awake
avispero   wasp nest; swarm of wasps
avistarse   to have an interview
avivar   to enliven
avizorado   on watch
avizorar   to spy; to watch; to keep a sharp lookout
ayo   tutor
ayuno   deprived
ayuntarse   to join; to copulate
azabache   jet
azacanear   to toil; to drudge
azada   hoe
azadón   hoe
azadonazo   blow with a hoe
azahar   orange blossom
azar   chance; al — at random
azaroso   risky, hazardous; unlucky; disturbing
azófar   brass
azogue   quicksilver; mercury
azor   goshawk
azorar   to disturb
azotar   to whip
azotea   roof terrace
azucarado   sugared; sugary
azucena   lily
azucenarse   to become fragile
azucenón   lily whiteness
azufre   sulphur
azulenco   bluish
azur   azure
azuzar   to egg on; to incite; to sick on

baba   slobber; drooling
babear   to slobber
babosear (en)   to slobber (over)
babosillo   somewhat slavering
baboso   slobbery
bacalao   cod
báculo   staff; aid; consolation
bachillerato   high school course; degree
badulaque   fool

bahía   bay
bailar   to dance; to give
bajamar, *f.*   ebb tide
bajel   boat
bajo   low; under; por lo — on the sly; *n. mus.*   bass
bajonazo   death blow (with a sword)
bala   bullet
baladre   oleander
balanza   scale
balar   to baa; to bleat
balbuciente   stammering
balbucir   to stammer
baldar   to cripple; to incapacitate
balde   bucket; de — free
baldío   untilled; idle; useless
baldón   insult
baldosa   floor or paving tile
balido   bleat
balón   football; large ball
balsa   water tank; reservoir; raft; pond
baluarte   bulwark
balumba   great bulk
ballena   whale
ballesta   crossbow
bambolla   show, sham
banasta   large basket
bancal   terrace; oblong plot
bancalada   terraced field
banda   side
bandazo   lurch; jolt
bandeja   tray
bandera   flag
banderilla   small dart with a little flag for baiting bulls
banderola   little streamer
bandolero   highway robber
bandullo   guts; belly
bandurria   musical instrument of the lute family
banqueta   bench; three-legged stool
barajar   to shuffle; to mix together; to ponder
barajero   gambling
barandado   railing
barandal   railing
barandilla   railing, bannister
barba   beard; por — apiece
barbacana   churchyard wall
barbarie, *f.*   barbarity
barbecho   fallow
barbeta   jaw
barbián   easy going; dashing; bold

barbudo bearded; heavy-bearded
barca boat
barda wall; hedge
bardal thatched fence
bargueño fancy inlaid gilt secretary
barojiano in the manner of Baroja
barquinazo carriage jolt
barragana concubine
barrancal area full of ravines
barreño dishpan
barrer to sweep
barrera barrier
barriada quarters; district
barrido sweepings; filth
barriga belly
barriguiña tummy
barrio district; suburb
barro mud; clay
barroquismo baroque style or taste
barrunto conjecture
barullo tumult, confusion
báscula scale
basquiña outer skirt
bastidor frame; *theat.* wing
basto coarse, rough
bastón cane
basura trash; garbage
basurero trash collector
bata robe
batel skiff
batida search; reconnoitering
batir to beat
batuta baton
baúl, *m.* trunk; belly; depths
bautismo baptism
bautizar to baptize
bayeta coarse woolen cloth; dust cloth
bazofia garbage; hogwash
beatería cant; hypocrisy
beato devout; overpious, prudish person; blessed; beatified
bebido drunk
beca scholarship; grant
becerrada fight of yearling calves
beldad beauty
Belén Bethlehem
belfo protruding lower lip; blobber (lips)
bélico warlike
bellaquería slyness; knavery; vile act
bellota acorn
bendecir to bless

benemérito worthy
bengala firecracker
berceo matweed
bergantín brig
berlina ridiculous position
bermejo red
berrear to bawl
berro watercress
berza cabbage
besana furrow
bestezuela little beast
besuquear to kiss repeatedly
bicoca "snap" job or position
bicho animal; insect
bien well; very; *pl.* wealth, goods; **no —** no sooner; **— que** although; **si —** although; **o —** or else
bienandanza happiness; prosperity
bienaventurado blessed; blissful
bienestar well-being
bienhechor beneficent
bífido bifid, split in two parts
bigardo wanton; licentious
bigote moustache
billar billiards
billete ticket
bipartido divided in two
birlar to rob
birrete birreta; academic cap
bisagra hinge
bisbisear to mumble
bisbiseo muttering
bisel bevel
bisojo cross-eyed
bisté beefsteak
bisturí, *m.* scalpel
bisutería imitation jewelry
bizarrear to act gallantly; to court
bizarro gallant; magnanimous
bizco cross-eyed
bizcocho biscuit; cake
bizcotela sponge cake with icing
biznaga twig, stem (of jasmine)
biznieto great-grandchild
bizquear to squint
blanco target; **dar en el —** to hit the target; white; white wine
blancor whiteness
blancote very white; dirty white
blancura whiteness
blancuzco whitish

blandengue soft; easy going
blandir to brandish
blandura softness
blanquear to grow white
blanquecino whitish
blasón coat of arms; honor; glory
blenorragia gonorrhea
blusa blouse
bobina camera reel
bobo fool
bocacalle, *f.* intersection
bocadillo hors d'œuvre; sandwich
bocadito little bit; morsel
bocado mouthful
bocanada gust; mouthful; puff (of smoke)
bocaza large mouth
boceto sketch
bocina horn; trumpet; siren
bochornoso sultry
bodega cellar
bodrio confused mishmash
bofe lung
boga vogue
bogar to sail; to row
boina beret
boj, *m.* boxwood
boja southernwood, a shrubby European worm-wood
bolindre nonsense
bolo bolt (of food); ninepin; **juego de —s** bowling
bolsa purse; bag; stock exchange
bolsista broker
bombilla light globe
bombín derby hat
bonachón good-natured
bondadoso kind
boquiduro hard-mouthed
borbollón bubbling; **a —es** impetuously; tumul-tuously
borbotar to spout
borbotón torrent; puff
bordado embroidery
bordar to embroider
bordón bass string; staff; low moan; refrain
bordonear to moan
bordoneo humming; buzzing
borrachera drunkenness; exaltation; drinking bout
borracho drunk
borrador rough draft

borrén, *m.* cantle
borrico donkey
borrón blemish
borroso blurred
borsalino soft Italian felt hat
boscaje woodland scene; woods
bosquejo sketch
bostezar to yawn
bostoniense Bostonian
bota boot; **—s de montar** riding boots
botar to hurl; to throw away; to jump; to bounce
botarel abutment; buttress
botarga clown; ridiculous
botica drugstore
botín booty
botón button; bud
bóveda vault; dome
boxeo boxing
boyerizo oxherd
bozo down on upper lip; **en —** just beginning
bracero: de — arm in arm
bramante twine
bramar to roar; to bellow
brasa red-hot coal; live coal
brazada armful
brazo arm; **a — partido** hand to hand; **dar uno su — a torcer** to be dissuaded
brazuelo small arm; shoulder (of animal)
brecha breach; **batir en —** to breach
brega struggle
bregar to struggle
breñal brambly region
breva early fig
breval early fig tree
breviario breviary, prayer book
brezo heather
brida bridle; rein
brillante brilliant; diamond
brincar to hop
brinco leap
brindar to offer; to toast
brindis, *m.* toast
brío vigor; spirit
brioso lively
brisa breeze
brizna splinter; chip; fragment
broar roar
brocal edge; curbstone
broche brooch; clasp
bronco coarse; rough; harsh
brote shoot

bruces, *pl.* lips; **de —** face downward; on one's face

bruja witch

brujo wizard, magician

brújula compass

bruma fog, mist

brumoso foggy

bruñir to polish

búcaro flower vase

bucear to dive; to delve

bucelario mercenary

buche craw; mouth

buenamente easily; voluntarily

bueno: de buenas a primeras suddenly; at first sight

buey, *m.* ox; **— de agua** slow current of water

bufanda scarf

bufar to snort

bufete office

bufón clown; buffoon; jester

bufonada buffoonery

buhardilla attic

buho owl

buhonero peddler

buitre vulture

bujía candle

bulto bulk; **de —** evident

bullanguero turbulent; riotous

bullicioso agitated; noisy

bullidor bustling; turbulent

bullir to boil; to stir; to teem; to bustle

bullón puff

buraco hole

burbuja bubble

burgalés native to Burgos

burgués, *m.* bourgeois, middle-class

burguesía bourgeoisie, middle-class

burla joke; **por —** in jest

burlería trick, deception

buscona loose woman

butaca armchair; orchestra seat

ca oh, no! nonsense!

cabal exact, perfect; complete; **no estar uno en sus —es** to be out of one's senses; **hallarse en sus —es** to be all there, to be sane

cábala intrigue; divination

cabalgar to ride; **— de paso** to ride at a gait

caballería horse; mount; chivalry; cavalry

caballerosidad chivalry

caballista horseman; cowboy

caballón mound

cabe under

cabecear to nod; to bob; to sway

cabecera head (of bed); **libro de —** bedside book

cabeciduro hardheaded; stubborn

caber to fit; to be possible

cabezorra big misshapen head

cabida space, room; capacity; **dar — a** to make room for

cabildo town hall; ecclesiastical board

cabizbajo crestfallen

cabo end; corporal; **al —** finally; **llevar a —** to carry out; **estar al — de** to be informed of

cabra goat

cabrero goatherd

cabrillear to caper; to form whitecaps

cabrío: macho — billy goat

cabrón billy goat; cuckold

cacareado exaggerated

cacarear to cackle

cacica boss

cacicato boss's territory or domain

cacique political boss

cacumen, *m.* acumen, sharpness

cacharro piece of crockery or junk; trinket

cachazudo slow; phlegmatic

cachivaches, *pl.* junk; trinkets

cacho piece

cachupinada party

cadelo *Gal.* dog

cadera hip; **silloncito de —** rocker with a short back

cadete cadet; apprentice

caducar to expire; to be out of date; to lose strength; to be worn out

caduco old

caer to fall; to strike; to be found; **— en gracia** to be to one's liking; to please

cáfila flock

cafre savage

cajón drawer

cajonería set of drawers

cal, *f.* lime

calabaza squash; **dar —s a** to give the cold shoulder to; to jilt

calado drenched; openwork, mesh

calamar squid; **—es en tinta** squid in their juice

calaña kind

calar to pierce; to penetrate
calavera skull; *m.* daredevil; libertine
calaverario aggregate of skulls
calavereño skull-like
calcañar heel
calcáreo limy
calceta hose; **tejer —** to knit
calcinado purified
calcinar to burn
calco tracing; copy
caldear to heat
caldera caldron
caldo broth
calentar (ie) to warm
calentura warmth, heat
calenturiento feverish
cálido warm; hot
calificar to qualify
calificativo qualifier
caligrafía calligraphy, (elegant) handwriting
calina haze
cáliz, *m.* chalice
calva bald head
calvijar barren spot
calvo bald
calvoroto very bald
calza trouser; stocking
calzada causeway; highway
calzado shod; covered
calzar to wear (shoes or gloves)
calzón pants
calzonazos, *m.* softy; easy going; jellynsh
callada: dar la — por respuesta to answer with silence
calleja alley; side street
callejeante person walking the streets
callejero pertaining to the street
callejón alley
camada litter; bed
camaleón chameleon
camarera waitress
camarilla palace clique
camarista maid
camarote cabin; stateroom
camilla stretcher
camisa shirt; chemise
camisón nightshirt; shirt
campal (pertaining to the) country
campana bell; **— de vuelta** bell that rings by turning
campanada pealing of a bell

campanario belfry
campaneo bell ringing
campanilleo ringing; sound
campante buoyant; cheerful
campanudo loud; pompous
campánula bluebell
campeón champion
campo country; **tomar a — traviesa** to take off cross country
camposanto cemetery
can, *m.* dog
cana gray hair
canalla riffraff; scoundrel
canallada meanness
canallería meanness
canallesco base
canastilla layette
cancel storm door; folding screen
cancela iron grating; iron door or gate
cancerbero Cerberus; guard
canchal rocky ground
candeal whiteness (*said of wheat and white bread*)
candelejón naive
candente candent, white or glowing with heat
candoroso naive
canecillo corbel; support; bracket
canela cinnamon
canelo cinnamon-colored
cangrejo crab
canica marble
caniche dog
canijo weak; flimsy
canilla long bone of arm or leg
canje exchange
cano gray-haired
canónico canonical; sacred
canónigo canon (churchman)
canoro singing; filled with song; of melodious voice
canoso gray haired; hoary
cansancio weariness
cansino exhausted
cántabro Cantabrian
cantaleta charivari; tin-pan serenade
cantárida Spanish fly
cántaro large jug
cantazo blow with a big stone or pebble
cante song; type of popular song
cantera quarry
cantería masonry, stonework
cántiga song; poem (of troubadours)

cantinela   song, ballad
cantón   region; corner
cantonada   corner
cantonera   corner band; reinforcement
cantueso   lavender
canturria   crooning
canturriar   to hum
caña   reed; cane; fishing rod; *naut*. tiller pipe
cañada   gully
cañamazo   canvas; burlap; embroidered hemp
cáñamo   hemp; roar
cañería   pipe; pipe line
caño   pipe; sewer; gutter
capa   cape; — **de ala de mosca** discolored, faded cape; **defender a — y espada** to defend at any cost
capar   to castrate
caparazón   shell
capellán, *m.*   chaplain
capellanía   fund left for religious purposes; chaplaincy
capilla   chapel
capirote   hood
capirucho   hood
capote   cloak
captación   attraction; capture
captar   to capture
capullo   bud; rosebud
capuz, *m.*   hood
carabela   caravel, sailing vessel
carabinero   guard; revenue guard
caracol   shell
caracola   sea shell
caracolear   to wheel about
característica   characteristic; *theat*. old woman
caradura, *m.*   rogue; bluffer
carambola   carom (billiards)
caramillo   shawn, reed pipe
carantoña   caress, endearment
¡carape! *var. of* **¡caramba!**
carasol   solarium
¡caray!   confound it! gosh!
carbón   coal; charcoal
carbonería   coalyard
carbonero   charcoal dealer; charcoal maker
carcajada   guffaw
carcelero   jailer
carcomer   to gnaw away
cardar   to card
cardenalicio   (pertaining to a) cardinal
cárdeno   dark purple

cardo   thistle
carena   bottom (of ship)
carencia   lack
carente de   lacking
careta   mask
cargazón   mass of heavy clouds
cargoso   tiresome
cariacontecido   woebegone
caritativo   charitable
cariz, *m.*   appearance
carlanca   dog collar
carmesí   crimson
carmín   carmine, crimson
carnavalesco   (pertaining to) carnival
carnero   ram; sheep
carnet, *m.*   notebook
carnicero   bloodthirsty
carnosito   fleshy; plump
caro   beloved
carolingio   Carolingian (dynasty of French rulers: 752–987)
carozo   corncob
carpeta   folder; portfolio
carpintería   carpentry; make
carrasca   Kermes oak
carraspear   to clear the throat; to be hoarse
carretera   highway; road
carricoche   covered cart; old hack
carril   track; lane
carromato   covered cart
carroña   carrion; decaying flesh
cartel   poster; placard; show bill
cartero   postman
cartilla   primer
cartón   pasteboard
cartucho   cartridge; roll of coins
casaca   dress coat
casadero   marriageable
casal   country place
casar   to marry; to harmonize
cascabel   bell
cascabeleo   jingling of bells
cascada   waterfall
cascado   broken; weak, hollow (voice)
cascajo   gravel
cascar   to break
casco   hoof; helmet; hull (of boat)
casera   housekeeper
casero   landlord; master of the house; home-loving
caserón   large, dilapidated house

casillero chess square

caso case; **hacer — a** to pay attention to; **a — hecho** on purpose

castañar chestnut grove

castañera chestnut vendor

castañetear to chatter

castañeteo clicking; snapping

castaño chestnut

castellar castle ground

casticidad pureness; correctness

casticista purist

castizo pure, chaste (in language); correct

casto chaste

castorita derby hat

casuca shack

casucha hut

casulla chasuble

catadura countenance

catafalco catafalque, magnificently decorated coffin

catar to investigate; to examine; to look out for; to try; to taste

catártico cathartic, purifying, purging

catear to search; to comb (beaches)

cátedra professorship

catedralicio (pertaining to a) cathedral

catedrático professor

caterva throng

cativo bad; unfortunate

catódico cathodic

catolizante: la veleidad — attraction of catholicism

cauce channel

cauda tail, train

caudaloso of great volume; abundant

caudillo chief

cautela caution

cautivo captive

cauto cautious

cava moat

cavar to dig

cavilar to meditate

caviloso suspicious

cayado staff

caz, *m.* millrace

caza chase; hunt; game; **levantar la —** to flush the game

cazadero hunting ground

cazuela earthen casserole

cebada barley

cebar to feed

cebo feed

cebón fattened animal

ceceante lisping

cedazo sieve

cedro cedar

céfiro zephyr; breeze

cegar (ie) to blind; to stop up; *n.* blinding

ceguera blindness

ceja eyebrow

cejar to go backward; to hesitate; to slacken

celador warden

celaje cloud effect

celda cell

celeste celestial; sky blue

célibe unmarried

celo zeal; **en —** in heat; *pl.* jealousy

celosía jalousie, slatted shutter

celoso zealous; jealous

célula cell

cenador arbor; summerhouse

cenceño lean

cencerro cowbell

cendal gauze

ceniciento ash-colored

cenit, *m.* zenith

cenizoso ash gray

cenobita, *m.* monk

censo census

centella spark; flash

centelleante sparkling

centenar hundred

centeno rye

ceñir (i) to encircle

ceño frown

ceñudo frowning; grim

cepa stump; stub; stock; origin

cepo trap

cera wax

cerca fenced plot of land; near

cercador encircling

cercar to fence; to encircle; to crowd around

cercén: a — all around; close

cercioración verification

cerciorar(se) to make sure

cerco circle

cerdo pig

cereza cherry

cerezo cherry tree

cerilla candle; match

cerner (ie, i) to sift; **—se** to threaten; to be imminent

cerradura lock
cerrazón darkening storm clouds
cerrera one who strays
cerril rough; boorish
cerro hill
cerrojo bolt
certero certain; accurate
cervantista specialist in Cervantes
cerviguillo thick nape of the neck
cesante jobless
césped, *m.* turf, lawn
cesta basket
cetrería falconry
cetrino sallow; melancholy
cetro sceptre
cicatear to be stingy
cicatería stinginess
cicatrizar to form a scab; to heal
cicerone cicerone; guide
ciclópeo cyclopean, gigantic
cicuta hemlock
ciego blind; dark; **a ciegas** blindly
cielo sky; heaven; **— de la boca** roof of the mouth
cieno mud; slime
ciervo deer
cierzo cold north wind
cifra cipher; code
cigarra cricket
cigarral orchard and picnic grounds (near Toledo)
cigüeña stork
cilla tithe; granary
cima top, summit
cimbreante swaying
cimiento foundation
cincel chisel
cincelado chiseled
cincuentona woman in her fifties
cine movie theatre; movies
cinerario cinerary, used for ashes of the dead
cíngulo cingulum, priest's girdle
cínife mosquito
cinta ribbon
cintillo small ring
ciprés cypress
circasiana a flower
circundante surrounding
circunloquio circumlocution
cirial processional candlestick
cirio wax candle

ciruelo plum tree
ciscar to dirty
cisne swan
cisoria carving (meat)
cisterciense Cistercian monk
citar to cite; to make an appointment with; to summon
cítola millclapper
ciudadanía citizenship; spirit of the city
ciudadano citizen
cizaña darnel (common weed)
clamar to clamor, to cry out; to utter loud cries
clarín bugle
clarinear to crow
clariver power of clairvoyance
clarividencia clairvoyance
claro clear; of course; *n.* space; clearing; **poner en —** to make plain
claror brightness, splendor
clasificatorio classifying
claudicación limping; faltering
claudicar to limp; to falter
clausura closing
clava club
clavado nailed
clave, *f.* key
clavel carnation
clavellina carnation, pink
clavete small nail
clavetear to stud
clavo nail; sharp pain; headache; **de — pasado** self-evident
clerecía clergy; priesthood
climatérico climacteric; critical
clueca brooder, setting (hen)
coacción coertion
coágulo coagulum; clot; drop of blood
coba flattery
cobarde coward
cobertizo shed
cobertura cover, covering
cobijar to shelter; **—se** to find refuge
cobre copper; small copper coin
cobrizo copperish
cocear to kick
cochinilla woodlouse
cochino pig; dirty
cocho *Gal.* hog
codicia greed
codiciar to covet

codo elbow
coercitivo coercive; repressive
coetáneo contemporary
cofrade member of a brotherhood
cofradía brotherhood; union
cofre coffer; box; chest
cogedor dustpan
coger to seize; — **y** + *verb* to get up and . . .
cogitabundo pensive
cogote back of the neck
cohechar to bribe
cohete rocket
cohibido restrained
coima concubine
cojín pillow, cushion
cojo lame, crippled
cola tail; glue
colación collation; **sacar a** — to make mention of, to cite
colador sieve
colar (ue) to strain; —**se** to seep; to slip into; to pass; to squeeze
colchoneta long cushion or pad
colegio school, academy
colérico furious
colgador clothes hanger
colgante hanging (vegetation)
colilla butt
colipavo wide-tailed
colmar to fill; to fulfill; to overwhelm; — **de** to shower with
colmena hive
colmillo fang; **escupir por el** — to brag
colmo overflow; limit; **para** — **de** as a finishing touch to; **en** — filled up
colodrillo back of neck
Colón Columbus
colono farmer; tenant farmer
colorado red
colorín linnet
columbino dovelike
columbrar to glimpse; to guess
columnata colonnade
columpiar to toss; to swing; to seesaw
collado hill; mountain pass
collera horse collar
comadreja weasel
comadrería gossip
comadrón gynecologist; man-midwife
comarca region
comba curve; skipping rope

combo bent; curved
comedido prudent
comensal diner
comentarista commentator
comidilla talk; gossip
comitiva retinue
como as; if; as if; as soon as; like; about; — **que** because; inasmuch as
cómodo comfortable; convenient
compadecer to pity
compango cold cuts or lunch
compaña company
comparecencia appearance
comparecer to appear
comparsa theatrical troupe
compartir to share
compás, *m.* beat, rhythm; **a** — **con** in harmony with
compendiar to summarize, to sum up
complacer to please; to humor
complicarse to become complicated
comportamiento behavior
compostura composition; structure; order
comprimido tablet
comprobar (ue) to check; to prove
compuerta lock; floodgate
compuesto composed; made up
compungido grieved; remorseful
comulgar to take communion
conato endeavor, attempt
cóncavo concave, hollow
concejal alderman; councilman
concertar (ie) to arrange; to agree; to get together
concienzudo conscientious; thorough
conciliábulo secret conference
concitar to incite
concupiscencia concupiscence; greediness
concurrir to gather; — **con** to contribute
condenado condemned; closed up
condición condition; *pl.* characteristics
condigno appropriate; worthy
condiscípulo classmate
conducho provisions; nourishment
conejera burrow; rabbit warren
conejo rabbit
confabularse to conspire
confección confection; **traje de** — ready-made suit
confitería confectionery
confitero confectioner

confitura   confection; sweet
conforme   as; in agreement
conformidad   agreement
congénere, *m. and f.*   congener, fellow
congénito   congenital
congestionar   to congest
congoja   sorrow; anguish
congraciar   to win over; **—se con** to ingratiate oneself with
conjugar   to conjugate; to compare
conjurar   to conjure or drive away
conllevar   to bear
conmensurabilidad   proportion; conmensurability
conminativo   threatening
conminatorio   threatening
conmocionar   to disturb
conmover (ue)   to move (emotionally)
connatural   inherent
conque   so then; well
conquistador   conqueror
consabido   well known; aforementioned
consagrar   to consecrate
consanguíneo   kindred; akin
conseguible   attainable
consejero   adviser
conserje   janitor, concierge
conserjería   concierge's desk
consignar   to consign; to relate
consola   console
consolatriz   consoling
constar   to be clear
constipado   cold
constreñir (i)   to constrain; to compress
consueto   customary
consuetudinario   customary, habitual
consumero   guard to prevent smuggling
consumo   consumption; *pl.* excise tax
consuno: de —   in accord
contado   rare; scarce; *pl.* few
contador   desk
contagiar   to affect by contagion; to infect
contar (ue)   to count; **— con** to count on
contenido   contents
contera   tip (of cane)
conterráneo   fellow countryman
contienda   contest; fight
continuación: a —   immediately afterwards
contonear(se)   to swagger; to sway
contornear   to outline

contorno   area; contour, outline
contra   against; **por —** on the contrary
contraataque   counterattack
contrafilo   back edge near the tip (of a weapon)
contrafuerte   buttress; outer fort
contrahacer   to counterfeit, to imitate
contrahecho   counterfeit; spurious; deformed
contrapelo: a —   against the grain
contrariar   to annoy; to oppose; to thwart; to provoke
contrariedad   obstacle; annoyance
contray, *m.*   fine cloth made in Courtrai (Flanders)
contumaz   contumacious; insubordinate
contundente   forceful; bruising
conturbar   to disturb
conveniente   proper; profitable
convenir (ie)   to be fitting; to be good for; to agree with
convivencia   living together
cónyuge, *m. & f.*   spouse
copa   top of a tree; drink
copla   couplet; popular song; **sacar una —** to make up a song
coplero   poetaster, mediocre poet
copo   flake; bundle of cotton, flax, etc. (to be spun)
coquetón   coquettish
coraje   anger; mettle; spirit
coral   coral; choral
coraza   cuirass; armor
corbata   tie
corcova   hump
corcovado   humpbacked
cordera   ewe lamb; meek, gentle woman
cordero   lamb
cordillerano   of the mountain range
cordobés   citizen of Córdoba
cordón   cord; belt
cordura   wisdom; prudence
coreo   harmony; choral singing
corneja   crow
cornetín   cornetist
cornisa   *arch.* cornice
cornudo   cuckold
coro   chorus; choir
corona   crown; wreath
coronar   to crown
coroza   conical hat worn by scourgers
corpachón   big body
corpiño   bodice; corset cover

correa strap; belt; leather strap
corregir (i) to correct
correr to run; to pass; to go through; **— una juerga** to attend a gathering of dance and music
corrida bullfight
corrido embarrassed; flowing; unbroken
corrillo clique
corro circle (of people)
corromper to corrupt; to rot
cortar to cut; to cut short
corte cut; derogatory remark; edge
cortedad smallness; shyness
cortejador suitor
cortejo courtship
cortesano courtly
corteza crust; bark; rind
cortijo farm; farmhouse
coruscante glittering
corva calf of the leg
corvar curve
cosario carrier; person who runs errands from one town to another
coser to sew; **— a puñaladas** to stab repeatedly
cosmogónico cosmogonic, referring to the formation of the universe
coso course; bullring
cosquillas: hacer — to tickle
cosquillear to tickle
costado side
costal sack
costeño coastal
costero coastal
costilla rib
costillaje ribs
costra crust; scab
costrado crusted; scabbed
costroso scabby; scaly
costura sewing; stitch
costurera seamstress
cotidianeidad ordinary everyday quality
cotidiano everyday; daily
cotización quotation; price list; evaluation
cotizar to quote; to value
coturno buskin; boot
covacha den
covachuela cubbyhole
coyuntura opportunity; joint; juncture
craso fat; greasy; crass
crecida high water
crecido grown; grave

creciente growing; *n.* flood
crecimiento growth
creencia belief
crepitante crackling
crepitar to crackle; to sputter
crepuscular twilight
crepúsculo twilight
crespo curly
crespón crape
crestería battlement
creyente believer
cría child; breeding
crianza raising; nursing; rearing
criatura creature; child
crío child, baby
crisol crucible
crispado tense
crispar to cause to twitch
cristianar to christen
criticastro an inferior or contemptible critic
criticista critical
croar to croak; to caw
croca *Gal.* head; "noodle"
cromo chrome; chromo (picture)
crónica chronicle
cronicón brief chronicle
croquis, *m.* sketch, rough draft
crudo crude, raw
crujido crackle; creak
crujidor crackling
crujir to creak
cuadra hall; large room; stable
cuadrado square
cuadrar to square with; to suit; to fit
cuadrilla group
cuajado dense
cuajar to coagulate; to thicken; to take shape; to crowd; to crystalize
cuajarón clot
cual: a — más each one more
cuán how
cuando when; **— . . . —** . . . sometimes . . . sometimes . . .; **— más** at the most; **de — en —** from time to time
cuantía quantity; distinction
cuanto all that; **en —** as soon as; while, insofar as; **en — a** as for
cuarentez in the forties
Cuaresma Lent
cuartear to quarter; to break

cuarterón panel (of a door)

cuartel barracks

cuartilla sheet of paper

cuartillejo *var. of* **cuartillo** (*liquid measure equal to about a pint*)

cuatrillón quadrillion

cubierto place setting (at table)

cubil den

cubo cubic; bucket

cucaracha cockroach

cuco cuckoo

cuchara spoon

cucharetear to meddle

cuchichear to whisper

cuenca river basin; socket (of eyes)

cuenta bill; account; **darse —** to realize; **haz —** just believe; **tener —** to be worthwhile; **hacerse—** to suppose; **a la —** in reality

cuento story; tip, ferrule

cuerdo sane

cuerna horn

cuerno horn; **pl.** symbol of adultery;¡—! upon my word!

cuero leather; **en —s** stark naked

cuesta hill; slope; **a —s** on one's back

cueva cave

cuita grief; trouble

cuitado wretched; unfortunate

culebra snake

culebreante twisting; curly

culón with big behind

culpar to blame; to accuse

cumplido full; courteous; satisfied; *n.* courtesy

cumplidor reliable, trustworthy

cúmulo heap; lot

cuna cradle

cundir to spread

cuneta ditch

cuño stamp

Cupido Cupid, god of love

cupón coupon; lottery ticket

cúpula cupola, dome

curandero healer; quack

curar to cure; **—se en salud** to be forewarned

curato parish; priestly office

curmana cousin

cursar to study

cursi pretentious; one having bad taste; vulgar; flashy

curtir to tan

custodia custody; shrine; *eccl.* monstrance

chabacanería vulgar expression or action

chacal jackal

chacota fun; ridicule; **echar a —** to sneer at

chacho boy

chafar to flatten

chalán, *m.* horsedealer

chalanería shrewd (horse) dealing

chamarasca brush fire

chamariz, *m.* titmouse

chambrana trim

chancear to joke

chancla slipper

chanchullo crookedness

chantaje blackmail

chantre choir leader

chanza joke

chapa flush; sheet; plate

chapado fair; graceful; mended

chaparro chaparro, scrub oak

chaparrón downpour

chapeo hat

chapín slipper

chapitel spire

chapotear to sponge; to splash

chapucero rough; clumsy

chapuzar to duck

chaqueta jacket

charca pool

charcal puddly spot

charla talk, chatter

charlador talker

charol varnish; patent leather

charolar to varnish; to enamel

charro flashy

chascar to crackle; to crunch

chasquido crack; drip

chato flat (nosed); **perro —** pug

chatura flatness

chequetico, *var. of* **chiquito** youngster

chiar chirping

chicle chewing gum

chicharrón crackling

chiflado daffy

chillar to scream; to shriek

chillido squeak

chillón shrill; loud

chinche bedbug; **morir (la mar) como —s** to die like flies

chinero china closet

chino Chinese; pebble

chiquero bull pen

chiquillería crowd of children
chirigota joke
chirimía hornpipe
chirriar to chirp; to creak
chisme gossip
chispeante sparkling
chispear to sparkle; to gleam
chisporrotear to sputter; to crackle
chisporroteo sputtering (sparks); guttering
chisquero lighter
chiste joke; witticism
chita: a la — callando on the quiet
¡chitón! hush! not a word!
chivo goat
chocar to surprise; to shock; to collide
chochear to dodder; to be in one's dotage
chochez doting act or word
chocho doddering
chopo black poplar
choque clash
chorizo sausage; smoked sausage
chorro jet; stream
choto calf
choza hut
chuchería knickknack; trinket
chufa chufa, an onion-like vegetable
chuflilla joke
chulaponería smartness, flashiness
chulería ease; flashiness
chulo sporty fellow; pimp
chunga fun; jest
chupar to suck; **¡chúpate ésa!** put that in your pipe and smoke it! **—se los dedos** to be very pleased; to lick one's chops
chusco droll; funny

dádiva gift
dadivoso generous
dados, *pl.* dice
dálmata, *m. & f.* Dalmatian
dalmática wide-sleeved tunic
damasco damask
danzaderas restless; dancing about
dar to give; **— con** to come across; to hit; **— en** *+inf.* to begin to; **— en** to hit; to run into; to become; **¡Qué más da!** What difference does it make! **—se por** to consider; **—se de alta** to join; to appear; **—le a uno por** to take a notion to
dardear to dart
dátil date

deambular to amble; *n.* wandering search
debatir to debate; to struggle
debelar to conquer
deber duty
debido due
decaer to decline; to fade
decaimiento decay, decline
decano dean; oldest member of the corporation
decantado exalted
decantar to decant; to exaggerate
decena unit of ten
decidor fluent conversationalist
decir to say; to tell; **el qué dirán** what people say
declive declivity; slope
dechado model
dédalo labyrinth
definidor definer
definitiva: en — definitively; in short
defuera: por — outside
deglutible what can be swallowed
degollar (ue) to cut the throat
degradar to degrade; to break
dehesa pasture
dejado neglected; abandoned
dejo touch; accent
delantal apron
delatar to betray; to tell on; to denounce
delectarse to delight in
deleitable delightful
deleitar to delight
deleite delight
deletrear to spell; to interpret; to examine
deleznable crumbly; perishable; fragile
delfín dolphin
delgado thin
delito crime
demacración emaciation
demacrar to waste away
demasía excess; **en --** excessively
demoledor demolishing
demontre devil
demora delay
demorar to delay
denegrido blackish
dengoso affected; finicky
dengue prudery; overniceness
denodado daring
denominación name; designation
dentadura denture
dentellado tooth-like pattern

dentón bucktoothed
departir to converse
depósito deposit; morgue
deporte sport
deportivo of sports
deprimente depressing
depuración purification; purity
depurar to purge; to purify
deriva drift
derivar to derive; to drift; *n*. meandering
derramar to give freely; to pour
derrame spilling
derredor circumference; **en su —** around him
derrengado bent, crooked
derretimiento melting
derretir (i) to melt
derribar to overthrow; to destroy; to knock down
derribo demolition, *pl*. rubble
derrocar to demolish; to overthrow
derrochar to waste
derroche waste
derrotero route
derruir to raze; to ruin
derrumbadero precipice
derrumbar to collapse; to wreck
desaborido dull; stupid person
desabotonado unbuttoned
desabrido rough; unpleasant; surly
desabrochar to unfasten; to unbutton
desafiar to challenge
desaforado huge; outrageous
desagrado displeasure
desagravio amends, compensation
desagüe drain outlet
desahogar(se) to let oneself go; to unbosom oneself; to unburden oneself
desahuciado castoff; hopeless
desairar to snub
desaire slight, rebuff
desaliento discouragement; weakness
desaliño carelessness
desalmado cruel; inhuman
desalojar to dislodge
desamor lack of love; hatred; indifference
desamparo abandonment; helplessness
desánimo discouragement
desapacible unpleasant
desaprensivo unscrupulous
desarraigo uprooting

desarrollar to unfold; to develop
desarticulación disarticulation, taking apart
desarzonar to unhorse
desasemejar to not resemble
desasirse to get loose
desasosiego uneasiness; anxiety
desatender (ie) to disregard
desatentadamente unwisely
desatento careless; confusing; inattentive
desatinado wild; crazy
desatino blunder, folly; nonsense
desatracar to push off
desavenencia disagreement
desavenido incompatible
desazón discomfort; displeasure
desazonar to make tasteless; to embitter
desbarrar to act or talk foolishly
desbocado unruly
desbocarse to run away (said of horses)
desbordar to overflow
desbravar to tame, to break in (horses)
descabalgar to dismount
descabellar *taur*. to kill
descalabrar to wound in the head
descalcez barefootedness
descalzo barefoot
descaminado astray; ill advised
descaminante misleading
descampado clear; open; open country
descancar to supplant
descansillo stair landing
descanso rest; intermission
descarado impudent
descarga discharge
descargar to discharge; to inflict (blows); to dump
descarnado thin; bare; stripped
descarnar to wear away; to lose flesh
descerebrar to brain
descerrajar to remove the lock
descolgar (ue) to let down; to descend; to take down; **—se por** to slip down
descollar (ue) to stand out
descompostura disorder
descomunal unusual
desconceptuar to discredit
desconchadura chipped place
descontado: por — of course
descorrer to unbolt
descoserse to loosen one's tongue

descote low-cut neck

descoyuntar to dislocate, to get out of joint; to disarrange

descreído unbelieving

descubrir to discover; —**se** to take off one's hat

descuidado careless; off guard

desdecir to take back (something said)

desdentado toothless

desdeñoso scornful

desdicha misfortune; misery

desdichado unhappy; unfortunate

desdoblar to unfold

desdoro blemish, stigma

desecar to dry up

desembarazado free; unrestrained

desembarazo freedom; ease

desemparedado without flesh

desencadenar to unleash; to break loose

desencajar to dislocate

desencarnado spiritual

desencuadernado unbound; in bad shape

desenfado freedom

desenlace outcome; dénouement

desenmascarar to unmask

desenredar to unfold

desentender (ie) to ignore; **hacerse el desentendido** to affect ignorance; —**se de** to ignore; to detach oneself from

desentendido detached

desentonado out of tune; discordant

desentrañar to figure out; to disembowel; to dig deeply

desenvolver (ue) to unfold; to develop

desenvolvimiento development

desenvuelto free and easy

desesterar to remove the mats from (floor, stairs)

desestimar to reject

deseternizado no longer eternal

desfallecer to faint; to grow weak

desfanatizar to lose fanaticism

desfiladero pass

desfilar to parade

desflecado unravelling; coming apart

desflorar to violate; to open

desfogar to give rein to

desgaire: al — affectedly careless

desgajar to tear off; to cut off; to split off; —**se** to strike; to let loose

desgana indifference; disgust; **con —** reluctantly; unwillingly

desganar to lose one's appetite

desgañitarse to scream oneself hoarse

desgarbado ungainly

desgarrado torn; tattered; shameless

desgarrador rending

desgarradura large tear or break

desgarrar to tear; to withdraw; to lift

desgarro rip; boldness; effrontery

desgastar to consume; to wear away

desgraciado misfortunate, wretched

desgranar to shell; to come loose (*said of beads*); to strip the grain of; to flow; —**se** to scatter

desgreñado disheveled

deshacer to undo; to break; to consume; to melt, dissolve; to destroy

desharrapado ragged

desheredar to disinherit

deshilachar to ravel; to stream

deshilarse to thin out

deshinchar to deflate; to give vent to

deshora: a — at an inconvenient time

desidia laziness

desidioso lazy

desinencia variation

desinflar to deflate

desjugar to lose juice

desleír (i) to dissolve (in song)

deslenguado foul-mouthed; scurrilous

deslenguarse to speak shamelessly or indecently

desligar to untie; to come loose

desliar to unroll

deslomar to break the back of

deslucido faded

deslucir to tarnish; to dull; to impair

deslumbrante dazzling

deslumbrar to dazzle

deslustrado dim

desmadejarse to languish

desmán, m. misfortune

desmantelado dilapidated

desmayar to faint; to flag

desmayo faint; faintness

desmedidamente inordinately

desmedrado run down, deteriorating

desmejorar to decline; to lose one's charm and attractiveness

desmelenar to dishevel

desmentir (ie, i) to belie; to contradict; to give the lie to

desmenuzamiento breaking into small pieces

desmesura excess
desmesurado disproportionate; excessive
desmesurar to disorder, disarrange
desmochado lopped off
desmonte clearing
desmoronamiento decline
desmoronar to crumble; to decline
desnivel unevenness
desnudez nakedness; nudity
desoír not to hear; to be deaf to
desollado brazen, shameless
desollar (ue) to skin
desorbitado out of orbit
despabiladeras, *pl.* candle snuffers
despacioso slow; phlegmatic
despachar to dispatch; to dismiss; to hurry
despanzurrar to rip open the belly
desparpajo impudence; flippancy
desparramado broad; open
desparramamiento scattering; squandering
despavorido frightened; terrified
despechar to despair; to drive to despair
despecho spite
despechugado with bared breast
despedir (i) to emit; to dismiss; **—se** to say good-bye
despegar to detach; **—se** to take off; to get away; to loosen; to open
despego coolness; indifference
despejado clear; cloudless
despellejar to skin
despensa larder; pantry
desperezarse to stretch
despiadado ruthless; merciless
despilfarrar to squander
despintado unpainted; with paint peeling
desplante impudence; irregular posture
desplazarse to shift
desplegar (ie) to unfold; to open
desplomar(se) to collapse; to plummet
despojar to strip
despojo plunder, spoils; debris, junk; *pl.* leavings; scraps
desposar to marry
desprendimiento loosening
despuntar to dawn
desquite recovery; revenge
destacar to stand out
destapar to uncover; to remove the lid
destartalado shabby; poorly equipped
destejar to unweave; to disturb

destellar to flash
destemplado inharmonious; out of tune; harsh
desterrar (ie) to exile
destetar to wean
destierro exile
destituir to dismiss
destrenzar to unbraid; **— los trenzados** to let down one's hair
destrozo destruction
desubjetivación making objective
desvaír to empty; to diminish
desvalido helpless
desván, *m.* attic, loft
desvanecer to vanish
desvanecido faint; lost
desvariación madness
desvariar to rave; to be delirious
desvarío wild idea; extravagance; delirium; caprice
desvelado wakeful; anxious; watchful
desvelo wakefulness
desvencijado rickety
desventura misfortune
desviación detour; deflection
desvinculado unfettered
desvirtuar to lessen the value of; to weaken; to detract from
desvivirse to be anxious
deuda debt
deudo relative
devanadera reel; spool
devanear to loaf about
devenir (ie) to happen; to become
devocionario devotional
diana bull's eye
diantre devil
diapositiva slide projected on a screen
diario daily; **a —** day after day
dibujante sketcher; draftsman
dicotomía dichotomy; division
dictado dictation; inspiration
dictadura dictatorship
dictamen, *m.* dictum; opinion
dictaminar to pass judgment
dicterio taunt; insult
dicha happiness
dicho saying; proverb; above-mentioned
dichoso happy
diente tooth; clove
diestro right
diferencia difference; **a — de** in contrast to

difuminación blurred image
difundir to spread; to diffuse
digerir (ie, i) to digest
dilatado numerous; vast; extensive
dilatar to delay
dilección preference
diligencia stagecoach; errand
dilucidar to elucidate; to explain
diluir to dilute
diluviar to rain heavily
dimanar to spring
dinamarqués Dane
dintel lintel, doorhead
dionisíaco Dionysiac; intoxicating
diplopía diplopia, double vision
diputado deputy
diputar to designate; to delegate
dique dike; dam
disantero (pertaining to) holy days
disciplinazo lash
díscolo wayward; unruly
discrepar to disagree
discreteo affected discretion
disculpa excuse
discurrir to flow
discurseador a person fond of giving talks
disertar to discourse in detail
diserto fluent; eloquent
disforme deformed
disfraz, *m.* disguise
disfrazar to disguise
disgregar to disintegrate
disgusto disgust; annoyance; blow
disímil dissimilar
disparar to shoot; **— a decir** to burst out with **disparado por** off like a flash
disparatado wild; nonsensical
displicente disagreeable; ill-humored
dispuesto disposed; graceful; skillful
distar to be distant from
distingo distinction; limitation
divagación digression; rambling
divagar to digress
divertimiento diversion; distraction
divisoria divide
doble peal
dobleser dual personality
doblez fold; duplicity
docencia teaching
docto learned
documental documentary; newsreel

dolencia pain
doler (ue) to pain; **—se** to complain
dolicocéfalo dolichocephalic, long-headed
doliente painful
doloroso painful; pitiful; **Dolorosa** Sorrowing Mary
domador tamer
domeñar to tame; to subdue
dómine pedant
dominico Dominican friar
don, *m.* gift
donaire wit; cleverness
donativo donation
dondequiera: por — anywhere; wherever
dondiego morninglory
donillero decoy
donjuanesco Don Juan-like
donquijotesco quixotic
dorado golden; *pl.* gilt trimmings
dorar to gild; **—se** to become golden
dormitar to doze
dosel canopy
dosificar to dose; to proportion
dotar to endow
dote, *f.* dowry
doxología doxology, praise to God
dramaturgo dramatist
dril denim
ductilidad ductility; malleability
duchar to shower; **—se** to take a shower
duelo grief; mourners; duel
dulcificar to sweeten; to soften; **—se** to become gentle
dulzaina flageolet, musical instrument similar to the hornpipe
dulzarrón too sweet; sickening
dúplica duplicate
duradero lasting
duraznero peach tree
durmiente sleeper
duro dollar (*coin worth 5 pesetas*); hard

¡ea! hey! well!
ebrio drunk
ebullición ferment
eburnear to whiten
ectipo ectype, copy (blurred)
ecuánime calm
ecuménico ecumenic; universal
ecumenismo universality

echar to pour; to throw; to put up; to put on (a play); — **de ver** to notice; —**se a** + *inf.* to begin to; — **tierra sobre el asunto** to hush the affair up; —**sele encima a uno** to fall on one; — **de menos** to miss; — **la casa por la ventana** to spare no expense; — **mano** to utilize; — **una siesta** to take a siesta; —**se una novia** to find a sweetheart; —**selas de** to boast of being

edredón eiderdown; quilt

educando, *n.* student

efectista sensationalist; theatrical

efecto effect; *pl.* assets

eficaz effective

efluvio emanation

egipcio Egyptian

egregio distinguished; eminent

eje axis

ejecutante performer

ejecutoria pedigree, letters patent of nobility

ejemplar exemplary, model

ejemplaridad quality of being exemplary

élitro elytrum (*undeveloped wing common to some insects*)

elogiar to praise

elogio eulogy, praise

elucubración, *var. of* **lucubración**

embadurnar to smear

embaldosar to pave

embalsamar to embalm; to make fragrant

embarazada pregnant

embarazar to embarrass; to interfere with

embarazo pregnancy

embarrado muddy

embarrancar to run aground

embate impact; dash; impetuous attack

embaucamiento deception

embeber to absorb; to soak up

embeleco fraud; humbug

embeleso delight

embestir (i) to attack

emblandecido softened

emblasonado with coat of arms

embolar *taur.* to fit (bull's horns) with wooden balls

emborrachar to intoxicate

emborronar to blot; to scribble

emboscar to ambush; to lie hidden or deep within

embotado blunt; dulled

embozadamente cautiously; equivocally

embozar to cloak

embozo muffler

embravecido enraged

embriagante intoxicating

embriagar to intoxicate; to enrapture

embriaguez intoxication

embridar to bridle; to check

embrionario embryonic

embrujar to bewitch

embrutecer to become stupid

embuste falsehood

embutido inlay

embutir to insert; to cram; to squeeze

emotividad emotion

emotivo emotive; emotional

empacado dressed up

empacón stubborn; balky

empacho embarrassment

empalagoso cloying; annoying

empañar to dim; to tarnish; to blur

empapar to drench; to saturate

empaque solemness; stiffness; appearance

emparejamiento matching

emparejarse to couple

empastado covered with underbrush

empastar to cover

empavesar to bedeck with flags

empecinado stubborn

empecinarse to persist

empedernido hardened

empedrado flecked

empellón shove; **a —es** violently

empeñado mortgaged

empeño insistence; effort; favor; pledge; patron

empequeñecedor dwarfing

emperrado insistent

empinado lofty; steep

empinar to raise; — **el codo** to drink

empolvarse to gather dust

empollación hatching

empollar to hatch

empollón drudge; hack

empotrado built-in

empreñar to impregnate

empuje push; energy; enterprise; burst

empujón shove

empuñadura handle

empuñar to grasp, to clutch; to wield

empurpurar to empurple

enagua(s) petticoat

enajenar to enrapture; to dispose of (property)

enaltecer to exalt
enamoradizo inclined to fall in love
enano dwarf
enarbolar to raise
enarcador archer
enarcar to arch
enardecer to inflame
enarenado sandy
encabritar to rear; to make rear (horses)
encadenar to chain; to link
encajar to fit; to put; to insert
encaje lace
encalar to whitewash
encampanarse to raise its head in challenge (said of bulls)
encandilamiento glare
encandilar to dazzle
encanecer to turn white (hair)
encañada gorge
encañonado narrow and swift flowing
encaramar to exalt; —se to climb
encararse (con) to face; to stand up to
encarcelar to incarcerate
encargo charge; assignment
encariñar to become fond
encarnado red; flesh colored
encarnizado bloody; fierce
encarrilado on the right track
enceguecer to blind; to dazzle
encelar to be jealous
encendedor lighter
encender (ie) to light; —se to get excited
encentrar to center
encía gum (of the mouth)
encina live oak
encinar oak grove
encinta pregnant
enclenque weak; sickly
encobijar to cover; to enclose
encoger to shrink
encogido timid
encomendar (ie) to recommend; to commend
encomiar to praise
encontrado opposite, contrary
encorvar to bend
encrespar to curl; to entangle; to ruffle one's feathers; to agitate
encrucijada crossroads; intersection
encuadernar to bind (a book); **encuadernado en pasta** with leather binding

encuadrar to frame; to fit in
encubridor go-between, procurer; concealer; accessory after the fact
encuclillarse to crouch
encumbrado high
encumbramiento eminence; exaltation; elevation
ende: por — therefore
endeble feeble
endemoniado possessed by the devil
enderezar(se) to straighten; to go straight; to direct
endomingar to dress up in Sunday clothes
endosar to endorse
endrina sloe (fruit)
endrino blackthorn
enea cattail, bulrush
enebro juniper
enemistar to become an enemy (of)
energuménico diabolical
enfado anger
enfaldo tucked-up skirt
enfermizo sickly
enflaquecer to get thin
enfocamiento focus
enfoque focus
enfrontamiento confrontment
enfundar to put into a case; to put away
engalanar to adorn; to give color to
enganchar to hook on to; to attach
engañifa trick
engastar to set; to mount
englobar to inclose; to include
engolado affected
engranaje gear(s)
engrandecer to enlarge
engreído conceited; vain
engrosar to thicken; to swell; to raise (one's voice); —se to become enlarged
engullir to gulp down; to devour
enhebrar to thread; to string
enhiesto standing erect; upright
¡enhorabuena! congratulations!
enjabelgar to whitewash
enjalbiego whitewash
enjambre swarm
enjaular to cage; to pigeonhole
enjoyarse to become jeweled
enjugar to dry; to wipe off; to wipe out
enjuto lean; dry
enlace connection

enlagunar to form a lagoon
enlodar to muddy; to soil
enloquecer to madden
enloqueciente maddening
enlutado in mourning
enmarañar to tangle; to confuse
enmascarado masked
enmelado sweet
enmendar (ie) to emend; to correct
enmollecer to soften
enmudecer to keep still
enojar to anger
enojoso annoying; troublesome
enorgullecerse to be proud
enquistar to encyst
enredadera vine; climbing plant
enredador busybody; tattler
enredar to involve; to entangle
enredo tangle; plot
enriquecer to enrich
enrojecido red
enrolar to enroll
enrollar to roll; to coil
enroscar to twist (in); to wind
ensalivar to fill with saliva
ensambladura joining
ensamblar to join
ensamble joining
ensanchamiento widening
ensanchar to widen; to extend
ensangrentar (ie) to bloody
ensañar to anger; —**se en** to exult in
ensartar to string
ensayar to try; to try on
ensayismo literary genre formed by the essay
ensimismado absorbed in thought
ensimismamiento self-absorption
ensortijar to curl
ensueño dream
entablar to start (a conversation)
ente entity; being
entelequia *phil.* entelechy
entenebrecer to darken; —**se** to get dark
entercar(se) to get stubborn
entereza firmness
enterizo solid; in one piece
enternecerse to be moved or touched
enterrador gravedigger
enterrar (ie) to bury
entierro burial; funeral procession

entonar to intone; to sing; to be in tune; to match; to tone up (the body)
entontecerse to become stupid
entornadizo half-closed
entornar to half-close; to close
entorpecimiento interference; disturbance
entrada entrance; admission ticket
entramado framework
entrambos both
entrañable intimate; deep-felt
entrañado intimate
entrañas, *pl.* entrails; heart; insides
entreabierto half-open
entreactos, *pl.* between acts
entrecano grayish
entrecejo frown; space between the eyebrows; **arrugar el —** to frown
entrecortado broken; halting; hesitating
entrecruzamiento interweaving
entredecir to insinuate
entremetimiento meddling; intrusion
entrenamiento training; sport
entrepaño panel
entretanto meanwhile
entretejer to interweave; to mix
entretelas, *pl.* heartstrings; inmost being
entrever to glimpse; to suspect
entreverar to intermingle
entrevista interview
entristecer to sadden
entrometido busybody
entroncar to be related to
entronizar to enthrone; to exalt
entronque connection
entropia entropy
entumecer to numb
enturbiar to obscure; to confuse
envalentarse to become bold
envanecimiento vanity
envarado stiff
envejecer to grow old
envenenamiento poisoning
envenenar to poison
envés, *m.* wrong side
enviciar to corrupt
envidia envy
envilecedor degrading
envilecer to degrade
envilecimiento debasement
envite stake; push
envoltorio bundle

envoltura cover; wrapping
envolver (ue) to wrap; to imply; to mean
epigastrio upper part of the abdomen
epígono follower of earlier style or school
epistolar epistolary, referring to letters
epopeya epic; epic poem
equilibrar to balance
equilibrista balancer
equiparable comparable
equiparación comparison
equipo equipment; team; outfit
equivocación mistake
equivocado mistaken; ill-fitting
equívoco equivocal; dubious; *n.* ambiguity
era era, period; threshing floor; garden; field; vegetable patch
ergotizante fallacious arguer
erguir (ie, i) to rise
erigir to erect; —se to set oneself up as
erisipelado afflicted with erysipelas, disease that inflames the skin
eritrocito erythrocyte, red blood cell
erizado bristling; — de bristling with
erizar to rise; to stand on end
ermita hermitage
ermitaño hermit
erotemático interrogating
erotismo eroticism; sexual passion
errabundaje wandering
errabundo wandering
errante wandering
errar (ie) to wander; to be wrong; *n.* wandering; fluttering (of wings)
errátil wandering
erre: — **que** — obstinately
esbelto tall and well-built; svelte
esbozar to sketch
esbozo sketch
escabel footstool
escabroso scabrous; rough; raw
escabullirse to slip away
escala stair
escalera stair; ladder; —s de vuelta back steps
escalofriante chilling; frightening
escalofriarse to shiver
escalofrío chill
escalonamiento steps; ordered reasoning
escalonar to place at intervals
escama scale
escamado distrustful
escamotear to evade; to swindle; to cause to vanish

escamoteo sleight of hand; snitching
escanciar to pour; to drink (wine)
escandir to scan (verse)
escaño bench with a back
escaparate showcase, window
escape escape; a — at full speed; with all haste
escapulario scapulary
escara cast off skin
escarabajo scarab, beetle
escarbar to scratch; to paw
escarcela large pouch
escarceo strumming; adventure
escarcha frost; white frost
escardillo gardener's hoe
escarmentar to learn by experience
escarmiento warning; lesson; caution; punishment
escarnecer to ridicule
escarnio insulting mockery
escasear to be scarce
escaso scant, scarce
escatimador scrimper; stingy one
escavón cave
escayola scagliola; stucco
esceptizante skeptical
escisión split; splitting
esclarecer to brighten
esclarecido illustrious
esclarecimiento illumination; explanation
escoba broom
escocer (ue) to smart; to chafe
escocés Scotch
escolta escort
escoltar to escort; to accompany
escombra clearing
escombrar to clear
escombrera dump
escombro ruin; debris
escomido worn away
escondite hiding place
escondrijo hiding place
escopeta shotgun
escoria dross; trash
escorzo movement which partially discloses or gives a hint of something; foreshortening
escote plunging neckline; *décolleté*
escribanía writing materials
escribano court clerk
escrito document; manuscript
escritura writing; handwriting; scripture
escuadra squad

escuálido   squalid; weak; thin

escucha   listening; **andar a la —** to eavesdrop

escudar   to shield

escudo   shield

escudriñadero   comprehensible; **no —** inscrutable

escudriñar   to scrutinize

escuela   school; training

escueto   bare, unadorned; bleak

esculpir   to sculpture, to carve

escupir   to spit

escurrir   to slip; to slip away; to drain; to wring out

esdrújula   word accented on the antepenultimate syllable

esfericidad   sphericity; roundness

esfinge, *m. & f.*   sphinx

esforzado   enterprising

esforzarse (ue)   to strive

esfumar   to disappear; **—se** to fade away

esgrima   fencing

eslabón   link

esmaltar   to enamel

esmeralda   emerald

esmirriado   emaciated; feeble

espabilar   to snuff; to get wide awake; to bring back to normal

espadachín   skilled swordsman

espadaña   bell gable; cattail

espaldar   back; backplate (of armor)

espaldera   espalier, trellis

espantajo   bugaboo

espantapájaros, *m.*   scarecrow

esparavel   casting net

esparcimiento   relaxation

esparto   esparto grass

espectro   spectre, phantom

espejar   to mirror

espejeante   sparkling

espejismo   mirage

espejuelo   mirage

espelunca   cave

espeluznante   hair-raising

esperanzado   hopeful

esperpéntico   absurd; grotesque

esperpento   absurdity; fright (unattractive person); deformation of reality

espesor   thickness

espetado   solemn; stiff with pride

espetera   kitchen rack

espetón   skewer

espiga   spike (of grain); cob

espigador   gleaner

espina   thorn

espinilla   shinbone

espiojar   to delouse

espirital   pertaining to respiration

espolique   groom

esponja   sponge

esponjar   to swell; to sponge; to puff up

esportilla   small basket

espuela   spur; **correr —s** to dig in the spurs

espulgar   to delouse; to clean of lice or fleas

espuma   foam

espumela   foam

espumeo   foam

espumoso   foamy

esquela   note; death notice

esquelético   skeletal

esqueleto   skeleton

esquema, *m.*   scheme; symbol

esquila   bell

esquina   corner

esquinazo   corner; **dar —** to dodge

esquirlar   to splinter

esquivez   aloofness

esquivo   elusive; aloof, withdrawn; harsh

establo   stable

estacazo   blow with a stake

estadio   stadium; stage

estafador   swindler

estafermo   dummy

estallar   to explode; **— de risa** to burst with laughter

estameña   woolen cloth; serge

estampa   print; stamp; engraving; picture; image; figure

estancar   to check, to stem

estancia   stay; room

estanco   cigar store; government store; tight

estanque   stagnant; pool; pond

estanquero   shopkeeper, tobacconist

estantería   book stacks; shelving

estaño   tin

estar   to be; **— a bien** to be on good terms with

estela   wake (left by a ship); commemorative monument; trace

estentoreidad   stentorian quality

estepa   steppe, plain

estepario   of the steppe or plain

estera   mat

estercolero   dunghill

esterilla small mat; gold braid
esterlina pound sterling
estertor death rattle; puffing
esteta, *m. & f.* aesthete
estiércol manure
estío summer
estirado stuck-up
estirar to stretch; to lengthen; — **la pata** to kick the bucket
estirón jerk, tug
estirpe, *f.* stock; race; family
estival, *adj.* summer
esto this; **en —** at this point
estocada thrust
estofado ornamented
estofar to quilt
estola stole (worn by priests)
estopa tow (hair); burlap
estoraque gum
estorbar to hinder
estorbo obstacle
estornudar to sneeze
estotro this other
estrábico strabismic, cross-eyed
estradivario Stradivarius violin
estrado dais
estrafalario extravagant; outlandish
estrato stratum
estrechar to hug; — **a preguntas** to press with questions
estrechez poverty
estrellar to shatter; to crash
estremecer to shake; to shudder
estrenar to wear for the first time; to have a début; to try out
estreno début
estrepitoso noisy; deafening
estría groove
estribación spur
estribar to lie in; to rest on; to be based
estribillo refrain
estribo stirrup; footboard; step; running board
estridencia harsh-sounding noise; stridence; making a loud outcry
estro inspiration
estropajo frayed rope
estropear to spoil; to ruin
estrucio ostrich
estruendo noise
estrujar to crumple; to squeeze; to crush
estucar to stucco

estuche jewel box
estufa stove; heater
estupro rape
éter ether; fresh air
etéreo ethereal
etiqueta etiquette; label
eucarístico Eucharistic; white
éuscaro Basque
evadir to avoid; to evade; **—se** to flee; to escape
evangelio gospel
evitación avoidance
evolucionar to evolve; to perform maneuvers
evolutivo evolutionary
exacerbarse to grow intense; to grow worse
exaltarse to get excited
exangüe weak; lifeless; exhausted; bloodless
excelsitud loftiness; sublimity
excelso lofty
excentrificar to disperse
exclaustrado secularized monk
excrecencia excrescence; excess
exculpar to exonerate
exento exempt, free
exequias, *pl.* obsequies, funeral rites
eximio select
eximir to exempt
exorcizar to exorcise
exordio exordium, preamble
exotismo exoticism
expediente record; dossier; **instruir — a** to impeach
expeditivo expeditious
experimentar to experience
expiar to expiate; to atone for; to purify
expolio robbery
expósito foundling
exprimir to express; to squeeze out
éxtasis, *m.* ecstasy
extensión extension; range
extenuado worn out
extorsión extortion; damage
extralimitarse to go beyond the limit
extramuros outside the town
extrañeza surprise
extraviar to lead astray; to go astray; to misplace
extremar to go to extremes; to carry to the limit

fabla speech; conversation
fablistán, *m.* chatterbox
fábrica factory

fábula fable
fabulador fabulist
faca cutlass; jacknife
faccioso rebel
factible feasible
Facultad: — de Derecho School of Law
facultativo doctor
facha appearance; look
fachada façade, front
fachenda boasting; ostentation
faena chore; job; performance
faenar to work; to work overtime
faisán, *m.* pheasant
faja sash; girdle; belt; newspaper wrapper
fajar to wrap; to go around
falaz fallacious; perfidious
falda skirt; slope; brim (of hat)
faldamento skirt
faldellín skirt; underskirt
faldero skirt chaser
falsario falsifier
falsear to give way; to be out of tune
faltar to lack; to die; to go back on (one's word); to be absent; **¡no faltaba más!** the idea! of course!
falto lack; **— de** lacking in
faltriquera pocket; handbag
falucho felucca, sailing vessel
fallar to judge; to fail; to miss; to be lacking or deficient
fallecer to die
fallido unsuccessful; sterile
fallo defect; breakdown
famélico famished
fanal beacon
fanfarrón blusterer; braggart
fanfarronada bluster; bravado
fango mud
fantasear to dream, to daydream
fantasma, *m.* phantom; *f.* scarecrow; bugaboo
fantoche puppet; nincompoop
farandulero comedian
fardo bundle
farfullero sputterer; one who speaks rapidly and with confusion
faro beacon, floodlight
farol light; lantern
farola beacon; street light
fastidiar to annoy; to bore
fasto happy (event)
fastuoso vain; magnificent; pompous
fatídico fateful

fatuidad folly; conceit
fatuo fatuous; conceited; vain; **fuego —** will-o'-the-wisp
fáunico faun-like
fauno faun
fausto happy; fortunate
faz, *f.* face
fe, *f.* faith; **a —** truly
feble weak, feeble
febril feverish
fechoría villainy
feligrés parishioner
felpa plush
feminoide man with feminine characteristics
fenicio Phoenician
feraz fertile
féretro coffin
ferial market, fair
ferrar to trim with iron
festejo feast; revelry; entertainment
feudo large estate
fiado: al — on credit
fiador fastener
fibra fiber; strength; vein
fibroso fibrous
ficticio fictitious
ficha file card
fideo noodle
fiebre, *f.* fever
fiel faithful; *n.* pointer (of scales)
fiera wild beast
fiereza fierceness
fiero fierce; terrible
figón cheap eating house
fijamente fixedly, firmly
filibustero buccaneer
filigrana filigree
filo edge; cutting edge
finca property; farm
finiquitar to finish; to wind up
finito finite
finta feint
finura fineness; purity
firma signature; (act of) signing
firme firm; **¡firmes!** *mil.* attention!
fiscal prosecutor
fisgar to spy
flaco weak; thin; *n.* weak spot
flamante flaming; brand new
flamígero flamboyant
Flandes Flanders

flaquear to weaken
flaqueza thinness; weakness
flauta flute
flecha arrow
flojedad weakness; laziness
flor, *f.* flower; **a — de** flush with
florecer to flower; to flourish
floresta woods
florilegio anthology
flote float; **sacar a —** to bring to the surface
fluir to flow
flujo flow
foca seal
foco focus; light
fogata bonfire
fogosidad fire
fogoso fiery; impetuous
foliación foliation; numbering (of leaves of book)
folletón pamphlet; serial
fonda inn
fondo bottom; background; depth; back; deep; **artículos de —** editorials
fonograma, *m.* phonogram, letter of the alphabet
fontela *Gal.* fountain
foral payment
forastero stranger
forense medical examiner
forja forge
forjar to forge
fornido husky
foro back (of stage)
forrar to line; to cover
forro lining
fortalecer to get strong
fortuito fortuitous, accidental
forzar (ue) to force; to ravish
forzosidad being compelled to act against one's will
fosa grave
fosca haze; thicket
foscura darkness
fosforecer to glow
fracasar to fail
fracaso failure; crash
fragor clamor; din, uproar
fragosidad roughness
fragoso rough, uneven; brambly
fragua forge
fraguar to forge; to conceive; to brew; to spoil
francachela carousel
franco frank; open

franja border
franquear to grant; to cross; to open
franquía openness
fregadero sink
fregar (ie) to rub; to scrub
frenar to restrain
frenesí, *m.* frenzy
freno brake; restraint; curb; check
frentazo blow of the forehead; **a —s** using forehead as battering ram
frente, *f.* forehead; **— a** confronted by
fresa strawberry
frescote, -ta buxom; plump and rosy
fresquera food locker
frialdad coldness
friolera trifle
frisar to ripple
friso frieze; ornamented band
frito fried
frondoso leafy; luxuriant
frontero facing
frotar to rub
fructífero fruitful
fruición gratification; wicked joy
fruir to enjoy
fruncir to wrinkle; to pucker
frutal fruit tree
frutecer to bear fruit
fuente, *f.* platter; fountain
fuera outside; **— que** aside from the fact that
fuerza force; **ser —** + *inf.* to be necessary
fuga flight
fugaz fleeting; short-lived
fulgir to shine
fulgor brilliance
fulgurante shining
fulminante fulminant; severe
funda cover; slip
fundación smelting; regulation
fundamento foundation; reason
fundente fusing; melting
fundir to merge, to fuse; to smelt
fúnebre funeral; gloomy
funesto mournful; regrettable; fatal; sorrowful
furgoneta station wagon, light truck
furibundo furious; frenzied
fusilar to shoot
futraque frock coat

gabán, *m.* overcoat
gabardina gabardine coat

gabinete room; office; studio; boudoir; — **de lectura** reading room
gacela gazelle
gacetillero gossip columnist
gafas, *pl.* glasses
gala elegance; splendor; *pl.* finery; talents; beauties (of style, diction)
galán, *m.* suitor; gallant; lover; *theat.* leading man
gálbulo nut
galeón galleon
galera galley
galería gallery; back porch; curtain rod
galgo greyhound
galón braid
galopín scoundrel
galopo scoundrel
gallardo graceful; elegant; gallant; noble
gallego Galician (*from province in northwestern Spain*)
gallinero *theat.* paradise, top gallery
gallo rooster; false note
gama gamut
ganadería cattle ranch; stock farm
ganar to earn; to win; to outstrip
gandul loafer
gangoso twangy
gansada stupidity
ganzúa picklock
gañán farm hand
gañido yelp
gañote throat
garabato hook
garañón stud; libertine; stallion
garba sheaf
garbanzo chick pea
garbo grace; elegance
garboso graceful; noble; generous; sprightly; jaunty
garcilasismo school of Garcilaso
garduño petty thief
garfio hook
garganta throat; gorge
gargantilla necklace
gargarizar to gargle
garito gambling den
garra claw
garrapatear to scribble
garrapato scrawl
garrido handsome; graceful
garrochista goader; herder
garrota club; staff

garrotazo blow with a cudgel
garrote club
garrucha pulley
gárrulo garrulous; noisy
garzón youth
gasa gauze; chiffon
gaseosa carbonated drink
gastar to wear; to have
gaveta drawer
gavia ditch
gavilán, *m.* hawk
gavilla sheaf; cluster
gaviota seagull
gaznate gullet; throat
gedeonada platitude
gema gem
gemebundo full of groans
gemelo twin; identical; *pl.* binoculars
gemir (i) to moan
generacional referring to the generation
género merchandise; genre; — **chico** one-act comedy
gentil elegant; spirited; notable
gentileza gentility; elegance
gentío crowd
geórgico georgic; rustic, agricultural
gerente manager
gerifalte gerfalcon
germen, *m.* germ; original idea
gestar to gestate; to develop
gestión step; measure; management
gesto gesture; **torcer el** — to grimace
gimnasia gymnastics; — **sueca** calisthenics
ginovés Genoese
girar to whirl; to turn
girasol sunflower
giratorio revolving
giro turn; whirling
girola *eccl.* apse aisle
gitano gypsy
glauco bluish-green
gleba clod or lump of earth
globo globe; **en** — as a whole
gloguear to gurgle
glorieta circle or square at street intersection
glosa gloss; variation; commentary
glosar to gloss; to criticize; to interpret
gnómico gnomic, containing maxims
golfa prostitute
golfear to live like a tramp
golfo ragamuffin; scoundrel; tramp

golosía greedy desire; curiosity
goloso fond of sweets; gluttonous
golpe blow; — **de gracia** coup de grace, finishing stroke
golpear to knock; —**se** to quake
gollizo gully, ravine
goma gum; rubber; eraser
gonce hinge
gordezuelo plump; full
gorgorito trill
gorguera ruff
gorigori, *m.* mournful singing at a funeral
gorjear to warble, to trill
gorjeo warble
gorra cap
gorrín, *var. of* **gorrino**
gorrino pig; young pig
gorrión, *m.* sparrow; — **de nido** young sparrow
gorro cap
gotear to drop; to drip; to sprinkle
gotera mark left by dripping water
gótico Gothic
gozne hinge
grabar to engrave; to record
gracia grace; **hacer** — to please
gracioso charming; gracious; graceful; *theat.* comic, clown
grada step; *pl.* bleachers
gradería stone steps (in front of a building)
grajea small colored candy
grajo crow
gramínea grasslike
gramíneo green
gramola portable phonograph
grana scarlet
granadí, of Granada
granadino, of Granada
granado pomegranate tree
granate garnet
granazón seeding
granero granary
granilla grainy flesh
granja farm, country place
grano grain; **ir al** — to go to the point
granuja, *m.* scoundrel
granuliento grainy
grasa grease; fat
graznar to croak, caw
greca Grecian fretwork
greda clay
greña tangled hair; **andar a la** — to get into a hot argument

gresca clamor; quarrel
grey, *f.* flock; people
grifo griffin (*a fabulous monster, half-lion, half-eagle*); spout; faucet
grillera cricket cage
grillo cricket
grimorio book of incantations
gris gray
grosero gross, coarse; rude
grosor thickness
grosura fat; rich or fertile (*said of soil*)
grúa crane, derrick
grumo clot
gruñido grunt
gruñón grumpy
grupa rump; **volver** —**s** to turn tail
gruta grotto, cave
guadaña scythe
guajira popular rustic song
gualdo golden yellow
guante glove
guardabrazo brassard, arm guard, armlet
guardapuercos, *m.* swineherd
guarecer to shelter; to keep; —**se** to take refuge
guarida den; shelter
guarnecer to adorn; to line; to guard; to trim
guarra sow
guasa kidding; joke
guasón joker; teaser
guedeja long lock of hair
guerra war; trouble
guerrear to wage war, to fight
guerrillero guerrilla fighter
guijarro pebble
guiñar to wink
guiño wink
guirnalda garland
guisa guise; **a** — **de** in the guise of
guita twine; money
gula gluttony
gurruño mess
gusanera nest of worms
gusanil wormy
gusano worm

haba bean
haber: en el — **de** assets
hábil skillful
habilidad skill; ability; trick
habilidoso skillful

habladuría gossip
habón horse bean
hacendado property owner; rancher
hacendoso industrious
hacer to do; to make; **— caso a** to pay attention to; **— de** to act as; to play the part of; **— falta** to need, to be lacking; **—se cargo de** to take charge of; to realize; **—se a un lado** to draw aside; to step aside; **no —le a uno** not to matter to
hacienda treasury; property; fortune
hacina stack
hacinar to stack
hacha ax; torch
hachón large torch
hada fairy
hado destiny
hagiografía hagiography, saints' lives
halago flattery
halagüeño flattering; charming; attractive
halcón falcon
halda skirt
¡hale! get going!
hálito breath
hallazgo discovery; reward; find
hambriento hungry
harapo rag
harina flour
harinero (pertaining to) flour
harpía harpy; shrew
hartazgo fill; bellyful
harto quite, very; full; fed up; full well
hastiar to bore; to surfeit
hastío weariness; disgust; boredom; satiety
hato herd; gang; lot
haz, *m.* bunch; *f.* surface; beam (of light); face
haza field; piece of cultivatable land
hazaña deed, exploit
hebilla buckle
hebra thread; hair
hechizar to bewitch
hechizo enchantment; magic, charm; glamour
hecho fact; deed; **de —** in fact
hechura form; making, creation
heder (ie) to stink
hediondo stinking
hedor stink
helar (ie) to freeze; to harden, to set
hélice, *f.* propeller
henchir (i) to swell; to stuff
hender (ie) to split; to elbow through
hendir, *var. of* **hender**

heno hay
heraclitiano of Heraclitus
herbario herbarium, collection of dried plants
herbazal herbous ground; pasture
herbolario herbalist; herb store
heredad country estate; property
heredar to inherit
heredero heir; **ser —** to inherit
hereje heretic
hermanar to join; to harmonize
hermandad brother or sisterhood; resemblance
hermético hermetic, impenetrable; tight-lipped
hermetizar to seal tightly
herradura horseshoe
herraje ironwork
herrén, *m.* mixed fodder; straw heap
herrero blacksmith
herrumbre rust
herrumbroso rusty
hervidero swarm
hervir (ie) to boil
hervor boiling; force; fire
hervoroso boiling; ardent
hetera courtesan
hético emaciated
hez, *f.* dregs
hiato hiatus; gap
hidalgo nobleman; noble
hidalguía nobility
hidropesía dropsy
hiedra ivy
hiel, *f.* bile; gall; bitterness
hierático hieratic, priestly
hierba grass
hierbabuena mint
higa scorn; insulting gesture; **¡una —!** nonsense!
hígado liver
higo fig
higuera fig tree
hijastro · stepson
hilacha shred or thread of cloth
hilandera spinner
hilar to spin
hilera row
hilvanar to baste; **—se** to appear
hincha hatred; grudge
hinchar to swell
hinchazón swelling; ostentation
hinojarse to kneel
hiperestesia excessive sensibility
hipertrofiar to hypertrophy, develop excessively

hipo   hiccough; sob; keen desire
hipotecar   to mortgage
hirsuto   hairy
hisopo   *eccl.* sprinkler
historicista   historical
historieta   anecdote
histrionismo   histrionics
hito   boundary; landmark
hocico   snout, muzzle
hodierno   today's
hogaño   nowadays
hogareño   home-loving
hogaza   large loaf of bread
hoguera   bonfire
hoja   leaf; sheet; — **de lata** tin plate
hojalata   tin
hojarasca   dead leaves
hojear   to leaf through
hojuela   pancake; thin layer of cake
holgado   easy; large; comfortable; fairly well-off
holgazán   loafer; bum; lazy
holgazanear   to idle
holgón   pleasure loving
holgorio   boisterous spree
holgura   enjoyment; ease; merriment
holocausto   sacrifice
hollar   to tread; to trample
hombría   manliness; courage
hombruno   mannish
homenaje   homage
homúnculo   dwarf; little man
honda   sling
hondo   deep; *n.* low-lying land; hollow
hondura   depth
honestidad   honesty; decorum; modesty
hongo   derby; mushroom
hontanar   place abounding in springs
hopa   tunic; sack in which an executed criminal is placed
horca   gallows
horchatería   shop selling orgeat (*sweet drink made from chufa root*)
horma   form, mold
hormiga   ant
hormigón   concrete
hormiguear   to swarm
hormigueo   swarming; unrest
hormiguero   anthill
hornacina   vaulted niche
hornada   batch of bread
hornija   brushwood

hornilla   kitchen stove
horno   oven; furnace
hórreo   granary
hortal   garden; orchard
hortaliza   vegetable
hortelano   (pertaining to a) garden
hortensia   hydrangea
hosco   sullen; gloomy
hospar   to get out
hospedaje   lodging
hospedar   to lodge
hospiciana   ribbon
hospiciano   anonymous
hospicio   orphan asylum
hosquedad   sullenness
hostal   inn
hostia   host; communion wafer
hostigar   to whip; to lash; to whet
hostigo   lash; beating of wind
hoyo   hole; dent; hollow
hoz, *f.*   ravine; narrows; defile; pass
hucha   money box; toy bank
hueco   hollow; deep, resounding (voice)
huelga   strike
huelgo   rest; deep breath
huella   track; footstep; trace
huérfano   orphan
huero   empty
huerto   garden; orchard
huesa   grave
huesal   boneyard
hueste, *f.*   host; group of dead spirits
huesudo   bony
huída   flight
huidero   fugitive
huidizo   fugitive; evasive
hulla   coal
humareda   cloud of smoke
humear   to smoke
humedecer   to dampen; to soak
humilladero   wayside shrine
huracanado   hurricane-like; in hurricane proportions
huraño   unsociable; shy
hurgar   to poke; to probe
hurón   weasel
hurtadillas: a —   stealthily
hurtar   to rob
húsar   hussar, cavalryman
husmear   to scent; to pry into
husmillo   smell

husmo   whiff; high odor; **al — de** on the scent of; waiting for

ictérico   jaundice yellow
ida   departure
idóneo   fit, suitable
ígneo   flaming; fiery
ignoto   unknown
ileso   unharmed; untouched
ilimitado   endless
ilusión   illusion; **hacerse —es** to indulge in wishful thinking
ilusorio   illusory, deceptive
imaginero   painter or sculptor of religious images
imán, *m.*   magnet
imantar   to magnetize
imborrable   indelible
imbricado   overlapping
imbuir   to imbue; to get across to
impar   odd, uneven; unmatched; unique
impensado   unexpected
imperar   to rule; to prevail; to hold sway
imperio   empire; strong influence
impertérrito   intrepid
impetrar   to entreat
ímpetu, *m.*   impetus; violence; impetuousness
impío   impious; faithless; cruel
imponente   imposing
imponer   to impose; to place
importuno   importunate; inopportune
imprecación   curse
imprenta   press
imprescindible   essential, indispensable
impreso   printed; *n. pl.* printed matter
imprevisible   unforeseeable
imprevisto   unexpected
ímprobo   arduous
improperio   insult
improviso   unexpected; **de —** unexpectedly; suddenly
impudicia   immodesty
impúdico   immodest
inabarcable   unembraceable
inadvertido   unnoticed
inagotable   inexhaustible
inalcanzable   unattainable
inaprehensible   ever elusive
incauto   unwary
incendiar   to set on fire
incluso   included; inclosed

incogible   too fast to be caught; unseizable; unattainable
incógnito   unknown
incoloro   colorless
incólume   untouched
incomodar   to disturb; **—se** to get angry
inconexo   unconnected
inconfundible   unmistakable
inconmovible   immovable; unyielding; lasting
inconsciencia   unconsciousness; unawareness
inconsútil   seamless
inconveniencia   impoliteness; impropriety
incordio   annoying thing
incorporar   to incorporate; **—se** to sit up
increpar   to rebuke; to chide
incubar   to incubate; to brew
inculpar   to blame
incumbir   to concern
incuria   negligence
indagar   to investigate
indefectible   unfailing
indicio   sign
indigenismo   indigeousness
indino   saucy; mischievous; vulgar
indirecta   hint, innuendo
índole, *f.*   kind, class; disposition
indómito   unruly
indulto   pardon
indumentario   pertaining to clothing
indumento   clothing
inédito   unpublished; new
ineludible   inevitable
inepcia   silliness; inertia
inerme   unarmed
inesquivable   unavoidable
inexpugnable   firm
infante   infante, any son except the eldest of the Kings of Spain
infartado   producing an obstruction
inficionar   to infect
infiel   unfaithful; *n.* infidel; heathen
ínfimo   lowest; most abject
infligir   to inflict
influyente   influence; influential
infortunio   misfortune
infuso   infused (by God's grace); innate
ingénito   innate
ingente   huge
ingerir (ie, i)   to graft; to insert
ingrave   light; weightless
ingrávido   light

ingresar to enter
inhumar to inhume; to bury
injerencia interference
injertar to graft
injerto grafted
inmanencia remaining within
inmarcesible unfading; undying
inmediato immediate; next, adjoining
inmolar to immolate, sacrifice
inmundo filthy; impure
inmutarse to change expression
innegable undeniable
inopia poverty
inopinado unexpected
inquebrantable unbreakable
inquietar to upset
inquilino tenant
inquisitivo nosey
insensatez folly; stupidity
insensato foolish
insobornable that cannot be incited *or* bribed
insolidario having no solidarity with
insólito unusual
insombre lacking a shadow
insomne sleepless
insondable unfathomable
insoslayable unavoidable
instancia instance; petition; **a —s de** at the request of
instar to urge; to insist
institucionista, *m. & f.* member or student of an institution (especially the Institución Libre de Enseñanza)
institutriz governess
instruir to instruct; to draw up
insuflar to insufflate; to pump
insulso insipid
intachable irreproachable
intelección understanding
intemperie bad weather; roughness; **a la —** in the open air, unsheltered
intemporal timeless
intencionado sharp
interbélico between wars
intercolumnio clear space between two columns
intermedio interval; interlude
interponer to interpose
intimar to become intimate
intimista innermost; deep-felt
intromisión meddling; insertion
intuir to perceive by intuition

inventariar to inventory
inventiva inventiveness
invento invention
inverosímil unlikely; unbelievable
investir (i) to disguise
involución involution; regressive phase; degeneration
ir to go; **— a las manos** to come to blows
iracundia anger
iracundo angry
irisar to make iridescent (with rainbow colors); to be iridescent
irlandés Irish
irrecordable what cannot be remembered
irrecusable unimpeachable
irreductible irreducible; deaf
irrefrenable unbridled
irremisible unpardonable; binding
irrestañable unstaunchable
irríquito upset
irrumpir to irrupt, burst in
isleño islander
ítem article; addition; **— más** furthermore
izar to hoist; to run up

jabato young wild boar
jabino dwarf juniper
jabón soap
jacarandoso carefree; sporty
jaco nag; pony
jactancia boasting; boast
jactarse to boast
jaculatoria short, sudden prayer
jadeante panting
jadear to pant
jadeo panting
jaez, *m.* kind
jalear to cheer; to applaud
jaleo joke; cheering
jalón marker
jamba door jamb
jamelgo nag
jamona fat, middle-aged woman
japonerías, *pl.* Japanese things
jaque check (in chess); bully; **dar — mate a** to checkmate
jaquetón boaster; bully
jara rockrose
jaral growth of rockrose
jarro pitcher; jug

jasminero jasmine
jaula cage
jauría pack of dogs
jefatura leadership
jerárquico hierarchical
jergón mattress
jeta pig face; snout
jilguero finch
jinete horseman
jipar to sob
jipío yodel-like singing
jirón shred, tatter
jocoso jocose, jolly
jocundo jolly
jofaina basin
jolgorio merriment
jornada journey; day's journey; act (of a play)
jornalero day laborer
joroba hump; humpback
jorobado hunchbacked; hunchback
josa unfenced orchard
jota Spanish dance
joyel small jewel
juanetudo with high cheekbones
jubilar to retire; to put aside
jubileo jubilee
jubiloso jubilant
jubón jacket
judería Jewry
judía stringbean
judío Jew
juego game; set; **— de novia** matching set of lingerie
juerga carousel, spree
juerguista carousing; carouser
jugada play; move
jugarreta nasty trick
juglar picaresque; minstrel; troubadour
jugo juice; substance
jugoso juicy; substantial
juguete toy
juicio judgment; opinion; **no andar en su —** to be out of one's mind
jumento donkey
juncal growth of rushes
junco rush; reed
jurado jury
juramento oath
jurel saurel (*a fish with spiny fins and forked tail*)
justiciero just; stern; righteous
justillo waistcoat; corset cover
juventud youth

ki-ki-ri-kí cock-a-doodle-do

labor, *f.* labor; sewing
laboreo working; development
labrador worker, peasant
labrantío tillable soil
labranza farming; farm work
labrar to carve
labriego laborer; peasant
lacayo lackey
lacedomonio Spartan
laceria trouble; worry
lacio straight (hair); withered; faded
lacra defect, flaw
ladeado tilted; **un — reír** a laugh of resignation
ladera slope; hillside
ladrar to bark
ladrido bark
ladrillo brick
ladrón thief; sluice gate
lagar wine press; olive press
lagartija lizard
lagarto lizard
lagrimal corner of the eye near the nose
laico lay; laic
lamer to lick
laminador laminating; rolling
laminilla thin plate
lanar woolly
lance affair
landó, *m.* landau, coach
langosta locust
languidecer to languish
languidez languor
lanudo woolly
lanzamiento launching
lanzar to launch; to throw; to stick in
laña clamp; bond
lápida gravestone; stone slab
lapidación stoning to death
lapo blow with a stick; slap
lar hearth
largar to let go; *naut.* to take to sea
largura length
lastimar to hurt
lastimero pitiful; sad; doleful; injurious
lastre ballast
lata nuisance; annoyance
latido beat; throb
latir to beat
latrocinio thievery

laureado crowned with laurel; highly praised
lavadero laundry; washing place
lavativa syringe; enema
laya kind
lazarado leper
lazarillo blind person's guide
leal loyal
lebrel greyhound
lebrillo earthenware tub
lechera milkmaid
lechoso milky
lechuga lettuce
lechuza owl
legado legacy
legajo file; dossier; bundle of papers
légamo slime; ooze
legar to bequeath
lego layman; lay brother
legón hoe
leguleyo shyster lawyer
lejanía distance
lema, *m.* motto; title; slogan
lencería fabric and linen shop
lengua tongue; *pl.* talk, gossip; **irse a uno la —** to blab; **hacerse —s de** to sing the praises of
lenguado incessant talker
lenguaraz talkative; scurrilous
lenitivo mitigating; appeasing
lenteja lentil
lentejuela sequin; spangle
lentitud slowness
leña firewood; wood
leñador woodcutter
leño log
leñoso woody
leonés Leonese (of León)
lepra leprosy
leproso leprous
leso hurt; perverted
letargo lethargy
leticia joy
letra letter; handwriting; words of a song; **— cursiva** italics; **a la —** literally
levadura leaven, ferment
levantamiento uprising
levante East; *cap.* Mediterranean shores of Spain
levantino Levantine, Eastern
levita frock coat
levítico priestly
léxico vocabulary
ley, *f.* law; **tener — a** to be devoted to

leyenda legend
liar to tie
libar to suck
libélula dragonfly
libérrimo very or most free
libra pound
librea livery; uniform
librería bookstore
licenciado licensed; person with permit to practice a profession; holder of a licentiate degree
licenciar to license; to discharge
licuar to liquefy
lid, *f.* battle
lidia fight; **gallo de —** fighting cock
liebre, *f.* hare
lienzo linen; canvas
ligar to bind
lija sandpaper
lila lilac; *m.* fool
limar to file
liminar preliminary; introductory
limítrofe bordering
limo slime; mud
limonero lemon tree
limosna alms
linaje lineage; class
linajudo of high lineage
lince lynx
lindante bordering
lindar to border
linde, *m. & f.* boundary; border; limit
lindero limit; edge
lindeza beauty; prettiness; *pl.* insults
linfa lymph; water
linfático lymphatic (*slow to rouse to energy or excitement*)
lino linen; flax
lío bundle; mess; liaison
lioso troublemaking; difficult
liquen, *m.* lichen
lira lyre; lyre-shaped receptacle
lirio lily
lirismo lyricism
lirondo: mondo y — shaved (head)
lis, *f.* iris; lily
lisiar to hurt; to cripple; to injure; to damage
liso smooth; plain (clothes)
lisonja flattery
lisonjero flattering
listado striped
listón strip (of wood); lath
litigio dispute

litoral littoral, coast
liviano light; trivial
livor paleness
loable laudable
loanza praise
lobezno wolf cub
lobo wolf; — **de mar** sea dog
lóbrego murky; sad
lobreguez darkness; gloominess
lóbulo lobe; ear lobe
local store; establishment
localidad *theat.* seat
locuaz loquacious; babbling
lodo mud
logrado successful
logro attainment
loma hill
lombriz, *f.* earthworm
lomienhiesto high-backed
lona canvas
Londres London
lonja market; exchange
lontananza distance; far away
loor praise
loriga lorica, armor, cuirass
loro parrot
lorquiano of Lorca
losa flagstone
losanjeado lozenge-shaped
lostregar *Gal.* to flash with lightning
lozanía vigor; freshness
lubricidad lewdness
lúbrico lusty; lewd
lucerna chandelier
lucero bright star; evening star
luciente shining
luciérnaga firefly
luctuoso sad
lucubración lucubration, work produced by study or meditation
ludibrio mockery
luego then; later; **desde** — of course; — **de** right after; — **que** as soon as
luengo long
lueñe distant
lugareño pertaining to a village
lujo luxury
lujuria lust
lujurioso lustful
lumbrarada blaze
lumbre, *f.* fire; light; splendor

luminaria illumination, light
lunar mole
lupanar brothel
lustral shining; purifying
lustrar to polish, to shine
lustre luster; fame
lustro five years
luto mourning; **estar de** — to be in mourning

llaga wound
llamada call; knock; call to arms
llamado called; so called
llamarada fire; flame
llamativo gaudy, flashy
llamear to flash
llanada plain, level ground
llaneza plainness; simplicity
llanura plain
llevadero bearable
llevar to take; to wear; to keep (accounts); to bear; to exceed; **—se** to get along
lloroso sobbing
lluecada brood of chicks
llumenera *Val.* wick

macabrez macabre quality
macaco monkey; ugly; deformed
maceta flower pot
macferlán, *m.* inverness cape
macizo massive; solid
macrocosmos macrocosm, the universe
macular to stain
machacar to crush; to pound
macho male; mule
madama gaudily dressed woman
madeja skein
madera wood; shutter
maderaje lumber; woodwork
madrastra stepmother
madre, *f.* mother; womb; matrix; center
madreña wooden shoe
madreselva honeysuckle
madriguera burrow; place
madrileñista lover of Madrid
madrileño of Madrid
madrina godmother
madroño tassel
madrugada early morning
madrugar to get up early

madurez maturity
magín imagination
magisterio pedagogy
magistralmente in a masterly way
mago magic; magician; wizard
mahatma wise man
maitines, *pl.* matins, early morning prayers
maíz, *m.* corn
maizal corn field
majada sheepfold
majadería folly; annoyance
majadero stupid; fool; bore
majagranzas, *m.* stupid bore
majuelo English hawthorn
malagueño of Málaga (*city in southeastern Spain*)
malbaratar to squander
maldición curse; damnation
malecón dike, sea wall
maleficio spell
maleficioso cursed; full of witchcraft
maléfico malevolent
malestar malaise; indisposition
maleza weeds; underbrush
malhechor criminal
malicia malice; slyness; suspicion; dissimulation
malogrado ill-fated
malparado mistreated
malsinar to defame
maltrecho abused; battered
malva mauve; *bot.* mallow
malvado wicked; fiendish
malvarrosa hollyhock
mamar to suckle
mamarracho ridiculous fellow
mamelón mound; hillock (shaped like a breast)
mamotreto notebook; batch of papers
mampara screen
mamparo shelter
mamporrero man who takes mares to the stallions for stud service
mampostería rubble work; masonry
manada herd
manadero spring; source
manantial spring
manar to pour forth
manaza large hand
manchego native of La Mancha
manchón patch; splotch
manda offer; legacy
mandíbula jaw
mando command

mandria, *m.* coward; good-for-nothing
manecita, *dim. of* **mano**
manejar to manage; to handle
manejero foreman
manejo handling; management
manes, *m. pl.* spirits (worshipped as gods)
manga sleeve
mangante rogue
mango handle
mangonear to be bossed; to boss
maniatar to manacle; to handcuff
manicomio insane asylum
manigua jungle; thicket
maniqueo Manichean
maniquí, *m.* manikin; dress form
manjar dish
mano, *f.* hand; pestle; forefoot; **fuera de —** off the beaten track
manojo handful; bunch
manopla gauntlet
manotear to gesticulate
mansalva: a — without running any risk
mansedumbre meekness
manso meek
mantecado biscuit; ice-cream
mantehuelo, *dim. of* **manto**
mantel tablecloth
mantellina head scarf
manteo cloak; mantle
mantilla head scarf; *pl.* swaddling clothes; **encontrarse en —s** to be in one's infancy
mantillo humus; manure
manubrio handle; **organillo de —** hand-cranking organ
manumitir to manumit, to free (from slavery)
manzanilla camomile
manzano apple tree
mañanero early-rising
maquillaje make-up
maquinaria machinery
mar. *m. & f.* sea; **hacerse a la —** to put out to sea
marasmo depression
marca mark; brand; make
marcar to mark; to dial
marco frame
marchito faded; withered
marea tide
mareado seasick; lightheaded
marear to make dizzy
marejada surf

maremágnum, *m.* confusion
mareo seasickness
marfil ivory
marfileño (pertaining to) ivory
margarita daisy
maricallo *Gal.* effeminate man
marimacho mannish woman
marina seascape
marinada: oler a — to smell of the sea
marinería seaside character, sailors
marinero seagoing
mariñán *Gal.* kerchief
mariposa butterfly
marisabia woman with intellectual pretensions
marisabidilla bluestocking; female intellectual
marisco shellfish; *pl.* seafood
marisma marsh; swamp
marjal marsh
mármol marble
marmolillo dolt
maroma rope; cable
marrana sow; dirty or unprincipled woman
marrar to fail; to miss
marras: de — in question
Marruecos Morocco
marrulería wheedling
Marte Mars (*God of war*)
martillo hammer
más more; **por de —** besides; in addition; **de — a —** in addition
mascar to chew; **—se** to gall
máscara mask
mascullar to mutter
masía farmhouse; farm
mástil mast
mastín mastiff
mata underbrush; sprig; plant; shrub
matadero slaughterhouse
matadura sore
mate dull; lustreless; pale
matinada: de — early in the morning
matinalmente in the morning; each morning
matines, *m. pl.* matins, morning prayers or religious service
matiz, *m.* shade, nuance
matización blending
matizado blended; subtly blended
matorral thicket
matorro puny shrub
matraca rattle; jest
matriz, *f.* mold; origin; womb

matutino morning
maula, *m. & f.* oaf
maullar to miaow
maullido miaow
mayar to mew
mayor greater; larger; older; grown up; *pl.* elders
mayoral head shepherd; foreman
mayorazgo estate descending by primogeniture
mayoritario majority
mayúscula capital letter
maza club; hammer
mazacote sticky or dull mess
mazorca ear of corn
meandro meander; intricate ornamentation
mear to urinate
mecanógrafo typist
mecedora rocking chair
mecenas, *m.* Maecenas, patron
mecenazgo patronage; protection given to an artist
mecer to rock
mechero burner; **— de gas** gas burner
mechón shock of hair; tuft
medalla medal; medallion
medallón medallion
media stocking; half a toasted bun; **a —s** partially; **hacer —** to knit stockings
mediado: a —s de about the middle of
medianímico seen by a medium (who communicates with the dead)
mediano middling; average
mediante by means of; through
mediar to intervene
mediatizar to control
medicastro quack; bad doctor
medición measuring
medidor measurer
mediodía noon; south
meditabundo pensive
medrar to thrive
medroso fearful; timid
médula marrow
medusa jellyfish
mejilla cheek
mejorana sweet marjoram
mejunje mixture; brew
melena long hair
melenudo shockheaded; bushy hair
melificar to sweeten
melindre finicalness
melón-cepillo close-cropped (hair)

meloso sweet; mild; honeyed; **corazón —** warm-hearted

mella dent; **hacer — a** to have an effect on

mellar to nick; to dent; to blunt

mellizo twin

membrillo quince

membrudo husky

memo fool

mendigar to beg

mendigo beggar; poor

mendrugo crumb of bread given to beggars

menear to nod; to stir; to move

menester occupation; **ser —** to be necessary

menesteroso needy person

mengua decrease

menguante waning

menguar to diminish

menina young lady attending queen or princess

menos less; **ni mucho —** least of all; **venir a —** to decline; to come down in the world

menoscabar to reduce; to damage; to discredit

menosprecio lack of esteem; scorn

ménsula *arch.* bracket

menta mint

mentar (ie) to mention

mentecato fool

menudamente in detail

menudo small; minute; how (*used emphatically*); **por lo —** in detail

meñique: dedo — little finger

mercadear to trade (in)

mercader merchant

mercancía merchandise

mercar to buy; **— en** to deal in

merced grace; mercy; **— a** thanks to

merchaniego for sale

merendar (ie) to have a snack; **—se** to manage to get

merendero lunchroom

meridiano noontime; very clear

merma reduction

mermar to lessen

merodear to maraud; to wander

mesada monthly allowance

mesar to tear out

mesianismo Messianism, belief in a Messiah

mesocracia government by the middle class

mesón inn

meta goal

metaforismo use of metaphor

metálico coin, cash

meter to put in; **—se con** to get familiar with; to provoke

metido full; rich

metro meter; tape measure

mezcla mixture

mezquino mean; stingy

miaja bit

microcosmos microcosm, a small world

miel, *f.* honey

mientes, *f. pl.* mind; thoughts, ideas; **parar —** to consider; to pay attention; **venir a las —** to come to one's mind

miga crumb; bit; *pl.* fried bread crumbs

migaja crumb

milagrero miracle monger

milanés Milanese

mimar to pet; to spoil; to pamper

mimbre wicker; **mano de —** rug beater

mimesis, *f.* mimesis, imitation

mimético mimetic, imitative

mimo mimic; mime

mimoso spoiled; loving

minar to consume

minerva invention

miniar to paint in miniature

minoritario belonging to the minority

minucia trifle; *pl.* minutiae

minuciosidad minuteness; prolixity

minuta list; menu

mira sight; aim; view; purpose; design

mirabel sunflower

mirador watchtower; closed porch; viewpoint

miramiento consideration; prudence

mirar to look at; **— de hito en hito** to stare; to look at from head to foot

mirlo blackbird

miserabilismo wretchedness

misógino misogynist, woman-hater

misticidad mistiness; fuzziness

mítico mythical

mitificar to make myths

mitologizado mythological

mixtificación mystification

mixtificador one who deceives by a hoax

mnemónico mnemonic, referring to memory

moaré moiré; a watered silk fabric

mobiliario furniture

mocedad youth

mocerío young people

moción motion; inclination; divine inspiration

moco mucus; **no ser — de pavo** not to be sniffed at

mocoso brat
mochila knapsack
mochuelo small owl
modales, *pl.* manners
módico reasonable
modorra drowsiness
modoso temperate; well-behaved
mofa jeering; mockery
mofarse to mock
mohatra sham sale; fraud
mohín face, grimace; pouting
mohino gloomy; annoyed
mohoso rusty
mojar to wet, dampen, drench
mojigato hypocritical; prudish
mojón landmark
moldura molding
mole, *f.* mass; bulk
moler (ue) to grind; to pulverize
molón grinding wheel
mollar soft
momento moment; **al —** at once; **de —** for the present
momia mummy
monacillo altar boy, acolyte
monada cute little thing
monaguillo altar boy, acolyte
mondar to clean; to trim
mondo clean; pure
monedero: — falso counterfeiter
monetario coin collection
mongol Mongolian
monigotada grotesque action
monigote kid; puppet; grotesque figure
monja nun; **irse —** to enter a convent; **meterse —** to become a nun
monje monk
monjil nunnish
mono cute; monkey
monodiálogo dialog with oneself
monserga gibberish
monta account; importance
montante *arch.* mullion; transom
montaraz backwoods
monte card game; mountain; woods
montera skylight
montesino wild; rustic; pertaining to the mountains
moño topknot
moqueante with runny nose
mor, *var. of* **amor por — de** out of fondness for; because of

morada dwelling
morado purple; mulberry
morador dweller
moraleja moral
morar to dwell
morbo disease
morbosidad morbidity
morboso morbid
morcilla blood sausage; **¡que le den —!** Go jump in the lake!
mordedura bite
mordisco bite
mordisquear to nibble
morenusco darkish
morería Moorish land
morfología morphology (*study of the changes in form*)
moribundo dying
morriña longing
mortaja shroud
mortandad mortality; massacre
mortecino dying
mortero mortar
morueco ram
moruno Moorish
mosca fly; tuft of hair under the lip; **— muerta** hypocrite
moscarda blowfly; bluebottle
moscardón botfly; hornet
mosconeo buzzing
mosén sir; title given to clergymen
mosqueado fly-specked
mosquero fly trap
mosto must; wine
mostrenco commonplace
mota speck
mote nickname; emblem
motejar to call names; **— de** to brand as
motín riot; uprising
motivo motive; motif, theme
movedizo lively
móvil motive
mozalbete young fellow
muceta hood
muda change
mudable changeable
mudanza change; moving
mudar de to change; **— consejo** to change one's mind
mudez muteness, silence
mueca grimace
muela back tooth, molar

muelle pier; spring; soft
mugido bellow; roar
mugir to bellow
mugriento filthy
mujeruca woman (*derogatory*)
muladar dungheap; trash
mulatez sluggishness
muleta crutch
multa fine
mullir to fluff out; to ready (a stable)
munición ammunition; **humanidad de —** common people
muñeca doll; wrist
muñequito cartoon; comic strip
muñón stump of an amputated limb
murciélago bat
muro wall
museal (pertaining to a) museum
muselina muslin
musgo moss
musitar to muse; to mutter
muslo thigh
mustiar to wither
mustio gloomy; sad; downcast; withered
mutis, *m.* *theat.* exit

nácar mother-of-pearl
nacarado pearly
nacimiento birth
nadar to swim
naipe card
nalga buttock
nambí with ears back or down (said of horses)
naranjal orange grove
naranjo orange tree
narcísico narcissistic
nardo tuberose
nasa basket for catching fish
nata cream
nato born
natural native; natural
naufragar to be shipwrecked
naufragio shipwreck
náufrago shipwrecked
nauseabundo nauseating
navaja knife; razor
nave, *f.* nave (of church); ship
navideño of Christmas
navío ship
nazareno Nazarene; mulberry-colored
necedad foolishness

necrología death notice
necrológico necrological, obituary
nefando heinous
nefasto unlucky; ominous
negado inapt; dull
negror blackness
negrura blackness
negruzco blackish
nelumbo lotus, large water lily
nene baby
nenúfar water lily
nervudo vigorous; sinewy
neto clear; neat
nevada snowfall
nicaragüense Nicaraguan
nidal nest
niebla fog
nimbar to encircle with a halo
nimio insignificant
ninfea white water lily
niña little girl; **— del ojo** apple of one's eye
niñez childhood
nítido clear; sharp
nivel level
nivelador leveling
nivelar to level; to survey
nocivo harmful
nodriza wet nurse
Noé Noah
nogal walnut tree
nómina list; catalogue
noria water wheel; draw well
norma norm, standard
noruego Norwegian
noticiario news service; newsreel
novato novice
novedoso fond of fads, novelties; fickle; *n.* gossip
novelesco novelistic; fictional
noviazgo courtship
novillo young bull
novio sweetheart; **viaje de —s** honeymoon
nubarrón large cloud; storm cloud
nubilidad nubility, marriageability
nublarse to cloud over; to darken
nublo cloudy sky
nuca nape of the neck
nudillo knuckle
nudo knot
nueva news
nuez nut
nutrido copious
nutrir to nourish

ñoñez timidity; foolishness

obcecarse to become blind or obsessed
obispado bishopric
obispo bishop
óbito decease
objetable objectionable
oblea wafer
oblicuo oblique
obrador workman; workshop
obseso obsessed
obstante: no — nevertheless
obstinarse to be obstinate; to persist
ocarina ocarina, wind instrument
ocaso sunset; decline
ociosidad idleness
ocioso idle
ocre ochre
ocreante yellowish ochre
ocurrente witty
ocurrir to occur; to anticipate
ochavo small coin
odre goatskin wine bag; **— del llanto** tear sac
oferta offer
oficiante the priest who officiates at the altar
oficio job; trade
ofrendar to make an offering of
ofuscar to confuse; to dazzle
ograda ogrish statement or action
ojal buttonhole
ojalá God grant!
ojeada glance
ojear to glance at
ojeroso with rings under the eyes
ojiva ogive, pointed arch
ojival ogival, with pointed arches
oleada wave; surge
oleaje surge of waves
oledor nosey
óleo oil
olfato scent
oliente a smelling of
oliscar to sniff; to investigate
olisquear to sniff
oliváceo olive (color)
olivar olive grove
olmeda elm grove
olmo elm
oloroso odorous, fragrant
olla stew; whirlpool; **— de grillos** pandemonium
omnímodo all-inclusive

omnitrascendente all-embracing; penetrating all
onda wave
ondear to wave; to ripple
oneroso onerous, oppressive
ontológico ontological (*concerning the science of being*)
opacidad opacity (*being impervious to light*)
oprimir to oppress; to press, to squeeze
optar to opt; to choose
oquedad hollowness; hollow
orar to pray
orate lunatic
orbe orb; world
orcita, *dim. of* **orza** preserve jar; crock
ordalía ordeal
ordenación order
Ordenamiento code of rules
ordenanza ordinance; *m.* errand boy
ordeño milking
ordinariez coarseness
orear to air (out); to permeate
oreo airing
orfebrismo delicate art
órfico Orphic; mystic; oracular
oriente east; origin
orín rust; *pl.* urine
oriundez origin
orla fringe, trimming; border
orlar to border, trim
orondo puffed up
ortiga nettle
ortología orthology (*correct pronunciation and use of words*)
orza crock
osamenta skeleton; bones
osario ossuary, charnel house
oscilación oscillation; fluctuation
oscilante oscillating, wavering
oscuro dark; **a —as** in the dark
ostentar to show off; to boast
ostra oyster
ostruno oyster-like
otear to examine (from a height)
otero hill
otoñal autumnal
otorgamiento granting
otorgar to grant
otro another; **— tanto** that much more; **al — día** the next day
otrora of yore
otrosí besides

ova sea lettuce; alga
oveja sheep
ovetense native of Oviedo
ovillar to form into a ball
ovillo ball; heap; skein
oviparismo egg laying system
ovíparo egg laying
ovoide egg-shaped body
oyente listener; *pl.* audience

pabellón pavilion; banner
pacer to graze; to pasture
pachón: — de asador animal being fattened up
padrastro stepfather
padrenuestro our Father, Lord's Prayer
padrino godfather; second (in a duel)
pago district; land (*usually refering to vineyards*)
paisajista landscape painter
paja straw
pajar straw loft; barn
pájaro bird; **la cabeza a —s** bird brain
pajarraco big ugly bird
pala shovel
palabrería wordiness
palabrero talkative; wordy
palabrota vulgarity (word)
paladar palate
paladeo tasting; relishing
paladino public, open; common
palafrenero groom; stableboy
palanca lever
palangre trawl, trotline
palatinal of the palate
palco theatre box
paleta palette
paliativo palliative; remedy
palidecer to pale
palillo drumstick
palique chit-chat
palitroque small stick
paliza caning; beating
palma palm; **llevar las —s** to clap (keeping time with music)
palmario clear; evident
palmatoria candlestick
palmera palm tree
palmotear to clap
paloma dove
palomar dovecote
palpar to touch; to feel

palúdico malarial
palurdo rustic; boor
pámpano young vine branch; tendril
pamplina chickweed; yellow poppy; nonsense
pan, *m.* bread — **de higo** fig cake; — **criado** wheat; grain
pana corduroy; velveteen
panadería bakery
panal honeycomb
pandereta tambourine
pandero tambourine
pando bulge
paniaguado servant; favorite
panizo millet
pantalla lamp shade; screen
pantano marsh; dam
pantera panther
panza paunch
panzudo pot-bellied
pañal diaper
pañoleta triangular shawl
papa, *m.* pope
papagayo parrot
papanatas, *m.* fool; simpleton
papanatería people easily impressed; gullibility
papanáticamente gawkingly; foolishly
papandujo overripe; tired and baggy
papar to receive; to swallow
papeleta slip of paper; file card; thicket
par like; equal; pair; peer; nobleman; **abrir de — en —** to open wide
para for; in order to; — **con** toward; with
parabién, *m.* congratulations; greeting
parábola parable
paracleto advocate; support
paradero whereabouts
parado slow; spiritless; docile
paradoja paradox
paradojista writer of paradoxes
parador wayside inn
paraíso paradise; top gallery (of theatre)
paraje place
paralís attack of paralysis
paramento adornment; hangings
paramera desert; moor; bleak country
páramo desert
parangón comparison
parapetado fortified; protected
parar to stop; to parry; — **de** to stop;
pararrayo lightning rod
parcela plot of ground

parco sparing
pardal sparrow
pardillo linnet; grayish-brown
pardo brown; drab
pardusco drab; grayish
parecer opinion; mind; to seem; **al —** apparently
parecido similar, alike
paredón thick wall
pareja couple; pair of soldiers or policemen
parentela kinsfolk
parentesco relationship
parida woman recently delivered
parir to give birth
parlante speaking
parnaso Parnassus; collection of poets
paro shutdown
parpadear to wink; to blink
parpadeo flickering; blinking; winking
párpado eyelid
parra grapevine
párrafo paragraph
párroco parish priest, pastor
parroquia parish; parochial church
parroquial parish
parteluz, *m.* sash bar
parterre flower bed
partícipe participant
partidario partisan
partido party; group
partir to leave; to depart; to split; **a — de** beginning with; after
parva heap of unthreshed grain
parvedad lightness; smallness
parvo slight
párvulo child
pasada passage; pass; **de —** in passing; hastily
pasadizo passage; alley; corridor; hallway
pasador link; cuff link
pasajero passenger; passing, fleeting
pasar to ride; to leaf through; **— por alto** to skip; to pass over; **—se** to get along
Pascua Easter; Christmas; **— florida** Easter
pascual paschal, Easter
pase feint; **— de pecho** bullfighter's pass (*allowing bull to pass close by his chest*); **los —s de sesión** the separate shows
paseo walk; **enviar a —** to dismiss without ceremony
pasillo corridor
pasionaria passion flower

pasito softly
pasmar to frighten; to astound
pasmo astonishment
pasmoso astounding
paso step; short play; religious image; **pupilos de —** transient guests; **salir al —** to meet; to confront; **al — que** while, whereas; **ceder — a** to give way to
pasodoble lively Spanish dance
pasta paste; dough
pastel crayon drawing; pastry
pastelería pastry shop
pastiche pastiche, jumbled mixture
pastilla pill
pasto grass; food; **a todo —** without restriction
pastoso sticky; soft
pata foot; leg; oar
patada kick; **pegar pataditas** to give little kicks
patalear to kick about violently
patán, *m.* peasant; yokel
patata potato
patatús, *m.* fainting fit
patente, *f.* patent; certificate
patentizar to make evident
patético pathetic; moving
patetismo pathos
patillas, *pl.* sideburns
patinar to skate; to skid
patinillo, *dim. of* **patio**
patiseco spindle-shanked
pato duck
patraña fabulous story
patriciado patrician dignity
patrón standard, pattern; boss
pauta guide; standard
pautar to space
pavesa ember, spark
pavo turkey
pavonear to strut
pavor fear
pavoroso fearful
payasada clownish stunt
payaso clown
pazo *Gal.* palace
peana pedestal stand
pebetero perfume censer
pecoso freckled
pechera shirt bosom
pechihundido sunken-chested
pecho chest; breast; **ponerse de —s** to lean one's chest (on a railing)

pedernal flint
pedrada stoning; throwing stones
pedregal stony ground
pedregoso rocky
pedrería precious stones
pedrero rocky
pedrisco hail storm
pedriza stone fence; stony spot
pedrizal stony area
pedrusco rock
pegar to stick; to hit; to join
peinador dressing gown
peinar to comb
pelado bare
pelandusca loose woman
peldaño step
pelear to fight
pelota ball
peluca wig
peluche plush
peludo hairy
peluquerado trimmed
pelusa down; fuzz; jealousy
pellejo skin; wineskin
pellizcar to pinch
pellizco pinch; bit
penacho plume
penalidad hardship
pendenciero quarrelsome; molesting
pender to hang
pendiente steep; dangling; *m.* earring; *f.* slope
pendón ne'er-do-well
pendulación swinging of the pendulum
pendulante hanging down
penoso arduous; livid
pensamiento thought; pansy
pentagrama, *m.* musical staff
penúltimo penultimate
penumbra penumbra, shadow
penuria penury, extreme poverty
peñascal rocky, craggy terrain
peonza top
pepino cucumber
pequeñez trifle
peral pear tree
percalina percaline, a fine cotton fabric
percatar to notice
percha perch; pole; clothes tree; rack
perchero rack, clothes rack
perdiz, *f.* partridge
perdurable everlasting

perduración survival
perdurar to last; to endure
perecedero perishable
perecer to perish
peregrinar to journey
peregrino strange; pilgrim; wandering; traveling
perejil parsley
perenne perennial
perentorio peremptory; urgent
pereza laziness
perficionar, *var. of* **perfeccionar** to perfect
pérfido perfidious, treacherous
perfil profile; outline
perfilar to outline
pergamino parchment
pergenio appearance
pergujal small plot of ground
pericia skill
periclitar to be in jeopardy
peripecia peripeteia (*sudden change of circumstances of fortune*); incident
peripuesto all spruced up
perjudicar to harm
perlada pearly
perlesía paralysis
perorar to orate
perorata harangue
perra small coin worth 10 céntimos; bitch
perro dog; — **de lanas** poodle
persa Persian
persiana shutter
pertenencia property
pértiga staff; pole
pertiguero verger
pertinaz persistent
perturbado madman
perviviente surviving
pervivir to survive despite difficulties
pesa weight
pesadez heaviness; dullness
pesadilla nightmare
pesaleches, *m.* apparatus for measuring the density of milk
pésame, *m.* condolence
pesantez gravity
pesar to weigh; regret; **pese a, a — de** despite
pesaroso sorrowful
pesca fishing
pescadero fishmonger
pescador fisherman
pescante coach box

pesebre manger
pesquero fishing
pesquisa research; investigation
peste, *f.* plague; stench
pestaña eyelash
pestífero noxious; vicious
pestillo bolt
petaca (cigar) case
petar *Gal.* to rap, to knock
peto breastplate
pétreo rocklike
petulancia flippancy; insolence
petulante insolent
peyorativo pejorative, depreciatory
pezón nipple
pezuña hoof
piafar to stamp
piar to chirp
pica pike
picacho peak
picado pocked
picamulo muleteer
picapedrero stonecutter
picar to sting; to nibble on; — **en el palique** to take part in the chit-chat
picardía roguishness; deceit
picaresco roguish
picarismo roguishness
pico pick; pickaxe; aggressiveness
picota pillory; **poner en la** — to hold up to public scorn
picoteado speckled
picotear to nip; to prick; to peck
picudo pointed; slanting
piedra rock; — **de mechero** lighter flint
pie, *m.* foot; **al** — **de la letra** literally
piélago sea
pierna leg; **hacer** —**s** to be firm; **a** — **suelta** at ease, carefree
pieza piece; prey
pigmeo pygmy
pihuela jess; shackle
piído chirping
pila font
pillar to catch
pimentón red pepper
pimpollo sprout; handsome young person
pinar pine grove
pincel brush; chisel
pincelada brush stroke
pinchar to pierce

pincho goad; pick
pino pine
pinta dot; mark
pintarrajear to make up (the face) badly; to daub
pinto speckled
pinturero conceitedly affected; putting on elegant airs
pinza pincer
piña pine cone; pineapple
pipiolo greenhorn; urchin
piporro bassoon
pique pique; **estar a** — **de** to be on the verge of
piqueta pick
piropo compliment; flirtatious remark; flattery; flirtation
pirueta pirouette
pisada tread; footstep
pisapapeles, *m.* paperweight
pisar to tread; to get ahead of
piso floor; apartment
pisotear to trample
pista track; scent
pistón piston; **escopeta de** — old fashioned gun
pistonudo stunning
pita agave, maguey
pitar to whistle
pitera century plant
pitillo cigarette
pito whistle
pizarra shale; slate
pizca mite, bit
placa plaque; plate
placentería pleasure; joy
placentero pleasant
placer to please
plagar to plague
plagiario plagiarist
plagio plagiarism
plana page; notebook; **primera** — title page
plancha blunder
planchar to iron
plano smooth; level; flat; **sol de** — full sun
planta appearance; plant; sole (of foot); foot
planteamiento statement; framing (of a question)
plantear to state; to pose
plantel nursery
planto heavy weeping with sobs and moaning
plañidero plaintive
plañir to lament
plasmar to shape
plasta paste; soft mass; flattened mass

plátano banana (tree)
plateado silvery
platino platinum
playa beach
plaza square; character
plazo time extension; **a —s** in instalments; on credit
pleamar, *f.* high tide
pleamarino (pertaining to) high tide
plebeyo plebeian
plegar (**ie**) to bend; to fold
plegaria prayer
pleita plaited strand of esparto grass
pleiteante plaintiff
pleito lawsuit
plenario full; plenary; complete
plenilunio full moon
pleno full; complete
plepa mess
pleura pleura (*membranes covering the lungs*)
pléyade, *f.* pleiade, group of writers flourishing at the same time
pliego sheet; bag of bones
plomo lead
plumero feather duster
plumilla: — de cuarta blunt pen
plumón down (soft feathers)
plutónico plutonic; infernal
pluvial pertaining to rain
poblado town
poblar (**ue**) to populate
pocilga pigsty
poco little; not very; **a — de** shortly after; **— a — ** little by little; **de —, por — ** almost
podar to prune
poder (**ue**) to be able; **no — menos de** not to be able to help but; **— con** to be able to manage; *n.* power
poderío power
podre, *m or f.* pus; corruption; rotten
podredumbre putrefaction; decay; corruption
podrir to rot; *also* **pudrir**
poeano Poe-like
polaco Pole, Polish
polea pulley
policromo polychrome, many colored
polisón bustle (of women's dress)
polonesa polonaise (*a musical composition*)
poltrona easy chair
polvareda dust cloud
polvoriento dusty

pollastre chicken
pollo chicken; sly young fellow
pomo hilt (of sword); bouquet; pommel; **— de la puerta** doorknob
pómulo cheekbone
poner to put; to lay (eggs); **—se en pie** to stand up; **— en salvo** to free; to let go; **—se** to become; **— con** to compare with; **—sele los pelos de punta** to make one's hair stand on end
poniente sunset; west
ponzoña poison
popa *naut.* poop, stern
porciúncula small bit; trifle
porfiar to persist; to argue
pormenor detail
porquería crudity; filth
porrazo clubbing; blow
porro bore; dolt
portada front (of houses); façade; cover (of magazine)
portal vestibule; arcade; doorway
portalira, *m.* poet
portantillo easy pace
portavoz megaphone; mouthpiece
porte carriage, bearing; behavior
portento prodigy, wonder
portería porter's lodge
portillo gap, opening
posada inn
posadero innkeeper
posar to rest
pósito public granary
posta shot
postigo postern (*small door or gate*)
postizo false
postre, *m.* dessert; *f.* **a la —** at last
postrero last
postrimerías, *pl.* latter part
pote pot; jug
potencia power
potestad power
potra filly, young mare
potro colt
poyo stone bench (near front door)
pozo well
practicable functional
practicar to do; **— lo propio** to do the same thing
practicón practitioner; skillful
pradera meadow; prairie
preagónico prior to death

prebenda patronage; benefice
preburgués pre-bourgeois
precepto: día de — religious holiday
precio price; value
preciosismo preciosity; affectation
preciosista one who writes in a precious, high-flown style
precipitado swift, precipitous
precisar to determine; to say precisely
preclaro famous; illustrious
predio property
prefijo prefix
pregón hawking
pregonar to hawk; to proclaim
premiar to reward
premiosidad heaviness; tiresomeness
premioso troublesome; strict; dull
prenda quality; token; pledge; proof; article of clothing; **en —** in pawn
prendar to fall in love
prensa press
prepotencia haughtiness
presa dam; prey
prescindir de to do without; to disregard
presentir (ie, i) to have a foreboding
presidio jail
presión pressure
prestación loan
prestamista moneylender
préstamo loan
presteza quickness; speed
presto quick
presunto presumptive; probable
presupuesto budget
pretendiente suitor
preterición omission
preterir to overlook
pretérito past
pretil stone railing
prevaler to prevail; **—se de** to take advantage of
prevenir (ie) to prepare for; to anticipate; **— de** to provide with
prever to foresee
previsible foreseeable
previsión foresight; forecast
prez, *m. or f.* honor; glory
prima first string (of guitar)
primaveral of spring
primigenio original; primitive
primo first; prime; cousin; **materia prima** raw material
primor beauty

primoroso careful; elegant; exquisite; excellent; beautiful
principio beginning; entree; **en un —** at first
pringoso greasy
privar to deprive; **—se** to give up
problemática all the problems
probo honest; fair
procaz impudent
proceder behavior
procedimiento procedure
prócer lofty
proceso process; trial
prodigar to lavish; to squander
proeza prowess
profeso *eccl.* professed, one who has taken religious vows
profetismo tendency to prophecy
prófugo fugitive
prognato prognathous, jutting out
prójimo neighbor, fellow being
prole, *f.* offspring
prolijidad prolixity; verbosity
prolijo prolix, wordy
promediar to mediate; to divide in two
prometedor promising
prometeico Promethean
promisión promise
promoción group; generation
promover (ue) to promote
pronombre pronoun
pronto soon; **al —** right off; **de —** suddenly; **por de —** in the meantime; for the time being
propalar to divulge; to say
propiciar to propitiate; to pacify
propina tip; **de —** in the bargain
propio characteristic; same; himself, *etc.*; *n. pl.* public lands
propósito purpose; fitting; **a — (de)** by the way
propuesta proposal
propugnar to defend
prora prow
prorrumpir to burst
prosaísmo prosiness
prosapia ancestry
prosista prose writer
proteico protean; exceedingly variable
proteísmo a changing of forms
provenzal Provençal
próvido provident; solicitous
prueba proof
prurito itch, urge

psiquiatra, *m.* psychiatrist

púa point; barb; prong; sharp point; needle

público public, audience; **de —** publicly

puchero stew; pot; daily bread; **hacer —s** to pout

pudiente powerful

pudor modesty; virtue

pudrir to rot

pueblerino villager; small town person

puertorriqueño Puerto Rican

pugna conflict; battle

pugnar to struggle

pujanza vigor

pulcro beautiful; graceful

pulga flea; **de malas —s** hot-tempered

pulgar thumb

pulir to polish

pulmón lung

pulpo octopus

pulsar to touch; to rap, to knock; to take the pulse of; to examine

pulsera bracelet

pulso pulse; wrist; **a —** by main strength; with precision

pululación swarming; pullulation; abundant multiplying

punta point; **en — a** aimed at; **— de lanza** vigorous element

puntada stitch

puntal prop

puntapié, *m.* kick

punteado plucking (of guitar)

puntear to play (a guitar)

puntera kick

puntilla small point; *pl.* point lace; **de —s** on tiptoe

puntillo punctilio; **poner —** to take special pains

puntilloso punctilious

punto point; end; bit; moment; instant; **en un —** immediately

punzante sharp; stinging; caustic

punzar to prick

puñado handful; **a —s** hand over fist, rapidly

puñal dagger

puñalada stab

puñeta damn! (*strong exclamation*)

puñetazo blow with the fist

puño fist; handful; cuff

pupitre writing desk

puro cigar; pure; sheer

purpurino purple

pusilánime fainthearted, cowardly, pusilanimous

puta prostituté

putañero lewd; lustful

quebrada rough, uneven ground; ravine

quebradizo brittle; frail

quebrantar to break

quebranto break; heavy loss

quedar to remain; **— en** to agree; **venir a — en** to come to the conclusion

quedo quiet

quehacer task

quejido complaint; moan

quejumbre moan; complaint

quejumbroso plaintive

quemasdá, *m.* indifference; negligence

querella complaint

querellar to quarrel

querencia liking; attraction

querubín cherub

queso cheese; **— de bola** Edam cheese

quia oh, no!

quicio doorjamb; front steps

quiebra crack; disadvantage; break; breaking off (of an alliance); broken ground; bankruptcy

quijada chin; jaw

quijal grinder, molar tooth

quilate karat; value

quilla keel

quimera chimera; wild fancy

químico chemist

quina cinchona; **tragar —** to swallow a bitter pill

quincena fortnight, two weeks

quinqué, *m.* lamp

quintaesencia quintessence; pure, concentrated essence

quintal weight measure

quiosco kiosk; **— de periódicos** newsstand

quiromántico chiromantic, pertaining to palmistry

quirúrgico surgical

quisicosa puzzling thing

rabiar to rage; to go mad

rabillo tip; **con el — del ojo** out of the corner of one's eye

rabioso furious

rabito stem

rabo tail; appendage; handle

rabuñar *Gal.* to claw

racimo   bunch; cluster
ráfaga   flash; gust, puff of wind
raído   threadbare; worn
raja   a crack
rajadura   crack
rajar   to split
raleza   sparsity
ralo   sparse
ramaje   foliage; branches
ramazón   pile of branches
rambla   dry ravine
ramblizo   bed of a torrent
rameado   branched; with ramiform design
ramillete   bouquet
ramplón   vulgar; common
rana   frog
ranciedad   old-fashioned idea
rancio   old; rancid
rancho   ranch; mess
randa   lace trimming
rango   rank; position; class
rapacejo   edging
rapado   shaved; cropped; bare
rapar   to shave
rapaza   young girl
rapé   snuff
rápido   rapid; *n.* express train
raposo   fox
raptar   to kidnap; to ravish
raquítico   rickety; flimsy
rareza   oddness; peculiarity
raro   strange; **de — en —** from time to time
ras, *m.*   evenness; **a — de** even with
rasar   to graze; to skim
rascacielos, *m.*   skyscraper
rasero   rule, standard
rasgado   open
rasgamiento   ripping
rasgar   to tear
rasguear   to pluck
raso   satin; tableland; open part
rasposo   raspy; hoarse
rastra   track; **a la —** *or* **a —s** dragging; unwillingly
rastro   trace
rastrojera   stubble field
rastrojo   stubble
rataplán   rub-a-dub-dub
ratimago   cunning
ratonero   mousy; **perro —** small mongrel
raudo   rapid

raya   stroke; line; **— planchada** neatly creased trousers
rayano   bordering
rayar   to stripe; to streak; to appear; to dawn
rayo   ray; bolt; stroke of lightning
rayola   streak
raza   race; ray of light
reacio   stubborn
reactivo   reagen (*in chemistry, a substance which, from its reactions, is used to detract or measure substances*)
real   real; royal; (small) Spanish coin
realce   enhancement; splendor; embossment
realzar   to enhance, heighten
reanudar   to resume
reata   single file
rebaja   reduction
rebajo   low esteem
rebanadura   slice; section
rebanar   to slice
rebañar   to glean; to clean up
rebaño   flock
rebasar   to exceed
rebatir   to drive back; to resist
reblandecer   to soften
rebojo, *var. of* **regojo**   dry, left-over bread
reborde   edge
rebosar   to overflow
rebotar   ro rebound; to bounce about or back
rebozar   to muffle; **rebozadas entrevistas** clandestine meetings
rebrillo   glistening
rebrote   sprout
rebultarse   to become massive again
rebullicio   great clamor
rebullir   to stir
rebuscado   affected; recherché
rebuscar   to search for; to glean
rebuznar   to bray
recabar   to succeed in getting
recaída   relapse
recalcar   to emphasize; to endorse
recamar   to embroider in relief
recapacitar   to run over in one's mind
recatar   to hide; to seclude; **—se** to cover up
recato   reserve; decency
recelar   to fear
recelo   fear
recial   rapids (in a river)
recinto   area; place
reclamo   decoy bird; lure; catchword

reclinar to recline; to rest
reclinatorio prie-dieu; couch
recluir to shut in; to seclude; to intern
reclutar to recruit
recocido expert; clever
recodo turn; bend
recogido modest; moderate; withdrawn
recogimiento concentration
recoleto abstract; self-communing; retreat
reconcomio shrug; fear; shrug of the shoulders; misgiving
recóndito recondite, hidden
reconfortar to comfort; to refresh
reconocer to examine; to recognize
reconocimiento recognition; examination
recortar to outline
recorte clipping
recostar (ue) to recline
recoveco twist; subterfuge
recrudecer to recur; to increase
recto straight; right; righteous
rector rector; university president
rectorado rectorate; presidency
recusar to reject
rechifla hooting; ridicule
rechinar to creak
red, f. net
redacción editing; editorial room
redactar to write up; to edit
redentor redeemer
redil sheepfold
redoma flask
redondel circle
redondo round; **caer —** to fall senseless
redrojo puny child
reducir to reduce; to subdue; **— a prisión** to clap in jail
reducto redoubt; inner fortification; fort
redundar to overflow, to become widespread; to bring
refajo skirt
refectorio refectory, convent dining hall
referir (ie, i) to refer; to tell
reflujo ebb (tide)
refrán, m. proverb
refregar (ie) to rub; to scrub
refrenar to restrain; to rein
refuerzo reinforcement
refulgir to shine
refundidor adapter
refundir to recast

refunfuñar to grumble
regadera watering can
regalada royal stable
regalado delicate; pleasing
regalicia *bot.* licorice
regaliz, m. *bot.* licorice
regañar to scold; to split; to quarrel
regar (ie) to irrigate
regata regatta
regate duck; dodge
regatear to be stingy with
regato stream; ditch; pool; creek
regatuelo pool; creek
regazo lap
regentar to direct; to preside over
regio regal
regir (i) to rule; to steer
registrador inspector
regocijar to rejoice
regocijo joy
regodearse to take delight
regordete chubby; plump
reguero trickle; stream
rehuir to avoid
rehusar to refuse
reidor laughing
reinado reign
reja grating; plowshare; **— volada**; grillwork which juts out from building
rejilla cane upholstery
relajar to relax; to slacken
relampagueante lightning-like; flashing
relato story, tale
relegar to assign to a lesser position
releje rut; track
relente night dew; drizzle
relevo neglect
relicario shrine
relincho neigh
reliquia relic
reló, var. of reloj clock
relumbre sparkle (from scrubbing); flash of bright light
relleno stuffing, padding
remachado riveting
remachar to rivet; to confirm
remansado static
remansar to back up (said of water); to dam up; to eddy; to mill about
remanso pool; backwater; tranquility
rematar to end; to fasten off (a stitch)

remate   end; top; **de —** hopeless(ly)

remedar   to imitate

remediador   remedial

remedo   imitation, copy

remejer   to knead; to fuse; to make sway

remendar (ie)   to mend, to patch

remendón   patch

remesa   shipment; remittance

remiso   remiss; slow

remitir   to remit; to let up; **—se** to defer

remo   oar; crossarm (of a mast)

remolino   whirlpool; throng

remonta   cavalry

remordimiento   remorse

remover (ue)   to remove; to stir

remozar   to rejuvenate

renacentismo   rebirth

Renacimiento   Renaissance

rendaje   set of reins

rendidamente   submissively; completely given over to

rendija   crack

rendimiento   yield

rendir (i)   to surrender; **— culto a** to pay cult to; **— viaje** to end a trip

renegar (ie) de   to deny; to curse; to deny vigorously

renegrido   black-and-blue; blackened

renglón   line

rengo   crippled

renguear   to hobble

reniego   curse

renombrado   renowned

renovado   renewed; different

reo   criminal

reojo: de —   askance; out of the corner of one's eye

reparo   bashfulness

repartir   to distribute

reparto   distribution; deal

repecho   short steep incline

¡repeine!   dear me!

repente: de —   suddenly

repentino   sudden

repercutir   to reëcho

repicar   to peal

repicotero   chatterbox

repique   peal, ring

repiquetear   to ring gayly; to clatter

replegado   withdrawn

repliegue   fold; crease; twisting

reponer   to reply; to restore; to rally; **—se** to recover one's composure

reportaje   reporting

repostería   confectionery; pastry shop

reprender   to reproach

reprensor   reproacher

represalia   reprisal, retaliation

representación   representation; dignity; standing

reprimir   to repress

repuesto   calmed down; spare amount

repugnar   to conflict with; to object to

repujado   repoussé; studded

repulgo   border; **— de los labios** scornful expression

requerir (ie, i)   to require; to request; to pick up; to check

res, *f.*   head of cattle; beast

resabio   aftertaste; vestige; bad habit

resaca   surf

resaltar   to stand out

resbaladizo   slippery

rescate   redemption; rescue

rescoldo   spark, ember

reseñar   to review

resguardar   to protect; to defend; to shield

residenciar   to call to account

resistir   to resist; to endure

resol   sun's glare

resoplar   to puff; to snort

resorte   resource; spring

respaldo   back

respecto: — a   regarding

respetuoso   respectful

responso   prayer for the dead

resquebrajar   to crack

resquicio   crack

restallante   cracking

restallar   to crackle; to crack

restante   remaining; remainder

restañar   to stanch

restinga   shoal, bar

restregar (ie)   to rub or scrub hard

restregón   hard rub

restringir   to restrict

resuelto a   determined to

resuello   breath; **de — cansado** wheezing; panting

retablo   retable; altarpiece; decorated panel

retador   challenging

retahila   string; series

retama   Spanish broom

retardar   to slow down

retazo   piece, remnant

retemblar (ie)   to quiver

retemplar to retune; to fortify

retenedor retaining

retintín jingle; ringing (in the ears); tone of re-proach

retinto dark chestnut

reto challenge

retocar to retouch; to give the finishing touches to

retoñar to sprout

retorcer (ue) to twist

retozar to frolic

retozón playful

retrasar to delay; to put off

retratar to portray

retrepado leaning backward

retribuir to pay for

retroceso retrocession, backing; going backward

retrotraer to date back

retumbar to resound

retumbo rumble

revancha revenge

revelar to reveal; *phot.* to develop

reventar (ie) to burst

reventón bursting; full blown

reverbero reflecting lamp

reverdecer to turn green again

revés, *m.* reverse; back; **volver del —** to turn inside out; **al —** in the opposite way

revestir (i) to don; to assume; **— de** to be in-vested with

revisor conductor

reviviscencia revival; living over again

revocar to revoke; to plaster

revoco plastering; stucco

revolar (ue) to flutter

revolcar(se) (ue) to wallow; to roll about

revolear to fly around

revolotear to flutter

revoltijo jumble

revoltoso riotous; rebellious

revolverse (ue) contra to turn and face

revuelta turn; curving trail

revuelto disordered; confused

rezagado lagging behind

rezagar to leave behind; to put off; to postpone

rezago residue

rezar to pray; to read

rezo prayer

rezonguear to buzz; to mumble

rezumante dripping; oozing

rezumar to ooze (moisture)

ría estuary

ribazo slope; embankment

ribete trimming

ribeteado irritated (eyes or eyelids)

ribetear to trim

ricachón vulgar rich person

rictus, *m.* convulsive grin

riel rail

rielar to twinkle; to reflect

rienda rein

riente laughing

rifa raffle

rifar to raffle; to quarrel

rigor rigor; **en —** as a matter of fact

rijoso lustful

rimador rhymer, poet

rimero heap

ringla row

riñón kidney

ripiar to pad

ripio verbiage

risada guffaw

risco cliff; crag

risible ludicrous

risotada boisterous laughter

risoteo guffaw

ristra string

rizado curly, curling

rizar to curl; to ripple

rizo curl; rippling; *naut.* reef point

rizón *Gal.* small stone anchor

roano roan (horse)

roble oak

roce contact; light touch

rociar to sprinkle; to spray

rocín nag

rocío dew

rocoso rocky

rodal spot

rodrigón vine prop

roer to gnaw

rollizo stocky

romance ballad

románico Romanesque

romanza romance

romería pilgrimage; crowd; gathering at a shrine on a saint's day

romero rosemary

romo flat-nosed

rompecabezas, *m.* puzzle; jigsaw puzzle

rompeolas, *m.* sea wall; breakwater

roncar to snore

ronco hoarse

ronda night patrol; serenade

rondalla   fable; serenade; serenaders

rondar   to walk around; to patrol by night; to prowl; to threaten; to fly around

ronronear   to purr

ronroneo   purr

ronzal   halter

roña   scab; moral infection; crust of filth

roñoso   filthy

ropaje   clothes

ropero   wardrobe; clothes chest; charitable organization for the distribution of old clothes

roqueda   rocky place

roquedo   rocky terrain

roquero   rocky; built on rock

rosado   rosy

rosal   rosebush

rosca   coil; **hacer la — a** to play up to

rosmar   *Gal.* murmur

roto   broken; ragged; *n.* hole

rótulo   label

rozagante   elegant; magnificent

rozar   to brush against; to touch lightly

rozón   grazing or rubbing against

rubial   reddish

rubicundez   ruddiness; blondness

rubio   blond; **tabaco —** American or English tobacco

rubor   blush; bashfulness

ruborizar(se)   to blush

rubricar   to seal; to certify to

rueca   spinning wheel

ruedo   round mat; bullring

rugiente   roaring

rugir   to roar; to howl

rugoso   wrinkled

ruin   mean; vile; treacherous

ruiseñor   nightingale

rumia   rumination; **revistas de —** digest magazines

rumiar   to ruminate; to chew over

rúnico   runic

runrún, *m.*   rumor; report

ruso   Russian; *Gal.* gray-haired

rústica: en —   paperback

rutilante   sparkling

Saba   Sheba

sábana   sheet

sabana   savanna, high grassy plain

saber   to know; to taste; **a —** namely

sabiduría   wisdom; learning

sabiendas: a —   fully aware

sabiondo   know-it-all

sablazo   sword slash

sable   saber

sabor   taste

saborear   to savor

sabroso   delicious

saca   large sack

sacar   to take out; **— de tino a** to confound

sacerdocio   priesthood

saciar   to satiate; to satisfy

saco   coat; **entrar a —** to enter violently

sacristán, *m.*   sexton

sacristana   sexton's wife

saeta   dart; arrow; song

sagacidad   sagacity, wisdom

sagaz   sagacious, wise; farsighted

sagrario   sacrarium; sacred place

sainete   farce

salado   salty; witty

salero   salt cellar

salir   to leave; to come out; to turn out; **— a** to take after; **—se con la suya** to have one's way

salitre   saltpeter

salmanticense   of Salamanca

salmodia   psalmody; monotonous chant

salmodiar   to chant; to sing psalms

salobre   brackish; salty by nature; of the sea

salón: — de respeto   parlor (only opened for special guests)

salpicar   to splash; to sprinkle

saltamonte   grasshopper

saltar   to jump; to skip; *naut.* to slacken

salteador   holdup man; burglar; **— de caminos** highwayman

salterio   psaltery, ancient stringed instrument

salto   jump; **— de cama** peignoir

saludable   healthy

saludador   quack, medicine man

salutífero   healthful

salvar   to save; to get around

salvedad   reservation; qualification

sanaor   pig gelder

sanción   sanction; act

sandez   foolishness; foolish statement or act

sandía   watermelon

sandio   foolish

sanear   to guarantee; to cleanse

sanguijuela   leech

sanguinario   cruel; bloodthirsty

santiguarse   to cross oneself

santiña, *dim. of* **santa**
santoral lives of saints; calendar of saints' days
saña rage
sañudo furious
sapiencia knowledge
sapo toad
saqué, *m.* jacket
saquear to sack, plunder
saqueo sacking
sarao soirée, evening party
sarmiento twig; vine shoot
sarna itch; mange
sarnoso mangy
sarta string
sartalejo small string of pearls
sartén, *f.* frying pan
sartenazo blow with a frying pan; hard blow
sastre tailor
satén *m.* sateen
sátira satire
sátiro satyr
sauce willow
saurio saurian, lizard
saúz, *m.* willow
savia sap
saya skirt; slip
sayal sackcloth; skirt
sazón season, time
seboso fat, greasy
secano dry land
secuaz, *m. & f.* partisan; follower
secuela sequel
sedante soothing
sede, *f.* headquarters; seat; *eccl.* see; headquarters
sedeño silky
sedicente so-called; style oneself as
sediento thirsty
sedosidad silkiness
segar (ie) to harvest; to cut off; to graze (on)
seguida continuation; **a —** followed by; **en —** immediately; **a — de** following; next to
según according to; as; that depends
segundón any son born after the first
seguro sure; safety lock
selva forest
sellar to seal; to stamp
sello stamp; seal
semanario weekly (publication)
sembradura sowing; sower; **— de vidrios** trouble making; placing broken glass on top of walls

semejar to resemble
sementera seeding; sown land
senda path
sendero path
sendos, *pl.* one for each
senectud old age
sensatez good sense
sensato sensible
sensibilización sensitization
sensible sensitive; having sensibility; easily moved
sensiblería sentimentality
sensitivo sensitive; capable of feeling
sentado seated; settled; **dar por —** to presume to be true
sentar (ie) to suit; to seat; **—se** to sit down; **— la cabeza** to calm down; **—le la mano a uno** to discipline
sentencia sentence; judgment
sentido sense; meaning; **sin —** unconscious; **quitar el —** to take one's breath away
sentina foul place; hotbed (of vice)
señalado distinguished; noted
señero solitary
señorear to master
señoril lordly; majestic
señorío dominion; majesty
señuelo decoy; lure
sepelio burial
septenario seven units or elements
septentrional northern
sepultar to bury
sepultura grave
sepulturero gravedigger
séquito retinue
ser to be; **a no — que** unless; **no sea que** lest
seráfico seraphic, angelic
serafín seraph, angel
sereno night watchman; serene
seriar to place in a series
seriedad seriousness, solemnity
serio serious; **en —** seriously
seroja dry leaves
serón hamper; crate
serpear to wind
serranía mountainous country
serrano mountaineer
sésamo sesame
sesentena sixty years
sesgo sloped; oblique; slant; turn
sesudo brainy; wise

seta   mushroom
sevicia   ferocity; great cruelty
sí   yes; indeed; oneself; **de por —**   separately; by oneself
sibarita, *m. & f.*   sybarite; voluptuary
sidéreo   sidereal, relating to the stars
siega   harvest
siempreviva   everlasting flower
sien, *f.*   temple
sierpe, *f.*   snake
sierra   mountain range
siervo   servant
sietecolores, *m.*   finch
sigilo   secret; concealment
sigiloso   silent; reserved; secretive
signo   sign; meaning
silabeante   buzzing
silbante   whistling; hissing
silbar   to whistle; to hiss
silbido   whistle
sílex, *m.*   silex, silica
silogístico   syllogistic, using deductive reasoning
silvestre   wild
sillar   ashlar, hewn or squared stone
sillería   set of chairs; stalls in a choir
sima   chasm; abyss
simbiosis, *f.*   symbiosis (*close association of organisms of different species*)
simiente, *f.*   seed; germ
sinfín   endless number
sino   fate; but; except
sinóptico   synoptical, affording a general view of a whole
sinsabor   unpleasantness; trouble
sintetizar   to synthesize
sinvergüenza   scoundrel
siquiera   at least; even
sisar   to pilfer
siseante   rustling
sitial   chair; seat
sitiar   to besiege
so   under; **— pena de** under penalty of
sobado   worn
sobar   to knead; to rummage through
soberbia   pride; haughtiness
sobornar   to bribe; to be taken in
sobra   extra; **de —** more than enough
sobrealiento   hard breathing
sobrecargar   to overload; to overcharge
sobrecoger   to surprise; to seize; to scare
sobrehaz, *f.*   surface

sobremanera   exceedingly
sobremesa: de —   at table after eating
sobrenadar   to float
sobrentendido   implicit things
sobreparto   indisposition after childbirth
sobrepelliz   *eccl.* surplice
sobreponer   to superimpose; **—se** to win over; to overcome
sobrepujar   to exceed
sobresaliente   outstanding; excellent
sobresalto   fear
sobre-vida   afterlife
socaire   *naut.* lee
socarrón   sly, cunning
socarronería   cunning
socavar   to undermine
socavón   cavern; hole
socio   member; partner
soez   mean; vile
sofión   snort; harsh refusal
sofisma, *m.*   sophism, fallacy
sofocado   stifled, smothered
sofocar   to suffocate; to get out of breath; to choke; to bother
sofoco   embarrassment
soga   rope
solana   sunny spot; sunporch
solapado   cunning; hiding something
solar   ancestral; *n.* ancestral mansion; noble lineage
solariego   ancestral
solazar   to solace; to console
soldadesca   soldiery
solear   to sun
solecismo   solecism (*a construction violating the idiom of a language*)
solejar   sunny place
solera   tradition
solería   flooring material
solfa   musical notation
soliviantar   to incite; to arouse
solterona   old maid
sollamar   to scorch
sollozar   to sob
sombrear   to shade
sombrerería   hat shop
sombrero   hat; **— de copa** top hat; **— humo de tubo** stovepipe hat
sombroso   shady
somero   light; superficial
son, *m.*   sound

sonada: hacer una — to cause a scandal
sonámbulo somnambulist, sleepwalker
sonar (ue) to sound; to ring; **—se** to blow one's nose
sondeo sounding, probing
sonriente smiling
sonrosar to blush; to become rosy
soñoliento drowsy; lazy
sopa soup; **ponerse como una —** to get soaking wet
sopetón: de — suddenly
soplamocos, *m.* box or slap on the nose
soplar to blow; to extinguish; to whisper
soplillo fan; bellows
soplo tip
sordina *mus.* mute; restraint
sordo deaf; dull
sorna deliberate slowness
sororal sisterly
sosegar (i) to calm; to become calm; to be calm
sosiego peace, calm
soslayar to place obliquely; **— la mirada** to take a side glance
soslayo: de — obliquely; askance
soso insipid; dull
sospecha suspicion
sostén, *m.* support
sotana cassock
sotavento leeward; **a —** to leeward
soterraño subterranean
soterrar (ie) to bury; to hide away
soto thicket; grove
soturno saturnine; gloomy
suasorio persuasive
subalterno subordinate
subastar to auction
subdiácono subdeacon
subir to climb; to rise; to bring up; **—se** to raise; to hitch up
sublimado sublimate (poison)
subrayar to underline
subsanar to correct
subsumir to subsume, include (under)
subvenir to provide
succionar to suck; to draw on (pipe)
sucedido happening
sucio dirty
suco juice
suculento succulent; wholesome
sucursal, *f.* branch
sudar to sweat

sudario shroud
sudor sweat
suelto loose; news item
suerte, *f.* luck; fate; **de esta —** thus; **toda — de** all kinds of
sugerir (ie, i) to suggest
Suiza Switzerland
suizo Swiss
sujetador fastener; clip
sujetar to subject; to hold
sumar to add
sumario summary; brief; cursory; indictment
sumir to press down; to sink; to shrink
sumiso submissive
sumo: a lo — at most
suntuario luxurious
supeditarse to be subjected
superación surpassing; excelling
superar to surpass; to conquer
superchería fraud
superno supreme
superpatinar to skate along very fast
supervivencia survival
superviviente survivor
suplicio torture
suplir to supply; to substitute
supradicho abovementioned
suprimir to suppress
supuesto assumption; supposition
surcar to plow; to move through
surco groove; furrow
surtidor spout; fountain
surtir to supply; to spout
suscitar to provoke; to cause
susodicho abovementioned
suspenso suspension; failure
suspicacia suspicion
sustantivo substantive, noun
sustraer to withdraw; **—se a** to get away from
susurro murmur; humming
sutura suture; stitching
suyo: de — in itself; naturally

tabacoso tobacco-stained
tábano horsefly
tabarra boring speech
tabernario (pertaining to) tavern; vulgar
tabique thin wall; partition
tablero chessboard; board; slab
tácito tacit; silent

taco   oath; billiard cue

tacón   heel; stump

taconeo   clicking or tapping of heels

tachar   to strike out; to find fault with

tafetán, *m.*   plaster

tafurería   gambling den

tahona   bakery; horse-driven flour mill

tajante   cutting; clear cut

tajo   steep cliff; slash

tal   such, such a; **— cual** just as

taladrar   to pierce

talán   ding-dong

talanquera   picket fence

talante   pleasure; will; desire; mode; mood

talar   to hew; to destroy; to prune

talaverano   from Talavera (*city in central Spain*)

talentudo   talented

talmente   thus; in the same manner

talón   heel

talud, *m.*   slope

talla   height; cut; carving; stature; engraving

tallar   to carve

talle   waist; figure

taller   shop; workshop; studio

tallo   stem, stalk

tambalear   to stagger; to sway

tambor   drum

tamboril   small drum

tamborilear   to drum

tamizar   to sift; to filter; to screen

tantear   to test; to feel out; to size up

tanteo   trial

tanto   so much; **en —** (**que**) while; **un —** somewhat; **por —** therefore; **otro —** the same thing; **no ser para —** to be not so bad; to be not so serious

tañer   to play; to sound; to strum

tapa   lid

tapabocas, *m.*   muffler

tapadera   cover up

tapia   wall

tapial   wall

tapiar   to wall in

tapiz, *m.*   tapestry

taponazo   pop (of a cork)

tapujo   pretext; subterfuge

taquilla   box office

taquillera   ticket girl

tarabilla   millclapper

taracear   to inlay

tarambana, *m. and f.*   crackpot; giddy person

tarde   late; *f.* afternoon; **muy de — en —** just once in a while; very infrequently

tardío   late; *pl.* late crops

tardo   slow

tarea   task

tarraconense   native of Tarragona (*city in northeastern Spain*)

tarro   jar

tártago   anxiety

tartajear   to stutter

tartamudez   stammering

tartana   two-wheeled carriage

tártaro   Tartarus, hell

tasajo   strip of meat

taurino   pertaining to bulls and bullfighting

taxativo   limitative; rigorous

taza   cup

tea   torch

teatralizar   to make theatrical

tecla   key

teclado   keyboard

tectónica   tectonics; structure

tejado   roof

tejar   tile factory

tejer   to weave; to clasp

tejido   weave; texture

tela   cloth; fabric; tissue; membrane

telar   loom

telón   curtain

templeteo   quivering

temblón   tremulous, shaking

temblor   tremor

temerario   rash

tempero   mellowness of soil

templado   moderate; lukewarm

templar   to adjust; to tune

temple   temper; hardness; weather; disposition

temporada   period; season

temporal   temporal; *n.* storm

tenazas, *pl.*   pincers

tenebroso   dark, gloomy

tenedor   fork

tener (**ie**)   to have; **— por** to consider; **— de** to have to

teniente   lieutenant

tenoriesco   Don Juan-like; philandering

tenorio   Don Juan; lady-killer

tenso   tense; right; firm

tentar (**ie**)   to tempt; to grope

teñido   dyed (hair)

teñir (**i**)   to stain; to dye; to tint

teorema, *m.*   theorem
teratológico   teratological, monstrous, malformed
terciana   tertian, intermittent fever
terciar   to sling; **—se** to wrap around
tercio   corps; troop
terciopelo   velvet
tergiversar   to twist (facts, statements)
terminacho   highfalutin term
terminante   final; definitive
término   end; limit; *theat.* **primer —** stage front; **segundo —** stage center
terne   bully
terneza   tenderness
terquedad   stubbornness
terral   land breeze
terreno   earthly; *n.* terrain
terrón   clod; small plot of ground
terroso   earthly; earthy; dirty
terruñero   of the soil
terruño   piece of ground; soil; native soil
terso   smooth; glossy
tersura   smoothness; polish
tertulia   social gathering; conversation; party
tesón   grit; tenacity
testa   head
testero   front; side; extreme; wall
testimoniar   to attest
teta   teat, breast; nipple
tetera   teakettle; teapot
tétrico   gloomy
texto   text; quotation; name
tez, *f.*   skin; complexion
tía   aunt; old lady; old woman; wench
tibieza   lukewarmness; warmth
tibio   tepid, lukewarm
tiburón   shark
tiempo   time; weather; **de — en —** from time to time
tientas: a —   groping
tieso   stiff
tiesto   flower pot
tiesura   stiffness
tijera   scissor; pincer
tildar   to brand; to criticize; **— de** to accuse of being
timbre   timbre; sign; bell
timo   trick; theft; lie
timón   rudder
tina   tub
tinaja   large earthen jar
tinglado   shed; trick

tiniebla   darkness; *pl.* shadows
tino   judgment; skill; knack; wisdom
tinta   ink; hue
tinte   dye; coloring
tintero   inkwell
tintinear   to clink
tintineo   clinking
tinto   red (wine)
tiñoso   scabby; mangy
tío   uncle; fellow; guy
tíovivo   merry-go-round
tiple, *m. & f.*   soprano
tira   strip
tirada   edition; tirade; **— aparte** reprint
tirador   sharpshooter
tirante   suspender
tirantez   tautness; strain
tirar   to throw; to shoot; to get along; **— de** to pull; **— a +** *inf.* to tend to; to aspire
tirilla   comic strip
tiritar   to shiver
tirón   tug; **de un —** at one stroke
tisú, *m.*   gold or silver tissue
títere   puppet
titilar   to quiver
titilear   to twinkle
titiritero   puppeteer; acrobat
titular   headline; incumbent
título   title; headline
tizón   brand (partly burned piece of wood)
tizona   sword
toalla   towel
tobillo   ankle
toca   hood; headdress; bonnet
tocado   headdress; hairdo
tocino   bacon
toisón   Golden Fleece
toldo   awning; cloth covering a cart
tolla   soggy marsh
¡toma!   indeed!
tomadura: — de pelo   leg pulling, joke
tomatera   tomato plant
tomatero   young
tomavistas, *m.*   camera
tomillar   patch of thyme
tomillo   thyme
tomiza   esparto rope
tonada   melody; song; air
tonalidad   tonality, key
tonante   thundering
tonsura   tonsure

tontaina   foolish; fool
topar   to meet; to run across
tope   top; check; stop
topetazo   butting (against)
toque   peal; touch
toquilla   triangular kerchief; knitted shawl
torbellino   whirlpool; whirlwind; avalanche
torcedor   twister; disappointment; worry
torcida   wick
torera: saltarse a la —   not to take into account
torerillo, *dim. of* **torero**   bullfighter
tormenta   storm
tormo   boulder
tornadizo   changeable
tornasol   changing reflection
tornavuelta   turning back
tornear   to turn; to curve
tornillo   screw
torno   spinning wheel; lathe; revolving server (for passing something through a wall); **en — de** about; around
toronja   grapefruit
torrar   to toast
torrentera   ravine; bed of a torrent
torreón   turret
torrezno   piece of fried bacon
torta   pancake
tortilla   omelet
tórtola   turtledove
tortuga   tortoise
torvo   fierce
tosco   rough
toser   to cough
tozudo   stubborn
traba   bond; obstacle
trabajado   overworked; worn out
trabajoso   laborious
trabar   to join; to lock; to fasten; to fetter
trabazón   bond
trabucaire   bandit
tráfago   traffic; business affair
trafagoso   tiring; fatiguing
traficante   dealer, merchant; farmer who sells produce
tragar   to swallow
traguete   little snort
traicionero   treacherous
trajear   to clothe; to costume
trajinar   to bustle about
tramar   to plot
tramitación   transaction; procedure

trámite   step
tramo   stretch; passage
tramoya   scheme; stage machinery
trampa   trick
tramposo   cheat, swindler
tranca   crossbar
trance   critical moment; **en — de** in the act of; on the point of
transcurrir   to pass
transeúnte   transitory; passerby
transido   overcome
transigencia   compromise
transigir   to compromise
transir   to consume
transitar   to travel; **— por** to pass through
tránsito   transit, passing; dying
trapero   ragpicker; ragdealer
traqueteo   clacking
trasbordar   to transfer; to change trains
trascender (ie)   to extend; to emit a pleasant odor; to transcend
trasegar (ie)   to turn topsy-turvy
trasero   rear
trasfundir   to transfuse; to spread
trasgo   goblin
trashumante   nomadic
trasiego   decanting
trasladar   to transcribe
traslucir   to be translucent; to be evident
trasluz, *m.*   reflected light; **al —** against the light
trasmontar   to sink behind
trasmuro   back alley
trasnochado   stale
traspapelamiento   mislaying (among one's papers)
trasparentar   to show through
traspasar   to pierce
traspaso   subleasing
traspié, *m.*   slip; stumble
trasquilar   to shear, to trim
trasto   utensil; piece of junk
trastornar   to disturb; to turn upside down
trastorno   disturbance
tratado   treatise
tratamiento   treatment; **dar — a una persona** to use a person's title
trato   treatment; behavior
través, *m.*   bend; **a** or **al — de** through; across **de —** sidewise
travesía   crossing
travesura   mischief

travieso mischievous
trayecto journey
traza appearance
trebejo tool
trecho stretch; **a —s** at intervals
tregua truce
tremebundo frightful
trenza braid; tress
trenzar to braid; to combine
trepanar to trepan, perforate the skull to relieve brain pressure
trepar to climb
tresnal shock, stack
triaca remedy; cure
tribuna rostrum; church gallery
tribunicio of the tribunal (dignified or solemn)
tridente trident, three-pronged spear
triduo trio; religious devotion lasting three days
trigal wheat field
trilla threshing
trillado trite
trillar to thresh
trillo threshing machine
trinar to trill; to get angry
trincar to tie the hands
trinchera trench; trench coat
trincherado deep-cut
trineo sleigh
trino trill
tripa gut; **hacer de —s corazón** to pluck up heart
tríptico triptych (*a picture or carving in three panels side by side*)
tripudo pot-bellied
tripular to man
triquiñuela subterfuge
triscador frisky
triscar to romp
triturar to bruise; to pulverize
triza shred; **hacer —s** to smash to pieces
trocar (ue) to change; to exchange
trocha trail; short cut
troche: a — y moche helter-skelter; nonsensically
troje, *f.* granary, barn
trompo top
tronada thunderstorm
tronado broke
tronar (ue) to thunder
troncar to cut off
tronchar to break off forcibly; to shatter; to split

tronío liberality
tropa troop; **— menuda** small fry
tropel rush; jumble; **en —** in a mad rush
tropo trope, figure of speech
trovar to compose poetry
trovero songster; poet
truco trick
trucha trout
trueno thunder
trueque exchange; **a — de** at the risk of
trunco truncated; unfinished
tubérculo tuber, tubercle
tudesco German
tuerto one-eyed
tuétano marrow
tulipán tulip
tullido crippled
tumbar to lie down
tumbo fall, tumble; rumble; breaking of waves; violent shaking
tumefacto swollen
túmulo tomb; catafalque; mound; grave raised from the earth
tunanta crook; rascal
tunda beating
tundir to beat; to thrash
tuntún: al buen — haphazardly
tupido thick
turba mob
turbación confusion
turbio turbid; confused; cloudy
turbión, *m.* violent squall
turgente turgid; fleshy; swollen; protuberant
turgir to swell
turqués, *var. of* **turquesa** turquoise
turrar to toast; to struggle
turulato dumbfounded
tururú, *m.* noise
tutela tutelage; protection
tutelar guardian

ubérrimo most abundant
ubicuidad ubiquity, being everywhere
ubicuo ubiquitous
ubre, *f.* udder
ufanarse to be proud
ultrajar to outrage; to insult
ultraje outrage
ultramarino overseas
ultratumba beyond the grave

ululante howling
umbral threshold
umbría shade; shady spot
umbroso shady; shadowy
uncir to yoke
undoso wavy
ungir to anoint
unipersonal personal; unipersonal
unto grease, lard
untuoso unctuous; greasy; sticky
uña nail
urbe, *f.* city
urdimbre, *f.* web
urdir to scheme; to plot
urna urn
urraca magpie
usanza manner; custom
ustorio burning
usufructo use; usufruct
usufructuario usufructuary, one who enjoys the fruits of
usurario usurious; excessive
utilitarista utilitarian
uva grape

vacada drove of cows
vaciado cast
vaciar to empty; to cast; to mold
vacilante hesitant; halting
vadear to make through
vado ford; let up
vagabundear to wander
vagar to wander
vagoroso indecisive; ghost-like
vaguear to wander
vahido dizziness; fainting spell
vaho steam; breath
vaina sheath
vaivén, *m.* seasaw; unsteadiness; swaying motion
vajilla set of dishes
valentía valor
valer to be worth; **—se de** to make use of
valía value, worth
validez validity
valimiento favor (at court)
valoración evaluation
vals, *m.* waltz
válvula valve
vallado fence
vanidoso vain

vano vain; *n.* empty space
vara rod; stock; wand; measure: 2.8 ft.
varal long pole
varonil manly; masculine
vasar kitchen shelf
vasco Basque
vaticinar to predict
vaticinio prophecy
vaya joking
vecino neighbor; inhabitant
vedar to forbid
vega meadow; flat lowland
vejación vexation
vejancón *aug. of* **viejo**
vejestorio shrivelled old person
vejete foolish old man
vela candle; wakefulness; vigil
velada evening; vigil
velatorio wake (beside corpse)
veleidad caprice; whimsicalness
veleta weathervane
velo veil
vello hair; body hair
vellón coin of small denomination; fleece
velludo hairy; shaggy; *n.* shag; velvet; **velludito de humedad** heavy with humidity
venal venal; what can be bought or bribed
vencejo swift (*bird*)
venda bandage
vendaje bandage
vendar to bandage
vendaval strong sea wind; storm
vendimia vintage; grape harvest
vendimiador vintager
veneno poison
vengar to avenge
venia permission
venidero coming; future
venir to come; **— tan a menos** to come down so
venta sale; roadside inn
ventanal large window
ventear to sniff
ventolera caprice
ventorro wretched little inn
venturoso fortunate; happy
ver to see; **tener que — con** to have to do with; **— de** to try to
veraneante summer vacationer
veraneo summering
veraniego summer
verbo verb; word

verdeante greenish
verdipardo greenish-brown
verdor greenness
verdugo executioner
vereda path
vergel garden
vericueto rough uneven ground
verificarse to be verified; to take place
verismo spirit of truth; truth; credibility
verja grating
verme worm
vermú, *var. of* **vermut** *m.* vermouth
veronal veronal, a barbiturate
verónica veronica, a herbaceous plant used as a tonic and sudorific; bullfighting pass
versar to be about; to deal with; **— en** to be versed in
vertedero dumping ground
verter (**se**) (**ie**) to pour (out); to shed
vertiente, *m. & f.* slope; side
vértigo dizziness; fit of madness
vespertino evening
vestal, *f.* vestal; sacred fire
veste, *f.* dress, clothing
vestidura clothing
vestimenta clothes
veta vein; stripe; ribbon
vetusto old
vez time; **a su —** in his turn; **en — de** instead of; **de una —** once and for all
viable viable; feasible
viajata journey
vial lane
víbora viper; snake
víctor, *var. of* **vítor** hurrah! long live!
vid, *f.* grapevine
videncia clear-sightedness
vidente seeing; prophetic
vidriada crockery
vidriera glass case
vientre belly
viga beam
vigencia what is in effect; in force
vigente effective, in force
vigía, *m.* lookout
vigilia vigil; lucidity
vil vile; base; infamous
vilano thistle burr or down
vileza vileness; infamy
villa town
villano rustic, peasant

vinculación bond; tie
vincular to bind together
vinculero landed gentleman
vínculo union; tie
vinillo, *dim. of* **vino** weak wine
vino wine; **— de Jerez** sherry
viña vineyard
viñal vineyard
viñedo vineyard
viñeta vignette; blurb; sketch
violado violet
virar to veer
virgo maidenhead
viruela smallpox
visera visor
visillo window shade
vislumbrar to glimpse
vislumbre glimpse
viso sheen; gleam; streak; appearance
víspera evening or day before; **—** *pl., eccl.* vespers
vistoso showy, flashy
vitalicio lasting a lifetime
vitola appearance
vítor hurrah!
vítreo glassy
vitrina showcase; glass container
vitualla victuals, food
viveza liveliness
vividescente living thing
vivienda dwelling
vivíparo producing live young
vocablo word; term
vocado inclined toward
vocear to hawk
vocerío shouting; clamor
vocero spokesman
vocinglero shouting; loud
voladizo projecting
volandas: en — in the air
volandero unforeseen; casual; fluttering; fleeting
volante flying; flounce; steering wheel
volatilizar to make fade away; to volatilize; to disappear
volcar (**ue**) to upset; to knock over
volente having will or desire
volteriano Voltairian
voluta volute, spiral scroll-shaped ornament
vorágine, *f.* whirlpool
voto vote; vow; **hacer —s** to wish; to hope
voz, *f.* word; voice; **dar —** to shout

vuelta   return; turn; change
vulgo   common people

xenofobia   xenophobia, hatred of foreigners

ya   already; now; — **que** since; —...—...
some ... some ...
yacente   recumbent; immediate; present; exterior
yacer   to lie
yacimiento   deposit
yanqui, *m. & f.*   Yankee, American
yantar   food; meal; to eat
yedra   ivy
yema   yolk; core of a thing; — **del dedo** fleshy
tip of finger
yerba   grass; herb
yerbabuena   mint
yergue, *see* **erguir**
yerma   desert
yermo   wasteland, desert; deserted
yerno   son-in-law
yerra, *see* **errar**
yerro   error
yerto   stiff, rigid
yesca   tinder; punk
yeso   gypsum, plaster
yezgo   dwarf elder
yodo   iodine
yodoformo   iodoform
yugo   yoke
yunque   anvil
yunta   yoke (of animals)
yute   jute

zafio   rough; uncouth; coarse
zafra   oil can; drip jar
zaga   rear
zagala   lass; shepherdess

zaguán, *m.*   vestibule
zaguero   laggard
zaherir (**ie, i**)   to censure
zahorí, *m.*   soothsayer
zalamería   flattery
zalema   salaam
zambullir(se)   to hide; to become drowned out;
to dive into; to plunge
zampoña   rustic flute
zanahoria   carrot
zángano   drone
zanja   gully, ditch
zanquilargo   long-legged
zapatero   shoemaker
zapateta   slap on the foot while jumping
zapatilla   slipper; — **de orillo** woolen slipper
zarandajas, *pl.*   odds and ends; trifles
zarandear   to shake a person; to toil; to drudge
zaratán, *m.*   cancer of the breast
zarpa   paw; print
zarza   blackberry; bramble
zarzamora   blackberry
zarzuela   vaudeville with alternating music and
dialog; musical comedy
zascandilear   to meddle
zebada, *see* **cebada**
zócalo   baseboard
zorra   fox
zozobra   anxiety
zueco   wooden shoe
zumar   to spill juice (on)
zumaya   tawny owl
zumba   fun; joke
zumbar   to buzz; to hum; to throb; to beat
zumbido   hum; buzz
zumbo   hum
zumo   juice
zurcir   to darn
zurdo   left-handed; awkward
zurrapa   sediment; trash
zurrar   to beat